1 MONTH OF
FREE
READING

at

www.ForgottenBooks.com

By purchasing this book you are eligible for one month membership to ForgottenBooks.com, giving you unlimited access to our entire collection of over 700,000 titles via our web site and mobile apps.

To claim your free month visit:
www.forgottenbooks.com/free355494

ISBN 978-0-483-15785-9
PIBN 10355494

Schweizerische Gesellschaft für Volkskunde.
Société Suisse des Traditions Populaires.

Schweizerisches
Archiv für Volkskunde.

Vierteljahrsschrift
unter Mitwirkung des Vorstandes herausgegeben

von

Ed. Hoffmann-Krayer.

Dritter Jahrgang.
Mit 9 Illustrationen im Text und 3 Tafeln

ZÜRICH
Druck von Emil Cotti's Wwe.

2521 11·16

Seven fund

INHALT.

Inhalt.

Schweizerische Gesellschaft für Volkskunde.
Société Suisse des Traditions Populaires.

hweizerisches

v für Volkskunde.

Vierteljahrsschrift

unter Mitwirkung des Vorstandes herausgegeben

von

Ed. Hoffmann-Krayer.

Dritter Jahrgang. Heft 1.

INHALT.

Der Umfang des Jahrganges ist auf 20 Bogen festgesetzt.

Der Abonnementspreis beträgt für Mitglieder Fr. 4.—, für Nichtmitglieder Fr. 8.— ; für das Ausland kommt der entsprechende Portozuschlag hinzu.

Beiträge für die Zeitschrift, Beitrittserklärungen, Büchersendungen sind zu richten an den Redaktor Herrn Dr. *E. Hoffmann-Krayer*, Freiestrasse 88, Zürich V.

Geldsendungen an
Herrn *E. Richard*, Börse, Zürich I.

Translationen in der Schweiz.

Von E. A. Stückelberg.

Allgemeines über die Herkunft der schweizerischen Kulte. — Die Reliquienbewegung innerhalb der Schweiz. — Reliquieneinführungen. — Reliquienausführungen. — Translationsfeste.

> Salvete flores martyrum
> In lucis ipso limine!
> Quos saevus ensis messuit,
> Ceu turbo nascentes rosas.
> Prudentius

Wo die Urkunden schweigen, können die Reliquien reden, so möchte man am liebsten die Ergebnisse genauerer Forschung auf diesem Gebiete der christlichen Hagiologie zusammenfassen.

In der That, wer das beinahe unbebaute Feld der Reliquienkunde und der Translationen begangen hat, der allein wird beurteilen können, wieviel wissenschaftliche Ergebnisse sich hieraus für politische, für Kirchen-, für Kulturgeschichte, für Genealogie und für Volkskunde ergeben. Freilich bedarf es eines Menschenlebens, um nur die Reliquienkunde einer einzigen Diœzese zu buchen, um nur alle Patronate eines kleinen Ländchens zusammenzustellen; so bleibt die Arbeit eines Einzelnen, wenn auch nach langjährigem und liebevollem Suchen nur Stückwerk. Als solches möchte der Verfasser die nachfolgenden Notizen aufgefasst wissen. Er ist auf seinen Ausflügen dem unscheinbarsten Kirchlein, Kapellchen oder Bildstöcklein nachgegangen; er hat auf den Altären und in den Sakristeien die Reliquien aufgezeichnet, und wo dies nicht angieng, nach den Vornamen der Umwohner gefragt. [1]) War zur Zeit

---

[1]) Diese Methode, von den üblichsten Taufnamen auf die wichtigsten Kulte zu schliessen, ist teilweise auch in protestantischen Gegenden zulässig, man denke nur an die Verbreitung des Namens Regula im Zürichbiet. Aus katholischen Gegenden nur ein Beispiel: der wandernde Hagiologe hört in einem Dorf den Namen „Lunzentoni“ nennen. Es sagt sich, hier existiert der alte ländliche Kult des h. Antonius (Eremite, Magnus Abbas), des Toni, des Viehpatrons; es gibt in diesem Dorf mehrere Toni's, denn der unsrige wird unterschieden als der Sohn des Lunz, d. h. des

1

kein lebendes Wesen zu finden, so zeigten ihm die Aufschriften des Friedhofes oder der Votivtäfelchen, nach welchem oder nach welchen Heiligen die Anwohner ihre Kinder nennen.

So wandert der Reliquienforscher von Dorf zu Dorf, und geht nie leer aus; das armseligste Kirchlein oder Heiligenhäuschen, das kein architektonisches, plastisches oder gemaltes Monument irgend welcher Bedeutung besitzt, gewinnt Interesse für den Hagiologen, wenn er dem hier geübten Kult nachgeht. Die Invokationen aber, die sich als Vornamen, als Patronate von Gotteshäusern, von Bruderschaften, Zünften, ja etwa auch von Wirtshäusern erhalten haben, gehen in der Regel auf Reliquien zurück, die sich an dem betreffenden Ort befunden haben oder noch befinden. Die Herkunft dieser Heiligtümer zu erforschen, ist die Hauptaufgabe des Reliquienforschers. Hat er einmal das Kultzentrum eines Heiligen entdeckt, sowie die wichtigsten Etappen der Reliquienübertragungen in politischer, kirchlicher, kriegerischer oder verkehrlicher Beziehung, so ist er im Stande, eine Karte der Ausbreitung des betreffenden Kultus zu entwerfen, in der er mit den Jahrzahlen die Etappen und letzten Ausläufer desselben einzeichnet. Endziel dieser Einzelkarten wäre dann eine Topographie der schweizerischen Kulte, ein Werk von höchstem Wert für die Hagiographie. Mit Hilfe von Trouillats, Nüschelers und Dellions Vorarbeiten liesse sich eine solche Topographie der Heiligen im Rohen bereits skizzieren; für die genauere Ausarbeitung aber wäre man durchaus auf die Mitwirkung der hochw. Diözesanbehörden und aller Pfarreien angewiesen.

Die Namen der in einer Gegend vorherrschenden Patrone sind für alle Zweige der historischen Wissenschaft äusserst wichtig, denn sie bezeichnen uns den Weg der vergangenen Kulturströmungen.

Wo seit alter Zeit Sankt Michael verehrt wird, da erkennen wir, dass hier die neubekehrten Barbaren dem Erzengel, der in den Höhen — auf Bergen und Türmen — gegen Wuotan kämpft,

Leontius M Letzteres ist in unserm Land eine Invokation des XVII. Jahrhunderts. Der Forscher betritt nachher die Kirche des Ortes und findet einen Altar des — h. Antonius und Reliquien des Katakombenheiligen Leontius

Anregungen zu Vornamenstudien hat G. Steinhausen in der Zeitschrift für den deutschen Unterricht VII 616 ff. gegeben; die Ableitung von den Schutzpatronen betont besonders Makel a. a. O VIII 483.

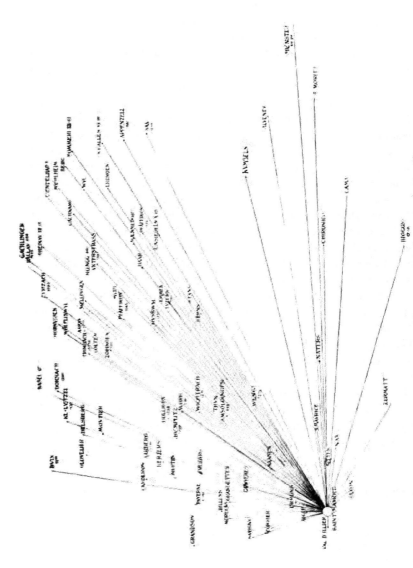

Die Ausbreitung des Mauritiuskultes von Saint-Maurice.

als „coeli princeps militiæ" [1]) ein Heiligtum errichtet haben.
Wo frühe schon neben einer (Marien-) Pfarrkirche eine (Johannis-)
Taufkirche auftritt, da sehen wir, dass nach altem Brauch die
Immersionstaufe in gesondertem Tempel vollzogen ward. Wo
der heilige Bischof Martin verehrt wird, da erkennen wir die
Spuren der fränkischen Herrschaft, die sich einst über unser
Land ausdehnte. Die Einführung oberitalischer und tirolischer
Kulte in Graubünden beweist die Sonderstellung dieses romanischen Landes im ersten Jahrtausend christlicher Zeitrechnung.
Fürsten und Dynastien hegen ihre Lieblingskulte: König Heinrich I
widmet den hh. Lorenz, Georg und Adrian besondere Verehrung, weil sie in der Wendenschlacht geholfen; Kaiser Otto I
verbreitet die Verehrung des Laurentiuskultes, ebenfalls wegen
eines Siegs, und Kaiser Heinrich II wählt den h. Benedikt zu
seinem besondern Patron. [2]) Der einst verkehrsreiche Rhein,
die sog. Pfaffenstrasse, hat in der Geschichte der Reliquien zur
Folge gehabt, dass kölnische Kulte nach Basel und Schaffhausen,
säckingische rheinauf- und abwärts gelangten. Die Verehrung
des Kaisers Karl IV für den heiligen Burgunderkönig Sigismund
ward die Ursache, dass unter dem Namen Sigismund der dritte
Luxemburger den deutschen Thron bestieg. Das Geschlecht der
Herrn von Hasenburg scheint den Kult der hh. Gangulf und
Alban in der West- und Mittelschweiz gefördert zu haben. [3])
Wenn uns die Verbreitung des Theodulskultes aus dem Wallis
nach Bern und Unterwalden den Verkehr über die Alpen belegt, so bezeichnet die Ausbreitung des Felix- und Regulakultes
die Erweiterung zürcherischen, und die Ausbreitung des Beaten-
kults, die Vergrösserung bernischen Machtbereiches. Sankt
Cyrill wird besonders seit dem siegreichen Tag von Sempach
gefeiert. Den heiligen Quirin lernten die Schweizer zu Neuss,
den h. Aper die Luzerner in Lothringen, vor Nancy, kennen;
den Zehntausendrittertag und die Erbeutung burgundischer
Reliquien zu Grandson nenne ich, als bekannt, nur bei-

---

[1]) MONE III, 1 vs. 50.

[2]) Der Kaiser liess denselben neben Christus und den Erzengeln
auf seiner dem Basler Münster gestifteten Altartafel (jetzt in Paris) ab-
bilden.

[3]) Gütige Mitteilung von Herrn Dr. Th. v. Liebenau; auch die
Einsichtnahme in die Luzerner Reliquien betreffenden Dokumente verdanke ich dem liebenswürdigen Entgegenkommen dieses unseres hoch-
verehrten Mitgliedes.

läufig. Sind die Einführungen dieser Kulte bei uns Zeugen
der Burgunderkriege, und die Flüchtungen von Reliquien für
den Bildersturm und die Glaubenskriege, so mehren sich die
Belege noch für die zahllosen Beziehungen der katholischen
Schweizer zu Italien, speziell zum päpstlichen Stuhl. Nicht
mehr Partikeln oder einzelne Reliquien, nein, ganze Leiber
von Heiligen kommen von nun an über die Alpen in die Schweiz;
nicht nur jedes Jahrzehnt, sondern sozusagen jedes Jahr bringt
ein oder mehrere kostbare Leichen von Glaubenszeugen, sog.
Katakombenheiligen, in unser Land. Noch in unserm Jahrhundert sind infolge der in päpstlichen Diensten stehenden
Schweizer römische Reliquien zu uns gekommen.

Unter translatio reliquiarum oder Translation versteht
man im technischen Sinn des Worts die Uebertragung eines
der letzten Ruhe bereits übergebenen, richtig begrabenen Körpers
von dem bisherigen Depositionsort nach einer weitern Ruhestätte.
Eine Translation kann eine Dislozierung der Leiche um einige
Fuss oder um einige Tage- oder Monatsreisen bedeuten; desgleichen kann die Translation die Uebertragung eines ganzen
Körpers oder eines Teils desselben bezeichnen.

Die Erlaubnis zu solchen Uebertragungen wurde in der
römischen Kaiserzeit nur, wenn wichtige und dringende Gründe
vorlagen, erteilt; seit Theodosius I. (386) bedurfte es jeweilen
spezieller kaiserlicher Bewilligung dazu. Im Occident blieben
auch vorerst nach alter Tradition die Reliquienübertragungen
sehr selten, ja in Rom fanden bis ins VIII. Jahrhundert keine
Translationen statt.[1] Im Osten dagegen waren sie in jener Zeit
bereits zur Sitte und Gewohnheit geworden.

Die ältesten sicher beglaubigten Translationen sind folgende :

356	Reliquien des h. Timotheus aus Ephesus nach Konstantinopel.	
357	„ der hh. Andreas und Lukas aus Achaia nach Konstantinopel.	
362	„ des h. Babylas aus Daphnis nach Antiochia	
375	„ des h. Dionys aus Kappadokien nach Mailand.	
386	„ der hh. Gervasius und Protasius nach der Ambrosiuskirche in Mailand.	

[1] Kraus, Realenzyklopædie II 913—915

Translationen in der Schweiz.

393		Reliquien der hh. Vitalis und Agricola vom jüdischen Friedhof in die Kirche zu Bologna.
Ende d. IV. Jb.	„	der hh. Terentius und Africanus nach Konstantinopel.
„ „ „	„	des h. Paulinus aus Phrygien nach Trier.
406	„	des h. Propheten Samuel nach Konstantinopel.
416	„	des h. Erzmärtyrers Stephan nach Afrika.
439	des	„ „ „ Konstantinopel.
408—450	„	des h. Ignatius aus der Bannmeile in die Stadt Antiochia.
408—450	„	des h. Chrysostomus aus Komana nach Konstantinopel.
457 - 474	„	der h. Anastasia von Sirmium nach Konstantinopel.
473—500	„	des h. Viktor von Solothurn nach Genf.

Mit der letztgenannten Translation sind wir in das Gebiet der heutigen Schweiz getreten und verlassen nunmehr die Thatsachen von allgemeinerer Bedeutung, um uns speziell einer Chronik der Uebertragungen in userm Vaterland zuzuwenden.

Translationen innerhalb der Schweiz — wir verstehen darunter Uebertragungen, deren Anfang (die elevatio, Findung) und deren Ende (die depositio, Wiederbeisetzung) innerhalb der heutigen Grenzen der Schweiz geschahen —, haben sich zahllose ereignet, ganz besonders jeweilen innerhalb der verschiedenen Diœzesen. Waren keine Reliquien vorhanden und fanden sich keine andern Schenker, so brachte wohl jeweilen der Bischof Partikeln aus seiner Domkirche mit, wenn er in seiner Diœzese eine Kapelle oder Kirche weihte; somit war ein grosser Teil von Kirchen-, Kapellen- und Altarweihen naturgemäss mit einer Art Translation verbunden. In solchen Fällen tritt indes die Feier der Reliquienübertragung neben dem Konsekrationsfeste zurück; wir dürfen also hier die Weihungen, wenn auch de facto damit häufig eine Translation von Partikeln verbunden war, füglich bei Seite lassen.

In der folgenden Chronik stellen wir, abgesehen von den ebengenannten hier übergangenen Weihen, die uns bekannt gewordenen Thatsachen zusammen, welche auf Translationen innerhalb der Schweiz Bezug haben.

650   Elevation der Gebeine des h. Gallus.

765   In S. Maurice werden dem durchreisenden Bischof Chrodegang von Metz Gorgoniusreliquien entwendet, er versucht daraufhin eine Beraubung des Mauritiusgrabes.

973/975 Reliquien von den hh. Felix und Regula werden vom Grossmünster nach dem Fraumünster in Zürich und in andere Kirchen der Diœzese Konstanz übertragen [1]).

1034   Abt Nortpert von St. Gallen verfügt die Elevation der h. Wiborada.

1048, 1473, 1474, 1486. In all diesen Jahren werden Reliquien von S. Urs zu Solothurn erbeten [2]).

1123   Papst Calixt II. bewilligt die Verehrung des h. Konrad von Konstanz.

1252   Translation des h. Lucius in Chur.

1255   Abt Nanthelm von S. Maurice schenkt Thebaerreliquien (eine Kinnlade und ein Schienbein) an die Augustiner zu Freiburg i. Ue. [3]).

XIV Jh. Von Bern aus verbreitet sich der Kult des h. Rudolf. M. (Ruf.).

1402   Reliquien des h. Hieronymus gelangen von Zürich nach Dallenwyl.

1437   Siebenundzwanzig Nonnen, darunter Elsbeth Heggentzi, zu S. Agnes in Schaffhausen, vergaben 101 Gulden „Sant Johans houpt zu zieren, so inen von Zug für ein gross heiltum zukommen was“ [4]).

1462   Die Gebeine des h. Sulpitius werden von Oberbalm nach Bern transferiert [5]).

1473   Reliquienfund zu Solothurn.

1474   Reliquien von SS. Urs und Viktor kommen von Solothurn nach Luzern

1474   Translation von Thebaerreliquien nach Beromünster [6]).

1474   Zahlreiche Reliquien werden im Sarkophag des 1465 verstorbenen Propstes Johann Lidringer gefunden [7]).

1477   Reliquienfund zu Moutiers-Granval [8]).

[1]) MITT. DER ANTIQUAR. GESELLSCH. VIII. Beil. S 11.
[2]) AMIET, Das S. Ursus Pfarrstift 1878 S 12.
[3]) FREIBURGER GESCHICHTSBL. III 82
[4]) ROEGER I 287
) TOBLER, Meister Joh. Bäli S 14
[6]) KATHOL. SCHWEIZERBL. 1898. S. 220
[7]) HUBER, Gesch. des Stiftes Zurzach S 46
) ANZ F SCHWEIZ ALTERT 1892. S 8

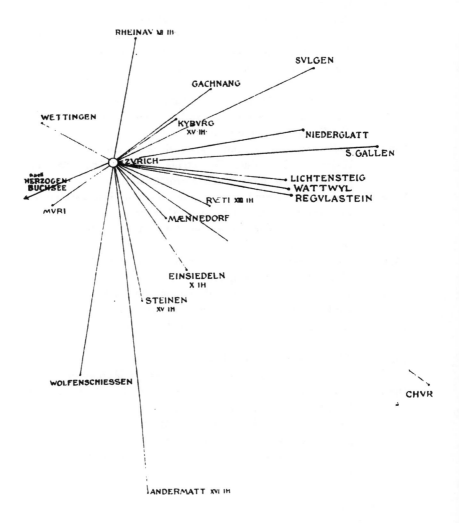

Die Ausbreitung des Felix- und Regulakultes von Zürich

1486   Fünfte Translation der Gallusreliquien zu St. Gallen.

1490   Theodulsreliquien (ein Stück von der casula, in welcher
        der Heilige vor der Kanonisation begraben gewesen,
        und ein Stück von seiner Glocke) kommen von Sitten
        nach Basel [1]).

1494   Burgermeister und Rat von Chur ersuchen die Stadt
        Zürich um Felix- und Regulareliquien.

1506   Abt Johann von Disentis schenkt Partikeln vom Haupt
        des h. Placidus und Teile von einer Rippe des h.
        Sigisbert nach Beromünster [2]).

1513   Notker, der Mönch von St. Gallen, wird beatifiziert,
        und erhält als Beatus Geltung für die Gotteshäuser,
        die unter der Abtei St. Gallen stehen; 1624 erkennt
        die Kongregation der Riten ihn an [3]).

1529   Reliquien von den hh. Jakob d. Ae., Lukas, Vinzenz,
        Koloman, Cornelius, Demetrius, Martin und Theodor
        gelangen von Basel nach Beromünster.

1554   Aus der Gegend von Thun werden Beatusreliquien
        ins Leodegarstift nach Luzern gebracht [4]).

1575   Die Gebeine der Schwester Anna in Au bei Steinen
        werden enthoben [5]).

1596   Die Regierung von Luzern ersucht den Bischof von
        Sitten um Morizreliquien.

1644   Die Kapsel mit den Reliquien der Schwester Anna
        wird in die Pfarrkirche Steinen übertragen.

1663   Der Leib des h. Adelrich wird von der Ufenau nach
        Einsiedeln gebracht.

1681   Abt Augustin von Einsiedeln schenkt eine Partikel
        vom h. Sigismund an die Pfarrkirche Muotathal.

1683   Die Luzerner Regierung bewilligt die Abgabe von
        Beatusreliquien nach Freiburg.

. . . . Der Kiefer des Bruders Hans Wagner wird von Herr-
        gottswald nach Ittingen geschenkt [6]).

1733   Bruder Klausenreliquien gelangen von Sachseln nach
        Luzern.

---

[1]) WURSTISEN in „Beiträge" II 417.
[2]) KATH. SCHWEIZERBL. 1898 S. 220
[3]) MURER S. 187.
[4]) MURER S. 13.
[5]) GESCHICHTSFRD. VII 28
[6]) LANG, Grdr. S 749.

Unter den Reliquieneinführungen nehmen diejenigen aus Frankreich in chronologischer und kultureller Beziehung die wichtigste Stellung ein, während die ein Jahrtausend später erfolgenden Translationen aus Italien mehr durch ihre Häufigkeit und die Menge und Grösse der Reliquien hervorstechen.

Die Kulte folgender heiliger Bischöfe stammen aus dem Frankenreiche: S. Martin, S. Remigius, S. Leodegarius, S. Eligius, S. Hilarius, S. Desiderius, S. Germanus, S. Medardus, S. Valerius, S. Urbanus. Auch die Verehrung der hh. Aebte Claudius und Fridolin scheint aus dem Westen zu stammen. In jedem Fall sind u. A. nach dem Jahr 569 Reliquien der hh. Martin, Hilarius, Fridolin, Andreas und des h. Kreuzes von Poitiers nach Sæckingen gelangt [1]). Von letzterer Abtei aus hat sich der Kult in die Umgegend, sowie nach Glarus, ausgebreitet. Im Jahr 1080 hat Abt Ulrich III von St. Gallen Reliquien der h. Fides aus Agen an der Garoune nach St. Fiden gebracht [2]).

1476 nach der Schlacht von Grandson gelangen Reliquien von S. Anna, S. Andreas und S. Georg in den Besitz der Schweizer [3]).

1477 bringt ein Fischbacher Bürger die Kunde vom h. Aper, Bischof von Toul, nach dem Luzernerland [4]).

1481 oder 1484 gelangen Martinsreliquien von Tours nach Schwyz [5]).

Ob die auf katholischer Seite kämpfenden Schweizer Söldner aus den Hugenottenkriegen weitere französische Reliquien mitgebracht haben, kann ich nicht entscheiden, da mir bis jetzt kein Fall von Partikeln solchen Ursprungs bekannt geworden.

Nächst Frankreich musste in den Reliquieneinführungen Deutschland eine wichtige Rolle spielen. Der älteste uns von hier zugekommene Kult ist derjenige der altchristlichen Martyrerin Afra von Augsburg [6]). Notgedrungen fanden Kulte, die im deutschen Teil der Bistümer Basel und Konstanz eingelebt waren, auch im andern Teil, d. h. diesseits der heutigen politischen Grenze Eingang, so z. B. die Verehrung des h.

---

[1]) Jahrb. für schweiz. Gesch. 1893 S 147.

[2]) a. a. O. 1897. S. 269.

[3]) Edlibach S. 151. 152.

[4]) Archiv f. Volkskde II 282.

[5]) Fassbind, Gesch. des Kt. Schwyz (1833) III 126

[6]) Venantius Fortunatus schreibt Mitte des VI. Jahrhunderts: „Pergis ad Augustam — Illic ossa venerabere virginis Afrae"

Pelagius und Konrad von Konstanz in die Innerschweiz und des h. Morand von Altkirch in den Jura.

Einige Thatsachen, die auf deutsch-schweizerische Translationen Bezug haben, seien im folgenden chronikalisch mitgeteilt:

769 oder 771 Die Othmarsreliquien gelangen von Werth ob Stein nach St. Gallen [1].

934 Morizreliquien (ein Arm) werden vom h. Ulrich, Bischof von Augsburg, nach Einsiedeln geschenkt [2].

99. Magnusreliquien aus Augsburg erreichen St. Gallen [3].

1039 Meinradsreliquien kommen von der Reichenau nach Einsiedeln [4].

1204 oder bald nach diesem Jahr schenkt Abt Martin von Pairis constantinopolitanische Reliquien an den Bischof von Basel [5].

1272 Reliquien von Pantalus [6] und den 11000 Jungfrauen gelangen von Köln nach Basel. (Darunter 29 Häupter von Jungfrauen und 2 Kisten voll Reliquien [7].

1278 Reliquien der hh. Petrus, Desiderius und Reginfrid kommen von Murbach nach Luzern [8].

1314 Aus Trier werden Thebaerreliquien nach Zürich übertragen.

1343 Aus dem Elsass werden Reliquien nach Bern gesandt.

1347 Reliquien von den hh. Heinrich und Kunigunde kommen aus Bamberg nach Basel [9].

1357 Fridolinsreliquien werden von Säckingen nach Basel gebracht [10].

1463 und 1464 Bern erwirbt Reliquien zu Köln.

1474 Die Schweizer lernen S. Quirin zu Neuss kennen und verehren.

1602 Graf Eitel Fritz von Hohenzollern-Sigmaringen schenkt 53 Partikeln an Einsiedeln [11].

[1] MURER S. 110.
[2] ANZ. F. SCHW. GESCH 1898. S. 13.
[3] Meyer v. Knonau in HERZOG's Realenzyklopädie.
[4] MURER S. 129.
[5] BEYSSEL, Verehrung der Heiligen 1892. S 46.
[6] ANNAL. COLMAR.
[7] BASEL im XIV. Jahrh. 1856, S. 80.
[8] Liebenau in KATH. SCHWEIZERBL. 1897
[9] TROUILLAT III 597.
[10] KATHOL. SCHWEIZERBL. 1896, S 434
[11] LANG, Grdr., S. 825

1603 Elias von Sennheim schenkt kölnische Reliquien nach Einsiedeln [1]).

Was die Reliquieneinführungen aus dem heutigen Oester-reich-Ungarn nach der Schweiz betrifft, so liegt dem Verfasser leider wenig Material vor. Sicher steht, dass Ende des VIII. Jahrhunderts Reliquien aus Carnien und Istrien auf fränkisches Gebiet [2]), also nach der Schweiz und Italien, das seit 774 zum Frankenreich geschlagen ist, geflüchtet worden sind. Vielleicht rühren daher gewisse altertümliche Invokationen Graubündens. Durch Konzilsbesucher scheint die Kunde vom h. Ladislaus von Ungarn nach Basel gelangt zu sein.

Zum Jahr 1658 erfahren wir, dass aus Hall das Haupt der h. Verena nach Zurzach übertragen worden ist [3]).

Reliquieneinführungen aus dem Orient sind infolge der zahlreichen Wallfahrten nach dem h. Lande nichts Seltenes ge-wesen; Reliquien vom h. Grab bewahrte man zu Bern, Luzern, Freiburg, Muri, Gachnang [4]), Schwyz, Sins, Schännis, Wallenstadt, Einsiedeln und an vielen andern Orten, in die sie ohne weiteres Gepränge meist durch heimkehrende Pilger gebracht wurden [5]).

Dass wir auch Reliquien aus Spanien hatten, ist bei den häufigen Wallfahrten, die von der Schweiz aus zum Grabe des h. Jakob von Compostella unternommen wurden, einleuchtend.

Aus den Niederlanden stammen ebenfalls einzelne Re-liquien, wie aus der Sprache erhaltener Authentiken hervorgeht.

England hat ein einziges bedeutendes Heiligtum geliefert, aber eines, das für die Geschichte der Translationsfestspiele eine Rolle spielt, die Reliquien des h. Königs Oswald, die 1481 nach Zug gelangten.

Italien, vornehmlich Rom als Wallfahrtstätte, sowie die in die Schweiz hineinragenden und angrenzenden Diœzesen haben naturlicherweise zahlreiche Reliquieneinführungen bei uns zur Folge gehabt.

Schon der h. Fintan soll Blasiusreliquien aus Rom nach Rheinau gebracht haben; von Bischof Salomon von Konstanz

---

[1]) a. a. O.
[2]) LÜTOLF, Glaubensboten S. 310.
[3]) HUBER, Gesch. des Stifts Zurzach S. 131.
[4]) vgl. des Verfassers „Verehrung des h. Grabes" in Anœniv flir Volksk. I 104 ff.
[5]) a a. O S. 108.

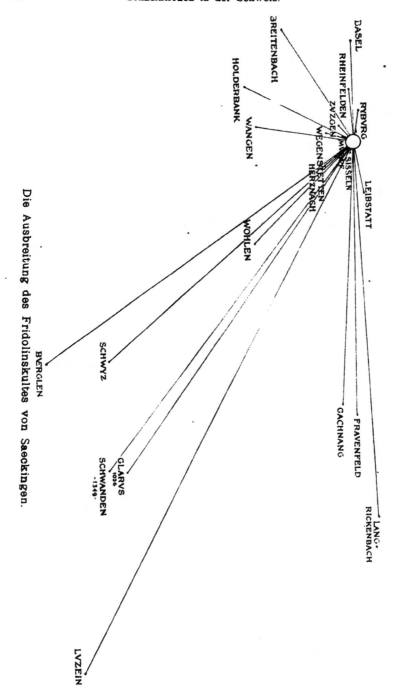

Die Ausbreitung des Fridolinskultes von Saeckingen.

wird berichtet, er habe die Reste des h. Pelagius [1]) aus Aemona gebracht. Von Konstanz aus hat sich, wie wir sahen, der Pelagius-Kult über die Schweiz verbreitet. Sodann hatte die Ueberführung von Dreikönigsreliquien von Mailand nach Köln zahlreiche Reminiszenzen und Gründungen zur Folge. In Andermatt und Basel tragen alte Wirtshäuser, in Zürich und Schaffhausen Kapellen den Namen, in Luzern eine Tafel das Bild [2]) der Dreikönige; nach Justinger hätten die Reliquien derselben auch wirklich in Zürich, in der Niklauskapelle des Grossmünsters drei Tage gerastet (1164). Ebenfalls aus Mailand kam uns die Verehrung der hh. Ambrosius, Protasius und Gervasius zu.

Der Kult und die Reliquien von drei grossen Ordensheiligen ist uns im XIII. und XIV. Jahrhundert aus Italien zugekommen und durch die Franziskaner und Dominikaner verbreitet worden: es sind die hh. Franz, Clara und Petrus Martyr. Nach dem Jahr 1356 erhielt eine Kapelle der Leonhardskirche zu Basel Theobaldsreliquien aus Eugubio; 1387 gestattet der Bischof von Como die Verehrung des seligen Manfred von Riva San Vitale [3]).

Auf Geheiss des Papstes Julius II. werden seit etwa 1503 die hh. Joachim, Anna, Joseph und Gabriel besonders gefeiert [4]); etwa zwei Jahre später werden auch „Job, David und Christus" als Fürsprecher abgestorbener Fegfeuerseelen, „die jämmerlich um Erbarm und Hilf schrien", auf päpstlichen Geheiss ausgerufen [5]). Auf letzteres hin erfolgt die Stiftung der Allerseelen-Kaplanei im Berner Münster, die zweifellos von Rom aus mit bezüglichen Reliquien ausgestattet wurde.

Hier ein vorläufiger Versuch zu einer Chronik der Translationen von Italien nach der Schweiz im XVII. Jahrhundert:

1641	Reliquieneinführung nach Einsiedeln durch den Bischof von Camerino.
1647	Reliquien des h. Basilius nach Rheinau.
1649	Leib des h. Leontius nach Muri.
1649	„ des h. Dionysius nach Einsiedeln.
1650	„ der h. Maximinus u. Lucillo V. M. nach Russwyl.
1650	„ des h. Polycarpus M. nach Schwyz.
1650	„ der h. Bemba nach Einsiedeln.

[1]) Detzel, Ikonographie II 577.
[2]) Liebenau, Das alte Luzern S 130.
[3]) Bollettino storico II 22.
[4]) Anshelm II 392.
[5]) a. a. O II 415.

1651	Haupt des h. Fulgentius M. nach Zurzach.
1651	Leib des h. Simplicius M. nach Luzern, St. Anna.
1652	„ des h. Marianus nach Wettingen.
1652	„ des h. Gedulius nach Wettingen.
1653	„ des h. Synesius M. nach Bremgarten.
1653	„ des h. Irenæus M.
1654	„ des h. Placidus nach Einsiedeln.
1651/1654	„ des h. Sylvanus nach Luzern, Jesuitenkirche.
1655	„ der h. Symphorosa V. M. nach Eschenbach.
1660 ·	Eugenius M. nach Engelberg.
1665	Leib der h. Flora V. M. nach Feldbach.
1667	„ der h. Aurelia M. nach Ittingen.
1669	„ des h. Vitalis nach Einsiedeln.
1671	„ des h. Amethystus nach Einsiedeln.
1671	„ der h. Charitosa nach Einsiedeln.
1671/72	„ der h. Flora nach Arth.
1674	„ des h. Gregorius nach Einsiedeln.
1674	„ der h. Candida M. nach Einsiedeln.
1675	„ des h. Bonifacius M. nach Steinen.
1675	„ des h. Benedictus M. nach Arth.
1675	„ des h. Innocentius M. nach Goldau.
1676	„ des h. Egidius M. nach Einsiedeln.
1676	„ des. h. Clemens M. nach Menzingen.
1676	„ des h. Valentin nach Alpnacht.
1681	„ des h. Bonifacius M. nach Neuheim.
1682	„ des h. Prosper M. nach Wurmspach.
1685	Haupt des h. Prosper M. und Partikeln der h. Victoria nach Hospenthal.
1685	Leib des h. Severus nach Einsiedeln.
1685	„ des h. Lucidus nach Einsiedeln.
1685	„ der h. Placida V. M. nach Engelberg.
1686	„ des h. Floridus M. nach Engelberg.
1686	Partikeln der hh. Felica, Pius, Victoria und Reparata nach Muotathal.
1687	Haupt des h. Columban M. nach Engelberg.
1689	„ des h. Seraphinus nach Engelberg.
1696 ·	Reliquien des h. Justus nach Ingenbohl.
1697	Leib des h. Silvanus nach Baar.
. .	„ des h. Julius nach Andermatt.
1744	„ Leib des h. Benedictus M. nach Hergiswyl.

1821   Leib u. Ampulla des h. Fidelis nach Cressier-sur-
       Morat.
1825   Polycarpusreliquien nach Schwaderloch.
1841   Leib der hh. Viktor u. Philomena MM. nach Steiner-
       berg.   .

Die enorme Produktivität Roms an Heiligenreliquien wurde
von keiner andern Stadt und keinem Lande erreicht; immerhin
war die Schweiz seit alter Zeit reich genug an einheimischen
Zeugen und Bekennern, um h. Reste auch in die Nachbar-
länder abgeben zu können. So steht unser Land nicht nur in
nehmender, sondern auch in gebender Rolle da.

In erster Linie steht in dieser Beziehung der Kult des
h. Märtyrerheeres von Agaunum; weit nach Norddeutschland,
Frankreich und Italien führen die Etappen seiner Verehrung
sowie speziell des Mauritiuskultes. Magdeburg besitzt schon
Mitte des X. Jahrhunderts Reliquien des Thebäerführers, Petershausen 1030; Kirchen und Kapellen sind ihm in Süddeutschland
schon früh geweiht: zu Sigolsheim (Elsass) 1222, zu Konstanz,
Weiterdingen, Stetten, Worndorf, Eigeltingen, Nürnberg.

In Frankreich dehnt sich der Morizenkult zunächst durch
die Könige von Burgund nach Vienne aus, wo die Kathedrale
dem Thebäermärtyrer geweiht ist. Im Departement Isère zähle
ich 2 Ortschaften, die den Namen Saint Maurice tragen; in
Ain 3, in Drôme 1, in Rhône 1, in Hérault 3, in Yonne 4, in
Meurthe 1, in Eure-et-Loire 2, in Haute-Loire 1, in Gard 3,
in Nièvre 4, in Morbihan 2, in Meuse 7 und so fort.

Auch der Kult der h. Verena, nach der Tradition einer
Thebäerin, breitet sich schon früh über die Grenzen der Schweiz
aus: wir finden ihn im VIII. Jahrhundert in Mainz, im XII. in
Höningen und Mittelborn (Diœzese Worms).

Im Folgenden einige Beispiele von Reliquienausführungen
nach den Nachbarländern:

1069 oder 1070 gelangen Reliquien der hh. Innozenz M. und
       Vitalis aus S. Maurice nach Siegburg. [1])
1031 schickt König Rudolf III. von Burgund dem deutschen
       König Konrad die Lanze und den Ring des h. Moriz. [2])
1119 verpflanzt Abt Ulrich III den Kult der hh. Gallus, Magnus
       und Othmar nach der Abtei Foggio in Friaul. [3])

---

[1]) Beyssel I s. 97; Furrer, Gesch. des Wallis I S. 67.
[2]) Furrer a. a. O. I. S. 55.
[3]) Jahrb. f. schweiz Gesch. 1897. S 288

1353 nimmt König Karl IV. Reliquien aus S. Maurice mit nach Prag. [1]

1591 gelangen Schwert und Partikeln des h. Moriz auf Verlangen Carl Emanuels nach Turin. [2]

An alle bedeutenderen Reliquienübertragungen schliessen sich die Translationsfeste an. Die Reste des Heiligen werden in feierlichem Zuge abgeholt; mit Lichtern, Fahnen und Reliquienschreinen zieht die Prozession dem ankommenden Heiligen entgegen. Letzterer sowie der bisherige Kirchenpatron werden durchaus als persönlich anwesend aufgefasst und behandelt. So eilte man zu Noyon 1066 mit den Reliquien des h. Amandus den Resten des h. Eligius entgegen: ein Heiliger empfieng den Andern. Dieser Zug bildete die Grundlage oder den Beginn der unten zu behandelnden Festspiele. [3]

Der Festzug, zu dem sich die ganze umwohnende Geistlichkeit einfindet, und zu dem das Volk von weitem her eilt, bewegt sich dann zur Kirche, wo die vorläufige Deposition in feierlichster Weise vor sich geht.

Als Darstellung einer mittelalterlichen Translation geben wir hier ein Wandgemälde des Fraumünsters in Zürich aus dem XIV. Jahrhundert wieder. [4] Ein Oelbild zu Wettingen, im nördlichen Seitenschiff der Klosterkirche, zeigt die pomphafte Translation der hh. Marianus und Getulius im Jahr 1652. Unsere beiden Lichtdrucktafeln geben nach Aquarellen zu Steinerberg [5] die Prozession wieder, die bei Anlass der Translation des h. Victor in diesem Schwyzer Dorf 1841 stattfand. Man beachte auf den Bildern die Reliquienschreine, die Heiligenstatuen, die Baldachine, Kirchenfahnen, Vortragekreuz und Prozessionsleuchter. Interessant sind ferner die festen wie die tragbaren Ehrenbögen, die geistlichen und die militärischen Abordnungen und endlich die ächt schwyzerischen Volkstrachten der einheimischen Zuschauer. Ausserhalb des Bildes hat man sich die mit Böllerschiessen beschäftigte Jungmannschaft zu denken.

[1] MURER 1751 S 73

[2] ANGELUCCI, Catal. della Armeria Reale. Torino 1890 S 241

[3] In einem Einsiedler Translationspiel vom Jahr 1687 empfängt der h. Moriz die neuangekommenen Heiligen Severus und Lucilius.

[4] Nach MITT DER ANTIQU. GESELLSCHAFT Zürich Band VIII.

[5] Sr. Hochw. Herrn Sextar J. L. Reichlen, der uns die Bilder freundlichst anvertraut hat, sei hier für die Erlaubnis der Reproduktion aufs herzlichste gedankt

Translation der hh. Felix und Regula.
(Wandgemälde im Fraumünster in Zürich).

Nach der Prozession wird die Reliquie in kostbarer Um-
büllung und Fassung geborgen. Im Mittelalter liegt sie in der
Regel in einem verschlossenen Schrein. Seit dem XVII. Jahrhundert aber zieht das Volk es vor, die h. Reste zu sehen, nicht
nur sie im Reliquiar eingeschlossen zu wissen. So entstehen,
vergleichbar mit den mittelalterlichen kleinen, kristallenen Re-
liquienmonstranzen, jene grossen Glasschreine, in denen der
Heilige ruht.

Diese Glasschreine werden in der Regel in der Wand
hinter dem Altar eingelassen; oft verdeckt ein Vorhang oder
ein Gemälde an gewöhnlichen Tagen das Heiligtum, während
am Feiertag des Bestatteten die Reliquie offen ausgestellt ist.
Handelt es sich um ganze Leiber, so werden dieselben bald
auf weichen Seidenkissen ruhend gebettet, bald stehend, mit den
Attributen in der Hand, in einen hohen Schrein gestellt. Schädel
und Gebeine sind vollständig mit weisser Mousseline umhüllt und
mit Perlen, Steinen und glänzendem Metall geziert. [1] Diese
Art der Fassung war nicht billig, erfahren wir doch, dass sie
z. B. zu Baar für den Leib des 1697 transferierten h. Silvanus
1636 Gulden gekostet hat. Soviel Mühe und Kosten diese
Glasschreine und all die Verzierungen auch verursacht haben
mögen, vom æsthetischen Standpunkt können sie niemals Bei
fall finden. [2]

An die Feier innerhalb des Gotteshauses pflegte sich häufig
ein Schauspiel zu schliessen; geistliche oder weltliche Personen
dichteten ein Festspiel, das im Freien zur Aufführung gelangte.
Den Inhalt des Spieles bildet in der Regel die Geschichte des
Heiligen, sie endet mit dem Martyrium als Apotheose sowie
mit der Aufnahme des neuen Heiligen am Depositionsort. Grau-
same Schergen, Engel und Teufel treten unter anderm auf die
Bühne. Alle Kunstmittel werden verwendet: Kolossalität des
Theaters, enorme Menge der auftretenden Schauspieler, Choristen
und Statisten, Prunk in der Ausstattung von Bühne und Kostüm;
Musik, Gesang und Tanz fehlen nicht, und Kanonendonner,
Feuerwerk nebst militärischen Aufzügen werden nicht verschmäht.

---

[1] „Totenbeiner aus Rom geschickt, schmückt u. ziert" SCHOBINGER,
Schlimmer Alchymist 1699 S. 169.
[2] Unendlich geschmackvoller ist die Exposition der hh. Ambrosius,
Gervasius und Protasius in Mailand, wo man auf alle Zierraten verzichtet
hat.

Die Texte zu zahlreichen Translationspielen haben sich erhalten; Einsiedeln bewahrt mehrere solche Manuskripte [1]), Zug Fragmente eines Oswaldspieles, Aarau die „Translatio Leontii" von Muri, [2]) Sarnen das Fulgentiusspiel [3]) von Zurzach 1651. [4])

Auch die Centenarien solcher Reliquienübertragungen wurden in prunkvoller Weise gefeiert; ein Denkmal einer solchen Jahrhundertfeier für eine denkwürdige Translation ist uns in Wettingen, im südlichen Seitenschiff der Klosterkirche erhalten geblieben. Es ist ein umfangreiches Ceremonienbild, das uns die Centenar-Prozession vom Jahr 1752 und den ganzen schwülstigen Pomp jener Zeit von Augen führt.

[1]) vgl GESCHICHTSFREUND Bd XVII

[2]) Mscr. 78 fol. Kantonsbibliothek Aarau; Z 3. fol. 63

[3]) Das uns von der tit. Kantonsbibliothek in Sarnen gütigst anvertraute Manuskript wurde von einem Mitglied der schweiz. Gesellschaft für Volkskunde in extenso für die Vereinsbibliothek kopiert.

[4]) Eine eingehende Charakterisierung der Translationspiele, wie auch die vollständige Aufzählung aller noch erhaltenen Texte sei den Litterarhistorikern überlassen.

[Vgl. hierüber namentlich J. BÄCHTOLD, Gesch d. deutschen Lit. in d. Schweiz S 383 ff.] RED.

Luzerner Akten zum Hexen- und Zauberwesen.

Mitgeteilt von E. Hoffmann-Krayer.

Vorbemerkung.

Die folgenden Akten, die hier unsres Wissens zum ersten Mal veröffentlicht werden, sollen eine Ergänzung bilden zu den in Segessers Rechtsgeschichte II 652 und IV 205 und im Geschichtsfreund XXIII, 351 ff. durch Schneller behandelten Fällen. Sie setzen um die Mitte des XV. Jahrh. ein und schliessen mit 1551 ab, in welchem Jahre die im Geschichtsfreund besprochenen „Turnbücher" beginnen. Sie gehören sämtlich dem Staats-Archiv Luzern an und sind dem Herausgeber in zuvorkommendster Weise von Herrn Dr. Th. von Liebenau zur Kopie eingehändigt worden. Auch die Entdeckung und chronologische Ordnung derselben ist lediglich sein Verdienst. Die sieben ersten, nur auszugsweise mitgeteilten Fälle sind anderer Provenienz als die nachfolgenden: sie sind sämtlich auf Pergament geschriebene Urfehden, die in konventionellem Kanzleistil abgefasst sind, und deren wörtliche Wiedergabe eine ermüdende Wiederholung wäre. Diejenigen Akten jedoch, welche den Charakter von mündlichen Verhandlungen tragen, drucken wir hier, auch aus sprachlichen Interessen, in extenso ab. Die Orthographie ist überall möglichst beibehalten worden, freilich unter Vorbehalt einzelner Irrtümer, die sich bei der gewissen Schreibern eigenen undeutlichen und oft inkonsequenten Bezeichnung, namentlich der a, e, o, sowie der Umlaute und Diphthonge, kaum vermeiden lassen.

Da diese Gerichtsverhandlungen oft mit geradezu fliegender Feder aufgezeichnet sind, so finden sich darin auch viele syntaktische Inkonsequenzen, die sich stellenweise bis zur Unverständlichkeit steigern können; wir fassen deshalb für diejenigen unserer Leser, denen die ältere Sprache Schwierigkeiten bereitet, die wichtigsten Delikte jeweilen in einem Résumé zusammen.

1.

„Greta Zugmeyerin, des halters von butwil ewirtin" soll laut Aussage der wegen Liebeszauber mit tödtlichem Ausgang eingezogenen „Anna Reyssers" [1]), dieser den Zauber gelehrt haben. Sie bekennt, dass sie auf eine betr. Aufrage von Seiten der Zugmeyerin das Mittel angegeben habe, „wenn eine eim sin Natur[2]) zu essen gebe, so werd einer einr hold". Sie muss daher schwören, „uss aller eidgnosschafft über Rin und Aren us zu keren". Datum: Samstag nach S. Othmarstag 1463.

2.

„Anna Reysers von Butwyl" [3]) ist gefänglich eingezogen worden, weil von ihr die Rede umgieng, dass sie „dem Küffer seligen" ihrer „eigenen nature[2]) ze essen geben habe, da von er gestorben sige, nach dem und er dz an sinem letsten ende von" ihr „gerett haben sölle". Sie gesteht, das gethan zu haben, um dadurch einen Liebeszauber zu bewirken, glaubt aber nicht, dass das die Ursache seines Todes gewesen sei. Sie schwört, die Sünde nimmer begehen zu wollen und die Strafe der ewigen Verbannung aus der Eidgenossenschaft ohne Uebertretung inne-zuhalten. Datum: Samstag nach S. Othmarstag 1463.

3.

„Gretta Streblin[4]) von Wolhusen" war schon früher angeklagt gewesen, dass sie ihrem Manne Peter Negely „sines eigenes bachttes[5]) ze essen geben habe". Das wurde ihr da-mals vergeben unter der Bedingung, dass nichts Neues hinzu-käme. Bald darauf stahl sie einer Frau Adelheid, die mit ihrem [Greta's] Manne verkehrte, „ein laden mit tüchlinen" und ver-grub diese, als der Weibel eine „Hussueche" veranstaltete, in den Mist. Die Lade wurde aber gefunden. Die Delinquentin hat Urfehde zu schwören und wird des Landes verwiesen. An-

---

[1]) s. No. 2.
[2]) Sanguis menstrualis
[3]) s. No. 1.
[4]) Am Schluss des Briefes steht deutlich „strublin"
[5]) Kotes.

gehängt ist das guterhaltene Wachssiegel Dietrichs „in der
haltten“, Alt-Ammanns zu Schwyz. Datum: Freitag nach S. Martins,
des heil. Bischofs, Tag 1465.

4.

„Grett Wisin us Zuger ampt und von Ruswil wonende“
war wegen Hexerei ausgewiesen worden, hatte aber ihren Eid
gebrochen und war zurückgekehrt. Sie hat dadurch den Tod
verdient, wird aber nochmals zur Verbannung begnadigt und
schwört die ewige Urfehde. Angehängt ist das Siegel Junker
Albins von Sillinen von Küsnach. Datum: S. Ulrichs, des heil.
Bischofs, Tag 1469.

5.

„Hensli Sidler von Holtzhusen“ hat sich „durch spils
willen“[1]) dem „bösen geist“ ergeben. Er schwört, vom Spiel
zu lassen und das Land Luzern ewig zu meiden. Siegel von
Anton Eberhard, Ammann zu Küsnach. Datum: Freitag vor S.
Moritz Tag 1477.

6.

„Margaretha Hennin von Mowensee“ ist wegen Hexerei
und Zauberei verhaftet. Sie schwört Urfehde und gelobt, sich
zu allen Zeiten von der Eidgenossenschaft fern zu halten. Siegel
von Wernher Lusser, Fändrich zu Uri. Datum: Mittwoch vor
S. Martins, des heil. Bischofs, Tag 1482.

7.

„Madalen Müllerin von Sulgen“ hat wegen des gleichen
Deliktes, wie Marg. Hennin's, Urfehde zu schwören. Auch
Siegel und Datum sind dieselben.

---

[1]) um im Spiel gewinnen zu können

8.

Els von Mersburg. ca. 1450.

Dis nachgeschriben hat els von merspurg vergechen.[1]

O[2]   Des ersten, dz sy die kunst könne vnd seliche me dann ein frowen gelert habe, das jnen die mann hold sin müssend, sy nit geslagen mögend.

Item Sy habe ouch dick[3] vnd vil den lüten übel ge-flüchet, wenn sy erzurnet worden Sye. Dz sye jnen

O   ouch war worden,[4] vnd sy habe den glouben gehept, dz sy jnen dz aberwünschet[5] habe.

Item vff den mendag, als ietz der nechst Hagel kommen ist, hat sy vergechen[1], das sy zwüschend malters vnd der Statt gewesen; da sye ein bettler zu ir kommen, der wolt sy Nötigen, dz sy jnn zür ee neme vnd mit jm zetünd hette[6]. Da wurde sy zornig vnd ging von

()   jm über ein wasser vnd wurffe dz hindersich mit beiden handen jn die lüfte, in aller tüfel vnd Sunderlich jn beelzebups vnd Krütlis nammen, der vnder den tüfeln jr houptmeister were, vnd dem si sich geeignet hette, vnd flüchte dem bettler dz vallend übel[7]), vnd dz jnn der Hagel vnd die stral slüge, dz were auch jra lieb gewesen. Also jn dem sye der Hagel ouch kommen, den hab sy gemacht.

Item nach dem sy sich dem bösen geist geeignet habe,

()   'Sye er jra züm dritten mal begegnet vnd sy wöllen enweg füren.

Item Sy sige ouch by VI oder XXVII jaren[8] by dem pfaffen von Kilchperg offenlich gesessen. Dz habe die gestalt: Er were ir elicher man, vnd als sy jnn uffgebe, vnd er priester wurde, da sye sy darnach wider zü jm

[1] verjehen = aussagen, eingestehen, bekennen.

[2] Die Ringe und das lateinische nichil (nichts) am Rande sind mit blasserer Tinte geschrieben

[3] oft

[4] sei an ihnen in Erfüllung gegangen.

[5] aber- drückt das Verkehrte, Widersinnige aus Vgl. Aberglaube, Aberwitz.

[6] zu thun haben mit Einem = coire

[7] Epilepsie.

[8] d. h. 26 oder 27.

O   gezogen vnd sovil jaren mit jm Hus gehan, vnd alle
die jar, als er zü Kilchperg were bis jn sin tod,
da slüge der hagel nie, wand er könde jnn ver-
segenen ¹). Aber nach sim tod slüge der hagel ettwie
dick ²) da.

Item ir meister, der tüfel, heisset der Krütli, vnd von
O nichil ³)dem sye sy uff ein Zit besessen worden, der keme zü
jr jn einer geist wise. ⁴)

Item Sy hat auch vergechen, es sye ob XL jaren, da
were sy dennoch⁵) by jrem vatter ein töchterlin, da
were zü Merspurg ein gros hagelsiedrin, die hies else
schiesserin, vnd sye, als sy nit anders wisse, ietz zü
O   erdfurt. Die kome an Sy mit vil güten worten vnd
lerte sy, mit was fügen vnd worten sy sich jn den fronvasten dem tüfel eignen solte. Dz habe ouch sy gethan
vnd sich dezit⁶) dem tüfel geeignet, dz er ir hulffe
zü güt, vnd vmb dz sy jnn bete⁷). Dieselbe ir lermeisterin, die lerte ouch sy angends⁸) ein hagel machen,
der Slüg die von costentz vnd merspurg vast übel.

Item die von costentz haben ouch vff ein zit jra vnd
den jren ettwas widertriess⁹) gethan, darumb sy jnen
noch hütbitag vigend¹⁰) Sye. Da habe sy aber¹¹) mit
hilff irs meisters, des tüfels, ein grossen hagel gemacht,
der slüge die von costentz vast übel. Sye yetzt by
XXX jaren ¹²).

Sy habe ouch vff ein zit, sye by XL jaren, ein hagel
O   zu frowenfeld gemacht, der were aber nit gros vnd
slüge sy nit übel.

¹) beschwören.
²) s. S. 25, Anm. 3.
³) s. S. 25, Anm. 2.
⁴) er habe als Geist Wohnung in ihr genommen.
⁵) noch.
⁶) zu dieser Zeit.
⁷) zu Reichtum verhelfe, und um was sie ihn bitte.
⁸) alsbald.
⁹) Aerger.
¹⁰) feind.
¹¹) wiederum.
¹²) es sei jetzt ungefähr 30 Jahre her.

No ¹) erkund dich an ir von der hexsen wegen, die ob dem Rumliker gesessen sin sollënd, -
vnd ob sy yeman me wisse.

Item no ¹) von des grossen hagels wegen.

nichil Item no ¹) nid Strassburg sind ir dry zesammen kommen vnd habend allerley miteinandern gerett, da habe sy Inen geseit, Sy wölle von Inen zü den iren gan milhusen gan vnd sich anderwers [!] lan töuffen vnd fürer solicher sachen müssig gan.

O Item dieselben frowen vnd sy habend ouch vor VII jaren den grossen hagel gemacht, darumb dz ir IIIX ²) gespiln clagten, die eitgnossen hetten sy verderpt, Sy müssten ouch verderben. Ist zu mentznaw beschechen, heisset die ein die wissenbacherin von strassburg. Daby vnd mit sye sy gesin hinder des wechters gas zu Mentznau in der fronvasten. Item Sy hand hund vnd wolff gritten. [Die sind verbrönt].³) Item Si müssend .darzu oder .sy erlemment⁴) sy.

No¹) es söllend II bettlern wonen oder sesshaft sin zü escholzmatt oder im entlibüch, fürt die ein ein clein döch-
nichil terlin, heisst die eine, die dz kint fürt, anna stellin, die ander grett jegerin,⁵) hat ouch ein döchterlin zü langnow, wz ein weberin, ist ouch ein hexs; by der warend sy; aber sy ist geflochen.

Item sy hat sich auch bekent, das sy vnd ander dis sachen nit könnent, wann allein dz ës der tüfel tüge.

No zü than⁶) sind ir XII by einandern gesin im bom-
garten im closter, vnd wenn sy zesamen, ist daz gras
O alweg tiwre⁷), wz⁸) an eim donstag in einer fronuasten.

----

¹) nota oder notandum.
²) 13.
³) Das Eingeklammerte ist durchgestrichen.
⁴) lähmen. Der Sinn ist wol: die genannten Hexen müssen ebenfalls unschädlich gemacht werden, sonst rächen sie sich an der Delinquentin durch Lähmung
⁵) s. No. 9.
⁶) Thann im Elsass.
⁷) d. h. wenn Hexen beisammen sind, wird das Gras wegen des durch sie verursachten Unwetters teuer.
⁸) war.

stachen vnd turnierten mit hanffstengel, Retten[1]) ir
etlich vff hunden geritten, sy wiss dz[2]), ob es wolff
oder hund wärend.

Item die hexsen meisterin heisset angnese von Liper-
heim von ettenheim, lit ˇnid Kentzingen[3]), beschach
vor der basel slacht[4]).

nichil

No sy Ratet, das man die bettler vs dem land tribe.

nichil

Item zü Schaffhusen ist ein grosse schöne frow, die sol
ein hobstmeisterin sin, item vnd die frowenwirtin[5]),
heisset els von Mundelheim. Die vöste[6]) frow heisset
beata, sitzt am rindermerckt, ist by XIIII Jaren[7]).

nichil

Item als die andern ir stecken salbeten vnd rittent[8]),
wolt sy iren stecken ouch riten, da wolt er nit gan.

()

Item es sind zwo bexsen zü Siplingen[9]), heisset die ein
anna bëschin, die ander els schudin. der vatter
wart erhenckt.

nichil

No wenn man si [?] vachen wölle, soll man sy angends
ersůchen[10]), büchssen vnd anders von ire nemen.

nichil

Item so bald si sich wider an gott vnd die můter gotz[11])
ergebent, so konnent sy nüt mit ir hexseri.

O

Item sy hat iren züg[12]) in ein wasser geworffen.

nichil

Zusammenfassung von Nr. 8.

Eigene Aussage.

Els von Mersburg hat mehreren Frauen ein Mittel angegeben, die Liebe ihrer Männer zu erwerben.

---

[1]) lies: hetten.
[2]) vielleicht ist „nicht“ einzuschalten.
[3]) Zwischen Freiburg i./B. und Lahr.
[4]) Ohne Zusammenhang. Es handelt sich wol um einen Hagel, den
die Hexen vor der Schlacht bei St. Jakob (1444) gebraut haben
[5]) Inhaberin eines öffentlichen Hauses.
[6]) stattliche
[7]) d. h. es sind 14 Jahre her.
[8]) für den Hexenritt wurden Stöcke mit einer Zaubersalbe einge-
strichen.
[9]) oder Siphingen? eine Ortschaft dieses Namens ist uns unbekannt.
[10]) zuerst Haussuchung vornehmen.
[11]) Mutter Gottes.
[12]) Zaubergegenstände.

Leuten, die sie erzürnt haben, hat sie geflucht und ihnen dadurch Schaden zugefügt.

Einem Bettler, der sie vergewaltigen will, wünscht sie Epilepsie, Hagel nnd Blitzschlag an, indem sie in aller Teufel (besonders dessen, dem sie sich ergeben) Namen Wasser rückwärts durch die Lüfte schleudert. Dadurch wird ein Hagel bewirkt.

Der böse Geist, dem sie sich ergeben, will sie wegraffen.

Vor 26—27 Jahren hat sie mit dem Pfarrer von Kilchberg gehaushaltet, der, bevor er Priester geworden, ihr Mann gewesen ist. Derselbe hat Hagel abwenden können; · nach seinem Tode aber hat der Hagel dort oft geschlagen.

Auf eine Zeit ist sie von dem Teufel „Krütli" besessen gewesen.

Als Mädchen ist sie von einer Hexe unterwiesen worden, sich in den Fronfasten dem Teufel zu eigen zu geben. Das hat sie gethan, um von ihm unterstützt zu werden. Unter Anweisung derselben Hexe hat sie den Hagel gemacht, der in Konstanz und Mersburg gefallen ist.

Vor etwa 30 Jahren hat sie in Konstanz, vor etwa 40 Jahren in Frauenfeld einen Hagel gemacht.

Bei einer Zusammenkunft mit zwei andern Hexen hat sie geäussert, sie wolle sich taufen lassen und das Hexenwesen aufgeben.

Mit denselben Frauen hat sie vor 7 Jahren in den Fronfasten in Menznau einen Hagel gemacht, weil sich bei ihr 13 Gefährtinnen über die Eidgenossen beklagt haben. Sie haben auf Hunden und Wölfen geritten.

Sie nennt zwei Bettlerinnen, von denen die eine eine Hexe sei.

Sie und Andere könnten nicht hexen, der Teufel thue es.

Ihrer Zwölf haben bei Thann in den Fronfasten auf Hunden oder Wölfen ein Turnier mit Hanfstengeln abgehalten.

Vor der Schlacht bei St. Jakob an der Birs wird ein Hagel gebraut. (?)

Sie rät, die Bettler aus dem Land zu treiben.

Der Hexenritt hat ihr nicht gelingen wollen.

Wenn man sie [?] fangen wolle, müsse man ihr zuerst die Zaubermittel nehmen.

Sobald sich eine Hexe wieder zu Gott wende, könne sie nicht mehr hexen.

Sie hat ihr Zauberzeug in's Wasser geworfen.

9.

Gret Küngin. 1450.

(„Landammann und landlut ze Ure“ bitten die Luzerner um Zurücknahme des Verbannungsurteils gegen Gret Küngin. Ueber das Delikt verlautet nichts).

10.

Margret Jegerin von Luterburg [1]).

Margret Jegerin von Luterburg hat die nachgeschriben vergechen [2]).

Des ersten so habe sy ein junges döchterlin etliche jar als für jr Kind mit jra gefürt, dz sye ir von eim armman zü Bremgarten worden. Dz habe sy lassen firmen oder krismen [3]) zü Thun vnd habe es dasselbs vnd anderswa zum fünften mal verbunden [4]) vnd jm als dick ein nüwe gotten gewonnen, vnd habe dz kind also fünff gotten.

Item sy könne ouch, wenn sy vber die Lüte erzürnet sye, den Lüten jr garten verflüchen, daz die vnberhaft [5]) werdent vnd kein frücht tragent, noch kein gras darin wachsset.

Item Sy hat ouch vergechen, dz Sy yetz kürtzlich mit einer frowen vneins worden, dis sitze zü malters [6]) oder littow [6]), da sye sy zügevaren vnd hinuff gan thun gangen vnd habe da mit jr zouferie den hagel, der ietz am nächsten [7]) gewesen ist, gemachet, vnd man sölle dz anders nieman ziechen [8]).

Item Sy habe ouch, dz ietz ob XXV jaren sye, Sich durch ein ander frowen, die ein meisterin der bexsen were, vberreden lassen, dz sy sich dem tüfel geeignet habe, der hies der schuw [9]). Durch den habe sy jr sachen zü wegen bracht.

---

[1]) Wol das Lauterburg im Elsass (bei Weissenburg)
[2]) ausgesagt
[3]) zu Chrisam, geweihtes Oel.
[4]) d. h. wol : fünf mal das Eingebinde geben lassen.
[5]) unfruchtbar.
[6]) Ortschaft im Kant Luzern bei Kriéns
[7]) ganz kürzlich
[8]) man solle niemand anders bezichtigen
[9]) Teufelsnamen kommen in diesen Akten mehrfach vor; man vgl hiefür auch A. Ph. v. Segesser, Rechtsgeschichte der Stadt und Republik Luzern II 655 Anm., IV 205 Anm. 3 ; A. Lütolf, Sagen etc. 222. 223 224; Geschichtsfreund XXIII 355 ff.

Item Sy könne auch die frowen leren vnd habe dz etlich geleret, wie man die mann verzoufern sölle, dz sy den frowen hold müssend sin, vnd dz die man die frowen nit geslagen mögend.

Item jr lermeisterin sye von wissenburg[1]) gesin, vnd als sy am ersten dz hageln lerte, da verflüchtent sy das kind jn mütter libe, vnd keme dazemal ein grosser hagel vnd ein grosse wassergröss.

Sy hat ouch vergechen, dz zwo fronuasten jm jar syend; vff dieselben vnd namlich am Donstag zenacht, komment die hechssen zesammen, dz sye jn den fronuasten zü wiehenechten vnd zü pfingsten.

Vnd also vff ein zit vnd jn einer fronuasten zü wichenechten Sind jr XVI hechssen by schaffhusen jn eim breiten veld vnder einer linden züsammen kommen vnd woltent da zü Rat werden, die welt mit hagel vnd mit wasser zeuerderben. Ir were aber dazemal nit genůg; doch hettent sy essen vnd drincken genůg, vnd ir tüfel, der sy besamne vnd jnen zesammen gebiet, der beis der vëderwisch, vnd jr meisterin, die Sy regieret, dz sye ein frowen bild vnd heisse Sighartz. Die beide syend ir obern vnd volbringent solich sachen.

Item Sy hat vergechen, dz yetz vnlangest, by zwöy oder III Jaren, da syen an eim Donstag zenacht, jn einer fronuasten ir XII hechxsen zesammen kommen syend [!], vnd da aber vnderstanden[2]), ein grossen hagel zemachen; doch wolten sy den nit vber die eitgnossen lassen gan vnd Richtent dz wetter hinab über basel, Strassburg vnd wissenburg dz land abhin. Denn wa sy ye darby gewesen sye, so habe sy kein wetter über die eitgnossen nie machen wöllen, dann allein den nechsten[3]) hagel.

Item wenn den Kügen[4]) die milch genommen wirt, oder die blüt gent[5]), So hat sy vergechen vnd etlich krüter genent, damit Man den Kügen die milch wider bringet.

Sy hat ouch vergechen, dz jn der fronuasten ietz zü wiehenechten jra XV by arow vff der schaffmatt byeinandern

[1]) Weissenburg im Elsass?
[2]) unternommen
[3]) letzten.
[4]) Kühen
[5]) Blut geben.

gewesen sind vnd da zü Rat worden, dz sy dz niderland mit
hagel vnd wasser verderben wolten; ir were aber nit genüg, vnd
slügent die sachen vff¹); ob aber jr anslege fürsich gangent²),
So sol solich vngewitter vff dis pfingsten kommen; doch wölle
man dar vorsin, so sölle man den bösen geist, beisset der tüntzhart, der jnen hilffet die wetter machen, besweren³) vnd daz
wetter allenthalben jn die ror verbannen⁴) vnd mit den glocken
dem wetter vast vngegen lüten, Dann nützit sye besser für dz
wetter, dann dz lüten⁵).

Si hat ouch vergechen, dz sy jetz die nechstvergangenen⁶)
drü jar alle jar dz Sacrament empfangen hab zü wissenburg
vnd lest⁷), zü wolhusen da hab sy als dick dz Sacrament
wider vs dem⁸). . . .

Zusammenfassung von Nr. 10.

Eigene Aussage.

Margret Jeger hat mehrere Jahre ein Pflegekind für ihr
eigenes ausgegeben und an fünf verschiedeneu Orten Patinnen
für dasselbe gewonnen (wohl um sich das Eingebinde anzueignen).

Sie kann Obstgärten verfluchen, dass sie nichts tragen.

Sie hat kürzlich bei Thun einen Hagel gemacht.

Auf Zureden einer andern Hexe hat sie sich vor etwa 25
Jahren einem Teufel, Namens „Schuw“, zu eigen gegeben. Durch
den kann sie hexen.

Auch sie hat mehreren Frauen ein Mittel gezeigt, um die
Liebe ihrer Männer zu gewinnen.

Ihre Lehrmeisterin und sie haben beim ersten Hagel, den
sie gemacht, das Kind im Mutterleibe verflucht.

Namentlich an den Donnerstagen der beiden Fronfasten
kämen die Hexen zusammen.

¹) schoben es auf
²) wenn aber ihre Anschläge sich verwirklicheu.
³) den bösen Geist durch Zauber beschwören.
⁴) in das Schilf bannen.
⁵) Ueber das Wetterabwenden s. ARCHIV I 98 153, II 106 fg. 114
⁶) letztvergangenen.
⁷) letztlich.
⁸) Das folgende Blatt ist weggerissen. uud nur die äussersten Zeilen-
anfänge noch vorhanden.

An einer Weihnachtsfronfasten haben sich ihrer 16 bei Schaffhausen versammelt, um die Welt mit Hagel und Wasser zu verderben; sie waren aber zu wenig.

Ein Teufel, Namens Federwisch, und eine Hexenmeisterin sind ihre Leiter beim Wettermachen.

An einem Fronfasten-Donnerstag vor 2—3 Jahren haben ihrer zwölf einen Hagel über Basel gegen Strassburg ziehen lassen. Die Eidgenossen hat sie, mit Ausnahme eines Falles, verschont.

Sie nennt Kräuter gegen das Behextsein der Kühe.

Letzte Weihnachts-Fronfasten haben ihrer fünfzehn auf der Schafmatt ein Wetter brauen wollen; doch waren sie wieder zu wenig. Möglicherweise komme das Wetter auf Pfingsten. Um es zu verhindern müsse man den bösen Geist („Tüntzhart") beschwören, das Wetter in das Rohr verbannen und Wetterläuten; nichts helfe so gut wie dieses letztere.

Sie hat das Sakrament missbraucht. (Schluss dieser Aussage fehlt).

11.

Dorothea, Bürgi Hindremsteins Frau.

Kuntschaft vnd ouch die vrtel vber Doratheen bürgen hindrem stein ewib, die verbrent ist. 1454. [1]

Ůli gebhart des vischers wib d[2]), das bürgis bindrem stein vnd sines wibes kinden eines zů jrem huss vnd jren kinden këme, schimpfote jr [der Zeugin] kind eins mit jm vnd stiess es, dz es nider fiele jn dz bächt[3]); giengi si dar, hulffe dem kind vff, wuste dz[4]). In dem këme die frow, bürgis wib, des kinds mütter, vnd were zornig, kriegte[5]) vnd spreche zů jrem kind: frylich, du hest ein nider werffen getan, dz dich [!] niemer

---

[1] Notiz auf der Rückseite des letzten der einschlägigen Aktenstücke (Memorial des Schultheissen Schletti)

[2] dicit (deponiert).

[3] Koth.

[4] sie wisse das genau (?).

[5] schalt.

verswindet [1]). Also darnăch fürsich, neher dann jn eim halben
tag [2]), do geswulle jr jra kind zwüschent hutt vnd fleisch vnd
lege III wuchsen [!] siech. Ist des gloubens, dz es bürgis wib
getăn hab.

Fridli, der müller am obrengründ, d dz bürgi hindrem
stein vnd sin wib sin nachgeburen sigind gesin. Da förchte er
die frowen vast übel, flisse vnd hütte sich, dz er nütz wider
si täte; dann er so vil böss von jr sagen horte, ds er si nüt
gern erzürnen wölte. Doch fůgte sich eines tages, dz sin wib
mit der selben frowen tochter stössig wurde [3]) vnd hadrete.
Alo wurde si dar nach fürsich voll eissen [4]) vnd geswulle, gienge
ein halb jar serwen [5]), dz er wand [6]), si wölt erlamen. Străfte er
sin wib vnd spräch, war vmm si mit dem volk hadrete ald
ützit [7]) ze schaffen hett, Si hort vnd săch doch wol, wie es lüt [8])
werind vnd habe sich, so er best möcht [9]), vor jnen gehüt vnd
jnen geben vnd nütz verseit, vmm dz jm nüt desglich von jnen ze
handen gieng [10]), dann jm dik vast wunderlich gen jnen ze
můt were [11]).

Item fürer Rett er, dz Hartmann Zimbermann [dem]
bürgin zwey swin ze kouffen geben hette, ouch Ůli von Reiden
jm Roggen har vff zefüren verdingot [12]). Dem [!] versatzt er jm an den
wirten, dz er des nüt vil har bracht. Kämind die beid har jn
sin müli zů jm, seitind jm dz, warnote er si nǎch dem lümden [13]),
so die frow hett, dz si [die Beiden] nütz mit jnen ze schaffen
vnd lieber ein schaden, den zwei hettind. Volgete jm Hartmann;
aber ůli verwisse jnen [Bürgi und seiner Frau], wie jm bürgi
dz sin also vnerlich versetzt vnd vertan hett, füre da mit hein
vnd enbütte jm her vff by einem gewissen warhaften botten [14]).

---

[1]) an das du ewig denken wirst
[2]) kaum einen halben Tag darauf.
[3]) in Streit geriet.
[4]) Geschwüre
[5]) siechen
[6]) glaubte.
[7]) oder etwas
[8]) was für Leute.
[9]) so gut er konnte
[10]) damit ihm nichts von ihnen angethan würde.
[11]) denn sie machten ihm oft einen merkwürdigen Eindruck.
[12]) ihm Roggen übergeben zum hinaufführen
[13]) Leumund.
[14]) schickte Bürgi einen Gerichtsboten (?).

So er [Uli] hein kommen, were jm die best ků gestorben, vnd
wölte, dz er jm [Friedli] gefolget vnd mit dem volk nütz gerett
hett noch gekriegt.

Aber Rett fridli, dz sin wib mit burgis wib zů stoss
kommen were, wurde jr ků eine an eim strich[1]), dz si nütz
dann blůt gebe, klagte si [Friedlis Frau] jr [Bürgis Frau] daz,
spreche si, es wurd bald weger[2]) vnd schikt vmm mel zů jm.
Also gebe er jr ein kopf[3]) mel, vnd wurde jm sin ků gesund
vnd gebe Rechte milch.

Item Rett er, als sin vetter burkart müller enweg
ziehen wölte, wurde er ouch mit dem volk stössig[4]), vnd von
stand do vielle jm eine siner besten kůg nider vnd sturbe.

Warvmb oder von was sachen Dis alles geschehen sye,
mag er nüt wüssen, dann dz er vast ein bösen zwifel vff si
hät vnd besorget, sölle si mit leben darvon kommen, dz die lüt
noch vil me kumbers[5]) angang, vnd wölte lieber nütz hie von
gerett ald geseit haben, fürcht, er müss sin engelten.

* * *

Bürgis hindrem stein wib, die da gegenwurtig
stät, ist belümdot, mit der bosheit vnd dem übel der hexery,
dar vmb jr můtter vormals ze vri[6]) verbrent worden, ist si
endrunnen[7]); dann ob man si do ze mal ouch ergriffen, hette
man si mit der můtter verbrent. Hät ouch sidhar von vri
müssen sweren[8]) vnd getar[9]) von sölicher sachen wegen, nüt
dar me kommen, Des jr man bürgi gichtig[10]) was, ouch dz jr
můtter vnd villicht si der stund erborn vnd so arbezelig sy,
wem sy ützit wünsch ald fluch, gan jnn an[11]). Habend ŏch min
herren vil kuntschaft nachgangen vnd erber, from lüt, beide,

---

[1]) ereignete es sich plötzlich mit einer Kuh, dass . . .
[2]) besser.
[3]) ein bestimmtes Mass: s SCHWEIZ. ID. III 411 γ.
[4]) geriet in Streit
[5]) Bedrängnis.
[6]) Uri.
[7]) Das Satzgefüge ist hier zerstört.
[8]) schwören, sich von Uri fern zu halten
[9]) wagt.
[10]) geständig.
[11]) ihre Mutter und vielleicht auch sie selbst sei in dieser (unglücklichen) Stunde geboren (oder ist zu lesen „sünd“ st. „stund“?) und so
unglückselig, dass der, dem sie fluche, betroffen werde.

frowen vnd man, mit geswornen eiden verhört; damit erkunnent
vnd finden, wer jr [l. je?] mit jr ald jrem man ald Kinden ze
schaffen gebebt ald gekriegt hät, das den vil lidens, kumber
vnd siechtagen an sinem lib angangen ist mit geswulst, eissen
ald andrem we vnd siechtagen, vnd wenn si da sölich bekümbert
vnd versiecht ald geschadigot lüt gebetten hand, ob si si erzürnt
hettind, jnen das ze vergeben, hät es sich an jnen gebesret ald
ist jnen ganz abgetän, beide an lüt vnd .an vich. Dann si etlich,
so mit jnen ze stössen komen, jr gelt gehöuschen ald gekriegt
hand, getröwt¹) vnd, als si meinent, angetan hät, das ir vich
gebresthaft, etliches gnot²) hin vnd nider ze tod gefallen ist,
daz ettlich biderb lüt by jr eiden Redind, si getörind³) noch
wellind jnen daz jr nüt höschen, sunder lieber einen schaden
den zwen haben, vnd jnen dz schenken. [⁴) Ouch me ist kuntlich
worden von biderben lüten, die das gesehen vnd gehört hand,
das man ein frowen besweren wolt⁵); do käme die obgen(annt)
ouch zů jr jn die kilchen gangen. Sprech die toub frowe zů
jr: Was wilt du har jn? Du bist doch ein rechti hex, vnd dz
weist du wol, Ich Reden es aber nüt von mir selben, beltzibot⁶)
Rett es mit Dir.] Item ouch hat man gesehen, dz si an einer
hirsribi⁷) ein klein vnd gefüg kessi mit hirs über das für hankte
vnd liesse es nit lang, sundern gar ein klein wil da hangen, dz
einer kum ein stegen vff vnd ab möcht sin gangen; neme dz
dar ab, schutti es jn ein michel melchtren⁸) vnd rürte den hirs
dar Jnn etwe lang, vnd wurde die melchter voll hirs, dz si elli
gnůg hettind, dann jr ob X personen werind. Ouch hett si vil
anders grosses sweres lümden vff jr, des zů vil wurd geschriben,
sunder ist si von sölichs lümdens ze horw für gericht, vnd als
verkommen, dz si min herren vnd ein vogt trösten⁹) solt, hät hie
vor minen Herren ein eid offenlich gesworn, vff ein tag für min

---

¹) gedroht
²) geradewegs
³) wagten.
⁴) Das Eingeklammerte ist im Original durchgestrichen
⁵) Es handelt sich hier wohl um eine Besessene, die in Bürgi's Frau
eine Hexe erkennt.
⁶) Belzebub, der von der Redenden Besitz genommen hat.
⁷) Vielleicht ein ländliches Fest, an welchem Hirse gerieben und
gegessen wurde.
⁸) grosser Melkkübel
⁹) Kaution leisten

herren ze kommen vnd sich ze versprechen [1]); håt aber dz nüt gehalten, ist also flüchtig vnd ouch meineid worden.

(Rückseite:)

Also nåch der fryheit sag [2]), So ünser Herren vnd Statt von Lutzern von Römschen Keisern vnd Küngen hand, das si wol mugend vff ein lümden Richten vnd eines von dem leben zů dem tod vrteilen vnd bekennen, habend ünser Herren Rät vnd Hundert Sich vff jr Eid erkent vnd gevrteilet, das der lümd über dise frowen so gros vnd swär eye, das dise frowe nützzer vnd weger [3]) tod dann lebendig sy, vnd das mann sy dem nachrichter beuelhen [4]), der sy vff die walstatt füren, an ein sul [5]) binden vnd ze tod vnd zů äschen verbrennen sol.

*   *   *

Ich, ülrich schlettin, schulthes zů willisow, vergich vnd tůn kunt, das ich von empfelhens wägen Eins schulthessen vnd ratz zů Lutzern, miner gnädigen Lieben herren etc., Einen Knecht für mich vnd ettlich der zů willisow beschickt [6]) han, kuntschafft von jm zů verhören, mit namen hartmann zimmerman. Han mit jm so ferr geret [7]), dz er, weder dur liep noch dur leid noch dur fyentschafft noch dur keiner andrer sach willen, liplich zů gott vnd den heiligen mit vf gehepter hand vnd gelerten wortten einen eid gesworn hat, ein warheit zů sagen, so ferr jm zů wissen war an geuerd etc. Item des ersten hatt het [!] er gerett, wie dz sich wol gefügt hab, das er eim zwey schwin zů kouffen geben hab mit nammen bürgin von geyssenstein. Dar nach fügt es sich eins mals, dz er gan Lucern wolt vnd wolt dz gelt höschen; do spräche ein frow, die wz von schwitz pürtig, die wäre an geferd [8]) zů Langnow min frůnd: Wiltu dz gelt höschen, so nim ettwas gesegnest [!] [9])

---

[1]) verantworten.
[2]) zuerkanntes Recht.
[3]) besser.
[4]) übergeben
[5]) Säule.
[6]) vor mich zitiert
[7]) so weit geredet.
[8]) in allen Ehren
[9]) Gesegnetes.

zü dir, wan du bedrafft [!] ¹) sin wol. Aber dir wäre wäger,
die [!] hieschest dz gelt nit vnd leptist mit liep mit jr, wan
wär sich ye an si gehanckt oder mit ir ützit ye zü schaffen
gehatt, denn gieng dar nach vil vnglüks an. Also dar nach
kem er gan lucern in frydlin müllers hus am obren grund;
der hat du zü mal einen knecht, der wz von fryburg vser
öchtland²). Der selb knecht rette ouch von der frowen, Er
hette mit ir eins mals gehdrett [l. gehadrett], Nach dem beschech
im in einer nacht, das im sin antlüt³) hindersich gekert wurd,
das er wande⁴), er müste dar vmb verderben. Er spreche ouch:
hilft mir gott, dz ich von dem gericht meiner herren kum, ich
wil ir ein brieff schicken, das min herren wissent, wz mir von
ir beschechen ist. Umb die selben wort möchtend ir fridlin
mutter verhören von des knechtes wegen. Also nach den worten
liess hartman zimmerman ab vnd hiesch sin gelt gar tugentlich.
Dz gelt ward im aber nit vnd ist im noch nit worden; ward
im so vil geseit von der frowen, das er sin gelt nit me ge-
fordren noch gehöschen getorst⁵), weder mit recht noch mit
vnrecht. Aber hat er füro gerett, das er wol hortty, das üli
rützschü⁶) von Reyden Ettwas schuld eben freuenlich⁷) an sy
fordretty; Also dor [!]⁸) er heim kam, da was im sin fech vser
dem holtz komen⁹), vnd die best kü, die dar vnder was, fiel
gelich mær¹⁰) vnd starb. Begerent ir üli Rützschmans kuntschafft ouch zü verhören, so tund mirss zü wissen. Hie by
vnd warent vnd sind gezügen Hans mettenberg, wilhelm
herbort, Rützman an der matt, vnd des zü vrkünd,
das dis also vor mir, obgeschr[ibnem] schulthessen beschechen ist, han ich zü gezügnist [!] min ingesigel getenck
[l. gehenkt] zu end disser schrifft; doch mir [vnd] minen erben
an schaden.

---

¹) bedarfst.
²) Freiburg in Üechtland
³) Antlitz.
⁴) wähnte
⁵) wagte.
⁶) wohl das heutige Rüetschi
⁷) unwirsch
⁸) da.
⁹) aus der Umzäunung gebrochen (?).
¹⁰) ? vielleicht: geradezu, schlechthin

Zusammenfassung von No. 11.

Zeugenaussagen.

Als das Kind der Dorothea Bürgi von einem andern umgestossen worden war, fluchte sie diesem Krankheit an.

Aehnlich verwünschte sie eine Frau, die mit ihrer, der Delinquentin, Tochter in Streit geraten war, so dass jene voll Geschwüre wurde.

Ihr Mann hatte sich Veruntreuungen zu Schulden kommen lassen; aber als sich einer der Geschädigten beschwerte, starb ihm eine Kuh.

Nach einem Streit zwischen des Zeugen Weib und der Delinquentin, gab eine Kuh des Zeugen Blut statt Milch. Der Schaden wurde besser, sobald er ihr, der Del., ein Maass Mehl geschenkt hatte.

Auch einem Andern, der mit den Bürgi'schen Leuten in Streit geraten war, starb eine Kuh.

Brief des Schultheissen von Luzern.

Der Brief führt neue Zeugenaussagen auf für den obigen Fall betr. Veruntreuungen Bürgi's und Schuldforderung. Unter denen, die den Geschädigten gewarnt hat ten, war auch ein Knecht, den die Delinquentin krank gemacht hatte.

Urteil.

Aus dem Urteil geht noch hervor, dass der Delinquentin Mutter in Uri als Hexe verbrannt worden war.

Sie selbst war von Uri verbannt. Ihr eigener Mann schrieb ihr Hexenkünste zu, und auch eine Besessene hatte sie als Hexe bezeichnet. In kurzer Zeit beschaffte sie einen Hirsbrei für zehn Personen. Ihr eidliches Versprechen, sich vor den Herren von Luzern zu verantworten, hat sie nicht gehalten.

Das Urteil lautet auf Verbrennung.

12. [1]

1460, Sab. in vigilia pentecostes.

V β dem armen sundersiechen, als jr Knecht dz holtz an weg fürt, do man die Hexen verbrannt.

(Umgeldbuch.)

---

[1] No. 12—14 sind von Th. v. Liebenaus Hand in das Faszikel eingeschaltet.

13.

1461.

(Auf einem Landtage in Willisau wird eine Hexe verbrannt.)
vff lanttagen Hexssen zu brennen, dem nachrichter zerung
vnd lon.

(Rechnungsbuch der Stadt Luzern II, fol. 255.)

———

14.

a) 1482| **(Eine Hexe der Grafschaft Willisau wird nach Luzern**
b) 1490| **geführt.)**

(ib. 278. 285.)

a) lön vnd furungen von der Hexen wegen, so harjn-
gefürt vnd gefangen wurden ₹ lib. Hlr. viiij β.

b) iij lib. Hlr. gewert von der Hexen wegen harjn ze
füren.

———

15.

Frau Ruedi Sempachs. 1462.

(Rudi Sempach steht vor Ulrich Siegrist, dem Weibel
zu Alpnach, und verlangt Aufschluss über die Gefangennahme
seiner Frau in Luzern, die der Hexerei verdächtig sein solle.
Sämtliche Zeugen wissen nichts Nachteiliges über dieselbe zusagen).

(Fortsetzung folgt).

Noëls jurassiens

Publiés par M. l'abbé A. D'Aucourt, curé de Miécourt

II

Une collection de trente-six noëls en usage au siècle dernier nous a été conservée dans un manuscrit, daté de 1750, appartenant à M. Adrien Kohler, avocat à Porrentruy, et provenant de sa grand'tante, qui était religieuse au couvent des Ursulines de cette ville en 1785. Le plupart de ces noëls sont en français, quelques-uns en allemand, deux en français mêlé de patois, un seul tout en patois. M. Kohler avait aimablement autorisé M. l'abbé D'Aucourt à publier toute la collection dans nos *Archives;* mais beaucoup de ces pièces ont un caractère trop peu populaire pour y trouver place. Nous sommes heureux de pouvoir offrir à nos lecteurs les trois noëls patois, que nous avons reproduits avec la plus grande exactitude possible, en ne modifiant que la ponctuation des strophes françaises et en notant même les ratures, les surcharges et les corrections. Quelques lettres oubliées par le copiste et rajoutées par lui après coup ont été mises entre crochets. Les variantes, d'une encre plus pâle, qui se lisent au dessus de quelques mots, sont imprimées, aissi que ces mots eux-mêmes, en petit caractère. Les additions et corrections au crayon, d'une main postérieure, ont été mises entre crochets, en caractère romain, tandis que le contexte patois est imprimé en italique. Les lettres et les mots biffés dans le manuscrit sont également imprimés en caractère romain, mais entre parenthèses. La division des vers et des strophes est conforme à celle du manuscrit, sauf que l'on a distingué l'un de l'autre les deux vers dont se compose chaque ligne du 2e et du 3e noël.

A la suite des trois pièces du manuscrit Kohler, M. D'Aucourt voulait publier un chant patois de l'Épiphanie, qui est encore en usage à Courrendlin, dans la vallée de Delémont, et qui

n'est pas autre chose qu'une version, altérée dans la tradition
orale, du troisième noël de 1750. Mais nous préférons en donner
plus tard une transcription rigoureusement phonétique, qui nous
est promise par M. Rossat, professeur de français à Bâle.

En nous envoyant ces textes, M. D'Aucourt nous a communiqué quelques nouveaux renseignements sur l'usage des noëls,[1]
dont il nous a déjà entretenus précédemment (*Archives*, I, p. 41) :

«L'usage de chanter Noël, le *bon-an*, les Rois, le premier
mai, s'est conservé à Porrentruy et dans les campagnes d'Ajoie
jusqu'à nos jours.   En 1845, divers abus auxquels il donnait
lieu engagèrent le Conseil communal à prendre des mesures de
police pour en assurer la suppression.   Quelques années après,
les chants recommencèrent.   Aux Rois, dans les villes comme
à la campagne, trois garçons habillés d'une chemise avec ceinture
rouge, bonnets en forme de couronnes pointues ornés de papier
doré, l'un muni d'un sabre, l'autre d'une étoile au bout d'un
bâton, le troisième soit d'une pique soit d'un bâton de justice,
d'habitude le visage et les mains noircis, vont chanter les Rois.»

Grâce à l'obligeance de M. Kohler, nous avons pu collation-
ner les épreuves sur le manuscrit des noëls. La traduction française qui accompagne chaque strophe patoise a été revue par
M. Louis Gauchat.   Les notes signées L. G. contiennent la
substance des précieuses observations qu'il nous a communiquées
à ce propos.   [Réd.]

Noël nouveau

Sur l'air de la magnote

1

Assemblons nous, gays Bergers,
quittons ces prairieres !
Courrons tous, d'un pas leger,
voir le Fils de Marie ;
allons, allons, courrons, courrons,
allons voir ce Messie.

---

[1] Une partie de ces renseignements ont déjà été donnés par
X. Kohler et F. Feusier dans *l'Etude littéraire* qui précède leur édition
du poème patois de Raspieler, *Les Paniers* (Porrentruy, 1849). Quelques
fragments des noëls de 1750 sont cités et traduits dans cette *Etude*
(pp. 6 et 7).

2

On dit que, dans un hamaux,
nôtre Divin Mâitre,
sans langes et sans Drapeaux,
Cette nuit vient de nâitre :
allons, allons, Courrons, courrons,
allons le reconnoitre.

3

Je porte a ce beau Poupon,
Pour sa nouriture,
une Couple de Janbons,
quelques poires bien meures,
et un panier plein de Pigeons,
avec des Confitures. .

4

Margot porterat du lait
et de la farine,
deux ou trois bon pain mollets,
qui sont à la Cuisine,
Et un Baril de vin Clairet,
qui tient douze chopine.

5

Jeanne, vat prendre un Berceau,
la porte est ouverte,
demande quelques Drapeaux
a nôtre Philiberte,
L'arçon et le couure Berceau,
qu'est d'étoffe verte.

6

Jeannot, prens ton Chalumeau,
Pierrot ta Guitarde,
Vous joûrez quelqu'air nouveau,
quelque jolie fanfare,
pour rejouir ce Dieu si beau
par ce doux Tintamare.

7. Jeannot.

J'ay perdu dedans le bois
mes beaux gans de l'aine.
Pierrot, n'a tu pas sur toy
ta paire de Mitaine ?
prêtte moy les, car j'ay si froid
que je perd presque halaine.

8. Pierrot.

Jeannot, si tu sens le froid,
je ne peut qu'y fâire ;
je n'ay point de gans sur moy
que Cette seule paire ;
je voudrois cher ami, et vous-moy,
pouvoir te satisfaire.

9

Cependant, ne t'étrange pas,
prend un peu courage ;
regarde, ne vois tu pas
Ce petit Hermitage ?
C'est l'a ou ce Dieu, plein d'apas,
Receura nos homages.

10

Je scens au dedans de moy
une joye profonde,
d'aprende qu'en cet endroit
est le sauveur du monde.
Mais il me semble que j'y vois
deja beaucoup de Monde.

11. Pierrot.

Sans doute, ce sont des Bergers
de cette Contrée,
a qui ont vient annoncer
cette heure fortunée,
qui sont venus pour soulager
l'Enfant et l'accouchée.

12

Tachons vitte d'arriver,
car la Bise est forte ;
je veux être le premier
pour frapper a la porte,
et en suitte luy presenter
tous les biens que j'aporte.

13. Les Bergers trappant à la porte.

Monsieur, pourrons nous entrer
dedans cette Étable ?
Nous venons tous visiter
Cet Enfant adorable,
en même tems pour luy donner
de quoi garnir sa table.

14. Un Berger Contois. [1])

aitante qui boines gens
y vé voé sy voille.
y ny ai guare qu'un moment
qu'y dorma [2]) ai marveille,
y demanderat tout d'in tems
s'ont veut qu'y lou revaille.

15

Sire Jousep, l'y ay das gens
tout plein ai lay poéthe
quatandan pou voé L'Enffan.
passe bisse si foéthe
y l'y aipouéthan das presens
das bin de toute soéthe.[3])

16. St Joseph aux Bergers.

Entrés, aimables Bergers.
Ce Dieu de tendresse
est prêt a vous pardonner
vos fautes, vos foiblesses;
Et yl veut vous communiquer
ses divines largesses.

17. Les Bergers à L'Enfant Jesus.

Seigneur, nous nous prosternons
En vôtre presence;
humblement nous adorons
Vôtre divine Enfance;
faite nous, s'il vous plait, Pardon
de touttes nos offences.

18

Recevez, divin Sauveur,
nos humbles prieres;
nous vous faisons de nos Coéurs
une offrande sincere;
faites nous part de vos faveurs,
finisséa nos Miseres.

19. A la Ste Vierge.

Mere de ce beau Poupon,
pleine de Clemence,
à genoux nous implorons
vôtre bonne assistance;
Contre les pieges du Demon
Soyez nôtre Defence.

20

olla vous ête prou dit,
Bargie de la France,
olla dans vôtre Pays
en Boune intelligence
que lou maitre di pairaidis
vous beille bonne chance![4])

[1]) Attendez ici, bonnes gens,
je vais voir s'il est éveillé.
Il n'y a guère qu'un moment
qu'il dormait à merveille.
Je lui demanderai tout d'un coup
si on veut que je le réveille.

[2]) *Dorma* est probablement mis par erreur pour l'imparfait *dormè*.

[L. G.]

[3]) Monsieur Joseph, il y a des gens
tout plein à la porte,
qui attendent pour voir l'Enfant:
par cette bise si forte,
ils lui apportent des présents.
des biens de toute sorte.

[4]) Allez, vous avez assez dit,
bergers de la France.
Allez en votre pays
En bonne intelligence.
Que le maître du paradis
Vous donne bonne chance!

II

Autre

Gloire soit dedans les Cieux   au Pere Cœleste
et la paix dans ces bas lieux   aux hommes terrestres!
Le Demon et sa fourberie   est renversé par terre,
la naissance du Messie   a remporté Victoire.

Les Bergers.   2

Pierra Jayqua Henrissat   *mon Due ne voite vo point*
fuans nos en quaceque voila   *laischent fure nos polains*
j'aime Due si ne sceû tot truiby [1])   *voctie cy quasque voiry*
j'aime Due si ne sceu tot traiby   *permetdol* [2]*) sa in esprit.*

Pierre, Jacques, Riquet,   Mon Dieu! ne voyez-vous point?
Fuyons-nous-en, qu'est-ce que voilà?   Laissons courir nos poulains.
Mon Dieu! je suis tout épouvanté!   Regardez ici, qu'est-ce que voici?
Mon Dieu! je suis tout épouvanté?   Ma foi! c'est un esprit.

L'Ange. 3

Ne craingnez rien, mes Bergers,   approchez sans crainte,
je vien pour vous annoncer   la Naissance Sainte,
la naissance du Messie.   venez tous sans { plus tarder / crainte .
La naissance du Messie,   venez la tous adorer.

Les Bergers. 4

Schire vo vo moquay de not   *de nos din lay invitay* [3])
que diret note Schigno   *day nos n'y oserin allay*
nos gipons sont deschirie   *nos sulay tot emborbay*
nos gipons sont deschirie   *nos Gergesses tot délainbray*

---

[1]) *J'aime Due,* interjection. Le reste de la phrase signifie littéralement: « si je ne suis tout épouvanté. » Cette construction s'explique, si l'on suppose que la proposition principale: « J'aime Dieu! » est employée par euphémisme au lieu d'une formule d'exécration: «Le diable m'emporte!» ou quelque chose de semblable. [L. G.]

[2]) *Per mai dol,* interjection. Dans le canton de Neuchâtel, l'interjection *madò* est très usitée. [L. G.]

[3]) Il faudrait lire: *De no dinche ay invitay* (de nous ainsi à inviter), comme dans l'introduction des *Paniers,* p. 7. La préposition *à* précède souvent l'infinitif dans nos patois, contrairement à l'usage français, surtout après les verbes *laisser* et *faire.* [L. G.]

Monsieur, vous vous moquez de nous,   De nous inviter ainsi.
Que dirait notre Seigneur?   Las ! nous n'y oserions aller.
Nos habits sont déchirés,   Nos souliers tout embourbés ;
Nos habits sont déchirés,   Nos bas [1]) tout délabrés.

L'Ange. 5

Ce Grand Dieu, quoy que Supreme,   ne m'êprise les Bergers ;
car il a voulu luy même   naitre dans la pauureté ;
une Étable est son Palais,   son lit de la paille;
une Etable est son Palais ;   n'a denier n'y maille.

Les Bergers. 6

Mon bé Schire que dites vos   *Due le gros miraiche*
vet ten donc vite Jaicot   *voir dain notre*[2]) *craiche*
vet voi say n'y airet ren   *des Eües ou bin des airens*[3])
vet voi say ny airet ren   *nos l'y fairin des presens*

Mon beau monsieur, que dites-vous ?   Dieu! le gros miracle!
Va-t'en donc vite, Jacquot,   Voir dans notre crèche,
Va voir s'il n'y aurait rien,   Des œufs ou bien des *sairens*.
Va voir s'il n'y aurait rien.   Nous lui ferions des présents.

III

Autre

1

Écoute Jane Merrie   *y enten*[4]) *chainsenatte*
sa ces belles ainges d'y Cie   *que nos diant novellates*
qu'ay chaintan gloria   *tot ensoinne alleluya*
Gloire a l'Éternel   *et paix deschûs let terre*

Écoute, Jeanne-Marie,   J'entends chansonnettes:
Ce sont ces beaux anges du Ciel   Qui nous disent des nouvelles,
Qui chantent *gloria*,   Tous ensemble *alleluia*,
Gloire à l'Eternel   Et paix sur la terre.

---

[1]) Nos guêtres . . . *Paniers*, p. 7.

[2]) On a biffé au crayon l'*e* final de *notre*, pour le remplacer, à ce qu'il semble, par *ai*.

[3]) Il faut probablement lire *sairens* : petit-lait caillé, *sérac*.

[4]) Le second *e* est une correction.

2

allais vot mes bés Boirgies [1]
vos troverct le Messie
l'ai mairque pot le trovay
dain enne étasle froide

— Où allez-vous, mes beaux Bergers,
Vous trouverez le Messie
— La marque pour le trouver?
Dans une étable froide,

dain cette noëu sombre
qu'a veny a monde
en Bethleem et l'as n'ay
entre lo Büe et l'aine

Dans cette nuit sombre?
Qui est venu au monde.
— A Bethléem il est né,
Entre le bœuf et l'âne.

3

Caque Caque etvos les dois
nos ain bin oyi pueray
dont bon jo onschya Joset
les aibres sont tot gicvrais

— Frappe, frappe avec les doigts
Nous avons bien entendu pleurer
Donc! bonjour, oncle Joseph!
Les arbres sont tout givrés.

a yeüe de letaibie
da voi nos Berbischatte
voicy hin müe [2]) bin froi'
et dont bon jo Marie

A la porte de l'étable.
Auprès de nos brebis.
Voici un mois [3]) bien froid,
Eh! donc, bonjour, Marie!

4

Mon Due qu'ay fait froi cien
luveay a ainco bin grain
Pierra pren des brechiat
pot cette pore airmate

Mon Dieu! qu'il fait froid céans
L'hiver est encore bien grand!
Pierre, prends des branchettes
Pour cette pauvre petite âme,

po cette poure airmatte
cheuri enne atre étaibie
et nois fay in bon fuela
qu'a cy | quel / tolle trembiatte

Pour cette pauvre petite âme!
Cherchez une autre étable.
Et fais nous un bon petit feu
Qui est ici toute tremblante.

5

Vos nait giaire d'entendement
de venit logit sien
se vos | & (astes un) hin bon chaipu
car lait bisge êjale   .

Vous n'avez guère d'entendement,
De venir loger céans,
Si vous êtes un bon charpentier,
Car la bise gèle

mon bé lõcha Joseph
dain cette | le / étaibie froide
bôchie hin pos ses pretus
cette pore airmatte.

Mon bel oncle Joseph,
Dans cette étable froide.
Bouchez un peu ces trous;
Cette pauvre petite âme.

---

[1]) Il manque au commencement du vers le mot *vou* (où). [L. G.]

[2]) Le dernier jambage de l'*m* et le premier de l'*ü* sont confondus sous une rature.

[3]) *Müe* signifie proprement « mur »; mais, selon M. Gauchat, le sens réclame *mouè* (mois). La leçon du manuscrit ne nous paraît cependant pas inadmissible, si l'on tient compte de la strophe 5. [Réd.]

6

Vos ay bélet¹) gremoinnay
poy lai velle (y) ay demainday
nos n'ayn qu'un Bue et Mulet
se nos étins rêche

— Grondez tout à votre aise,
Par la ville j'ai demandé,
Nous n'avons qu'un bœuf et un mulet.
Si nous étions riches.

et fat aivoit patience
sain trovay residence
dy monde sont debou[r]say²)
cheichun³) nos ferai fête

Il faut avoir patience;
Sans trouver résidence.
Du monde nous sommes repoussés.
Chacun nous ferait fête.

7

Ditte dont oncha Joseph
Merrie | ʳ'ᵃ/ʰᵃ son Mayjollat⁴)
Madelon | ⁻ⁿᵉ/ʳᵒᵗʸᵒᵘ⁻ son yée
en diain chainsenatte

— Dites donc, oncle Joseph.
Marie, où est son maillot,
Madelon, arrange son lit.
En disant chansonnettes.

vou sont ses Bandattes
et peut say Couchatte
Jainjada le Bresserat
doe met pore airmatte

Où sont ses bandelettes?
Et puis sa couchette?
Jean-Claude le bercera.
Dors, ma pauvre petite âme.

8

Piera fut vite ay lôtas
hin morcelat de pain fraa
botte l'ay en cy p[i]aité si
le porc affain puere

Pierre, cours à la maison.
Un morceau de pain frais,
Mets-la dans ce plat-ci.
Le pauvre enfant pleure,

prend ton équélatte
fai y scay sopatte
scai laa tro châs soye l'y
sa de froy qu'ay grule

Prends ton écuelle (*litt.* ta tasse),
Fais-lui sa petite soupe,
Si elle est trop chaude, souffle dessus.
C'est de froid qu'il tremble.

9

Ne laischiette gnun ueni
le popon at endremy
voicy veni tot d'in có tras Roy
des presents ayportent

— Ne laissez venir personne
Le poupon est endormi
— Voici venir tout-à-coup trois rois,
Ils portent des présents,

dedain cet étaibie
dedain say Couchatte
montay schü Chaimaux
cuquent en lait pöèrte

Dans cette étable.
Dans sa couchette.
Montés sur des chameaux.
Ils frappent à la porte.

---

¹) *Bélet* pour *bel ay :* vous avez *beau* à gronder. La séparation des deux mots est d'ailleurs indiquée par un trait au crayon.

²) La lettre ajoutée au crayon n'est pas bien lisible.

³) Il semble qu'on ait d'abord écrit *ai* et qu'on ait voulu remplacer ces lettres par *e*.

⁴) *V'a* est peut-être une ancienne forme pour *vou a* (où est). [L. G.]

10

Madelon vai hin po voi   *chü caque en lait poérte*
et yo dit que l'affain döe   *que doucement s'approche*
voicy hin peut encherboynnay   *nôte affain veut faire haycriay*
vay derie les atres   *rechurie t'ay berbatte.*

— Madelon, va vite un peu voir   Qui frappe à la porte,
Et dis leur que l'enfant dort,   Que doucement ils s'approchent.
Voici un vilain *encharbonné,*   [Qui] va faire (à) crier notre enfant.
Va derrière les autres   Récurer ta frimousse.

11

têtes [1]*) bin ma relayvay*   *po allay en voyege*
ayte hyn rayche chemenay   *voubin hin masaige*
chain l'affain errest dremi   *en te voyient et veut tenty*
te d'ayro ayvoit honte   *te fai pavou a monde*

Que tu t'es mal relavé   Pour aller en voyage!
Es-tu un ramoneur   Ou bien un démon? [2]*)
Quand l'enfant aura dormi,   En te voyant, il va s'épouvanter(?).
Tu devrais avoir honte,   Tu fais peur au monde.

12

Vos eites bin écamy   *de mon nois vésaige*
les gens de noste pays   *saa yoo naturel*
y ne scéut pe schi mavais   *cōme y sceut en chair boinnay*
cherchant je vous prie   *le beau fruit de vie.* [3]*)

— Vous êtes bien étonnés   De mon noir visage.
Les gens de notre pays,   C'est leur naturel.
Je ne suis pas si mauvais   Que je suis *encharbonné.*
En cherchant, je vous prie,   Le beau fruit de vie,

13

Nos ain travoirsie lay mais   *les bos et campaignes*
por veny aidoray le Roy d'y cie   *et de l'ay terre*
l'Etoille nos (hay) conduisay   *nos êchêrain io et nuit*
jusqu'icy nous montre   *le Sauveur du monde*

Nous avons traversé la mer,   Les forêts et les campagnes,
Pour venir adorer le roi du ciel   Et de la terre.
L'Etoile nous conduisait,   Nous éclairant jour et nuit,
Jusqu'à ce qu'ici elle nous montre   Le Sauveur du monde.

---

[1]*) Le premier *e* est une correction; le second peut se lire *e* ou *a*
[2]*) Littéralement: un *râcle-cheminée* ou bien un *mal sage.* [L. G.]
[3]*) Ce passage semble être corrompu.

14

Veni dont voy nôte affain
main veni tot bellement
lo bé laffain que vos ay,
dedain scay Craic[h]atte

et l'a dain let Craiche
qu'ay ne se révoiye
qu'ay doé bin Dé laimendet,
le bon Düe le crâsche

— Venez donc voir notre enfant,
Mais venez tout doucement,
— Le bel Enfant que vous avez!
Dedans sa petite crèche,

Il est dans la crèche.
Qu'il ne se réveille [pas].
Comme il dort bien, mon Dieu!
Le bon Dieu le bénisse!

15

Nos cromer[a]in en laffain
vos troveret poit dedain
voicy de l'or et de lairgent
pour le reconnoître

des jolie boétattes
po y aichetay robatte
de lay Myr et de l'Encent
'qu'il est de tout être

Nous donnerons à l'Enfant
Vous trouverez (par) dedans
Voici de l'or et de l'argent,
Pour le reconnaître;

De jolies petites boîtes.
De quoi lui acheter petite robe.
De la myrrhe et de l'encens,
Car il est de tout être[1]).

16

Nos en revain a paiy
praijey pot no vote fils
se let geirre vint |^{paischy} / ^{icy}
vos ayret Terratte

ay Düe dont Merrie
que de not hai pidie
refutte en nôtre pays
jardin et maisonatte

Nous retournons au pays.
Priez pour nous votre fils
Si la guerre vient par ici,
Vous aurez terre,

Adieu, donc, Marie!
Qu'il ait pitié de nous.
Fuyez en notre pays.
Jardin et maisonnette.

17

Madelon ête bin vü
quain si noix sas requeulay
et las peutement noircy,
^c_bés chaipés de nanci[e]

faire l'ay grimesse
pot g[r]aitay ses fesses
main les astres sont jolys
quai l'ain schu jo têtattes.

— Madelon, as-tu bien vu
Quand ce noir s'est reculé
Il est vilainement noirci;
[Avec] ces chapeaux de Nancy

Faire la grimace,
Pour gratter ses joues?
Mais les autres sont jolis
Qu'ils ont sur la tête.

---

[1]) Comparez *Archives*, II, p. 54, n. 2.

18

Pierra ête présinmais
qu'ay laivin pendu a cô[tai]
vos vo trompais | *furieusmant*
             poutemont
belles et joliattes

— Pierre, as-tu remarqué
Qu'ils avaient pendues au cou,
— Vous vous trompez furieusement,
Belles et joliettes,

en ses jolies trasattes
que faisin griyenattes
sa des chinnattes dergens
que vayent bin cent rappes.

Ces jolies tressettes
Qui faisaient petits chocs? [1]
Ce sont des chaînettes d'argent,
Qui valent bien cent *rappes.*

19

Merrie Joseph et laffain
ay Dué cy vot nos envain
nos vain voirday nos motons
qu'en luy grace abonde

— Marie, Joseph et l'Enfant,
Adieu! Nous retournons
Nous allons garder nos moutons.
Qu'en lui abonde la grâce

qu'a dedain let craichatte
voy nos Berbijattes
nos panserain a Popon
pot raichetay le monde.

Qui est dedans sa petite crèche,
Vers nos brebis.
Nous penserons au Poupon.
Pour racheter le monde !

20

Reveny nos vois sevent
commaindais bin et Dée vos gens
reveny vois nôte affain
Et Merrie Jainnatte

— Revenez souvent nous voir,
Recommandez bien à Dieu vos gens,
Revenez voir notre Enfant.
Et Marie Jeannette

reveny en velle
tot ces des montaignes
nos vos poirain pot parain
sairet Comayratte.

Revenez en visite. [2]
Tous ceux des montagnes.
Nous vous prendrons pour parrain,
Sera commère.

[1] Qui faisaient comme des sonnettes... *Paniers*, p. 7.

[2] *En velle,* en visite de jour; *en l'ovre,* en visite de nuit. Le verbe *vellaɩ* signifie « faire visite le jour », surtout l'après-midi, après vêpres : le verbe *ovrai* « faire visite le soir ».

Ein rhätoromanischer Himmelsbrief.

Mitgeteilt von Hartmann Caviezel, Major, in Chur.

Dass der s. g. Himmelsbrief, welcher im Archiv II 277 abgedruckt worden ist, eine ziemliche Verbreitung hatte, beweist, dass ich seiner Zeit unter alten Papieren in Scanfs eine ladinische (engadiner Romanisch) Version desselben vorfand. Es ist dies keine wortgetreue, sondern vielmehr eine freie Uebersetzung des oberwähnten gedruckten Originals. In manchen Teilen ergänzt diese romanische Abschrift das Original.

Mein Manuscript ist auf altem, festen Handpapier aus dem vorigen Jahrhundert, auf einem Halbbogen grossen Formats geschrieben. Auch die Orthographie und der Stil sind aus dem letzten Jahrhundert. Die Handschrift ist ziemlich gut und leserlich, d. h. insoweit die Tinte nicht verblieben ist. Da dieser Brief möglicherweise für ein weiteres Publikum nicht ganz ohne Interesse sein dürfte, gebe ich denselben hier wörtlich, mit Beifügung der nötigen Bemerkungen.

Còpia d'üna chiarta tres il maun da Dieu svessa.

La quella ais steda tramissa dall Segner tres il aungel S. Michael avaunt la citadt[1]) da Mademburg[2]) in Prussia, uschea, chia ad ogniün[3]) et scadün[4]) saia cuntschieu dinuonder, chia la vain; la quaela eira scritta cun custabs[5]) d'or, et quells chi la spredscheron[6]) aint in lur cuors, da quells fügiarola[7]), la quela cumainza cun quest pleds :

---

[1]) citted, cittad.
[2]) wahrscheinlich Magdeburg in Preussen, im obgenannten abgedruckten Himmelsbrief heisst die Stadt Wenkenburg. Das Datum und die Jahreszahl ist in meiner Abschrift nicht angegeben, wahrscheinlich ist diese Uebersetzung ebenfalls aus dem Jahr 1733
[3]) = ogniün, minchin
[4]) auch ün e scodün.
[5]) leteras, majusclas
[6]) spredscher.
[7]) fügir.

„Eau Jesum Christ s'arouv, chia nun lavuras ünguotta sün il S. dy[1]) da dumengia, dy da poos, ma dessas urer cun deveziun[2]) et na in inbelir voassas vittas, ne las cuvernir cun peidras preziusas, ne infitter voas culiets[3]), ne faer da beilg [bel] cun voas chiavels, cun aritschs[4]), ne tratschoulas[5]), ne begias ne superbia da voassa richietza, ansi de gugient als pouvers. Quaista chiarta disch plü inavaunt, chia simel nun dessas faer lavuraer voassa muaglia il setteval di, cioe la dumengia, anzi que dy[1]) faer faista[6]) e santifichier quel dy[1]). Scha vus que non faros, schi as vöeglia[7]) eau chiastier cun gueras, cun chiolastrias[8]), cun fam, cun pesta, sco fütt chiastio Sodonio et Gomora et sco chi ais inscuntro a Pharo in Egypta“[9]).

„Eau Jesu Christo sarouv[10]), chia dessas celebrar il S. dy[1]) (da) dumengia cun ir in baselgia ogniün[11]) et scadün saja, chell saja veilg[12]) u guven[13]), rich u pouver, e cun devoziun confesser voas pchios, as arügland[14]) sur quells; nun s'iffite cun orr et argient, perche sum bgearras[15]) vias, chi mainan alla perdiziun; simpisse, cheau s'he crejo[16]) per faer bain et na mael; nun begias incunter voas proassem zuond üngüna irra, ma scha pudais fett' dal bain et giüdett, scha pudais. Vus infaunts, saias obbediainta a voas babs et mamas, honure quells, schi as giaro bain a maun, ma chi trapassaro quaist, gniaro a render ün greiff[17]) quint cun il dy dall giüdizzi [iudizi] da tuott il muond et nun vzaro[18]) il thrun da Dieu, ne in il temp, ne in eternitaet. Eau, Jesu Christ l'he scritta

[1]) di.
[2]) devoziun.
[3]) culötz.
[4]) = ritsch.
[5]) = tarscholas.
[6]) festa.
[7]) volair, vöglia
[8]) chalastias.
[9]) dieser Satz fehlt im deutschen Text.
[10]) s'arov = rover, arover, aruer.
[11]) ognin, miuchin.
[12]) vegl.
[13]) giuven.
[14]) rügla, rüglentscha, rüvglientscha.
[15]) bger, plural bgeras.
[16]) creer, creo
[17]) = greiv.
[18]) von vair

cun mieu propi maun. Chi moura[1]) et nun craia quaiet, ün
tal Christiaun nun daia gnir in gratzchia[2]) cun me, chi chi
tegnia quista chiarta in chiessa et nun la fo' a savair ad oters,
quel ais smaladieu[3]) et exclus dall omnipotaint maun, ma l'eis
daeda per cupchier[4]) ad ogniün[5]) et scodün; et scha voas pchios
füssen coatschens[6]), sco la schiarlatta[7]), saron darchio perdunos.
Scha faros penitenza da cour, scha varos vaira ruglentscha[8]) da
tuott voas pchios et craiais que, chi sto scritt in quista chiarta,
ma scha nun craiais, schi d'vantaro il martuoiri[9]) et las painas
dall Infiern et eau as dumandaro quint nell dy dall Giudizzi[10]) et
vus nun pudaros respondar ünguotta sün ils punts[11]), che disch[12]).
Per la tegner be in chiessa, sainza la lascher asavair ad üngiün
Christiaun, non saro sgiür[13]) d'üngiün temp, ne chi ais sto, ne
chi gnaro[14]), ne da föe, ne da d'ovas, mo chi non fo asavair questa
chiarta, quell arfscharo[15]) da me la peia; la quela he scritt et
tramis al Aungel Micael[16]) quista chiarta et la menziun da quella
ais staeda, chio seguand que, chia la contegnia in se, la porta-
vaunt[17]) (a) tuotts ills Christiauns[18]) da quist muond, chi procu-
raron da salvaer ills cumandamaints da Dieu[19]). Finis!"

--- -- - .

[1]) murir, morir
[2]) grazia, auch grazchia
[3]) smaledir, smaladieu.
[4]) copcher, copier.
[5]) ogniin
[6]) cotschen
[7]) scu la s-charlatta
[8]) rüvglientscha
[9]) martiri.
[10]) Judizi, giidizi
[11]) puncts.
[12]) ch' eu vus disch u dumand [dir].
[13]) sgür.
[14]) von vguir, gnir
[15]) artschaiver, ratschaiver.
[16]) Michaël, l'archaungel Michaël.
[17]) porter avaunt
[18]) umauns.
[19]) Das Datum [29. Mai 1733], so wie der im deutschen Original vorkommende sechszeilige Vers ist in meiner rom. Uebersetzung weggelassen.

Eine Sennenkilbe in der Urschweiz.

Mitgeteilt von Caspar Waldis in Schwyz.

Die „Sennenkilben" in der Innerschweiz erfreuen sich als
Volksfeste von altersher der Gunst der meistens Alpen- und
Landwirtschaft treibenden Bevölkerung der Urkantone. Wie es
an einer solchen „Kilbi", die gewöhnlich im Herbst oder in der
Fastnachtszeit abgehalten wird, zugeht, soll hier beschrieben
werden.

Am Morgen des Festtages ziehen die Sennen, die neben
ihrer weltlichen Genossenschaft meistens auch eine kirchliche
bilden, in die Kirche mit fliegender Fahne und Musik an der
Spitze, um ihrem Vereinspatron, dem hl. Wendelin, den sie auch
auf ihrem Vereinspanner tragen, ihre Huldigung darzubringen
und für den während des abgelaufenen Jahres genossenen Schutz
und Schirm zu danken. Nachher versammeln sich im Vereins-
lokal zum sog. „Sennenmahl" die Gesellschaftsmitglieder mit
ihren Freunden und Gönnern, oft sind auch die geistlichen Würden-
träger und weltlichen Behörden anwesend. Während des Sennen-
mahls werden meistens die alljährlich wiederkehrenden Wahlen
des Sennenhauptmanns, des Sennenvaters, des Fähndrichs und
des Kerzen- oder Helgenvogts (der das kirchliche Vermögen ver-
waltet) vorgenommen. Daneben wird der Bauernstand als Nähr-
stand gepriesen, und manchmal dabei auch dem Humor freier
Lauf gelassen. Hitzig gehts oft namentlich bei der Wahl des
Sennenfähndrichs zu; denn die Bauernsöhne sind stets stolz auf
dieses Ehrenamt, indem nur angesehene und zwar ledige Burschen
dazu erkoren werden. Dem Fähndrich und seinem Stellvertreter.
dem „Nebenfähndrich", fällt nämlich die Aufgabe zu, die „Sen-
nenjungfern", zu dem auf das Sennenmahl folgenden Tanz zu
engagieren, den Tanz als „Tanzschenker" (Tanzmeister) und das
„Fahnenschwingen" zu leiten, welches dann an vielen Orten vor,
an den meisten Orten aber nach dem Sennenmahl auf den Haupt-
platz abgehalten wird.

Das „Fahnenschwingen" wird gewöhnlich durch einen Um-
zug, mit Musik an der Spitze, eingeleitet. Voran schreitet der Fähndrich, dann folgen paarweise die übrigen Sennen und den Schluss

macht dann etwa der Sennenwagen in Form einer Sennhütte
mit dem Vorstand. In dieser Sennhütte wird bei Gesang und
Alphornblasen Käse und Butter gemacht und „Nidel" geschwungen.
Auch werden von dem Wagen aus allerlei Süssigkeiten unter
die Dorfjugend geworfen. Ist man auf dem Platz angelangt, so
beginnt das Fahnenschwingen, zuerst von dem Fähndrich, dann
den übrigen Mitgliedern, und schliesslich auch den Sennen aus
andern Ortschaften ausgeführt. Das Fahnenschwingen, begleitet
von der Musik mit einem „Ländler", einer Art Walzer in sehr
schnellem Tempo, erfordert viel Uebung und Gewandtheit, ein
sicheres Auge und einen starken Arm, indem die Fahne im
Takte der Musik, nach bestimmten Regeln mit einer Hand bald
über dem Kopf, bald um den Leib, auch unter den Beinen durch
geschwungen wird. Rauschender Beifall der zahlreichen Zuschauer und nicht weniger der Zuschauerinnen belohnt jeweilen
die Fahnenschwinger.

Eine Spezialität der Sennenkilben von Gersau, Vitznau
und Wäggis (meines Wissens nur dieser Orte) sind die sog.
„Tschämmeler", mit Tannbart und Tannreisern bekleidete wilde
Männer, die nach uralter Ueberlieferung Schutzgeister dar-
stellen, die den Sennen im Sommer auf der Alp bei Sturm, Ungewitter und zur Nachtzeit ihr Vieh vor Abgründen bewachen
und so mit ihnen auf freundschaftlichem Fuss leben. Zum Dank
dafür erscheinen sie auch zum frohen Feste der Aelpler an der
Sennenkilbi und feiern mit diesen den vielleicht einzig fröhlichen
Tag, der den Sennen bei ihrem rauhen und wenig einträglichen
Beruf im Jahr beschieden ist. Die „Tschämmeler", dankbar,
auch einmal im Jahr unter Menschen zu sein, teilen dafür
Kuchen und Süssigkeiten aus und haben, da sie gewöhnlich mit
gutem Mundwerk ausgerüstet sind, den humoristischen Theil des
Festes zu besorgen.

Den Schluss dieses ländlichen Festes bildet der „Sennen-
tanz", bei dem Sennen und „Dörfler" sich unterhalten bis zum
Morgen.

Miszellen. — Mélanges.

Kleffeli — Chläppere.

Heft 26 des I. Jahrganges (1897/1898) der Schweiz [1]) enthält auf Seite 553 eine Einsendung, betitelt: „Kleffeli oder Schweizer Castagnetten", worin erzählt wird, wie jeweils im Frühjahr in einigen innerschweizerischen Kantonen (Luzern, Schwyz z. B.) die Knaben, ausgerüstet „mit 2—3 etwa 15 cm. langen, schmalen, oben etwas eingekerbten Brettchen zwischen den Fingern der halbgeschlossenen Hand," in den Dorfgassen hin und herziehen und dabei vermittelst dieser primitiven Instrumente, *Kleffeli* geheissen, verschiedene Märsche mit mehr oder weniger Kunstfertigkeit herunterzuwirbeln wissen, indem sie die Hölzchen durch rasche Bewegungen und Drehungen der Hand im Takt zusammenschlagen.

Hierzu der Vollständigkeit halber die Bemerkung, dass diese *Kleffeli* unter dem Namen *Chläppere* auch im Thurgau (und wohl in der Ostschweiz überhaupt) unter der männlichen Schuljugend ziemlich allgemein bekannt und verbreitet sind und von ihr, vom Frühling an bis in den Herbst hinein, genau so gehandhabt werden, wie dies der erwähnte Artikel [2]) schildert. Vor dem Gebrauch, d. h. in ganz neuem Zustand, pflegt man diese Hölzchen an den obern Enden — natürlich abgesehen von den Kerben, die lediglich den Fingern als Griffe und Stützpunkte dienen — gewöhnlich etwas auszuhöhlen und anzubrennen: beides offenbar in der Absicht, dem Ton dadurch mehr Kraft zu verleihen [3]).

Splügen.   Dr. Ernst Haffter.

---

[1]) Verlag des Polygraph. Institutes in Zürich.

[2]) Derselbe erregt insofern am meisten Interesse, als er den Ausruf: „der Toni kleffelt wie ein Feldsiech" eines mit diesem Spiel beschäftigten Knaben citiert und gestützt darauf die „Kleffeli" direkt von den Klappern herleitet, welche die Feldsiechen des Mittelalters auf ihren Ausgängen ausserhalb des ihnen angewiesenen Bannbezirkes tragen und gebrauchen mussten. Hierbei fragt es sich nur, ob der Einsender K. E.) den betreffenden Jungen in jenem Zusammenhang wirklich „Feldsiech", nicht etwa bloss „Siech", sagen hörte; denn im erstern Fall erscheint seine daraus resultierende Folgerung einigermassen plausibel, im letztern jedoch nicht, weil *siech* (sowohl adjektivisch als auch adverbial und substantivisch gebraucht) im heutigen Dialekt seine ursprüngliche Bedeutung beinahe völlig verloren hat und den derben mundartlichen Ausdrücken *cheib* und *chog* synonym ist, so dass der Satz: „der Toni kleffelt wie ein Siech" nichts Anderes besagen würde als: „der Toni kleffelt sehr gut."

[3] Anmerk der Red. Vgl. Schweiz Id III 625 fg. (wo die „Kläfferli" auch für das XVI. Jahrh. bezeugt sind). 663. 664. Zu erinnern ist auch an das griech. Krotalon.

Durchlöcherter Stein heilkräftig.

In der Verenaschlucht bei Solothurn befindet sich in der östlichen
Felswand ein ungefähr faustgrosses, nicht sehr tiefes Loch. Wenn man
durch dasselbe einen kranken Finger steckt, so wird er nach dem
Volksglauben geheilt. Das Mittel ist schon so oft versucht worden,
dass das Gestein an der Stelle ganz abgescheuert ist.

E. H.-K.

Berichtigung.

Herr Dr. K. Stehlin in Basel macht mich freundlichst auf
einen Irrtum aufmerksam, der mir in Bd. II S. 284 Anm. 4 begegnet
ist. „3. XXX sols" sind dort als „33 sols" erklärt, während damit
„3 Trente-Sols" gemeint sind. eine Münzsorte des XVIII. Jahrhunderts.

E. H.-K.

Bücheranzeigen. — Bibliographie.

ALBERT KRETSCHMER, Deutsche Volkstrachten. Mit 91 Farbendruck-
tafeln nebst erläuterndem Text. In 30 zweiwöchentlichen Lieferungen zu 75 Pfennig. Leipzig, Adolf Weigel.

Allen Freunden unserer Volkstrachten wird es eine willkommene
Kunde sein, dass das künstlerisch so hervorragend ausgestattete Werk
Kretschmers nun durch lieferungsweisen Bezug auch einem weitern
Publikum zugänglich gemacht wird. In einer Zeit, wo man vielerorts
wieder mit Energie darauf drängt, die Volkstrachten festzuhalten oder
gar wieder neu einzuführen, wo Trachtenfeste in allen Gauen deutscher
Zunge zur Tagesordnung geworden sind, darf dieser Gedanke der
Verlagsbuchhandlung ein höchst glücklicher genannt werden.

Ueber die in vorzüglichen Chromolithographien hergestellten
Tafeln bedarf es kein weiteres Wort des Lobes, sie stehen, so viel
wir bis jetzt sehen können, in keinem Punkte hinter den frühern
Ausgaben zurück: das Kolorit ist lebhaft und leuchtend, die Zeichnung
überall präzis und klar. Der Preis von 20 Pfennig pro Tafel ist
erstaunlich niedrig. Es scheint uns das der richtige Weg, um das
Werk zu einem Buch für's deutsche Haus zu gestalten.

Wir werden über die erschienenen Lieferungen jeweilen kurz
referieren.

Die erste Lieferung enthält: 1. Schleswig (Ostenfeld), 18.
Preussen (Spreewald), 43. Elsass (um Strassburg). Text S. 1—8.

E. H.-K.

BIBLIOGRAPHIE

Über schweizerische Volkskunde für das Jahr 1898.

des Traditions populaires de la Suisse. Année 1898.

Vorbemerkung.

Zur Vervollständigung des Litteraturverzeichnisses ist die Mitarbeiterschaft unserer Leser erforderlich. Wir richten daher die freundliche Bitte an jeden derselben, uns durch Zusendung von Zeitungsausschnitten, bzw. durch Mitteilungen und Nachrichten unterstützen zu wollen.

Allen Denjenigen, die uns bisher in dieser Hinsicht behülflich gewesen sind, sprechen wir unsern verbindlichsten Dank aus.

Im Jahre 1898 sind uns Mitteilungen zugegangen von:

Avertissement

Pour que cette bibliographie soit complète, la collaboration de nos lecteurs est indispensable. Nous serons très reconnaissants à tous ceux qui voudront bien nous envoyer des extraits de journaux et de revues ou toute autre communication d'un intérêt bibliographique

Nous exprimons nos meilleurs remerciements aux personnes qui nous ont aidés jusqu'à présent.

Ce sont pour la bibliographie de cette année:

Privatdozent J. HEIERLI (Zürich), Prof. D. MÄDER (Baden), Prof. J. C. MUOTH (Chur), Prof. E MURET (Genève), B. REBER (Genève), DR. E. A. STÜCKELBERG (Zürich), Prof. DR. G TOBLER (Bern), Prof DR. TH VETTER (Zürich).

I. Bibliographisches.

1. *Mogk, E.*, Bibliographische Zusammenstellung der Quellen von Sitte und Brauch bei den germanischen Völkern: 10. Die Schweiz. *Grundriss der german. Philologie* 2. Aufl. Bd. II 513 ff. — 2 *Bibliographie* der schweiz. Landeskunde. Hrg. v. d. Kommission für schweiz. Landeskunde. Bern (K J. Wyss). — 3. *E. Hoffmann-Krayer*, Bibliographie über schweizerische Volkskunde für das Jahr 1897. *Schw Arch. f Volksk* II 65 ff

II. Vermischtes.

1 *Carnot, P Maurus*, Im Lande der Rätoromanen. *Monat-Rosen* 15. März u. ff. Enthält in Form einer Besprechung der räto-romanischen Chrestomathie v. Decurtins eine grössere Zahl volkskundlicher Gegenstände. — 2. *Lardelli, T.*, Cavajone. *Bündn. Monatsbl.* No 7. Histor. u. kulturhist. Notizen üb. die Besonderheiten Cavajone's. — 3 *Lüscher. J*, Heimatkunde v Seon Aarau Hochzeiten

100. Taufen 105. Tod und Begräbnis 106. Sagen 252. Aberglauben, Hexerei 259.
— 4. *Nater, Joh.*, Geschichte von Aadorf und Umgebung. Frauenfeld
Enthält sehr Vieles zur Volkskunde, worunter 8. 816 auch Sagen. — 5. *Stirnimann*,
Volksbräuche aus dem Kanton Luzern. *Feuille centrale de la Société de
Zofingue XXXVIII* 371 ff. — 6. *Täschler, J.*, Land und Leute von Grau-
bünden. *Die Sonntagspost* (Winterthur) No. 33—36. — 7. *Geiser, K.*, Land
und Leute bei Jeremias Gotthelf. *Neujahrsblatt der Litterar. Gesellschaft
Bern.* — 8. *Meyer von Knonau, G.*, Josias Simler als Verfasser der
„Vallesiæ Descriptio" und des „Commentarius de Alpibus " *Jahrb des
Schweizer Alpenclub XXXII*, 217 ff.

III. Prähistorisches.

1. *Reber, B.*, Monuments préhistoriques et légendes de Zermatt. *Valais
romand*, 15 Févr. Steine mit rätselhaften Zeichen im Oberwallis, mit 2 Abbildungen.
— 2. *Reber, B.*, Dans le Val de Bagnes. *ib.*, 1er et 15 août. Dasselbe. — Diese
und die unten folgenden Aufsätze Reber's sind auch separat u. d. T „Antiquités et légendes
du Valais" erschienen.

IV. Wohnung.

Haus. 1. *Seippel, P.*, Le chalet suisse *Le véritable Messager boiteux de
Berne et Vevey*, p. 47. Ermahnung an die Bergbevölkerung, die alten Holzhäuser nicht durch Steinhäuser zu ersetzen. — 2. Von den Bauernhäusern
im Schweizerland. *Der Schweizer Bauer* (Kal.; Bern) S. 78. Dazu
Abbildung eines Prättigauer u. Averser Hauses S. 79. 80. — 3. Alter Speicher
bei Oberrieden (Zürich). *Die Schweiz* II 345. Originalzeichnung. —
4. Bauernhaus bei Arnegg im Kt. St. Gallen. *Der Schweizer Bauer*
(Ztg. No 96) Abbildung und Text. — 5. Aargauisches Bauernhaus. *Die
Schweiz* II 443 Originalzeichnung von Anner.

V. Wirtschaftliches.

Alpwirtschaft. 1 *Nager, C.*, Die Alpwirtschaft im Kanton Uri. (Schw
Alpstatistik 5. Lief.). — 2. *Bäbler, J.*, Die Alpwirtschaft im Kanton
Glarus (Schw. Alpstatistik 6. Lief.). — 3. Bericht über d. Alpwander-
kurse des schwz. alpwirtsch. Vereins im Sommer 1897 Kursgebiete:
Freiburg-Bern. Prättigau-Calfenserthal — 4. *Anderegg, F.*, Illustr.
Lehrbuch f. die gesamte schweiz. Alpwirtschaft. 2. und 3. Teil. —
5. *Stebler, F. G.*, Die Tessleu im Oberwallis. *Schweiz* I 461. —
6. *Diacon, M.*, Lignières et Le Franc-Alleu. *Musée Neuchâtelois*, p. 25
Verordnungen für die Hirten von Lignières. — 6a. In der Sennhütte Appen-
zell. Bleistiftstudie von K. Liner *Die Schweiz* II S 219. —
S. auch X, 2. 3. 4.

Landwirtschaft. 7. Almanach de l'agronome contenant les travaux du
cultivateur et du jardinier pendant chaque mois de l'année. *Le
véritable Messager boiteux de Berne et Vevey*, p. 2—4. — 8. *Le Bon
Messager* (Lausanne), p. 2, 4, 6 etc. Dasselbe. — 9. Feld- und Gartenbau [·Kalender]. *Schweizer Hausfreund* (Kal.; Zürich) S. 3. 5. 7 etc
Dasselbe. — 10. [Landwirtschaftliche] Bauernregeln. *Der Schaffhauser*

Bote (Kal.) S. 3. 5. 7. etc. — 11. Gartenbaukalender. *Vetter Jakob*
(Kal.; Zürich) S. 18. — 12. *Der Volksboten Schweizerkal.* (Basel)
S. 3. 5. 7. etc. Dasselbe. — 13. Arbeitskalender für den Gemüsegarten.
Arbeitskalender für den Bienenzüchter. *Der Schweizer Bauer* (Kal.;
Bern) S. 3. 5. 7 etc. — 14. Wie eine Kuh aussehen soll. *Luzerner
Haus-Kal* Reimvers aus Tschudi's landw. Lesebuch. — 15. Monatskalender
für Land- und Gartenbau. *Eidg National-Kal* S 3. 5. 7 9. 13 15
17 19. 25

VI. Tracht.

Vermischtes und Allgemeines. 1. Die Schweizer-Trachten vom XVII.
bis XIX. Jahrhundert nach Originalien. Dargestellt unter Leitung
von Frau *Julie Heierli.* Serie IV (Freiburg: deutscher Teil, Aargau:
Frickthal, Appenzell: Innerrhoden, Bern: Guggisberg, Wallis: Val-
d'Hérens, Unterwalden: Nid dem Wald), Serie V (Uri: Reusathal, Tessin:
südl. Teil, Basel: Landschaft, Appenzell: Ausserrhoden, Zürich: Rafzer-
feld, Graubünden: Ober-Engadin), Serie VI (Waadt, St. Gallen: Fürsten
land, Graubünden: Vorderrheinthal, Born, St. Gallen, Luzern: Ent-
libuch.) — 2. Von frühern Schweizertrachten. *Histor. Kal.* (Bern) S. 48.
Ueber d. Entstehung d. Reinhardtischen Sammlung. — 3. Die Erhaltung der
Volkstrachten. *Die Limmat* No. 174. Erhebt berechtigte Zweifel an der
Zweckmässigkeit der Volkstrachten in der Gegenwart.
Aargau. 4. Bauernmädchen aus Laufenburg. 1824. *Eidg. Nationalkal*
S. 52. — S. auch 1.
Appenzell. 5. Appenzellerin am Stickrahmen. Bleistiftskizze von K. Liner
Die Schweiz II S. 218. — 6. „Thue mer Bschäd", *ib.* S. 220. Appen-
zellerin. — 7. Appenzellergruppe. *ib.* Beil. S. 66. — S. auch 1.
Basel. s. 1.
Bern. 8. Männer- und Frauentracht von Köniz. *Histor. Kal.* (Bern) Tafel
zu S. 48. Farbiges Bild von König, nach Reinhardt. — 9. Frauentracht
von Guggisberg. *ib* Wie Voriges. — 10. Bauernmädchen aus der Um-
gebung von Bern. 1824. *Eidg. Nationalkal.* (Aarau) S. 52. — 11.
Des Schweizersoldaten Heimkehr aus der Fremde. *Schweiz* I 411.
Nach Freudenberger. — 12. Landsturm von 1798. *Der Schweizer Bauer*
(Kal.; Bern) Tafel zu S. 73. Bild nach König. — 13. Küher aus dem
Bernbiet, nach Pingret 1824. *Badener Kal.* S. 67. — S. auch 1.
Freiburg. 14. Senn aus Freiburg, nach Pingret 1824 *Badener Kal.* S 70. -
S. auch 1.
Graubünden. s. 1.
Luzern. 15. Männer- und Frauentracht von Adligenschweil *Histor. Kal.*
(Bern) Tafel. Wie s. — S. auch 1
St. Gallen. s. 1.
Solothurn. 16. Männer und Frauen von Derendingen. *Histor. Kal.* (Bern)
Tafel. Wie s. —
Tessin, Unterwalden, Uri s. 1.
Waadt. 17. Le costume-femme de Montreux. *Conteur vaudois* No. 6.
Klage eines Pfarrers aus dem J. 1849 über das Eindringen der neuen Mode und
Schilderung der Tracht aus den 30er Jahren. — S. auch 1.

Wallis. 18. *Sonntagsbeilage z. Allg. Schweizer Ztg.* S. 107. Beschreibung der
Vispertracht um die Mitte dieses Jahrh. — S. auch 1.
Zürich. s. 1.

VII. Volkstümliche Industrie und sonstige Erwerbszweige.

1. Der Bergkrystallsucher *Eidg. National-Kal.* S. 46. — S auch
VIII, 12

VIII. Sitten, Gebräuche, Feste.

Hochzeit und Ehe. 1 Musée Neuchâtelois, p. 51. 73 Hochzeits-
sitte v. 1664. — 2. *Ein Sonntagsfreund,* Hochzeits- und andere
Sitten *Volksblatt* (Stäfa) 29. Okt. — 3. *L. M.,* Les dames d'Yverdon. *Conteur vaudois,* 19 mars. Verbot der Berner Behörden vom 13. Febr.
1571 an die Frauen von Y., diejenigen Männer, die ihre Frau im Laufe des Monats
Mai geschlagen haben, in den Brunnen zu werfen.
Tod und ***Begräbnis.*** 4. Pleureurs et pleureuses. *Conteur vaudois* No. 13.
„Il est encore des vieillards qui se souviennent d'avoir vu les pleureurs et les
pleureuses, dans les convois funèbres, à Lausanne; et l'on nous assure qu'il n'y a
pas plus d'une vingtaine d'années que cette coutume a cessé à Neuchâtel."
Essen. 5. Tischzucht 1645. *Schweiz* I 427. Reproduktion des ersten Neujahr-
stücks der Stadtbibliothek, mit Text. — 6. Comment on vit à Lucerne.
Journal de Genève, 26 mai. Mahlzeiten in L. —
Gemeindeverkehr. Kämpfe. 7. *Reber, B.,* Antiquités et légendes des
environs de Leytron et de Saillon. *Valais romand* 1er avril. „La
jeunesse fréquente ces bains régulièrement et si par hasard deux bandes se ren-
contrent, on se livre à une bataille régulière pour savoir laquelle des jeunesses,
celle de Leytron ou del Saillon, se baignerait la première". — S auch XIV, 1.
Nachtbuben. 7a. Ein dummer Brauch. *Bündn. Tagbl.* 16 Dez. Ueber das
„Grüpen", Behelligen von Passanten, in Küsnacht (Schwyz).
Einzelne Berufsarten und ***Stände.*** Allgemeines. 8. Heilige Patrone der verschiedenen Stände. *Einsiedler Marien-Kal.* S. 3. —
Spielleute 9. *Türler, H.,* Zwei Urkunden über das Pfeifer-
königtum in Bern *Anz. f. schweiz. Gesch.* XXIX No. 1 S 17. —
Aelpler. 10 *Anderegg, F,* Illustr. Lehrbuch f. d. gesamte schweiz.
Alpwirtschaft, III. T.: Das schweiz. Alpen- und Aelplerleben oder
alpine Volkswirtschaft und Volkskunde — 11. Curieuse coutume.
Le véritable Messager de Berne et Verey, p. 62 „Prémices des Alpes",
fromages qu'on remet en cortège solennel au curé de Vissole (Valais). — Jäger.
12. *Hauser, F.,* Adlerfang in den Schweizeralpen. *Die Schweiz,*
II 363 ff. — Fischer. 13. *Nägeli, O.,* D'Gangfischsegi. Frauen-
feld. — Zünfte. 14. La fête des Echarpes blanches. *Feuille d'Avis*
(Lausanne), 8 août.
Sporte. Bergsteigen 15. *Zschokke, Dr. A.,* Zur Geschichte des
Bergsteigens. *Jahrb. des Schweizer Alpenclub* XXXII 203 ff.
Herbstbräuche. 16. Die „Nidlete" in Langnau (Kt. Bern). *Thurgauer*
Ztg. No 277.
Kirchweih. 17. *Gfeller, S.,* Die Lüderenkilbe *Schweizer Bauer* (Ztg.)
No. 58. — 18. *Ch. M.,* Les auberges de la bénichon *Journal de*
Genève 15 août. —

Weihnacht. 18a Petits mystères de Noël. *Conteur vaudois,* 24 déc. Die alte Sitte des geschenkbringenden „Challande" und der „Chausse-Vieille" machen dem Christbaum Platz. Eheorakel in der Christnacht.

Dezembernächte. 18b. *A. K.,* Die Buchselnacht in Weinfelden. *Thurg. Tagbl.* 23. Dez.

Sylvester. 19 *M[onnet], L.,* La Saint-Sylvestre, à Lausanne. Revue comique de l'année 1851. *Conteur vaudois,* No. 9. Sylvester-Umzug von 1851 mit satirischer Darstellung der Jahresereignisse. Vordem warde der „Sylvester" als Strohpuppe von Vermummten umgetragen und unter Absingen eines Verses in die Luft geschleudert. — 20. Das Ausläuten des alten Jahres in Thusis *N. Zürcher Zeitg.* 7 Jan. Lärmmusik am Sylvester u. Geldsammeln.

Fastnacht. 21. Vieille coutume dans le canton d'Argovie. *Cont. vaud.* No. 3. Meilli-Sunntig; vgl. Bibliographie für 1897 IX 34. — 22. Eine hübsche Volkssitte. *Seeländ. Anz.* (Aarberg) 19. Jan Dasselbe. — 23. *Hoffmann-Krayer, E.,* Einige schweiz. Masken und Maskenbräuche. *Schweiz* I 503 ff. Mit 13 Abbildungen. — 24. Der Luzerner Fritschizug von 1897. *Luzerner Hauskal.* Mit 2 Abbildungen. — 25. Im närrischen Monat *Volksbühne* S. 36.

Ostern. 26. *Conteur vaudois,* 9. avril Ostersitten verschiedener Länder. — 27. Das Eierwerfen. *D. freie Rätier* 24. März. Versuch der Wiedereinführung. — 28. Die Ostereier. *Aargauer Nachrichten* 12. April.

Pfingsten. 29. *König, H.,* Pfingstbräuche im Hirtenleben *Basler Nachrichten* 29. Mai.

Frühlingsbräuche und -Feste. (s auch Fastnacht, Ostern, Pfingsten. 30. *Buss, E.,* Die Fridolinsfeuer im Glarnerland. *Schweiz* I 500. Am Fridolinstage (6. März) werden Höhenfeuer angezündet. — Alte Leute begrüssen die hinter dem Glärnisch hervortretende Sonne durch Aufstehen und durch Abziehen des Hutes — Festspeise: Glarner Pastete. — 31 F ê t e d e s N a r c i s s e s, à Montreux. *Conteur vaudois,* 23 avril: *Semaine littéraire,* p. 248. — S. auch 36.

Mittsommer. 32. *X.,* Mi-Eté de Taveyannaz. *Feuille d'Avis* de Lausanne du 9 août et celle de Vevey du 10 août.

Einzelne Tage. 33. Saints économiques (en Valais). *Tribune de Genève,* 27 mars. „Sur la St-Joseph (19 mars) tombe l'échéance de l'engagement des domestiques (marché aux servantes, à Sion). A partir de l'Annonciation (25 mars) il n'est plus permis de circuler librement dans les prés d'autrui. La St-Jean (24 juin) est la date de la distribution des prix aux enfants des écoles primaires. A la St-Maurice (22 septembre) commencent les vendanges. La St-Martin (11 novembre) marque le grand remue-ménage des locataires."

Offiziell organisierte Feste. G e l e g e n h e i t s f e s t e, J u b i l ä e n etc. 34. *M[onnet], L.,* La fête du 24 janvier [1898]. *Conteur vaudois,* No. 5. 100jährige Gedenkfeier der Betreiung der Waadt. — 35. *M[onnet], L.,* La seconde fête de l'Indépendance aux Ormonts, le 5 mars *ib.,* No. 8. Feier der Bewohner des Ormontthales am 24 Jan. zur Erinnerung an ihre Befreiung am 5. März 1798. — 36 Les arbres de liberté. *ib.* Aus den Maibäumen abgeleitet. — 37. Ein solothurnisches Volksfest zur Ambassadorenzeit. *Vaterland* (Luzern) 21. Jan. Feste zur Feier der Geburt des Dauphins im Sept. 1729. — 38. Die Neueneggfeier in Bern. *Allg. Schweizer Ztg.,* No. 55 und auch in andern Zeitungen. Gedenkfeier des Sieges der bern. Truppen über die Franzosen bei Neuenegg am 5. März 1798. —

39. *D. B.-B.*, L'Anniversaire du combat de la Neuenegg, à Aeschi *La Montagne*, p. 49. Aufführung des bern. Schauspiels „Der Tod versöhnt" von R. Salzmann. — 40. K i r c h l i c h e F e s t e in Unterwalden. *Nid waldner Kal.* S. 1—12. — 41. *Fleiner, A.*, Das Fest der „Maria zum Schnee". *Die Schweiz* I 5?0. — 42. *Méjard. C.*, A propos du Jeûne fédéral. *Conteur vaudois*, 17 sept. Entstehungsgeschichte des Eidg. Dass., Dank- und Bettags und Beschreibung der Genfer *Fête des Paniers.* — S c h ü t z e n-f e s t e. 43. Das Jubiläumsschiessen der Schützengesellschaft in Aarau (Mit Bild). *Eidg. National-Kal.* (Aarau) S 48 — 44. *Marti, F.*, Die Schützengesellschaft d. Stadt Zürich. — S c h w i n g f e s t e. 45 Bestimmungen betreffend das Schwingen an eidgen. Schwingfes'en, *Schweiz Turnzeitung* 4. März. — T u r n f e s t e. 46. Fête fédérale de gymnastique, à Schaffhouse, du 24 au 27 juillet 1897. *Le véri-table Messager boiteux de Berne et Vevey*, p. 65. Mit Abbildung. — 43. Eidg. Turnfest in Schaffh. *D. Schaffhauser Bote* (Kal.) S. 78. 2 Bilder.
Gebräuche staatlichen und politischen Charakters. L a n d s g e-m e i n d e n. 48. Die Landsgemeinde. *Neuer Appenzeller Kal.* (Heiden) Mit Abbildung der Hundwiler Landsgemeinde. — F r e i h e i t s b ä u m e. s. 86 — 49. *Schlumpf, M.*, Der Chamer M a r k t. *Zuger Kal.* S. 49. — 49a. Bilderbogen vom Churer Andreas-Markt *Bündn. Tagbl* 18. Dez.
Volksjustiz. 50. M a z z a *Valais romand*, 1er mai Kurze Notiz über die sog. Matze im Wallis.

IX. Volksmeinungen und Volksglauben.

Vermischtes und Allgemeines. 1. Superstitions et préjugés *Journal d'Yverdon*, 16 avril. — 2. *A F.*, Der Aberglauben im Volke *Aargauer Nachrichten* 9 Okt
Segen. A l p s e g e n. 3. *Jahrbuch d. Schweizer Alpenklub* XXXII 206 fg. — K r a n k h e i t s s e g e n. 4. Prières et »secrets«. *Musée Neuchâtelois*, p. 66 suiv. — S. auch Volksmedizin
Volksmedizin. 5. *Zahler, H.*, Die Krankheit im Volksglauben des Simmenthals (Separatabdr. a d. XVI. *Jahresber d Geogr. Ges v Bern* [1893]. — S. auch Segen
Kalender- und Wetterglauben. K a l e n d e r u n d W e t t e r r e g e l n 6. *Eulenspiegel-Kal.* (Zofingen) S. 5—16. — 7. *Vetter Götti* (Kal.; Grüningen) S. 3. 5. 7. etc. — 8. *St. Galler Kal.* S 3. 5. 7. etc. 63. 64. — 9. *Lustiger Distelikalender* (Grüningen) S. 3. 5. 7. etc. — 10. *Vetter Jakob* (Kal.; Zürich) S. 4—14. — 11. *Schweizer Hausfreund* (Kal.; Zürich) S 3. 5. 7 etc. — 12. *Der Schweizer Bauer* (Kal.; Bern) S. 3 5. 7 etc. — 13. Der hundertjährige Kalender. *Familienkalender* (Zürich) S. 2. 4. 6 etc. — 14. *Benzigers Marienkalender* (Einsiedeln) S. 3—14 — 15. *Arbeiterfreund-Kal.* (Bern) S 3. 5 7 etc. — 16. *Der Pilger aus Schaffhausen* (Kal.) S. 3. 5. 7 etc. — 17. *Neuer Einsiedler Kal* S. 2. 4. 6 etc. — 18. *Züricher Kal.* S. II. III. IV. V. VI. VII. VIII IX. XI. XII. — 19. *Schweiz Dorfkal.* (Bern) S. 4. 6. 8 etc. — 20 *Einsiedler Kal.* S. 3—14. — 21. *Grütlianer-Kal.* (Zürich) S. 3—4. — 22 *Luzerner Haus-Kal* S 3. 5 7 etc — 23 *Histor Kal* (Bern)

S. 3 5. 7. etc. — 24. *Bauern-Kal.* (Langnau) S 3. 5. 7. etc — 25.
Einsiedler Marien-Kal. S. 2—13 — 26. *St. Ursen-Kal.* (Solothurn)
S. 1—12. — 27. *Badener Kal.* S. 3. 5. 7 etc. — 28. *Volksbühne*
S. 36. — 29. La vraie Saint-Médard. *Conteur vaudois,* 25 juin. —
30. *H.,* Einfluss der Kalenderzeichen. *Das Vaterland* 24.
April. — 31. *A. S.,* Das Reifläuten. *Solothurner Anzeiger*
7. Mai. Wetterläuten gegen Frostschaden im Solothurner Gäu.
Hexen. 33. *Moser, Fr.,* Ueber Hexen und Hexerei. *Volksfreund* (Burgdorf)
7. Jan. — 34. Der Ursprung des Hexenglaubens. *ib.* 26. 27. März. —
S. auch XI, 11.
Gespenster. 35. *Musée Neuchâtelois,* p. 74. Spuck in einem Hause von Peseux,
1664. — 36 *Piard, A.,* Maisons hantées. *Le National Suisse* 17
sept.
Glück und Unglück. 37. *Die Glatt* (Bassersdorf) 9. März. Historische
[unrichtige!] Erklärung über die Entstehung des Aberglaubens vom vierblättrigen
Kleeblatt.
Tierglaube. 38. *Jensen, Chr.,* Der Storch im Volksglauben. *Basler Nach-*
richten 22. Mai.

X. Recht im Volkstum.

1. *K.-E.,* Ein zürcherischer Ehekontrakt aus dem 15. Jahrhundert. *Zürcher Taschenbuch* auf das Jahr 1898. — 2. *Muoth, J. C.,* Die
Thalgemeinde Tavetsch. Ein Stück Wirtschaftsgeschichte aus
Bünden. *Bündn. Monatsbl.* No. 2. 3. 4. Alprechtliches. — 3. *Stebler, F. G.,*
Die Tesslen im Oberwallis oder hölzerne Namensverzeichnisse. *Schweiz*
I 461. — 4. *Tobler, Alfred,* Die Allmend- und Gemeinteilfrage
im Kurzenberg 1524—1598 und 1598—1898. *Appenzellische Jahrbücher*
53 ff. — 5. *Muoth, J. C.,* Statut del honorat comün da Zernez. Seguond
la compilaziun e copia del 1724. *Annalas della Societad Rhæto-romanscha*
XII, 87 ff.; auch separat. — 6. *Carnot, M.,* Im Lande der Rätoromanen: Rechtsdenkmäler. *Monat-Rosen* XLII S. 593. — 7. Aktenstücke zur Geschichte d. bündn. Polizeiwesens. *Bündn. Monatsbl.*
S. 227. 252. Verordnungen gg. die Zigeuner und Landstreicher. — 8. *Sprecher, J. A.,*
Ueber die bündnerischen Portensrechte. *ib.* 241 ff. 265 ff. 299 ff. —
9. *Christoffel, Chr.,* Las societats de mats e lur dertgiras nauschas
Annalas della Societad Rhæto-romanscha XII. 1 ff. Ueber die sog. Knabenschaften.
— 10. *Cohn, G.,* Gemeinderschaft und Hausgenossenschaft. *Ztschr.*
f. vgl. Rechtswiss. Cap. I: Die schweiz. Gemeinderschaft im heutigen Recht. Cap. II :
Das ältere schweiz. Gemeinderschaftsrecht· — S. auch VIII, 50

XI. Volksdichtung.

Sagen und Legenden. 1. *Herzog, H.,* Die schweiz. Frauen in Sage
und Geschichte. Aarau. — 2. *Buss, Dr. E.,* Sagen vom St. Georgen-
berg. *Schweiz* I 445. — 3. *Courthion, L.,* Charlemagne à Vouvry.
Semaine littéraire No. 214. Karl d. Gr. soll nach der Volksüberlieferung im
J. 773 über den grossen St. Bernhard nach Italien gezogen sein und von den
Bewohnern Vouvrys Hülfeleistungen empfangen haben. — Ehedem wurde der

Karlstag (28. Jan.) In diesen Gegenden durch Volksbelustigungen gefeiert, wobei das jüngste Ehepaar den Schnee von dem Tanzboden zu entfernen hatte. — 4. *Dick, P.*, Sagenhaftes und Uraltes aus dem Wallis *Schw. Reformbll.* 31, No 8 9 11—21 — 5. *J. Reymondenlaz,* La légende du sauvage de Chamoson *Valais romand,* 1er mars. — 6. *Reber, B.*, Le Val d'Illiez *ib.* Einige Feen- und Koboldsagen. — 7 Die Herkunft der bündnerisch-romanischen Sprache *Schweiz* No 23, Umschlag S 2 — 8 La Légende de St. Nicolas *Almanach des Familles chrétiennes* (Einsiedeln), p 17 — 9. *Reber, B.*, Une visite au Val des Tourtemagne *Valais romand,* 15 mars Entstehung des Namens „Turtmann." — „Teufelstritte", Einschnitte im Felsen. — Wohnungen der Go-twergi (Zwerge). — 10. *Id.*, Antiquités et légendes des environs de Leytron et de Saillon *ib.*, 15 avril. — 11 *Jörger, Dr*, Sagen und Erlebnisse aus dem Valserthal. *Jahrb. d Schweizer-Alpenclub* XXXII (1896/97) 132 ff „Färli-Sau" S. 133. Das „Aberschhaus" ib. Das Gespenst im Hinterpell S. 136. Die „hohen oder Teufelsteine." S. 147. Die Reformation im Valserthal. S. 149. Versammlungsort der Hexen 153. — 12. Sagen vom Pilatusberg. *Jahrbuch des Schweizer Alpenclub.* XXXII 204 ff. — 13. *L. Meisser*, Die Trümmer von Lastlins bei Süs. *Bundn. Monatsbl.* S 137 — 14 Vaches de Boulaire *Valais romand,* 15 mai. — 15. *Brouzoz, H.,* L'âme damnée ou histoire d'un procureur (Légende populaire, extraite d'un manuscrit d'un barde de la montagne) *Valais romand.* 15 juin — 16 *Carnot, M.*, Im Lande der Rätoromanen: Märchen und Sagen *Monat-Rosen* XLII S. 610 — 17 *Gattiker, G.*, Zur Heimatkunde von Zürich Geschichten und Sagen. Für die Schule gesammelt und bearb 2. Aufl — 18. Le Mort d'Eindzon, Légende de la vallée des Diablerets *Gazette du Valais.* 30 janv — 19 *Baud-Bory, D*, Légendes suisses: Le chemin des Frisons Saint Trutbert et la petite cruche. Le Rhône messager *La Suisse* (Genève), 16 et 30 mai, 14 nov. — 20. Die Sage vom Stier von Uri. *Urner Wochenblatt* 18. Juni. — 21 Segnes und Sardona (Eine Alpensage in Oberländer Mundart) *Der Sarganserländer* Aug ? — 23. Alpsagen. *Bremgarter Volksblatt* 16., 23., 30. Juli — 24 *Baud-Bory, D.,* Le pieux original La vouivre de Naters *L'Echo de la Broie.* 10 sept., 8 oct. — 25 *Salvioni, C.,* Ancora delle »Case dei Pagani«. *Bollettino storico* p 125 segu „Heidenhäuser".

Märchen. 26 *K.,* Die Weltanschauung des deutschen Volkmärchens. *Solothurner Anzeiger* 13.—15. Dez

Schauspiel. 27 Selzacher Passions-Schauspiel *Volksbühne* S 85. — S. auch VIII, 39.

Lieder und Reime. 28. *Pellandini, V.*, Saggi di folk-lore ticinese: filastrocche, cantilene, acchiapparelli. *Archivio per lo studio delle tradizioni popolari* XVII p. 11 ff. — 29. *Häne, Joh.*, Ein historisches Volkslied wider die Schweiz aus der Zeit des „Konstanzersturms" vom J 1548. *Anz. f. Schweiz. Gesch.* No. 3. S. 61 — 30. Coraules gruyériennes et lausannoises. *Conteur vaudois.* 13 août — 31. *Carnot, M.,* Im Lande der Rätoromanen: Das Volkslied. *Monat-Rosen* XLII S. 615. — 32 Chanzuns popularas ladinas, publichadas da *A. Vital. Annalas della Societad Rhœto-romanscha* XII, 243 ff.

33. *de Meiry, Ch.*, Le «Rauz des vaches». *Journal du Dimanche*, 4. Sept. — S. auch XII, 1. 2 ; XV, 2.

Rätsel. 34. *Pellandini, V.*, Indovinelli popolari raccolti nel Ticino. *Archivio per lo studio delle tradizioni popolari* XVII p. 191 ff.

Inschriften. 35. *Doer, W. H.*, Katalog der von Dir. H. Angst dem Schweiz. Landesmuseum geschenkten keram. Sammlung. (Anhang zum 6. *Jahresbericht über das Landesmuseum*). Enthält eine grössere Anzahl Ofeninschriften. — 36. *Rahn, J. R.*, Verzeichnis der Inschriften auf schweiz. Flachschnitzereien *Anz. f. schwz. Alt.* S 92 127.

XII. Charakteristische Personen.

Ulrich Bräcker. 1 *A. K.*, Der arme Mann im Toggenburg. *Appenzeller Kal.* S. 57 ff. Mit Bild. — 2. Der grosse Tys. *Eidg. Nationalkal.* (Aarau) S. 49. Matthias Bühler im Wägglthal, ein Hirt von gewaltiger Stärke.

XIII. Spiel.

Kinderspiele. 1 *Pellandini, V.*, Saggi di folklore ticinese. IV. Giuochi fanciulleschi. *Archivio per lo studio delle tradizioni popolari* XVI, 522 ff. — 2. *Carnot, M.*, Spiel und Lied der rätoromanischen Jugend. *Monat-Rosen* XLII S 604.

Schwingen s. VIII, 45.

XIV. Tanz.

1. *Un armailli*, Les Coraules *Le Fribourgeois* 26 juillet — S auch X, 30.

XV. Volkswitz und -Spott.

Ortsneckereien. 1. Guerre des traine-bâtons, des matous et des carquoies. *Cont. vaud.* No. 2

Schildbürgereien. 2. Les bêtes à cornes à la foire de M . . *Conteur vaudois*, 9 avril

XVI. Sprichwort, Redensart, Formel.

Redensart. 1. Casser sa pipe. *Le véritable messager boiteux de Berne et Verey*, p. 50. — 2. Der Kuckuck in der Sprache des Schweizer Volkes. *Sonntagsgruss der „Limmat"* S. 106. —

Sprichwort. 3. *St. Galler Kal.* S. 59. Einige Schweizer Sprichwörter. — 4. Sprichwörter aus dem Kt. Solothurn. *Der Schweizer Bauer* (Kal.; Bern) S. 122.

Verdrehungen. 5. *Appenz. Jahrbücher* 149. Cappenschinderbus=Kapuzinerkloster a. 1588.

Fluche. 6. Les jurements sous les Bernois *Conteur vaudois*, 28 mai Altes Mandat gegen das Fluchen.

XVII. Namen.

Menschennamen. 1. Uebernamen. *Sonntags-Beilage der Allg*
Schweizer Zeitung S. 95.

Steinnamen. 2. *Valais romand,* 1ᵉʳ avril Tête du Géant, Tête du Lion. —

Ortsnamen. 3. Zur Ortsnamenschreibung „w e i l" oder „w i l". *Appens.*
Ztg. (Herisau) 7. Jan. Tritt für das mundartl. wil ein. — 4. *Iselin, L. E,*
Walliser Ortsnamen und Walliser Urkunden. *Anz. f. schweiz. Ge-*
schichte XXIX 39. — 5. *L. E. I.,* Lys und Lysbüchel. Zwei basl
Ortsbezeichnungen und ihre Bedeutung. *Sonntagsbeilage der Allg.*
Schweizer Zeitung S. 138. „Linsenförmiger Hügel". — Die folgenden Nummern
desselben Blattes enthalten Replik und Duplik.

XVIII. Wortschatz.

Gaunersprache und Jargon. 1 Argot fin de siècle à Genève. *Conteur*
vaudois, 2 avril. — Argot d'Ouchy. *ib.,* 16. avril — 2. *M. R,*
Argot des montagnes neuchâteloises. *ib.,* 23 avril.

Mundart. 3. *R.,* Un glossaire des patois de la Suisse romande *Le*
Genevois, 14 juin.

Mitglieder
der Schweiz. Gesellschaft für Volkskunde.

Membres
de la Société suisse des Traditions populaires.

Vorstand. — Comité.

Präsident:	Dr. E. Hoffmann-Krayer, Privat-dozent für deutsche Philologie	Zürich
Vice-président:	E. Muret, Prof. de philologie romane	Genève
Aktuar:	Dr. E. A. Stückelberg, Privatdozent für Altertumskunde	Zürich
Quästor:	Oberstlieut. E. Richard, Sekretär der Kaufmännischen Gesellschaft	Zürich
Beisitzer:	Dr. Th. Vetter, Prof. für englische Philologie	Zürich

Ausschuss. — Conseil.

V. van Berchem	Genève
Dr. Joh. Bernoulli, Oberbibliothekar der Landesbibl.	Bern
J. Bonnard, Prof. de philologie romane	Lausanne
Dr. Brandstetter, Prof. an der Kantonsschule	Luzern
Dr. A. Burckhardt-Finsler, Prof. für Geschichte, Direktor des historischen Museums	Basel
Hochwürden Regens L. C. Businger	Kreuzen b. Solothurn
Dr. J. Hunziker, Prof. an der Kantonsschule	Aarau
Dr. G. Jenny	St. Gallen
Dr. G. Meyer v. Knonau, Professor für Geschichte	Zürich
J. C. Muoth, Gymnasialprofessor	Chur
E. Pometta, vicepresidente del Tribunale	Bellinzona
Oberstlieut. Dr. R. v. Reding-Biberegg	Schwyz
Joseph Reichlen, artiste peintre	Fribourg
Hochwürden Msgr. J. Stammler, Pfarrer	Bern

Ehrenmitglieder. — **Membres honoraires.**

1. P a u l S é b i l l o t, secrétaire général de la Société
   des Traditions populaires   Paris
2. Geb. Regierungsrat Dr. K a r l W e i n h o l d , Prof.
   für deutsche Philologie   Berlin

Korrespondierende Mitglieder. — Membres correspondants.

3. Abbé D'A u c o u r t, curé   Miécourt (Jura bernois)
4. H e n r i J u n o d, missionnaire   Neuchâtel

Mitglieder. — **Membres.**

5. Alioth, Manfred (Rittergasse)	Basel
6. Alioth-Vischer, W., Oberst (Rittergasse)	Basel
7. Amberger-Wethli, Fr. (Grütlistrasse 17)	Zürich
8. Amberger, H., Direktor des Schweiz. Bankvereins (Tiefenhöfe 10)	Zürich
9. v. Arx, Dr. O., Gymnasiallehrer	Winterthur
10. Auckenthaler, H. A., Dr. med. (Gartenstrasse 16)	Zürich
11. Bachmann, Alb., Prof. Dr. (Heliosstrasse)	Zürich
12. Bachofen-Petersen, J. J. (Gellertstrasse 24)	Basel
13. Balmer, Dr. H., Privatdozent	Bern
14. Bär, Dr. E. (Zeltweg 5)	Zürich
15. Barbey, Maur., Manoir de Valleyres,	par Orbe (Vaud)
16. Barzaghi-Cattaneo, A., Kunstmaler,	Zürich II
17. Baud-Bovy, Daniel	Aeschi (Bern)
18. Baumann-v. Tischendorf, K.	Zürich
19. Baumgartner A., Prof. (Hottingerstrasse)	Zürich
20. Baur, Hans, Architekt (Mühlebachstrasse 173)	Zürich
21. Bedot, M., prof. à l'université, directeur du Musée d'histoire naturelle	Genève
22. Beer, Rob., Buchhändler (Peterhofstatt)	Zürich
23. Bendel-Rauschenbach, H.	Schaffhausen
24. Bendiner, Dr. M., Redaktor	Zürich
25. Benziger, Nik., Nationalrat	Einsiedeln
26. van Berchem, V. (8, rue Eynard)	Genève
27. Bernoulli-Burckhardt, Dr. A. (Leimenstrasse 78)	Basel
28. Bernoulli, Frl. A. (Pavillonweg)	Bern
29. Bernoulli-Riggenbach, Frau E.	Basel
30. Bernoulli, Dr. Joh., (Pavillonweg)	Bern
31. Betz, Dr. L., Privatdozent (Heliosstrasse)	Zürich
32. Bischoff-Sarasin, Alb. (Wettsteinplatz)	Basel
33. Bischoff, A., Dr. med. (Martinsgasse)	Basel
34. Bischoff-Wunderly, Ed.	Basel
35. Bischoff, Dr. K., Notar (Albananlage)	Basel

36. Bleuler-Huber, H., Oberst, Präs. d. Schw. Schulrats Zürich
37. Blösch, E., Prof. Dr., Stadtbibliothekar   Bern
38. Blumer, Dr. A.   La Varenne-Saint-Hilaire (Seine), France
39. Bodmer, Dr. Hans (Gemeindestrasse 19)   Zürich
40. Bodmer, Dr. Herm. (Gemeindestrasse 19)   Zürich
41. Bonnard, J., prof. à l'université   Lausanne
42. Boos, H., Prof. Dr.   Basel
43. Borel, Mlle C.-Ch., (6, rue du Vieux-Collège)   Genève
44. Bouvier, B., prof. à l'université (10, Bourg-de-Four) Genève
45. Bovet, Mme Ernest (53, via Arenula)   Roma
46 Brandstetter, R., Prof. Dr.   Luzern
47 Brenner, K., Pfarrer   Sirnach
48. Bridel, Georges-Antoine (place de la Louve)   Lausanne
49. Bridel, Ph., prof. de théologie (Grand Pont)   Lausanne
50. Brindlen, Jos., Hochw., Präfekt   Brig
51. Brocher-de la Fléchère, H., prof. à l'univ. (9 rue Bellot) Genève
52. Bron, L., négociant (Corraterie)   Genève
53. Brun, Dr. C., Privatdozent (Zollikerstrasse 106)   Zürich
54 Brunner, J., Prof. Dr., (Plattenstrasse 46)   Zürich
55. de Budé, Eug., publiciste   Petit-Saconnex, près Genève
56. Bugnion, Ch.-A., banquier (Hermitage)   Lausanne
57. Bühler-Weber, H.   Winterthur
58. Bührer, K., Redaktor der „Schweiz"   Zürich
59. Burckhardt-Finsler, A., Prof. Dr. (Sevogelstrasse)   Basel
60. Burckhardt, Dr. Aug. (Albanvorstadt 94)   Basel
61. Burckhardt-Werthemann, Dr. Dan. (Albangraben)   Basel
62. Burckhardt-Ryhiner, K. L. (Aeschengraben 18)   Basel
63. Burckhardt, Otto, architecte (14, rue St-Guillaume) Paris
64. Burgener, Jos., Notar   Visp
65. Burkhalter, Dr. med.,   Langenthal (Bern)
66. Bürli, J., Arzt   Zell (Luzern)
67. Burmeister, Alb., prof.   Payerne
68. Burnier, Ch. (Préfleuri)   Lausanne
69. Burnat, E., architecte   Vevey
70. Businger, L. C., Hochw.   Kreuzen b. Solothurn
71. Bütler, Dr. P., Seminarlehrer   Rorschach
72. de Candolle, Lucien (Cour St-Pierre 1)   Genève
73. Caro, Dr. G. (Mühlebachstrasse 90)   Zürich
74. Cart, W., prof.   Lausanne
75. Chabloz, F.   Saint-Aubin-le-Lac (Neuchâtel)
76. Chambaz, Octave   Serix, près Oron (Vaud)
77. Claraz, G. (Schanzeng. 15)   Zürich
78. Clausen, F., Bundesrichter   Lausanne
79. Coolidge, W. A. B., (Am Sandigenstutz)   Grindelwald
80. Cornu, Jul., Prof. Dr.   Prag
81. Correvon, Henri (2, rue Dancet)   Genève
82. Courthion, Louis, journaliste   Genève
83. Couvreu, Eug. (Grande Place)   Vevey

84. Cramer-Frey, Dr. C., Nationalrat (Parkring)   Zürich
85. Cramer, Henri, Schweiz. Consul   Mailand
86. Cuches, Dr. Jules   La Chaux-de-Fonds
87. Dändliker, K., Prof. Dr.   Küsnacht-Zürich
88. Dettling, A., Lehrer   Seewen-Schwyz
89. Dettling, M., Kantonsrat, Gemeindeschreiber   Schwyz
90. Diacon, Max, bibliothécaire de la Ville   Neuchâtel
91. Diggelmann, Charles (Hirschengraben)   Zürich
92. Dimier, Mlle (411, La Forêt)   Genève
93. Dinner, Dr. F.   Glarus
94. Dörr, C., cand. med. (Zürichbergstrasse 15)   Zürich
95. Dübi, Dr. H., Gymnasiallehrer (Rabbenthalstr. 49) Bern
96. Dubied, Arthur, prof. (avenue de la Gare)   Neuchâtel
97. Ducrest, Fr., abbé, professeur au collège   Fribourg
98. Dunant, E., privat-dozent (3, rue Daniel Colladon) Genève
99. Durrer, J., Adjunkt am Eidg. statist. Bureau   Bern
100. Durrer, Dr. Rob.   Stans
101. Eberle, H., Sekundarlehrer (Hammerstrasse 14)   Basel
102. Eberle, O., Dr. med. (Ankerstrasse 61)   Zürich
103. Eggimann, Ch., libraire   Genève
104. Egli, P., Sekundarlehrer (Zeltweg 21)   Zürich
105. v. Ehrenberg, Frau L.   Luzern
106. Escher, Dr. Konr. (Bleicherweg)   Zürich
107. Escher, Dr. Herm., Stadtbibliothekar   Zürich
108. Escher-Bürkli, Dr. Jak. (Löwenstrasse)   Zürich
109. v. Escher, Frl. N.   Albis-Langnau
110. Eschmann, Frau (Cardina)   sopra Chiasso
111. Facchetti-Guiglia, A.   Zürich II
112. Fäh, Dr. Franz, Schulinspector (Holbeinstrasse) Basel
113. Faklam, Ferd P. H., Zahnarzt (Wallstrasse)   Basel
114. Favey, G., prof. à l'université   Lausanne
115. Favre, C., colonel (rue de Monnetier)   Genève
116. Favre, Ed. (8, rue des Granges)   Genève
117. Feer, C.   Aarau
118. Fehr, E., Buchhändler   St. Gallen
119. Feigenwinter, Dr. Ernst (ob. Heuberg)   Basel
120. Feilberg, Dr. H. F., Pastor   Askov pr. Vejen (Dänemark)
121. Fient, G, Kanzleidirektor   Chur
122. Fininger-Merian, Dr. L. (Engelgasse 50)   Basel
123. Finsler, G., V. D. M. (Hardstrasse)   Basel
124. Fisch, K., Oberstlieut., Instruktionsoffizier   Aarau
125 Fischer, K., Dr. med., Sanatorium Braunwald (Kt. Glarus)
126. Fleckenstein, F., Kaufmann   Zürich
127. Fleiner, A., Redaktor (Freie Strasse)   Zürich
128. Fleisch, Urban, Pfarrer   Wiesen (Graub.)
129. Forcart, M. K., stud. med. (Albananlage)   Basel
130. Forcart-Bachofen, R., Kaufmann (Albananlage)   Basel
131. Francillon, Gustave (avenue Eglantine)   Lausanne

132. Francillon, Marc-G. (avenue Eglantine)   Lausanne
133. Frey, Joh., Prof. Dr. (Plattenstrasse)   Zürich
134. Frei, Rud., Ingenieur (Missionsstrasse 33)   Basel
135. Fricker, Barth., Prof.   Baden
136. Friedli, Emanuel (Hottingerstrasse 52)   Zürich
137. Furrer, Jos., Landrat   Silenen (Uri)
138. Furrer, K., Prof. Dr., Pfarrer   Zürich
139. Furtwängler, Rob. (Fraumünsterstrasse)   Zürich
140. Fusch-Körting, G. (Alpenquai 34)   Zürich
141. Gansser, A. (Schönleinstr. 7)   Zürich
142. Ganz, R., Photograph (Bahnhofstrasse)   Zürich
143. Ganzoni, Dr. R. A.   Chur
144. Gardy, Fréd., licencié ès-lettres (12, quai des Eaux-Vives)   Genève
145. Gauchat, L.-W., Prof Dr. (Engl. Viertelstr.)   Zürich
146. Geering, A., Buchhändler (Bäumleingasse)   Basel
147. Geering, Dr. T., Sekretär der Handelskammer   Basel
148. Geigy, Dr. Alfr. (Leonhardsgraben)   Basel
149. Geigy-Hagenbach, Frau E. (Petersgraben)   Basel
150. Geigy-Hagenbach, K., Kaufmann   Basel
151. Geigy-Merian, Rud. (Aeschenvorstadt 13)   Basel
152. Geigy-Schlumberger, Dr. Rud. (Bahnhofstr. 3)   Basel
153. Geilinger, R., Oberst, Nationalrat, Stadtpräsident   Winterthur
154. Geiser, Dr. K., Adjunkt d. Schweiz. Landesbibl.   Bern
155. Gemuseus-Passavant, Rud.,   Brombach (Baden)
156. Genond, Léon, dir. des Musées industriel et pédagog.   Fribourg
157. Georg, Dr. A., secr. de la Chambre de Commerce   Genève
158. Georg, H., Buchhändler   Basel
159. Gerster, L., Pfarrer   Kappelen
160. Gertsch, Fritz, Major   Bern
161. de Giacomi, Dr. (Bärenplatz 4)   Bern
162. v. Girsewald, Baron C. (Gartenstrasse)   Zürich
163. v. Girsewald, Baronin C. (Gartenstrasse)   Zürich
164. Gisler. Jos., Hochw., Bischöfl. Commissar   Bürglen
165. Gobat, H., inspecteur des écoles   Delémont
166. Godet, Alfr., professeur   Neuchâtel
167. Goppelsröder, E., Fabrikant (Mühlebachstrasse)   Zürich
168. Graf, J. H., Prof. Dr. (Wylerstrasse 10)   Bern
169. Grandpierre, Ch., Dir. d. Argus der Schweiz. Presse   Bern
170. v. Grebel, H. G., stud. jur. (Pelikanstr. 13)   Zürich
171. Gruner, H., Ingenieur (Nauenstr. 9)   Basel
172. Gulliet, Jos. (Brandschenkestrasse)   Zürich
173. Häberlin, A., Postverwalter   Kreuzlingen
174. Häberlin, H., Dr. med. (Sonneckstrasse 16)   Zürich
175. Haffter, C., a. Regierungsrat   Frauenfeld
176. Hafter. Dr. E., Rektor   Glarus
177. Haller, B. (Herrengasse)   Bern
178. Häne, Dr. J. (Klausstrasse 50)   Zürich

179. de la Harpe, Edm. — Vevey
180. Hart, A., Bushnell — Cambridge, Mass. (U. S. A.)
181. Hauswirth, Armin, (Erlachstr. 5) — Bern
182. Hauswirth, Armin, Lehrer — Thierachern (Bern)
183. Heer, J. C., Redaktor (Lavaterstr. 77) — Zürich
184. v. Hegner-v. Juvalta, Kaufmann (Stadthausquai) — Zürich
185. Heinemann, Dr. F., Bibliothekar — Luzern
186. Herzog, Dr. H., Kantonsbibliothekar — Aarau
187. Heusler, Andr., Prof. Dr. (Grellingerstrasse) — Basel
188. Heusler, Andr., Prof. Dr. (Schöneb. Ufer 41) — Berlin W
189. Heyne, M., Prof. Dr. — Göttingen
190. His, Dr. Rud., Privatdozent (Kaiserstrasse 33) — Heidelberg
191. Hofer, Hans, Kunstanstalt (Münzplatz 3) — Zürich
192. Hoffmann, A. A., Kaufmann (Rittergasse) — Basel
193. Hoffmann-Burckhardt, Frau A. (Rittergasse) — Basel
194. Hoffmann-Fleiner, F. (Albanvorstadt 12) — Basel
195. Hoffmann, Hans (Ritterg. 21) — Basel
196. Hoffmann-Krayer, Dr. E., Privatdoz. (Freiestr.) — Zürich
197. Hoffmann-Krayer, Frau H. (Freiestrasse) — Zürich
198. Holenstein, Dr. Th. — St. Gallen
199. Holzmann, M., Dr. med. (Hottingerstrasse) — Zürich
200. Honegger-Weissenbach, Rob. (Bahnhofstrasse) — Zürich
201. Hopf, O., Pfarrer — Meyringen
202. Höpli, Ulr., Commendatore, Buchhändler — Mailand
203. Hoppeler, Dr. R. (Dufourstrasse) — Zürich
204. Horner, R., abbé, prof. à l'université — Fribourg
205. Hotz, Dr. R. (Schanzenstr.) — Basel
206. Huber, Dr. J., Buchhändler — Frauenfeld
207. Huggenberger, Alfr. — Bewangen-Islikon
208. Hunziker, J., Prof. Dr. — Aarau
209. Jecklin, C., Prof. Dr. — Chur
210. v. Jenner, Eug., Fürsprech — Bern
211. Jenny, Dr. G. (Blumenaustrasse) — St. Gallen
212. Imesch, Dion., Hochw., Prof. — Brig
213. Imfeld, Xav., Ingenieur (Asylstr.) — Zürich
214. Ithen-Meyer, A. — Ober-Aegeri
215. Ithen, Frl. A. — Ober-Aegeri
216. Jud-Jenny, K., Dr. med. — Lachen-Vonwyl
217. Jullien, Al., libraire (32, Bourg-de-Four) — Genève
218. Kägi, A., Prof. Dr. (Stockerstrasse) — Zürich
219. Kälin, Kanzleidirektor — Schwyz
220. Kappeler, Dr. — Konstanz
221. Kasser, G., Dir. d. hist. Museums — Bern
222. Kaufmännischer Verein — Zürich
223. Keiser, A., Hochw., Rektor — Zug
224. Keller, J., Seminardirektor — Wettingen (Aarg.)
225. Kennedy, Mrs. Marion (15 Avenue Blackheath) — London S. E.
226. Kessler, Gottfr. — Wil (St. Gallen)

227. Kirsch, J. P., Dr., Univ.-Prof. — Freiburg (Schweiz)
228. Kissling, R., Bildhauer . — Zürich
229. Knüsli, Eugen, Kaufmann — Zürich
230. Köchlin, Dr. E. A., Notar (Rennweg) — Basel
231. Koller, J., Dr. med. — Herisau
232. Kracht, C. (Villa Baur) — Zürich
233. Krayer, Ad., Kaufmann, (Gellertstrasse) — Basel
234. Krayer-Förster, A. (Gellertstrasse) — Basel
235. Krayer, Georg, Kaufmann — Säckingen
236. Krayer-Förster, Frau H. (Gellertstr.) — Basel
237. Kuder, R., Architekt, (Schönberggasse) — Zürich
238. Kümin, Jos., Hochw. — Merlischachen
239. Kündig, Dr. Rud., Notar (Sevogelstrasse) — Basel
240. Lagger, Franz, Hochw., Pfr., Zeneggen, Bez. Visp (Wallis)
241. Landolt-Ryf, C. (Schulhausstrasse) — Zürich
242. Langmesser, Aug., Pfarrer — Küsnacht-Zürich
243. Lauterburg, Dr. Ed. (Belvaux 15) — Neuchâtel
244. de Lavallaz, L. (Academy) — Greenock (Scotland)
245. Lecoultre, J., prof. à l'académie (avenue de la Gare) Neuchâtel
246. Lehmann, H., Dr. (Landesmuseum) — Zürich
247. v. Lengefeld, Fräul. S. (Nägelisteig 12 a) — Zürich
248. Lichtenhahn, Dr. C. (Sevogelstr.) — Basel
249. v. Liebenau, Dr. Th., Staatsarchivar — Luzern
250. de Loës, Mlle L. — Beudes, près Vevey
251. Luchsinger, R., cand. jur. — Zürich
252. Lorenz, Dr. P. — Chur
253. Maag, Dr. R., Gymnasiallehrer — Bern
254. v. Marchion, J. F. — Chur
255. Martin, Dr. R., Privatdozent (u. Beckenhofstr. 16) Zürich
256. v. Martini, Fritz, Kunstmaler — Frauenfeld
257. Marty, Ant., Prof. Dr. (Mariengasse 35) — Prag
258. Marty, J. B., Hochw., Kapl. d. Schweizergarde (Vat.) Rom
259. Mathey, Mlle . — Wavre (Neuchâtel)
260. Mayenfisch, E., Dr. med. (Stadthausquai) — Zürich
261. Mayor, J., conservateur du Musée Fol — Genève
262. Meier, Gab., P., O. S. B., Stiftsbibliothekar — Einsiedeln
263. Meier, S., Lehrer — Jonen (Aargau)
264. Meisser, S., Staatsarchivar — Chur
265. Mercier, Henri, priv.-doc. à l'univ. (3, rue de la Plaine) Genève
266. Merz, C., Dr. med. — Baar (Zug)
267. Meyer, C., Prof. Dr. (Gartenstr.) — Basel
268. Meyer, Konr., Inspektor der Schweiz. Mobiliarver-
    sicherungs-Gesellschaft (unt. Zäune 25) — Zürich
269. Meyer-am Rhyn, Jost (Grundhof) — Luzern
270. Meyer v. Knonau, G., Prof. Dr. (Seefeldstr.) — Zürich
271. Michel, A., Pfarrer — Dussnang (Thurg.)
272. Micheli, Dr. Hor., correspondent du *Journ. de
    Genève* (Bundesgasse) — Bern

273. Millioud, Alfred (Archives Cantonales)   Lausanne
274. Miville-Burckhardt, R. (Albanvorstadt 71)   Basel
275. Möhr, J., Pfarrer   Flerden-Thusis
276. de Molin, A., privat-docent   Lausanne
277. de Montenach, G., baron   Fribourg
278. Moosberger, Dr. H., Advokat   Chur
279. Morel, Ch., journaliste   Genève
280. Morf, H., Prof. Dr. (Pestalozzistrasse)   Zürich
281. de Morsier, Mlle Mathilde   Plongeon, près Genève
282. Müller, Albert, Architekt (Plattenstrasse)   Zürich V
283. Müller, Hans, cand. phil. (Eidmattstrasse 2)   Zürich
284. Müller, H., Pfarrer   Laufenburg
285. Muoth, J. C., Prof.   Chur
286. v. Muralt, W., Dr. med. (Rämistrasse)   Zürich
287. Muret, E., prof. à l'univ. (15, rue Pierre Fatio)   Genève
288. Muret, Mme E. (15, rue Pierre Fatio)   Genève
289. Muret, Eug., lieutenant-colonel (La Chaumière)   Morges
290. Muret, M., Dr. med., privat-docent (3, rue du Midi) Lausanne
291. Mylius, Alb. (Lange Gasse)   Basel
292. Næf, A., arch.   Corseaux, près Vevey
293. Nägeli, O., Dr. med.   Ermatingen
294. Nater, J., Lehrer   Aadorf
295. Naville, Adr., doyen de la faculté des lettres   Genève
296. Naville, Ed., prof. à l'univ.   Malagny, par Versoix (Genève)
297. Naville, Louis, (cours des Bastions)   Genève
298. Nessier, Hochw., Präfekt am Kolleg. Maria Hilf Schwyz
299. Nicati, P.. architecte   Vevey
300. Nötzlin-Werthemann, R. (Schützenmattstrasse 67) Basel
301. Oechsli, W., Prof. Dr. (Gloriastr. 76)   Zürich
302. Ochsner, M., Verhörrichter   Schwyz
303. Odinga, Dr. Th.   Horgen
304. Oltramare, P., prof. á l'université (32, chemin du Nant Servette)   Genève
305. Oswald, Dr. C. (Kohlenberg 29)   Basel
306. Paravicini-Engel, E.   Basel
307. Paravicini, Carl R. (St. Jakobstr. 20)   Basel
308. Payot, F., éditeur   Lausanne
309. Pellandini, V., ajutante capostazione   Taverne
310. Perrochet, Ed., président de la Société d'histoire La Chaux de-Fonds
311. Peschier, Eugène, Prof.   Konstanz
312. Pestalozzi, F. O., Kaufmann (Münsterhof)   Zürich
313. Pfleghard, O.. Architekt (Bahnhofstrasse 56)   Zürich
314. Pineau, Léon, professeur (60, boulevard Béranger) Tours (France)
315. v. Planta, J.   Tänikon (Thurgau)
316. v. Planta, P.   Fürstenau (Graub.)
317. v. Planta, Dr. R. (Belvoir)   Zürich
318. v. Planta, R. U., Oberstl. (Pelikanstrasse)   Zürich
319. Pometta, E., vicepresidente del tribunale   Bellinzona

320. Prato, Stanislao, professore — Arpino (Italia)
321. de Pury, J., lieut.-col. — Neuchâtel
322. Rahn, J. R., Prof. Dr. (Thalacker) — Zürich
323. Reber, B. (22, avenue du Mail) — Genève
324. v. Reding-Biberegg, Dr. R., Oberstlieut. — Schwyz
325. Reichlen, François (quartier Saint-Pierre 330) — Fribourg
326. Reichlen, J., peintre — Fribourg ·
327. Reinle, Dr. K. E. — Hawick (Schottl.)
328. Richard, E., Oberstl., (Börse) — Zürich
329. Ris, Dr. med. — Thun
330. Ritter, Dr. K., Lehrer an der Kantonsschule — Trogen
331. Rivoire, E., notaire (15, quai de l'Ile) — Genève
332. Robert, W. — Jongny, p. Vevey
333. Roos, J., Schriftsteller — Gisikon (Luzern)
334. Rod, Ed. (16 rue Lafontaine) — Paris
335. Rossel, Virg., prof. à l'univ.. conseiller national — Berne
336. Roth, Dr. A., Schweiz. Gesandter (Regentenstr. 17) — Berlin
337. Roth, Dr. Hans (Kaufmännische Gesellschaft) — Zürich
338. Rothenbach, J. E., Seminarlehrer — Küsnacht-Zürich
339. Rothenhäusler, E. (Leonhardstrasse 14) — Zürich
340. Röthlisberger, W., artiste-peintre — Thielle (Neuchâtel)
341. Ruepp, P. A., Dr. med. — Merenschwand b. Muri
342. v. Rütti, A., a. Pfarrer (Bühlstr. 21) — Bern
343. Rüttimann, Ph. A., Hochw., Kaplan — Vals
344. Ryhiner, Dr. Gust. (Gartenstr. 46) — Basel
345. Ryhiner, W., Pfarrer (Oberthor) — Winterthur
346. v. Salis, R. (Villa Gruber) — Genua
347. Salzmann, L., Gerichtsschreiber — Naters
348. Sarasin, Alfr., Banquier (Langegasse 80) — Basel
349. Sarasin, Dr. F. (Spitalg. 22) — Basel
350. Sarasin-Iselin, W. (St. Jakobstr. 14) — Basel
351. de Saussure, F., prof. à l'université — Malagny, par Versoix
352. de Saussure, Th., Col., dir. du Musée Rath (2, Tertasse) — Genève
353. Schaller, G., dir. de l'Ecole normale des instituteurs — Porrentruy
354. Schirmer, Dr. A. (Leonhardstr. 16) — Basel
355. Schirmer, Dr. G., Privatdozent (Kasinostr. 19) — Zürich
356. Schlegel, E., Pfarrer — Wallenstadt
357. Schlumberger-Vischer, Ch., Banq. (Aeschenvorst. 15) — Basel
358. Schmid, E, Sekundarlehrer — Biel
359. Schmid, J. M., Hochw., Prof. — Brig
360. Schmid, J. R., Postdienstchef — Basel
361. Schmid, Dr. S. — Wohlen (Aarg.)
362. Schnüriger, J. M., Hochw., Pfarrer — Steinen (Schwyz)
363. Schoch, R, Prof. Dr. (Zürichbergstrasse) — Zürich
364. Schrämli, C., Handelsmann — Thun
365. Schröter, C, Pfr. — Bühler (Appenzell)
366. Schröter, C., Prof. Dr. (Merkurstrasse) — Zürich
367. Schulthess, Dr. O., Privatdozent — Frauenfeld
368. v. Schwerzenbach, C., — Bregenz

369. Secrétan, Eug. (le Mélèze) — Lausanne
370. Seippel, P., Prof. (Burgstrasse 141) — Zürich
371. Senn-Holdinghausen, W., Verlag — Zürich I
372. Simon, J. (Albananlage) — Basel
373. Singer, S., Prof. Dr. — Bern
374. Soldan, Ch., juge fédéral — Lausanne
375. Sommerhoff, E. R., Fabrikant (Thalgasse) — Zürich
376. Speiser, Dr. P., Regierungsrat — Basel
377. Spiess, Ed., Dir. d allg. Gewerbeschule — Basel
378. Spiller, Dr. Rud. — Frauenfeld
379. Spörri, J, Kaufmann (Bahnhofstr.) — Zürich
380. v. Sprecher, Th., Landammann — Maienfeld
381. Spycher, Otto (Thunstrasse) — Bern
382. Stadler, E. A., Kaufmann (Schönberggasse) — Zürich
383. Stähelin, Jos. (Falkeng. 21) — Zürich
384. Stammler, J., Hochw., Pfarrer, päpstl. Kämmerer — Bern
385. de Stapelmohr, H., libraire (Corraterie) — Genève
386. Staub, W., Pfr. — Affoltern a. Alb.
387. Stebler, Dr. F. G., Vorstand der eidg. Samen-
      kontrollstation (Bahnhofstrasse) — Zürich
388. Stehlin, Dr. K. (Albananlage) — Basel
389. Steiger, A., Antiquar (z. Löwenburg) — St. Gallen
390. v. Steiger, K., stud. med. (Bierhübeliweg, 11) — Bern
391. Steiner H., Kaufmann (Freigutstr.) — Zürich II
392. Stelzner, Frau H. (Pension Fortuna, Mühlebachstr.) — Zürich
393. Stern, A., Prof. Dr. (Englischviertelstrasse) — Zürich
394. Stickelberger, H., Prof. Dr. — Burgdorf (Bern)
395. Stoll, O., Prof. Dr. (Klosbach) — Zürich
396. Strasser, G., Pfarrer — Grindelwald
397. Sträuli, E., Pfarrer — Ober-Hittnau
398. Strehler, Alfred (Selnaustr. 14) — Zürich
399. v. Strele, R., k. Bibliotheksvorstand — Salzburg
400. Streuli-Hüni, E., Kaufmann (Bleicherweg) — Zürich
401. Strickler, Dr. Jos. (Herreng. 20) — Bern
402. Strœhlin, P.-Ch. (86, route de Chêne) — Genève
403. Stückelberg, Dr. Alfr. — Basel
404. Stückelberg, Dr. E. A., Privatdoz. (Kappelerg. 18) — Zürich
405. Stückelberg, Vico (Wartstr. 13) — Winterthur
406. Studer, J., Pfr. (Nägelistr.) — Zürich
407. Stürm, Jos., Kaufmann (Florastrasse) — Zürich V
408. Styger, M., Kantonsschreiber — Schwyz
409. Sulzer, M., Dr. med. (St. Leonhardstrasse 7) — St. Gallen
410. Suter, Jak., Rektor des Töchterinstituts und
      aarg Lehrerinnenseminars — Aarau
411. Suter, P., Sekundarlehrer (Kasernenstr. 15) — Zürich
412. Sutermeister, O., Prof. (Stadtbachstrasse) — Bern
413. Sütterlin, G., Hochw., Pfarrer und Dekan — Arlesheim
414. Tappolet, E., Prof. Dr. (Freiestrasse) — Zürich
415. Tartarinoff, E., Prof. Dr. — Solothurn

416. Täschler, J., Pfr.   Busnang (Thurg.)
417. v. Tavel, Albert, Fürsprech (Laubeckstrasse 20)   Bern
418. Taverney, Adrien, privat-docent   Lausanne
419. Thommen, R., Prof. Dr. (Bruderholzstr.)   Basel
420. Thurneysen-Hoffmann, Frau A (Albanvorstadt)   Basel
421. Thurneysen, P. E., Kaufmann (Albanvorstadt)   Basel
422. Tissot, Charles-Eugène, greffier du Tribunal   Neuchâtel
423. Tobler-Blumer, A., Prof. Dr. (Winkelwiese)   Zürich
424. Tobler, C., Nationalrat   Thal
425. Tobler, G., Prof. Dr.   Bern
426. Tobler, A., Dr. jur. (Sonnenquai)   Zürich
427. Tobler-Meyer, W. (Rämistr.)   Zürich
428. Ulrich, A., Seminarlehrer   Berneck
429. Ulrich, R., Konservator des Landesmuseums
    (Bahnhofstrasse 47)   Zürich
430. Urech, Dr. F. (Schnarrenbergstr. 1)   Tübingen
431. Usteri-Pestalozzi, E., Oberst (Thalgasse 5)   Zürich
432. Vallotton, Mlle Hélène (La Muette)   Lausanne
433. Vegezzi, P., Canonico   Lugano
434. Vetter, F., Prof. Dr.   Bern
435. Vetter, Th., Prof Dr. (Plattenstrasse)   Zürich
436. Vischer-Köchlin, E., Licentiat (Sevogelstrasse)   Basel
437. Vodoz, Dr. J. (z. Adlergarten)   Winterthur
438. Vögeli, Albert (Kappelergasse 18)   Zürich I
439. Vonder Mühll, G. (Albanvorstadt)   Basel
440. Vonder Mühll, Dr. W., Notar (Albangraben)   Basel
441. Vulliemin, A., (1, Belles Roches)   Lausanne
442. Wackernagel, Dr. R., Staatsarchivar   Basel
443. Waldis, Kaspar (z. Engelladen)   Schwyz
444. Wanner-Burckhardt, Chr. (Gerechtigkeitsg. 26)   Zürich
445. Wanner, G., Gymnasiallehrer (Schönau)   Schaffhausen
446. Waser, M., Hochw., Pfarrer   Schwyz
447. Waser, Dr. O. (Limmatquai)   Zürich
448. Wavre, W., prof.   Hauterive, près Neuchâtel
449. v. Wattenwyl, H. A., Ingenieur (Spitalg. 40)   Bern
450. Weber, A., Landammann   Zug
451. Weber, Dr. H., 2. Kantonsbibliothekar   Zürich
452. Wegeli, R., stud. phil.   Diessenhofen (Thurg.)
453. Wehrli, F., Architekt (Münstergasse)   Zürich
454. Weidmann, F., Fürsprech   Einsiedeln
455. Weitzel, A., secrétaire de la Dir. de l'Instruction
    publique   Fribourg
456. Welti, Dr. Fr. E. (Junkerngasse)   Bern
457. Welti, Dr. H. (Lützowstrasse 20)   Berlin W.
458. Westermann, E., Ingenieur (Rigistrasse)   Zürich
459. Wickart, A., Hypothekarschreiber   Zug
460. Wieland, C., Prof. Dr. (Gellertstrasse)   Basel
461. Wiget, Dr. Th., Dir. d. Kantonsschule   Trogen
462. Wildberger, W. Oberlehrer   Neunkirch (Schaffh.)

463.	Wille, Dr. U., Oberst	Mariafeld Meilen (Zürich)
464.	Wind, Al., Pfarrer	Jonen (Aargau)
465.	Wirz, E., Buchhändler	Aarau
466.	Wirz, M., architecte (rue d'Italie)	Vevey
467.	Wissler, Dr. H. (Steinwiesstr. 18)	Zürich
468.	Wyss, O., Prof. Dr. (Seefeldstrasse)	Zürich
469.	v. Wyss, W., Prof. Dr. (Selnaustrasse)	Zürich
470.	Zahler, H., Sekundarlehrer	Münchenbuchsee
471.	Zahn, E., Restaurateur	Göschenen
472.	Zellweger, O., Redaktor der Allg. Schweiz.-Ztg.	Basel
473.	Zemp, Jos., Prof. Dr.	Freiburg (Schweiz)
474.	Zimmerli-Glaser, Dr. J. (Hôtel Beau-Rivage)	Luzern
475.	Zindel-Kressig, A., Telegraphenbeamter	Schaffhausen
476.	Zollinger, Hermann, Banquier	Zürich
477.	Zutt, Dr. R., Regierungsrat	Basel

Bibliotheken und Gesellschaften.

478.	Bibliothek, Königl.	Berlin
479.	Bibliothèque de l'Univ.	Lausanne
480.	Bodleian Library, The	Oxford
481.	Hofbibliothek, Grossherzogliche	Darmstadt
482.	Hof- und Staatsbibliothek, Kgl.	München
483.	Kantonsbibliothek	Frauenfeld
484.	Kantonsbibliothek	Zürich
485.	Landesbibliothek, Schweiz.	Bern
486.	Lesegesellschaft, Allg.	Basel
487.	Lesegesellschaft z. Hecht	Teufen
488.	Lesezirkel Hottingen	Zürich
489.	v. Lipperheide'sche Büchersammlung, Freiherrl.	Berlin
490.	Museumsgesellschaft	Zürich
491.	Seminar-Bibliothek	Küsnacht-Zürich
492.	Société de Zofingue, Section Vaudoise	Lausanne
493.	Staatsarchiv d. Kantons Bern	Bern
494.	Staatsarchiv des Kant. St. Gallen	St. Gallen
495.	Stadtbibliothek	Schaffhausen
496.	Stadtbibliothek	Winterthur
497.	Stadtbibliothek	Zofingen
498.	Stadtbibliothek	Zürich
499.	Universitätsbibliothek, K. K.	Graz
500.	Universitätsbibliothek, K. K.	Innsbruck
501.	Universitätsbibliothek, K. K.	Prag
502.	Wessenberg-Bibliothek	Konstanz

Zeitschriften für Volkskunde.
Revues des Traditions populaires.

Alemannia. Zeitschrift für Sprache, Kunst und Altertum besonders des alemannisch-schwäbischen Gebiets. Herausgegeben von *Friedrich Pfaff*. Jährlich 3 Hefte. Jahrg. 6 Mk. Verlag: P. Hanstein, Bonn.

Beiträge zur deutsch-böhmischen Volkskunde. Herausgegeben von der Gesellschaft zur Förderung deutscher Wissenschaft, Kunst und Litteratur in Böhmen Geleitet von Prof. Dr. *A. Hauffen*. Verlag: J. G. Calve, Prag.

Blätter für Pommersche Volkskunde. Monatsschrift. Herausgegeben von *A. Knoop* und Dr. *A. Haas*. 4 Mk. jährlich. Bestellungen bei A. Straube, Labes (Pommern).

Bulletin de Folklore. Revue trimestrielle. Organe de la „Société du Folklore wallon", publié par M. *Eugène Monseur*. Un an: 6 frs., un numéro: 1 50 frs. Bureaux: 92, rue Traversière, Bruxelles.

Folk-Lore. Transactions of The Folk-Lore Society. Quarterly. Annual Subscriptions: 1 L. 1 s. Publisher: David Nutt, 270, Strand' London.

The Journal of American Folk-Lore. Editor *William Wells Newell* Quarterly issued by The American Folk-Lore Society. Annual subscription: Doll. 3.00 Publisher for the Continent: Otto Harrassowitz, Leipzig.

Korrespondenzblatt des Vereins für Siebenbürg. Landeskunde. Redaktion: Dr. *A. Schullerus*. Erscheint monatlich. Jahrg. 2 Mk. Verlag: W. Krafft, Hermannstadt.

Mélusine. Revue trimestrielle, dirigée par M. *Henri Gaidoz*. Un an: 12.25 frs., un numéro: 1.25 frs. Bureaux: 2, rue des Chantiers, Paris.

Mitteilungen der Schlesischen Gesellschaft für Volkskunde. Herausgegeben von *F. Vogt* und *O. Jiriczek*. Heft 0,50 Mk. Schriftführer des Vereins: Dr. *O. Jiriczek*, Kreuzstrasse 15, Breslau.

Mitteilungen des Vereins für Sächsische Volkskunde. Herausgegeben von Prof. Dr. *E. Mogk* (Färberstrasse 15) Leipzig.

Mitteilungen und Umfragen zur bayerischen Volkskunde. Jährlich 4 Hefte. Herausg. im Auftrage des Vereins für bayer. Volkskunde und Mundartforschung von Prof. Dr. *O. Brenner*, Würzburg. Jahrgang 1 Mk.

Ons Volksleven. Monatsschrift. Herausg. von *Joz. Cornelissen* und *J. B. Vervliet*. Jahrg. 2.50 Fr. Verlag: L. Braeckmans, Brecht.

Revue des Traditions populaires, recueil mensuel de mythologie, littérature orale, ethnographie traditionelle et art populaire. Organe de la „Société des Traditions populaires", dirigé par M. *Paul Sebillot.* Un an: Suisse 17 frs.; pour les membres: 15 frs.; un No.: 1.25 frs. Bureaux: 80, boulevard St-Marcel, Paris. — (Pour recevoir un numéro spécimen, il suffit d'en faire la demande à M. Sébillot en ajontant un timbre de 15 centimes.)

Unser Egerland. Blätter für Egerländer Volkskunde. Herausg. von *Alois John,* Eger.

Der Urquell. Eine Monatsschrift für Volkskunde. Herausg. von *Friedr. S. Krauss.* Jahrgang 4 Mk. Redaktion: Neustiftgasse 12, Wien.

Volkskunde. Monatsschrift. Herausg. von *Pol de Mont* und *A. de Cock.* Jahrgang 3 Fr. Verlag: Hoste, Veldstraat 46, Gent.

Wallonia. Recueil mensuel de littérature orale, croyances et usages traditionels, fondé par *O. Colson, Jos. Defrecheux et G. Willame.* Belgique: Un an 3 frs., un No. 30 c., Union postale 4 frs. Administration: 88, rue Bonne-Nouvelle; Rédaktion: 6, Mon: tagne Ste-Walburge, Liège.

Zeitschrift des Vereins für Volkskunde. Vierteljahrsschrift. Herausg. von *Karl Weinhold.* Jahrg. 12 Mk. Vorsitzender des Vereins: Prof. Dr. *K. Weinhold,* Hohenzollerstr. 10, Berlin W.

Zeitschrift für österreich. Volkskunde. Redaktion: Dr. *M. Haberlandt.* Jahrgang 4 fl. 80. Verlag und Expedition: F. Tempsky, Wien.

Schweizerische Gesellschaft für Volkskunde.
Société Suisse des Traditions Populaires.

Schweizerisches
Archiv für Volkskunde.

Vierteljahrsschrift

unter Mitwirkung des Vorstandes herausgegeben
von
Ed. Hoffmann-Krayer.

Dritter Jahrgang. Heft 2.

Der Umfang des Jahrganges ist auf 20 Bogen festgesetzt.

Der Abonnementspreis beträgt für Mitglieder Fr. 4.—, für
Nichtmitglieder Fr. 8.— ; für das Ausland kommt der entsprechende
Portozuschlag hinzu.

Beiträge für die Zeitschrift, Beitrittserklärungen, Büchersendungen sind zu richten an den Redaktor

Herrn Dr. *E. Hoffmann-Krayer*, Freiestrasse 88, Zürich V.

Geldsendungen an

Herrn *E. Richard*, Börse, Zürich I.

Darstellung einer Hexenverbrennung in Baden, am 5. Juni 1574.

Aus Wickiana, Buch XII (Stadtbibl. Zürich Mscr. F 23).

Luzerner Akten zum Hexen- und Zauberwesen.

Mitgeteilt von E. Hoffmann-Krayer.

16.

Die Rüschellerin ca. 1480[1])

Kuntschaft.

Item des ersten hat bezügt der reider von langnöw, do er zů reiden husheblich was, wen er mit der rüschellerin vneis was, so gabent sini kü nütz den blůtt. Dz hat er mengem bidderben man klagt, vnd hat dz so lang gwert, dz er dar vmb von reiden gan langnöw gezogen ist.

Item Heini fuschs [Fuchs] hatt bezügt, dz si im an eim morgend fast früg, do es erst bond[2]) tagen, bekomen[3]) ist vs eim holtz löffen, ist eben witt von reiden, vnd lüf gegen dem dorf vnd hat sich hoch vf geschürtz vnd kam so grüssenlich löffen, vnd was ir der mund fast bläw, dz er ab ir erschrak, dz im alli sini har gen berg stünden, vnd von stund an brach im sin mund allenthalben vs[4]). Was si aber getan hab, oder was ir gwerb wer, wüs er nit.

Item me hat fusch gerett, dz er vf ein zitt sig in sim garten gesin. Do sig si komen vor den garten vnd sprach: ich han alwegen den schönsten garten geheptt, der in reiden was, bis dz du har komen bist, so ist din gart hüpscher, den der min; ich můs hin in zů dir. Do si in den garten kam, gieng si wider vnd für vnd begreif den zübellen[5]). Von stund

---

[1]) Nach einer Mitteilung von Herrn Dr. v. Liebenau wird laut Rats-Protokoll VI, 117 im Jahre 1486 eine „Brütschlerin" von Reiden wegen Hexerei ausgewiesen; vielleicht sind Beide identisch.

[2]) begann.

[3]) begegnet.

[4]) bekam er am Mund Geschwüre.

[5]) Zwiebeln.

an fieng der zibòl an fulen vnd mornendes was er ganz erfulet,
dz im nütz dar vs gieng[1]).

Item reider hatt ouch me bezügt, er hab si im sumer
eins tags zweig mal sechen argwenig[2]) in ein matten louffen.
Do sprach reider zů sinen nachburen: richten üch dar nach,
wir můssend vf hütt ein gros wetter han. Also wie er dar von
rett, kam des tags ein gros, vngestům wetter.

Item gassen rumer hatt bezügtt, dz, es sig bi x jaren,
do sig er de[s] stathalters knecht gesin. Do nach er die
rüschellerin an eim morgen louffen gegen eim holtz, da was ein
wiger[3]) in, vnd hat sich hoch vf geschürtz vnd lüf als fast, das
er si nit mocht kenen; den er ir nach rant mit sim pferit also
noch, dz er si bekont. Also lies er si louffen vnd reit heim
vnd seit es sim herren. Also was den gantzen tag ein rouch
ob dem wiger; den selben rouch hant me lütten gesechen.
Also hat man den gantzen tag vber dz wetter můssen lütten;
doch kam vf den abent ein gross wetter von regen vnd nit von
hagel, vnd wo man nit so fast gelüt hetti, so wer es wirser[4])
gan[g]en; vnd stůnd dz wetter den gantzen tag still ob dem
wiger bis vf den abent, vnd der gassenrumer hat es denen
von reiden am morgend geseitt, dz des tags ein wetter můst
komen.

Item růdi metziner hat bezügt, dz er vf ein zitt mit
der rüschellerin vneis wurd; do starb im von stund an ein gůti
ků. Er hatt ouch me bezügt, dz die rüschellerin sig vf ein zit
komen gegen sim wib vnd hat ir griffen an ein brust vnd gerett:
wie kunst du so vnrattlich[5]) mit dinen brüsten! Also bald si ir
an die brüst greif, do stach si dar in in massen[6]), dz si sich zu
bett nider leit vnd můst man si verheissen[7]) allenthalben zů den
heiligen. — Me hatt er bezügt, dz vf ein zit kint sigend bi
der rüsschelerin kind gesessen; da sind ettlichi kint, öch
Metziners gesin. Do sprachend die kint: wir hant jungi fögili;
etlichi kint sprachend: wir hant jungi genssli; do sprachend

---

[1]) nichts daraus wurde.
[2]) verdächtigerweise.
[3]) Weiher.
[4]) schlimmer
[5]) verschwenderisch?
[6]) hatte sie darin ein solches Stechen, dass . . .
[7]) empfehlen.

der rüschellerin kind: So hant wir aber jungi füschli[1]) vnd
jungi wölffli, vnd wen min fatter nit da heim ist, so git inen
min mûter am tenn zû essen[2]).

Item me hatt metziner vnd fuschs vnd gassenrumer
bezügt, dz si hant gefischett in eim bach, do kam einer von
reitnouw, ein gloubsamer man, vnd sprach: ich han gesechen ein
frouwen von reiden ritten vf eim wolf vf eim berg, heist uf
dem ebnett, vnd nampt si nit. Do sprachent si: wer ist si?
do antwurt er vnd sprach: si hat grûu vnder ermel vnd heftli
daran vnd ist von reiden. Also hatt die rüschellerin ouch vf die
zit grûn vnder ermel mit hefftlin. Also lüf der gassenrumer
gan reiden in dz dorf vnd sprach zû den frouwen: Dz vch botz
blût schend, ir frouwen von reiden! warvmb rittend ir nit als
mer vf rossen, als vf wolffen?

Item me hat metziner vnd fuschs bezügt, dz sie bed
gehôrtt han von dem müller zû vnderwasser, der da tod ist,
dz er sprach, er bekantti[3]) all hexen won [!] erst an sech. Also
spracheud sie: wie gefallt dir die ruschellerin? Also sprach er:
si ist ein hex vnd der rechten bössen wiben eis vnd ist mir vf
ein zit bekomen vor reiden vf eim felt vnd hatt sich auch vf
geschürtz [!] vnd lüf an in vnd fiel im an hals vnd vmb fieng
in vnd sprach: mein gefatter, fürchtist du mich nit? Da sprach
er: gang nun hin für dich, ich weis wol, wer du bist.

Item es hatt bezügt Hans Üli zum sarboum, dz der
müler zû vnderwasser hat kouft ein huss im dorf vnd wolt
von der müli gezogen sin. Also ist die rüschellerin ouch an
die selben gassen komen. Do wolt der müller nit in dz hus
zien. Also fragt in Hans ûli zum sarboum vnd sprach: wen[4])
wilt du in din hus zien? Do sprach der müller: der tüfel zie
in dz hus! ich mûst all morgen ein hexen vnder ougen ansen[5]),
vnd si weis wol, dz ich si beken, vnd ich weis, dz si ein
hex ist.

---

[1]) l. „füchsli": wie auch oben in dem Namen „fusch[s]" für „fuchs"
geschrieben wird.

[2]) Die Aussage Metziners ist durchgestrichen; am Rande aber die
Bemerkung von derselben Hand: dise kuntschaft sol man ouch lossen,
si ist gerecht, wie wol si ein strich hat.

[3]) kenne.

[4]) wann.

[5]) ansehen.

Item es hatt bezügt der schlucher, der schnider, dz sin
brůder hat mit dem rüscheller vnd sim wib im rechten zů
schaffen.   In der mas, dz der schlucher dem rüscheller im
rechten oblag, do starb im von stund an ein gůt ross, vnd kam
der rüscheller zů dem schlucher, dem schnider, vnd sprach:
sischst [!] du nu, dz din brůder ouch vngefell ist an gangen?

Item es hatt bezügt ůli kalt von wigen, dz vf ein zitt
ein fatter vnd ein andrer meder hant zů reiden gemeigt[1]). Do ist
die rüschellerin zů inen komen vnd hat si gebetten, dz si ir vf
morn ouch wellent meigen. Also hant si gerett, si konent dz
nit tůn, die wil si im angefangen hant. Do schwůr si vnd
sprach: went ir mir nit morn meigen, so sont ir sicher sin, es
sol üch niemer wol erschiessen[2]). Mornendes leit sich der ein
meder in dz bett vnd lag ein gůti zit. Do der vf stůnd, do
leit sich der kalt ouch vnd lag bi VI wuchen in dem bett.

Item ůli meiger hatt bezügt, dz vf ein zit die rüschellerin
zů im komen sig vnd gerett: wie kumpt es, dz du vnderfcgt
bist worden vnd min man vor dir nit mag zůchin komen? vnd
in beschalckt[3]). Vf dz starb im ein ros, kost in X guldin. Dar
nach hat er zwo jung gens, die lagend for sim hus, als si toub[4])
werind, vnd fielend nider vnd starbend. Also hies er die gens
vür der rüschellerin hus werffen. Also sprach si: meint er, dz
ich si ertött hab? in möcht wol vngefell an gan, dz er in me
schades kem. Also mornendes leit sich im ein ků vnd erlamet,
dz si nit mocht vf stan, vnd mocht wol essen vnd trinken, was
man ir für leit; si mocht aber nit vf stan, vnd leptt wol vf XV
tag vnd starb darnach. Geschach im drigen kůgen glich wie
der ersten, dz si lam wurden vnd all fier starben.

Item es hat bezügt kleiwi[5]) meiger, dz er vf ein zit mit
irem man vneis wart. Dz vernam si, vnd von stund an wart
im ein ros als we, dz im dz blůt durch gantzi hutt vs schwitz
vnd her ab ran. Also sach er die rüschellerin ob dem brunen.
Da gieng er hin vnd sprach: samer botz blůt! mir ist ein ross
verhexet, vnd wo es mir stirpt, so wil ich eini angeben, dz
si verbrent můs werden. Vnd so bald er hein kam, do stůnd

---

[1]) gemäht.
[2]) zum Guten ausschlagen.
[3]) beschimpft.
[4]) toll, wutkrank.
[5]) Niklaus.

sin ros vnd ass vnd was genessen. Bald dar nach wart dem andren ouch we. Do gieng er aber, da si was vnd brucht aber die wort. Do kam dz ross ouch wider[1]). Also gieng kleiwi meiger zů den xellen vnd berůmpt sich, er hetti sini ros mit bössen worten wider bracht. Aber do si die red vernam, do starb im dennochtdenn[2]) nagend[3]) l hengst, vnd mocht im mit bössen worten nit me gehelffen. Ouch rett er me, dz vf ein zitt er vnd sin brůder fůrend an eim morgend frůg do es erst bond tagen in ein holtz, heist an twerenfelt. Do kam si vs dem holtz louffen, das er vnd sin brůder fast übel erschrakend vnd inen fast übel forchtend.

Dis hant alli samen geschworn liplich zů gott an den heilgen, dz ir sag in warheitt sig.

Zů dem allem so ist es ein gantzer lümd in allem reiden, dz si ein hex sig. Ettlich sagend ir dz vnder ougen; si nimpt aber niemen dar vmb für, vnd ir můter ist in dem lümdden gestorben, dz si ein hex gewesen ist.

Ouch lieben herren, wo es üch gefalt, als es mir gefalt, so schicken klauwsen, den gros weibel, mit mim sun herab, so fůrt er si hin vf gan willisouw.

Hans schürpf

Dis ist min hantgeschrift.

Zusammenfassung von Nr. 16.

Zeugenaussagen.

Reider v. Langnau sagt, wenn er mit der R. uneins gewesen sei, hätten seine Kühe rote Milch gegeben.

Heini Fuchs sagt, die R. sei ihm eines Morgens in entsetzlichem Zustande begegnet; bald darauf habe er am Mund Geschwüre bekommen. Aus Neid habe sie seine Zwiebeln verwünscht.

Reider sagt, er habe sie verdächtigerweise in einer Wiese hantieren sehen. Das von ihm hierauf prophezeite Wetter sei eingetroffen.

Aehnlich sagt Gassenrumer, dass er sie an einem Weiher gesehen habe, worauf ein Unwetter gekommen sei. Dasselbe habe nur durch Läuten gemildert werden können.

---

[1]) erholte sich wieder.
[2]) trotzdem.
[3]) nachher.

Rud. Metziner sagt, dass ihm nach einem Streit mit der R. eine Kuh umgekommen sei. Seiner Frau habe sie die Brust durch Betastung krank gemacht. Einmal hätte ein Trupp Kinder von den Tieren erzählt, die sie zu Hause hätten, da hätten die Kinder der R. gesagt, ihre Mutter füttere bei Abwesenheit des Vaters junge Füchse und Wölfe.

Laut Aussage der drei obigen Zeugen hat ein Reitnauer Mann die R. auf einem Wolf reiten sehen.

Metziner und Fuchs berichten, dass ihnen der Hexenkenner Müller, bestätigt habe, die R. sei eine Hexe. Sie habe ihn auch gefragt, ob er sie fürchte.

H. U. zum Sarbaum bezeugt, dass eben dieser Müller nicht in sein neues Haus habe ziehen wollen, weil die R. in dieselbe Gasse gezogen sei

Schlucher sagt, dass seinem Bruder bei einem Rechtsstreit mit dem Mann der R. ein gutes Pferd umgekommen sei.

U. Kalt sagt, dass er und ein anderer infolge einer Weigerung, bei der R. zu mähen, krank geworden seien.

U. Meyer sagt, dass die R. ihn gescholten, weil er, und nicht ihr Mann, Untervogt geworden. Bald darauf seien ihm ein Ross, zwei Gänse und vier Kühe umgekommen, letztere weil er, der Zeuge, die Gänse vor der R. Haus geworfen, worauf sie ihm weitern Schaden angedroht habe.

N. Meyer sagt, dass nach einem Streite mit dem Rüscheller sein Pferd Blut geschwitzt habe. Auf eine Drohung hin, er werde die R. als Hexe verklagen, sei das Pferd gesund worden. Dasselbe sei mit einem zweiten Pferd geschehen. Als er sich der Wirksamkeit seiner Drohworte gerühmt habe, sei plötzlich einer seiner Hengste umgekommen. Ferner habe er die R. eines Morgens verdächtigerweise aus dem Wald kommen sehen.

17.

Margret v. Nüremberg 1482.

Schultheiss und Räte von Solothurn thun Schultheiss und Räten von Luzern kund, dass bei ihnen eine Frau „in einem bösen bläwen mantel", namens Margret von Nüremberg, gefangen sitze, die in Beziehung zu stehen scheine mit der in Luzern verbrannten Hexe.

18.

1482.

Ausgaben des Landvogts von Entlibuch. „als man das sacrament sucht, so die Hex in ein garten geworfen hat, auch costen vnd zwing, so vffgangen, als man die armen frowen gefangen hat": 19 ₰ 5 ₰.

Rechnungsbuch der Stadt Luzern II, 148 [1]).

19.

Hans Spenis Weib 1486.

Der Stallerin man hatt gerett; als der gros hagel vergangen, do sie er vnd ander erberlütt gan Rotemburg zü Kilchen komen. Do spreche peter pfiffer vor der kilchen, der hagel were gemacht vnd sölt über das emmen feld gangen sin. Daruff redte er: nů můss es gott erbarmen, das man die bösen lütt nit darumb straft, die solich wetter machen; man hatt doch da ein arme frouwen ertrenkt, die kond nützit, denn das wetter segnen, vnd aber denen, die den hagel machen, tůt man nüt. Er weis aber nit, wer den hagel gemacht haben sol. Er spricht ouch, die alt peterinen von Růgessingen habe im geseit, ein frouw von malters habe sy gelert, den kůgen die milch nemmen. Sust weiss er nützit anders von zouberie.

Peter müller von Rotemburg hatt gerett, wie das er gehört, das die zeynenmacherin habe gesprochen, der hagel sölt über das emmen feld gangen sin. Do spreche er zů ira, sy sölt des geswigen, das Sy nit vnglük angieng, wann wo er herr were vnd soliche red horte, So můste Sy im sagen, wo har Sy das wüste. Do spreche Sy, Sy hett das hörren sagen. Er spricht ouch, er habe vernommen, der häberling sölle neiswern wüssen, der Riffen könde machen.

Heintz sutter spricht: des Hern von Roten jungkfrouw habe geseit, Sy [sye] von Nüwenkilch gangen vnd habe gesehen das Henssly spenis wib von Rippertingen vnd ir man in eim

---

[1]) Notiz von der Hand Th. v. Liebenau's. — Ein analoger Fall, wo das Sacrament geraubt und wieder weggeworfen wird, bei SEGESSER, Rechtsgesch. II 654 Anm. 2.

· plauwen rok by eim brunnen sien gestanden, vnd hab dieselb
frouw mit der hand wasser vs dem brunnen hindersich über ir
houpt vs geschöpfft. Dera lûgte Sy zů vnd verburge sich hinder
ein spicher. Vnd als die frouw drymalen also wasser über ir
houpt vs schapfte, do wurde ira grusen, das Sy nit lenger
möchte zů lûgen, vnd fluche ¹⁾ hinweg. Henssly speni vnd sin
wjb bliben aber by dem brunnen, vnd bald darnach keme der
hagel. Er spricht ouch, Er habe derselben speninen vnd ir
swester dik hörren ein bösen lümbden zůlegen.

Zusammenfassung von Nr. 19.

Der Stallerin Mann sagt, Peter Pfiffer habe sich nach
einem grossen Hagel beklagt, dass man die Hagelsiederinnen
nicht zur Strafe ziehe.

P. Müller hat die Zeinenmacherin sagen hören, der Hagel
hätte über das Emmenfeld gehen sollen. Er habe ihr geantwortet, wenn er Herr wäre, so müsste sie ihm sagen, woher sie
das wisse. Sie habe erwiedert : vom Hörensagen.

H. Sutter weiss von einer Magd, sie habe die Speni und
ihren Mann in einem blauen Rock bei einem Brunnen stehen
und Wasser mit der Hand rückwärts über den Kopf werfen
sehen. Bald darnach sei der Hagel gekommen. Ueberhaupt
stehe die Sp. und ihre Schwester in schlechtem Leumund.

— —— —

20.

„Peter kündigs můter“. 1489.

Item der zollner an gisicker bruck, der hatt an heligen
gesworen vnd gezüget, das peter kündig im hieuor, als sin
můter zů vnderwalden lidig ²⁾ wurd, jm die selbe sin můter brächt
vnd souil mit im gerett hab, das er im zů sagen můst, sy ettwz
zyttes by im ze enthalten. Das habe er im besten getän, wie
wol er sin lieber mûssig gangen were ³⁾.

—— ——

¹⁾ sei geflohen.
²⁾ freigelassen.
³⁾ es liebér unterlassen hätte.

Dar nach über ettwas tagen sye einer von vnderwalden
in sin hus zů ir komen, vnd als der selb ettlich stunden by ir
were, Sprach er zů im: Zollner, warumb hastu das bös wib?
mann solt sy vff ertrich niena lassen boliben, wann sy ist ein
hechs vnd gantz bös.

Da nach kemend [!] er zů peter kündig vnd bete inn, das
er sy anderswa versorget. Das verhiess er im Er detti das
aber nit, bitz dar nach kemend aber drig¹) von vnderwalden zů
imm vnd sprechend: drib vs die bösen hechṣ; es were nit wunder,
das diss gantz land durch ir bosheyt willen vnder gieng, vnd
sammer botz blůt!²) soltent wir geschediget werden. Do wurdi
zů getan.

Es sind ouch alle nachgepuren übel an ir gesin vnd hand
sy für ein hechsen vnd förchten, der bagel˙ vnd das wetter
schlache inen ir frücht vnd haben in zů dem dickern mål gebetten, sy von im zetůnd.

Er hab [si] ouch, wie alt vnd swach sy sye, [gesechen]
vff ein zyt vswendig an sinem hus, vff einem schmalen simsen
gan vffrecht vnd gerad; De [!] syo villich [!] einer zwerch
hand³) breitt.

Des [!] selben vnd andern argweingen⁴) sachen habe er so
uil von ir gesechen, das er sy übel forchte vnd peter kündigen
dick vnd viel hab gebetten durch gottes willen, das er sy anders
wa versorgete. Das seite er im allwegen zů, er dete das aber nit.

Vnd also bald, als sy marckte, dz er sy nimme haben
wölt, sye im eins wegs an sinem lib vnd an sinem vich grosse
kranckheit vnd vngefell zů gefallen; wann kurtz dar nach sye
ein gůter schwartzer stier gestorben. Das verhielte er vor sim
wib vnd gieng ettlich tag in sim hus vnd was vnmůtig vnd
seitte aber nieman nützit. Do sprech sy zů imm mit rosen,
bösen worten: „wie vast du verhaltest, So weis ich noch dennocht,
vff welchen tag din swartzer stier tod ist, hörest du das?"

Also dar nach keme ir sun henslin gon vnderwalden, vnd
als er sy en weg füren wolt, do sprech sy zum zollner: „ich
gesich, das ich nů eweg můs, lůg zů dir selbs. So bald ich vs
dinem hus kumm, So nemend brünnenden balmen⁵) vnd schiessen

---

¹) drei Leute.
²) bei Gott! — Eigentlich: möge mir Gottes Blut . . . .!
³) Zwerchhand=Handbreite.
⁴) verdächtigen.
⁵) geweihte Palmen.

mir den nach vnd besprengen das hus vmend vmb¹) mit wie
wasser²), das dir vnd dinem vech nüt beschech, wenn [!] du
darfst sin.

Also bete er sy durch gottes willen, das sy im noch
sinem vich kein übels zů fůgt. Do antwurt sy im; ich will dir
nüt tůn; aber ich förchte, dir werde bald vngefell begegnen;
vnd rette mit im so ress, das er sich vast übel forcht.

Vnd des selblichen tages, als sy enweg fůr, syen im ein
gůte ků vnd zwey kalber gestorben, vnd sye imm dar nach
alles sin vich abgangen oder vnnütz worden.

Vnd als er diss biderben lüten clagte, sye heini ferr zů
im komen, inn übel gehandlet vnd im verbotten, das er lůgte
vnd nüt von ir seitte.

Des glich keme peter kündig ouch zu im vnd bekriegte
in vast vnd sprech: mann solte dir din zungen vshawen, das
du gast solich sachen von miner můter sagen.

Er seite ouch, das man sy da zů mäl gon san wolffgang
gefůrt hab, und, als er sich versech vnd zwiflet, so sye [si] zů
frowen täl oder da vmb.

Item³) es hant ouch etlich geret, wie der zoller geret hat
in dem artickel, dz die frouw vswendig dem hus vff dem
schmalen sintzzen vmbhin gangen sig. Sy hant ouch witter
gerett, dz sy haben wölff gejagt vnd haben zwen wölff jn dem
gejegt gehept⁴). Als sigen sy by vollenwäg zů einer grossen
bachttallen⁵) komen, da sigen jnen die wölff entrunen. Sigen
etlich in die bachttalen gangen; da haben sy ein frouwen jn
funden gar vngewonlich. Da haben sy mit ir gerett, wz sy in
dem wůsten loch tůye. Da hab sy jnen bösse, schalckhafftige
wort mit jnen gerett, vnd sy sagen, es sig die frouw gesin, so
ze gissikon by dem zoller gewesen ist, vnd sy fürchtten sy vast
übel vnd weltten, dz [si] vom land wer.

Zusammenfassung von Nr. 20.

Der Zöllner an der Gisiker Brücke sagt, dass Peter Kündig
ihm seine Mutter nach der Freilassung aus dem Unterwaldner Ge-

---

¹) um und um.
²) Weihwasser.
³) Das Folgende von anderer Hand.
⁴) seien zwei Wölfen auf der Spur gewesen.
⁵) Bachbett, Tobel.

fängnis in die Kost gegeben habe. Auf verschiedene Warnungen
von Unterwaldnern hin, sie sei eine Hexe, habe er Kündig gebeten, sie wieder zurückzunehmen, was dieser versprochen. Auch
habe er sie trotz ihres Alters auf einem schmalen Gesimse an
seinem Hause gehen sehen. Er habe seine Bitte an K. wiederholt; der ihn aber nur mit neuen Versprechungen hingehalten.
Sobald sie gemerkt habe, dass er sie los sein wollte, habe sie
angefangen, ihn am Vieh zu schädigen und einen schwarzen
Stier getötet.

Als ihr Sohn sie abholte, habe sie zu ihm, dem Zöllner,
gesagt, er solle sein Haus mit geweihten Palmen und Weihwasser schützen, denn es könne ihm leicht etwas Schlimmes begegnen. Am selben Tage sei ihm eine Kuh und zwei Kälber
umgestanden, und bald darauf alles Vieh unbrauchbar geworden.
Als er diesen Schaden ehrlichen Leuten geklagt habe, seien
Heini Ferr und später Peter Kündig zu ihm gekommen und
hätten ihn gescholten.

Auch Andere bestätigen die Aussage des Z.'s, dass sie auf
dem Gesimse gewandelt sei. Ebenso berichten sie, sie seien bei
einer Wolfsjagd in einem Bachtobel auf K.'s Mutter gestossen,
die ihnen auf die Frage, was sie hier treibe, mit drohenden
Scheltworten geantwortet habe.

21.

Die Lustenbergerin 1499.

[Hand A] [1]

Witer Red von des landschribers im Entlibůch wibs wegen [2].

Witer so hat dan Hans Tscholis wib von Entlibůch des
ersten gerett, dz von heiterm himel sich ein gewu[l]ch vom
Schinberg vsserher vff stutz [3]), dz es in dem [!] selben wulchen

---

[1]) Staatsschreiber Ludw. Feer.

[2]) Die Akten schliessen sich offenbar an die Aufzeichnungen im
Luzerner Ratsprotokoll Band VIII fol. 165 b an, nach welchen die Lustenberger den Tscholi und Fürer wegen Verleumdung verklagt hat. Auch
dort machen Tscholi und Fürer einige im Folgenden erwähnte Angaben
(z. B. über die Wolfsgrube, den Hagel u. A.), die aber als Verläumdungen
zurückgewiesen werden.

[3]) auftürmte.

an fieng tonren, daz da sie er [wol Tscholi] vnd sin eter[1]) Ϋlle vnd sin husfrow vor sim hus in brunnen gesessen. Do bete man im Kilchgang zů Entlibůch vff gesetzt[2]), wo einer in wulchen sechen dornren[3]) [!], daz er nider solt kummen[4]) vnd I pater noster vnd ave maria betten. Do betet sy, do stůnden sy vff vnd meinten, es solte hupschlich zer gan, wan die Sunn schine hups[ch]lich, vnd dornrote nit mer, denn in einer wulchen. Do giengen sy in sin stuben vnd wolten zů aben essen, vnd ob[5]) sy halber gassen, do giengen stein iumass vff das tach, daz si meinten, daz es kein gantze schindlen daruff nit belibe. Do sien sy vss dem huss geluffen hinuff zum Rinderhus, daran ein grosser schopf wz; da slůg in der hagel in mass, dz er [Tscholi?] in ein bennen[6]) vnder das tach vffhin steig vnd möcht dennocht nit sicher gewesen, dann daz im darzů kem daz er plůtt spurtt[7]). Da wiss er wol, daz schribers Lustenbergers frow das getan vnd kemen [Tscholi und seine Frau?] da zů im [Lustenberger?] vnd clagt in des schadens vnd [die Lustenberger hat] geret, wo der lan[t]schriber, ir man, das ewengelium nit gelesen, so wer es vber sy [die Lustenberger?] als wol als vber in [Tscholi] gangen[8]).

Zum andern rett er [Tscholi selbst?] witer, wie es sich gefůgt hab, daz er vnd Mittel Hans von Lustenberg, schribers brůders sun, anfiengen ein wolffgrůben zemachen vnd verdingten ein hag von der ersten wolffgrůben vm 1 g. Do sie des lant-schribers frow zu im kommen vnd hab in gestrafft, wz sy des costens welten[9]), er selte werchen, das nutzlicher wer vff dem gůt, dann solich werch, dann sy vingen nützit dan kalber darin. Do sie Ülli vor der Burg zů inen in costen gestanden[10]), do machten sy dennocht noch ein grůben. Do sy nu den hag

---

1) Vetter.
2) festgesetzt, bestimmt.
3) gewittern sehe.
4) niederfallen?
5) ehe.
6) Wagenkasten.
7) d. h. er wurde von den Hagelkörnern blutig geschlagen.
8) Die obigen Aufzeichnungen (teilweise auch die folgenden) sind überaus flüchtig und werden durch die unklare Bezeichnung der Personen unverständlich.
9) warum sie unnütz Geld ausgäben.
10) habe sich an den Kosten beteiligt

vnd die grüben vfgemacht, do hand sy die grüb gericht, do haben
sy dick darzü gelügt vnd alweg nüt darin funden. Do hüte des
Hugen Kuab des vech by den grüben, daz sy nit darin vielen,
do ist ein kalb schnell gangen an die grüb vnd sprang drin
vnd [er] möchz nit erweren. Das selb kalb müsten sy bezalen
vnd ietlicher 16 s. bezalen vnd haben die vall niemer mer
gerichten vnd lig das kalb noch darin.

Aber so hat er witer gerett, das mitel Hans von
Lustenbergs, des lantschribers brüders sun, ein schaden vnd
gepresten angangen, das er kranck worden, inmass, dz er ettwz
zit gelegen ist. Do hab er ein botten zu meister Eberharten
gan Zug geschickt, do hab er im ettwz gefugt[1], wz er tün sölte.
Do hab er zum andern mal dar geschickt vnd daz er sin harn
beseche, do habe meister Eberhart geben ein brieffli, das solte
Mitelhans an hals hencken, dann im wer vergeben[2] vnd alle
die wil er das briefli am hals hette, so solte sin sachen dester
besser sin. Do nu die gesellen zem kung von Franckrich
gezogen, do sie er wol mögend gesin[3] vnd hab gesprungen
vnd hab das brieffli verloren. Do sie er vbel erklupft[4], do
sie er heim gangen als ander gesellen vnd sie vast kranck
gesin. Do sie er vnd Swandli, der weibel, gan Escholtsmatt
gangen, do sie in der gebrest menglich wider angangen vnd sie
heim gangen vnd sie ein zit gelegen. Do sie er [der Zeuge]
ouch zü im gangen vnd clagte in ouch vnd fragt in, wz prest
er hette ald[5] wie im sie. Do sagt er im, wie im im lib
sie vnd gesagt, wie im die schriberin hung[6] geben hab vnd
sprach zü sich: „Vnd ist daz, so gesichst du, dz ich dir hold
bin"; vnd seite im [dem Zeugen] demnach, daz er solichs in dem
hung gessen hab: so er nu das gessen hette, wz im glich als
ab er zur klecken[7] müste vnd rett, daz er vff sin letsten hin
zug nëme[8], das die schriberin im in dem hung vergen[2] hete,
dz er des sterben müste, vnd wusa ouch selbs wol, daz sy das
getan hab.

[1] verordnet.
[2] Gift gegeben.
[3] gesund.
[4] erschrocken.
[5] oder.
[6] Honig.
[7] zerspringen.
[8] dass, so wahr er selig zu sterben hoffe, . . .

Aber so rett er, dz Mittel Hans von Lustenberg im
selbs gesagt hette, dz die Schriberin zur capel ein nacht liecht
tůn welte. Do welte er vss der weid junge kalber zum huss
inher tůn, do geseche er die Schriberin vber den langen acher
inher riten vff eim wolff, vnd hette im ein tüchli an hals getan.
Do hett Mittel Hans mit ir gerett vnd strafft sy, dz in bedüchte,
sy tribe vnerlich sachen. Do schnartzte sy in an vnd rett, ob
er sy bösser sachen gezuge vnd rett, sy bett nun[1]) ir hundt
gefürt, vnd er darnach kein böse red vber sy machte. Darumb
welte sy im 1 f. mel vnd ein henli, vnd wiss, daz es war vnd
also sie.

Witer rett er, dz in selbs [Tscholi] ein leger[2]) angangen
sie, dz er X ganzer wuchen gelegen sie. Do er VI wuchen
lag, do clagt er sich vor siner frowen, siner tochter man vnd
siner tochter, dz im solich we an getan sie vnd hette gemeint, das sy zů eim schicken, sölt, zü Schrüffenmeyer, dz
es im seite wz im brest. Der wolt im nutzit sagen, ie dz er
wust, von wem ald wo har er das we vnd die kranckheit hat.
Do schickte er sin frowen zů des lantschribers frowen, die keme
zü im, do clagt sy im ouch siner kranckheit. Do bete er sy,
daz sy im luter vmb gotzwillen vergeb, ob er sy ie erzürnt
bette. Do bete sy in ouch, daz er ir ouch vergeb. Das het
er getan. Do fienge im sin we an zü liechtern vnd wiss wol,
daz sy im das leger antan vnd das von ira hab.

Zusammenfassung von Nr. 21.

Aus der verworrenen Aussage von Hans Tscholis Frau
geht hervor, dass die Lustenberger dringend verdächtig ist, einen
Hagelschlag bewirkt zu haben.

Hans Tscholi sagt, er habe mit einem Neffen der L.,
Mittelhans, eine Wolfsgrube gerichtet. Die L. habe sie wegen
ihres nutzlosen Treibens gescholten, da sie doch nur Kälber darin
fiengen. Kurz darauf sei wirklich ein Kalb in die Grube gefallen. —
Eben dieser Mittelhans sei erkrankt und nur mit Hilfe eines
Amulets wieder gesund geworden. Nachdem er dieses verloren,
sei er neuerdings in das alte Uebel zurückgefallen. Ihm, dem

---

[1]) nur.
[2]) Krankenlager.

Zeugen, gegenüber habe der Kranke geäussert, es sei ihm von der L. in Honig eingegeben worden; denn sobald er den Honig gegessen habe, sei ihm sterbensweh geworden. — Eines Tages habe Mittelhans die L. auf einem Wolf reiten sehen. — Tscholi selbst sei einmal von Krankheit befallen worden, die aber besser geworden sei, sobald er die L. um Verzeihung gebeten habe.

———————

22.

Simon Föns, Thomans zur Burg, Oberhusers, Klaus Baumgartners Frau und die Jaglinen ca. 1500.

[Hand A]

Hans Tscholi, der brůder von schüpfen vss dem land, hat gerett: des ersten Simons Fön frow, genannt Margret, sien [!] im wissent, daz im von ira zů handen gangen sie [1]), do er anfencklich zů siner frowen kommen sie, dz er in vier jaren ir man nit mocht gsin [2]), vnd wiss das wol, daz er solichs von ir hab getan, dan sy hab im das getröwt [3]). Des glich so hat sy sich in den Tagen berümpt, sy welte wol ein lassen melchen vnd müst ira die milch werden [4]).

Item so dan so rett er von Thomans zur burg frow, Oberthusers frow, die Jaglinen vnd Claus Boumgartners frow.

Zum ersten sagt er, wie er vnd sin geslecht also harkommen sie, das einer vnder inen sin müssen [!], die [!] zun ziten verzuckt werden, dz er vnder die toten müss, do sie er nu der, so das iez liden müss; vnd zum ersten, do er verzuckt vnd von toten gefragt vnd gebetten ward, dz sy in am ersten manten vmb hilff gegen den iren, so in leben sind; do hab er gott vnd sin wirdigen mütter angerüfft vnd gesworen die er also umb hilff von inen ermant wurd, dz sy im dann ouch sagen vnd erscheinnen [5]) welten dz, so minen hern vnd ir lantschaft [un-

———————

[1]) angethan worden sei.
[2]) dh. des ehelichen Umgangs unfähig gewesen sei.
[3]) angedroht.
[4]) Diese Drohung ist möglicherweise auch in übertragenem Sinne zu verstehen.
[5]) offenbaren.

deutlich] schaden bringen möchten ouch zü sagen[1]). Do hand sy
im gesagt, vnd sie im von den toten erscheint worden, dz die
vier obgeschribenen frowen dem weter ein an hab[2]) machen
machen können vnd das weter zefüren[3]) vnd das weter zur
teilen die am berg Tscharmos vnz[4]) vff den berg vssher vnd
da wider in das holtz zur teilen dz doch nit allem Kilchgang
schaden tüye.

Item sie ouch zü wissen, daz thomanns zur Burg
frowen, Fürers wib ant[5]) an hab, dz sy erkroglet[6]) vom kalten
we[7]), dz ira allenthalb in ir glider[n] zieche vnd an grosses
we [!].

Item ret ouch, daz deme Bophart den sumer vier kü old
dry gehept hab [!], daz er von den dry küyen vom sumer kein
anncken hat mögen machen; dann wann er ein halben tag ancket,
so ward ein schum oben. Do nam Bophart den schum ab, do
er walten[8]) syn dan die andern milch vnd stalten die den hin,
do zoch sich daruff aber ein Nidel, die nam[en] sy dan ab[9]).
Das sie [sei] der ancken, so sy dis somer von den küyen gemacht hab [!] Do hab er [B.] in [Tsch.] beschickt; do sie er
[Tsch.] in der mass zü im kommen vnd im empfolhen, wann er
[Tsch.] keme, dz er [B.] ein ancketen gereth hette. Do er zü
im kam, hab er im geheissen, wz er tůn solt vnd lege er in der
kamer. Do machten sy [B. und Tsch.] ein güte ballen ancken,
die verkoufften sy dan.

---

[1]) Der Sinn dieses verworrenen Satzes ist: Christus und Maria
sollten ihm, dem verzückten Tscholi, Kunde thun, wenn irgendwie öffentliche Gefahr im Anzuge sei.

[2]) „Anhab machen können", Gewalt haben über . . .

[3]) zerstreuen.

[4]) bis.

[5]) weh.

[6]) verkrümmt wurde.

[7]) rheumatisches Fieber.

[8]) „erwellen", aufwallen machen.

[9]) Dieser Passus des überhaupt sehr flüchtig geschriebenen Manuskriptes ist fast unleserlich. Schon aus dem unlogischen Stil geht hervor,
dass die ganzen Verhandlungen mit fliegender Feder aufgezeichnet worden
sind. Der Sinn der letzten Aussage ist wol folgender: B. hat beim
Buttern nur Schaum über dem Rahm gewonnen; da haben sie (wol nicht
die Hexen, sondern B. und seine Leute) die rückständige Milch gesotten,
hierauf bei Seite gestellt und den sich nochmals bildenden Rahm ab-
geschöpft.

Des glich, so sie im von toten gesagt von den vier frowèn, daz ein gros wunder sie, daz der Krienpach müt vngestümi den schachen durinher vnz an vnnser cleine statt inher breche, dz zü besorgen möcht sin, dz die clein statt vnder gieng.

Witer sig im wissent, daz Hankrant im geissen gestelt in Entlibûch. Do koufft die Jaglinen ald ir sun die geiss, vnd were die frow da, do man sy reicht. Do clagt er sich, wie im die wolff die geissen essen welten vnd sprech, er müste sie ver- kouffen. Do sprach die frow, si welt in wol leren, daz im die wölff die geissen nit essen. Do meint er, er bedörffte der ler nutzit [1]).

Zusammenfassung von Nr. 22.

Hans Tscholi behauptet, von Simon Föns Frau impotent ge- macht worden zu sein. Dann folgt die merkwürdige, leider aber auch etwas verworrene Aussage über die Verzückung. Es sei in seiner Familie traditionell, dass einer unter ihnen verzückt werden müsse und in diesem Zustand Verkehr mit den Toten habe. Nun sei er der Betroffene. Die Toten hätten ihn gebeten, für die über- lebenden Angehörigen zu sorgen; er selbst habe Christus und Maria angefleht, ihm zu sagen, wenn sein Land durch zauberische Künste gefährdet sei; darauf hätten sie und die Toten ihm kund gethan, dass die betr. vier Weiber Wetter machen könnten.

Ferner sagt er, Thomanns zur Burg Frau habe Fürers Frau ein rheumatisches Fieber angezaubert und dem Bophart sei die Milch behext worden, dass er nicht habe buttern können.

Von den Toten will er auch gewarnt worden sein, die vier Weiber wollten die kleine Stadt durch Anschwellen des Krien- bachs verderben.

Endlich sagt er, die Jaglinen habe ihm ein Mittel angeben wollen, wie man die Ziegen vor den Wölfen schütze.

23.

Thomanns zur Burg Frau, die Fönin, Agty Baumgarter, die Oberhuserin. [2])

[Hand B]

Vor dem Ratzrichter vnd dem stattschriber hand disnach Ernempten gerett vnd bezuget:

---

[1]) keineswegs.
[2]) Vgl. No. 22.

Des ersten håt **Heini furer** gerett, das es sich begeben,
das er ein jumpfrawen ¹) gehept, die er zů letzst zur e genomen,
die hab ein presten gehept an eim bein, ye [!] der selbig brest
sich ye lenger ye vester sich [!] gebösset. Do sy vff ein zyt
ein farender schůler kommen vnd den presten besegen ²) vnd
demnach zů **müller** zůr feld müly kommen, dem selben müller
vnd sinem wib hab der farent schůler den presten siner jumpfrowen, so ietz sin wib sy, geseit, vnd sy ir angetan ³); dann es
sich vff ein zyt begeben hab, das sy zů kriens by der feld
müly gessen [!] syen, do sy ir jumpfrow ouch daselbs gesessen
vnd von denen dingen [gerett]. Ye das die jumpfrouw **Retty**, man
solte sölich lüt all verbrennen. Das selbig hab **Thomans zur
burg** wib vernomen, vnd vff das sy der jumpfrowen der obgenant prest zů handen gangen. Demnach sy er gangen zum
Herren von Knutwil, sin Rat gehept ⁴), hab im geseit, das er
ein argwan, da ist etwas an, vnd hab ir heissen ein bad machen;
aber es hab nutzit beschossen ⁵). Demnach sy er zwüren ⁶) zů im
kommen, hab allwegen gerett, er hab ein argwan, da sy nit nüt
ann. Witer hab er sin frouwen, do sy sin jumpfrouwen gewesen,
hab er [!] gefürt zů dem plinden, so der jaren hie wer vnd sin
Råt gehept. Hab sy by dem armen vornan genomen vnd griffen
vnd gerett, sy sy noch ein jumpfren. Sprech sy: ich trüwe ⁷).
Griff jr zu letzst den prest an irem bein vnd gerett, er wüss
ir nützit gehelffen, dann sy hen [!] von bösen lüten hat; wölt
ouch ir nützit abnemen ⁸). ·

[Hand A]

Rutiman sagt, das im gesagt sie, als der hagel dis vergangnen jars vbel geslagen, dz biderblüt zů im komen vnd
gerett, daz man die sach, die wil ein grosser argwan were, an
min Herren bringen. Do hab er sich zum **tscholi** gan **Entlibůch** hür in der mess verfügt vnd mit im gerett, dz er furchte,
dz ettlich lüt vnder inen zů kriens sien, die sy vbel fürchten,

---

¹) Magd.
²) besichtigt.
³) und habe gesagt, er [der Bresten] sei ihr angethan worden.
⁴) sich mit ihm beraten.
⁵) geholfen.
⁶) zweimal.
⁷) das will ich meinen!
⁸) abverlangen.

vnd bëte inn, dass er so wol tůn vnd im vnderwisung geben
welte, ob er vtzit daruon wiss, dass er in des welte berichten,
dann sy vber etlich lut ein gross arckwon bette [!]. Do wolte
der tscholi inen nieman nëmen [1]) vnd wolte ouch die vier
frowen nit Entschuldigen, dass sy nit schuldig weren, vnd daby
gerett, er besorg, dass ein böss nest zů kriens sye.

Claus frůnd sagt, dass er wiss, dass sin swager an der
milch etwan schadens zů gefůgt worden. Do sie der tscholi
zů im komen vnd hab sinem swager nachgefragt; sprech er zů
im: ich weiss wol, wz du sinen wilt. Sprech er, er hette wol
vernomen, dz sin brůder slechtlich an der milch gieng. Do Rett
er mit tscholi, dz er besorgte, sy heten ein Bös nest; dann
der hagel slůg sy vbel. Des glich Rett er ouch zů im, dz sy
vernëmen, dz, die war segen, Retten[2]), es wer nit ein wunder,
dz kein ops stil[3]) furkomen[4]). Do spreche, er, es wer nit ein
wunder, dz von des bösen nests wegen lutzern vnder gieng vnd
krientz ein gand[5]) wurd, dz von wasser zur sleichten[6]) wurd.

[Hand B]

Růdolf am len hät bezüget, das es sich begeben, das
sy ein treffenlich schaden vom wetter empfangen. Daruff sy
tschölin erkonnet[7]), ob im neisswas wussent were, wannen
von sy sölichs hetten. Do hab er inen geseit: ir hand ein
frouwen, die ist alt, hät ouch ein alten man, die kom [!] etwas mit
denen dingen vnd hät das vermogen, das syn [Tscholi's][8]) frow vnd
er lange zyt niena binandren gewesen ayen, grünny darzů[9]) das
also elůt solten durch solichs von einandren gescheiden werden.
Ir band ouch lüt, denen lieber ist, das ober helgen hüssly[10]) sy
niena, dann da, vnd wer weger, das nider wer zergangen. Da

[1]) nennen.
[2]) dass diejenigen, die wahrsagten, [Folgendes] redeten.
[3]) Obststiel.
[4]) davon komme.
[5]) Schuttfeld.
[6]) Schlammgegend? Flussbett?
[7]) Vielleicht ist „erkennet" zu lesen, was aber auch nicht ganz in
der Bedeutung stimmte. Der Sinn ist wol der, dass die vom Wetter-
schaden Betroffenen sich an Tscholi gewendet haben mit der Frage ob
er wisse, woher sie das hätten.
[8]) Vgl. Nr. 22. Tscholi meint also Simon Föns Frau.
[9]) er habe dazu geweint.
[10]) Heiligenhäuschen, Bildstock.

Rette er: das vnder wil ich nit ab lassen gan, dann min vatter
selig es gemacht hett; wann ers dann zwuschen die strassen
gesatzte, so wer es allweg mornendes vff dem andren ort, vnd
welte ouch das ober widerumb vfrichten vnd buwen. Hab ouch
vff ein zyt ein ochsen verloren; hab im tschöliy geseit, das sy
inn nit dörfen suchen, wüsse wol, war der hin kommen sy vnd
sy gemetzget.

Der müller in der feld müly hät gerett, das es ietz by
III jaren Sy, das er in ein huss komen, sy Andres zur burg
huss, die hetten ein botten zum Herrn [1]) von Knutwil geschickt.
Der selbig bott [sei] dozemal kommen. Do hab er gerett: hett
ich gewüst, das ir ein botten zum Herrn von Knutwil schicken
wolten, ich wolten [!] von mir [2]) frouwen wegen ouch zů im geschickt haben, dann sin frouw gantz kranck wer vnd enpresten [3])
[!] hett, das neisswas iner [!] lüffe [4]), das wer gantz wie ein epfel,
ob der herr vtzit [5]) zesagen wüste, wo mit ir zehelffen wer. Do
Rette thomans zur burg wib: Din frouw darf nützit [6]) zum
herrn zeschicken, ir wird wol gehulffen, das sy gesunt wird.
Vff sölichs er heim gienge, vnd am dritten tag wurde sin frouw
gesunt, vnd gienge ein ding von ir, wer grad wie ein öpfel;
habs ouch sidhär nie me gehept.

Spricht so vil witer, das vff ein zyt zů sim huss kommen
sy ein farender schůler, der hab gerett: dir [7]) frouwen ist enklein
worden [8]). Sy hät aber ein gůten glouben gehept, das hät ir gehulfen; aber diner jumpfrowen [9]), so jetz furrers wib ist, der ist
ir teil worden vnd der persten [!], die ims angetan hät, gelungen,
das sy niemerme zum Rechten mönschen werden mag; dann
Sy vff ein zyt by dir frouwen gesessen ist vnd von denen dingen
gerett, do hat din jumpfrouw, so ietz furers wib ist, gerett:
sölich frouwen, die solichs konnen vnd mit denen dingen vmbgand, solt man All verbrennen, vnd welte gern selbs ouch holtz

---

[1]) Pfarrer.
[2]) meiner.
[3]) ein Uebel.
[4]) dass Etwas in ihr umgehe.
[5]) irgend Etwas.
[6]) braucht keineswegs.
[7]) deiner.
[8]) ein Kleines zu Teil geworden
[9]) Magd.

darzů tragen. Do sy ir demnach angentz we worden, das sy nach vnd nach gantz lam worden sy vnd noch hütpitag das selbig wee habè [1]).

Witer hab es sich begeben, das er burckart schillingen, sinem vorfar, gedient. Der hab im geseit, das er vff ein zyt im meyen XII ků gehept. Die haben ir milch geben; aber was er dauon machen solte, wolte nütz vsswerden [2]), vnd wölt als in ein schüsslen bringen. Das werete den meyen vss vnd vss, ye das [3]) der Rütiweger ein zyt im hulfe, das er im verhulf, das die ků wider geben als vor. Geb im ouch darumb sin lon vnd ein Ancken ballen. Vnd vff ein zyt Rette Rütiweger: wiltu die, so dir solich milch genomen, sechen, wil ich [sie] dich sechen lassen. Rette er: ich begers nit zesechen vnd darf nit sechen. Do hab thomans zer burg wib gerett zů sim vorfaren säligen, die fönin hab sinen kůen den meyen vss vnd vss die milch genommen.

Jerg Speckly hät gerett, das er vff ein zyt mit andren gesellen gerett haben [!], von mannen, so nützit mochten [4]), ye das Agty boumgarter, so ouch zů gegen wer, Rette: wan ich stachel [5]) vnd ysin hette, das dem schmid geben vnd lassen schmiden vnd dann widerumb von im kouffen: was ioch [6]) ir vermochten, es wer ioch vch lieb vnd leid, so wolte ich mit dem selben zu wegen bringen, das ir nützit mochten.

Witer hätt er gerett, das er vff ein zyt uff eim weg by eir [7]) matten ongeschickt gangen sy, hab er die oberhuserin gesechen in dem selben bach watten; daselb aber ein gůter steg vber dem bach gienge. Das in frömd nem [8]), das das alt wib also in dem bach vmbgienge; lugte vff sy, was sy tůn wolte; dann er vor ettwas [zyt] von ira ouch gehört hett. Do leg ein grosser stein im bach; zů dem gieng sy vnd stiess gen im mit der fust, karte sich schnell vmb vnd bette den hindren ouch dran; vnd do sy enweg kem, lůgte er, ob sy ir noturft getan hatt, fund aber nutzit, wüste aber nit, was sy getan hett.

---

[1]) Vgl. oben H. Furrers Aussage.
[2]) es wollte nichts draus werden.
[3]) bis dass.
[4]) impotent sein.
[5]) Stahl.
[6]) was immer.
[7]) einer.
[8]) befremdete.

[Hand A]

Claus wiggenhalter sagt, die funff personen, so er
genempt, dass er von Anderlüten vnd ouch vom tscholi gehördt hab, dass er zů im gerett, wenn man Eine ald zwo frowen
annäme[1]), so fliechent die Andern vnd blibent nit.

Clawi Ander almend sagt, er wiss nutzit.

Ůli weter sagt, er wiss ouch nutzit.

Zusammenfassung von Nr. 23.

Heini Furrer sagt, dass seine Frau, als sie noch ledig und
seine Magd gewesen, einmal gesagt habe, man sollte die Hexen
alle verbrennen. Das habe Thomanns zur Burg Frau gehört,
und alsbald sei sie an einem Beine krank geworden. Der Pfarrer
von Knutwil und ein blinder Quacksalber hätten Beide nichts
ausrichten können, da der Schaden ihr angethan worden sei.

Rüttimann sagt, dass man ihm den Verdacht ausgesprochen
habe, es möchten Hagelsiederinnen in Kriens sein, worauf er
sich zu Tscholi begeben und ihn über die Sache befragt habe;
doch habe dieser Niemand verdächtigen wollen, sondern nur
gesagt, er fürchte, dass in Kriens ein böses Nest sei.

Klaus Fründ sagt, dass Tscholi bei ihm nach seinem
Schwager [Bophart?] gefragt habe, der an der Milch geschädigt
worden sei. Bei dieser Gelegenheit hätten sie Beide den Verdacht ausgesprochen, dass Kriens Hexen beherberge.

Rudolf am Len sagt, dass er sich nach einem Wetter-
schaden bei Tscholi erkundigt habe, woher das komme; dieser
habe es derselben Hexe [Simon Föns Frau] zugeschrieben, die
ihn impotent gemacht habe. Es gäbe auch Leute, die die
Heiligenhäuschen wegwünschten. Beim Bauen sei ein solches
Heiligenhäuschen immer wieder heimlich verrückt worden. Er
selbst habe auf rätselhafte Weise einen Ochsen verloren, doch
habe ihm Tscholi geraten, nicht darnach zu fragen.

Der Müller in der Feldmühle sagt, es habe eines Tages
bei Andres zur Burg geäussert, er wollte den Pfarrer von Knutwil konsultieren wegen eines Gebrechens seiner Frau; darauf
habe Thomanns zur Burg Frau geantwortet, ihr werde auch
ohne das geholfen werden. Am dritten Tag sei seine Frau

---

[1]) verhafte.

gesund geworden. — Die Behexung von Heini Furres Magd bestätigt er. — Als er noch Knecht bei Burkart Schilling gewesen, sei dessen Kühen die Milch behext worden; der Rütiweger habe ihm geholfen. Thomanns zur Burg Frau habe die Fönin als Urheberin genannt.

Jerg Speckly bezichtigt Agty Baumgarterin der Behauptung, wenn sie Stahl und Eisen hätte und das dem Schmied zu schmieden gebe, so könne sie damit Impotenz bewirken. — Von der Oberhauserin sagt er, er habe sie in einem Bache eigentümliche Manipulationen verrichten sehen.

Klaus Wiggenhalter sagt, er habe gehört, dass wenn man eine oder zwei Frauen gefangen nehme, so fliehen die andern.

24.

Oberhauserin. 1500 [1])

[Hand A]

Tomann Bophert sagt, daz im wissent sie, daz sich. gemacht hab, daz fern im summer gesin sig, daz er vff einen kriesboum gestigen vnd wellen kriesy essen. Do ist die Oberhuserin kommen, vnd zů im gesprochen, wer ira uff den kriessbom gestigen sie, antwurt er ir: Ich bin hie. Sprach sy: Wer hat dich geheissen vffhin stigen? Sprach er: Niemen. Do ret sy, es wer [nit] recht, daz er uff ir boum stig, sy gwunn ir kriese wol selbs ab. Antwurt er ir, er meint nit, daz es vnrecht wer vnd steig abbin. Darnach sye worden, das im mit siner milch darzů kommen, daz sy sich nit wolt lassen ancken, vnd sy zů Růdi Rutiweger gangen vnd im clagt, wie es im gieng; lert er in ettwz, wz er darzů tůn sölte vnd lert in das also, das ellends [2]) holtz, so der krienpach herabtragen, vnd [!] solte er wol teren [3]), vnd wenn das tür wer, so solt er gesegnet kertzen vnd balmen, ouch das selb holtz, nëmen, vnd das er das ander fur gantz ab der blaten tüg [4]), vnd I liecht an machte vnd

---

[1]) Vgl. No. 22 u. 23.
[2]) fremdes.
[3]) dörren.
[4]) Der Sinn ist unklar.

nin [nimm?] denn den sinen kügen die milch am morgen vff
IIII mass, vnd das er die mit dem holtz vnd der balmen vnd
kertzinen an zünde, vnd das er die milch sud, das es mer dann
der halbteil ingesotten werd, vnd das er lügte, das er niemer
im huss liesse vnd hinden vnd vorn besluss; vnd spreche, wann
er die milch sud: ie mer du milch sudost heten [!] dir ettwer .
antan, ie wirser ir das tüt¹) vnd wann er die nit mer sieden
welte, das er ein brand nëme vnd den dar in im namen des
vatters, sun vnd helgen geist darin stiesse. Morndes — do hat
die Oberhuserin ein tochter — hat ein sun [sin?] gefatter die
tochter gefragt, wo ir mutter sie, das sy nit furher gang. Hat
die tochter gerett, das sira gestern oben in der zit, als er die
milch gesotten, als we gesin, das sy noch nutzit möge²). Do hab
im die sach gütet³). Do sprach Rutiweger vber lange zit zü
im: „Tomen, ich han dir gehulfen", im sie aber inmass zü
handen gangen⁴), vnd mit im gerett, das er im ouch helfen solte.
vnd sprach zü im: „Zwifelst⁵) nutzit, wer im [!] das mit der
milch antan hab?"; antwurt er im, er zwiflete wol, wer das sig,
der im das angetan; er wiss aber das nit, vnd sprach: „Lieber,
zwifelt dir iena⁶), so lüg, das dir vss der selbiger⁷) huss brott
werd, das sy essen", ob im iena wol welt werden; er erdacht,
das in des selben brots ward, vnd gar im⁸). Do seit im Rütiweger, die sach hette im sith bessert; aber es kem im aber⁹)
mit der milch vnd möcht in [!] niemer mer gehelfen. Darnach
sy er zum Tscholi gangen gan Entlibüch vnd fiud in nit. Do
gedacht er in im selbs die [!] nützit helfen möcht; do ge-

---

¹) Je mehr du die Milch siedest, je weher thut es dem, der dir
etwas angethan hat
²) dass sie auch jetzt noch nichts thun könne.
³) besser geworden.
⁴) ihm sei aber selbst Gleiches begegnet.
⁵) vermutest.
⁶) irgend.
⁷) nämlich der Hexe.
⁸) Der Satz ist verworren. Der Sinn ist möglicherweise der: Wenn
du auf Eine Verdacht hast, so siehe zu, dass du aus ihrem Brot be-
kommst; das wollen sie Beide [der Sprechende und der Angeredete]
essen, wenn er nämlich solches [Brot] erhalten könne. Ihm [dem
Sprechenden] sei es gelungen Brot für sie [wen?] zu erlangen, wie viel
eher ihm [dem Angeredeten].
⁹) wiederholte sich bei ihm [Tomann oder Rütiweger?] mit der Milch.

dacht er, wie er sich zur Oberhuserin gelieben [1]) mochte,
damit vnd in der schad nit beschech. Do habe er siner huss-
frowen befohlen, das sy zů liecht in Claus Fründs huss zů
samen kemen vnd früntlich mit ein andern zü lieben, ob das
beschiessen welte[2]). Do sy nu zü ein andern kemen, do fieng [!]
die Oberhuserin zü ir gieng, do antwurt sy im [!], es gieng
inen slechtlich mit der milch [3]); antwurt die O., sy het dz ,wo
gehördt, do sprach die O. zů ir, sy solten ein gůten glouben
haben vnd kein kunst bruchen, so giengs [!] eb [?] ir wol,
dann etlich stiessen heisse issen in die milch vnd binden die
kubli[4]); des glich erwalten sy die milch, vnd wann sy ein güten
glouben hetten, so gieng es inen wol. Das taten sy vnd gieng
inen darnach aber wol, bis das Tscholi zü in kam, do ward es
aber als böss, als vor ie vnd gedacht in im selbs, er welt kein
kunst bruchen, vnd tät das selb. Do ward es aber gůt vnd
bessert sith, bis ietz vff Sant Johans tag ze wienechten [5]); do
lüdi sy sin frowen in ir huss zü essen. Das tett sy; sider har
sig es gautz gůt worden vnd noch hut by tag[6]).

Hans zur Schur rett, wie er von sinem vater gehordt
hab, das er gesagt hab, das sin můter vnd die Oberhuserin
by ein andern zů dorff[7]) gesin sient. Do hab die Oberhuserin
gerett: „Du hest do ein hupschen knaben“; hat sin můter ir
geantwurt, sy sig wol als hupsch als ir kind[8]). Do sy nu heim
ist kommen, do sie er in der wagen[9]) gelegen vnd treffenlich geschruwen, das in vast we gewesen, als sin vater sagt.
Do ist ein ander frow gesin, die hab gesprochen, sy well in
wider helfen. Do hab die selb frow steinli genommen, vnd die
in kaltz wasser gelegt, do sie etlich steinli, das tschuchzet [10]), als
sy die in das kalt wasser getan. Do sprech die selb frow, sy
gesech wol, wer das getan hab: die Oberhuserin hab das tan.
Das alles hab sin vater gesagt vnd die frow, so im gehulfen,

---

[1]) sich beliebt machen.
[2]) wenn es etwas helfe.
[3]) Auch diese Stelle ist ganz korrumpiert.
[4]) Kübel.
[5]) St. Johannes Evangelista.
[6]) heutzutage.
[7]) Besuche gemacht.
[8]) sie selbst sei ebenso hübsch, wie ihr Kind
[9]) Wiege.
[10]) zischte.

sig tod vnd sie ouch im, züg¹), gesin, das sy etwz kennen
solte.

Witer rett er, das sich gemacht, das sy zů kriens in
rechten²) gesin, do sie ein man, genannt Buschgi, gewesen, der
gerett, er hett kü, vnd aber die Oberhuserin den nutz³) vnd
habe giess [!]⁴), do sie der Oberhuser im in siu stall gangen;
haben die giess blütige milch geben. Des glich hab er von
Oberhusers tochter gehördt, als er sinem wib sie vorgangen, hat
sy gesprochen, sy lat Buschgi wol sagen, ir vater hab aber zwo
ků, darvon hab er in XIIII tagen V gross anckenballen gemacht.
Des glich hab die Oberhuserin zů ir frowen selbs gesprochen,
wenn sy eim hold sy, so könn sy eim wol güt tůn, wenn aber
sy eim nitt hold sig, so sig sy ein böss wib vnd kön eim wol
vnglük antůn. Des glich hab er von Wagner gehordt, der im
gesagt, die O. vnd ir volk hetten am morgen wol können sagen,
das der hagel am aben geslagen hette, vnd retten, es müsten [!]
noch me haglen, vnd als von mangem [undeutlich] hagel sy
seiten, so dick⁵) slůge der hagel.

Witer rett er, das sich fern im winter sich [!] gemacht hab,
das ir vier von kilchen giengen, do sprach Welti Rütimann
zü Oberhusers sun, welte er die ströwi ab dem len abher
fürte [!], so müste er das ross vff ein vederbett legen⁶); rett
das im schimpf⁷). Des selbigen abentz ward im als wee,
das man in mit dem sacrament bald darnach versorgen müste.
Darnach sy die O. zü im kommen am vischmerckt vor Adrians
gaden vnd sagt im: ja, das vnd das het Welti Rütimann gerett,
sy welt, das er ira müssig gieng⁸), sy welt sin ouch müssig gan.

Witer rett er, das sy hür dem Henckeller hirss abgenommen haben; do ist die Jaglinen⁹) ouch gesin. Do seit er
inen, wie es im in siner kintheit ergangen sie, vnd wie eine mit den

---

¹) es habe auch ihn, den Zeugen, bedünkt.
²) in Rechtssachen.
³) aber die O. habe den Nutzen (d. h. die Milch) davon.
⁴) Geissen.
⁵) oft.
⁶) Die Stelle ist nicht ganz klar. Bedeutet „len“ windgeschützter
Ort oder Hügel? am ehesten ist es hier Flurname. Er will wol sagen,
dass sein Pferd dadurch behext und krank würde.
⁷) Spass.
⁸) in Ruhe lasse.
⁹) S. Nr. 22.

steinlinen gemacht vnd im gehulfen. Do ret sy, sy könde das mit
den steinlinen ouch wol vnd ret, so [!] könde steinli nemen vnd
am abent in das für legen vnd heiss machen, vnd leite dann
die vss hin in das tach trouff[1]) bis morgen, vnd neme denn die
vnd leit die in kalt wasser, dere tschuchtzilet ouch etlichs, vnd
rett, sy könd noch ein grossers: „Wil gern [undeutl.], so wil
ich dich das leren"; vnd wünst ir den ritten[2]) vnd sprech zů
ir, sy kond ouch hagel machen.

Hans Scherer rett, das sich hur[3]) gemacht, das er ein
jungfröwli gehept, do was im, zü[g], seit, ein nachburin, do
Oberhuserin sy [?] welt im das [nit] lassen. Do hette sin frow
mit inen kiflet[4]), do hett er ein münch[5]) vnd zwen kalber, den
truffent[6]) die ougen den sumer vss vnd vss, daz inen die trenen
vber die knie abhin luffen.

Des glich sy im fern we worden, das er gross[7]) geswullen
vnd in grosser kranckheit gelegen. Do hab er ein grossen zwifel
vff sy, er wiss das aber nit. Des glich sy im hür aber treffenlich we worden vnd das in bedücht, es leg ein swer ding vff in[8]).
Sprech er, wenn er wist, das im die ding von got zů gefúgt,
so welt er das gern lidigen[9]); es hette aber ein bösen zwifel
vber die O. Er rett aber nit, das sy das tüye. Des glich
hab sy im selbs gesagt, wer sy erzurnt, so syg sig [l. sy] ein
böss wib; wem sy aber hold sy, dem tüye sy güts.

[Hand B]
Steiner hät gerett, das man Anderly zu Burg vff ein
zyt geschnitten, do seiten sy im, das sy im har in der wunden
funden vnd im das har daruss zogen, das sy frömd nemi[10]), vnd
inn daruff zü eim warsager schicken dem er den handel er-
scheinte[11]), da hab der warsager gerett, ym hab ein fröw sölichs
angetan, die tag vnd nacht von im vss vnd ingang.

---

[1]) Dachtraufe.
[2]) Fieber.
[3]) heuer.
[4]) gezankt.
[5]) Wallach.
[6]) trieften.
[7]) stark.
[8]) d. h. auf der O. und ihren Leuten.
[9]) erdulden.
[10]) befremdete.
[11]) die Sache mitteilte.

[Hand C] [1])
Vff sonntag vor corporis Christi
a° XV^{c·} [1500].

Item Hannss wallisser, genant fürer zu graben seitt,
dass er vnd yetz der frowen son · vff ein zit mit ein andern
haben mist vss gefurt, wärn sy [?] vnd ir tochter treffenlich mit
ein andern vneinss, rette der son: lassen von den dingen, wass
thund ir? ir sind doch erst gestert zum sacrament gangen. Demnach hab er gerett: (dass mag villicht die frowen furkon sin) [2])
„wie komptz? die lut leben eben mit ein andern alss ein brent
vnd ein hirss [3]) ". Darnach hab sich gemacht, dass die frow
vnd ir tochter ettlich geissen hetten, die solt er inen mit den
sinen hüten, das vermocht er nit an [4]) hilff; da hab er gespurt
ein vnwillen [5]), dess meint er souil engelten haben [6]), dass er sye
kommen vmb ein og [7]) in miner Hrn gescheften im kriempach,
alss im ein span ein og vsschlüg, dartzü vmb 36 gitzi, di syen
im och abgangen, alss er luter darfür hat [8]), die frow hett ein
vindschaft zu im gewonnen; doch weis erss nit eigenlich. Demnach, alss er zu knutwil sye gesin, hab der oberhuser zu
siner frowen gerett: ich wölt der gitzi eins vffthun vnd besechen,
ob yeohz [9]) darinn funden wurd, wannen dz käm. Demnach, als
siner kitzi einss oder zwey abgangen sye, sagte sin frow im dz
·vnd bätte inn, dz er der einss vff schnitt; spräch er, er wolt
nichtz damit zu schaffen haben. Demnach sye sin frow von
kilchen gangen, vnd hab die oberhusseri sy glatt [10]), mit ir
zuessen, dz dett sy, vnd gab ir ein galler von rindfussen gemacht; spräch sin frow: wie gat dz zu? ich kond dz nit machen
pi solicher hitz; spräch oberhusserin: dich darff nit wundern,
ich kond noch me denn dass.

---

[1]) Neues Faszikel, betr. die Oberhuserin.
[2]) das könnte den Frauen zu Ohren gekommen sein (?).
[3]) Die undeutlich geschriebene Stelle enthält wol eine sprichwörtliche Redensart: die Leute leben zusammen (so feindselig), wie eine
Brente (hölzernes Gefäss) und Hirse.
[4]) ohne.
[5]) Ekel, Antipathie.
[6]) er glaubt es haben entgelten zu müssen.
[7]) Auge.
[8]) wie er bestimmt glaubt.
[9]) irgend etwas.
[10]) eingeladen.

Item lienhart hofftetter [!] von krienntz seit, dass der oberhuserin sun im vud andern vff ein zit hab geseit, sin mutter hab im geseit, welicher [!] frow mit der hexeri kond, die müssdt allweg im jar oder dem andern jar ein hagel machen, ess wer ir lieb oder leid, ·vnd das dätt der tüffel, vnd datt sy joch ¹) dz vngern.

Item cläwi an der allmend von krientz seit, dass er mergklich gross geschrei hab gehort gan vber des oberhusserss frowen in solicher mass, wer nit mit ir C ²) mit lieb leb, den ganz an vngelügk, es sye an lib oder an gut.

Witter sëitt er, alss class fründ sye kranck gelegen vnd er inn im leger besechen, seitte er im, alss er zu ziten alss ein weibel von miner Hern wegen hab gehandelt, hab er die frowen vnd dz volgk erzürnt, vnd sid dz sye bescheen, so hab er kein gut zit gehept, im syen sin ross gestorben, so sye er och swarlicher krankheit; vnd disser gezüg hab gesechen, dz swartz har von im im wasser syen gangen.

Item Hanss Bramberg von lutzern wiessdt [!] nit züsagen.

Item thomann Bopphart von krienntz seitt, dz er darfür hab, alss im sye begegnet, welicher die frowen vnd irn man oder dz folgk in fruntschaft hab ³), vnd mit inn einss sye, dem gang ess dest glucklicher, vnd er sye einss malss gen Knutwil zum pfaffen gangen vnd wolt inn erfarn, wiess zugieng, dass im sin veli ⁴) nit gůtz dütt; vnd alss er da wär vnd er daz niemandss hett geseit, wurd im ein rind kranck in massen, dass im dz nach ⁵) wer abgangen.

Witter seitt er, dz er vnd ander zu krientz vff ein zit in rotzwiss mit ein andern von den dingen retten, do wurde inn allen bin eiden verbotten, die ding nit zu offnen; ob dz beschach, wiss er nit; im geschach aber schaden an sim vich: die kü welten nit ancken geben, vnd alss inn darnach bedunckte, spürte er ein vnwillen, dass sy inn vnd sin volck hasseten.

---

¹) auch

²) Die Bedeutung dieses in der Schrift völlig klaren Zeichens ist uns unbekannt.

³) dass nach seinem Dafürhalten (wie er auch erfahren habe) derjenige, der mit der Frau in Freundschaft lebe, etc.

⁴) Vieh.

⁵) nachher od. beinahe (?).

⁶) habe sich darüber erzürnt.

Vnd witter seitt er, dass sin frow an einer hand sye krangk gewessen vnd hab sich dess geandet[1]), sye der rütter komen vnd gerett: geheb dich[2]) yetz nit, oder ich förchti din[3]), dann ich vermein, dz sy dir yetz vind syen. Darnach ist rutterss tochter zu siner frowen komen vnd ir geseit, sy haben sy ankomen[4]), inen 1 ß vff den alter[5]) zů legen vnd darfür 1 Hlr zunemen; dann man achttodti dz nit an sy[6]). Do hab tochter souil an rat funden, dz sy dz nit hab woln thun.

Witer hat im class frund bi gesundem vnd siechem lib geseit, dz er Oberhussern hett ein ruti gelichen vnd im selbss vorbehalten dz holtz. Darnach hetten sy dz gern anderwertz geseyt, dass wolti er inn nit erloben. Vnd darnach sye er dahin gefarn vnd 1 bůchen ghowen; do versech er sich nit anderss[7]), dann die buch wolt inn zu tod hab [!] geslagen. Vnd do er die buchen wolt dannen furen, do fiel dz ross in ebner strass nider, vnd brachtz kum hein, vnd sye wol X wuchen im stall gestanden vnd wanhůff[8]) worden. Do hab class frund ein sorg, er habss von der frowen; daruff sye im sin kranckheit worden, vnd sye har im wasser von im gangen.

Er sagt witter, dz class fründ bi sim leben hab gerett vnd darnach ein tag vnd II necht glept:[9]) hand an[10]), lieben gsellen, land nit daunen vmb dess willen, dz kein guter gsel gewurgt werd[11]); dann ich furcht, ich sig gewurgt.

Item cläwi hankratt von krienntz seitt, er wiss anderss nichtz, dann dz ein grosser limd[12]) sye vber sy gangen.

Item Heiny an der egk, genant Heiny zur schür, von krienntz seit, in siner Jugend hab sich begeben, dass er vnd sin mutter selg, dess glich die oberhusserin, syen zu dorff gsin, vnd alss [sie] heim giengen, wari siner mutter ein

---

[1]) habe sich darüber erzürnt.
[2]) beklage dich.
[3]) ich hege Besorgnis für dich.
[4]) sie hätten ihr zugemutet.
[5]) Altar.
[6]) man vermutete nicht sie dahinter (?)
[7]) glaubte er nichts anderes, als.
[8]) Offenbar eine Hufkrankheit: leerhufig (?).
[9]) er habe einen Tag und zwei Nächte vor seinem Tode gesagt.
[10]) haltet fest!
[11]) lasst nicht ab, damit kein guter Geselle erwürgt werde.
[12]) Leumund.

kind, yetz sin bruder, so kranck worden, dz ess die gantzen
nacht kein rûw hett. Kämen sy morndess zur puschgin, die
vil zu den dingen wissdte[1]); die hulff dem kind, dann sy stagkti
1 messer in tilli[2]) vnd sagti inn: dem kind käm dz we von der
oberhusserin; doch wurde inn verbotten, sy solten swigen;
vnd inn nimpt wunder, ob die oberhusserin solich ding kan vnd
weissdt, dass sy die welt nit [me] darnach schaden hat gethan;
dann er sye och zu ziten mit ir vneinss worden.

Item Hanss zu schür, sin brûder, seit, die oberhusserin sye in ankomen, ir en ruti zu lien, dz hat er nit
wollen thun. Daruff hab er sy erzürnt, vnd hab inn vnd sin
bruder der hagel geslagen, vnd hab sust niemand geslagen, dann
sy zwen vnd burckhart am len an clein[3]). Darnach ein andern
jar schlüg inn der hagel aber vnd dätt class frund, der ir ein
rüti hett gelichen vnd zu nachst an inn stiess, gnot[4]) nünt. Vnd
yetz, alss class frund sy hat erzürnt, ist er kranck worden;
hat er darfür, er habs von ir.

Witter hab der oberhusserin bruder im geseit, man soll
sich vor siner swester huten, ess syg ein böss wib.

Item martin zum brunnen, Totengreber, seit, er sye zu
krienss wol IIII jar gesessen vnd hab vff ein zit oberhussern
ein koff[5]) geben, darinn erhub sich vnwillen, alss in oberhusser
bätt, im ettwz zuerlassen vnd er dass nit thun wolt. Retti sin
tochter: du mochtest der sach wol witter engelten. Sprech er:
ich truw dz nit[6]). Darnach sturb im ein kalb; er wesst [!] nit,
von wem er dz hat.

Item vli zur schür seit, wie sin bruder heini zur schür
vnd souil mer, dass im sin vetter hab geseit, die oberhusserin
hab sich bekennt. Hab sy alss ein boss zungen[7]), dz dz kind
denen sye krangk worden, meg dz wol bescheen sin[8]).

Er sagt och, er hab der oberhusserin man wol alss
vbel entsessen[9]) als sin wib.

---

[1] die Mittel gegen Zauber wisse.
[2] in die Zimmerdecke.
[3] ein wenig.
[4] beinahe.
[5] Kauf.
[6] ich will das nicht hoffen.
[7] er halte sie für eine böse Zunge.
[8] Der Sinn ist wol: es sei zweifellos ihr zuzuschreiben, dass das
Kind erkrankt sei.
[9] er habe der O. Mann eben so sehr gefürchtet

Witter seit er, alss er mit dem oberhusser stossig [1]) wär, retti sin tochter, er mocht wol dess witter engelten. Daruff schlug inn der hagel vnd sin bruder vnd Burckharten am len schlug er nit mer dann II acher; dz achtet er fur ein argkwan.

Witter seit er, dz vff ein zit, wol dristunt [2]), hab er milch gehept, die wolt im nit ancken gen, eye inn gelert, ein glugenden [3]) pfannenstil darin zustossen. Dz dat er; ess bessret sich; aber ess zoch sich nit, alss thun solt [4]), vnd hab horn sagen, sy wiss eim mit dem pfannenstil zuhelffen.

Item Burckhart am len seit, ruter hab im ettwa dick gseit, er hab der oberhusserin vnd dem volgk empotten, wider-far im ützt, dz woll er an sy suchen [5]); darnach soln sy sich richten.

Item hanss wickenhalder von krientz seit, dass ober-hussers son im gseit hett, alss vff ein zit der hagel schlug, vnd er fragti: Wie mag dz komen, dz der hagel an eim ort schlecht vnd am andern nit? Rette er: die wind zerwerffen dz wetter. Vnd sprach dabi, sin mutter hett im geseit, welche frow, die hexen kond, die mussdt dz allwegen im driten jar ein mal thriben, sy dett dz gern oder vngern.

Item class rütimann von kriens seit, dz oberhussers frow vff ein zit sye zu im komen vnd gesprochen: class, du must mir ettwass sagen, alss dann vber mich reden vmbgand. Sprach er: ich weiss uch nit zusagen, dz uch schedlich sin meg. Rette sy: ich weiss sin sust ein gut teil; ich hab oft gehort, welchem die Nydel nit ancken geben welt vnd eine ein pfannenstil in arss stiess vnd darnach heiss machti vnd also heiss in die nidel stiess, die geb dornach nit [6]) anken.

Item Joss späting hat vormalss gerett, alss dz verschriben stat. Dabi last er dz beliben.

Item Jorg muller von kriens seit, yetz sig im dritten sumer, alss das wetter schlug, rette des oberhussers frow, sich solti yeder man darnach han mit schinden vnd werchen,

---

[1]) in Streit.
[2]) dreimal.
[3]) glühenden.
[4]) es hielt nicht an, wie es sollte.
) er habe der O. und ihrer Sippschaft kund gethan, wenn ihm etwas widerfahre, so werde er sie gerichtlich zur Rechenschaft ziehen.
[6]) „nit" ist von anderer Hand eingefügt.

dann der hagel mussdti noch zwey oder drü mal schlachen; dz geschach ein andern nach, wie die frow hett geseitt.

Item witter seit er, dass sin frow der oberhusserin hett gelt gehoischet. Das geb sy ir, vnd so sy nit nemen welt, dann souil vnd sy im sch[uldig] wer, verdruss sy, vnd ward siner frowen so we, dz er sy mit not heim bracht. Läg sy wol ein monat, hat er darfür, vnd sturb also [1]), sy hett es von der oberhusseri.

Item Heini fûrer seit, er wiss anderss nit, dann dz er hab gebort, wer mit dem volgk in vnfrüntsch[aft] leb, der müss dess engelten, es sig an lib oder gût.

Item Hanss scherer von krienss seit, dass sy im hab geseit, wer sy in gûttigkeit heg, dem tûgss vil gûtz; wer sy aber erzürnn, dem sigss ein boss wib.

(Dasselbe sagt „Hanss rüttimann" von kriens).

Item Peter egli von krientz seit nichtz.

Vff sontag vor Jo. Bap[te]

Item ůli säliman von krientz seit, wol bi X jarn hab sich begeben, alss die oberhusserin vnd ir man in eigendal syen gesessen, och wol X jar, die zit hab er weder von der oberhusserin, noch irm man nie kein argss vernon, dann dz sy sich hielten, dz die welt zugefallen hett. Darnach, alss sy geu curwaln ziechen wolten vnd sy inen gemeinlich einer kilchhori ein drinck dz geben zuuertrincken [2]), geb man inn ein br[ief], dz sy wol von inen gescheiden wer. Vnd alss sy wider von kurwal kämen, [kämen] sy gen horw; da wären sy wider drü jar. Darnach zugen sy gen krientz vnd syen biss yetz da gewessen; hab er aber nit argss von inn gehört, vntz yetz bi II jar hab er vernomen, wie sy ettlicher mass gezigen [3]) wirt; dauon wiss er nit argss von ir zusagen.

Item class wiggenhalter zu krientz seit, er hab vormalss gerett, alss dz sy vffgeschriben; darnach sye im begegnett, dz er mit der oberhusserin man hab ettwass gerett, hab er sich nit versechen, dz er dz wurd zu missuallen haben; aber er hab dz sim volgk geseit, vnd alss er meint, so hab oberhusser dz in zornss wiss angenommeu; dann glich dornach, in dry tagen, sturben im zwei vich, die besten, so er vnder VI hett.

---

[1]) Dieser Zwischensatz gehört wol hinter „bracht".

[2]) Die Stelle ist verdorben, es handelt sich wahrscheinlich um einen Scheidetrunk

[3]) einigermassen verdächtigt werde.

Item marti zur schur seit, wol bi XIIII jarn hab walti
am len von dem oberhusser ein ku koft. Retti oberhusser:
für die kû bald hinweg, e vnd[1]) min me[i]stri kem. Da meinti
er ein wib.

Witter hab yetz oberhussers frow vnd ander vff der
wurtzen[2]) sdorff gehept[3]); weri sin wib och da mit eim knabli bi
1/2 jar. Darnach, also sy heim wölten, wäri dem knabli solich
we zugefallen, dz sy meinten, ess sturb. Also giengen sy zu
der puschgi, die wari ein alt wib vnd konnd vil fur soliche
ding. Der sagte sy dz; vnd also sy dass kind besech, retti sy:
o ess ist zit, dz dem knabli werd gehelffen, vnd fragti, ob man
alti aschen hett, retti sy: ia. Do hiess sy die gan suchen, do
funden sy III steinli. Giengen sy dar vnd, wie sy hett geseit,
also funden sy die III steinli; die legti die puschgi in wasser,
also sussten sy, also ob sy heiss wern, vnd gieng ein roch vff.
Sprach sy: die oberhusserin hett dz knabli verschruwen vnd
im dz anthan, vnd man solt nit vil von dingen reden.

Item Hanss rütter zu obernen seit, oberhusserin vnd
yetz sin wib syen wol dru jar sin nachpurn gsin. Sye er mit
inen stossig gsin von eins kindss wegen, hab er der oberhusserin dick vbel gefluchet vnd mit gantzem fürsatz; aber er
hab nie empfunden kein argss, dz im sig widerfarn, an lib noch
gut. Sig im aber dz bescheen, wiss er nit[4]); er wiss aber wol,
dz sye vnderdienst[5]), vnd solt er argkwan han, so hett er also bald
argkwan vff irn man, also vff sy[6]). Vnd also in der nacht der
kriempach gross wurd, käm sy, ir man vnd tochtermann vnd
wolten im helffen dz best von miner Hrn wegen, also sy och
dätten.

Item walti rüttimann vnd vren, sin wib, sagen einhellig,
vor IIII jaren hab er dem oberhusser einss gut abtzogen[7]);
daruff sye er wol V jar gesessen. Hab inn gedungkt, als er die
red hab gehort vber inn vnd sin wib gan: wer nit mit lieb mit

---

[1]) bevor.
[2]) Flurname?
[3]) Zusammenkunft.
[4]) es müsste ihm denn etwas unbewusst widerfahren sein
[5]) Bedeutung? ist „vnverdient" zu lesen?
[6]) so hätte er eher Verdacht auf ihren Mann, als auf sie.
[7]) ein Stück Land entzogen.

inn lepte, der hett kein gelugk, sye nit an¹). Sidhar sig im
kein gelugk zu gestanden²). Ob er aber dz von oberhussers
wib hett, wiss er nit; dann im sye ein kind vast kranck worden
vnd 3½ jar gelegen, vnd so er der luten rat bett³), sprach
man, ess sig im angethan; er wiss aber nitt, ob sy oder wer
dz hett gethan.

Zusammenfassung von Nr. 24.

Tomann Bophart sagt, dass ihm die O. die Milch behext
habe, weil er ihr Kirschen abgepflückt. Der Rütiweger habe
ihm ein Mittel zum Gegenzauber angegeben. Das habe gewirkt,
die O. sei durch seine Manipulation krank geworden und mit
seinem Schaden habe es gebessert. Auch Rütiweger sei von
Schaden befallen worden und habe durch Befolgung von T.'s
Rat Gegenzauber geübt, es sei bei ihm [T. oder R.?] aber nach
zeitweiliger Besserung bald wieder schlimmer gekommen. Erst
als er sich bei der O. beliebt gemacht, und diese ihm geraten
habe, alle Mittel zu vermeiden, sei es ganz gut geworden.

Hans zu Schur sagt, dass er als Kind von der O. behext
worden sei. Eine Frau habe aber Gegenzauber geübt, indem
sie Steinchen in kaltes Wasser gelegt habe. Auf diese Weise
habe sie herausgebracht, dass die O. die Hexe sei. — Er wisse
von einem Buschgi, der an Kühen und Ziegen geschädigt worden
sei. Auch habe die O. selbst gesagt, sie könne ihren Feinden
Schaden thun. Wagner habe ihm mitgeteilt, die O. könne den
Hagel voraussagen. — Rütimann sei durch einen gegen die O.
ausgesprochenen Verdacht totkrank geworden. — Die Jaglinen
habe ihm selbst bekannt, dass sie das Manöver mit den Steinchen
auch könne.

Hans Scherer sagt, die O. habe ihm eine Magd streitig gemacht, seine Frau habe deshalb mit ihr gezankt, und hierauf
seien ihm ein Wallach und zwei Kälber an den Augen behext
worden. — Eine Krankheit, die ihn befallen, schreibt er der
O. zu; auch ihm habe sie gesagt, dass sie Feinden Uebles
thun könne.

---

¹) Das sei nicht grundlos, nicht „ohne".
²) habe er kein Glück mehr gehabt.
³) als er sich mit den Leuten beraten habe.

Steiner sagt, dass Aenderli zu Burg operiert worden sei und sich Haare in der Wunde gefunden hätten. Ein Wahrsager habe ihm gesagt, dass ihm das eine Frau angethan habe, die oft bei ihm verkehre.

Hans Walliser, gen. Furer's erste Aussage ist verworren; es handelt sich um den Streit zwischen zwei Frauen. Weil er die Geissen der Frau (O.?) nicht ohne Hilfe habe hüten können, habe er ein Auge verloren und sei um 36 Zicklein gekommen. Oberhauser habe zu seiner, des Zeugen, Frau gesagt, es solle ein Zicklein aufschneiden, um zu sehen, wo es fehle. Die O. habe seine Frau zum Essen eingeladen und ihr eine Gallerte von Rindsfüssen vorgesetzt; auf ihr Verwundern, dass sie bei solcher Hitze eine Gallerte zu Stande bringe, sagte sie, sie könne noch mehr als das.

L. Hofstetter weiss durch der O. Sohn, dass sie gesagt habe, eine Hexe müsse, ob sie wolle oder nicht, alle 1—2 Jahre Hagel machen.

Kl. an der Allmend will auch von der O. gehört haben, sie füge ihren Feinden Unglück zu. — Kl. Fründ habe ihm gesagt, er habe eine Krankheit von der O., weil er mit ihr in Fehde lebe.

Th. Bophart sagt, dass er wegen seines Milchschadens beim Pfarrer von Knutwil gewesen, um ihn über die Ursache zu befragen, da sei ihm bald darauf ein Rind gestorben. — Die O. hasse ihn, weil er einmal einen Verdacht gegen sie ausgesprochen. — Als seine [Th.'s] Frau krank gewesen, habe der Rütter ihr gesagt, sie solle jetzt nicht so unklug sein, sich zu beklagen. Des Rütters Tochter habe seiner Frau gesagt, die O. (?) habe ihr zugemutet, Geld vom Altar zu nehmen. — Kl. Fründ sei wegen einer kleinen Streitigkeit mit der O. beinahe von einer Buche erschlagen worden, hernach sei sein Pferd gestürzt und siech geworden. Er selbst sei auf rätselhafte Weise erkrankt. Kurz vor seinem Tode habe Kl. Fr. nochmals den Verdacht ausgesprochen, er sei durch Zauberei zu Grunde gerichtet worden.

Heini an der Eck, gen. H. zur Schür, sagt, dass sein Bruder als Kind erkrankt sei, nachdem seine Mutter mit der O. zusammen gewesen. Die Buschgin habe als Gegenzauber ein Messer in die Zimmerdecke gesteckt und gesagt, die Krankheit komme von der O.

Hans zur Schür, sagt, die O. habe ihn und seinen Bruder mit Hagel geschlagen, weil er ihr eine Reute nicht habe leihen wollen. — Der O. Bruder habe ihm selbst gesagt, man solle sich vor seiner Schwester hüten.

Martin zum Brunnen sagt, des O. Tochter habe ihm gedroht, als er mit jenem wegen eines Kaufes in Streit geraten. Gleich darauf sei ihm ein Kalb umgekommen.

Uli zur Schür spricht ebenfalls einen Verdacht gegen die O. aus. — Vor der O. Mann habe er eben so grosse Furcht, wie vor ihr selbst. — Auch er berichtet von dem Hagel (vgl. die Aussage von Hans zur Schür). — Als seine Milch behext gewesen, habe er einen glühenden Pfannenstiel hineingestossen; die Besserung sei aber nur vorübergehend gewesen.

Hans Wickenhalter sagt Aehnliches aus, wie L. Hofstetter (s. o.).

Kl. Rüttimann sagt, er sei von der O. über die umgehenden Verdächtigungen interpelliert worden; als er von solchen Reden nichts habe wissen wollen, habe sie ihm bekannt, dass sie manchen Zauber verstehe und habe ihm die Manipulation mit dem Pfannenstiel angeführt.

I. Müller sagt, die O. habe Hagel prophezeit, und der sei eingetroffen. — Wegen einer (etwas verworrenen) Geldgeschichte mit der O. sei seine Frau erkrankt und gestorben.

U. Sälimann spricht von dem Vorleben der O. und weiss nichts Schlimmes zu melden.

Kl. Wickenhalter beruft sich auf eine frühere Aussage. Er müsse des O. Mann im Gespräch beleidigt haben; denn gleich darauf seien ihm zwei Stück Vieh umgekommen.

--- —

25.

Dichtlin[1]), Hans in der Gassens Frau, und Anna, seine Tochter. 1502.

Kuntschaft von willisow 1502[2])

Wir, Schultheis vnd der Rǎt zǔ willisow, Tǔnd kund mengklichen mit disem brieff, das die von Schötz, ettiswil vnd

---

[1]) Benedikta.
[2]) Diese Ueberschrift von anderer Hand auf der Rückseite.

álberswil vor unns erschinnen sind vnd hand dise nageschribnen kuntschafft dar gebotten vnns fürgeben, die zů verhörren von wegen Hans in der gassen elich husfrowen Dichlin und anna, siner tochter etc.

Des ersten so rett Cůnrat kurman, er sy by VI oder VIII jaren, do hab er das kalt we gehept, da sye anna komen vnd hab imm ein öpfelmůs bracht; das wäre wol gebülffert [1]) mit gůtem ding, das es imm wol gefiele vnd ass es lustlich, wann es was fast gůt, als inn bedůcht. Vnd als sy es bracht, do sprach sy zů siner frouwen, es sölt nieman mit imm essen, weder sy noch die kind, er [!] käme schier wider. Vnd als er das öpfel- můs gass, do viel er nider vff die tili vnd wisset vff II stund nůt von imm selbs. Darnach leit man inn an ein bett, do lag er ouch vff II stund vnwissent von imm selbs än alle vernunfft vnd wart toub vnsinnig vnd was kein cristan man me [2]). Das selbe wil er luter [3]) von ira han, das er das gessen hab.

Jost meyger rett, wie das sin můter selig vor X oder XII jaren für ein hebammen [4]) zů den frouwen syg gangen, vnd syg Dichtli ouch also gangen. Do haben die frouwen sin můter dick me beschickt [5]), denn Dichtlin; vnd darnach kam sin můter in ein serwet [6]) lang zit [vnd als sy sterben solt, do nam sy es uff ir letst end [7]), sy hät es von Dichtlin] [8]). Vnd also spricht jost ouch, er welle ouch daruff sterben, das sin můter es von Dichtlin habe.

Item kůni hinder der kilchen rett, es syg by acht oder IX jaren, do hab er IIII färli [9]) gehept, die sygen Dichlin in sin [10]) garten gangen, die hab sin frouw daruss gejagt. Do spräch Dichtli; was tůstu da? Antwurt die frouw: ich han die swinli vss dim garten gejagt, das sy dir den rebsamen nit geschanten, vnd han es imm besten gtan. Do sprach Dichtli: das vergelt dir der tüfell, du möchtest wol gtan han, das du XIII tag des

---

[1]) gewürzt.
[2]) war kein Christenmensch (d. h. kein normal gesunder Mensch) mehr.
[3]) zweifellos.
[4]) als Hebamme.
[5]) öfters beigezogen.
[6]) Siechtum.
[7]) da beteuerte sie, so wahr sie selig zu sterben hoffe.
[8]) Das Eingeklammerte ist in der Handschr. durchgestrichen.
[9]) Ferkel.
[10]) über „in sin" ist eingeflickt „gesin".

nestz goumen mûtest,[1]) [!]. Darnach bald käm sy in ein kintpetti,
do gedecht sy an die wort vnd vermeint, das were das nest.
Aber do sy vss der kintpetti gieng, do wart sy lam vnd sy noch
lam, vnd wil kûni vnd sin wip daruff sterben, sy hab den lamtag[2])
von Dichtlin.

Jetz kurtzlich ist kûni herab gangen vnd hett gemäyt, ist
komen zû der luteren vnd hett anna funden by eim gümplin [3])
stan vnd lûgt darin. Do sprach er: was tûstu da? Antwurt sy:
ich fische da. Darnach sach er sy ouch in der luteren im tich
stân, vnd göustlet[4]) mit beden henden das wasser zwüschen ir
bein. Vnd e das er heim käme, do kam ein grosser regen.

Item Jost brun rett, Anna sy komen vnd hab in der a
krepset, vnd syg vinster gesin, vnd sygen ze wissen steg zû-
samen komen, vnd syg ein wätter vffgestanden vnd komen, vnd
als sy das wetter also ansachent, do sprach anna, das wetter
möcht wol an ettlichen enden übeltûn, aber hie nit; vnd sprach
ouch: das wetter ist hinder fribach vffgestanden vnd gât hinder
vf gan Huttwil; das gebe ein bösen zwiuel über sy.

Ülli meyger rett, sy haben ein ochsen gehept, was früsch
vnd lüff die gassen vor der wibern huss vff vnd nider. Der was
morndes tod. Das er rede, das sy in tött haben, red er nit vnd
wisse es ouch nitt.

Schinnouwer rett, er sy da harab gangen vnd hab ein
schwellen gehouwen vnd hab anna funden in der luteren fischen;
vnd do er heim käme, do käme ein gross wetter; aber das er
red, das sy es gemacht habe, red er nit, wann er wüsse es nitt.

Ülli von äsch rett, die wiber sygen IIII mal gon vischen
gangen, vnd als dick sy heim kamen, sygen allweg grosse wetter
komen. Ouch so hab imm ein bettler geseit, der hab die frouwen
bed in der a sächen sitzen, vnd do er für käme, do rûftend sy
imm wider hinumb vnd sprachent: lieber, büt vnns die hemli!
(hiengen an einer studen). Das tätt er vnd säche wol, das sy
neiswas zwischen ir bein fasseten; was das were, wüsse er nitt.
Der selben nacht käme ein gross wetter mit hagell.

Darnach rett ûlli Hüsly, wie das sin frouw vff ein zit
ein hebammen bestelt hab vnd nit Dichtlin, vnd hab sy gott

---

[1]) das hast du gethan, dass du nachher 13 Tage das Bett hüten
kannst! (eine ironisch ausgedrückte Verwünschung).

[2]) Erlahmung.

[3]) Bachmulde.

[4]) plätscherte.

einer frucht beräten. Do tröuwte Dichtli siner frouwen mit
dem vinger vnd sprach: was wiltu wetten, du wirst mir ouch?
Darnach bald kam ein wetter vnd schoss der tonner in sin huss,
vnd verbrant, was er hät. Vnd wil daruff sterben, rett er, das
er es von Dichtlin babe.

Ůlli rüttimann rett: als die bed frouwen jetz vs gelauffen[1]),
sygen sy heimgangen. Herr peter wechter vnd er sygen ouch
da hinabgangen. Vnd kämen zůsamen, vnd retten die frouwen
in zorn maniger leyg. Vnder andrem spräch anna, die zers
schelmen[2]) hand mit vnns vmbgangen des wir nit vergessen wend,
vnd der pfiffer hett vnnss vff den karren bunden, wend wir nit
vergessen, vnd tröwten fast vnd sprächent daby: wir wellen
hinweg züchen, wenn was hienach beschäche, sprach die tochter,
so beschäch mir eben als miner můter, ich můste es alles getan han.

Jörg tanner rett, er syg Hentz cläwis knecht gesin,
da syg Hans In der gassen, tichtlis man, mit imm von altis-
hoffen heruff gangen. Do hab Hans inder gassen zů jörgen
gesprochen: din meyster vnd du hand da ein tannen in das loch
gefůrt, es käme wol vff, er entgült sin me, denn er sin genusse[3]).
Darnach in zweyen oder III tagen was Hentz cläwi ein münch[4])
gesund vnd frisch vnd starb darnach bald; aber das er red, das
Hans in der gassen oder wer das gtan habe, wisse er nitt.

Hans Keyser rett: siner frouwen syg we zum kind
worden vnd babe Dichtlin beschickt. Die hielti sich mit siner
frouwen so vnbescheidenlich[5]), das sy ein andere beschickt, mit
dero genass sy; aber keysers wip wil daruff sterben, wo sy nitt
ein andre beschickt häte, se were doch vnder tichtlin jung vnd
altz by einandern beliben[6]).

Vnd denn hand gerett: ůlli schärer, ůlli mor vnd Hans
wellenberg ein müntlich[7]), die frouwen bede sygen zum

---

[1]) entlaufen (?). Vielleicht auch „vs gelassen", aus dem Gefängnis
entlassen (?).

[2]) unanständiges Schimpfwort (zers = membr vir.).

[3]) es könnte leicht kommen, dass er davon mehr Schaden als
Nutzen hätte.

[4]) Wallach.

[5]) ungeschickt.

[6]) wäre das Kind nicht zur Welt gekommen.

[7]) einmündlich = übereinstimmend.

vierden mal gon fischen gangen. Als dick sy herheim kommen, sygen sy dem wetter kum entrunnen, vnd habe allweg gewitert.

Des hand die obg[enannten] drü dörffer oder die bursami daselbs vrkündes begert; das wir inen geben haben, vnd hand die obgenannten kuntschaffter alle vnd ietlicher insunders sin sag an die heiligen gesworn. Die sind alle von schötz, vsgenommen ûlli rûtimann von ettiswil.

Des alles zů wärem vrkünd habe ich, Rûtschmann an der matten, statbalter des schultheissen amptz, min eigen insigell offenlich getruckt in disen brieff, allweg mir vnd minen erben vnschädlich, der geben ist vff Suntag vor Sant ûlrichs tag anno etc. secundo.

Zusammenfassung von Nr. 25.

Konr. Kurman sagt, er habe, als er vom Fieber befallen war von der A. ein Apfelmus bekommen, das ihm eine mehrstündige Ohnmacht zugezogen habe.

Jost Meyer, sagt, seine Mutter sei von D. mit Krankheit behext worden, weil sie als Hebamme mehr Kundschaft gehabt habe, als D.

K. Hinderderkilchen sagt, seine Frau habe ihre Ferkel aus dem Garten der D. gejagt, in den sie gelaufen. Das sei von dieser als Beleidigung aufgefasst worden, und sie habe infolgedessen seiner Frau Lahmheit angeflucht. — Unlängst habe er A. bei einer Buchmulde stehen und nachher sich mit Wasser zwischen die Beine plätschern sehen. Gleich darauf sei ein grosser Regen gekommen.

Jost Brun sagt, A. habe in der Aa Krebse gefangen und gleich darauf habe sich am Himmel ein Unwetter aufgetürmt, über dessen Verlauf A. genaue Auskunft habe geben können.

U. Meyer sagt, einer von seinen Ochsen sei vor dem Hause der Weiber auf- und niedergelaufen und am andern Morgen tot gewesen.

Schinnauer sagt von A. Aehnliches wie Hinderderkilchen.

Ebenso U. von Aesch.

U. Hüsli sagt, dass D. seiner Frau gedroht habe, weil sie eine andere Hebamme genommen. Bald darauf habe der Blitz in sein Haus geschlagen und ihm alles verbrannt.

U. Rüttimann will von Beiden, nachdem sie der Gefangenschaft ledig geworden, Drohungen gegen die Gerichtsdiener gehört haben.

J. Tanner sagt, Hans Indergassen, D.'s Mann, habe gegen H. Cläwi Drohungen ausgestossen wegen einer Tannenfuhr, die ihm nicht behagt habe. Bald darauf sei diesem ein Wallach umgekommen.

Hans Keyser sagt, seine Frau sei bei einer Geburt so ungeschickt von D. behandelt worden, dass sie eine andere Hebamme habe kommen lassen.

Drei weitere Zeugen zeihen D. und A. ebenfalls des Wettermachens.

(Fortsetzung folgt).

Die arme Gred.

(Volkslied aus dem Kanton Luzern.)

Mitgeteilt von J. M.

1. Ich arme Gred bin übel dra,
   I leb in grosser G'fohr,
   I weis mir allzit no kei Ma
   Goh doch in's vierzigst Johr.
   Es thut mir mengist grüssli weh,
   Muess grinen wie n'es Chind,
   Und b'sonders wenn i allen g'seh,
   Dass so viel Buehe sind.

2. Z'Neiselen[1]) bin i oft und viel,
   Und au scho z'Wertlestey[2]).
   Nothelfer-Schaar zu Adelwil
   Seid weder joh noch nei.
   Grad just ob Kriens im Hergotts-Wald[3])
   Und z'Blaten bi Sant Jost[4])
   Hed's g'heissen s'werd mir g'holfen bald,
   Jetzt ist der alte Trost.

3. In Buore[5]) seigs au gut für's Führ,
   Wo auch S. Leobold;
   S'ist eister glich wie fern und hür
   Bin jetzt noh keinem hold.
   Grinet han ich neulich au
   Ob Emmen in der Schoss;
   Die Sach, die macht mi bald schier grau,

---

[1]) Einsiedeln.
[2]) Werthenstein, Franziskanerkloster im Kt. Luzern, aufgehoben 1832. Vgl. Jos. ZEMP, Wallfahrtskirchen im Kt. Luzern. Festschrift. Luz. 1893.
[3]) Hergiswald s. ZEMP a. a. O. S. 41.
[4]) St. Jost zu Blatten. ZEMP a. a. O. S. 30. Daselbst S. 39 das Volkssprüchlein: „St. Jost — der alte Meitlene Trost."
[5]) Büron?

I förcht s'Girizenmoss. [1]
Grad bi S. Michels-Krütz ob Roth
Dert han i Kerzen gleid;
Bin allzit glich in alter Not
Und ba der alte B'scheid.

4. Nachtliechtli zünd' i al Samstig a,
   Thuo t'Huben ins Beyhus,
   Der ärmste Seel, das ich nur cha;
   Die lacht mi doch nur us.
   Vertrunken wär i neuli bald;
   Du tusigs Zugersee!
   Ha welle goh zu St. Oswald, [2]
   Der erwüzst [3] mi gwüss nit me.

5. Im Wäldli uf dem Wässmeli [4]
   Dert han i g'hoffet au,
   Ha Hor uszert nit nur echli,
   Ha g'meint es helf zur Frau.
   Jetz nu ist alle Hofnung hi,
   Ha jetzig no kei Trost,
   Und wenn i glaub verzwifleti
   So wär der Tüfel los.
   I springe mengist zum Beth us
   Am Morge schon um Zwey
   Und kneue, bete, s'ist en Gruss
   Ha doch ein Schwum am Kneu.

6. Erst neuli bin i vom Gormund [5]
   Uf Hildisrieden ue,
   Da knelt mi s'Müllers der gross Hund
   Grad ob der Waden zue.
   z'Ibel [6] bin i mengmal gsi,
   Ha mini Hend usg'streckt;
   Sant Kande [7] luogt gar heiter dri,

---

[1] S. Archiv I 139 ff.
[2] St. Oswald in Zug
[3] erwischt.
[4] Wesemlin, Kapuzinerkloster in Luzern.
[5] Gormund s. Zemp a a. O. S. 63.
[6] Inwil.
[7] Candidus, ein hl. Martyrer, dessen Reliquien in Inwil ruhen.

Er het mi schier verschreckt.
Weis bald nit, was i afoh wil,
Bin doch so übel feil,
Wen i mein ich heig e Katz bim Stihl,
So han i s'Naareseil.

7. In Luthere, Reide, Götzenthal
Git's deren Kilchli viel,
Es hanget Kruken überal,
Wie doben z'Etiswil;
Dert weri neulich schier erstickt
Am hexen Aplistag[1);
Sie hend mi gar erschrökli drükt,
Ha gschreuen was ich mag.
Z'Hofderen[2) am Versammlungsfest
Wies bi me Trück[3) cha goh,
Hend mir die unverschamte Gest
S'Geld samt dem Bumper g'noh.

8. Darf au nit meh ge Honeren[4) uoh
Ist gar en gäche Steg;
Z'Muri, z'Beuel[5) was ich thuo,
So kum ich nienen z'weg.
Am Musseg[6) Aplis zu Luzern
Ist betet worden viel;
Doch han ich weder Glück no Stern
Mag afoh was i wil.
Und wen i s'Beth miech ufen Steg
So giengets duren Bach;
I butz mi doch so redli z'weg
Und doch gilt nüd mi Sach.

9. Für's Finden ist kein bessre Ma
(Sol keinen g'schulten si)

[1) Ablasstag.
[2) Hochdorf.
[3) Drücken, Gedränge.
[4) Hohenrain.
[5) Beinwil im Freiamt, Grabstätte des hl. Burkard.
[6) Musegg-Umgang, 25. März.

Als St. Antoni z'Badua;
Bin z'Diedel [1]) binem gsi.
Dert gieng's mer wie zu Rickenbach
Und au bim Bruder Klaus.
Und meini 's seig ne gfundni Sach,
Git's doch kein Hochzitschmaus.

10. Z'Notwil [2]) do bin i au im Fliss
Schier alli Vierteljohr;
Und wenn i meinen d'Brut ist gwüss
Ist's alle denn nit wohr.
Zum hl. Blut uf Willisau
Und zrück uf Bärtischwil,
S'god au en Weg uf Kulmerau [3])
S'ist gwüss kei Churziwil.
Zum hl. Chrütz do han i wit
No witer ins Johnenthal [4]);
I weis s'het g'regnet, g'chutzt und g'schnit,
Und g'schossen ohne Zahl.

11. Doch bini allzit fortg'marschirt
Kei Dunner hed mi g'stört.
Doch wenn's mi no so cujonirt,
Werd ich niemals erhört.
Uf d'Rigi gang i nüme meh,
Mira was einer denkt.
Ha müssen wadte dure Schnee
Ha schier mis Bey verrenkt.
Ha würkli no e Pflaster uf,
I zeigs nit Jederma,
S'möcht öppe heisse i häd e Buess
Oder sust e Muster g'ba.

12. Wenn eine wurd an Cbruke go
Und hät kei Batze Guet
I gäb im d'Hand, wär grüssli froh,

---

[1]) Dietwil.
[2]) Nottwil s. ZEMP a. a. O. S. 60.
[3]) Christina zu Kulmerau. ZEMP a. a. O. S. 60.
[4]) Jonenthal im Kanton Aargau. Vgl. A. WIND, d. Kapelle Johnenthal. 2. A. Bremgarten 1891.

Vertrib er min Schwermuet;
Wett spinne, huse, g'horsam si,
Wett schwige de ganz Tag;
I trinke jo kei Tröpfli Wi,
De Brönz ¹) nit schmöcke mag.

13. Doch g'seid es soll nit witers cho,
Wil thuo jetzt noh en B'suoch,
Wil zu dem hl. Meidli goh,
Wo wont im Entlebuch.
Was das do seid, do blibts derbi,
Und wenn i sterbe muess,
Der Himmel lit en G'walt echli,
Wils aneh für ne Buess.

„Dieses Lied zu Kurigieren ist jedem leser über lasen. — — Geschriben d. 1ᵗᵉⁿ December 1827."

Vorstehende Herzensergiessungen, offenbar von einer wenig gebildeten Hand niedergeschrieben, fanden sich auf einem Bogen Papier unter verschiedenen ältern handschriftlichen Aufzeichnungen eines poetischen Nachlasses. Das Korrigieren hat, wie sich aus der Handschrift erkennen lässt, schon vor einigen Jahrzehnten eine andere Hand übernommen, welche mit roter Tinte verschiedene, mehr orthographische und metrische Unebenheiten glättete und auch einige Glossen an den Rand setzte. Ich fügte noch wenige kleinere Zusätze dieser Art hinzu und überlasse im übrigen, wie der Schreiber vom Jahre 1827, jedem Leser das Lied zu korrigieren.

¹) Branntwein.

Ein Stück Aberglauben in Basel a. 1705.

Mitgeteilt von E. Hoffmann-Krayer.

Die im Folgenden mitgeteilten Akten finden sich sub Criminalia 4 No. 20 des Basler Staats-Archivs. Sie bilden ein kriminalistisches Intermezzo in einem weitschichtigen Injurienprozess und Erbstreit zwischen den stiefverwandten Familien Ehinger und Langmesser und sind insofern von Interesse für uns, als sie, ähnlich wie die in Bd. II 307 mitgeteilte Gespenstergeschichte, zeigen, was für eine Wichtigkeit man noch im Anfang des 18. Jahrhunderts harmlosen abergläubischen Handlungen beilegte.

Extractus Gerichts Protocolli
Vom 24. Novembris A° 1705.
(Verlesen den 17. Dezember 1705) [1])

(Hans Jacob Ehinger ist Kläger gegen seine Mutter Katharina geb. Schlosser „und übrige bey seines Vatters sel. [Joh. Ehingers] Verlassenschafft verdächtige Persohnen".

Ueber den Inhalt der Klage verlautet hier nichts.

Es folgt die für uns wichtige Aussage Rudolf Langmessers):

Rudolf Langmessler [2]) in Nammen seiner Mutter: Bey der Inventation habe man in seines Stieff Vatters Johann Ehingers [3]) Gelt Cassa Teüffels und Zauberbücher neben einem strickh, daran ein Rosseisen gebunden gewesen, befunden, so den HH. Geistlichen überliefert worden; neben dem habe er, der verstorbene Ehinger, seiner hinderlassenen Wittib Inventarium zweymahl verfälschet, welches zwar durch die HH. Deputierte beygelegt worden, und verhoffe von dem Klägeren nunmehro absolviert zu werden.

----

[1]) Notiz auf der Rückseite des Aktenstücks.

[2]) Langmessler ist die noch heute teilweise gültige volkstümliche Aussprache dieses Namens.

[3]) Katharina Schlosser war also in erster Ehe mit einem Langmesser, in zweiter mit Joh. Ehinger verheiratet.

E h i n g e r bittet bevorderist, diese Injuri und schändliche
Zulag ad notam zu nemmen, wolle solche neben anderen künftigs
zu vindicieren reserviert und vorbehalten haben, und setzt auff
denn Weisungs-Eyd [1]) jetzund lediglich zu recht.

(Hierauf wird am 8. Dezember dem Kläger gestattet, bestimmte Personen in den Weisungseid zu nemmen. — Die Beklagten werden wegen der vor Gericht ausgestossenen Injurien
[„ärgerliche Worth"] zu 1 Mark Silber verurteilt). Das Delictum,
welches die Beklagten angezogen [2]), solle hiemit Unseren G. HH.
und Oberen E. E. Rath zu rechtfertigen überlassen sein.

                                        Gerichtsschreiberey.

Information

Auss hochobrigkeitlichem befelch durch meine gnädigen
Hochehrenden HH. die VII wegen einiger Verdächtig und aber-
gläübischer sachen und Zeduln, so unter Johann Ehingers,
des Verstorbenen Hirtzenwürthes, Verlassenschafft gefunden worden, auffgenommen Zeinstages des 15. Decembris A° 1705.

Balthasar N e w e n s t e i n, der Glaser, Tochtermann zum
hirtzen deponiert: Der Verstorbene Ehinger seye 16. Jahr lang
sein Stieff Schweher [3]) gewesen; derselbe habe sich aber nicht
als ein Stieffschweher gegen Ihme erzeigt, und seye selbiger
öffters zu Ihme in sein hauss, und hergegen er, Gezeug, zu
selbigem kommen; habe auch Ihme, Gezeuge, und seinen Kinderen
Viel und grosse Gutthaten erzeigt, darumben er demselben noch
zu danckhen habe; Wüsse auff denselben nichts als alles liebs
und Gutts, habe auch nichts Ungebührliches Niemahlen an Ihme
gespührt.

Von den Verdächtigen sachen, so in der Cassen gefunden
worden seyn sollen, wüsse er gleichfahls nichts.

(Ursula L a n g m e s s e r, des Vorigen Frau, weiss hievon
auch nichts zu sagen.)

Heinrich M a r b a c h der Kürsner zeugt, (als man die Kasse
geöffnet habe, sei Geld und Wertpapiere darin gewesen), wo-
runder 4. oder 5. wüste Zedul [4]), darin lateinische Buchstaben,
und zu dreyen Buchstaben alwegen ein Creutzlin, sich befunden;

---

[1]) Eid, den die Hinterlassenen schwören mussten, dass von Habe
und Gut eines Verstorbenen nichts entfremdet worden.

[2]) die genannten Zaubereien.

[3]) Stief-Schwiegervater.

[4]) unscheinbare Wische.

Bald darauffen habe man ein Rosseyssen vnd ein strickh herauss-
gezogen, welches in einem papyr vnd einem lumpen eingewickhelt, in dem eyssen seyen noch alle nägel vnd solche
widerbogen[1]) gewesen. Es seyen aber dise sachen nicht lang
auffm Tisch gelegen, sondern mann habe solche bald wider neben
Übrigen sachen wieder in die Cassen gethan, vnd glaube er nicht,
dass alle, so an dem Tisch gewesen, solches observiert haben.

.   Als Sie darüberhien zun Rebleuthen[2]) zusammenkommen
und der Sohn vnder anderm auch des Vatters sel. geistl. Bücher
praetendirt, habe der Wittib Vogt gesagt: Ja, es seyen schöne
geistl. Bücher, und habe darauffen 2. von disen Zeduln auss der
Taschen gezogen vnd solche denen HH. Deputirten vorgewiesen,
solche aber gleich wider zu sich genommen. Wie Nun die sach
lautbrecht[3]) worden, habe er zum 2ten mahlen zu H. Dr. Zwinger[4])
müssen, welcher Ihne diser sach halber befragt, vnd sonderlichen
haben wollen, ob wäre noch eine Kopffschüdelen[5]), deme ̍ er
aber entsprochen[6]), dass er davon nichts wüsse, massen er auch
nie keine gesehen.

          Rudolf Langmesser, der Weinmann und der Ehinger[ischen]
Wittib Sohn[7]), berichtet: Er wüsse anderes nichts, als dass man
ein Ross Eysen vnd strickh, so zusammen eingewickhelt gewesen,
vnd dann 5. Zedul vnder anderen schrifften auss der Cassen
herfürgezogen vnd auff den Tisch geworffen. In den Zeduln
seye Teutsch vnd Latein, auch Creutzlin geschrieben gewesen,
vnd zwar von seines Stieffvaters eigener hand. Die sach seye
ein halb Jahr angestanden, dass Niemand nichts davon gesagt,
vnd wüsse er nicht, wie sie ausskommen; Weilen aber Marbach
öffters zu Ihme kommen vnd Ihme bedeutet, Hr. Dr. Zwinger
vnd Hr. Pfarrer am Steinenberg[8]) sagen, Es seye auch ein Hirnschalen vnd dann noch 2. Zedul dabey gewesen, so man auch
herausgeben solte, habe er sich endlich resolvirt, mit selbigem

---

    [1]) umgebogen.
    [2]) Zunftstube zur Rebleuten.
    [3]) ruchbar, stadtbekannt.
    [4]) Der nachmalige Kantons-Physikus Dr. Theod. Zwinger.
    [5]) Es müsse noch ein Stück Schädel dabei gewesen sein. Kopf-
schüdele=Totenschädel. Noch heute kommt in der Schweiz *Hauptschüdele*
(und *-schüdele*) vor.   .
    [6]) erwidert.
    [7]) Stiefsohn des verstorbenen Joh. Ehinger.
    [8]) Wol Hieronymus Burckhardt, Pfarrer zu St. Elisabethen.

selbsten zum Hrn. am Steinenberg zugeben, welcher dann Ihnen
wider bedeutet, Mann rede annoch von einer Kopffschüdelen
vnd von 2. Zeduln. Deme er aber geantwortet, Er wüsse
von keinen weiteren Zeduln vnd dann von keiner Hirnschalen;
Es wäre aber in einem Känsterlin¹) ein stuckh von einem Juden-
kuchen vnd dann ein stuckh kreyden einer faust gross gewesen, so
einer oder der andere für ein hirnschalen angesehen haben möchte.

(Jacob Bucherer und Elisabeth Bucherin wissen von
diesen Dingen nichts.)

Hr. Hans Jacob Bartenschlag, kayserlicher Notarius²)
zeugt: Er habe bey der inventation geschrieben, vnd habe mann
bey der Casse den anfang gemacht vnd erstens das geltt auff
den Tisch gethan. Bald daruffen hab der Bärenwürth ein Paquet
herfürgezogen, vnd weilen es schwer gewesen, babe mann vermeint, es seye gold oder silber darinn; als es aber eröffnet
worden, habe mann ein Rosseisen sambt den Nägeln darinn vnd
einen strickh gefunden; vnd hab der Bärenwürth auf einiger
befragen, was diss bedeute, geantwortet: Es wäre gut für die
pferdt, wann Sie kranckh seyen; habe es darüber wider zusammen gepackht vnd in die Casse gethan. Nachdeme Mann
das geltt gezehlt vnd auch wider in die Casse gelegt, habe
man allerhand schriften, Theils auss der kammer, Theils auss der
Casse auff den Tisch gebracht, vnder welchem sich auch dise
5. Zedul befunden, da einer da, der ander dorth einen gelesen.
Von solchen wäre Ihme auch einer vnder die hand kommen,
worauff Teutsch vnd Creutzlin geschrieben gestanden, wie mann
verlohrne sachen wider finden solle. Als darauffen der Sohn
auff der Zunft zun Rebleuthen vor den HH. Deputirten vnder
anderm auch Geistliche Bücher praetendirt, habe der Wittib
Vogt vnd Marbach die Zedul herfür gezogen, mit vermelden,
dises wären die geistlichen Bücher.

Jacob Ehinger, Rothgerwer, des Verstorbenen Bruder,
sagt aus: Er habe auch der Theilung oder inventation beygewohnt
vnd wüsse er anders nichts, als dass man ein Rosseysen herfür-
gebracht. Es habe aber niemand an Nichts Böses gedacht, es
habe auch Niemand nichts dazu gesagt, als der Bärenwürt,

¹) Kästchen
²) Das kaiserliche Notariat musste von dem sog. Comes Palatinus
bestätigt werden und berechtigte dazu, „auch ausserhalb unserer Stadt
in eint- oder anderem Reichs-Lande Instrumenten zu verfertigen." (Basler
Rechtquellen I 1038,4 ff.)

welcher angezeigt: diss wäre ein köstlich remedium für die pferdt. Von den Zeduln wüsse er nichts, habe auch solche nicht gesehen.

Hans Jacob Ehinger, der Bleicher, des Verstorbenen Sohn, sagt: Er wüsse sich nicht eyentlich zuerinnern, ob er das Rosseyssen bey der theilung gesehen habe,. wohl aber, dass Ihme die Zedul nicht ehender zugesicht kommen, als nachdeme Hr. Pfarrer am Steinenberg solche beyhanden gehabt; bey deme er dann sowohl das Rosseyssen, als die Zedul gesehen. Im Uebrigen wäre sein Vatter sel. ein ehrlicher Mann gewesen, welcher auch Ihne in der forcht Gottes aufferzogen vnd Ihne zur kirchen vnd schulen fleissig angehalten, auch, wann er etwas gethan, so nicht Recht gewesen, Ihme nichts nachgelassen. Es seye von der andern seithen nichts als ein Rach, wann selbige Ihne vnd die seinigen in die höll bringen könnten, wurden sie es nicht spahren, wie es dann am Tag seye.

(Christoph Nadler, der gegenwärtige Hirschenwirt, weiss nichts zu sagen, weil er damals „in Kriegsdiensten gewesen").

(Anna Maria Langmesserin, die Frau des Vorigen, sagt aus, dass sie das Hufeisen und die Zettel zuerst bei der Inventarisation gesehen habe.)

(Hans Georg Nadler und Anna Catharina Langmesserin wissen wegen damaliger Abwesenheit nichts zu sagen und stellen dem Verstorbenen das beste Zeugnis aus.)

(Dorothea Wertenbergin war bei der Theilung ebenfalls nicht zugegen.)

Endet damit Ihre sag.

Ein Ehrsam Stattgericht, wie auch Hr. Hans Ludwig Wettstein[1]), des Rhats, haben Ihren Bericht schrifftlich eingeben.

(Der Bericht des Stattgerichts liegt nicht bei, wol aber derjenige Wettsteins, der ausführlich über die Erbstreitigkeiten referiert, von den Zaubergegenständen aber nichts weiss.)

(Endlich liegt bei ein Memoriale Hieronymus Burckhardts, Predigers bei St. Elsbethen, in welchem dieser sagt, er habe die abergläubischen Dinge „denjenigen, so sie in Handen hatten", abgefordert und behalten. Er hätte die Sache gerne totgeschwiegen, um ferneres Aergernis zu verhüten. Da sie nun aber doch vor Gericht komme, liefere er sie hiemit aus.)

---

[1]) Dritter Sohn des Prof. Joh. Rud. W., Enkel des berühmten Bürgermeisters

Erinnerungen aus der Pestzeit im Volksmunde.

Von Anna Ithen in Ober-Aegeri.

Aus den Aufzeichnungen eines Pfarrers der beiden Aegeri, Jakob Billeter [1]), erfahren wir, dass in dieser Gegend die Leute zur Pestzeit Sägemehl gebraucht haben, indem sie demselben eine übernatürliche Wirkung zugeschrieben. Der Volksmund setzt noch Asche hinzu, doch hat sich die Art und Weise der Anwendung nicht überliefert. In Zauberbüchern wird das Streuen von Sägemehl an bestimmten Orten und unter gewissen Formen zum Schätzeheben angeraten.

Im Pestjahre 1628—29 starben in Aegeri innert 6 Monaten bei 434 Personen am Beulentode. Der damalige Pfarrherr bestieg jeden Morgen nach der hl. Messe sein Pferd, um bis in die hoch gelegenen Gehöfte des zwei Stunden langen Thales die Kranken auf den Tod vorzubereiten. Zum Zeichen, dass

---

[1]) Die handschriftliche Chronik von Pfarrer Jakob Billeter wird im hiesigen Pfarrarchiv aufbewahrt. Dieselbe beginnt mit dem Jahre 1619, umfasst alle möglichen lokalen, eidgenössischen und weltgeschichtlichen Ereignisse und endigt im Jahr 1701. Jakob Billeter war geboren den 28. Oktober 1630, also 11 Jahre später, als er seine Chronik anfängt, — er war der letzte seines Geschlechtes, welches zu den Thalleuten der unteren Gemeinde, dem heutigen Unterägeri, gehörte. Seine Primiz hielt er in hiesiger Pfarrkirche den 8. März 1654, trat sogleich die „vordere" Kaplaneipfründe an, verbunden mit dem Amt eines Organisten und Schulmeisters. Den 2. Januar 1671 kam er als oberer Schulmeister und Kaplan auf U. L. Fr. Pfrund nach Altdorf, ward den 11. März 1691 als Pfarrherr nach Aegeri gewählt und starb hier als solcher anno 1712.

Es existieren einige Kopien von Billeters Chronik. Wir besitzen eine solche, geschrieben von Pfarrer Alois Ithen, Bruder meines Urgrossvaters, eine andere ist im Besitze von Hr. Hypothekarschreibers Wikart; sehr wahrscheinlich gibt es noch mehrere Kopien, doch einen gedruckten Billeter gibt es nicht. Unsere Kopie führt nur den Titel: „Chronik von Pfarrer Jakob Billeter".

Aus dieser Chronik habe ich nur entnommen, dass hier 434 Personen an der Pest gestorben seien und dass die Leute Sägemehl gebraucht. Alles andere ist hiesiger Volksmund.

in einem Hause der „schwarze Tod" eingeritten, ward ein weisses Tüchlein vor ein Fenster gehängt, welches den Geistlichen hereinrief.

In den oberen Kammern zahlreicher älterer Häuser sind runde, oder quadratische Oeffnungen ausgesägt, durch welche den von der „Sucht" Ergriffenen die Nahrung gereicht worden sei.

Dass die Pestepidemie bereits in viel früheren Jahrhunderten auch im Zugerlande geherrscht, berichtet die Volkssage, welche das Entstehen des Wappens der Gemeinde Menzingen — drei Linden — erklärt. Diese Gegend sei infolge gänzlichen Aussterbens der Bevölkerung durch die Pest dreimal verödet und überwaldet gewesen.

Mancherlei Geschichten aus der letzten Pestzeit leben noch im Gedächtnis des Volkes.

Im Dezember 1628 stand eines Morgens früh der Knecht auf dem Bauerngute „Grod" (Oberägeri) auf, in der Absicht die Kühe zu melken. Er zündete sein Lämpchen an und griff von ungefähr an die Stirne. Da fühlte er daran eine der todbringenden Beulen, erschrack, stolperte und fiel mit dem Kopf gegen die Wand. Die Beule brach auf und er war gerettet.

Ein Mädchen hatte eine Beule an der Wange; es gedachte dem Tode zu entfliehen, indem es unter das Bett kroch. Dabei stiess es an die Bettlade, die Beule platzte und augenblicklich hatte das Mädchen die Gesundheit wieder.

In dieser schrecklichen Zeit suchten viele Leute voll Verzweiflung Vergessenheit im Tanzvergnügen. Solches that auch ein Mädchen, welches eine Beule am Fusse hatte. Ein Tänzer trat ihm auf den Fuss, so dass die Beule ausfloss. Auch dieses Mädchen war gerettet und blieb im Weitern von der Beulenpest verschont.

Da solche Fälle immer mehr bekannt wurden, kamen die Leute selbst zu dem Schluss, dass die Beulen ein Gift enthielten, welches ausfliessen müsse. Sie schnitten fortan die Beulen, wo sich solche zeigten, aus und genasen; so berichtet der Volksmund. Diejenigen aber, welches es nicht thaten, wurden vom Tode hingerafft.

Ein Mann bekam eine Beule am kleinen Finger, da schnitt er die Beule samt einem Stück des Fingers ab, bohrte ein Loch in die Wand seiner Kammer, schob die Beule hinein und vernagelte sie mit einem grossen Holznagel. Ganz geheilt gieng er bald darauf in die Fremde. Nach Jahr und Tag kehrte er zurück, und es trieb ihn, nach der Beule zu sehen. Unter Gespötte zog er den Nagel heraus; da entstieg ein Räuchlein der winzigen Oeffnung, welches seine Stirne berührte. Sofort war sein Gesicht von Beulen bedeckt, denen er binnen Kurzem erlag, obwohl in jener Zeit keine Epidemie im Lande herrschte.

In jenen Tagen der Heimsuchung nahmen die Leute allenthalben ihre Znflucht zu Gott und riefen auch besonders die Fürbitte des hl. Sebastian[1]) an. Als einstens eine Menge Volkes von dem Kapellchen des hl. Sebastian zu Benau[2]) betete, ward eine Stimme von oben gehört, welche rief: „Ässet Brunnekressig und Bibernelle, so wird üch de Tod nid welle." Im Muotathal war es ein Engel vom Himmel, welcher dem auf den Knien liegenden Volke rief: „Ässet Stränze und Bibernelle, sust wird de Sterbet alli felle". In Ober-Aegeri kam auf dem Hof „Ehrliberg" ein Vöglein auf die Klebdächer, welches immerfort zwitscherte: „Ässet, ässet Bibernelle, Biber- Biber- Bibernelle". Kresse, Enzian und Pimpernellen, besonders im Frühjahr genossen, gelten heute noch beim Volke als ausgezeichnetes beliebtes Blutreinigungsmittel.

Die Beulenpest mochte ungefähr ihren Höhegrad erreicht haben, als eines Abends ein Mann beim Gasthof zum Rössli in Schwyz sich eben anschickte schlafen zu gehen und schon die Strümpfe ausgezogen hatte, den einen über die rechte Schulter geworfen, den andern in der linken Hand haltend. Da vernahm er lautes Beten und Singen von einer Prozession, die von Ibach her näher und näher kam. Neugierig schaute er zum Fenster hinaus und bemerkte zu seinem Erstaunen an der Spitze des Kreuzganges einen Mann, der ganz so aussah wie er selber, den einen Strumpf über die Schulter, den andern in der Hand.

„Hoi", sagte er bei sich, „das ist ja einer wie ich". Der Geselle auf der Strasse aber rief ihm hinauf: „morgen wirst du der erste sein." So sei es wirklich geschehen, folgenden Tages sei dieser Mann in Schwyz der erste gewesen, welcher der Seuche zum Opfer gefallen.

Eine ähnliche Sage wird im Muotathal erzählt. In jener Zeit lebte dort ein sehr frommer Mann, dem das Unglück des

---

[1]) Sonst ist S. Rochus der Pestheilige [RED.]
[2]) Benau, bei Rothenthurm. gehört politisch zur Gemeinde Einsiedeln.

Volkes so zu Herzen gieng, dass er unablässig zu Gott um
Erbarmen flehte. Sein Häuschen stand an der Muota, die damals einen ganz andern Lauf hatte. Einmal mitten in der
Nacht hörte er lautes Weinen und Wehklagen, und wie er aus
dem Fenster blickte, gewahrte er ein überaus zahlreiches Leichen-
geleite am Ufer der Muota heraufkommen. Eine Kinderschar
beweinte den verlornen Vater. Ganz am Schlusse des Zuges
wandelte eine Gestalt, in welcher er sich selbst erkannte. Der
Leichenzug wallte an der Behausung des Mannes vorüber und
der Doppelgänger rief ihm zu: „Du, und ich machen den Schluss.“
Diese Worte enthielten eine Prophezeihung, denn dieser gottes-
fürchtige Mann sei im Muotathal der letzte gewesen, der an
der Pest gestorben.

Zwei Grabschriften aus der Pestzeit sollen gelautet haben:
          „Ist das nid e Grus,
            vier Brüderä us eim Hus,“
                    und:
          „Ist das nid e grossi Klag,
            so mengs Dotzend i eim Grab.“

Pfarrer Jakob Billeter schreibt in seiner Chronik zum
Jahr 1667: Als die Pest namentlich in der Stadt Basel und im
Bernerbiet gewütet habe, seien zu Aegeri von Herbst bis Ostern
alle Montag, Mittwoch und Freitag nach der Messe unter Läutung
der grossen Glocke 5 Vaterunser gebetet und das Pestlied in
lateinischer Sprache gesungen worden. Abends nach dem Rosenkranz ward dasselbe in deutscher Sprache gesungen [1]).

Nachtrag.

Aus einer handschriftlichen Chronik teilt mir Hochw. Pfr.
Blunschi in Sarmenstorf zum Jahr 1629/30 noch folgende Angaben mit:
          „Ist es nicht eine grosse Klag?
            Vierhalbhundert in einem Grab!
            Ist es nicht ein Gruus?
            Vierzähni us Eim Huus“!

---

[1]) Melodie und Text sind in der Chronik in lateinischer u. deutscher
Sprache niedergeschrieben.

„Von Bettwil habe der Müller bereits je den andern Tag mehrere Tote ohne Totenbaum auf dem Mühlewägeli gebracht; einmal habe er unterwegs einen Toten verloren und gesagt, er gehe nicht zurück, den Verlornen zu suchen und aufzuladen; er wolle ihn das nächste mal aufladen. Und es geschah, dass der Mühlekarrer nächstmals selbst unter den Toten sich fand."

„Fabian und Sebastian der Pest wegen gefeiert mit der sog. Agnesenjahrzeit. 1630: Pfarrer Martin Streber wallfahrtete mit den Sarmenstorfern zur Muttergottes-Kapelle in Gormund, teils zum Danke für's Nachlassen der Seuche, teils zu bitten, dass sie ferne bleiben möge."

Zwei Besegnungen.

Mitgeteilt von Gottfried Kessler in Wil (St. Gallen).

Bereits im ersten Jahrgange dieser Zeitschrift habe ich S. 237 anlässlich der Mitteilung von zwei Wespensegen darauf hingewiesen, welch' bedeutsame Stelle die Schutz- und Segenssprüche — denen wir ja schon im Althochdeutschen und Altnordischen begegnen — seit uraltem im Volksglauben einnehmen. Ich bin in der Lage, hier wiederum zwei Besegnungen mitzuteilen. Die erste derselben, welche zum Blutstillen dienen soll, hörte ich von einem älteren Landwirt und Jäger aus Bettwiesen (Kt. Thurgau). Sie lautet:

„Es sind drei glückselige Stunden auf die Welt gekommen: In der ersten Stunde ist Gott geboren, in der andern Stunde ist Gott gestorben, in der dritten Stunde ist Gott wieder lebendig geworden, darum nenne ich sie die drei glückseligen Stunden. Darum bestelle ich dir, N. N., das Gliedwasser und das Bluten, so wahr dass Maria eine reine Jungfrau geblieben ist. Dazu heile dir auch dessen Schaden und Wunde." Nun spricht man noch die höchsten drei Namen; „dann hat", fügte mein Gewährsmann hinzu, „der Segen Wirkung auf alle Zeit, nur nicht übers Wasser."[1])

Den zweiten Segen, der, beim Verlassen des Hauses zu einem Ausgange, zu einer R e i s e etc. gesprochen, vor allem Unheil, das Einem auf der Strasse begegnen könnte, insbesondere aber vor hissigen Hunden schützen und zugleich auch noch hieb- und kugelfest machen soll, vernahm ich von einem hochbetagten Gärtner aus Rossreute bei Wil. Er hat folgenden Wortlaut: „Ich will heute ausgehn, Gottes Steg und Weg will ich gehn, wo Christus auch gegangen. Unser liebe Herr Jesus Christ, ich bin dein eigen, dass mich kein Hund beiss' und kein Mörder beschleich'. Ich steh in Gottes Hand, ich bin gebunden durch Christus heilige fünf Wunden, dass mir alle Gewehr und Waffen so wenig schaden, als der heiligen Jungfrau Maria ihr Gespons. Ich steh' in Gottes Hand, ich bin und will gebunden sein. Behüte mich Jesus, Maria und Joseph auf allen Wegen und Stegen."[2])

---

[1]) Vgl. auch Archiv II 157 No. 102.

[2]) Vgl. Archiv II 267 No. 149 und den „Segen zur Fahrt", der sich nach einer Heidelberger Handschrift im Anzeiger f. Kunde des deutschen Mittelalters III 280 abgedruckt findet: Ich dreden hude uf den phat, den unser herre Jesus Cristus drat, der si mir also süss und also gut. Nu helfe mir sin heilges rosefarbes blut und sin heilge funf wunden, das ich nimmer werde gefangen oder gebunden. Von allen minen fienden mich behude, das helfe mir die here hude, vor fliesen, vor swerten und vor schiesen, vor aller slacht ungehüre, vor schnoder gesellschaft und abentüre: das alle mine bant von mir enbunden werde zu hant, also unser herr Jesus inbunden wart, do er nam die himelfart.

Das Würgen am Namenstag oder Geburtstag.

Von E. Hoffmann-Krayer.

Aus meinen Schuljahren erinnere ich mich noch lebhaft der Sitte, dass derjenige, der seinen Namenstag feierte, von seinen Mitschülern mit beiden Händen gewürgt wurde.

Eingezogene Erkundigungen zeigen nun, dass diese Sitte nicht nur in der Schweiz verbreitet ist, sondern auch in Deutschland, z. B. Baden und Württemberg, vorkommt. Für Letzteres verweise ich auf die neuerschienenen „Blätter f. Hess. Volkskunde", Heft I, HEBEL, Alemann. Ged. 2. Aufl. S. 217 und J. C. SCHMID, Schwäb. Wörterb. 258, für die Schweiz sollen im Folgenden einige Belege gegeben werden.

Ueber den Ursprung der Sitte belehrt uns das Schweiz. Idiotikon (II 1213) in der Anmerkung zu *helsen*, wo mit Recht darauf hingewiesen wird, dass das Würgen, Umhalsen nichts anderes ist als eine symbolische Handlung, die das ehemalige Umhängen eines Patengeschenkes bedeuten soll. Mit der Zeit hat sich dann das Bewusstsein dieses Ursprungs verwischt, und die symbolische Handlung des Würgens wurde gedankenlos weitergeübt, ja man gieng sogar so weit, mit „würgen", „Würgete" das Schenken bezw. das Gratulieren überhaupt zu bezeichnen. Das Würgen selbst soll noch in folgenden Gegenden der Schweiz vorkommen (Ergänzungen oder Verbesserungen sind erwünscht): Basel-Stadt, Kanton St. Gallen, Thurgau, Uri, Zürich (einzelne Kantonsteile). Auch Stalder bemerkt in seinem Idiotikon (II 459), wol in Beziehung auf den Kanton Luzern: „Es war ehemals Sitte, und ist es hinwieder noch, dass man gute Freunde oder Bekannte an ihrem Namensfest würgte, oder wenigstens zu ihnen sagte: soll ich Euch würgen? Mit diesem Würgen war gewöhnlich eine Gabe von Seite des Glückwünschenden verbunden, welche noch jetzt ein Würgete heisst." Rochholz dagegen weicht in seiner Schilderung etwas ab, wenn er im „Alemann. Kinderlied" S. 321 sagt: Sobald der den Geburtstag Feiernde aus seinem Bette in die Wohnstube tritt, springen alle Hausbewohner auf ihn los, fallen ihm um den Hals und würgen ihn so lange, bis er jedem eine Kleinigkeit, ein Stück von

seinen Kuchom zu schenken, versprochen hat". Hier ist es
also erstens der Geburtstag, an dem gewürgt wird (vgl.
unten die Angaben aus Denzler, Hospinianus und den Schimpf- und
Glimpfreden) und zweitens hat hier der Beglückwünschte
die Pflicht, Geschenke zu machen. Dieses Letztere trifft auch
für einige Gegenden der Kantone Zürich (Pfäffikon, Wyla) und
Thurgau zu. Dort sagt man zu dem „Namenstager" während
des Würgens: „I weusch-der denn glich au Glück zu dim
ehrerlebte Namestag (i weusche, dass d'no mänge mögest erlebe
mit gueter Gsundheit und Gottes Sege) und weusch, dass- [du]
mer au ä (bravi) Würgete gäbist". Gewöhnlich besteht dort
die „Würgete" in einem Trunk. Etwas derber macht es jener
Bauernsohn des 17. Jahrhunderts, von dem die Schimpf- und
Glimpfreden (eine handschriftliche Anekdotensammlung von
1651/2, im Besitze der Schweiz. Landesbibliothek) Serie II
Nr. 103 berichten: „Etlich pauren Söhn hörend, dass ihrer
Mutter Geburtstag. Sie wöllend die würgen. Als sie deshalb
zu ihren ins Tänn [Tenne] kamen, allwo sie gedröschet, nimpt
der ein den Pflegel, legt den ihr umb den Hals und truckt am
Still vom Pflegelhaupt, was er vermag, fragend, was Sie ihnen
geben wölle? truckt sie, dass ihre d'Zunge zum Maul ausragte."
Dieselbe Sitte, den Feiernden zum Geben zu nötigen, geht aus
einem Zürcher Mandat vom Juli 1616 hervor: „Als dann sider
etlichen Jahren her ein bruch gar gmein worden ist, das man
uff die tag, da einse nammen im Calender falt, welches man
die Würgeten nennt, zecheten aurichtet, da dann die gewürgten
alles, so man verzehrt, zahlen müssen" u. s. w.

Ein schöner symbolischer Rest des ursprünglichen Um-
hängens von Geschenken besteht in dem Kranz, den der Glück-
wünschende überreicht. So berichtet Salomon Hirzel in seinem
Tagebuche unter dem Jahr 1662 (Zürcher Taschenbuch 1883
S. 192), dass er seiner Geliebten „zum Namenstag zugleich
einen Würgkrantz" überreicht „und Sy mit einem Trüwring von
Rubinen verehrt oder gewürgt" habe; und dasselbe meinen
Denzler (Clavis Linguae Latinae 1677 und 1716) und Hospinianus (Latinitatis purae Viridarium ed. sec. 1683) mit ihrem:
„Natalitio serto aliquem obligare. Einen würgen, binden an
seinem geburtstag. — Natalitia dare. Die würgeten geben".

Aus obigen Zitaten geht aber auch hervor, dass „Würgete"
und „würgen" bereits die Bedeutung „Geschenk an den Gratu-

lanten" bezw. „gratulieren" angenommen haben. Hiefür noch
einige weitere Belege. Der Basler Wolgang Meyer erzählt
(1618) in seiner Beschreibung der Reise auf die Dortrechter
Synode (ZÜRCHER TASCHENBUCH 1878 S. 143): „Weil dieser
Tag Sankt Wolgangstag gewesen, haben mich die Herren im
Schiff mit einem extemporaneo sermone gewürget", ein Zürcher
Mandat vom 25. Juni 1636 verbietet hohe Geschenke" weder
zum guten jahr, noch vnderm schyn der würgeten, zimpfeltags
[Ostergeschenke], Stubeten [Besuchsgeschenke], Kindbetinen"
u. s. w. und auch eine Basler Ratserkenntnis vom 17. No-
vember 1688 spricht von „Würckheten und Neujahrsgeschenkh".
Die eigentliche Handlung des Würgens, verbunden mit der
übertragenen Bedeutung, schimmert noch durch in einem „Würg-
brief" (s. STALDER a. a. O. 459) aus dem Jahre 1689, den die
Thurgauer BEITRÄGE ZUR VATERLÄND. GESCH. (32. Heft [1892]
S. 48) mitteilen:

> „Mancher würget nur im Scherzen
> Die und die auf diesen Tag [Namenstag];
> Aber ich mit stetem Herzen
> Würge dich, so vest ich mag.
> Wünsche, und bitt Gott dabei,
> Dass sich dieser Tag verneu
> Vilbeliebte Jahr in Freuden
> Mit Gesundheit unser beiden".

Zum Schlusse sei bemerkt, dass die Materialien des Schweiz.
Idiotikons und andere Quellen das Wort „Würgete" auch aus
der lebenden Mundart für viele Gegenden der Schweiz belegen,
so für die Kantone Aargau (Freiamt, Kelleramt), Appenzell
(s. TOBLER, App. Sprachschatz 454), Bern (s. ZEITSCHR. f.
deutsche Mundarten IV 151), Luzern (STALDER a. a. O.), St. Gallen,
Schaffhausen, Schwyz, Thurgau, Unterwalden, Uri, Wallis, Zürich.

Dabei bleibt freilich in einzelnen Fällen noch zu bestimmen, ob „Würgete" das Geschenk ist, das der Feiernde
erhält oder das dieser dem Gratulanten zu spenden hat. Wir
sehen diesbezüglichen Ergänzungen von Seiten unserer Leser
gerne entgegen.

La Fée de Cleibe

Légende publiée par M. Correvon (Genève)

Sur la pente déboisée et rapide qui, des bords sableux du Rhône, grimpe à l'Alpe de Thion, à quelques kilomètres de la capitale du Valais et non loin des poétiques Mayens de Sion, on voit parfois se dessiner la pittoresque silhouette du hameau de Cleibe ou Clebe. C'est un coin paisible et heureux ; le pâtre, l'hiver, autour du feu, y conte à ses enfants de gracieuses légendes des temps passés, dont l'une, recueillie sur place, m'a paru digne d'être répétée. Des récits semblables m'ont été racontés dans plusieurs villages du Bas Valais, et notamment à Liddes, autrefois, par un habitant du hameau de Comeire, dans la Vallée du Saint-Bernard.

Dans le vieux temps, il y avait à Cleibe de nombreuses fées, toutes bienfaisantes et douces, toutes portées de bonne volonté envers le pauvre genre humain. L'une d'elles, particulièrement familière, excita à tel point l'admiration d'un des jeunes gens du village qu'il finit par en devenir passionnément amoureux. Au printemps, montant à l'alpage, il la rencontra seule, lui fit sa déclaration et lui proposa le mariage. La bonne fée, qui n'éprouvait aucun sentiment semblable envers le jeune gars, commença par l'éconduire, objectant la défense qui était faite aux fées de s'allier aux humains. Le paysan était cependant si sincère, et son amour paraissait si profond que la fée finit par accepter. Posant doucement sa main sur l'épaule du garçon ébloui, elle lui promit de devenir sa femme s'il consentait à lui jurer que, quoiqu'il pût arriver après le mariage, il n'éleverait jamais la voix contre elle et que, quoiqu'elle pût faire, il ne prononcerait jamais cette phrase : «Tu es une mauvaise fée.» Il le jura.

Le mariage eut lieu à l'église ; les violons jouèrent pour la danse ; on tua la vache traditionnelle pour le festin, et leur vie matrimoniale commença, comme toujours, par la lune de miel.

Le bonheur régna longtemps au foyer; six années se passèrent sans le moindre orage; de jolis enfants égayaient la maison sans y jeter aucun cri discordant. Quand l'époux rentrait, le soir, du travail des champs, il se réjouissait à la vue de ses enfants bien élevés et bien soignés, de la boissellerie très blanche, des *émines* [1]) regorgeantes de lait, du souper appétissant, servi près de l'âtre toujours gai.

Un jour, le père dut monter à l'alpe de la Maïna à cause d'une vache qui donnait trop de lait et en perdait entre les traites. L'air était lourd, le ciel sombre. On pressentait l'orage, et lui, inquiet, ne s'arrêta pas longtemps parmi les pâtres.

Mais les fées prévoient l'avenir et connaissent le secret de détourner les malheurs. C'est pourquoi la mère de famille, ce jourlà, prévoyant une grêle terrible, moissonna son blé encore vert et, à peine dépouillé de sa fleur, le rentra dans le *rancard*. Aidée de toutes les fées de la montagne elle déposa entre chaque gerbe un paquet de branches d'aulne vert.

Le travail était à peine terminé qu'une grêle épaisse ravagea la campagne, hâchant tout sur son passage. Les paysans terrifiés pleuraient dans leurs sombres demeures; car ils restaient sans ressources au bord d'une forêt peuplée d'ours, de loups et d'autres animaux sauvages.

Notre homme était arrivé chez lui juste à temps pour éviter le gros de l'orage. Il avait rentré sa vache et séché ses vêtements, quand il apprit ce qu'avait fait sa prévoyante épouse. Mais quelle ne fut pas la déception de celle-ci, lorsque, au lieu de remerciments qu'elle s'attendait à recevoir, elle se vit accablée de reproches et même d'injures. «Qu'ai-je donc fait, s'écria-t-il, d'épouser une *mauvaise fée*.» Il n'avait pas fini de prononcer ces mots qu'il vit sa femme disparaître, s'évanouissant comme une fumée. Les enfants se mirent à geindre et à pleurer, et un bruit sinistre, comme celui que produit un reptile qui glisse entre les pierres, frappa les oreilles du père.

Pour donner le change aux sentiments qui commençaient à l'accabler, notre homme s'en fut à sa grange. Et qu'y voit-il? Son blé, ce blé qu'il croyait perdu et en train de pourrir, était en parfait état et gonflait ses épis sous l'influence de la chaleur

---

[1]) On appelle *émine*, en Valais, le grand baquet dans lequel on fait reposer le lait, avant de l'écremer.

suffocante produite par la fermentation des branches d'aulne.
En examinant de près les épis, il les vit gros et déjà jaunissants.
Il comprit alors combien il avait été injuste envers la prévoyante
fée; mais son orgueil l'empêchait de se rétracter.

Rentrant penaud dans la maison, il y trouva le souper
servi comme à l'ordinaire, les enfants attablés et mangeant seuls
la soupe copieusement servie.

«Qui donc vous a servi le souper, demanda-t-il?

— C'est la mère

— Où s'en est-elle allée?

— Elle est sortie, sans dire où.

— Elle ne vous a rien dit pour moi?

— Oui; elle désire que tu rétractes tes paroles.

— Ça, jamais!»

Il entendit alors dans le lointain un tapage infernal. Les
fées réunies faisaient fête à la mère et la sollicitaient de rentrer
au milieu d'elles.

Inquiet, il soupa seul et dormit peu, en songeant aux avan-
tages qu'il avait perdus. Quand il se leva le lendemain, très tard,
il trouva les enfants habillés, lavés, peignés, et leur déjeuner
servi sur la table. Sa femme l'avait, encore une fois, prévenu.

Plusieurs jours se passèrent ainsi, sans qu'il lui vînt à l'idée
qu'il eût à présenter des excuses à celle qu'il avait offensée. Quand
il descendit au moulin de Beuzon pour y faire moudre le blé
qu'il devait à la prévoyance de sa bonne femme, le meunier
demeura stupéfait de la beauté des grains. Il ne comprenait pas
comment, dans un pays tout ravagé, notre homme seul avait à
faire moudre du blé. Celui-ci conta son histoire et s'entendit
vertement tancer par le meunier, qui lui conseilla de faire toutes
les concessions possibles afin de ramener sa femme au logis.

Son parti fut vite pris; dès le lendemain il se rétracterait.
Tout joyeux de cette détermination, il chargea son sac de farine
sur ses robustes épaules et remonta le sentier de Cleibe. A son
retour, il constata chez lui le plus grand désordre. Tout avait
mauvais air, tout, sauf les enfants qui, toujours soignés par leur
mère, prospéraient et jouissaient de la vie. Il leur dit son désir
de revoir sa femme et les chargea de lui demander de revenir
au logis.

Le lendemain matin, l'aînée des fillettes le réveilla, en lui
disant que sa mère reviendrait à la condition qu'il embrassât ce

qui se présenterait à ses yeux derrière la porte de la cuisine ; car elle ne croyait plus à des promesses qu'il ne savait pas tenir. De joie, il sauta hors de son lit, s'habilla à peine et courut à la cuisine, où d'abord il ne vit rien. Il croyait déjà à une mystification, quand il entendit sortir des dalles le même bruissement de reptile qu'il avait ouï lors de la disparition de la fée. Il vit bientôt, derrière la porte, apparaître la tête hideuse d'un serpent, qui s'enroula autour de son corps jusqu'à ce que la tête fût à la hauteur de celle du pauvre homme aburi. Celui-ci, ne pouvant vaincre sa répulsion, saisit vigoureusement la bête et la rejeta violemment sur le sol, où il vit apparaître, soudain, la figure de sa bonne femme, qui lui reprocha sa faiblesse en ces termes: «Puisque tu n'a pas su vaincre, pour obtenir ton pardon, le dégoût que je t'ai inspiré en prenant la forme d'un serpent, tu ne me verras plus. J'abandonne mes enfants et ta fortune et vais rentrer dans l'incomparable empire de mes compagnes.»

Elle disparut, et, depuis lors, le pauvre hère traîna une existence malheureuse. Ses enfants fondèrent une race de bandits, ses filles tombèrent dans la catégorie des mauvaises femmes, et lui-même mourut de chagrin et de remords à la fleur de l'âge.

Credenze popolari nel Canton Ticino

Per Vittore Pellandini (Arbedo-Taverne)

II

L'Ave Maria e gli animali notturni. [1])

Il racconto da me dato nell'articolo: *Non dileggiare gli animali notturni,* ha una variante, e finisce, secondo mi racconta un altro mio compaesano, in questo modo: Quando il mostro, ritornato dalla stalla, dopo aver divorato tutte le capre e le vacche, meno la vacca che portava al collo la bronza con incisovi l'immagine della Madonna, ebbe a gridare al pastore: «Ho fame!, ho fame!, Che hai ancora da darmi da mangiare?» Il pastore rispose: «Non ho più niente. — Allora mangerò te,» urlò il mostro, e fece atto d'afferrare il pastore.

In quel momento il suono dell'Ave Maria del mattino eccheggiò nella montagna ed il mostro si ristette e disse al pastore: «Ringrazia la Madonna che ora suona l'Avemaria, ed io me ne devo andare per non disturbare l'uomo nè gli altri animali diurni. Ma ricordati che la notte è fatta per gli animali notturni e che dall'Avemaria della sera fino all'Avemaria del mattino essi hanno il diritto di girare indisturbati pel monte e pel piano, e male incoglierà chi li dileggia o li molesta in qualsiasi modo. A voi il giorno, la notte è nostra.» Così dicendo uscì precipitoso e sparì.

Il mio compaesano continuò: Siccome la notte è fatta per gli animali notturni e non per l'uomo, è bene farsi il segno della S.ta Croce quando si sente suonare l'Avemaria della sera, principalmente se si è fuori di casa. Parimenti deve farsi il segno della S.ta Croce, appena uscito di casa, chi per qualsiasi motivo esce di notte.

[1]) Cf. Arch II, pg. 30.

Così facendo saremo preservati da qualunque malanno o maleficio e non avremo la sorte di quel ragazzo di Daro [1]) condannato in eterno a chiamare le capre.

La leggenda del ragazzo di Daro io la conosceva digià, essendomi stata raccontata dalla mia povera nonna, la quale mi raccomandava spesso di non uscir di casa dopo l'Avemaria senza farsi il segno della Sta Croce. Eccola:

Un ragazzo di Daro era stato una sera inviato sulla montagna dai propri genitori per cercare le capre, colla raccomandazione, se non le trovava prima dell'Avemaria, di non più chiamarle senza farsi primo il segno della Sta Croce. Vi andò il ragazzo, ma non ritornò più, perchè avendo voluto chiamare le capre dope l'Avemaria, senza farsi il segno della croce, venne dai maligni spiriti della notte trasportato in fondo ad un burrone della Valascia [2]), da dove lo si ode di notte ancora oggidì chiamare le capre.

Più volte, ritornando da Bellinzona la sera, udìi io pure tra la località detta del Travaccone e S. Paolo una voce venir giù dalla Valascia e che per la lontananza assomigliava ora a quella di un pastore che chiami le capre, cioè: *ciriaa, ciriaa*, ora a quella di capra ferita o smarrita: *bèe, bèe*.

Gl'increduli, ed in ciò io son tra quelli, dicono invece trattarsi del grido di qualche *cauràscia* abitatrice di quelle scoscese rupi e di quei burroni.

La *cauràscia (capraccia:* pegg. di *capra)* è un animale notturno, a cui la immaginazione popolare da forma di mezzo uccello e mezza capra [3]).

Ignaro io pure die zoologia sarei grato se qualche cortese lettore o lettrice dell'*Archivio* volesse indicarmi quale degli animali notturni emette il grido da cui il popolo lo chiama *cauràscia*.

----

[1]) Daro: paese sito tra Bellinzona ed Arbedo.

[2]) Valascia (Vallaccia), profonda, scoscesa e dirupata valle che divide per buon tratto il comune di Daro da quello di Arbedo.

[3]) La caurascia è conosciuta anche nella Valsassina. Ved Salvioni. *Florilegio di voci valsassine*, raccolte da Don Luigi Arrigoni.

Leggende ticinesi

Raccolte da Vittore Pellandini (Arbedo-Taverne)

Un corvo che da il nome al paese di Claro

I primi abitanti del paese che ora chiamasi Claro, venuti non si sa da dove, stavano un giorno riuniti in un prato onde accordarsi e stabilire qual nome dovevasi dare al paese preso per loro stabile dimora.

Chi ne diceva una, chi ne diceva un'altra, ma nessuna proposta trovava la maggioranza in quella *Landsgemeinde* ed i proponenti, dopo essersi bisticciati, stavano per venire alle mani, senza alcun risultato.

In quella un corvo venne a posarsi sopra un albero vicino, e, forse per far cessare la contesa, diedesi a gridare a più riprese: *Crèe, Crèe*.

Al clamore di quel grido inatteso tacquero i contendenti ed un vecchio che fin allora non aveva parlato s'avanzò e disse: «Sia benedetto l'uccello apportatore di pace fra di noi! Amici, avete udito? *Crèe, Crèe*. Diamogli ascolto e sia *Crèe* il nome del nostro paese.»

Tutti furono d'accordo ed esclamarono:

«E *Crèe* lassem che 'l sìi,
Nel nome di Gesù e di Marìi.»

Ancora oggidì quei di Claro chiamano il loro paese col nome di *Crèe*.

Miszellen. — Mélanges.

Die Verbreitung der Schnaderhüpfel und des Jodlers in der Schweiz

Eine Umfrage.

Es ist eine noch umstrittene Frage, wie, wo und wann die Schnadern
hüpfel entstanden sind, und ihrer Lösung lässt sich nur näher komme-
mit einer genauen Kenntnis der Verbreitung dieser kleinen Lieder.
Insbesondere ist es für die Entscheidung des Punktes, ob die Schnaderhüpfel sich von österreichischem Boden aus über die Schweiz oder
einzelne Kantone verbreitet haben, wichtig zu erfahren, in welchen
Gegenden heute noch Schnaderhüpfel zu Hause sind oder wo etwa sie
zwar heute nicht mehr erklingen, aber doch ältere Leute noch von
ihrer früheren Existenz wissen.

Deshalb erlaube ich mir an die Mitglieder der Schweiz. Gesellschaft für Volkskunde folgende Fragen zu richten und im Interesse der
Sache um freundliche, möglichst zahlreiche Beantwortung, womöglich
durch Beispiele erläutert, an die Adresse der Redaktion dieser Zeitschrift
zu bitten. Jede, auch die kleinste Notiz ist willkommen und wird
dankbar benutzt werden.

A. In welchen Gegenden sind kleine drei- oder vierzeilige ge-
sprochene oder in gehobener Form rezitierte Verschen verbreitet?

a) Sind diese Verse festgefügt, oder werden sie je nach den
begleitenden Umständen geändert oder auch ganz neu improvisiert?

b) Bei welchen Gelegenheiten, etwa im Wirtshaus beim Bier oder
Wein, oder wo werden die Verschen gebraucht?

c) Werden sie von Alt und Jung verwandt oder existieren sie
nur als Kinderverschen?

d) Wie ist der Name dieser kleinen gesprochenen Verschen (z. B.
Rappetizli? Gsätzle?) oder führen sie keinen besondern Namen?

e) Welche Form haben diese Strophen? Sind es drei- oder vierzeilige Strophen? Wie viel Takte oder auch wie viel Füsse hat jede
Zeile? Aus wie viel Silben besteht jeder Fuss?

B. In welchen Gegenden sind kleine drei- oder vierzeilige ge-
sungene Liedchen verbreitet?

a) Bei welchen Gelegenheiten ertönen diese Lieder? Beim Tanz?
Im Wirtshaus? Auf der Gasse? Bei der Arbeit?

I. Tanzlieder.

1. Sind die Tanzlieder fest geworden und ertönen immer ohne
Veränderung zu diesem oder jenem Tanze? So z. B. wird nach Bühler

(Davos in seinem Walserdialekt IV 50) dort zum Schottisch stets unverändert gesungen:

> Und ich wett', und ich wett', und ich wett' mit Diar,
> Duw (du) hast kai Chreuzar Gald bei Diar!

2. Oder werden die Tanzlieder oft auch verändert, ja werden neue geschaffen, improvisiert?

3. Lässt der Bursch die Lieder vor dem Beginn des Tanzes in selbstgewählter Weise erklingen, und schliesst daran, während die Musik die Melodie aufnimmt, den Tanz an? Oder singt er während dem Tanze? Oder wird in den Tanzpausen von Burschen und Mädchen gemeinsam oder einzeln gesungen?

4. Wird im Chor oder von Einzelnen gesungen?

II. Lieder im Wirtshaus.

1. Wird gesungen, ohne dass ein Lied ans andere angebunden, ohne dass auf das vorhergehende Bezug genommen wird, oder findet eine Anknüpfung und Bezugnahme statt, wie in den folgenden Beispielen:

Min Schatz ist en Müller	Min Vatter het gseid:
het d'Chleider voll Staub,	Bueb, bleib mer nicht aus.
e Ringli am Finger	Do han-i verstanda:
ond Geld as wie Laub.	die ganze Nacht aus.
Min Schatz ist an Weber	Min Vatter het gsäd,
ond an Schifflischiesser;	das Tanza sei Sönd,
wett-a vil lieber,	ond do han-i verstanda,
dass an Beckiblietzer.[1]	wenn is no chönt.[2]

2. Gibt es Wettgesänge zwischen einzelnen sich Herausfordernden, bei denen so lange gesungen wird, bis Einer nichts mehr zu singen weiss?

3. Wird im Chor oder von Einzelnen gesungen?

III. Lieder bei der Arbeit.

Werden bei der Arbeit im Freien oder im Hause öfters Neck- und Spottgesänge von zwei Personen oder Parteien einander zugesungen? So z. B. von im Thal schaffenden Leuten zu solchen am Berg arbeitenden hinauf oder auch beim Spinnen? Sind es nur bestimmte Arbeiten, bei denen diese kleinen Lieder ertönen, oder hängt das Singen von der Laune ab?

b) Wie ist der Name dieser kleinen Liedchen oder haben sie keinen besondern Namen?

c) Wie ist die Form solcher Lieder? Gehen sie nach dem Takte des Beispiels unter 1 oder nach dem unter 2 oder sind beide Arten vertreten?

1. Z'Apazell ond z'Herisau	2. Min Vatter het gsäd,
sönd die Mätla wohlfel;	das Tanza sei Sönd,
ma ged e ganzes Husli voll	ond do han-i verstanda,
für e Schötzli Polver.	wenn is no chönt.

---

[1] TOBLER, Appenzell. Sprachschatz S. 27 und 39.
[2] TOBLER, l. c. S. 85 und 116.

d) In welchen Gegenden ist das Jodeln im Volk wirklich zu Hause? Tritt der Jodler nur allein auf oder hat er sich mit den kleinen vierzeiligen Liedchen verbunden und wird als jedesmaliger Schluss an sie angefügt? Tritt der Jodler als Einzelgesang auf oder wird von mehreren zusammen gejodelt? Charakteristisch für den Jodler ist ein ständiger Wechsel von Bruststimme, mit der die tieferen Töne der Melodie gesungen werden und der Fistelstimme, in der die höheren erklingen.

C. Wird in den gesprochnen oder gesungnen Versen die reine Mundart verwandt, oder ist die Mundart der Schriftsprache angenähert, oder endlich tritt die Schriftsprache auf?

a) Finden sich in auf schweizerischem Boden verbreiteten Schnaderhüpfeln Spuren bayrisch-österreichischer Mundart, die auf ein Eindringen von dorther weisen?

Halle a. S.   John Meier.

Zu den „Kleffeli".

Im Anschluss an die Mitteilung im ARCHIV III 57 möchte ich daran erinnern, dass auch im Kt. Bern die dort genannten „Kleffeli", bei uns gesprochen *Chlefeli* (erstes *e* kurz, wie *é*, gesprochen, zweites *e* tonlos) noch ziemlich bekannt sind, obschon sie, seit 20 Jahren etwa, seltener gehört werden als früher, wo sie ganz allgemein und oft mit rechter Kunstfertigkeit von den Knaben gehandhabt wurden. Sie sahen genau so aus, wie sie an der angegebenen Stelle Z. 7. 8 geschildert werden, nur dass nie mehr als 2 Brettchen gebraucht werden. — Merkwürdigerweise werden mit demselben Worte auch halbwüchsige Mädchen von 12—14 Jahren) bezeichnet, die sich durch Klapperhaftigkeit, Zuträgereien, Klatschsucht u. dergl. auszeichnen. Von solchen sagt man tadelnd: *das isch doch es rächts Chlefeli!*

Bern.   A. von Rütte.

Gaunerzeichen.

Die Gauner haben bekanntlich seit Jahrhunderten ihre eigene Sprache, Schrift, und sogar Wappen [1]) und noch heute pflegen Bettler und Vaganten bestimmte für den gewöhnlichen Sterblichen kaum bemerkbare und unlesbare Zeichen an diejenigen Häuser und Wohnungen zu machen, in denen leichtgläubige und mildthätige Leute wohnen [2]).

---

[1]) S. ARCHIVES HÉRALDIQUES SUISSES 1890 S. 405.
[2]) Vgl. auch GLOBUS LXXIV, 1 ff.

Merkwürdige Belege für die Gaunerschrift des XVI. Jahrhunderts liefert ein Zürcher Kollektaneenwerk: die Wickiana.

Der XV. Band derselben (von 1577) enthält die beifolgenden in verkleinertem Facsimile wiedergegebenen Gaunerzeichen. Das erste ist mit der Beischrift versehen:

„Diese zeichen sind meinen gnedigen Herren einem ersamen Rhad, zu dess mer sorg habe, san sölliche zeichen von brenneren, und Landstrycheren, deren das ganz land voll söllind an die hüser kilchen thüren geschriben und gemalet werden.“

Ein par Seiten weiter finden wir das zweite sorgfältiger ausgeführte Bild, das mehrere Zeichen des ersten (z. B. H, T, ⊓) wiederholt und die Knh statt als Schrift, als Zeichnung wiedergibt.

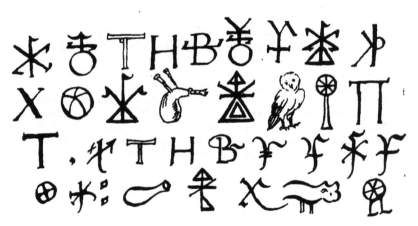

Die Beischrift lautet:

„Nota. Disse zeichen machen die Brenner an die häüsser, die Eychbaüm unnd Wegscheiden, es haben auch ettliche Röckly an, die sein innen unnd ausswendig brunn, sollen irr drey sein etc. 1577.“

E. A. St.

Ueber die Krippenverehrung.

Im Basler Jahrbuch 1896 hat der Unterzeichnete einiges Material über Ursprung und Bedeutung der Weihnachtskrippen zusammengestellt. Seither ist im neueröffneten Museum für österreichische Volkskunde in Wien eine Krippe als Erzeugnis der Volkskunst sowohl, wie als Denkmal eines volkstümlichen Weihnachtsbrauchs aufgestellt worden.

Hier noch einige Belege für die Krippenverehrung in älterer Zeit. Am 24. Jan. 1416 (Timotheustag) luden die englischen Bischöfe zu Konstanz zu. einem grossen Mal ein.

„In dem maul [Mal] machtend sy söllich bild und gebärd, als unsser frow ir kind gott unssern herren gebar mit vast köstlichen tüchern und gewand. Und Josephen steltend sy zů ir und die heilgen dry küng, als sy dann inn ir opfer brachtend. Und hattend gemacht ain luter güldin sternen, der ging vor inn an aim klainen isentrat und machtend den küng Herodes, wie er den dryen küngen nachsent und wie er die kindlein tötet. Das machtend sy alles mit vast köstlichem gewand und mit grossen güldinen und silbrinen gürteln und machtend das mit grosser geziert und mit demuot."

(Richental ed. Buck S. 98).

Casp. Lang schreibt in seinem Historisch-theologischen Grundriss S. 795 (Einsiedeln 1692) über die Weihnachtskrippe zu Schwyz folgendes:

„Weil man nach dem Exempel dess Seraphischen h. Vatters francisci ein sondere Andacht tragt zu dem lieben Christkindlein, hat man eine da in viel 100 Gulden wert auffgerichtete Weynacht-Krippen, durch den gantzen Chor auff erhöchten Säulen, deren Bilder in der grösse 12jähriger Knaben." (a. a. O. S. 967).

Eine Krippe von besonders schöner Ausstattung befindet sich im Josefskloster zu Solothurn. (VATERLAND 1895 n. 297)

In Freiburg i./Ue. kannte Lang „ein silberin 73½ Untzen schweres Krippelein mit dem kleinen Jesulein" (a. a. O. S. 967).

In Luzern befand sich u. a. auch in der Franziskanerkirche eine Krippe mit zahlreichen Figuren; ein Manuskript des Staatsarchivs (F. 16) von 1629 enthält höchst wertvolle Notizen über die Einzelheiten der Bekleidung u. dgl.

Zu Malters im Kanton Luzern, wo seit dem XV. Jahrhundert eine Krippenreliquie aufbewahrt wird, wurde 1896 noch ein Krippenspiel, von dem die Tagesblätter berichteten, aufgeführt.

Partikeln von der Krippe, in welcher der Heiland gelegen hat, sind sehr verbreitete Reliquien gewesen. Ein Kreuz zu Nailly in Frankreich, das aus dem XIII. Jahrhundert stammt, enthält eine Steinpartikel mit der Aufschrift † DE PRESEPE DOMINI, womit wol der steinerne Untersatz der Krippe gemeint ist. Alle übrigen mir bekannten Krippenpartikeln sind sonst, wie die Hauptreliquie in Rom, hölzerne Splitter, so z. B. in Nürnberg (WAGENSEIL, De civitate norib. comm. S. 230—232).

Dasselbe gilt von den zahlreichen in den schweizerischen Kirchen aufbewahrten h. Ueberresten dieser Art; es finden sich solche zu

Münster in Graub. (Mscr. der h. Blut-Legende), zu Baar (Verzeichn. der Heiltümer; Mscr. v. 1735), zu Luzern, zu Engelberg (Lang a. a. O. S. 894), zu Glarus (Lang s. 922 u. 923), zu Andermatt (Lang 778) und zu Freiburg i./Ue. schon im Verzeichnis von 1491; ferner zu Einsiedeln (Rixholz, Wallfahrtsgeschichte S. 41), Schwyz (Lang 794), zu Malters 1453 und 1583 (Urbar aller Pfründen Mscr. S. 332 u. 333), zu Steinen (Originalzettel erhalten) und 1441 in der Karthaus zu Basel.

Zürich.   E. A. Stückelberg.

Von dem bösen Geist zu Appenzell.

Diser zytt

Als der Römisch bischoff Vercellanus, hin und har diser zyt in der Eydgnoschafft herumb gfaren, und für gäben wie er vom Bapst gwalt habe die geistlichen ze reformieren und anders mehr, ist er ouch gon Appenzell kommen, daselbst in eins priesters huss einkert, den selbigen entsetzt und einen anderen priester in das selbig huss geordnet: Für dasselbig mal hin hatt man in disem huss ein unghür oder bösen geist ghört, der insunders by nacht ein unrüewig wäsen fürt, die thüren dess huses uff und zuschladt, mitt rumplen bochslen sich gar lotz stellt. Man halt im zlieb viel seelmässen und vermeint also das arm volck es gange ein verlorne seel umbhin. Diser geist ist zuletzt auch in das rathuss kommen, daselbst ein wilds wäsen angericht, zun zyten schledt es die trummen yetz uff gut Schwytzerisch, bald uff gut landsknächtisch. Herr Hans Müller, als er ab Güss gen Glaryss berufft, zeigt an das die guten lüth zu Appenzell in grossen engsten und nöten syend, niemand wüssen mögt, wie es nahin enden werde.

proverb.

„Der Bischoff von Verzell, mit siner bulschaft und esel
„Bracht das unghür gen Appenzell.

*   *
*

Diese Geschichte findet sich im XVIII. Band der Wickiana (Ms. F. 29) der Zürcher Stadtbibliothek zum Jahr 1580; dazu ein Bild: Der Teufel in gelbem Wams am Fenster des Rathauses trommel-schlagend; unten stösst derselbe Teufel, Flammen aus dem Gesicht sprühend, die Thür auf. Auf der Strasse vier wachthabende Appenzeller im Zeitkostüm.

Weiteres über das Appenzeller Gespenst ebenda cap. XV; im selben Band sind noch andere Erzählungen über „Unghür" zu finden.

E. A. Stückelberg.

Lehne eines ostschweizerischen Bauernstuhls.

Der Hausrat schwyzerischer Pfarrhöfe.

A. Dettling teilt in einem der letzten Hefte der „Mitteilungen des Historischen Vereins des Kantons Schwyz (1897; X, S. 185) das Inventar des Pfarrhauses von Iberg vom Jahr 1624 mit.

Ein ähnliches Dokument „Haussraths Verzeichnus dessen wass jn dem Pfarrhooff Erfindlich sein soll" findet sich im Pfarrhaus zu Steinen.[1]) Es lautet folgendermassen :

„Verzeichnus wass für hausrad alhie zuo Steinen Im pfarhoff ist. Erstlich ein himletzen beshafft[2]) in der Neben stuben —

Me ein Langs gwandt gänderly.[3])

Mehr ein disch.

ein lang länen stuol

und ein gscabällen.[4])

Ein gänderli im Küchi spyr.[5])

Me ein himletzen betshafft uff der Kamer —

Me ein fäder decky ohne ziechen.

---

[1]) Die Einsicht in dieses und andere Dokumente verdanke ich der Güte unseres verehrten Mitgliedes, des Hochw. Herrn Pfarrers Schnüriger zu Steinen.

[2]) Bettstatt mit Himmel.

[3]) Kleiderschrank.

[4]) Stabelle.

[5]) Speicher.

Me ein fäder beth.
Me ein Küsy nit gross.
Me ein Laubsackh.
Mehr ein gutshen beth. [1])
Me ein alts durgünds[2]) Küsy.
Me ein schribdisch sambt dem gstelli.[3])
Me spanbeth[4]) in der jungfrouw Kamer.
Und ein Karren beth.[5])
Und ein grosser Kasten.
Me 2 Kästen im obern Kuchispir und ein grosses schloss dran.
Me 3 Klaffter schitter, so ein pfarherr wider hinwäg kompt soll
     wider solich verbliben lassen.
Witers was im garden ist soll imme verbliben; Und so ein
     pfarher wider hinwäg will, soll Er auch bliben lassen was
     im garden gewachssen ist."
(Von späterer Hand): „Me 2 grose schlöser."

E. A. St.

„Malum omen".

„Wie zu Hizkilch ein priester den anderen uff den Helgen tag zu
         wienacht erstochen und umbracht.

„Der tagen ist ein priester zu Hitzkilch inn fryen Empteren
des Ergöws mitt tod abgangen, der hatt am heilgen wienacht tag
nechst verschinen mäss ghalten, und urplützlich mitt eim anderen sind
im bede liechter zu beiden syten uff dem altar erlöschen
und hatts der sigerist wider anzündt. Nach dem morgenbrot ist er
zum wyn gangen, und hatt ein anderen priester mit sim weidmer er-
stechen wellen, da hatt er inn nitt mögen uss der scheiden bringen,
do ist diser priester mitt sim weidmer so gschwind gsin, und hatt
den priester der gestorbenn ist, also gestochen und umbracht."
     Wickiana Bd. XVII (1579) X., 112; es folgt ein Bild, dar-
stellend das Innere der Wirtsstube, in der die beiden schwarz ge-
kleideten Priester zum Messer greifen.

E. A. St.

---

[1]) Sofa.
[2]) durchgehend (der Länge nach).
[3]) Büchergestell (?).
[4]) Bett zum Aufklappen.
[5]) kleines, leicht verschiebbares Bett.

Zu „rata miou."

Prof. J. Bonnard teilt in Band II S. 60fg. einen Fingerreim mit und spricht am Schlusse seines Artikels den Wunsch aus, es möchten aus unserer Leserschaft allfällige Varianten dazu beigebracht werden. Auch in der deutschen Schweiz hat dieser Reim Analoges. Ich erinnere an das Baslerische:

> *Das isch e Wegli,*
> *Do lauft e Häsli,*
> *De het-en gseh,*
> *De het-en gschosse,*
> *De het-en brote*
> *Und de klei, klei Schnuderibueb hets Tellerli*
> *usgschleckt.* [1]

Schriftdeutsch:

> Dies ist ein Wegchen,
> Hier läuft ein Häschen.
> Der hat ihn gesehen,
> Der hat ihn geschossen,
> Der hat ihn gebraten,
> Und der kleine, kleine Knirps hat das Tellerchen
> ausgeleckt.

Die letzte Zeile bestätigt die Hypothese Bonnard's, dass in dem *glinglin* das deutsche *klein* steckt.

E. H.-K.

— — —

Zu der Sage vom Bau der St. Michaelskirche in Zug.

Ein Analogon zu der in Bd. II S. 1 erzählten Sage findet sich S. 575 des XIII. Bandes der Revue des Traditions populaires, wo es von den Kirchen von Glenbucket und Strathadon heisst: D'après la tradition, ces deux églises du comté d'Aberdeen furent bâties en des endroits différents de leur emplacement actuel; mais pendant la nuit, les parties des murs construites pendant le jour étaient renversées, et des mains invisibles transportaient les matériaux à l'endroit où elles sont actuellement bâties.

E. H.-K.

— — —

[1] Durch die beiden ersten Verszeilen werden zwei Linien der Handfläche bezeichnet, während mit den folgenden Zeilen der Reihe nach der Daumen, Zeigefinger, Mittelfinger, Goldfinger und der kleine Finger gemeint ist. — Mit unwesentlichen Abweichungen ist dieser Reim bereits mitgeteilt in: BASLERISCHE KINDER- UND VOLKSREIME 1857 S. 8.

Ortsnamen und Siedelungsgeschichte.

Am 24. Okt. 1898 hielt Prof. Dr. A. S o c i n in der Historischen
Gesellschaft von Basel einen Vortrag über das Thema: Die Sprach-
wissenschaft im Dienste der Geschichte. Einem Referate der „Allg.
Schweizer Zeitung" (No. 253) entnehmen wir hierüber Folgendes:
Der Vortragende knüpfte an an den Satz des Rechtshistorikers ARNOLD
(„Ansiedlungen und Wanderungen deutscher Stämme"), dass man dem
Namen einer Ortschaft ansehen könne, ob deren Gründung vor, während
oder nach der Völkerwanderung erfolgt sei. Die Namen auf -ingen,
-weiler und -heim sollen nach Arnolds Meinung im Laufe der
Völkerwanderung besiedelte Ortschaften bezeichnen. Während -ingen
und -weiler ihm charakteristische Endungen zu sein scheinen für
alemannische Siedelungen, gilt ihm -heim für ein Kennzeichen
fränkischer Kolonisation. Lange genossen diese Sätze Arnolds und
die Schlüsse, die er daraus gezogen hatte, das Ansehen eines Dogmas.
Erst in unserm Jahrzehnt wurden sie, soweit sie die Rheingegenden
betreffen, revidiert und zu leicht befunden (WITTE, „Deutsche und Kelto-
romanen in Lothringen nach der Völkerwanderung ;" derselbe: „Zur
Geschichte des Deutschtums im Elsass und im Vogesengebiet ;" S C H I B E R
„die fränkischen und alemannischen Siedelungen, besonders im Elsass
und in Lothringen"). Die beiden Gelehrten gehen einig nur in der
Ablehnung Arnolds. In ihren positiven Behauptungen streben sie weit
auseinander. Die Besiedlung der Gegend vom Rhein bis an den römischen
Grenzwall, eines vorwiegend durch romanisierte Kelten bewohnten Ge-
bietes, durch Germanen zur Zeit der Völkerwanderung bleibt bei der
Dürftigkeit schriftstellerischer Nachrichten vielfach unaufgeklärt. Da
greift die Sprachwissenschaft ein mit Deutung der Ortsnamen. In der
Ebene des Elsasses, aber nur in der Ebene, weder an den Abhängen
noch in den Thälern und auf den Höhen der Vogesen, sind die Namen
auf -heim häufig. WITTE sieht in diesen Ortschaften die ersten
Siedelungen der von Osten kommenden Alemannen, SCHIBER die Mili-
tärposten der unter Chlodwig von Westen eingedrungenen Franken,
die erst nachher die Maingegenden und weiter südlich gelegenen Landschaften invadierten. Nach dieser Ansicht hätten wir es mit Herren-
gründungen zu thun; die Landschaft wäre als eine Art Militärgrenze
aufzufassen. Mit dieser unzweifelhaft richtigen Behauptung Schibers ist
nicht gesagt, dass es mit den Orten auf -heim in der Schweiz und
in Baden die gleiche Bewandtnis habe. Nur wo der gleiche Typus
massenhaft und gruppenweise auftritt, darf er als ethnographisches
Charakteristikum dienen.

Sonst deuten Namen nur die Periode und die Art der Besiedelung
an. Dies gilt namentlich von solchen auf -ingen. Namen mit dieser
Endung bezeichnen Personen oder genauer Sippen. So benannte Ortschaften entstanden zu einer Zeit, als ein Stamm sich noch seiner Zu-
sammengehörigkeit bewusst, und gewillt war, als Sippe weiter zusammen-
zuhausen. Die Namen weisen hin auf eine Massenkolonisation mit Kind
und Kegel, auf die Zeit der Völkerwanderung. So wurde in dieser

Zeit der Hegau und von da aus Helvetien germanisiert. Besonders häufig sind die Namen auf -ingen in Luxemburg und Lothringen, wo zwischen den Städten Toul, Metz, Trier und Koblenz die rheinischen Franken, die Ripuarier sassen. Sie kamen hernach allerdings gleich den Alemannen unter die Herrschaft der salischen Franken; aber Chlodwig hatte hier, wo er sicherer sass als im alemannischen Elsass, nicht nötig, jene militärischen Stützpunkte auf -heim anzulegen.

Auf Sitze der romanischen Bevölkerung weisen römische Namen, wie Kembs, Rufach, Sulz, Kolmar u. s. f. Es handelt sich meist um wichtige Punkte, wo die Romanen so zahlreich sassen, dass sie den ursprünglichen Namen festhalten und ihn den Germanen aufdrängen konnten. Auf ihre Wohnsitze deuten aber auch die Namen mit der Endung -weiler, -weil, -wil, -weiher (Appenweiher, Rikewir), lateinisch villare aus villa (Bauernhof), mittelhochdeutsch -wilre, -wilr. Alle Orte, deren Namen solche Endungen tragen, liegen auf früher römischem Boden. Auf dem linken Rheinufer sind sie häufiger als auf dem rechten, besonders zahlreich im Elsass und in der Pfalz, in Lothringen, Luxemburg, dem nördlichen und nordöstlichen Frankreich (als -ville und -villiers). Auf dem linken Rheinufer liegen die -weiler westlich von den -heim, am Gebirge, während sie in den Vogesenthälern fehlen. In dem alten Urkundenbuch der Abtei Weissenburg (695—861) haben durchgängig die Namen auf -heim ein altertümlicheres, festeres, deutscheres Gepräge, als die loseren Bildungen auf -weiler. Mit dem Jahr 900 ist der Prozess abgeschlossen und auch die verhältnismässig jungen Namen auf -weiler haben feste Form angenommen. Witte möchte in Orten mit Namen auf -weiler die Sitze der zur Völkerwanderungszeit aus der Ebene vertriebenen Romanen erkennen. Gegen diese Annahme spricht, dass viele dieser Ortsbenennungen mit germanischen Personennamen zusammengesetzt sind, die Romanen aber germanische Namen erst zur Zeit der Karolinger annahmen, also nach der Wanderung. Vielmehr ergiebt sich, dass die sämtlichen -weiler-Orte ursprünglich doppelsprachig waren, so dass es von der Stärke des germanischen oder romanischen Bevölkerungselements scheint abgehangen zu haben, welcher Partei sie endgiltig zufielen. Der Personenname, der vor dem -weiler steht, ist der des germanischen Grundherrn, wie denn in Frankreich diese Niederlassungen (und die auf -court = curtis, vgl. d'Haussonville, de Goncourt) die Grundlage eines germanischen Adels bildeten. Noch im spätern Mittelalter findet Witte in den -weiler-Orten romanische Flurnamen, in den -heim-Orten nicht. In der Weissenburger Gegend, wo die -heim fehlen, giebt es dagegen viele -weiler; hier hielt sich das romanische Element länger. Allgemein erfolgte die Germanisierung der jetzt deutschen -weiler-Orte im 8. und im 9. Jahrhundert.

Die heutige Sprachgrenze in Elsass und in Lothringen läuft im Grossen und Ganzen seit 1000 Jahren der Linie nach, an der bei der Völkerwanderung die germanische Invasion erlahmte. Bis zum Ende des 30jährigen Krieges verlor das Französische eher an Boden. Die Namen erlauben nicht nur Schlüsse auf geschichtliche Vorgänge, sondern ebenso

wohl auf kulturhistorische Zustände. So ist es z. B. unverkennbar,
dass die Germanen zu ihren Ansiedelungen die ebenen Weiden bevor-
zugten, wo sie der Pferdezucht obliegen konnten. Mit den Abhängen,
an denen die Rebe und der Obstbaum gedeihen, wussten sie nichts an-
zufangen. Darum blieben auch die Thäler selbst am Osthange der
Vogesen romanisch.

Der Vortragende schloss mit dem Wunsch, es möchten auch für
die Schweiz ähnliche sprachhistorische Untersuchungen angestellt werden.
Es liesse sich dann u. a. die Frage beantworten, wie lange die Burgunder in der Waadt und im Uechtland Germanen blieben.

Die Diskussion brachte zum Teil weiteres Belegmaterial zu den
Behauptungen des Vortragenden aus unserer nächsten Umgebung bei,
zum Teil warnte sie davor, auf diese doch immer unsichern sprachlichen
Hinweisungen allzu fest historische Schlüsse zu bauen.

E. H.-K.

Entstehung von Familiennamen.

Lütolf (Sagen, Bräuche, Legenden 1865 S. 404) teilt die Sagen
vom Ursprung der Familiennamen Herrmann in Unterwalden und Mettler
in Schwyz mit. Fügen wir diesen Beispielen eine Tradition bei, die
sich im Urserenthal über das daselbst verbreitete Geschlecht Christen
erhalten hat. Demnach sollen die Vorfahren dieser Familie „Christiani"
sein, welche dem Blutbad von Agaunum, d. h. beim Untergang der
Thebäer entronnen sind. Diese Sage ist insofern merkwürdig, als sie
die Einwanderung von Wallisern ins Urserenthal voraussetzt.

E. A. S.

Geweihte Sachen auf Kirchtürmen.

Beim Abbruch der St. Michaelskirche in Zug fand man unter
einem rundlichen Blech eine Anzahl gedruckte Zettel, welche Gebete
und einen Abschnitt aus dem Johannisevangelium enthielten. Das
Blech befand sich auf der obern Seite eines Stützbalkens des dritt-
untersten Bodens im Kirchturm und wurde entdeckt am 30. Dezember
1898. Die Papiere befinden sich jetzt im Pfarrhaus [1]. Aehnliche
gesegnete Sachen „geistliche Zeddel von den Kapuzinern" wurden
zur „Abwendung alles Unglücks" 1701 mitsamt Reliquien im Knopf
des Turmhelms von Oberägeri reponiert [2].

Sind unsern Lesern wol noch weitere Belege für diesen Brauch
bekannt?

E. A. St.

---

[1] Diese und andere interessante Fundstücke wurden mir am 5. März
d. J. von S Hochw. Hrn Pfarrer Uttinger freundlichst vorgelegt.

[2] Jakob Billeter, nach einer von unserm Mitglied Frl. A. Ithen
gefertigten Kopie in meinem Reliquienarchiv.

Mago, e non dragone.

Auf eine bezügliche Anfrage antwortet uns Herr V. Pellandini wie folgt:

Nel mio racconto «Il figlio risuscitato» [1]) è invero incorso un errore che mi trovo in obbligo di rettificare. Avevo tradotto le voci dialettali di *magu, maghessa* in *dragone, dragonessa*, mentre avrei dovuto scrivere addirittura: *mago, maghessa* anche nella versione italiana. Poichè *dragone* ha il significato di «bruto mostruoso», mentre il *mago* ha forme pressochè umane.

Indubbiamente noi qui si confonde mago con dragone e con orco, e diciamo sempre: *magu.*

Talvolta il mago ha due e magari sette teste e va ghiotto della carne dei bambini.

Quello che v'ha di particolare in questo essere è che, mentre egli è crudele e sanguinario, la sua moglie maghessa è quasi sempre una buona donna, la quale, come nel racconto del Tredesin [2]) nasconde il Tredesin medesimo in una credenza per non lasciarlo vedere dal mago. Ma il mago, appena entrato in casa, fiuta e dice: *Üf, üf, che spütza da cristianüsc; te logiò quajdün nèe dona?* (Üf, üf, che puzza di cristianuccio; donna mia, tu hai ospitato qualcuno, non lo negare).

Talvolta il mago ha delle belle figlie che vengono ambite da figli di re. Ma il mago, prima di cederle in isposa, sottopone al candidato dei quesiti enimmatici da sciogliere o dei lavori impossibili da compiere entro un determinato tempo. Se il candidato sa sciogliere i quesiti o compiere i lavori affidatigli — il che non potrà fare se non coll'ajuto della figlia stessa del mago — sposa la figlia del mago, se viene ucciso.

Ciò che mi indusse a scrivere *dragone* per *mago* fu appunto il racconto del «mago dalle sette teste», qui conosciutissimo, stampato nell' Archivio sotto il titolo di «Brise-fer», [3]) in cui, nell'osservazione finale è detto: «Dans la plupart des récits, le monstre est un dragon à sept têtes, et le héros prend la langue comme preuve de sa victoire».

Le *maghe* vengono pure da noi confuse colle streghe. Generalmente per *maghessa* intendiamo la moglie del mago, che è quasi sempre una buona donna. Se invece diciamo *maga* intendiamo dire un «mago femmina», coi cattivi istinti del mago ed insieme della strega.

Altri racconti che spero poter presto presentare ai lettori dell' Archivio spiegheranno meglio ciò che noi intendiamo per *mago.*

Taverne, Marzo 1899.　　　　　Vittore Pellandini.

---

[1]) Archivio, II, 169—171.

[2]) Tredesin = Piccolo tredicesimo: il più piccolo di tredici fratelli. Da ragazzo udii più volte questo racconto, ma ora non lo ricordo più per intiero. Cercherò di rintracciarlo e ne darò ragione ai lettori dell'Archivio.

[3]) Archivio, I, 71—73.

Zum Rätsel vom „Vogel federlos".

In der Monatsschrift von und für Schlesien (1829) teilt Hoffmann v. Fallersleben aus Huldr. Therander (1605) das Rätsel mit:

Es flog ein Vogel Federlos
Auf einen Baum Blattlos;
Kam die Frau Mundlos,
Frass den Vogel Federlos.

(Lösung: der von der Sonne weggeschmelzte Schnee.)

In Mone's Anzeiger 1838 S. 40 wird dann weiterhin auf eine lateinische Fassung dieses Rätsels in einer Reichenauer Handschrift des X. Jahrhunderts hingewiesen.

Eine Variante hiezu bietet das bei Tschumpert, Bündn. Idiotikon S. 409 aus dem Avers-Thal mitgeteilte:

Es fleigt ein Vogel federlos
Auf eine güene Tanne;
Da kommt die Frau aus Püntenland
Und frisst den Vogel danne [1]).

E. H.-K.

Die Mundart in der Volksschule.

Der Zürcher Lehrerkonvent hat in seiner Sitzung vom 17. Februar erfreulicherweise auch die Stellung der Volksschule zum Dialekt diskutiert. Wir entnehmen dem Programm Folgendes:

Anträge der Referenten über Verwendung des Dialektes in der Volksschule.

a) Elementarschule.

1. Die Elementarschule spricht zu den Kindern bei ihrem Eintritt in der Sprache, die sie verstehen, im Dialekt. Ihre Aufgabe ist es aber, die Schüler allmählig in die Schriftsprache einzuführen.
2. In dem Masse, als in Verbindung mit dem Schreiblese-Unterricht das Schriftdeutsche vermehrte Verwendung findet, tritt der Dialekt als Unterrichtssprache überhaupt zurück.

H. Wegmann.

b) Realschule.

1. Beim Eintritt in die zweite Schulstufe sind die Schüler sprachlich soweit vorgebildet, dass fortan der ganze Unterricht in gutem Deutsch geführt werden kann.

[1]) Eine andere Variante soll sich bei Meinert, Volkslieder in der Mundart des Kuhländchens (1817) 287 und bei Müllenhoff, Sagen, Märchen und Lieder von Schleswig etc. (1845) 504 finden

2. Immerhin muss die Mundart, in der das ganze Vorstellungsleben
der Kinder wurzelt, noch häufig zur Erklärung und Vergleichung
herbeigezogen werden.

3. Dazu kommt dem Dialekt als Träger unserer Volkart im Zusammenhang mit der Vaterlandskunde auch eine Vertretung im
Lesestoff unserer Schule zu durch Aufnahme typischer Beispiele
des Volksliedes und volkstümlicher Dichtung.

4. Auch im Verkehr mit den Schülern, soweit er über den Rahmen
der Unterrichtsstunden hinaustritt, behauptet die gewohnte Um-
gangssprache auf dieser Stufe noch ihre vorwiegende Stellung.

A. Fürst.

c) Sekundarschule.

1. Der Unterricht auf der Stufe der Sekundarschule bedient sich
der deutschen Schriftsprache.

2. Der Dialekt kann zur Erklärung und Vergleichung, sowie im
privaten Verkehr mit dem Schüler Verwendung finden. Wie
und in welchem Masse dies geschehen soll, hängt ebenso sehr
von der Persönlichkeit des Lehrers, wie von der Individualität
des Schülers ab.

P. Suter.

Die Münze in der Volkskunde.

In seinem an neuen Gesichtspunkten so reichen „Münzsammler"
(Ein Handbuch für Kenner und Anfänger, Zürich 1899 [1]) gibt E. A.
Stückelberg unter Anderm auch zwei Abschnitte, die für die Volks-
kunde von Interesse sein dürften.

Der erste (Kap. IX) enthält 1) Münznamen. 2) Sprichwörter.
3) Münzaberglauben.

Der zweite (Kap. XI) behandelt in knapper Uebersicht verschiedene münzartige Gebilde, wie Denkmünzen, Preis-, Tauf-, Paten-,
Hochzeitsmedaillen; ferner Handwerkszeichen wie Münzer- und Brauer-
medaillen, Abendmahlspfennige, Méreaux, Spielmarken, Rechenpfennige,
Thormarken, Weihe- und Pestmedaillen.

Besonders der erste der hier aufgezählten Paragraphen verdient
hier eine Würdigung, weil darin zum ersten mal eine ausgedehnte
Scheidung der Münznamen nach ihrem Ursprung mitgeteilt wird. Nach
Stückelberg sind die Namen der Geldstücke in 21 Kategorien zu teilen;
die grössten und wichtigsten sind unter a und g zusammengefasst.

Die Namen beruhen a) auf dem Namen des Münzherrn; b) dem
Titel des Münzherrn; c) der Dynastie des Münzherrn; d) dem Namen

---

[1] Eine französische Ausgabe ist unter der Presse und erscheint,
wie wir hören, im Laufe dieses Sommers bei Bridel in Lausanne.

des Münzmeisters; e) dem Ort der Prägung (z. B. Mauriner oder denier Mauriçois, nach S. Maurice); f) auf dem Namen des Münzgebäudes (Zecchine!); g) dem Münzbild (Rössler, nach dem Ross S. Martins auf Silber von Uri und Unterwalden, Stebler nach dem Stab auf Basler Geld; h) auf einem Teil der Umschrift (Ducatus); i) auf der Kontremarke; k) auf besonderer Bestimmung; l) auf der Farbe (Plappart = blafard = bleich; Weisse; nigri turonenses, delphinales); m) auf dem Metall; n) auf der Herstellungsart (Rollenbatzen, rollebaches von Freiburg und Bern, die mit Rollen bezw. Zylinder geprägt wurden); o) auf der Herkunft des Metalls (Ausbeutemünzen); p) auf den Werteinheiten (Hälblinge, Einer, Zweier, Dreier u. s. w.); q) auf dem Rand; r) auf der Grösse (Angster von angustus = schmal); s) auf der Dicke. Andere Münzen heissen t) nach dem Feingehalt; u) nach dem Klang oder v) nach ihrem Jahr.

Es wäre eine dankbare Aufgabe einmal alle schweizerischen Münznamen auf ihren Ursprung und ihre Etymologie hin zu untersuchen, vielleicht gelangte man dann auch zu einer annehmbaren Erklärung von „Blutzger", „Batzen" und andern bisan noch unaufgeklärten Namen.

                                                        E. H.-K.

Bemerkungen und Nachträge.

Zu I 44:

In Sargans wird bei Todesfällen auch — ich weiss nicht mehr, ob am Todestag eines Verstorbenen, vermutlich aber erst am Tag nachher — mittags von 12 Uhr an abwechselnd bald mit allen und dann nur wieder mit einer Glocke geläutet und zwar für Erwachsene ½ Stunde lang, für Kinder ¼ Stunde.

Zu I 61:

Auch in Sargans werden bei Begräbnissen von den leidtragenden Männern des Leichengeleites lange schwarze Trauermäntel getragen. Dasselbe ist noch im bündnerischen Rheinwald zum Teil (in Nufenen z. B.) der Fall; doch kommt dieser Brauch daselbst je länger je mehr in Abgang. Diese Mäntel sind (in Rheinwald wenigstens) Privatbesitz.

Zu I 52:

Zu den offiziellen Fastnachtsmählern (p. 52) könnte, da es p. 48 heisst, die Fastnacht beginne in der katholischen Schweiz am 7. Januar, wohl auch der Bertolds- oder Berteli-Schmaus der Bürger von Frauenfeld gerechnet werden, welcher jeweils um die Mitte oder in der zweiten Hälfte Januar, stets an einem Montag, stattfindet. Für die Festsetzung desjenigen Montags im Januar, auf welchen jeweils dieser Schmaus fällt, gilt, wenn ich nicht irre, irgend eine bestimmte (mir nicht bekannte) Regel; der betreffende Montag zählt also im Frauenfelder Kalender zu den „beweglichen Festen".

Zu I 239 u. II 182:

Weitere Beweise für die allgemeine Verbreitung von Wintelers varierter „Tantalussage" findet man auch bei Jecklin, Volkstüml. aus Graub. I 1, 78, III 46, (Fient 246/247); demnach kommt es nämlich ouch in der Herrschaft (Jeninser Alp), im Vorarlberg, vor.

Licht und Schatten der Glaubenspetition. Von Sincerus Veridik (Zürich, Geyser & Cie., unter dem Rüden, 1839).

Darin p. 12:

„So spricht man ja auch noch nach 300 Jahren von jenem Kuhhirten in Landeron (Kt. Neuenburg), der durch das Mehr seiner einzigen Stimme dem alten Glauben den Sieg über den reformierten verschaffte."

Ganz dieselbe Sage existiert in Vals (Graubünden); vgl. Jörger im Jahrb. S. A. C., XXXII, 149.

Zu II 62:

Das Verbum *pfade* (= den Weg im Schnee bahnen) ist nicht spezifisch toggenburgisch; man kennt es im gleichen Sinn im Thurgau, z. B. in Weinfelden und Umgebung auch, wo man zudem für den von Pferden gezogenen grossen Schlitten, vermittelst dessen bei reichlichem Schneefall von Gemeindewegen die einer genügenden Schlittbahn und dem Fussgängerverkehr hinderlichen Schneemassen aus der Mitte der Fahrbahn auf die Strassenränder geschoben werden, die Bezeichnung *Pfadschlitte* hat.

(Dieser *Pfadschlitte* besteht bekanntlich aus 2 starken, auf ihren Längskanten aufrecht gestellten langen Brettern, die vorn in einem spitzen Winkel zusammentreffen, während die Entfernung der hintern Bretterenden von einander nicht ganz Strassenbreite beträgt. Durch quergestellte Bohlen sind die zwei Bretter gegenseitig verbunden; dazu kommen noch einige auf ihren obern Längskanten befestigte quergelegte Bretter, auf welche zur Verstärkung des Gewichtes des ganzen Schlittens mehrere Männer sitzen können.)

Zu II 114. 225/226:

In den hier stehenden Ausdrücken „Sträggelennacht" und „Sträggele" steckt nach meiner Vermutung ital. *strega* = Hexe. (Die nämliche Erklärung auch bei Jecklin, Volkstümliches aus Graubünden II 166. 168.)

Dr. Ernst Haffter.

Bücheranzeigen. — Bibliographie.

Das Deutsche Volkstum. Unter Mitarbeit von Dr. Hans Helmolt, Prof.
Dr. Alfred Kirchhoff, Prof. Dr. H. A. Köstlin, Landrichter Dr.
Adolf Lobe, Prof. Dr. Eugen Mogk, Prof. Dr. Karl Sell, Prof. Dr.
Henry Thode, Prof. Dr. Oskar Weise, Prof. Dr. Jakob Wychgram
herausgegeben von Dr Hans Meyer. Mit 30 Tafeln in Farbendruck,
Holzschnitt und Kupferätzung. Leipzig und Wien, Bibliograph.
Institut, 1899, 8°. VIII + 679 S. Preis geb. 20 Fr.

Nachdem wir das allseitige Emporspriessen lokaler und regionaler
Volkskundevereine als leuchtendes Zeichen eines regen Interesses für
deutsche Stammesart haben begrüssen dürfen, ist nun in dem vorliegenden
Werke ein neuer Beweis erstanden für das mächtige Erstarken des
gemeindeutschen Volksbewusstseins, das alle deutschsprechenden Länder
umfasst. Dieses Zusammengehörigkeitsgefühl äussert sich nun nicht
mehr in schwülstigen Phrasen über ein einiges Deutschland, das für
Manchen, der es im Munde führte, ein begriffsloses Wort war, sondern
in einem innigen Verständnis für alle gemeinsamen Lebensäusserungen
des deutschen Volkes.

Der Herausgeber ist von der ganz richtigen Voraussetzung ausgegangen, dass im Grunde sich jedes Volk seine Geschichte selbst
schafft, sei es in sprachlicher, kultureller oder politischer Beziehung.
Freilich dürfen auch die individuellen Agentien, ganz besonders in der
politischen Geschichte, nie ausser Acht gelassen werden; aber auch sie
sind ja aus dem urheimischen Boden herausgewachsen und wurzeln in
ihm, mögen sie noch so energisch mit dem Traditionellen aufräumen
und den Zeitgeist umstimmen. So kann denn aus den individuellen
wie aus den generellen Erscheinungen die deutsche Eigenart sprechen ;
wenigstens für den, der aus dem allgemeinen Stimmengewirr des
Weltmarktes diese heimischen Töne durchklingen hört. Dieses Gehör
ist nun freilich, wie das nicht anders zu erwarten ist, bei den verschiedenen Bearbeitern sehr verschieden ausgebildet : einige Grundtöne
sind überhört worden, andere sind mehr oder weniger hallucinatorisch.
Es ist leicht begreiflich, dass der Zweck des Buches eine energische Her-
vorhebung der germanischen Eigenart mit sich gebracht hat, die hie und
da des Guten etwas zu viel thut und dem Deutschen Dinge insinuiert,
an deren Besitz er nie gedacht oder den er noch zu erringen hat. So
hat es uns in dem sonst mannigfach anregenden Aufsatz Weise's gewundert

den Satz zu lesen : „thatsächlich übertrifft das Deutsche in der einfachen und durchsichtigen Ausdrucksweise z. B. das Französische und das Englische." Wer die knappe Deutlichkeit des Englischen und die feine Gliederung des Französischen kennen und schätzen
gelernt hat, der wird sich bei einem solchen Ausspruch des Gefühls
der Selbstüberhebung nicht erwehren können. Auch Thode deutet,
nach unserm Geschmack, etwas zu viel in die deutsche Kunstbethätigung
hinein, wenn wir auch ganz vorzüglichen Partien in seinem Aufsatze
begegnen. Besonders beachtenswert scheinen uns die Beobachtungen
über Dürer, den urdeutschesten aller Künstler des Reformationszeitalters.

Auf weitere Einzelheiten können wir hier selbstverständlich nicht
eintreten ; der Gesamteindruck des Werkes ist aber ein überaus er-
freulicher, und wenn auch bei der Mannigfaltigkeit der Mitarbeiterschaft
gewisse Wiederholungen nicht zu vermeiden waren, wenn auch die
Erhebung des Deutschtums hie und da allzusehr auf Kosten anderer
Nationen geschieht, so gewinnt man doch die Ueberzeugung, dass jeder
Verfasser seiner Aufgabe völlig bewusst war. Das macht das Werk
zu einem einheitlichen, in sich geschlossenen.

Da wir uns versagen müssen, jedem einzelnen Aufsatz eine Be-
sprechung zu widmen, (selbst die uns näher berührenden vorzüglichen
Artikel Mogks müssen wir hier übergehen), fügen wir zum bessern
Einblick für unsere Leser das Inhaltsverzeichnis bei :

1. Das deutsche Volkstum. Von H. Meyer (I. Der Deutsche
Mensch. II. Deutsches Volkstum). 2. Die deutschen Landschaften
und Stämme. Von A. Kirchhoff. (I. D. Alpen. II. D. Alpen-
vorland. III. Altöstreich, Böhmen und Mähren. IV. D. Mittelgebirgs-
landschaften d. deutschen Rheingebietes. V. D. ausserrhein. Mittel-
gebirgsländer Deutschlands. VI. D. nördl. Niederung). — 3. Die
deutsche Geschichte. Von H. Helmolt. (I. D. Deutsche als Einzelner.
II. D. Deutsche als Glied e. Ganzen). — 4. Die deutsche Sprache. Von
O. Weise. (I. Sprache und Volkscharakter. II. Zur Geschichte d.
deutschen Sprache). — 5. Die deutschen Sitten und Bräuche. Von E.
Mogk. (I. Deutsche Sitten und Bräuche in alter Zeit. II. Deutscher
Inhalt in heutigen Sitten und Bräuchen). — 6. Die altdeutsche heidn.
Religion. Von E. Mogk. (I. D. deutsche Götterglaube. II. D. deutsche
Seelen- und Dämonenglaube.) — 7. Das deutsche Christentum. Von K.
Sell. (I. D. Begriff d. dtsch. Christentums. II. D. dtsch. Katholizismus.
III. D. dtsch. Protestantismus. IV. D. dtsch. konfessionslose Religio-
sität.) — 8. Das deutsche Recht. Von A. Lobe. (D. Genossenschaftliche
im Recht u. d. Mannigfaltigkeit d. Rechtsquellen. II. D. Religiöse im
Recht. III. D. Kriegerische i. R. IV. D. Sittliche i. R. V. Poesie
u. Humor i. R. VI. Das Fremde u. Philosophische i. R. VII. D.
Rechtseinheit u. d. Volkstümliche i. R.) — 9. Die deutsche bildende
Kunst. Von H. Thode. (I. Allgemeines. II. D. Ornament III. D.
Architektur. IV. D. Malerei u. d. Plastik.) — 10. Die deutsche Tonkunst.
Von A. Köstlin. (I. D. dtsch. Auffassung d. Tonkunst. II. D. Ent-
wicklung d. dtsch. Musik.) — 11. Die deutsche Dichtung. Von J. Wych-
gram. (I. Allgemeines. II. D. Gang der dtsch. litterar. Entwicklung.) —

E. H.-K.

J.-P. KIRSCH, Le cimetière burgonde de Fétigny (canton de Fribourg) (Extrait des *Archives de la Société d'histoire* t. VI.)

In dem kürzlich erschienenen VI. Bande der französ. geschichts-forschenden Gesellschaft Freiburgs hat unser verehrtes Mitglied Herr Prof. Dr. J. P. Kirsch eine höchst dankenswerte übersichtliche Zu-sammenstellung derjenigen Funde gemacht, denen Isidore Goumaz in den siebziger Jahren auf die Spur gekommen ist, und die 1883 von Herrn v. Techtermann für das Freiburger Museum angekauft worden sind.

Es liegt nicht in unsern Zwecken, auf die interessante Publi-kation hier näher einzutreten, da ihr Inhalt nicht speziell in das Gebiet der Volkskunde hineinschlägt; jedoch möchten wir betonen, wie sehr wir jede neue Arbeit über die Vorgeschichte der Schweiz lebhaft be-grüssen, indem sie uns Aufschluss zu geben vermag über Verschieden-heiten im Siedelungswesen, im Volkstum überhaupt.

Dem Aufsatz sind mehrere gute Tafeln beigegeben.

E. H.-K.

BADISCHES SAGENBUCH. 2. Aufl. I. Teil: Sagen des Bodensees, des obern Rheinthales und der Waldstädte. Freiburg i/B., J. Waibel's Buchh., 1898. 8°. 336 S.

Von dem Badischen Sagenbuch, dessen Erscheinen wir im Archiv II 256 angekündigt haben, liegt nun der erste Teil, die Sagen des Bodensees, des obern Rheinthals und der Waldstädte umfassend, als ein in sich abgeschlossenes Ganzes vor.

Auch im weitern Verlauf der Lieferungen hat die Publikation gehalten, was sie in den ersten versprochen: die Gediegenheit der Ausführung, die reiche Illustration ist durchweg dieselbe geblieben.

Ein eingehenderes Referat wird selbstverständlich erst gegeben werden können, wenn einmal das ganze Werk abgeschlossen vorliegt; aber schon jetzt dürfen wir, nach dem, was wir von den lachenden Geländen des Bodensees und Rheins vernommen, dem Unternehmen unsern herzlichsten Glückwunsch zurufen.

E. H.-K.

Jahresbericht 1898.

In neun Sitzungen sind vom Vorstande folgende Traktanden erledigt worden:

a) Mitgliederzahl.

Status auf 31. Dezember 1898: 502.

b) Herausgabe der vier Quartalhefte des zweiten Jahrgangs.

c) Vervollständigung des Schriftenaustauschs mit andern Körperschaften.

d) Vermehrung der Bibliothek.

e) Abhaltung der dritten Generalversammlung (zu Basel).

f) Preisausschreibung.

Im Winter gelangten 300 Exemplare eines Preisausschreibens, abgedruckt im Archiv II 253, an die Redaktionen der Schweizerischen Zeitungen und an Private zum Versandt.

g) Mitarbeiter der Zeitschrift.

Im Verlauf des Berichtjahres wurden durch persönliche Zuschriften geeignete Fachmänner zur Mitarbeit eingeladen.

h) Miete eines Bureau- und Bibliotheklokales.

Seit 1. April 1898 wurde in der Börse (Entresol) ein geeignetes, im Winter immerwährend geheiztes Zimmer gemietet, mit Büchergestell, Tisch und den nötigen Bureauutensilien ausgestattet und bezogen. Die Vorstandsitzungen werden in diesem Raum abgehalten.

Zürich, im März 1899.

Der Sekretär:

E. A. Stückelberg.

Jahres-Rechnung 1898.

Einnahmen:

Saldo vom **31.** Dezember 1897	Fr.	1130.55
30 Mitgliederbeiträge à Fr. 3	„	90. —
455 „ à Fr. 7	„	3185. —
11 Zeitschriftenabonnements à Fr. 4 . . .	„	44. —
5 „ à Fr. 6 . . .	„	30. —
11 à Fr. 8 . . .	„	88. —
	Fr.	4567.55

Ausgaben:

Zeitschrift 1898 Heft I	Fr.	644.90
„ „ II	„	711.10
„ „ III	„	446.70
„ „ IV	„	486.50
Zinkographien, Clichés	„	460.55
Bureau, Mietzins, Abwart, Einrichtung . . .	„	330.55
Prämierungsauslagen	„	100. —
Porti etc.	„	148.25
		3328.55
Saldo per 31. Dezember 1898	„	1239. —
	Fr.	4567.55

Zürich, 15. März 1899.

Der Quästor: Richard.

Bericht der Rechnungsrevisoren.

Die uns zur Prüfung vorgelegte Rechnung des Jahres 1898 samt Belegen haben wir nachgesehen, verglichen und in allen Teilen richtig befunden.

Wir haben daher die Ehre, der tit. Generalversammlung unserer Gesellschaft die Genehmigung der Jahresrechnung und die Verdankung des Mühewaltes des Herrn Quästors zu beantragen.

Mit dem Ausdrucke vorzüglicher Hochachtung zeichnen die Revisoren

Basel, den 6. April 1899.

R. Noetzlin-Werthemann.
R. Forcart-Bachofen.

Bericht über die vierte Generalversammlung.

Abgehalten in Luzern, Hôtel du Lac, 23. April.

In der Ausschusssitzung wurde die im Vorjahre von Herrn Prof. Hunziker angeregte Sammlung schweiz. Flurpläne weiter beraten. Herr Oberstl. Richard erklärte sich bereit zur Ausarbeitung des Programmes und vorläufiger Uebernahme der Arbeit.

Betreffs der Gesellschaftsbibliothek wird darüber beraten, ob sie einer öffentlichen Anstalt anzugliedern oder als Depositum zu überlassen wäre. Ein Beschluss kommt nicht zu Stande, wol aber wird in Aussicht genommen, ein Gesellschaftsmitglied zur Uebernahme des Bibliothekariats zu gewinnen. Sobald der Zettelkatalog der Bücherei zu Ende gebracht sein wird, soll derselbe gedruckt und den Mitgliedern zugestellt werden.

Die Generalversammlung wurde durch den Präsidenten eröffnet, worauf der Jahresbericht und die Rechnung pro 1898 zur Verlesung gelangten und mitsamt dem Bericht der HH. Rechnungsrevisoren genehmigt und verdankt wurden.

Für 1899 werden als Rechnungsrevisoren gewählt die HH. Dr. Schweizer und H. Steiner, beide in Zürich.

Einstimmig erfolgte sodann auf Antrag von Hrn. Prof. Thommen die Wiederwahl des Vorstandes auf eine neue Amtsdauer von 3 Jahren. Die Ergänzungswahlen für den Ausschuss ergeben an Stelle des demissionierenden Hrn. Dr. Jenny: Hr. Dr. K. Ritter in Trogen. als Vertreter der Gesellschaft für die Nordostschweiz; Hochw. Hr. Pfarrhelfer A. Küchler in Kerns als Vertreter von Obwalden, und Hr. Dr. med. Ris in Thun als Vertreter für das Berner Oberland.

Hierauf erfolgt auf Antrag des Vorstandes die Ernennung von Dr. A. Hazelius, Schöpfer des Nordischen Museums zu Stockholm, zum Ehrenmitglied; die Ehrung wird begründet mit den Verdiensten dieses Gelehrten um die Volkskunde im Allgemeinen und die Anlage von Sammlungen volkskundlicher Gegenstände im Speziellen.

Mit gespanntester Aufmerksamkeit folgte sodann die Versammlung einem längern Vortrage von Hrn. Dr. Th. v. Liebenau über „Kaiserreisen in der Schweiz", in welchem ein grosses und unberührtes Material zur Verarbeitung kam. Erwähnt sei hier, dass das spezifisch Volkskundliche (wie Vorzeichen in Gestalt unglückverkündender Käfer, Heuschrecken, Bienen, Fische, sowie die volkstümlichen Empfangsgebräuche) besondere Berücksichtigung fand. Unter lautem Beifall wurde dem Herrn Vortragenden der Dank der Versammlung ausgesprochen.

Den Abschluss des Tages bildete ein Bankett im Hôtel du Lac, bei welchem Hr. Dr. Steinemann den Reigen der Reden eröffnete; als Gast wurde sodann Hr. Prof. Georgewitsch, Herausgeber der serbischen Volkskunde-Zeitschrift Karadjitch, der zu unserer Versammlung eigens aus Serbien hergereist war, begrüsst.

Der Sekretär: Stückelberg.

Kleine Rundschau. — Chronique.

Volksforschung in Hessen. Als neues erfreuliches Zeichen des steigenden Interesses für das Volkstum in seiner Eigenart melden wir die Gründung einer „Vereinigung für Hessische Volkskunde" als Sektion des Oberhessischen Geschichtsvereins, mit dessen wertvollen Publikationen unsere Gesellschaft schon seit längerer Zeit in Tauschverkehr steht. Zur Veröffentlichung speziell volkskundlicher Gegenstände wird ein eigenes Organ, die „Blätter für Hessische Volkskunde" ausgegeben werden. In der ersten, uns bereits vorliegenden Nummer werden zunächst ausführlich und klar die Ziele dargelegt, die die Vereinigung erstrebt, und weiterhin in einem vorzüglichen, ins Einzelne gehenden Fragebogen die zu behandelnden Gegenstände erläutert. Einige Miszellen (Volkslieder, Dreschflegelschlag, Gewitteraberglauben) schliessen sich an. Wir wünschen dem neuen Unternehmen, dessen Gediegenheit allein schon durch die Namen der Leiter gewährleistet wird, von ganzem Herzen den besten Erfolg.

E. H.-K.

Fragekasten. — Informations.

Baguette divinatoire, Wünschelruthe, etc.

L'emploi de la baguette pour découvrir les sources souterraines, les filons métalliques, ou d'autres choses cachées, est un usage populaire répandu dans les campagnes et qui fleurit certainement encore en Suisse. D'après une revue anglaise de 1882, cet art serait, par exemple, pratiqué dans les environs du lac de Lucerne par des individus appelés *Brunnenschmecker* (sourciers).

Le professeur Barrett, de l'université de Dublin, auteur d'un récent et remarquable ouvrage de recherches expérimentales sur l'usage de la baguette *(forked divining rod)* et les facultés des sourciers *(dowsers)* dans les îles Britanniques, prépare en ce moment un nouveau volume qui sera consacré à l'historique et à la littérature générale du sujet. M. E. Westlake, qui s'est chargé de la partie bibliographique, désire dresser la liste aussi exacte et complète que possible de tout ce qui a paru en Suisse sur cette question, surtout dans la seconde moitié de ce siècle. Les personnes qui pourraient fournir des renseignements à cet égard (indications de livres, brochures, articles de revues et de journaux, etc.) sont instamment priées de les communiquer, le plus tôt possible, soit au soussigné, soit directement à M. E. Westlake (Vale Lodge, Hampstead Heath, Londres N. W.)

Th. Flournoy, prof. à l'Université,
Florissant 9, Genève.

Antwort.

Der Volksglaube, dass es Leute gebe, die mit oder ohne Hilfe einer Wünschelrute unterirdische Quellen auffinden können *(Brunnen-* oder *Wasserschmecker)*, ist noch heute in der Schweiz verbreitet; so in den Kantonen Aargau (Zeiningen), Appenzell, Basel, Bern, Luzern, Schwyz, Solothurn, Zug, Zürich (Stammheim). Die Erfordernisse und Gebräuche beim Quellaufsuchen weichen nur in unwesentlichen Dingen von einander ab. Laut G. Ad. Seiler (Die Basler Mundart 1879 S. 163) muss die Haselrute — die vorn stets gabelförmig sein soll — am Karfreitag nachts zwischen 12 und 1 Uhr geschnitten werden. Nach ihm und einer handschriftlichen Angabe aus dem Kt. Bern wird die Rute mit beiden Händen an den beiden Gabeln gehalten und der emporstehende Hauptzweig neigt sich an der Stelle des Bodens, wo eine unterirdische Quelle ist, während eine Angabe aus Stammheim mitteilt, dass der Hauptzweig gefasst werde und die Gabeln sich neigten. Nach A. Lütolf, Sagen etc. (Luzern 1865 S. 371) kann die Wünschelrute auch von Fischbein sein. Wie ernsthaft man übrigens die Sache nahm, geht aus einer Notiz in den Beiträgen zur nähern

Kenntnis und Aufnahme des Vaterlandes (Chur 1792 S. 34) hervor:
„Ich sollte veranstalten, dass unsere Gegenden durch einen gewissen
Pennet untersucht werden, um allda guten Wasserquellen nachzuspüren,
da dieser Pennet eine ganz eigene Gabe zu dergleichen Entdeckungen
besitze. Ich liess nach dem Stadtbaumeister und denen Brunnenmeistern
fragen, um solche dem fremden Wasserschmecker mitzugeben." Noch
bezeichnender ist die Stelle bei D. Hess, Die Badenfahrt (Zürich 1818
S. 529): „Um hierüber [d. h. über die Herkunft der Badener Quellen]
eine nähere Auskunft zu gewinnen, giebt es kein Mittel, als diejenigen Menschen zu beraten, welche die merkwürdige Eigenschaft
besitzen, laufende unterirdische Quellen durch ihr Gefühl entdecken
zu können, Menschen, die in der Schweiz unter dem Namen Wasserschmecker (d. h. Wasserriecher) allgemein bekannt sind und sehr
häufig zur Entdeckung von Quellen gebraucht werden. Die elek-
trische Wirksamkeit der unterirdischen Körper und die Gefühlsfähigkeit einzelner Menschen für dieselben gehören zu denjenigen
Natur-Erscheinungen, welche von den jetzigen Lehrsystemen der Physik
noch nicht als bewiesne Thatsachen auf- und angenommen sind. Eine
grosse Menge von Beobachtungen und Versuchen haben mich von der
Zuverlässigkeit dieser Erscheinungen überzeugt, und desswegen sehe
ich die erprobten Wasser- und Erzfühler als sichere Werkzeuge
zu vielerley Untersuchungen an. Mit zwey solcher Personen, deren
Gefühlsfähigkeit für unterirdische Körper sich ausserordentlich aus-
zeichnet, und die ich durch Versuche seit mehreren Jahren als be-
währt erfunden, habe ich zu verschiednen Zeiten die ganze Gegend von
Baden durchgangen, und alle Heilquellen in ihrem Laufe verfolgt.
Diese beyden Wasserfühler waren zum erstenmahl in Baden, und
durchaus unbekannt mit allem, was die Gegend, die Beschaffenheit
und Natur der Quellen, der Felsgebilde u. s. w. betrift; keiner
wusste etwas von dem andern, und von mir wurde nichts gesagt, als:
Wir wollen sehen, wohin euch die Heilquellen führen. . . .
Es ist genügend, zu hören, dass ich vermittelst des Gefühls dieser
zwey Personen in der Verfolgung des Laufes aller Quellen in das
Hügelgelände . . . geführt, und dass an dem entgegengesetzten Ost-
Ende des Lägerberges . . . nirgends eine Spur von eintretenden heissen
Quellen wahrgenommen wurde."
    Es handelt sich wol hier, wie auch in dem vorangehenden Zitat,
um ein Quellensuchen ohne Wünschelrute; doch schienen uns diese
beiden Stellen zu beachtenswert, um sie zu übergehen.
    Das Aufspüren von Quellen durch magische Mittel war übrigens
den Alten schon bekannt; dort hiessen die Brunnenschmecker *aquileges*
(Sing. *aquilex*). Vgl. hierüber Vitruv. VIII 1, Plin. Nat. hist.
XXXI 44 ff., Pallad. De re rust. IX 8, Cassiod. Var. III 53.
    Ueber die Wünschelrute selbst s. J. Grimm, Deutsche Mythologie,
3. Aufl. S. 926, 4. Aufl. S. 813, A. Wuttke, Der deutsche Volks-
aberglauben u. Volksbrauch S. 478, C. Meyer, Der Aberglaube des
Mittelalters S. 66, F. J. Vonbun, Beiträge zur deutschen Mythologie
(1862) S. 127, J. N. Alpenburg, Mythen u. Sagen Tirols S. 393,
B. Anhorn, Magiologia (1674) S. 317, A. Kuhn und W. Schwartz,

Norddeutsche Sagen S. 393, A. Lehmann, Aberglaube und Zauberei (übers. v. Petersen) S. 201, E. Meyer, Deutsche Sagen etc. S. 244, E. H. Meyer, German. Mythologie (Register), F. Panzer, Beitr. z. deutschen Mythologie II 296, H. B. Schindler, Der Aberglaube des Mittelalters S. 218, K. Simrock, Handb. d. Deutschen Mythologie. 4. Aufl. S. 182, Gh. Nerucci, La bacchetta divinatoria (in: Archivio p. lo st. delle trad. pop. III 79), A. Peretti, Delle Serate del Villagio (Ivrea 1863) Nr. IV: La bacchetta divinatoria. Endlich vgl. man die bei Grässe, Bibliotheca magica et pneumatica (1843) verzeichnete Litteratur.

Weitere Angaben, namentlich über schweizerische Verhältnisse sind erwünscht. —

E. H.-K.

Eierlese.

In Oberried, meiner Heimatgemeinde Rüti und in Sennwald hat sich noch ein altes Frühlingsfest erhalten, die sog. Eierlese am Ostermontag. Da ich über diesen sonderbaren Anlass, der in den andern Gegenden unseres Kantons St. Gallen schon längst von der Bildfläche verschwand, etwas Näheres erfahren möchte, ersuche ich Sie um gefl. Aufschluss hierüber.

Oswald Gächter.

Antwort: Bezüglich der „Eierlese" (Eier-Leset, -Ufleset, -Lesete, -Werfe, -Laufe) vergleiche man in erster Linie das Schweiz. Idiotikon III 1125 ff., wo das Fest eingehend beschrieben ist und noch folgende Litteratur genannt wird: Ed. Hänggi, Schwizer Dorfbilder (Solothurner Mundart) 1893, 124; H. Herzog, Schweiz. Volksfeste 1884, 238; J. R. Wyss, Idyllen, Volkssagen, Legenden u. Erzählungen I (1815) 278; J. R. Wyss, Reise in das Berner Oberland 1816, 336; W. Senn, Heimat und Volk 1884 [nicht 1864!], 162 (Zwergwettlauf i. J. 1556). Aus eigenen Notizen fügen wir noch bei: St. Gallen und seine Umgeb. 1859, 176 und Berner Hinkender Bote 1823 J.; ein leider undatiertes Feuilleton (Juni 1892 der „Neuen Zürcher Zeitung" ?) beschreibt genau die „Eierlesete" im Kanton Appenzell.

Ueber den Ursprung der Sitte giebt das Idiotikon in seiner Anmerkung wol richtige Andeutungen. Das Ei ist Fruchtbarkeitssymbol, die Wettläufe dürften mit den Winter- und Sommerkämpfen verglichen werden. E. H.-K.

Deux pipes valaisannes

Ces deux pipes, sculptées dans la racine d'un bois très dur, proviennent du val d'Entremont (Saint-Bernard). Elles ont appartenu aux Massard, famille notable de Liddes, originaire d'Aoste, et sont aujourd'hui la propriété de M. H. van Muyden, artiste peintre à Genève.

Le caractère montagnard des deux figures donne à supposer qu'elles représentent les physionomies connues de notables de la vallée. Toutefois, il n'est pas assuré qu'elles soient l'œuvre d'un artiste du crû ; car la plupart des objets d'art que l'on trouve en Valais ont une origine étrangère, le plus souvent italienne, ou sont fabriqués par des artisans italiens de passage en Suisse.

Les coiffures qui servent de couvercles, une casquette et un tricorne tels qu'on les portait encore il y a une cinquantaine d'années dans plusieurs vallées des Alpes valaisannes, montrent que ces pipes datent de la première moitié du siècle. Les yeux en os ajoutent encore à l'étrangeté de ces figures, taillées avec un art d'une simplicité et d'une sincérité remarquables. La planche ci-contre les réduit à la moitié de la grandeur originale.

Zeitschriften für Volkskunde.
Revues des Traditions populaires.

Alemannia. Zeitschrift für Sprache, Kunst und Altertum besonders des alemannisch-schwäbischen Gebiets. Herausgegeben von *Friedrich Pfaff*. Jährlich 3 Hefte. Jahrg. 6 Mk. Verlag: P. Hanstein, Bonn.

Beiträge zur deutsch-böhmischen Volkskunde. Herausgegeben von der Gesellschaft zur Förderung deutscher Wissenschaft, Kunst und Litteratur in Böhmen Geleitet von Prof. Dr. *A. Hauffen*. Verlag: J. G. Calve, Prag.

Blätter für Pommersche Volkskunde. Monatsschrift. Herausgegeben von *A. Knoop* und Dr. *A. Haas*. 4 Mk. jährlich. Bestellungen bei A. Straube, Labes (Pommern).

Bulletin de Folklore. Revue trimestrielle. Organe de la „Société du Folklore wallon", publié par M. *Eugène Monseur*. Un an: 6 frs., un numéro: 1 50 frs. Bureaux: 92, rue Traversière, Bruxelles.

Folk-Lore. Transactions of The Folk-Lore Society. Quarterly. Annual Subscriptions: 1 L. 1 s. Publisher: David Nutt, 270, Strand, London.

The Journal of American Folk-Lore. Editor *William Wells Newell* Quarterly issued by The American Folk-Lore Society. Annual subscription: Doll. 3.00 Publisher for the Continent: Otto Harrassowitz, Leipzig.

Korrespondenzblatt des Vereins für Siebenbürg. Landeskunde. Redaktion: Dr. *A. Schullerus*. Erscheint monatlich. Jahrg. 2 Mk. Verlag: W. Krafft, Hermannstadt.

Mélusine. Revue trimestrielle, dirigée par M. *Henri Gaidoz*. Un an: 12.25 frs., un numéro: 1.25 frs. Bureaux: 2, rue des Chantiers, Paris.

Mitteilungen der Schlesischen Gesellschaft für Volkskunde. Herausgegeben von *F. Vogt* und *O. Jiriczek*. Heft 0,50 Mk. Schriftführer des Vereins: Dr. *O. Jiriczek*, Kreuzstrasse 15, Breslau.

Mitteilungen des Vereins für Sächsische Volkskunde. Herausgegeben von Prof. Dr. *E. Mogk* (Färberstrasse 15) Leipzig.

Mitteilungen und Umfragen zur bayerischen Volkskunde. Jährlich 4 Hefte. Herausg. im Auftrage des Vereins für bayer. Volkskunde und Mundartforschung von Prof. Dr. *O. Brenner*, Würzburg. Jahrgang 1 Mk.

Ons Volksleven. Monatsschrift. Herausg. von *Joz. Cornelissen* und *J. B. Vervliet*. Jahrg. 2.50 Fr. Verlag: L. Braeckmans, Brecht.

Revue des Traditions populaires, recueil mensuel de mythologie, littérature orale, ethnographie traditionelle et art populaire. Organe de la „Société des Traditions populaires", dirigé par M. *Paul Sebillot.* Un an: Suisse 17 frs.; pour les membres: 15 frs.; un No.: 1. 25 frs. Bureaux: 80, boulevard St-Marcel, Paris. — (Pour recevoir un numéro spécimen, il suffit d'en faire la demande à M. Sébillot en ajoutant un timbre de 15 centimes.)

Unser Egerland. Blätter für Egerländer Volkskunde. Herausg. von *Alois John,* Eger.

Der Urquell. Eine Monatsschrift für Volkskunde. Herausg. von *Friedr. S. Krauss.* Jahrgang 4 Mk. Redaktion: Neustiftgasse 12, Wien.

Volkskunde. Monatsschrift. Herausg. von *Pol de Mont* und *A. de Cock.* Jahrgang 3 Fr. Verlag: Hoste, Veldstraat 46, Gent.

Wallonia. Recueil mensuel de littérature orale, croyances et usages traditionels, fondé par *O. Colson, Jos. Defrecheux et G. Willame.* Belgique: Un an 3 frs., un No. 30 c., Union postale- 4 frs. Administration: 88, rue Bonne-Nouvelle; Rédaktion : 6, Mon: tagne Ste-Walburge, Liège.

Zeitschrift des Vereins für Volkskunde. Vierteljahrsschrift. Herausg. von *Karl Weinhold.* Jahrg. 12 Mk. Vorsitzender des Vereins: Prof. Dr. *K. Weinhold,* Hohenzollerstr. 10, Berlin W.

Zeitschrift für österreich. Volkskunde. Redaktion: Dr. *M. Haberlandt.* Jahrgang 4 fl. 80. Verlag und Expedition: F. Tempsky, Wien.

Zur Beachtung!

Den Mitgliedern steht die Bibliothek der Schweiz. Gesellschaft für Volkskunde jederzeit zur Benutzung offen. Meldung beim Sekretär.

Bücher werden auf Bestellung ausgeliehen und franko zugesandt; nach Empfang ist die Quittung ausgefüllt zurückzusenden.

Einzelne **Probehefte der Zeitschrift** werden den Mitgliedern gratis und franko verabfolgt, falls solche zu Zwecken der Propaganda für unsere Gesellschaft oder deren Organ verwendet werden.

Schweizerisches
Archiv für Volkskunde.

Vierteljahrsschrift

unter Mitwirkung des Vorstandes herausgegeben

von

Ed. Hoffmann-Krayer.

Dritter Jahrgang. Heft 3.

INHALT.

Der Umfang des Jahrganges ist auf 20 Bogen festgesetzt.

Der Abonnementspreis beträgt für Mitglieder Fr. 4.—, für Nichtmitglieder Fr. 8.—; für das Ausland kommt der entsprechende Portozuschlag hinzu.

Beiträge für die Zeitschrift, Beitrittserklärungen, Büchersendungen sind zu richten an den Redaktor

Herrn Dr. *E. Hoffmann-Krayer*, Freiestrasse 88, Zürich V.

Geldsendungen an

        Herrn *E. Richard*, Börse, Zürich I.

Glockensagen aus der Schweiz.

Auf Grund eines Manuskriptes von Arnold Nüscheler herausgegeben von E. A. Stückelberg.

Der Gebrauch der Glocke, als Mittel, die Gläubigen zusammenzurufen, ist in Gallien und Irland schon für das V. Jahrhundert unserer Zeitrechnung nachweislich. Sowol durch die fränkische wie durch die irische Mission wurden demnach, wie wir annehmen dürfen, die Glocken in der Schweiz eingeführt.

Dass sich an so alte liturgische Geräte Legenden und Sagen knüpften, ist daher wol begreiflich.

Speziell den schweizerischen Glockensagen hatte der so fleissige und verdienstvolle Dr. ARNOLD NÜSCHELER († 1897) sein Augenmerk zugewandt; er hat auch eine Zusammenstellung derselben, geordnet nach Kantonen, im Konzept hinterlassen. Sie befindet sich nunmehr, als Ms. R. 446 bezeichnet, in der Stadtbibliothek Zürich, die uns dieselbe zur Herausgabe gütigst anvertraut hat. [1]

------

[1] In der Manuskriptsammlung Arnold Nüschelers (Stadtbibl. Zürich) befinden sich noch folgende Arbeiten über Glocken:

No. 441: Uebersichten der Glockeninschriften in der Schweiz, nach Kantonen.

No. 442: Ueber Glocken, deren Alter, Formen, Inschriften und Schicksale.

No. 443/4: Uebersichten der alten Glocken in der Schweiz und ihrer Inschriften.

No. 445: Kopien einiger Glockeninschriften.

No. 447: Uebersichten der Glockeninschriften in den Kantonen nach Zahl und Alter.

No. 448: Notizen und Korrespondenzen über Glockeninschriften in der Schweiz.

No. 449—452: Glockeninschriften im Kanton Zürich.

No. 453/4: Glocken im Grossmünster.

No. 455/56: Glocken im St. Peter.

No. 457—96: Verzeichnisse über Glockeninschriften in den einzelnen Kantonen, ausser Zürich.

No. 497: Zusammenstellung von Glockeninschriften aus verschied. Kirchgemeinden.

Hier nur noch ein par einleitende Worte zu dem Konzept, das wir etwas verkürzend wiedergegeben, zugleich aber durch einige bei Nüscheler fehlende Sagen ergänzt haben.

Einige Züge der Sagen seien hier gestreift. Der Stoff der gegossenen Kirchenglocken besteht aus Kupfer, Zinn, Zink und etwas Eisen. Seit Karls des Grossen Zeit wurde demselben auch Silber beigemischt, daher die häufigen Sagen von silbernen Glocken (Dorf, Glarus, Basel, Sax, Klingnau, Naters, Dürnten.)[1] Schenkungen von Silbermünzen und Silbergerät zur Herstellung von Glocken dramatisiert die Sage in der Regel so, als ob das Silber direkt in den Schmelztiegel geworfen worden sei.

Besonders altertümliche Glocken werden als Heiden-glocken bezeichnet wie denn Höhlen, Häuser, Mauern u. a. oft als Heidenwerk bezeichnet werden, worunter aber vielleicht nicht immer Kelten und Römer, sondern auch Hunnen und Zigeuner als Urheber gedacht werden. Heidenglocken findet man zu Tuggen, Altishofen, Büren, Dagmersellen, Dierikon, Hildisrieden, Merischwanden und anderwärts.

Zu beachten sind ferner die Namen der Glocken im Volks-mund, wie Dona (Naters und Sitten) Hund (Graubünden) Sau und Säuli.[2] Ganz besonders verbreitet ist der letztere Name, der übrigens auch im Ausland vorkommt: Saufang heisst z. B. in Köln eine merowingische Glocke. Ob die Form der Glocken Anlass zu dieser Bezeichnung gegeben, oder in welcher Art der Zusammenhang mit der Antoniusglocke, welche den Säuen des Heiligen umgehängt wurde, zu denken ist, das zu erklären, sei den Sprachforschern überlassen.

No. 498: Archival. Notizen über freiburgische Glocken und Giesser.

No. 499: Notizen und Korresp. über Glockeninschr. in Deutschland.

No. 500: Notizen und Korresp. über Glockeninschr. in Frankreich, Holland, Luxemburg etc.

No. 501/06: Notizen, Verzeichnisse und Korresp. über schweizerische und ausländische Glockengiesser.

No. 507: Uebersicht der Bibelsprüche auf Glockeninschriften.

No. 508/10: Notizen über die Glockengiesserfamilie Füssli und deren Stammfolge.

[RED.]

[1] Als Silberglocken werden ferner Glocken bezeichnet zu Wimmis, Bern, Erlach, Freiburg, Amriswyl, Andwyl, Genf und Carouge.

[2] Vgl. das „Säuli von Schönbrunn" ARCH. II 107; andere Namen: „die Alte", „'s Anni" ib. 114.; „Junte" (d. h. Unterrock) im Aargau.

Die Sagen von Raub und Diebstahl von Glocken
mögen oft an wahre Begebenheiten anklingen, denn notorischer-
weise sind diese Geräte häufig in kriegs- oder sogar in Friedens-
zeiten ihren Eigentümern entfremdet worden, so nahmen z. B.
die Oesterreicher 1388 zu Rapperswyl eine Glocke mit, [1]) als
sie die March verwüsteten; zahlreiche Exemplare wurden während
der Glaubenskriege geraubt, einzelne noch in neuester Zeit gestohlen (Jostberg).

Ueber die Theodulsglocken [2]), d. h. Glocken, in denen
Partikeln von der Theodusreliquie eingeschlossen waren, s. unten
Wallis s. v. Sitten. [3])

Kanton Zürich.

Aesch bei Birmensdorf. Glöcklein auf dem Alten Schulhause,
früher auf dem alten Trottgebäude daneben.

Die Sage meldet, die Gemeinde Aesch habe gewünscht,
das kleinste Glöcklein aus dem Kirchturm zu Birmensdorf
zu erhalten, und habe dasselbe auch bekommen unter der
Bedingung, dass dasselbe mit gedörrten Birnen gefüllt werde,
da dort die Fruchtbäume seit mehreren Jahren kein Obst
getragen hatten. Die ehemalige Stelle des Glöckleins im
Glockenstuhl zu B. soll noch sichtbar sein. Vögeli G. B. S. 17.[4])

Zürich, Pfalz. Die Sage von der Gerichtsglocke Kaiser Karls
des Grossen und der Schlange findet sich bei Vogel, Me-
morab. Tigur. III (1850) 668; Kohlrusch Sagenbuch, 301.

Hombrechtikon. Die Kirchgenossen besassen eine Glocke
(die mittlere?), von der sie erzählten, es sei in derselben
Speise von der Glocke, welche der Teufel dem h. Theodul
von Rom nach dem Wallis tragen musste. Escher, Inschr.
der Glocken in Zürich S. 104; Ms. der Stadtbibl. Zürich
I, 255.

---

[1]) Stettler 1627, 99.

[2]) Eine solche hieng z. B. seit 1494 im Georgsturm des Basler
Münsters. Vgl. Wurstisen in: Beiträge II. S. 419.

[3]) Allgemeines zu den Glocken s. H. Otte, Glockenkunde. Zum
speziell Schweizerischen J. L. Brandstetter, Repertorium S. 249. Kürzlich
ist in den Freiburger Geschichtsblättern (Bd. V) eine umfangreiche Mono-
graphie von Effmann über die Freiburger Glocken erschienen.

[Red.]

[4]) Das Zitat „Vögeli G. B." geben wir nach Nüscheler, ohne dasselbe
identifizieren zu können.

Neftenbach. Die zweitkleinste, ganz glatte Glocke soll nach der Sage aus einem dortigen Weinberge, genannt Alt-kilchœr, ausgegraben worden sein. Vögeli G. B. S. 77; MS L. 258.

Dorf. Ueber das kleinere Glöcklein mit der Umschrift in gothischen Majuskeln: „O rex glorie Christe veni cum pace" geht die Sage, es sei silbern, und das benachbarte Kloster Rheinau habe Anstrengungen gemacht, es als Wetterglocke zu erwerben, auch dafür eine grössere Glocke angeboten. Vögeli G. B. S. 221.

Dürnten. Die zweitgrösste Glocke mit den Namen der vier Evangelisten wird vom Volksmund als „silberne" bezeichnet. Vögeli a. a. O.

Zollikon. Das vierte, kleinste Glöcklein soll nach der Sage aus dem 1267 oder 1268 zerstörten Städtchen Glanzenberg stammen. Nüesch und Bruppacher, Das alte Zollikon 1899, 12—13.

Kanton Bern.

Zwischen Herzogenbuchsee und Bützberg, im Buchen-wald zu beiden Seiten der Strasse, stand nach der Sage eine ungeheure Stadt nebst einem Twingherrnschlosse (vgl. Jahn, Kt. Bern S. 470). Einmal hütete hier ein Ziegenhirt seine Herde; nun blieb eine Ziege immer am selben Platze stehen und scharrte aus Leibeskräften den Boden auf. Endlich kam etwas metallartiges zum Vorschein. Der Hirt sah dies, machte Anzeige im nahen Buchsee und kehrte mit einigen Bewohnern von da zurück. Sie gruben alsdann eine mächtige Glocke aus der Erde und führten sie ins Dorf; hier ward sie im Kirchturm aufgehängt. Damit die Begebenheiten nie in Vergessenheit gerate, schrieb man darauf: „ich bin vom Geissfuss gefunden."

Cyriliacum im Jura. Die Legende von dem übernatürlichen Glockengeläut, das der h. Himerius bei „Cyriliacum" im Jura hörte, findet sich bei Th. Scherer, Helden und Held-innen des christlichen Glaubens. Schaffh. 1859. S. 79 nach ältern Quellen nacherzählt.

Lauterbrunnen. Nach einer allgemeinen Sage stammt die grössere Glocke hier aus dem Lötschthal im Wallis. Sie wurde nach einem für die Berner siegreichen Kriege ver-mittelst eines Gerüsts, das man beim Abbruch der alten

Kirche im Anfang der achtzehnhundertdreissiger Jahre auf-
fand, über den Tschingelgletscher gebracht. Später sollen
die Walliser, welche die Glocke gern wieder gehabt hätten,
anerboten haben, sie mit Gold aufzuwiegen. Lauterbrunnen
aber behielt sie. (Mitt. des Hrn. Pfarrer N. N. in Lauterbrunnen).

Kanton Luzern.

Grossdietwyl. Vor Zeiten soll in der angrenzenden bernischen
Gemeinde Gondiswyl eine Hexe gewesen sein, die den
Grossdietwylern Hagelwetter geschickt habe. Auf den Rat
eines frommen Mannes habe man gegen diese Zaubereien
eine Beinhausglocke machen lassen und läutet sie nun,
wenn Hagel droht. Die Hexe habe dann gesagt: Wann
das Beinhausglockli läutet, die vier Ferli (= Spanferkel,
kleine Glocken) in Ebersecken schreien, und die grosse
Mohr (= Sau) in Willisau röchelt, so kann ich nichts mehr
machen. Lütolf, Sagen, S. 205 fg.
Grossdietwyl. Die grosse Glocke heisst Muttergottesglocke;
früher aber war eine noch grössere da, wurde aber, als
die katholischen Grossdietwyler an der Vilmergerschlacht
anwesend waren, von den benachbarten reformierten Madis-
wylern (Kt. Bern) fortgenommen. Bei klarem Wetter hört
man sie noch in G. läuten, und die alten Leute glauben,
sie zeige damit ihr Heimweh an. Auch die Muttergottesglocke wollten die Madiswyler haben, aber sie fieng an
zu bluten und sprach: „Soll ich auch lutherisch werden?"
Daraufhin wurde sie in Ruhe gelassen; noch jetzt sieht
man die Blutstropfen. Lütolf, Sagen S. 534.

Kanton Uri.

Altdorf. Als der unschuldig verurteilte Ratsherr Fridlich in
Uri aus dem Kerker zur Hinrichtung geführt wurde, läuteten
die Glocken von selbst. Lütolf, Sagen S. 430.
Alp. Der Teufel schenkte in eine Kapelle, die kein Glöcklein
hatte, ein solches, damit die Leute, die sich auf den Ruf
desselben verlassen, zu spät zum Gottesdienst kommen und
manches Gebet unterlassen. Lütolf a. a. O. S. 198.

Kanton Schwyz.

Gstad bei Brunnen. Das Glöcklein der Kathrinenkapelle

läutete von selbst, als die drei Tellen im Rütli den ewigen
Bund schwuren. LÜTOLF a. a. O.

Steinen. Ueber die älteste Glocke und deren Macht gegen
die Hexen vgl. ARCHIV II 114.

Kanton Nidwalden.

Dallenwyl ob Stans. Die Hexe daselbst gab sich mit Wettermachen ab. Einmal kam sie auf einem Baumstamm einher-
geritten und riss eine sog. Ribe (Rüfi) mit sich fort. Da
läutete das Wetterglöcklein, die Hexe hörte es und sprach:
„Ich kann nicht weiter; das Heinibach Hundli bellt". Der
Erdrutsch heisst heute noch die Hexenribe. Das Glöcklein
ist wegen eines Risses in den 1850ger Jahren gegen ein
neues vertauscht worden. LÜTOLF a. a. O. 3. 41. 205.

Kanton Obwalden.

Engelberg. Lisi Bossard, [1] eine Unholdin, hat, als 1729
Studenten der Klosterschule mit Raketen hantierten, mit
ihrer Schwarzkunst denselben die unheilvolle Richtung nach
dem Gotteshause gegeben, Brand erregt und die Glocken
stumm gemacht. Nur über die grosse Glocke hatte sie
keine Gewalt. LÜTOLF a. a. O. 306.

Kanton Glarus.

Glarus. Die Frauen und Jungfrauen von Glarus sollen, um
die Glockenspeise zu verbessern, ihren silbernen und goldenen
Schmuck in die glühende Masse geworfen haben. Die
Glocke zeichnete sich später durch reinen Wohlklang so aus,
dass die Stadt Zürich wiederholt Kaufangebote machte, zuletzt indem sie offerierte, die Glocke mit Zürcher Schillingen
zu füllen und mit Zürchern Thalern zu belegen.

Betschwanden. Von der vierten Glocke, die nicht mehr vorhanden ist, lautet die Sage, sie sei in teurer Zeit um soviel Pfennige verkauft worden, als die kleine Glocke daselbst
zu fassen vermochte. NÜSCHELER, Inschr. der Glocken im
Kanton Glarus S. 39.

---

[1] Ueber diese 1737 verbrannte Hexe vgl. Archiv II 106 fg.

Kanton Zug.

Zug. Aus der Tiefe des Sees dringen oft Glocken- und Orgel-
töne, herrührend aus der 1435 samt zwei Strassen ver-
sunkenen Kirche. Die Schiffer, die dies hören, ziehen die
Ruder aus dem Wasser und beten andächtig ein Paternoster.

Schönbrunn. Das „Säuli" (Glöcklein) der Kirche war die
einzige Wetterglocke von Stadt und Amt und vermochte allein
den von der Hexe Lisi Bossard heraufbeschworenen Gewittern Einhalt zu thun. ARCHIV II 107.

Kanton Freiburg.

Siehe EFFMANN, Die Glocken der Stadt Freiburg in: FREI-
BURGER GESCHICHTSBLÄTTER V (1898).

Kanton Baselstadt.

Basel. In hellen Nächten sieht man von der Pfalz aus manchmal
einen hellen Punkt im Rhein und vernimmt auch manchmal
gedämpftes Klingen. Dies rührt nach der Sage von der
beim grossen Erdbeben 1356 vom Münster in den Rhein
gefallenen silbernen Glocke her. KOHLRUSCH, Sagenbuch S. 366.

Kanton Schaffhausen.

Schaffhausen. Die Hochwächter auf dem Unot hatten die
Pflicht, jeden Abend von 9 Uhr an eine Viertelstunde die
dortige Glocke zu läuten. Es geschieht dies, um späten
Wanderern den Weg zu weisen; denn ein Mann hatte einst,
verirrt, in den nahen Rheinfluten sein Leben verloren.
Seine Geliebte, ein adeliges Fräulein, soll ihre Silbergeräte
geschenkt und das Glöcklein gestiftet haben. HARDER, Histor.
Beschreibung des Munots. S. 9.

Kanton St. Gallen.

Sax. Als man die Glocken goss, soll eine alte Frau ein ganzes
Bündel Silbermünzen zum Einschmelzen für die grosse
Glocke gegeben haben, darum klingt sie so gut.

Grätschins. Nach einer fast vergessenen Sage haben die Bal-
zener (Lichtenstein) einst in Kriegszeiten nachts die grosse
Glocke von G. geraubt. Als diese dann jenseits des Rheins
geläutet wurde, erkannten die Grätschinser sie wieder,

erhielten sie aber nicht zurück. (Mitt. von Niklaus Senn in
Buchs.)

St. Gallen. In der Sakristei der Klosterkirche (heutigen Kathedrale) befindet sich eine Glocke, die aus frühmittelalterlicher
Zeit stammt und jedenfalls die älteste Kirchenglocke der
Schweiz ist. Eine Tradition, deren älteste Quelle ich nicht
kenne, bezeichnet sie als Gallusglocke, sagt aber, sie sei
erst in neuerer Zeit von Bregenz nach St. Gallen gebracht
worden. Auf dem Mantel der Glocke ist mit Oelfarbe eine
Szene aus dem Gallusleben und ein Spruch gemalt.

Kanton Graubünden.

Hinterrhein. Noch erzählt man, dass zur Zeit der Reformation
die Einwohner des katholischen Misoxerthales und die des
protestantischen Rheinwalds auf die kleine Glocke der Peters-
kapelle in der Nähe der Hinterrheinquellen solchen Wert
gelegt hätten, dass erstere sie mit Silbergeld füllen wollten,
wenn letztere sie ihnen lassen wollten; allein umsonst (vgl.
Mohr, Cod. dipl. Rhaet. S. 38 Note 1). Das Glöcklein soll
nun im Turm der Pfarrkirche Hinterrhein hängen und wäre
nach Nüscheler das kleinste, mit der Umschrift: Ave Maria,
gratia plena Dominus tecum (Sererhard, Einf. Delineation
I 80).

Schuders und Jenins. Nach dem Tag-(Morgen)Läuten verschwindet das Totenvolk in der Kirche. Jecklin, Volkstümliches aus Graub. I 22. 26.

Klosters. Die Morgen- oder Tagglocke vertreibt die Markstein-
Versetzer. a. a. O. I 121.

Puschlav. Nordöstlich der Kirche von San Carlo erhebt sich
ein gewaltiger Felsblock, der jeden Augenblick zu stürzen
droht. Hier lebten einst Feen oder Hexen; diese kam
eines Tags die Lust an, den am Fuss des Blocks liegenden
Weiler zu zerstören. Sie stiegen deshalb hinauf und um-
schlangen mit ihren Schürzen einen Block, brachten ihn
bergan und wollten unter höllischem Jauchzen ihn bereits
abstürzen lassen, als sich die grosse Glocke von San Carlo
hören liess. Erschreckt riefen sie: „Haltet, Haltet, der
grosse Bernhard (Name der Glocke zu Prada) waltet.“
Den Block konnten sie nicht weiter bewegen, drum steht
er noch da als Wahrzeichen. a. a. O. I 168—9.

Räzüns. Die „Geistersau" — eine Glocke — vertreibt die Markstein-Versetzer. a. a. O. I 137.

Als das Hochwasser einst den Gottesacker bedrohte, sollte der Messmer der St. Paulskirche zum Wetter läuten. Er klomm den steilen Weg hinan, vernahm aber aus der Höhe, wie die Hexen auf ihrem Barlott (Versammlungsort) mit einander eiferten: „Lasst uns fertig machen, bevor die Sau von St. Paul singt."

Kanton Aargau.

Frick. Die besonders grosse Glocke ist von schönem mächtigem Ton; sie soll alle Wetter vertreiben und deshalb unterlegt man ihrem Geläute den Reim:

„Susanne, Susanne, Alle Wetter dur anne."

Als die Schweden Rheinfelden belagerten, nahmen sie alle Glocken in der Umgegend von den Türmen. Schon hatten sie zu Frick die kleinere Glocke vom Dachstuhl herabgelassen, als ein Fricker Bauer dies von ferne sah. Sein Grimm über den Frevel gab ihm eine List ein: in vollem Lauf rannte er gegen den Kirchenhügel und rief, rückwärts winkend: „Nôh, nôh"! Die Plünderer fürchteten einen Ueberfall und entliefen. Zu Ehren dieser That wird bis heute allen Fricker Mannspersonen mit der grossen Glocke übers Grab geläutet. Rochholz, Schweizersagen aus dem Aargau S. 378.

Klingnau. Im Hochsommer brach auf dem Schlosse eine Feuersbrunst aus und legte das ganze Städtchen mit samt der Kirche bis auf vier Firsten in Asche.

Das Silber der geschmolzenen Glocken floss durch die Gasse. Aber nur ein kleiner Teil des Metalls konnte wieder gesammelt werden und daraus goss man die erste Glocke für die neuerbaute Kirche. Das dreifache Feuer, durch welches das Metall geflossen war, verlieh der Glocke solch schönen Klang, dass das Städtchen fortan Klingnau genannt wurde. Rochholz a. a. O. S. 240.

Merischwanden. Von der grossen Glocke heisst es, sie sei von den Heiden gegossen worden; sie heisst die Alte. Rochholz a. a. O. S. 215 ff.

Ober-Schneisingen. Als die Kirche und der Turm erbaut wurde, stiftete ein Mönch zu Wettingen, der aus O.-S. gebürtig war, eine Glocke dahin, die er bis in seine Klausur

hören wollte. Die Glocke ward aber zu gross; aus Liebe
zu dem frommen Stifter aber brach man den Turm ab und
baute einen neuen, grösseren. Als nun die Glocke drei
Wochen darin hieng, brach sich durch und schlug sich vierzig
Klafter tief in die Erde. Da liegt sie noch und tönt leise
herauf, wenn Feuersgefahr droht. Rochholz a. a. O. S. 233.

Staufberg. Die Engel hängten hier eine wunderbare Glocke
in den Turm; diese gefiel den Zürchern — denn sie tönte
bis Zürich — so sehr, dass sie sich anerboten, soviel Böcke
(Vierbatzenstücke) dafür zu geben, als man von Staufen bis
Zürich eng aneinander legen könne. Die Staufener schlugen
das Gebot durch Abgesandte aus. Nun sannen die Zürcher
auf Rache und gaben den heimkehrenden Bauern einen
Seidenfaden mit, den sie um die Glocke schlingen sollten,
dies würde das Geläute noch verschönern. Die unerfahrenen
Bauern thaten dies, aber seither hat die Glocke einen Riss.
Rochholz a. a. O. S. 275—6. Nach anderer Version hat
die Glocke durch den Seidenfaden keinen Riss, aber einen
doppelt so tiefen Ton bekommen; sie soll so viel gekostet
haben wie sie schwer war.

Wölfliswyl. Zur Zeit des dreissigjährigen Kriegs konnten die
Bewohner eine einzige Glocke flüchten. Sie schleppten sie auf
den Berg, aber ihr Klang hätte die Feinde herbeigelockt,
weshalb man sie vergrub. Dies geschah mit solcher Vorsicht,
dass sie nie wieder gefunden wurde. Rochholz a. a. O. S. 382.

Kanton Thurgau.

Gachnang. Das kleine Glöcklein, das 1836 verkauft worden
sein soll, läutete im XIII. Jahrhundert einem frommen
Hirten, Heinrich Pfrienz von Gerlikon, einige Jahre vor
seinem Tode von selbst, wenn er morgens in die Messe
gieng, und verstummte, wenn er in die Kirche trat. Als er
aber einst bei Regenwetter, um besser vorwärts zu kommen,
einen Rebstecken aus der Erde zog, auf dem Rückweg
aber nicht wieder einsteckte, läutete ihm das Glöcklein
nicht mehr, bis er den Stock wieder an seine Stelle brachte.
Murer, Helvet. sacra; Kuhn, Thurg. sacra I 162.

Pfyn. Im Jahr 1572 am 6. März läuteten alle Glocken der
Kirche zusammen, als ob ein Leichenbegängnis wäre. Als
man nachsah, war Niemand da, der sie geläutet hatte, und
die Glocken waren stumm.

Dasselbe begab sich 1699 wieder. Bericht von Joh. Georg Grimm 1700 in SULZBERGER's Sammlung aller thurg. Glockeninschr. 1872 S. 89.

Mettschlatt. Die Rheinauer sollen für die Glocke mit der Inschrift „1505 jar gos man mich" soviel Böcke (Vierbatzenstücke) geboten haben, als sie fasste. SULZBERGER a. a. O. S. 81.

Kanton Tessin.

Su di un poggio sovrastante al paesello di Castione, detto Mott da la tur, sonvi ancora le vestigia di un'antica torre, e lì vicino una gran buca rotonda, ora in gran parte ingombra dalle macerie e che un tempo doveva essere stata un pozzo.

La torre, quando esisteva ancora, portava sulla vetta una campanella d'oro coll'effigie di S. Giovanni.

Dei ladri vollero salire per involarla; ma, quando stavano per staccarla, la torre crollò, ed essi, colla campanella, furono gettati nel vicino pozzo. I ladri furono estratti dal pozzo cadaveri; ma non si potè mai rinvenire la campanella d'oro, per quante indagini si sieno fatte.

Tutti gli anni, nella notte di S. Giovanni, si sente suonare la campanella d'oro dal fondo della buca; e, se qualcuno tenta di rovistare o scavare, il suono cessa come per incanto.

V. Pellandini.

Kanton Wallis.

Naters. Die grosse Glocke erhielt den Namen Mauritius zu Ehren des Kirchen- und Landespatrons und Antonia, weil ihre Patin eine Gräfin Blandra von Weingarten war. Beim Guss jammerte und verzagte der Meister, weil zu wenig Metall da war, die anwesende Gräfin aber holte Silbergeschirr, das sie in den Tiegel warf. Der Guss geriet, und die Glocke erhielt von dem vielen Silber einen majestätischen Klang. Sie hat auch Macht über die Ungewitter und bösen Geister. Einst wollten zwei Berggeister das Fuchs-Gufer ob Naters auf das Dorf herunterstossen und der eine Geist rief dem andern zu: Ich mag nimme, hä kei Chraft meh; denn die gross Dona (Antonia) lütet.

TSCHEINEN u. RUPPEN, Walliser Sagen S. 34 fg.

Sitten. St. Jodersglocke. Dem h. Bischof Theodul (eigentlich Theodor, im Volksmund „Joder") wurde einst offenbar, der

Papst in Rom schwebe in Gefahr und sollte gewarnt werden.
Unschlüssig und ratlos öffnete er das Fenster und sah vor
dem Schloss drei Teufel munter und lustig tanzen. Mit
dem Geschwindesten derselben verabredete er nun, er wolle
sein werden, wenn derselbe ihn noch vor dem Hahnenschrei
nach Rom bringen und nach Sitten zurücktragen könne.
Der Teufel nahm freudig das Anerbieten an und stellte
einen schwarzen Hahn als Wächter auf die Stadtmauer.
Aber auch St. Joder brachte einen, und zwar einen weissen
Hahn auf den Dachgiebel des Schlosses und schärfte ihm
wol ein, sich morgens nicht zu verschlafen. Die Reise ward
angetreten; im Nu war St. Joder in Rom, warnte den Papst
und erhielt als Geschenk von ihm eine Glocke. Der Teufel
musste nun auch diese mitaufladen und nach Sitten bringen.
Vor zwei Uhr morgens kam der Teufel unten auf der Planta
an, da merkte es der weisse Hahn auf dem Dach und fieng
an zu krähen; auch der schwarze erwachte und schrie mit.
Da ergrimmte der Satan, weil er die Wette verloren, und
warf die Glocke so heftig zu Boden, dass sie neun Ellen
tief in den Boden sank. Der h. Bischof aber rief: „Dona,
Dona! lit" und die Glocke fieng an zu läuten und kam
läutend wieder zum Vorschein.

        Tscheinen u. Ruppen, Walliser Sagen S. 110 fg.

    Nach anderer Version erbat und erhielt der h. Bischof
für einen geleisteten Dienst vom Papst eine Glocke, die
von St. Peter getauft und gegen das Wetter gut sei.
Die Römer aber hatten sie vergraben und niemand wusste,
wohin sie gekommen war. Endlich fieng sie in der Erde
an zu läuten, da wurde sie ausgegraben und dem h. Theodul
überbracht. — Die Legende von der Theodulsglocke mit
dem Teufel wurde ungemein populär und daher unzählige
male von der Kunst des Mittelalters dargestellt, in Stein
und Holz gebildet, vielfach gemalt und auch auf Münzen
geprägt. Partikeln von der Glocke wurden von allen Seiten
begehrt, verschenkt [1]) und häufig als Reliquien in neu zu
giessende Glocken eingelassen oder später angelötet. [2])

---

[1]) So 1597 durch Bischof Hildebrand von Riedmatten an Luzern.
Urk. im Staatsarchiv Luzern.

[2]) So 1455 in die Glocke von Sulgen.

Luzerner Akten zum Hexen- und Zauberwesen..

Mitgeteilt von E. Hoffmann-Krayer.

(Fortsetzung).

26.

Elisabeth Meyer von Sarmenstorf. 1526. [1])

Lieben Herren, Nach dem dann diser Arm mentsch, mit namen Else mäyerin von sarmastorff jn miner gnedigen Herren von Lucern fencknus komen ist, hat sy verjehen:

Es werd jetz in der ärnd zwey jar, Als sy ein kindt betterin wär gwesen vnd vss kindbett gieng, do wär sy vast ein arm mentsch böser kranngkheit halb, so jr zů gfallen. Vnd Alss sy jn söllichem kümer vnd Armůt vnd jn schwärer krangkeit wär, das sy zů verzwiflung bewagte, do keme der tůffel jn eins allten mans gstallt zů jr vnd sagte jr, er wellt jr helffen vnd batte sy vnd redte mit jr die meinung [?]: erlob mir vnd wird mir zů willen, warumb jch dich bitt, so wil jch och thůn, warumb du mich bittest vnd wz du mich he[i]sst. Das hab sy dem tufel zů gseit.

Item so habe sy den lüten, namlichen hannsen schmid zů sarmastorff vnd hannsen Dubler von Ʌtzwil, jren küyen die milch gnomen, sig vngfärlich vernd vmb sant johans tag gschechen.

Item wann sy die lüt vmb milch gebetten vnd geheischen, vnd man jr die verseit vnd nit wellen geben, so hab sy jn jr selber zům tuffel geredt: „Nun wolan, tüffel, kum vnd hilff mir vmb die milch", so keme der tüffel jn eins mans gstallt vnd brächt jr die milch jn eim kübelj oder jn einem andren gschirr.

Item vngfarlich jetz vmb liechtmess, do hab sy zům tüffel geredt: „Lieber, thů des Suters frowen Ettwz zeleid. Da sig glich des Suters frow kranck worden.

---

[1]) Vgl. Rats Prot. XII 167.

Item Sy hab den tuffel bätten, das er einem zů hägglingen,
genannt Heinj, den schwantz genommen; dann der selb heinj
hette sy beschelkt. Do neme der tüffel jm den schwantz. Dernach Aber bätt sy dén tufel, das er dem heinj den schwantz
wider gäb. Das gescheche och ettwz lennger denn vber ein
monat darnach.

Item sy sagt, der tüffel hab jr der vnkuscheit [1]) nie zůge-
můtet. Er sig allein zu jr komen, wenn er ettwz bosskeit
wellt vsstossen, vnd wann sy Erzürnt wär.

[Item sy sagt, welches Cristen mensch sich am morgen wol
segne vnd wichwasser vnd gwicht [2]) saltz nit verachte [?], sonder
zů jm neme], [3]) so möge weder sy noch jrs glichen dem selben
menschen weder lüten noch vich den selben tag Nutt thůn.

Item so hat sy fry bekennt vnd verjechen, das sy vom
Hoggli, den sy dann angeben hat, Nünt Args noch böses wisse,
vnd hab jm vnrecht thon, vnd jnn allein vmb der vrsach willen
Angeben, dann sy von andren lüten gehört, der Hoggli hab sy
Angeben, darumb hab sy jnn ouch angeben; daby vermeinend,
wann hoggli gfanngen, so wurde er sy entschlachen, [4]) dann er
Nünt von jr gewůst. So hab sy jnn och Nie Erkennt vnd nit
me dann ein mal gsehn vnd gar kein kuntschaft zů im ghept.
So welt sy jnn dernach ouch entschlachen, dann sy wüsse gar
Nünt Args von jm.

Item

Vff söllich jr vergicht hand [?] m. g. h. Schultheiss, Rät
vnd hundert für sich gleit [5]) jr loblichen fryheiten, damit sy von
keiser vnd küngen begabet vnd gefryt sind vnd die verhört vnd
demnach vff des Armen mentschen vergicht [6]) vnd missthät, so
hand min g. h. clein vnd gros Rät sich vff jr Red Erkennt,
das diser mentsch wäger tod, dann lebendig sig, vnd das also
min herr Ratsrichter sol den armen mentschen dem nachrichter
befehlen; der sol sy binden vnd hinab füren vff die gwonlichen
Richtstatt vnd daselbs zů äschen verbrennen und darnach jm

---

[1]) Unkeuschheit.
[2]) geweihtes.
[3]) Das Eingeklammerte ist durchgestrichen.
[4]) unschuldig sprechen.
[5]) in Betracht gezogen.
[6]) Aussage.

schachen[1]) ein loch machen vnd die äschen dar jnn vergraben. Damit sol der arm mensch büsst han. Gott helf der sel.

Zusammenfassung von Nr. 26.

Eigene Aussage.

Elisabeth Meyer war krank aus dem Kindbett gekommen und hatte sich in ihrer Verzweiflung dem Teufel ergeben, der ihre Wünsche zu erfüllen versprach.

Sie nahm den Kühen zweier Bauern die Milch.

Wenn ihr die Leute auf ihre Bitte Milch versagten, rief sie dem Teufel, der ihr dieselbe herbrachte.

Sie hiess den Teufel, einer Frau Krankheit anzuthun.

Ebenso musste er einen Mann, der sie beschimpft hatte, impotent machen. Später wurde dieser Fluch wieder aufgehoben.

Geschlechtlichen Umgang hat sie mit dem Teufel nie gehabt.

Durch Besegnung, Weihwasser und geweihtes Salz könnten sich die Menschen vor bösem Einfluss schützen.

Einen Mann, von dem sie geglaubt, er hätte sie denunziert, hat sie selbst verklagt, spricht ihn nun aber wieder unschuldig.

Das Urteil lautet auf Verbrennung.

27.

Barbara Haller von Vaumarcus. 1528.[2])

Gn. HH., Nach dem diser arm mentsch mit namen Barbali Haller von Famerqui in miner Gn. HH. inn Lucern fencknus komen ist hat sy verjechen,

wie sy by ij oder iij jaren ungfärlich zů Gais uff der Kilwihy zů Hannsen Bächler selig, Heini Bächlers sun zů Hetzlingen[3]), geredt, er sölle ir kramen. Da redte er, er hette

---

[1]) Niederung an Gewässern. In Luzern wol eine ganz bestimmte Oertlichkeit.

[2]) Laut Rats-Prot. XII 280 b wird am 21. Aug. 1528 ein „wibli von Famerqui" ausgewiesen, am 22. Sept. 1528 (fol. 283 b) verbrannt. Dieser Widerspruch ist uns nicht klar. Auch wird 1519 (XI 104 b) eine Barbel Vermeggerin (Vaumarcus?) erwähnt.

[3]) Hezlig, Bauernhof in der Pfarrei Romoos (Entlebuch)?

kein gellt. Do sig sy zůgfaren und im wirtshus zů Gais hab-
sy ein suppen gemacht und von einer krotten das gifft gnomen
und ein spinnen und im das uff das brot gleit und im das zeessen
gen, darab sig im so we worden.

Item sy sagt, sy sig Hannsli Kochs seligen jungfrow[1])
gsin, und er wollt ir nit den lon gen, und uff ein zit, als
sy gen Wollhusen ins bad wollt, da keme ir der tüfel, hette
ein gelen rock an und gschaben käs, do bäte sy den tüfel, er
sölt Hannslin Koch ein stos gen, so wollt sy sich an inn ergeben mit lib und sel. Da sagt er: Ja ich wils wol schaffen.
Darnach hab der tüfel dem Hansli Koch ein stos uber die
stiglen[2]) gen, das er erlamet.

Item so sig der tüfel im Obermos im Schiblachen zů ir
komen und zů ir gredt, sy sölt mit im gen in die hell und sy
sölt nit betten und kein gůts thůn.

Item sy hab auch ein hagel gmacht by des Sibers hus.
Da hab sy gnomen ein stein und den in weg in des tüfels namen
gworffen, da sig ein hagel komen, aber nit gross steinnle; sunst
hab sy nie kein hagel gemacht, und der tüfel hab irs graten
und sig ir daby gsin.

Item so sig der tüfel zwey mal in thurn zů ir komen in
eins hunds wys und hab ir verboten, das sy nünt sagen söll.

Urteil.

Uff söllich ir vergicht han min gnedig Herren schulthess,
rät und hundert für sich gleit ir loblichen fryheiten, damit sy
kaisern und küngen begabet und gefryt sind und die verhört,
und demnach uff des armen mentschen vergicht und missthat so
hand min gn HH. klein und gros rät sich uff ir · eid erkennt,
das diser mentsch wäger tod dann lebendig sig und das also min
her ratsrichter sol den armen mentschen dem nachrichter be-
felchen, der sol sy binden und uff einem karren hinab füren uff
die gwenlichen richtstatt und sy daselbs zu äschen verbrennen
unnd darnach im schachen ein loch machen und die äschen
darin vergraben. Damit sol der arm mensch busse han. Gott
helff der sel.

---

[1]) Magd.
[2]) *Stigele* f. heisst heutzutage „Stützstange" (hier derb für „Bein"?).
Die (sehr undeutliche) Handschrift liesse auch „Soglen", „Saglen" oder
„Suglen" vermuten.

28.

Barbara Im Herd von Kriens. 1531.

Kuntschafft von Barbaly Am [so!] Herd, so zů kriens gewesen jst, des schůchmachers zů kriens eliche husfrow, die gan wallis, dahär sy geporn, wider kon jst. Vffgnon im xv^{ten} xxxj^{ten} jar, vnd jst diser Coppy Abgschrifft gan wallis geschickt worden. [1])

Diss ist die kundtschafft, so von disen nachgemelten Zügen by jren geschwornen Eyden vffgenomen vnd verhört worden ist, von wägen vnd Antreffend die handlung, so barbali jm herd, dess schümachers zů kriens Eliche hus frow, zů kriens vnd Anderschwa gebrucht hat, vnd wie wol sy sich hie nempt Barbara, so vernimpt man doch, dz sy den namen verkert, vnd ir Rechter nam dichtli [2]) geheissen jst.

Vnnd nach gethanen Eyden, so redt vnnd bezügt des Ersten Offerion jm boden von kriens, die selbig frow, so sich Barbell jm [Herd] genempt hat, sy Allwegen gütter dingen mit jm gsin vnd wölte jm eisdar [3]) sin basen gän. Da rette er nit vil darwider, er wölte lieber mit ira Rüwig sin, seite weder gütz noch bös zů ir. Inn dem do wurde im ein frowen gän, die er noch hab. Da käme die selb Barbell zů jm vnd wär gantz zornig vnd rette: „wär hat dir die frowen gän?" Antwurte er: „From biderb lüt", da rette sy: „Der tüfell hat diers gen." Antwurte er: „Nein, from lüt handts gethan." Demnach glich begegnotte jm ein vnfal, vnd wurd jm angetan, das er by keiner frowen gar nüt sölte. [4]) Dess er beschwärt, vnd hette fromer lütten Rat, so vil, bis jm mit gotts hilff geholffen wurd, mit vil vnrüwen [5]) vnd vmstenden, dauon vil zů sagen wär, dann jm auch darby Antzeigt vnd gelert wurde, das er der selben frowen fürhin müssig gienge vnd sins hus vnd heim Eben wol acht hette, nützit in dem zit, so in gelert was ettwas zethünd, vss sinem hus zu lichen noch zů verkouffen, sonder wenig wunders [6]) zů triben, bis dz er genäs. Das hab er gethan.

---

[1]) Steht auf der Rückseite der Akten von anderer Hand.
[2]) Benedicta.
[3]) in einem fort, immerdar (eins + dar),
[4]) dass er bei keiner Frau etwas taugte, d. h. impotent war.
[5]) Unruhe.
[6]) Neugierde.

Peter Achermann von Horw Ret, die selb Barbell Schümacherin sye mit jm vneis [1]) worden, das wäre darum, das sy
vnd ir man jm schuldig wärend äben [2]) vil; vnd nach langem
handell habe er jren beiden ir güt mit recht vnd mit den
weyblen verbotten [3]), Alls er vermeint, vilicht sy ir güt hinweg
zü ziechen. [4]) Da trowte sy im mit dem finger, er müste dess
nit geniessen. Vnd jnn kurtzen tagen hette er xiij kü, die er-
wurffend [5]) jm all vnnd wurdend zü Rytteren. [6]) Demnach sige
sy in sein hus kon; da wärend noch Ander frowen zwo by iren,
vnd sin husfrow wäre nit in der stuben dessmalls. Da rette die
selb Schümacherin, sy hette dry Zägell [7]) jnn ein bach tan. Inn
dem käme sin Eliche husfrow ouch zür stuben tür jn gan, da
wurde geschwigen vnd nit mer geseit. Nit lang darnach hab
sin fründ Claus schell jren, der frowen, ein Ross in than, [8])
das wäre iren, vnd was im jn sin weid gelüffen. Da trowte sy
jm, dem selben Claus Schellen, jnn sim, des zügen, hus vast
vnd hoch, vnd schwüre treffenlich vbell vber jnn; vnd in kurtzen
tagen wurde der selb Claus schell gantz lam vnd kranck, wäre
lang ein bettris [9]) vnd sye noch vff den hüttigen tag lam.

Dietrich Lang von kriens Ret: Alls dem Offerion jm
boden begegnot vnnd Angethan was, dz er by siner frowen,
noch by keiner gar nüt sölt, vnd jnn gelert wurde, dz er der
Schümacherin sölte ir har vss roupfen; das wölte offrion gethan
haben, da möchte er jren keins vsspringen. Darby sige er, der
Züg gesin. Demnach syge dess offrions mütter zü der Schümacherin gangen vnd sy gebatten [!] vm irs hars, sy wölle dz
bruchen zum fee; vnd sy habs iren gän. Nit lang darnach, sige
der Züg darby gesin, habennd wöllen von horw heim gan, vnd
offrion vnd sin frow mit jm vnd Anderlüt ouch, da rette die
selb Barball Schümacherin zum offrion: wann bistu An dim fulen
Zagell [10]) wider kon? du woltest mir mins hars gnon han", vnd

---

[1]) uneins.
[2]) ziemlich.
[3]) mit Arrest belegt.
[4]) der Sinn ist: er glaubte, sie könnten Güter heimlich bei Seite
schaffen.
[5]) kalberten vorzeitig.
[6]) unfruchtbar.
[7]) membr. vir., d. h. wol nicht eigentliche, sondern Symbole davon.
[8]) eingesperrt.
[9]) Bettlägeriger.
[10]) wie bist du wieder potent geworden? (zagel = membr. vir.).

erwüschte damit ein stäcken vnd wölt offrion geschlagen han.
Da zuge ers von einandren, vnd alls sy fürbas giengend, domalls kämend sy An der Schümacherin matten, da wölte sy den
offrion nit durch ir matten lassen gan, wie wol der recht weg
dadurchhin gienge. Da rette sy neiswas[1]) worten zum offrion
vnd zuckte damit ir messer vss vnd wölt den offrion erstochen
haben. Da schiede er, der züg, vnd erwüschte sy vnd hübs[2])
vnd butte ira frid. Do rette sy zü im, dem zügen: „Nun beit,[3])
du hast mich nit lan machen vnd hast dich der sach Angnon;
du müsts wol jnnen werden, wz than hast. Nit lang darnach
gienge im ein vnfal zü handen mit fech, dz im Abgienge; er
wüss aber nit, wers than hab.

Hanns jm boden, obgemelts offrions im boden vater Rett
Alls synem sun der vnfal zü handen gangen wäre, vnd siner
Elichen husfrowen der Schümacherin har wurde oder worden
wäre, do käme demnach die Schümacherin jnn sin hus zü siner
husfrowen vnd wäre gantz schalckhaftig vnnd übel erzürnt, täte
ganz vngeschaffen[4]) vnd welte ir har wider han. Da gäben sy
iro dz har halb wider oder dem merteil, dz sy wond[5]), sy hätte
Alls. Das vberig har, so sy noch behaben hette, hätt sy in ein
loch vnd schlügend ein nagel darfür vnd liessend es dry tag
darinn, alls sy auch gelert wurdy; vnd demnach den nagel vnd
har wider haruss zogen, da sige heitter blütt darfon gelüffen.
Das habe im sin frow vnd der sun geseit. Demnach habend sy
das selb har verbreant.

Hans Achermann von horw redt, er habe fee by der
Schümacherin fee jm hergis wald gehebt; da hette sy jm ein
houpt fech, das sin was, mit dem iren beim gfürt. Das sy wol
wüsdt am zeichen vnd sunst, das nit iren was. Vnd er gienge
dar vnd nams wider mit gwalt. Da welte sy ouch ein messer
jnn jnn gestochen han; aber er hette ein güt byel[6]) vnnd hette
jm sinn, sy zü todt zeschlachen. Da sy sach, welchen weg er
wolt, da lies sy jm sin houpt fech wider vnd seite nüt dartzü.
Vnd nüt desterminder wurde jm domalls sin frow kranck etwas

---

[1]) etwas.
[2]) hielt sie.
[3]) wart.
[4]) roh, wild, ungeberdig.
[5]) wähnte.
[6]) Beil.

zytts vnd wurde jm ouch gantz nienen recht, jnn [!] zergienge
fröüd vnd müt, me dann zween gantz monat.

Hans Aman von kriens redt: Die Barbell Schümacherin
sye zü jm in sin ʼhus gewandlet, vnd er habe ein töchterlin, dz
wölte sy nun vast in ir hus ziehen, vnd verhiesse, sy wölte dz
töchterli leren hüpsch lang har machen. Das wölte sin frow nit
thün, wölte ir dz töchterlin nit in ir hus lan. Demnach vber-
redte sy jnn, das er ir ein knaben liesse by ir zü dienen, vnd
alls der selb knab etwas zits by ir wäry vnd ir diente, da funde
der selb knab jnn irem [hus] jnn etlichen löcheren har, vnnd vff
der tyli obnen hette sy wol by zwey pfunden hüpsch gälie ¹), wie
hüpsch wärch. Da rette sy zum knaben vnd larte jnn, ob
etwar ²) käm vnnd irem har wölte nachfragen, so sölte er vnge-
schaffenlich thün vnd sich letz stellen mit denen, so dem har
nach wölten fragen, vnd sölte sprechen: „Woltestu mit miner
frowen har häxen wärch machen vnd pruchen?“ Dess wurde er,
Alls der vatter, jnnen, vnd näme den sun wider heim vnd
schickte iren Ein andren sun, genant Andris. Den selben sun,
habe sy nit gewellen, sunders den selben mit eim Schyt vssgejagt
vnd jm getröwt, er müste dess engelten gegen iro vnd jren
fründen. Vff dz selb wurde jm angentz ³) der selb sun Andres
vnd der Ander sun, so vor by iro gsin was, All beyd krank vnd
lam vnd sygend noch beid lam.

Demnach Redt dess obgemelten Hans Amans Sun, der
lam ist: Er habe der geyssen gehüttet jm Hergiswald, da sye
die selb Barbell Schümacherin mit jm ouch hinuff gfaren mit
iren fünff geyssen zü weyd, vnd da sy vff den berg kamend,
da wurdy ein vnreins schwärs wätter. Da wöllte sy nun vber-
nacht im berg beliben vnd wölte, dz er by iren da obnen be-
lihe. Das wölte er nit thün, sunder redte zü iren, er wölte heim,
vnd sölte es Halbarten schnygen ⁴); vnd er gienge heim. Da
gienge sy mit jm, vnd sy hette ein kuncklen vnd spunni. Vnd
als sy den berg vffhin giengen zü weid, do verlüre sy ein
spillen ⁵) vnd am abher gan funde sy die spillen wider, vnd sy
giengen doch nit den weg harab, den sy vffhin gangen warend,

---

¹) gelbe.
²) Jemand (l. etwär).
³) alsbald.
⁴) Hellebarten schneien.
⁵) Spindel.

sunders ein Andren weg; aber nüt dester minder wurde iren
die spillen wider. Vnd alls sy Am heingang werend den berg
Ab, da were es noch tag. Da sesssend sy beide zü Sarnen vff
ein Ronen[1] zu Rüwen[2]), do käme Ein Rägenbogen, glich by
jnen[3]); da redte sy zü jm: „Züch din rechten schü Ab vnd
würff den vberen Rägen bogen, dann so kanst du ouch wünschen.[4]"
Das wölte er nit thün, vnd alls er dz nit thün wölt, glich
Angendts stache in neiswas[5]) ins bein; Da rette er: „Mich sticht
vbell in mins bein", da redt sy: „Du wensts, dz dich stäche",
vnd lachete in an, vnd giengen heim. Darfürhin[6]) wurde er
lam vnd sy je sid lam gsin vnd noch, vnd habe vil schmertzen
erlitten. Dann im nütt preste[7]) vnd gantz gsund wäre, alls er
Am morgen zü weid vff den berg füry.

Zusammenfassung von Nr. 28.

Zeugenaussagen.

Onuphrius Imboden wurde von der Angeklagten impotent
gemacht, weil er eine andere Frau geheiratet, als sie für ihn
im Sinne gehabt hatte.

Peter Ackermann hatte sie betreiben lassen, weil sie ihm
Geld schuldig war, hierauf giengen ihm 13 Kühe zu Grunde. —
Einmal äusserte sie sich, sie hätte 3 membra virilia in einen
Bach gethan, (wol um bei bestimmten Männern Impotenz zu be-
wirken). — Klaus Schell machte sie lahm, weil er eines ihrer
Pferde, das in seine Weide gelaufen, „eingethan" hatte.

Dietrich Lang berichtet zu dem Fall On. Imboden, dass
der Geschädigte sich wieder durch das Haar der Hexe geheilt
habe, worauf sie ihn habe ermorden wollen. Er, der Zeuge,
habe den Streit geschlichtet, sei aber dafür mit Viehschaden
bestraft worden.

---

[1]) umgefallener Baumstamm.

[2]) ruhen.

[3]) nahe bei ihnen.

[4]) Wenn man einen Schuh in den Regenbogen wirft, so kommt er
mit Gold gefüllt zurück. (Mündlich aus Graubünden). E. Meier, Deutsche
Sagen, Sitten und Gebräuche aus Schwaben 1852 S. 229. Vgl. auch
Schweiz. Id. IV 1067.

[5]) Etwas.

[6]) von da an.

[7]) nichts gefehlt habe.

Nach On. Imboden's Vater hat die Hexe ihr Haar zurück-
verlangt, aber nur zum Teil wieder erhalten. Das andere wurde
in ein Loch vernagelt und zeigte beim Wieder-Hinausnehmen Blut.

Hans Ackermann wurde, weil er ein ihm gehöriges Stück
Vieh zurückforderte, von der Hexe mit dem Messer angefallen.
Bald darauf wurde seine Frau krank und er gemütskrank.

Einem Töchterchen von Hans Ammann wollte sie lehren
„hübsche lange Haare" zu machen; doch liess er das Kind nicht
zu ihr. Dafür sandte er einen Knaben in ihren Dienst, der dort
in Löchern und auf dem Estrich zum Zauber bestimmte Haare
vorfand. Sie ermahnte ihn, sich ungeberdig zu stellen, wenn
die Leute nach den Haaren fragten. Der Vater zog hierauf
diesen Sohn zurück und schickte einen andern hin, den die
Hexe aber wegjagte. Beide Söhne wurden hierauf lahm.

Der Eine von ihnen erzählt, er sei mit der Delinquentin
auf einen Berg gegangen, um Ziegen zu hüten. Unterwegs habe
sie eine Spindel verloren, und trotzdem sie einen andern Rückweg gemacht hätten, habe sie doch die Spindel wiedergefunden.
Als er sich weigerte, auf ihren Rat hin „einen Schuh über den
Regenbogen zu werfen", um das Glück zu beschwören, spürte er
plötzlich einen Schmerz im Bein. Seitdem sei er lahm.

<hr/>

29.

Die Stürmlinen von Brüggen beträffend. ca. 1531.

Bastion zů Rüty zů Willisow in Ettis wiler kilchgang
clag vnd anzüg [1]) sins Handells.

Zům ersten Rett er, alls er ein frowen margret törigen
gnomen hab, das sye by xiij jaren, da vermöchte er sich iren
wol gnůg [2]); doch allwegen mit schaden, desshalb, wann er by
iren glegen wäry, so hette er in achttagen kein Růw, vnd kemy
im dach [!] darzů, das er on sy nit sin möcht, er müste ab dem
werch heim zů iren, vnd sigend doch ouch der merteil vneins
xin [3]), vnd inen dick lang zit den letzen weg gangen [4]) wie sy
joch das augfangen haben. Aber es sye ein fröw, genant die
Stürmlinen, die nit ein gůt gschrey oder lümbden hab, inen

<hr/>

[1]) Beweissatz, Zeugenöffnung.
[2]) coitum maritalem sæpe exercuit.
[3]) gewesen.
[4]) missraten.

vil im weg glegen vnd mit inen old zwüschen inen mer ge-
handellt[1]), dann im vnd siner frowen lieb gsin syge, vnd, alls
er besorg[2]), inen nit wol erschossen[3]); dann die selb Stürmlinen habe ein sun, den selben sun hette sy gern syner elichen
fröwen gen, ee sy inn gnon hab. Diser vnfall vnd vnrüw werte
zwey jar.

Da wäry er daheim in siner Stuben vnd läge vff siner
gütschen[4]) oder banck vnd sässy sin fröw by im. Da kämy
die Stürmlinen ane aller ir wüssen inhin gan zu inen vnd
seite nie kein wortt vnd gieng allso wider hinvss. Das sy nütt
Rette, das näm inn vnd sin fröwen wunder. Da Rette er zů
siner elichen Husfrowen, das sy des wybs, der Stürmlinen,
müssig gange.[5]) Da Rette sin fröw, sy kompt Eins dar[6]), so
ich nünt von ir weiss; vnd alls dick[7]) sy kompt, so erschrik ich
vast übell ab iren. Da spräche er aber: „Gang ir müssig.“

Vnd dem nach über Ettwas zytts habe er in sim hus in
Eim genterly[8]) neisswas gesůcht vnd vngefärd[9]) griffe er in
ein winckell vnd fundy Ein cleiny hölltzinen beiglen[10]), etwa
Eins fingers lang, die wäry alls voll krinnen[11]) geschnitten an
allen ortten, das nit merer wol daran möchten.[12]) Die tätte er
harfür vnd zögtty die siner frowen vnd fragte sy, was sy mit
tätty. Das [!] sprach sin frow: „Nütt“. Rette er: „Du tust
neiswas[13]) mit. Ich wills wüssen“. Das [!] Rette sin frow:
„Es hat mirs die Stürmlinen gen, das ich daran betten sölle.
Das hab ich tan, vnd ie lenger ich daran bettet hab, ie bösers [!]
ist vnser sach halb“.[14]) Die selb beiglen syge hinweg kon
vss sim hus, das er nit wüsse, wars[15]) kon sig.

---

1) sich in ihre Sachen gemischt.
2) wie er fürchte.
3) nicht erspriesslich gewesen.
4) Ruhebett.
5) vermeide.
6) immer. (Noch jetzt *eissder*).
7) oft.
8) Schrank.
9) von ungefähr.
10) Kerbholz.
11) Einschnitte.
12) dass nicht mehr darauf Platz gehabt hätten.
13) etwas.
14) um so schlimmer ist es mit unserm Uebel geworden.
15) wohin sie.

Vnd alls er die selben frowen, die Stürmlin genant, nit
gern me wolt in sim hus han vnd sy hiess vasern[1]) vnd sy
schüchty, da fiengen alle sine kûg an vnd gaben kein Rechte
milch mer wie vor, vnd wöllte das fee nütt söllen[2]), vnd kein
Recht kalb me möcht im werden, vnd wan er wöllte vech verkouffen den metzgern, vnd sy das gesächen, sprächen die metzger:
„Wir künden das nit kouffen, es ist doch nütt, dann hut vnd
bein“. Vnd wan er joch ein kalb zoch, so mochts dannocht
nit werden, das er kein kû künd daruss ziechen, das ers weder
bruchenn nach verkouffen möcht. Vnd syge sin fech also vss
torret[3]) vnd ettlichs gäch[4]) gestorben vnd Alles mithin[5]) verdorben. Ettlichs hept sich jar vnd tag, geserbet[6]), vnd etlichs
kümerlich widerkon, vast wenig. Vnd er habe vast sin todt
fech heimlich nachts vsshin gschleipft, das niemand vernäm.
Vnd wan er schon andres fech koufty, so wärs eben wie vor.

Demnach sye es im an die Ross kon, das die vnbillich[7])
vil gessen, das ers nit glopt[8]) hette; wöllten aber nitt trügen[9]),
vnd wann ers in spante, so wölltens nit ziechen vnd künds
nieman abstätt bringen, müste die gantz vss dem gschirr thûn;
vnd alls bald sy ledig vss dem gschirr würden, so lüffend sy
hinweg vnd prest[10]) inen nütt.

Vnd sye im das fech gstorben fünff gantze jar, vnd da
das überhin käm[11]), da habe sin sach vnd siner frowen sach nütt
wöllen söllen.[12]) Das habe sich Alls verzogen bis vff den Zinstag vor dem hochen Donstag.[13]) Da habe sin frow zû der
Stürmlinen wöllen gan, sy bitten, das sy ir hüllffe. Da sige
er selbs zu iren gangen vnd sy gebetten vmb gotz willen vnd
vnser lieben frowen willen, das sy im hüllffe. Habe sy allso

---

[1]) fern halten.
[2]) nichts taugen.
[3]) abgemagert.
[4]) jäh.
[5]) obendrein.
[6]) langsam dahingesicht.
[7]) unmässig.
[8]) geglaubt.
[9]) gedeihen.
[10]) fehlte.
[11]) vorüber war.
[12]) habe der eheliche Umgang nichts getaugt.
[13]) Gründonnerstag.

zům dritten mal gepeten, habe sis im zwey mal verseit; vnd zům driten mal hab sy zů im gerett: „Wärest du zůr fasnacht zů mier kön, ich wöllt dier wol vor Ettlichem gsin sin." Vnd alls er vnd sin eliche Husfrow am hochen Donstag bede zům hellgen sacrament gangen wärend, da kämy die Stürmlinen zů inen in ir hus, vnd sy brächte ein kertzen mit ir vnd seite, die kertzen wär vil besser, dann ein andery kertzen, vnd hiess inn zům ersten damit bezůnden vnd dann sin frowen auch, vnd seite, sy wöllte in nůn tagen wider zů inen kon. Aber sy käm nit. Vnd wärs etwas zits gůt[1]), das er meintte, joch[2]) es wöllte gůt bliben. Aber es horte bald.[3])

Vnd ouch vff ein zytt, vorm hochen Donstag, käme er gan Ettiswil in die Kilchen; da wäry die Stürmlin ouch darin vnd noch ein frow. Da sächy sy inn an so grüsamlich, das er gantz vnd gar erschrack vnd im alle sine har zů berg giengen. Sy seite aber nüt zů im vnd er nütt zů iren.

Vnd am selben tag hette er sich verwegen vnd sye darumb vss sim hus gangen zů iren zegand[4]); aber er käm nit zů ir. Da würdy im so wee im halls, das er nit reden künd, das gar nütt söllte sin ding[5]), dann mit grosser marter müst er reden, vnd das man inn kümerlich möcht verstan.

Das sye allso angestanden bis an Meytag; habe er allwegen gewartet, wann das selb wyb käm vnd im vnd siner frowen hellffen wöllt, alls sy inen verheissen hät. Da wollt sy nienen kon. Da fienge er vnd sin frow an zů baden, ob sy wider kämen[6]), vnd alls bald sy bede in das bad kämen, da wäry sy da vnd Rette: „Bastian badest"? er antwürt: „Ja". Rette sy: „Hettest ein stein am halls, das du ertrünckist! du bist ein fuler man, vnd darumb bist Ein fuler man, das du nit Ein böm zwygest[7]) hinders hus, wann ich köm, das ich Ein öpfell fündy. Da spräche er: „Ich hab vil zwyget, Es will mir keiner geratten." Da Rette sy: „Lass anderlüt setzen vnd schütt milch darzů, so wachsendts. Ich han kürtzlich ein gesetzt vnd

---

[1]) es wurde auf eine Zeit besser mit ihrem Uebel.
[2]) auch, sogar.
[3]) hörte bald auf.
[4]) um zu ihr zu gehen.
[5]) dass aus seinem Vorhaben nichts wurde.
[6]) in der Hoffnung, wieder gesund zu werden.
[7]) eigtl. pfropfen; hier wol überh. pflanzen.

schüten milch darzů, vnd er ist gar gross worden. Vnd sy Rette
wytter: „Das bad törffte wol Eim zů starck werden". Vnd desselben tags würdy siner frowen im bad so wee, das sy meint,
sy würdy Ee lam, dann gsund vnd sy möchte das bad nit mer
erlyden.

Desglichen habe er ein kind, vnd er wär über feld xin zů
schöfftlen¹), da würdy das kind treffenlich²) kranck, das er meinte,
es müst sterben. Da kämy aber das selb wyb vnd fragte, ob
das kind nit kranck wär gsin. Da habe er vnd sin frow iren
das nit wöllen sagen, haben gerett: „Nein".

Da rette das selb wyb: „Ich stan all nacht vff vnd lůgen
zům laden vss, vnd wann ich schon kein ryffen sich, so ists
doch allmorgen ein ryff, vmb min hus der merteil. Es ryffet
gern vmb min hus.⁵) Demnach habe sy mit inen zů abend
gessen vnd syge darnach hinweg gangen.

Item demnach, alls er mit iren treffenlich grob vnd scharpf
gerett habe, vff die meinung, das sy im vnd siner frowen sölhs
zůgfůgt hab, rette sy, das sy vil für inn bettet hette, vil tüsige⁴)
vnd vil rosen kräntz. Da habe er iren vast tröwt vnd derglichen tratzlich⁵) mit iren mengerley gerett. Da habe sy im
geantwurt, er sölle iro nüt bös nach reden, es möchts villicht
ein fallsche zung im haben an than, das sy im villicht nit
hellffen künd.

Item am hochen Donstag habe sin frow mit dem selben
wyb gerett, alls sy villicht ouch glert vnd vnder wisen wär⁶),
vnd iren clagt, wie es ir vnd irem man so schlechtlich in der
ee gienge, vnd habe sy drůwmal gepetten vff einander vmb-
gotzwillen, das sy iren hellffe. Da habe das selb wyb gerett
zů siner frowen: „Du bist selbs schuldig, du hast den man nun
wöllen han, es sind ander lüt ouch in der sach, die dich gern
hetten gnon".

Vnd in suma, so habe das selb wyb ein sun, da hette sy
gern gesechen, das sy irn sun gnon hette. So dz nit beschechen,

---

¹) Ist das aarg. Schöftland gemeint? ein Verbum „schöftlen" ist
uns nicht bekannt.

²) schr.

³) Der eigentliche Sinn und Zweck dieser Aussage ist uns nicht klar.

⁴) fehlt „vaterunser"?

⁵) zornig.

⁶) vielleicht auf einen Rat hin.

vermeiny er, villicht im sölhs zů handen gestossen sye, sölhs.
vnd vil ander sachen im begegnet mit diser frowen, die er nit
all sagen künde vnd vil langer reden bruchen wurdy.

Item im sye schaden beschechen an fech by ij‘¹) Kronen,
vnd ee darob.

Zusammenfassung von Nr. 29.

Zeugenaussagen.

Sebastian zu Rüti sagt aus, dass der eheliche Umgang ihm
stets zum Schaden ausgeschlagen habe und vermutet dahinter
zauberische Beeinflussung durch die Stürmlin, die des Zeugen
Frau für ihren eigenen Sohn bestimmt hatte.

Oft ist die St. unangemeldet in seine Stube gekommen
und, ohne ein Wort zu sagen, wieder weggegangen. Seine
Frau erschrack immer bei ihrem Erscheinen.

Eines Tages hat er ein Kerbholz voller Einschnitte ge-
funden, von dem seine Frau ihm gestanden, dass sie es von der
St. erhalten habe, um damit zu beten. Es ist aber mit ihrem
Uebel nur schlimmer geworden.

Infolge des Hausverbots gegenüber der St. ist ihm alles
Vieh zu Grunde gegangen.

Seine Pferde haben unmässig viel gefressen und zu keinem
Dienst getaugt.

Als die Sache mit ihm und seiner Frau nicht gut wurde,
hat er die St. gebeten, ihm zu helfen. Sie antwortet ihm, wenn
er an Fastnacht zu ihr gekommen wäre, hätte sie manches abwenden können. Wie er und seine Frau am Gründonnerstag
im Begriff sind, zum Abendmahl zu gehen, kommt die St. mit
einer Kerze, die sie als besonders heilbringend rühmt, und heisst
ihn und seine Frau damit bezünden. Hierauf wird es eine Zeit
lang besser mit ihnen; doch nicht auf die Dauer.

In der Kirche hat die St. ihn einmal so erschrecklich angesehen, dass sich ihm die Haare sträubten.

Am selben Tage macht er sich auf zur St.; aber plötzlich
befällt ihn ein solches Halsweh, dass er nur unter grossen
Schmerzen reden kann.

Wie er mit seiner Frau im Bad ist, in der Hoffnung zu
genesen, kommt die St. und wirft ihm Faulheit vor, dass er-

¹) 200 (?)

keinen Baum hinterm Haus pflanze, von dem sie Aepfel gewinnen könne. Auf seine Antwort, dass ihm das stets missraten sei, rät sie ihm, das Setzen durch jemand anders besorgen
zu lassen und den Baum mit Milch zu düngen. Auch spricht sie
die Vermutung aus, das Bad könnte Einem von Beiden zu stark
werden, worauf seine Frau von heftigem Schmerzen befallen wird.

Nachdem sein Kind totkrank gewesen, fragt die St., ob es
krank geworden sei; dies verneinen er und seine Frau.

Die St. sagt zu ihm, sie stehe jede Nacht auf und sehe
hinaus, und wenn sie auch keinen Reif sehe, so sei frühmorgens
doch immer ein Reif, und das besonders um ihr Haus.

Einmal redet er scharf mit ihr und zeiht sie all des Uebels,
das über ihn gekommen. Sie will ihm weis machen, sie bete
oft für ihn; aber er stösst zornige Drohungen gegen sie aus.
Da bittet sie ihn, sie nicht zu verleumden; eine falsche Zunge
verhindere vielleicht, dass sie ihm nicht helfen könne.

Seine Frau hat die St. gebeten, ihr und ihrem Mann zu
helfen, da antwortet diese, sie sei selbst an ihrem Unglück
schuld, da sie den Mann geheiratet habe; es seien auch Andere
da gewesen, die sie gern zur Ehe genommen hätten.

Dass der St. Sohn, seine (des Zeugen) Frau nicht bekommen habe, sei wol der Grund all ihres Unglücks.

Sein Schaden an Vieh habe sich auf mehr als 200 (?) Kronen
belaufen.

30.

Elsi Leimgruber von Schaffhausen. 1532.[1]

Ir herren, Nachdem Elsi leimgrüber von Schaffhusen
hie gegenwurttig jn miner gnedigen Herren gfengknüss komen
ist, hat sy verjechen, das fernd[2], jm nächst vergangnen jare
Ettwas geists vff der strass zů jren komen sye vnd sy geheissen
vnd glert vnd schier zwüngen, das sy Ein hagell gemacht habe
by lentzbürg, der sye aber nit wytt gangen; Ettwa Ein myl
oder zwo vnd habe ouch nit darnäch vil schaden thän; das korn

------

[1] Vgl. Luz. Rats-Protokolle Bd. XIII 125 a.
[2] letztes Jahr.

wäry noch jüng, Es wäry nāch ostren, schier zů pfingsten zůhin. Vnd der geist. habe jro nit mer gen, dan vier Haller. Der selb geist syge oůch by jren glegen vff der nacht neben der Strass inn stůden vnd mit jren zů schaffen gehept, nit mer dan Einest. Da habe Er sy lassen liggen vnd sye von jren hinweg gloüffen.

Vff sömlich jr vergicht vnd misstät habend min g. hern etc. (Urteil auf Verbrennung).

<hr>

31.

Magdalena Nesslerin. 1541.

Wir, der landamman vnd dye landlütt zů vnderwalden nit dem kärnn vergächen, dz vor vns ärschinen ist madaleny nesslerin mit sampt irem rächt gähnen vogt jost mattis, des ratz, vnd vns an zeygt, dz dan der Herr kylchherr pastor im entlich hůcb [!] iren an ir glimpff vnd er grett[1]), den sy ein mal brächted[2]), doch sige sy kuntschafft mangelbar gsin[3]), dz sy die sälbig sine red nit gruntlich antag hab mögen bringen. Nu bgägny ira[4]), dz der gemält priester noch allwägen nit ablassy vnd iren imer dar an glimpf vnd er gröblich redy vnd sy fast gägen den lütten schälty vnd verträgy[5]), dz sy doch nit liden mögy noch welly; dan sy ouch vnschuldig sy; bad vns, iren kuntschafft der warheitt barum vergönnen in zů nämen[6]) von dis nach genämpten[7]) personen, dz man die verhören vnd iren darum gschryfftlichen vnd gloubsamen schin gäby. Vnd die wyll nu nit zimpt, iemantt kuntschafftt der warheytt ab zů schlachen noch vor zů sin, so habend wir iren die ouch us gůtter pflicht vnd mit geneygten [!] wyllen vergönt in zůnämmen[8]), nach pruch vnd gestalt der sachen zů vffenthalt vnd fürdrund [!] des rächten.

<hr>

[1]) durch üble Nachreden ihre Ehre angetastet.
[2]) vor Gericht gezogen.
[3]) es habe ihr an Zeugen gefehlt.
[4]) komme ihr zu Ohren.
[5]) verleumde.
[6]) bat uns, das Wahrheitszeugnis hierüber einzuvernehmen.
[7]) genannten.
[8]) einzuvernehmen.

Vff dz zügett vnd spricht der vnser trüw, lieb landmann
vnd des ratz kûnrat im wingartt, nach dem im gepotten ward,
harum ein warheit zû reden, niemantt zû lieb noch zû leyd, als
lieb im gott, sel vnd er syg, vnd sprychtt, är syg vff ein zytt
zû lutzern im wirtz huss zum ochsen gsin, da syg ein pfaff
gsin, ein hüpsch person, da rettin etlich, är wäry im entlybûch
kylch herr. Der retty, wye är krank glägen wär vnd da schier
ärlamett; aber är hätty dz von einer hägxen, die wäry jetz mit
irem man zû vnder walden; darby retty är ouch, äs giengy eys
bächly by sim huss, da welt sin juugfrow¹) darin wäschen; da
wäry dz bächly vast vnsubers, dz haby die hägx so bschysses²)
gmacht; dan är wäry dz bächly vff gangen³), da wär ein züber
im bach gstanden, vnd da für vffy⁴) wär dz bächly suber.
Wytter haby der pfaff grett, är haby jm entlybûch in der
kylchen vff die hägx gschruwen, da är predien weltty, dan är
haby sy da dännen⁵) uss dem entlybûch vertryben. Dar by
retty der züg zû dem pfaffen: „Ist sy ein hägx vnd ier dz
wüssend, warum gend ier sy dan nit an?" Da retty der pfaff:
„Es stad eim priester nitt zû, ich käm dan vm min ampt; wen
ich aber ein ley wäry, ich welt langist ghulffen han, dz sy ver-
brönntt wär". Wytter zügett der gemält kûnratt, siner jungfrowen
man, där sig färn⁶) zû im zû sim huss kon vnd da vff dem
wasen glägen, vnd retty, är käm äben us dem entlybûch. Da
fragty är in: „Wz sägett der pfaff jm entlibûch? wyrted är
noch?⁷)" Da spräch är: „Ja, ich han da zabend gässen." Da
fragty är in: „Was sägett är von där frowen, die da dännen zû
vns kon ist?" Da sprächy der knächt, där pfaff hätty zû im
grett: „Ist der tüffel die hägx noch zû vnder walden? warum
verbrönentt sys nüd?"

Daruff zügett margrett sutterin vnd spricht, der herr
H'ans baster, jetz kylch herr im enttlybûch, der syg zû lutzern
im hoff für sy gangen (dz jetz woll drü jar sygen) vnd retty
zû iren, wo sy jetz wäry mit huss⁸), vnd als sy im dz seytty,

---

¹) Magd.
²) schmutzig.
³) er sei bachaufwärts gegangen.
⁴) oberhalb davon.
⁵) von dannen.
⁶) letztes Jahr.
⁷) hält er noch eine Wirtschaft?
⁸) wo sie jetzt wohne.

da retty är zů iren, sy hätty jetz ein nach pürine, vor dären
sölty sy sich hütten; dan sy wäry ein sölichs wib; är hätty sy
zum andren mall ärzürnd, daruff wurd är lam an händen vnd
an füssen. Witter haby der gemält herr ouch zů iren grett, die
frow, namlich madaleny nesslerin, haby dz bächly by sim
hus vnsubers gmacht, als sin jungfrow wäschen welt (wie vor
stad vnd zügett ist); dan äs stündy ein züber in dem bach, wen
är den vff lupfty, so wär dz bächly vnd dz wasser suber, wen
är dz wider nider staldy, so wär dz bächly wider vnsuber vnd
bschyssnen [!].

Vnd hand die vorgemälten personen bedy wz sy hie zügett
hand zů gott vnd an helgen gschworen mit vffghäptter hand vnd
mit vorglertten wortten, dz ir züg uns vnd kunttschafft ein
warheytt sig, vnd zů gloubsamy so han ich, der vorgenantt
landamann zů vnder walden nit dem kärn wald, namlich johannes lussy, min eygen insygell offenlich vff dissen brieff
getrükt by ändt der gschrifft; doch mir vnd minen erben an[1]
schaden, der gäben ist vff .fryttag nach sant marx tag im 41 jar.

Zusammenfassung von Nr. 31.

Magdalena Nessler in Nidwalden belangt durch einen Brief
der Nidwaldner Regierung an die Luzerner den Kirchherrn
Hans Baster in Entlibuch injuriarum, weil er sie der Hexerei
bezichtigt, die sie während ihres frühern Aufenthalts im Entlibuch an ihm verübt haben soll. Zwei Zeugen bestätigen, dass
sie den Kirchherrn haben sagen hören, die N. habe ihn lahm
gemacht und durch Einsetzen eines Zubers den Bach bei seiner
Wohnung getrübt.

32.

Peter Krumenachers Behexung. 1543.

Ich, Hanns tannman, Burger vnd des Ratts der Statt
lucern, der zytt landtuogt zů Entlibůch, Beckennen mit diser
gschrifft, wie denn für mich komen jst ethwas jrrttums vnnd
vnraw[2] zwüschen petter krumenacher vnd siner frowen,
Harumb jch verursachet bin, kundtschafft vff zenemen etc.

[1] ohne.
[2] Unruhe.

Des Ersten hand gerett Angnes vassers, ÿlli stadelmans hussfrow, vnd Appolonia, jr tochter: Als den zwüschen
petter krumenacher vnd siner frowen Ettwas widerwillens
were[1]). vff dz so habe gemelte Angnes zů Elsen adems,
Hinderklewis wyb, gerett: „Liebe Elsa, jch bitten dich durch
gottes vnd siner lieben můtter marien vnd Aller lieben helgen
willen“, ob[2]) sy jnen könnte helffen, dz sy dz thůn welt, dz
beschech vff dem ostersamstag. Vff dz rette Else: „Jaists[3])
můglich, so wil ich erdencken, dz jm geholffen wurd.“ Vff dz
lüffe sy gan schüppffen jn dz dorff vnd kam bald wider vmm
vnd sprach: „Ich han mit ÿlli schultheessen grett, der wirtt
jm helffen“; vnd lüffe die els dry oder vier mal hin vnd wider,
vnd was ir vast angst. Do sprach sy [Els]: „Wenn jr inn
mögendt behalten[4]), vnd er dütt, was jnn schultKes heist, So
wirtt sin sach besser“. Vff dz rett sy [Els oder Agnes?] zů
petter, er sölt nit hinweg gan, dz müste er jren jnn ir hand
verheyssen. Do sprach sy [Els] zů stadelmanns frowen
[Agnes]: „Ich wil dir dryerley schossbalmen[5]) bringen vnd wil
noch ein stuck dar zů tun, vnd dündt ir wesperkertzen darzů
vnd bindend jms wol an, dz ers nit wüsse; Denn wenn ers
wüste, so wurd ers nit lyden.

Wytter rett stadelmans frow, wie vff nachst [!] suntag
sy vnd ander frowen jn des schmitz hus by dem win weren,
do neme klewis frow[6]) nussgůttnuss[7]) [!] vnd schnetzet jn
bächer vnd gab denen frowen ze trincken vnd sprach: „trinkends
nit gar vss; denn ich han vor malen ouch ethwenn me darin
geschnetzet, das hatt man mir nit für gůtt vffgehept[8]).

Item Anny lauber hett grett, wie vff dem ostertag zur
vesper do gienge petter krumenacher dem priester nach in
die kilchen, do spreche vrssely jm ror: „Was will er da tůn?“,
do rette els adams: „Er will gan bychten, Er hett hinnacht jn

---

[1]) bezüglich des ehelichen Umgangs.
[2]) wenn.
[3]) ja, ist's.
[4]) wenn ihr ihn zurückhalten könnt (dass er nicht weggeht).
[5]) Es ist wol zu lesen „schoss balmen“, Schosse geweihter Palmen.
[6]) Damit ist wol Els gemeint.
[7]) Muskatnuss.
[8]) hat man mir übel ausgedeutet, vorgeworfen. Vgl. Schweiz. Id.
II 896,6.

der nacht ouch bychtet; jnn sölt wol gnügen[1]); Es jst aber nit gnůg, er můss noch me lyden.

Item v̊lli schulthes rett, wie dz Else adams zů jm wer komen vff dem oster aben vnd Spreche zů im: „Weist du krumenacher nüt ze helffen?" sprach er: „Ich wess [!] nütt". Do rett sy: „Gang znacht mit jm jn die kilchen vnd netz jm sin hempt mit wie wasser[2]) vnd lass jnn darinn ertrochnen." Do sige er mit jm gan vnd hand [!] dz tan; aber er mochts gar vnd gantz nütt erlyden vnd hette doch ein gůtten gfulten[3]) rock an. Wytter rett schulthes, dz er ouch habe gsechen vff dem ostertag, do gienge krumenacher durch die kilchen vffhin, Do habe er g[s]echen, dz die elss vnd ir schwester tochte[r] vff jnn mupften[4]) vnd kitzer lachetten. [5])

Item Hans Engel rett, wie dz vff dem oster aben sy jnn v̊lli stadelmans huss by dem win weren. Do rette die Els zů krumenacher: „Petter, biss gůtterdingen, binnen morn znacht wirst ein mal vitzen.[6])"

Item meyster Heinrich, tischmacher, hat züget, dz er vff dem ossteraben jn v̊lli stadelmans huss by dem win were; do sprach er zů krumenacher: „Biss gůtter dingen." Do rett des fröwlis můtter: „Er ist nüt gůtter dingen." Do sprach Els adems: „Er mag nit gůtter dingen sin, vnd sölt jnn der rütt schütten.[7])" Demnach rett sy wytter zů krumenacher: „Wie henckst du dz hopt? biss gůtter dingen, hinnen morn znacht můst einmal vitzen", und sprach zů jm: „Gott geb dier ein nacht, als ich gern eine hett".

Item margret, klaus stadelmans frow hett grett, dz vff dem osteraben sig Els adems komen jn v̊lli stadelmans huss vnd furtte sy vnd krumenacher vsshin jn dz klein stübli. Do batt sy jnn, er sölt jm[8]) des abens lassen helffen. Do rette

---

[1]) er sollte bald genug haben.

[2]) Weihwasser.

[3]) geflitterten.

[4]) höhnisch auf ihn wiesen.

[5]) kicherten.

[6]) coire? Diese Bedeutung lässt sich aus den uns zugänglichen Wörterbüchern zwar nicht belegen; doch erinnern wir an das wurzelverwandte *ficken* in dieser Bedeutung, sowie an *fitschen*.

[7]) das Fieber schütteln (eine Bekräftigungs- und Verwünschungsformel).

[8]) sich.

er nit ein wortt vnd gieng zer tür vss. Do sprach die els:
„Warumb gatt er zu tür vss vnd warumb gset er mich nit an?"
Do rett margrett: „Du gsest wol, dz er nit by jm selbs ist,
mich ducht, wenn er ein gutten glouben hett, er sölt wol dem
tüffel vnd den vnhulden¹) wider stan. Do rett els: „Du redist
wol, wenn er' könt oder möcht; Er kan nit vnd mag nit, vnd
weis ich dz"; do rett sy zu margretten, ob sy dem möntschen
könt vnd möcht vergeben, der jms an tan hette; sprach sy, ja
sy könt vnd möchtz tůn vnd bett gott, dz ers dem mentschen
vergeben. Do sprach els:„ So bist du besser, denn ich mochtz
nit tůn."

Item Erhartt Gůtt Jenny hat grett, wie er von einem
varnden schuler Ettwas bricht enpffangen habe, vnd so nun
jm anzöugt sig worden von petter krumenacher vnd siner
frowen, habe er ein ding des halben versůcht²), vnd welt jnn
duncken, wie dz hinderklewis frow ettwas schuld daran habe.
Dz aber ers wol wüsse, dz tüg er nit.³) Aber dz wüsse er wol,
dz jm der trunck des abens sig worden, da jm der schad har
komen were.⁴)

Harumb hand die vorgenannt mans personen lypplich zů
gott vnd sinen helgen geschworen, Ouch die frowen hand grett
der mass, ob ethwer nit enberen welt, dz sy darum möchten
ze recht tůn.⁵)

Datum vff sant medarde Anů etc. xliij.

Zusammenfassung von Nr. 32.

Bericht des Landvogts von Entlibuch an die Regierung von Luzern.

Zeugenaussagen.

Peter Krumenacher ist, wie man glaubt, durch zauberische
Manipulation impotent geworden. Eine Agnes Vassers bemüht
sich um ihn, indem sie Els Adams bittet, ihm zu helfen; diese
sagt zu und wendet sich in der Sache an Uli Schulthess in

---

¹) Dämonen, Hexen.
²) habe er seine Magie deshalb versucht.
³) doch wisse er das nicht genau.
⁴) doch wisse er, dass ihm [dem Krumenacher] der schädliche
Trank eingegeben worden sei.
⁵) haben sich bereit erklärt, nötigenfalls vor Gericht zu zeugen.

Schüpfen, der ihr behilflich zu sein verspricht. Doch macht sich an der Els eine gewisse Unruhe bemerkbar.[1] Sie [?] beschwört Krumenacher, nicht fortzugehen und giebt der A. einige Mittel ("Palmen" und "Vesperkerzen") an, die man Kr. heimlich anhängen solle.

Ganz ausserhalb unseres Falles liegt die Aussage, dass Els [?] bei einer Weingesellschaft Muskatnuss in die Becher geschnetzelt und ihren Gefährtinnen zu trinken gegeben habe, mit dem Bemerken, sie sollten nicht ganz austrinken, da ihr das einmal schlimm ausgedeutet worden sei.

Gegenüber Anny Lauber hat Els geäussert, Kr. müsse noch viel leiden.

Uli Schulthess bestätigt, dass Els zu ihm gekommen sei mit der Anfrage, ob er Kr. helfen könne; er habe aber kein Mittel gewusst. Da habe sie ihn aufgefordert, in der Kirche das "Hemd" Kr.'s mit Weihwasser zu netzen. Das habe er gethan; aber Kr. habe trotz eines gefütterten Rockes das Weihwasser nicht ertragen können. Sch. fügt bei, dass er Els in der Kirche mit ihrer Nichte über Kr. habe spotten sehen.

Zwei weitere Aussagen stellen eine verdächtige Anrede der Els an Kr., betr. seines Zustandes, fest.

Auch gegenüber Margret Stadelmann äussert sich Els, sie wisse es, dass Kr. dem Uebel durch Glauben nicht steuern könne.

Ein fahrender Schüler spricht die Vermutung aus, Els, Hinder Klewis Frau, könnte an dem Uebel schuld sein.

33.

Magdalena Bili. 1544.

Geschworne kuntschafft gegen vnnd wyder des alten Bilis frowen 1544.

Heysi Danhuser zügott vnnd rett, es sye By dryen oder vier jaren, da wåri diser gezüg By einer husfrowen in irem garten, darin Sy dann ein hübsche wyse gilgen[2] mit dryen

----

[1] Es ist im Original nicht ganz klar, warum E. diese Unruhe und Angst zeigt. Es soll vielleicht damit angedeutet werden, dass sie die Behexung Krumenachers bewirkt habe.

[2] Lilie.

stenglen hetten. Da gienge dess alten Bilis frow dafür vnnd
forderti inen die gilgen einssdar[1]) ab, Sy solten sy iren geben.
Die Sy iren nun ein mal oder drü verseitten. Zů lest, do sy
iren die gilgen nit wolten geben, do sprächi Sy: „Nun lůgend
nun, dz irs [!] sy lang heygen, das sy nitt verderby." Harüber
nitt lang darnach do syge die gilgen in grund verdorben. Demnach ettwan ein tag ald dry vor dem sy in gfengknus komen,
do Syge dise frow aber da fürgangen, Sprechende: „Ä schow,
wie ist das ein garten! Ich meint, es sölt nitt ein zybelen da
für Sin kon, So ist er nach vffrecht." Antwurti iren disers
gezügen husfrow: „Sy sagend, es syent neiwa[2]) böse wyber,
von denen wir Semlichs haben, man well Sy verbrennen." Do
Antwurti Sy lachende: „Es ist ein kalter wind, er hatt Styffel
An."[3]) Demnach wie Sy gfangen si worden, Syge diser gezüg
zů debasen[4]) bilin, dess alten sun, komen, retti: „Debess, hett
man nun die funden, So dir die bünten[5]) hinweg gefůrt hatt?
es můss ettwa eina lyb vnnd leben Costen." Wytter Sye im
nünt ze wüssen.

Agty Fanckhuser rett, wie diser gezüg[6]) Ettwa vor
dryzechen jaren nach by Irer můtter am Långenbůl wåri, do
sige dess bylis frow zů inen zdorff[7]) komen, den garten vnnd
die bünten beschowet, darby gerett: „Dz ist doch ein hübschen [!]
garten! das numen nitt ein hagell kåme vnnd üch disen garten
vnnd bünten Schlache." Syge domalen die bilina heim gangen.
Glich darnach eben desselben tags habe der hagell inen als
zerschlagen. Ob sy es aber von iren habend old nitt, möge
diser gezüg nitt eygenlich wüssen; doch habe sy ein Argwon
vff Sy. Ouch sy iren wol zewüssen, das sy ettwa vor zechen
jaren zur Ey zdorff wåri, do kåmi dess Alten bilis frow ouch
dahin, gienge in den stal, da dan dz vee inn wåri. Da wåri
ein ků darin, die gross entliese.[8]) Die selben greyffiti[9]) sy vnd

---

[1]) immerfort.
[2]) irgendwo.
[3]) Muss eine sprichwörtliche Redensart sein, die gleichbedeutend
ist mit einer höhnischen Abfertigung.
[4]) Tobias (oder Matthäus?).
[5]) eingezäuntes Grundstück.
[6]) sie selbst.
[7]) zu Besuch.
[8]) Vom Schwellen des Euters vor dem Kalbern.
[9]) betastete.

spräch darmitt: „Die ků hatt ein hüpschen vtter! wenn sy
numen kalberen möcht." Vnnd wie Sy von inen kåm, do Sturbe
die ků am kalb nach in der Selbigen wochen. Daran sy ouch
ein bösen argwon hetten. Darby rett diser gezüg, wie byli vor
xv jaren ein knecht (namblichen michell Hürni, ein schnider,
jetz sesshafft zů Åschlismatt im land Äntlîbůch) gehept. Von dem
selbigen habe diser gezüg dick gehört, das er gerett, bylis frow
syg ein häx; darby ettwa vil Argwünige Stucken Anzeigt, So
er von iren gehört vnnd gesechen hab. Wytter wüsse diser
gezüg nünt.

Catrin någeli rett, wie Sy ietz vergangnem meyen mitt
einer gůtten milch ků, dero sy erst dz kalb abrochen [1]), für dess
alten bylis huss vffhin an salen zum Stier füri. Do stůnde dess
Alten bilis frow vor dem huss, Sy fragende, war sy mit der
ků hin welt, Antwurti sy: zum Stier. Do antwurti iren bilis
frow: „Dz ist ein hüpsche, feysti ků." Wie sy also mitt der
ků widerum heim kåm, do sölti die ků nünt me [2]) vnnd doritte
vss, also dz sy vermeint, Sy můst darum komen; dan sy welti
ouch nitt ein tropffen mer trincken. Wurde si gelert, Sy sölti
iren gewicht saltz vnnd gesegnotten balmen ingeben. Das thåtti
sy. Also kåm die ků wider. [3]) Ob sy es aber von der bylina
hab old nitt, möge sy eigenlich nitt wüssen; Truwte Aber iren
nitt wol; dan sy Semlichen lünden [4]) By den drysig jaren von
iren gehört hab. Das sye dz, so iren hieuon zewüssen sy.

Otilia Zuber, Andress Fölmlis eewib, die Aber nun
dalome [5]) gar nach [6]) by zweyen jaren in abwesen ires mans
sich enthalten [7]), vrsachen er sy nitt wil tholen [8]), zügett vnnd
rett: habe sich vff ein ostertag begeben ettwa vor xv jaren,
die [!] gienge diser gezüg sampt irem eman, darzů ire dochter,
die domalen ein kind, gan ein ross sůchen. Do sächen [!] diser
gezüg eini da sitzen in einem wůsten můss [9]) in iren weyd.

---

[1]) entwöhnt.
[2]) taugte nichts mehr.
[3]) erholte sich wieder.
[4]) Leumund.
[5]) nunmehr.
[6]) beinahe.
[7]) von ihrem Mann getrennt gelebt hat.
[8]) dulden.
[9]) Bedeutung unklar. Durcheinander, Wust?

Fragti diser gezüg iren eman Andressen: „Wer ist dz?" Antwurti er iren: „Es ist die alt bylina." Do sy also Seche, do
kanttent sy beyde gar Eygenlich wol, dz sy die alt bylina
was. Do sprâchi diser gezüg zů irem eeman: „Wir wend zum
hag zůhin, wend sy fragen, was sy da mache." Wie sy iren
also nachintin, verschlůffe sy Angsicht irer beyder ougen in
dem gestůd, so da zůgegen was, das sy nitt môg wüssen, ob sy
verschwunde old ob sy sunst verschluffe. Doch künten Sy sy
niena me finden. — Wytter habe es sich begeben vor zwentzig
[jaren], wie dan disers gezügen Schwiger ein gspan[1]) mitt der
bilina gehept. Begâbe sich, dz ir schwiger, Andresen můtter,
eini vber- dz kind gwun.[2]) Do Schickte die Alt disen gezügen
mitt dem kind vorhin mitt dem kind [!] gan lutzen zetouffen,
Sprechende, Sy wellt bald nachin kon. Wie die alt also nach
zů der kilchen kâm An einer trybnen[3]) kilchen strass, da sy ir-
leben lang gewonett, do begâbe sich, das sy da verirretti; Bekam Also vff Ander hôff, An denen orten sich selbs nitt be-
kanti, Sunder zů lest vff eim hoff, genant die Hůwatta, fragte
sy, wo sy wâri. Do nement sy die selben lütt daselbs vnnd
fůrten sy gan Lutzen. Wie dz kind getoufft vnd diser gezüg
mitt der Alten, irer schwiger, wyder hein gieng, do begegnotte
inen in einer weyd vnder dess Bilis matten Am weg ein grů-
selichs thier, wâr gefarwt vnd iu der grôsi wie ein essell; doch
glichetti mitt dem schlund vnnd sunst einem wolff. Das schluffe
Also zwüschent inen beiden durch. Uff Semlichs wurde die
Schwiger kranckh vnnd Lâge Also ettwas tagen im bett. Auch
Begâbi sich vff ein zitt, das dess bemelten zügen ein man
Ärbs hetten [!] wachsende vnnd einsdar Blůgende in sinen
matten dess er die selben Ärbs vff ein zitt Angsicht diser
gezügen Ougen mitt einer růtten obnen nider schlůg.[4]) Das
gesâche nun die alt bilina ouch vnnd retti zů im: „O hettest
du ein hagell darin, das ers dir niderschlůg." Do kâmi der
selben nacht ein grosser hagell. Ob er aber von inen dar-
komen old nitt, môg sy nitt eygenlich wüssen. Wytter wüsse
Sy nünt.

---

[1]) Streit.
[2]) eine Pathin gewann.
[3]) begangenen.
[4]) Bedeutet wol irgend eine landwirtschaftliche Manipulation, die
das allzu üppige Aufschiessen der Bohnen (?) verhindern sollte.

Donstag nach Corporis Cristi
Anno 1544

Alls dan magtalena bylin in miner g[nädigen] h[erren] gfencknus komen ist, hat sy veriechen: Des touben [1]) knaben halb redt sy, im nüt zessen gen haben; dan der knab hab den tüffel in den adren ghan. Das hab der tüffell selbs veriechen.

Vff donnstag nach jacoby anno 1544 hatt man aber Magdalena Byllin befragt vff ein nüws.

Hatt erstlich nüt wellen verjechen.

Vff zinstag nach jacoby hatt man aber mallen pinlichen[2]) befragt; hat Sy ane vnd mit dem stein[3]) nüt wellen bekantlich sin.

(Antwort des Schultheissen und Rats von Willisau an Luzern, worin über „die armen wyber" [ihre Namen werden nicht genannt] berichtet wird, sie hätten wol 20 Jahre hindurch in schlechtem Ruf gestanden; doch wisse man über die Delikte nur vom Hörensagen. „Dattum vff Santt Jacob dess heilgen zwölffbotten Abend Anno etc. 44 jar.")[4])

Den Edlen etc. Schulthes vnd Radt der Statt Lucern etc.

Edlen etc. Üwer Schriben, inhaltz den handell der Armen wyberen wir gnügsamlich verstanden, haruff wir üch Sy, Sampt der kuntschafft irer übelthatt vnd missbandlung, so wir ietzmal haben mögen in geschrifft etc. überantwurthen etc. Dattum Mittwochen, den xvj tag hömonatz, jares xliiij.

Statthalter vnnd Radt zü Willisow.

(Von anderer Hand:)

Das ist die kuntschafft von denen zweien wyber, die hantt gerett by yren eiden, vnd hand den eid geschworen.

Den fromen, vesten, fürsichtigen, wysen Schulthes vnd Ratt der Statt lucern, minen gnedigen lieben Heren vnnd obren.

Min fründtlichen grüss vnd willig vnderthenigen dienst nach minem armen vermügen Sye üwer wysheit Alle zytt bereytt etc. Gnedigen min heren, uwer schriben, von wegen des allten bylis frowen von dem michel Hürnnin Kuntschaft vff zenemen, So han ich mit hilff vnd bystand Hanns schurtten-

---

[1]) tobsüchtig.
[2]) mit Folter.
[3]) der Gewichtstein, der zur Verschärfung der Folter an die Füsse gehängt wird.
[4]) Da hier von mehreren Weibern die Rede ist, fragt es sich, ob das Aktenstück wirklich zu unserm Prozess gehört.

bergers, Hans margbachers, Hans Studer [!] Söliche Kundt-
schaft nach form des rechten, ouch nach dem lands bruch uff-
genommen.

Erstlich so hatt der obgenant michel hürnny Bezügt,
wie dz sich vor zwentzig jaren gefůgt, do were er noch ein
junger knab vnd dienet by dem alten bylin vnd by siner
frowen. Vnd vff die selben zyt do hette der byly sust ouch
ein knecht, der wurde kranck vnd fůrtte man in dennen[1]), vnd
wüsse er nit anders, denn dz der knecht der kranckheit sturbe,
vnd were do die gmein red, bylis frow die sölte in [!] katzen-
hirny han zů essen geben. Ouch so were da ein nöcher nachbur,
mit namen willi wächsler; mit dem were bylis frow über
eins.[2]) Do rette der selb willi: „Ich han fünff oder sechs ků;
aber ich kan vss der milch nützit machen", vnd vermeint, er
trüwette des bylis frowen; dz habe er von im gehört. Dem
nach were da ouch ein nachbur, namlich der alt velbly mit
dem einen oug, mit dem were die frow ouch nit wol des einen.[3])
Vnd vff ein zytt do keme ein hagel vnd schlůge dem velblin
vff sinem hoff vast übel; aber vff bylis hoff dette es keinen
schaden, vnd lägend aber die höff an ein andren. Das habe
michel Hürnny gsehen [!]. Aber denn hätte sich gefügt, dz
dem velblin ein rind siech wurde vnd welt im abfallen. Do
liesse er dz vffschniden, do were im der arsstarm vercknüpfft,
des trüwete velbli ouch der frowen; das habe er von im ge-
hörtt. Aber denn rett gemelter Hürnny wytter, als er by dem
bylin knecht were, do sölt er vnd sust noch ein jüngling
schwentten[4]), vnd wenn es regnet, so lüffen sy ettwen vff die
büny zů schärm[5]) vnd werend nit zů dem ersthaffigesten [!] ze
schwentten. Dz könte denn alwegen die frow inen sagen vnd
was übel ze friden. Vnd ob sy vermeintten, die frow sölte vmb
sölichs gar nüt wüssen, denn es were ein wytten [!] weg von
irem huss. Ouch so hat der byli ein gůtten höwbiren bom,
ein wytten weg von sinem huss, vnd wenn sy ye in die schwendi
wolten, so namen sy etbwan vnder dem bom biren vnd trůgen
mit inen. Das kont denn allwegen die frow inen sagen vnd

---

[1]) weg.
[2]) Sollte wol heissen: nit übereins.
[3]) einig.
[4]) roden.
[5]) unter das Obdach.

verwysen, das sy vermeinten, der tüffel müsste ir semlichs sagen, süst möcht es nit müglich sin, dz sy sölichs wuste. Item michel Hürnny rett ouch wytter, dz inn vff die zyt an einer nachburschafft nit anders tüchte, denn dz man der frowen nit vil gütz were truwen. Nit anders were im vmb den handel ze wüssen. Dz hatt er gerett by synem geschworen eyd.

Datum vff Sannt Maria magdalenen aben Anno domini xliiij.

Jörg hafner, yetz weibel
zů eschelssmatt, üwer
williger diener allezyt.

Zusammenfassung von Nr. 33.

Zeugenaussagen.

Dem Heisi Danhuser hat die B. den Garten behext, dass seine Lilien zu Grunde giengen.

Ebenso hat sie über der Agti Fanckhuser Garten einen Hagel gemacht und ihr eine Kuh durch Zauberei getötet.

Auch der Katrin Nägeli hat sie eine Kuh behext.

Otilia Zuber sagt, sie habe die B. in einer Weide manipulieren sehen, und plötzlich sei sie verschwunden gewesen. Ihre Schwiegermutter sei von ihr [B.] so verwirrt worden, dass sie einen gewohnten Weg nicht mehr habe finden können. Auf dem Heimweg von der Kirche sei ihnen ein eigentümlich wolfartiges Tier begegnet, worauf ihre Schwiegermutter erkrankt sei. Ihrem Mann macht sie Hagel über die Erbsen.

Aussage der B. unter der Folter wegen eines tobsüchtigen Knaben.

Zeugenaussagen.

Einen Knecht soll sie durch Eingabe von Katzenhirn getötet, zwei Nachbarn die Kühe behext und Hagel gemacht haben. Auch sei es merkwürdig gewesen, wie sie (ohne dabei gewesen zu sein) ihren Knechten immer nachweisen konnte, wenn sie wenig gearbeitet oder dass sie Obst gestohlen hatten.

34.

Margret Frum. 1544.

Vff mentag nach Jacoby.

Margret frum, alls sy jnn miner g. h. gefe[n]cknis komen,

hatt sy ane marter bekant, einer [1]) habe jro 20 eyer gehouschen [2]),
er welle sy Lerren, das jro ků numen [3]) enweg Loûffe; habe
sy jm Alle die eyer verheyssen, so sy habe. Der habe sy
gelert, sy solle der ků ein mumpffel geben vnd ettwass wortten
Reden, so Loûffs jren numen enweg. Das habe sy gethan; da
har sige jro disser Lumbden [4]) Erwachssen.

Item dess krutzes [5]) halb, ab dem kylchoff genomen, habe
sy ein bettler gelertt.

Item mit marter hatt sy witter nit wellen bekantlich sin.

35.

Regula Asper. 1544 [6])

Vff Frytag vor Margarethe Anno etc. 1544.

Regely Asper, wonhafft zûr bûchen vff dem hoffe hatt
ane marter bekant: erstlich sy habe nie gemeint, das man jro
solchs truwete [7]), welle jro ein adern nach der adern [8]) vssugen
Lassen, das sy vnschuldig Sye. Dess hundes halb: habe den
von jugent vff zogen, vnd wan die hûben dem hund zů Leid
gethan, habe sis nit gern ghann; Sunst niemants gehasset.

Item der Suw gallen halb: habe sy genommen jn jost-
sporis huss, vnd die heim getragen vss dheiner andern vrsach,
dann dass die selbig gût für den vngenannten [9]) Syge.

Vnnd alls sy gefragt, das sy vff ein zytt by ettlichen
Lutten gerett, das sy können solle einen man vnnütz [10]) machen.

---

[1]) Zwischen „einer“ und „habe“ ist ein Zwischenraum von 5 cm.
frei gelassen.

[2]) geheischen.

[3]) nicht mehr.

[4]) Leumund.

[5]) Kreuzes.

[6]) Auf der Rückseite dieses Aktenstücks steht die Notiz: Der vier
wibern Hanndlung: Namlich der Allten bilinen (s. No. 33) der zur bûchen
Dorathe Durller vnnd Regula Asper vss Zurich gepiett vnnd ¡Margret
brunen von pffefficon vss Sannt michells ampt anno 1544 vffglüffen.

[7]) zutraute.

[8]) l. andern.

[9]) geschwürartige Krankheit, meist Umlauf am Finger.

[10]) impotent.

vnd das er keiner frowen gwallty, Redt sy: die Lütt Lügendts
an vnd wüsse nüt.

Item mit der marter: sy sig vnschuldig vnd wil nit bekantlich sin etc.

36.

Margret Cher von Pfäffikon. 1544.[1])

Ich, Jörg fer, diser Zit Richter vnnd meyer zů Pfäfficken
jn Sant michels ampt[2]) Beckenn offennlich, Das ich vff hütt an
statt vnnd namen der Eerwürdigen, wolgelerten geistlichen Herren
Probst vnnd Capitel der Loblichen Stiffdt Sant Michel zů Münster
jn Ërgöw zů Pfäfficken offenlich zů gricht bin gesessen, Vnnd
als dann Margret Cher von pfäfficken jn miner gnedigen herren
von Lucern gfëngknus komen, vnnd das Recht vff jm tregt[3])
vnnd erfordret, jrens verscbrawnen Lümbdenns halb kundschafft
darüber zehaben, Daruff dise kundschafft nach form Rechtens
by gschwornem Eyd verhörtt. Bezüget des ersten:

Ůli kupp Redt, wie er vff ein zyt vierer[4]) zů pfäfficken
gsin, vnnd als dann die schwin ze vstagen[5]) an[6]) hirtten hin
vnnd herlüffend vnnd jn gütren schaden thättent, Befälche er
dem vorster, die Lütt ze pfenden, von deren Süwen schaden
gschëche, vnnd gienge zů Gretj Cher vnd pfandte sy harum.
Do wurde sy zornig vnnd spräch, wer es empfolchen[7]) hette;
do Redte der vorster, der kupp hett es gheissen; do Redte sy
vnnd tröwte mitt dem vinger, sy weltte dess ob jm old ob sinem
gůt zů kon[8]). In dry tagen darnach were jm ein ků jm wald
abgangen.

Wyter bezüget Er, wie dem Schmid thaler ein moren
mit acht vërlinen erlamet, vnnd der selbig zwyflete ouch, Er
hett es von gemelter greten, dann Er hette ein Span[9]) mitt

---

[1]) Auf der Rückseite: 1544.
[2]) Pfeffikon im Kt. Luzern bei Münster.
[3]) in sich schliesst, mit sich bringt.
[4]) einer der vier Gemeindevorsteher.
[5]) im Frühling.
[6]) ohne.
[7]) befohlen.
[8]) beikommen.
[9]) Streit.

jren ghan, vnnd er, züg, Redte zů jm, Er sölt zů jren gan vnnd
sy vm gotz willen bitten, das sy jm hulffe, vnnd Er thätte es,
vnnd Bätte sy; do antwurtte sy, sy könne nütt mitt, Er söll
morn die thüren vffthůn vnnd die Sunn lan jnnhin schinen;
vnnd er thätte es, do Lüffe morn dess die moren daher vnnd ge-
brëst jren nüt mer; vnnd hatt die moren lam vnnd gsůndt gsëchen.

    Wyter ist jm nitt wüssendt.

    Heini furer züget, wie er vff ein zyt ein Span mitt
jren ghan, das je Sy zů jm sägte vnnd jm trowte, jmm wurde
jn ander weg abgan.[1])   Bald darnach Erlametent jmm ein
hüpschen [!] münch[2]) vnnd ein wyssen Ochsen; vnnd hette er
jnen nytt jn ye können helffen, werent Sy jm verdorben.

    Wyter Bezüget Er, wie er an einem fritag ze kilchen
gangen, vnnd als er von kilchen für das Beinhus gangen, were
disers gretj cher da, vnnd jnn gieng ein grusen an, gienge
heym vnnd leigte sich nider vnnd keme jn vier wuchen nitt vss
dem Bett vnnd schickte gan Sempach nach einem artzet, vnnd
als er këme vnnd jnn bschowte, Redte er, Es wer jnn die
kranckheit noch[3]) by dem Beinhus angangen.   Do ~~besinnete~~ er
sich, wie vnnd wenn er zů kilch gsin were vnnd zwyflete vff
gemelte grettj. Demnach Schickte er sin Sun zů jr, Sy zů-
bitten, dz Sy zů imm keme, damitt er Sy könnt bitten, jm
zehilff zekommen; aber Sy antwurte, Sy hette nüt by jm zeschaffen vnnd wett nitt kon. Demnach Schickte er die tochter
zů jr, ouch Sy zů bitten vnnd [sie] schlůg es jren ouch zum
sechsten mal ab vnnd wett nitt kon. [Er] Sig also noch hütt
ein arbentzelig[4]) mentsch. Wyter ist jm nitt ze wüssen. Souil
mer[5]): Er hab vss Ratt[6]) den weybel zů jr gschickt, jren lassen
segen vnnd heissen, das Sy zů jm këme; Aber Sy Redte wie
obgemelt ist, Sy well nitt kon vnnd hab nütt by jm zeschaffen.

    Welti furer Bezüget, Er sig daby vnnd mitt gsin, das
gretj cher sinem vetteren heini getröwt hatt, Sy well jm
noch ein Schmach zůfůgen. Glich viele jm das zů mitt dem
[Ross][7]) Ochsen, wie gemelt ist.

---

[1]) er würde es anderweitig zu büssen haben.
[2]) Wallach.
[3]) nahe.
[4]) Eigentl. „arbeitselig", elend, gebrechlich.
[5]) ausserdem.
[6]) auf einen Rat hin.
[7]) „Ross" ist durchgestrichen.

Hanns pösch Bezügt, wie dann gemelter gretj man by jmm jn sinem hus truncke, vnnd Sumpte sich solang, das je[1]) die gemelt grett käme vnnd behadrete Sy beid. Demnach, als er dann ein hüpsch pferd hatt, wurde jm gseit, Sin pfärd stůnd do obnen jn der weyd vnnd könnt nitt ab statt[2]) kon, vnnd er gieng vffhin vnnd vand es also, vnnd Er hette gern vil darzů than; Es hulffe aber nüt, sunders verdurbe; vnnd zieche es[3]) nyemant, dann dz er es von jren heig, vnnd wüsse, das er es von jren hab.

Steffan weydman Bezüget, wie er der greten tochter man ein münch abgkoufft, und als die gemelt grett demnach das Ross gsäche, do spräche Sy, Sy beckante das Ross wol vnnd es werde jm kein gůt thůn. Darnach jn acht tagen sturbe jm das Ross.

Wyters Redt er, wie vff ein zit jm jren [!] ků jn sin matten gebrochen, vnnd als er die mitt der Růt vshin schlůge, kem Sy darzů vnnd tröwte vnnd spräch: „Geltt, ich wil dir dine kalber ouch mitt der růten schlan." Vnnd er hette drü hüpsche kalber, die giengent jm angends ab. Darnach bätte Sy jnn vmm ein acker Ross, vnnd er lehnte jr eins, vnd als Sy das wolt bruchen, wolt es nitt ziehn, vnnd Schickte das Ross jm heym, vnnd were das Ross toub[4]), vnnd [er] könnt nütt mitt gschaffen, das er willens, Er welt es morn selb töten vnd lan abthůn; do wer es jn Eychbül enttrunnen, vnnd [er] funde es daselb todt. Redt, Er wusse wol, das [sie] jnn heig vm xl gl. veech gbracht.

Jacob Schaffhuser Bezüget, wie er dann der greten zum dickermal zů acker gfaren vnnd vmm Sy lon verdienet, vermeinte Sy zů zyten, Es were ze vil. Je demnach wurde jmm ein hengst kranck, vnnd gott geb wie vnnd was er darzů thätt[5]), Er liesse jmm[6]) ald vienge anders mitt jm an: wollt es nütt helffen, das er am letsten den Schinder bschickte vnnd liess jnn abthůn vnnd liess jnn vffschniden; aber man funde nütt jn jm noch vssenthalb an jm vnnd were ouch nitt ze Rech[7]), vnnd vemeintt, Er hab es von jren vnnd von nyemant anders.

---

[1]) bis.
[2]) von der Stelle.
[3]) beschuldige.
[4]) bekam den Koller.
[5]) was er auch immer darfür gethan.
[6]) zu Ader lassen.
[7]) Krankheit beim Vieh, die in einer Verhärtung der Haut besteht.

Cristan Jüng Bezüget, wie sin husfrow vnnd gretj mitt-
einandren vff ein zyt gfätzet [1]). Demnach wurde jnen ein ků
Siech, vnnd sölt [2]) die milch gar nüt, dann Sy were eben wie
seigeren [3]) win, vnnd hette heini furer der ků nitt ghulffen,
were Sy jmm verdorben.

Ůli thoma, der weybel, Bezüget, wie vff ein zyt der
greten gänslin das dorff vffkément vnnd das lettst were also
bsoufft [4]) vnnd möcht nitt nachher kon vnnd sturbe; vnnd als
das gänslj nitt heym kame, do Redte die grettj zů im, zügen,
Sine knaben habent jren die ganss erschlagen vnnd jm můss
ouch abgan. Bald darnach gieng jm ein kalb ab.

Wyter hatt er ein hündlj, hatt mit der greten verlinen
eins gfätzlet [5]), das dem věrlj das schwentzlj blůtt, do trowte
Sy dem hund; vnd vff ein zyt keme der hund heym vnnd luffe
die wěnd vff vnnd wolt nyena bliben, were toub; vnnd er hette
dem hündlj gernn ghulffen, dann er were jm lieb. Es soltt [6])
je lenger je minder. Vnnd er hette eins knechtlj, das sagte,
Er [!] welt gan den hund töten, So keme er der marter ab,
vnnd Es was jm [Thoma] lieb; vnnd gieng das knechtlj mitt
dem hundlj jn das holtz vnd schlůg das hundlj mitt dem byel
ze todt vnnd keme heym vnnd wurde kranck vnnd lam; vnnd
die gemelt gretj fragte dem hundlj nach, wohin es kon were,
vnnd als Sy es vernam wie es gangen war, do Redte Sy, das
knechtlj sölt den hund, dwyl er also verschruwen sölt sin, nitt
gtödt, sunders lebendig vergraben han, vnd es were kein wunder,
wenn schon das knechtlj auch sturbe.

Wyters bezügt er, wie vff ein zyt an einem abend das
vech heym keme, vnd der gemelten gretj veech keme für sin
hus, vnd als demnach sin veech ouch kam vnnd der greten
veech bim hus fundent, do stiess siner kůen eine jren ků, vnnd
Sy ersěche es vnnd Redte zů jmm, warum er nitt ein söliche
ků abthätte; welte er die nitt abthůn, So welt Sy darzů thůn,
das [er?] jren abwurde. [7]) Do Redte er, was er dafür mög

---

1) gezankt.
2) taugte.
3) matt.
4) erschöpft.
5) sich gebalgt.
6) taugte.
7) dass er sie [die Kuh] los werde.

-old könn thůn. Aber morn dess stůnde die ků jm Stal vnnd were vnnütz worden.

Madalena wēberin Bezüget, wie Sy dann mitt jrem huswirtt würtschafft hallt jm dorff vnnd gemelte gretj vnnd jr huswirt zum dickermal[1]) nach win gschickt; vnnd wenn Sy [die Zeugin] zů zyten vm das jren gernn were bzalt worden vnnd jren [der Grete] das gelt hiesch, were Sy vnwürsch vnnd wurdent jren, der württin, jr veech hinckendt, das Sy vnwillig vnd vn- lydig[2]) vnnd bekriegte Sy einmalen nach jrem gfallen. Demnach stůnde es wol vmm jr veech.

Anni müller Redt, wie jren man habe Span mitt gemelter greten ghan, von wegen einer wēssery.[3]) Bald darnach vielent jren die Süw ab vnnd wurdent jren vnnütz, dermass, das Sy ettlich můsstent ze todtschlan. Vnnd einest liesse der meister, jr huswirtt die ein Sü gschowen, do Redte der gschower, Er sölt die Suw nitt metzgen, dann Sy were geritten.[4]) Demnach ward dem huswirtt am Schenckell wee, dermass, das jm nyemant konntt zůhilff kon. Demnach ist er gangen zů der greten vnnd Sy gbetten, jm zehilff ze kommen, vnnd by langen, als er hatt nitt wellen mitt bitten abstan, jst sin sach besser worden.

Barbel weydman züget von dess veechs wegen, wie dann jr eelicher huswirtt hie vor anzeigt hatt.

Adelj thoma Bezüget nitt anders dann wie jr eelicher huswirtt, ůli thoma, also sig es jren ergangen vnnd wüsse nitt wytters, dann das Sy [Grete?] vff ein zyt gernn by jren [Adeli?] gemostet, do mostet sy [Adeli?] selb jren most; do spräch Sy [Grete]: „Ëë, wie hastu so büpsche hůnlj." Demnach morndess keme ein hērmlj[5]) vnnd trůg jren eins hinweg, vnd gsēche Sy das vnnd luffe mitt dem bengel fürher vnnd möcht es nitt er- wēren. Glych kēm das hērmlj wider vnnd reichte noch zwey, vnnd [sie] mocht es glych als wenig wie vor erweren. Vnnd Sy Sagte vnd clagte es der greten. Do redte Sy, Sy söllte eins hůnlj darleggen vnnd sprechen: „Ich legg dir das dar, vnnd nimm das", So gschicht dir nütt mer. Vnnd Sy hab es gthan vnnd Sig darfürhin Růwig[6]) gsin.

---

[1]) zu öftern malen.
[2]) ärgerlich.
[3]) Wässerung.
[4]) am Fieber [rit] gestorben?
[5]) Hermelin, Marder.
[6]) rubig.

Barbelj graf Bezüget, wie Sy dann die greten erzürnnt heig vff ein zyt. Demnach gebent jr kû kein rechte milch, das man deren genyessen möcht jm hus.

Clein Annj Schwytzer, der gemelten greten Suniswyb Bezüget, wie gedachte grett vff ein zyt für Sy gangen, als Sy vor jrem hus sësse werchende vnnd Sünge.[1]) Do gienge die Schwiger für Sy vnnd Redte, Es mûss wëger[2]) werden, Sy well jren jr Singen wol geleggen.[3]) Glych desselben abends genësse Sy eins kinds vnnd wurde gar Lam, wie Sy dann noch hütt by tag sig.

Bartli halder, So man nempt kessler, von pfäfficken, Bezüget, wie er dann jren vor fünffzechen jaren jr recht-zwungener vogt gsin by dryen jaren. Demnach hab er mitt jren gerechnet vmm sin jnnemmen vnnd vsgen, vnnd sig jm die vogtfrow Gretj Cher schuldig bliben v gl., vnnd [er] hab jren kein vogty lon abgenommen. Do Redte die vogt frow gretj egemelt: „Ja mûss ich dir die fünff gulden gen, So mûstu es am Ruggen fressen.“[4]) Glich jn der selben nechsten nacht sig er an allen vieren lam worden vnnd vier wuchen nye uss dem Bett kon, vnntz das jm geraten von biderben lüten, Er söllt die beschicken, vff die er ein argwon hett, mocht sin sach besser werden. Vnnd also beschickt er die gemelt greten vnnd clagte sin nott vnnd schmertzen, vnnd Sy gebe jm Ratt vnnd zeigte jm an. Demselben sig er nachgangen vnnd hab es gthan vnnd sig gsundt worden. Villicht heig er sömliche heymsûchung von sinen vilfaltigen sunden ghan; das empfilcht er gott.

Dise kundschafft han ich, Jacob Bachmann, diser zyt Amman zû münster, von wegen dwyl sich der weybel im Guntz-wyl ampt nitt eigens Sigels gbrucht, min Sigel zû end diser gschrifft gtruckt. Datum vff Marie Madalene jm tusent funff-hundersten vier vnnd viertzigsten jar.

Zusammenfassung von Nr. 36.

Dem U. Kupp, H. Furrer, H. Bösch, J. Schaffhuser, Chr. Jung, U. Thoma, Thaler, der M. Weber und A. Müller hat die Ch. Vieh, bezw. Hühner behext vnd vernichtet, ausserdem H. Furrer, den Mann der A. Müller, die A. Schwyzer und B. Halder krank gemacht.   (Schluss folgt.)

---

[1]) sang.

[2]) besser; hier wol blosse Bekräftigung.

[3]) austreiben.

[4]) so musst du es mit deinem Rücken bezahlen (?)

Gebräuche im Birseck.[1]

Mitgeteilt von Dekan G. Sütterlin in Arlesheim.

A. Gebräuche, die sich an den kirchlichen Festkreis und kirchliche Handlungen anschliessen.

1. Das „Steuern des Santi-Klaus." Am Vorabend vor St. Niklaus (6. Dez.) erschien in den Häusern, wo Kinder waren, ein alter Mann mit langem, weissem Barte, auf dem Haupte gewöhnlich eine Bischofsmütze tragend, und beschenkte diejenigen Kinder, welche brav waren, mit Nüssen, Aepfeln u. a. dgl.; für diejenigen dagegen, deren Betragen zu wünschen übrig liess, brachte er einen Sack mit, um sie „hineinzustecken". Das war der Santi-Klaus oder auch „Santi-Chlaus". Natürlich hatten die Kinder einen gewaltigen Respekt vor dem strengen Sittenrichter und verkrochen sich, wenn sie sein Nahen gewahrten, hinter dem Ofen oder in einer Ecke. Die Eltern ermangelten auch nicht, den Unfolgsamen mit dem Santi-Klaus zu drohen. Jetzt besteht dieser Gebrauch nur noch bei wenigen Familien; früher aber war er fast allgemein. Seine Entstehung verdankt er wohl der Legende, nach welcher der heil. Nikolaus, Bischof von Myra drei armen Töchtern bei Nacht soviel Geld ins Haus warf, als sie nötig hatten, um sich verehlichen zu können, damit sie vor der Prostitution bewahrt blieben.[2]

2. „Das Bescheren des Weihnachtskindleins." Am Vorabend des Weihnachtsfestes kam, wie anderwärts, auch hier das „Weihnachtskindlein" und brachte den artigen Kindern allerlei Leckerbissen, den unartigen aber Ruten. Dabei war es gewöhnlich begleitet von einem „Esel" (wohl eine Anspielung auf die Flucht Jesu nach Aegypten) und dem „Schmutzli". Jener trug die Geschenke, und dieser sollte die Bestrafung der Fehlbaren vollziehen. Es wurde dabei vorzüglich darauf gesehen, ob die Kinder

---

[1] Das Birseck, auch „Neubaselbiet" genannt, gehörte ehedem zum Fürstbistum Basel.

[2] Mit der Legende haben sich natürlich auch altheidnische Vorstellungen und Bräuche verschmolzen. RED.

gern beteten. Sie mussten zu diesem Ende ein Stäbchen vorweisen,
auf welchem durch Einschnitte verzeichnet war, wie viel sie gebetet hatten. War dieses nicht befriedigend, so nahm ihnen der
„Schmutzli" das Hölzchen und schwärzte es, was als eine Schande
galt. — In neuerer Zeit ist an die Stelle dieser Art der Weih-
nachtsbescheerung der „Christbaum" getreten. Eltern aber, die
keinen solchen zu erstellen vermögen, legen die Gaben und die
Rute am Weihnachtsmorgen auf den Tisch der Wohnstube und
geben den Kindern vor, das Weihnachtskindlein habe dieselben
während der Nacht gebracht.

3. Die Darstellung der Weisen aus dem Morgen-
lande. Zwischen Weihnachten und heil. drei Könige giengen
drei arme, aber gesangeskundige Knaben, als Könige verkleidet,
d. i. mit weissen Hemden angethan und papierne Kronen auf
dem Haupte, zunächst in die wohlhabendern Häuser ihres Hei-
matortes und dann der umliegenden Dörfer. Voran trugen sie
an einem Stabe einen Stern, der vermittelst einer Schnur in
Rotation gesetzt werden konnte. In den Häusern aber sangen
sie, nach einem kurzen Vorspruche, der den Zweck ihres Erscheinens andeutete, fromme Weihnachtslieder, oft mit recht
angenehmen Stimmen. Die Lieder waren zumeist selbst verfasst und nahmen es darum weder mit der Logik noch mit dem
Satzbau genau. So wurde von Ettinger-Knaben gesungen:

    Hört, ihr Christen insgemein
Die Gnad' zu referieren,
Dort, was ich euch zu zeigen weiss,
Ein kleines Spiel zuführen.

    Wir all' zusammen sind geneigt,
Euch zur Audienz zur bitten.
Welch' grosse Freud' bei dieser Winterszeit!
Aus Morgenland ein Stern ist uns erschienen.

    Aus Gottes Kraft bedacht es war,
Und freuet euch, ihr lieben Christ',
Von einer reinen Jungfrau klar,
Weil es der liebe Heiland ist.

    Haben wir drei, weiss nicht woher, es vernommen,
Brüder, liebe Brüder mein!

Ganz ungefähr sind wir zusammen kommen
Zu Jerusalem. So wollen wir singen fein

Ein Weihnachtsgesang zu seiner Ehr'
Damit wir uns bekennen mehr.
Jetzt fangen wir an ein' schönen Gesang;
Jetzt kommt von uns ein heller Klang.

Oder:

Wohl mitt's in der Nacht,
Die Hirten auf der Wacht, :|:
Die himmlische Stimme
Das Gloria singet,
Die englische Schaar:
Geboren Gott war.

Sie rennen und laufen;
's mags keiner erschnaufen, :|:
Der Hirt und sein Bue
Dem Krippelein zue.

.   .   .   .   .   .
.   .   .   .   ¹)

Gott Vater, schau an:
Was finden wir da? :|:
Ein herzig schönes Kindelein,
In schneeweissen Windelein,
Wohl zwischen zwei Tier':
Ochs und Esel sind hier.

Gott Vater verwalt'! (?)
Wie ist es so kalt! :|:
's mag einer erfrieren,
Sein Leben verlieren.
Ach! wie geht doch der Wind!
Wir bedauern das Kind.

Gott Vater, erbarm'!
Wie sind sie so arm! :|:

¹) Fehlen 2 Verse, die nicht mehr bekannt sind.

Sie haben kein Pfännlein
Zum Kochen dem Kindlein,
Kein Mehl und kein Salz,
Kein Brod und kein Schmalz.

Jetzt hat dieser Brauch aufgehört; man sieht nirgends
„drei Könige" mehr.

4. Die Fastnacht, oder Fassnacht, wie sie hier genannt
wird. Diese begann und beginnt noch in unserer Gegend erst
am Montag vor dem Aschermittwoch oder nach dem Sonntag
Esto mihi, welcher zum Unterschied von der alten Fastnacht
oder dem Sonntag Invocabit die „Herrenfassnacht" genannt wird.
An den sog. „feissen" Donnerstagen fanden nur Familienessen
statt. Jetzt haben auch diese aufgehört. Desto toller gieng es
dafür an der eigentlichen Fastnacht zu. Am Montag und Dienstag
zogen die jungen Leute maskiert oder sonst entstellt im Dorfe
herum, trieben allerlei Unfug und verspotteten in mehr oder
weniger gelungenen Schnitzelbänken oder Darstellungen miss-
beliebige Personen oder Begebenheiten. Nachts aber wurde
getanzt, und zwar am Montag von den Ledigen und am Dienstag
von den Verheirateten, und das geschah so lebhaft, dass man
das Geräusch der schweren, nägelbeschlagenen Schuhe in weiter
Entfernung hörte; von Ballschuhen wusste man damals, auf dem
Lande wenigstens, noch nichts. Die Musik beim Tanze war
eine sehr einfache; sie bestand gewöhnlich aus einem Klarinett
und einer Geige, die so gut zusammenstimmten, als es eben von
Autodidakten erwartet werden kann. Diese Fastnachtsbelustigung
besteht allerdings noch jetzt; jedoch ist die Musik eine bessere,
dank den Blechmusikgesellschaften, deren es nun fast in jedem
Dorfe eine gibt. Auch herrscht dabei mehr Anstand und Bildung,
wenn auch dieses manchmal noch zu wünschen übrig lässt. Was
aber aufgehört hat, das ist „das Begraben der Fastnacht".
Dies geschah zumeist, trotz Widerspruchs von Seiten der Geistlichkeit, am Aschermittwoch und bestand darin, dass man eine
grosse Puppe in feierlichem Zuge auf einen öffentlichen Platz
im Dorfe oder in der Nähe des Dorfes trug und da in ähnlicher
Weise der Erde übergab, wie dies mit den Leibern der Verstorbenen geschieht. — In neuerer Zeit hat man in mehreren
Ortschaften angefangen, die frühere planlose Maskerade durch
Umzüge mit bildlichen Darstellungen aus der Geschichte und

Natur zu ersetzen. — Nach dem Begraben der Fastnacht hörte der Rummel auf und hatte das Dorf wieder sein gewöhnliches Aussehen. Jetzt geschieht das schon am Aschermittwoch.

5. Das Fastnachtsfeuer. Am Sonntag nach dem Aschermittwoch oder an der „alten Fassnacht" wurde, wie noch jetzt, abends auf einer Anhöhe in der Nähe des Dorfes ein grosses Feuer, zu dem die Knaben an den Tagen vorher das Material gesammelt hatten, angezündet und dabei brennende Holzscheibchen in die Luft hinausgeschleudert. Man mag von diesen aus dem Heidentum stammenden Frühlingsfeuern denken, was man will, etwas Imposantes haben sie immerhin, zumal wenn man, an einer zentralen Lage sich befindend, deren rings um sich her bei fünfzig und noch mehr sieht. Sie nehmen sich dann aus wie ein Kranz von helleuchtenden Sternen, die den Horizont besäumen und von denen zahlreiche Sternschnuppen ausgehen. Dazu kommen dann noch die Kienfackeln, die in gewundenem Zuge von der Anhöhe herabsteigend, von ferne aussehen wie eine grosse feurige Schlange. Ob die brennenden Scheibchen auch ein Gruss sein sollen an die Geliebte, wie in Graubünden, konnten wir nicht in Erfahrung bringen. Nachdem das Feuer erloschen, kehrt man unter Vorantragung der erwähnten Fackeln und beim Spiele der Musik ins Dorf zurück; von da aber begeben sich die Tänzer vom Fastnachtsmontag zunächst zu ihren respektiven Tänzerinnen, um sich von denselben mit „Küchlein" bewirten zu lassen, nachher aber ins Wirtshaus, um die Zeche des Tanzabends zu bezahlen. Getanzt wird da, weil innerhalb der Fasten, nicht mehr, mit wenigen Ausnahmen wenigstens. Von denjenigen Jungfrauen, die nicht so glücklich waren, einen Tänzer zu finden, sagt man, sie müssten ihre Küchlein am darauffolgenden Fronfastenmarkte in Basel an den Mann zu bringen suchen. — In der alten, frommen Zeit wurde, bevor das Feuer angezündet oder richtiger angeschossen wurde, um den Holz- und Strohhaufen herum der Rosenkranz gebetet anstatt in der Kirche, wo er sonst an Sonn- und vielenorts auch an Werktagsabenden gebetet wird.

6. Das Eier-, Butter- und Mehlsammeln an Mittfasten. Am 4. Sonntag in der Fasten (Laetare) giengen noch bis vor kurzem die Kinder des Dorfes in zwei Abteilungen, die Knaben besonders und die Mädchen besonders, bei den besser situierten Einwohnern herum und baten um Eier, Butter und Mehl. Dabei sangen sie:

Hüt isch Mittelfaste:
Mer trete in die Lache.
  Heroneleis, [1]
  Hüt über drei Wuche esse-mer Eier un Fleisch.

  Wenn - der - is keini Eier weit gäh,
Muess - ech der Iltis d'Hüehner all' näh.
Heroneleis etc.

  Wenn - der - is kei Mehl weit gäh,
Muess - ech der Müller 's Halb der vo näh.
Heroneleis etc.

  Wenn - der - is kei Anke weit gäh,
Muess - ech d' Kueh kei Milch meh gäh.
Heroneleis etc.

  Mer höre 's Gigli gige;
Sie wird - is Brod abschnide.
Heroneleis etc.

Oder:

Die Knaben:

  Stüret, stüret - eme - n - alte Mieschma,
Hinterm Bütteneloch[2] e Hus g'ha,
Siebe Johr im Chämi g'hange,
Erst nächte[3] abeg'falle.
Bolle, bolle, so kalt!
  Wen - der nüt weit gäh,
Muess - ech der Iltis d'Hüehner näh
Mit zantem[4] Güggel.

Die Mädchen:

Hüt isch Mittelfaste,
Mer trete in die Lache
  Dri roti Röseli vor em grüene Wald.

---

[1] D. i. Kyrieeleis.
[2] Schlucht bei Ettingen.
[3] letzte Nacht.
[4] samt dem.

Mer seihe's[1]) a de Wulche:
D' Frau het noni g'mulche.
Dri roti Röseli etc.

Mer seihe's a de Sterne:
D' Frau git-is Kerne.
Dri roti Röseli etc.

Mer höre 's Hüehnli singe:
D' Frau will-is Eili bringe.
Dri roti Röseli etc.

Mer höre d'·Frau ins Chämmerli goh:
Sie will-is Nüsseli abeloh.
Dri roti Röseli etc.
Helandileis!
Hüt über drei Wuche esse-mer Eier un Fleisch.

In Reinach sang man (nach „Festspiel zur 400jährigen
Erinnerungsfeier des Kampfes am Bruderholz" von X. Feigenwinter):

Hit isch Mittelfaste;
Mer trete in die Lache.
Dri rote Röseli vor dem grüene Wald:
Wie isch der Winter so kalt!

Mer höre e' Frau ins Chämmerli goh,
Sie wird-is d' Aepfel abeloh
Dri rote Röseli etc.

Mer höre 's Hüehnli singe,
Es wird-is Eili bringe.
Dri rote Röseli etc.

Mer höre d'Pfanne chrache;
Me wird-is Chüechli bache.
Dri rote Röseli etc.

Mer höre 's Messer gide;
Es wird-is Brod abschnide.
Dri rote Röseli etc.

_____

[1]) sehen's.

Eine gütige Matrone des Ortes bereitete dann den Sammlern aus dem Gesammelten ein leckeres Mahl, wobei sich die Kleinen seliger fühlten, als Könige und Millionäre bei den splendidesten Banketten, und das Schönste dabei war, dass alle Kinder des Dorfes daran teilnahmen, die reichen wie armen. Leider ist dieses zuletzt in eine gemeine Bettelei ausgeartet, indem nurmehr die Kinder armer Familien die Sammlung vornehmen und diese getrennt. Es kommt übrigens nur noch an wenigen Orten vor.

7. Etwas Aehnliches geschah an Ostern durch die Knaben. Diese hatten während der drei letzten Tage der Charwoche, wo bekanntlich bei den Katholiken zum Zeichen der Trauer die Glocken verstummen oder nach Rom reisen, wie man sagt, die Aufgabe, durch sog. Raffeln (hölzerne Kasten mit Hämmern) die Zeit des Gottesdienstes und Gebetes anzuzeigen, sowie bei den Metten am Abend das Geschrei der Juden bei der Verurteilung Jesu darzustellen. Dafür sammelten sie dann am Ostersonntag als Lohn Eier, die sie aber unter sich teilten, um daheim von der Mutter sich einen Eierdotsch bereiten zu lassen. Auch das hat jetzt aufgehört. Eine grosse Raffel auf dem Kirchturme versieht nun den Dienst.

8. Das Eierlesen.[1]) Wie die Kinder an Mittfasten, so belustigen sich die „Knaben" d. i. Jünglinge am Ostermontag durch das Eierlesen. Dasselbe bestand darin, dass eine Anzahl Eier in einer bestimmten Entfernung auf die Erde gelegt wurden. Diese mussten dann von der einen der zwei Parteien, in die sich die Jungmannschaft teilte, aufgehoben und in eine Wanne oder Getreideschwinge geworfen werden, während die andere Partei eine Strecke Wegs zu durchlaufen hatte. Diejenige Partei, welche mit ihrer Arbeit zuerst fertig war, hatte gewonnen und musste von der andern im Wirtshause regaliert werden. Natürlich wählte jede Partei den zu dem betreffenden Geschäfte tauglichsten aus. In der Regel siegte aber derjenige, der zu laufen hatte; denn, wenn auch die Wanne mit Spreu gefüllt war, so brauchte es doch grosse Geschicklichkeit und Vorsicht, um die Eier so in dieselbe zu werfen, dass keines zerbrach, in welchem Falle das Spiel verloren war. Auf der andern Seite machte der Läufer die grösste Anstrengung, um möglichst bald wieder zu-

---

[1]) Vgl. ARCHIV II 129 ff.

rück zu sein. Dies blieb bisweilen nicht ohne Folgen. So soll
ein Läufer, der den Weg von Ettingen nach Bottmingen d. h.
beiläufig ³/₄ Stunden zu durchlaufen hatte, durch das Springen
sich Blutspucken zugezogen haben, infolge dessen dieser Brauch
fernerhin unterblieb. Jetzt ist er überall im Birseck verschwunden;
dagegen besteht er noch in einigen Dörfern des alten Kantons-
teils. In einigen Gemeinden des Birseck ist an seine Stelle

9. der des „Osterkügeleins" getreten. Nach der Vesper
des genannten Tages, der ehemals Feiertag war, und zwar roter,
nicht bloss blauer, versammelten sich die Jünglinge des Dorfes
und begaben sich hinaus auf eine Wiese oder auf anderes ebenes
Land. Hier teilten sie sich wieder in zwei Gruppen, und diese
warfen einander ein hölzernes Kügelchen zu. Diejenige nun,
welche die andere am weitesten zurücktrieb, hatte gewonnen,
und die andere musste die Zeche des Tages bezahlen.

10. Ein, wenn wir nicht irren, altheidnischer Brauch ist
der des „Pfingstblütters." Dieser findet statt am Pfingstmontag, wiederum nach der Vesper. Da begeben sich die Jünglinge in den Wald und bedecken einen der Ihrigen mit grünen
Reisern, sodass er aussieht, wie ein Faun der Heiden. Dann
führen sie ihn unter Singen und Jauchzen durch das Dorf und
lassen ihn hie und da gegen die Zuschauer Referenzen machen.
Schliesslich werfen sie ihn in einen Brunnen oder den Bach,
sorgen aber natürlich dafür, dass er keinen Schaden nimmt.
Hie und da soll jedoch trotzdem einer etwas wohl viel des
Nassen bekommen haben. Jetzt wird diese Aufführung des
„Pfingstblütters" nur noch von Knaben besorgt. Offenbar stammt
dieser Brauch, wie die Fastnachtsbelustigungen und Fastnachtsfeuer, aus dem Heidentume; was er aber bedeuten soll, ist dem
Schreiber dieses nicht recht klar. Vielleicht soll die Ueppigkeit
der Natur um diese Zeit oder aber ihr Bedürfnis nach Regen
damit ausgedrückt werden.[1]

11. Gebräuche bei Kindstaufen. Wenn ein Kind getauft werden sollte, holte der Götti (Taufpate) die Gotte (Tauf-
patin) in ihrem Hause ab und begab sich, nachdem ihm dieselbe

---

[1] Der Brauch ist in Deutschland ziemlich weit verbreitet. Vgl.
E. H. MEYER, German. Mythologie 1891, S. 137, wo die betr. Litteratur
verzeichnet ist.   RED.

einen „Meien" an den Rock geheftet hatte, mit ihr in das Haus
des Täuflings, um denselben in die Kirche zur Taufe zu tragen.
Nach der Taufe und dem obligaten Taufmahle im Hause der
beglückten Eltern, gieng er alsdann mit ihr ins Wirtshaus, um
da zugleich die Jünglinge, welche ihm zu Ehren während der
Taufe „geschossen" hatten, zu gastieren; denn ohne Schiessen
gieng ehemals keine Taufe vor sich, und es war darum ein
etwas kostbares Vergnügen, Götti zu sein, zumal die Taufpaten
ihren Täufling, wenigstens bis derselbe 12 Jahre alt war, von
Zeit zu Zeit noch beschenken mussten. Am Neujahrstage holte
derselbe bei ihnen einen Butterwecken nebst einem Lebkuchen,
der für die Knaben die Form eines Säbels hatte und sie wohl
daran erinnern sollte, dass sie dereinst eifrige Streiter Christi
werden sollen, an der alten Fastnacht Küchlein und an Ostern
Ostereier mit abermals einem Wecken. War das Kind aber 12
Jahre alt, so statteten es, wenigstens die besser situierten, Paten
mit dem Kommunionskleide aus. — Am Sonntag nach der Taufe
brachte die Patin das Kind abermals in die Kirche, um es da
Gott zu „opfern". Zu diesem Ende trug sie dasselbe nach der
„Opferung" um den Altar, begleitet von allen anwesenden Jungfrauen. Man nannte dies „Schlottern." Nach der Kommunion
aber kam sie mit demselben wiederum zum Altare, damit ihm
der Pfarrer ein Tröpfchen von der „Absolution" zu trinken gebe
und die Patene (Hostieenplatte) an seine Stirn lege. Dies hiess
„Witz'gen", (wohl witzig d. h. weise machen). Dieser Brauch
hat jedoch längst aufgehört; bestände er noch, so gäbe es jetzt
in den meisten Gemeinden alle Sonntage einen Opfergang, ja an
einigen sogar mehrere.

12. Gebräuche bei Beerdigungen. Wenn ein Ver-
storbener zur Erde bestattet wurde, trugen vormals die Träger
der Leiche schwarze Leidmäntel und ebenso die nächsten Verwandten des Verblichenen. War der Verstorbene eine Jungfrau,
so wurde sie von Jungfrauen in weissen Kleidern zu Grabe getragen. — Die früher allgemein üblichen Totenmahle haben jetzt
aufgehört; höchstens, dass die von auswärts gekommenen Leidtragenden von den Hinterlassenen bewirtet werden.

13. Gebräuche bei Hochzeiten. Da gieng es ehemals
drollig zu. Wenn nämlich die Zeit der Trauung gekommen war,
begab sich der Bräutigam mit seinen Freunden zum Hause der
Braut, um diese zum Gang in die Kirche abzuholen. Voraus

gieng der „Brautführer". Ohne diesen wurde keine rechte Ehe-
geschlossen, er machte sowohl ausserhalb als innerhalb der Kirche,
sowohl bei der Trauung als beim Hochzeitsmahle der Braut die
Honneurs; er führte sie zum Altare und vom Altare wieder in
ihre Bank zurück. — War man nun beim Hause der Braut
angekommen, so gieng der Brautführer hinein, um dieselbe her-
auszuholen. Er brachte jedoch nicht sofort diese, sondern etwa
ein halberwachsenes Mädchen, oder ein altes Mütterchen oder
eine bucklige alte Jungfer. Auf die Entgegnung des Bräutigams,
das sei sie nicht, die wolle er nicht, holte der Brautführer eine
andere und so ging es fort zwei-, drei- und mehrmal, je nachdem
der Brautführer „Witz" hatte, und selbstverständlich wählte
man nicht den dümmsten zu diesem Amte. Endlich erschien
die rechte Braut mit einem weissen Kranze auf dem Haupte —
Schleier kannte man damals noch nicht —. Bevor man nun
aber den Gang zur Kirche antrat, wurde ein Wecken unter die
Abholenden ausgeteilt, der sog. „Brautwecken", und dazu natürlich
auch Wein serviert; unter die Kinder aber, die sich damals,
wie noch jetzt, bei solchen Anlässen zahlreich einfanden, wurden
Zuckererbsen und andere dergleichen Süssigkeiten geworfen und
von diesen mit ergötzlichem Wetteifer aufgesammelt. — Endlich
ging es zur Kirche, voran der Geiger und Klarinettist, die bei
keiner derartigen Feierlichkeit fehlen durften. Bei der Kirche
angekommen stellten sich die Musiker auf die Seite, und es begann
die Trauung. Diese fand nämlich in früherer Zeit an der Kirch-
pforte statt und in der Kirche nur die Einsegnung oder der „Braut-
segen". Bei der Trauung ereigneten sich bisweilen erheiternde
Scenen, wenn etwa eines der Brautleute die Frage des Trauenden
nicht recht verstand oder infolge von Befangenheit verwirrt war.
So antwortete einmal ein 77jähriger Bräutigam (Wittwer), der
sich mit einer Braut verehelichte, die ebenfalls das Schwaben-
alter schon ordentlich überschritten hatte, auf die Frage, ob es
sein freier und ungezwungener Wille sei, die Gegenwärtige als
seine rechtmässige Ehefrau anzunehmen, mit grossem Selbstbewusstsein und lauter Stimme: „Ich bin nicht gezwungen zu
heiraten." Ein anderer, der einen schweren Geldsack, aber einen
etwas leichten Kopf hatte, blieb auf die Frage stumm, bis ihn
die Braut anstiess und zu ihm sagte: „Sag' jo, Jörg!" Alsdann antwortete er gehorsam „Ja". — Nach beendigter Zere-
monie, die immer mit einem Hochamte verbunden war und teils

fröhlichem, teils wehmütigem Gesang und Orgelspiel, letzteres
gewöhnlich nach der Melodie : „O du schöner Jungfernkranz",
geleitete die Musik, die unterdessen draussen gewartet hatte,
die jungen Eheleute mit ihren Gästen zum Gasthause, wo der
Hochzeitsschmaus serviert wurde, der gewöhnlich in zwei Mahlzeiten bestand, von denen die eine mittags nach der Rückkehr aus
der Kirche, die andere aber nach fleissigem Tanzen um Mitternacht
genossen wurde. Auch während des Essens wurde Kurzweil
getrieben. Unter Anderm suchten boshafte Gäste der Braut
einen ihrer Schuhe zu entwenden, um den jungen Ehemann
zu hänseln, dass er seine Geliebte nicht gehörig bewache und
beschütze. Natürlich setzte es dabei für den Verwegenen
mitunter auch einen derben Nasenstüber ab, wenn nämlich
die Braut den beabsichtigten Streich merkte. Bisweilen geschah es aber auch im Einverständnis mit der Braut, um die
Gesellschaft zu erheitern. Der also entwendete Schuh wurde
alsdann öffentlich versteigert und der Bräutigam musste ein
Lösegeld zahlen, wenn er nicht wollte, dass seine junge Ehe-
hälfte nur mit einem Schuhe tanze und nach Hause gehe.

Wir sagten, die meisten Hochzeiten seien in dieser Weise
gefeiert worden. Wie war es aber ärmern Brautleuten möglich,
solchen Aufwand zu machen? Dafür wusste die in diesen Stücken
erfinderische alte Zeit Rat. Man veranstaltete nämlich sog.
„Irrtenhochzeiten", d. h. jedermann war zur Hochzeit eingeladen, musste aber seine „Irrte" oder Zeche selbst bezahlen,
und wo es lustig herging, da fanden sich, wie noch jetzt, immer
Gäste ein. Oder aber es wurden von den Hochzeitsgästen Gaben
eingesammelt, sog. Hochzeitsgaben. In diesem Falle defilierten
nach dem Hauptmahle die Gäste vor der Braut und warfen in
eine vor ihr stehende Schüssel eine Gabe, wofür sie von dieser
als Gegengeschenk ein Stück Käse erhielten. Den Reigen eröffnete gewöhnlich die Näherin, welche der Braut das Hochzeits-
kleid verfertigt hatte. Ihr Geschenk bestand u. a. in einem
Kinderkäppchen oder auch mehreren, die bisweilen auch schon
die Namen ihrer zukünftigen Besitzer trugen. Die Gaben fielen
oft so reichlich aus, dass den jungen Eheleuten über die Hoch-
zeitskosten noch ein Ordentliches zur Einrichtung ihrer Haus-
haltung überblieb.

14. In Verbindung mit den Hochzeiten stand das sog.
Spannen. Dieses fand statt, wenn eine Tochter des Dorfes

sich nach auswärts verheiratete. Wenn dieselbe zur Trauung abgeholt wurde, spannten die Jünglinge ein Band oder eine Kette über den Weg und liessen sie nicht fort, bis sie oder der Abgesandte des Bräutigams, gewöhnlich 'der sogen. „Vor- oder Ehrenknab" oder männliche Hochzeitszeuge, ein Lösegeld bezahlt hatte. Dieses richtete sich nach den Vermögensverhältnissen der Auswandernden oder des „Räubers" und war mitunter ziemlich beträchtlich. So sagte dem Schreiber dieses einmal ein Mann, seine (zweite) Frau habe ihn 40 neue Thaler gekostet (circa 230 Fr.), und das Fatale dabei war noch, dass sie nachmals nicht ganz dem entsprach, was er von ihr erwartet hatte. Gewöhnlich legten die Spannenden eine Anzahl Silber- oder Geldstücke auf einen Teller, und diese musste der Brautabholende verdoppeln. Bisweilen geschah es aber auch, dass ihnen die zu Brandschatzende durch Einschlagung eines andern Weges entwischte und sie das Nachsehen hatten. In diesem Falle rächten sie sich dadurch, dass sie die Strasse mit Besen kehrten, als ob dieselbe verunreinigt worden wäre. Natürlich wurde nachher die Loskaufssumme verjubelt. Jetzt hat dieser Brauch infolge obrigkeitlichen Verbotes aufgehört, und es ist gut; denn aus einem anfänglich harmlosen Scherze ist nachgerade eine reine Brandschatzung geworden.

15. Auf dem Umstande, dass man es ungern sah, wenn eine Tochter sich nach auswärts verehelichte, beruhte auch das **Verfolgen auswärtiger Brautwerber**. Wehe einem solchen, wenn er sich nicht vor Nacht aus dem Dorfe entfernte! Wenn er nicht ein Goliath war oder die Füsse eines Rehes hatte, kam er selten mit heiler Haut nach Hause.

16. Dasselbe geschah, wenn einer mutwilliger oder unbesonnener Weise die Dorfbewohner mit ihrem **Spitznamen** neckte oder auch nur beim Verlassen des Dorfes „behutt" rief, was für eine Herausforderung galt. Sofort war ihm die ganze Jungmannschaft des Dorfes auf den Fersen, und sein Spass nahm nicht selten einen blutigen Ausgang. Jedes Dorf hatte nämlich seinen Spitznamen. So nannte man die Reinacher „Linseschnitzer", die Allschwiler „Krautstorzen", die Arlesheimer „Saubohnen", die Ettinger „Kuckucke", die Therwiler „Iltise" und später „Neunundneunziger". Den letztern Namen erhielten sie, weil sie s. Z. viele Schulmeister lieferten. Unter dem gemeinen Volke bestand nämlich die Meinung, zur vollkommenen Gelehrt-

heit werde die Kenntnis von 100 „Spezies" erfordert. Desswegen sagte man von einem, der etwas mehr wusste als Andere,
er kenne 99 Spezies; wenn er 100 kennte, wäre er ein aus-
gemachter Gelehrter. — Der Spitznamen wurde ehemals als
Schimpf angesehen, und es war nicht ratsam, denselben am betreffenden Orte oder in Gegenwart von solchen, die er betraf,
auszusprechen. Schreiber dieses erinnert sich noch aus der Zeit
seines Bezirksschulbesuches, wie einmal auf ihn und seine Kameraden beim Passieren eines Hohlweges in der Nähe des
Dorfes Oberweil Erdschóllen geflogen kamen, weil einer der
letztern, zufällig, ohne an etwas Böses zu denken, sagte: „Schauet,
wie viele Schnecken da sind!" Die Oberwiler wurden nämlich
„Schnecken" genannt. Es kam uns gut, dass wir noch flinke
Füsse hatten und dass nur Frauenspersonen den verhängnisvollen
Ausspruch gehört hatten, sonst wären wir tüchtig verhagelt
worden. Jetzt achtet man diese Spitznamen nicht mehr, sondern
lacht darüber.

17. Zu den mit dem Kirchenjahr in Verbindung stehenden
Gebräuchen kann auch der Bannumzug gezählt werden, weil
er in unserer Gegend zu einem kirchlichen Brauch geworden
ist. Je am ersten Tag des Monats Mai giengen der Ortsvorsteher (Meier oder Untervogt) und das Gescheide mit der Jungmannschaft um den Bann, um sie über die Grenzverhältnisse
desselben zu unterrichten. Es war dies übrigens auch obrigkeit-
lich geboten. Von dieser Besichtigung der Banngrenzen rühren
wohl die Bannumzüge her, welche jetzt noch anfangs Mai in
einigen Gemeinden des alten Baselbietes stattfinden, das s. Z.
ebenfalls zum Bistum Basel gehörte, sowie die Bannprozessionen
im Birseck, die jeweilen an Christi Himmelfahrt abgehalten
werden und allerdings nicht mehr den Zweck der Besichtigung
der Banngrenzen, sondern den des Erflehens von Schutz und
Segen für die Feldfrüchte haben.

(Schluss folgt).

Ein Wörterverzeichnis der Gaunersprache von 1735.

Mitgeteilt von E. Hoffmann-Krayer.

Schon im XV. Jahrhundert hat Basel über die Gauner-sprache Aufzeichnungen gemacht, die zum Wichtigsten und Aeltesten gehören, was wir auf diesem Gebiete besitzen [1]). Nun stossen wir wiederum auf ein Mandat, das am 10. Januar des Jahres 1735 erlassen wurde und eine grössere Anzahl von Gauner-wörtern enthält. Da dieses Verzeichnis in dem die einschlägige Litteratur sonst so reichhaltigen Werke von Avé-Lallemant[2]) nicht erwähnt ist, nehmen wir an, dass es bis jetzt noch unbekannt geblieben ist. Es mag daher angezeigt erscheinen, es als Nach-trag hier zu publizieren; zumal da manche der hier angeführten Wörter (wir haben sie mit einem * versehen) in dem Avé-Lallemant'schen Gesamt-Wörterbuch (Bd. IV 515 ff.) nicht vor-kommen. —

Herrn Prof. Dr. F. Kluge in Freiburg i/B., der mit einer umfassenden Arbeit über die Gaunersprache beschäftigt ist, sind wir für manchen wertvollen Hinweis zu grossem Danke ver-pflichtet.

Allerhand Wörter /

Deren sich die zu Basel verhaffte Diebs-Bande in ihrer Sprach bedienet / und welche unter ihren annoch herum-vagirenden Mithafften diessmalen gantz gemein seyn solle.

Alp-Hoff, Sennerey, *Carnet-Kitt.* [3])

Ancken, Butter, *Muni**, *Bock.* [4]) *

Angeben, Verschwätzen, *Schmusen* [5]) *, *Vermasseren* [6]), *Pfeiffen.*

---

[1]) s. BASLER CHRONIKEN III 522 ff.

[2]) F. CHR. B. AVÉ-LALLEMANT, Das deutsche Gaunertum. IV Bände. Leipzig 1858.

[3]) *Karnet, Kornet*, Käse. *Kitt*, Haus (jüd. *Kisse*, Sessel).

[4]) *Muni* im Schweizerischen = Stier; vielleicht, dass die Bezeichnung von da stammt. *Bock* fehlt, wie *Muni*, in den übrigen Gaunerwörter-büchern; dagegen heisst *Boker*, Rind, was ja zu *Muni* stimmen würde.

[5]) Jüd. *schmusen*.

[6]) Jüd. *mosar*, er hat geteilt (?); vgl. mitteilen.

Ausbrechen, *Ausschaberen.* [7])

Baur, *Ruch.* [8])

Bauren-Hauss, *Kitt.*

Band, Handschellen, *Kupf* [9])*, *Schlang.* [10])

Bett, *Metti.* [11])*

Bettlen, *Jalchen,* [12])* *Schnuren,* [13]) *Haluncken.* [14])*

Betten, *Knupplen,* [15])* *Paternollen.* [16])*

Bettler, *Schnury.* [17])

Beutelschneider, *Sackschlupfer.* *

Beichten, *Brillen.* [18])*

Bekennen, alles gestehen, *Laub und Grass ist drussen.* *

Brandmarcken, *Speck und Kohl geben.* [19])

Brod, *Rippel,* [20])* *Lehum, Lehm.* [21])

Capuciner, *Wüllenbündel,* [22])* *Mermann,* [23])* *Kappen-Hanss.* *

Camisol, *Ein Pampeli.* [24]) *

Closter, *Bollent.* [25]) *

Creutzer, *Ein Psalmer.* [26])*

---

[7]) *Schaber,* Brecheisen (jüd. *schobar,* er hat zerbrochen).

[8]) Schweiz. *ruch,* rauh?

[9]) Jüd. *Kuppo,* Büchse, Kasten; also etwas Verschliessbares. Vgl. aber auch u. „Eisen".

[10]) Von „schlingen."

[11]) Vgl. jüd. *Metaltelim,* Mobilien; im hildburgh. Wörterb. *Metten.*

[12]) TRAIN, Chochemer Loschen (1833) hat *Jalcher,* Bettler; im Wörterb. v. Christensen: „*Jalcher, Terchener,* Bettler" (A.-L. IV 208).

[13]) Zu *schnurren?* (vom schnarrenden Instrument).

[14]) Böhm. *holomek,* nackter Bettler.

[15]) Vielleicht zu schweiz. *Knuppel,* Knoten, Knopf (von den Perlen des Rosenkranzes).

[16]) Entstellung aus Paternoster; vgl. auch *nollen* im Schweiz. Id. IV 716.

[17]) S. Anm. 13.

[18]) Stalder erwähnt in seinem handschriftl. Idiotikon *Brille,* Aufsehen erregendes Gerede; sollte obiges Wort damit verwandt sein?

[19]) Bei AVÉ-LALLEMANT heisst *Speck und Blaukohl* körperliche Züchtigung.

[20]) *Ribel* ist im St. Gallischen eine Mehlspeise (zu reiben); hieher?

[21]) Jüd. *Lechem.*

[22]) Wollbündel, wol von der Kutte.

[23]) Jüd. *Mirmo,* Betrug?

[24]) Zu Wz. *bamb-, bamp-,* schlaff herunterhängen?

[25]) TRAIN: *Bolent* (n.) Burg, Kloster, Palast; ebenso der Konstanzer-Hans (A.-L. IV 169).

[26]) TRAIN: *Salm(en)* (m.)

Doctor, Gelehrter, *Grillen-Hanss*, * *Glundbürstere.* [27]*

Degen, *Kohrum.* [28]*

Dorff, *Gfirch.* [29]

Duplonen, *Bläten.* [80]*

Ducaten, *Halbblatten.* *

Dieben vid. Schelmen.

Diebs-Sprach, *Blatte* [81]) *Schmuserey.*

Essen, *Achlen,* [82]) *Buttlen.* [88])*

Eisen, *Kupf* [84])*, *Rost.* *

Eisen Gitter wegbrechen, *Kupf* oder *Grembs* [85]* *wegwätten.* [86])*

Einbrechen, *Inlegküchen,* [87]) *Brosten,* [88]* *Zleilen,* [89]* *Einschaberen.* [40])

Examinatores kommen um zu besprechen, *Printzen* * *holchen* [41]) *und verlinsen.* [42])

Examinieren, *Verlinsen.*

Fisch, *Flösslig, Flossen.*

Fleisch, *Carne,* [48]* *Busem.* [44])*

Folteren, *Jenen,* [45]) *Beren.* [46])*

---

[27] *Glunde* heisst nach Train Beischläferin. Also „Hurenbürster"; aber warum?

[28] Train: *Kehrum* (m.); zigeun. *charo.*

[29] Jüd. *Kephar.* Obige Form führt A.-L. nicht auf, wol aber *Kefar, Kfar, Gefar, Gfar, Kaf.*

[30] Train: *Blete* (f.) Goldstücke; ebenso das Wörterbuch von Christensen (A.-L. IV 200).

[31] Zu jüd. *polat,* er ist entkommen.

[32] Jüd. *achlen.*

[33] A.-L.: *butten, botten, buttementen,* essen. Herleitung von niederdeutsch *biten* (beissen) scheint mir zweifelhaft.

[34] Vgl. Anm. 9.

[35] Schweiz. *Gräms,* Gitter, Geländer.

[36] *Wätten,* zusammenjochen, verbinden.

[37] *Lekach, Lekiche* (jüd. *Lekicho*), Diebstahl.

[38] Zu mhd. *brästen* „brechen" od. zu rotw. *Achbrosch,* Dieb?

[39] Train hat: *Zigweil* (m.) Dieb, welcher in Häusern stiehlt, während die Leute beim Spinnen zusammen sind.

[40] S. Anm. 7.

[41] Jüd. *halchenen,* gehen.

[42] *Linzen,* spähen (zu *blinzen?*).

[43] It. *carne.*

[44] Jüd. *Bossor.*

[45] *Inne,* Qual (jüd. *Inus*).

[46] Wol mhd. *bern,* schlagen, klopfen.

Fortkommen, aus der Gefängnuss entrinnen oder lossgelassen
    werden, *Boder.* [47])

Frau, *Nöschie, Eschi.* [48])

Füli, *Sosumli.* [49])

Ganss, *Budel* [50]) *

Galgen, *Dolmer,* [51]) *Klee.* [52]) *

Gayss, *Zicker* *, *Kass.* [53])

Geld, *Heu,* [54])* *Mumum,* [55]) *Mäss.* [56])

Geistlicher, *Galach.* [57])

Gefangenschafft, Thurn etc., *Satz,* * *Döfeserey,* [58]) *Leg.* [59])

Gefangen werden, *Kranck seyn.*

Gehen und Kommen, *Holchen.* [60])

Geschwisterte, item Bruder, Schwester, *Brissgen.* [61])*

Gitter, *Grembs.* *

GOtt, *Doff-Caffer.* [62])

Glass, *Schein.* [63]) *

Gut, *Doff.*

Gold, *Fuchs, Blatis.* [64]) *

ein Gulden, *Sof.* [65])

Haberen, *Spitzlig.*

Halblein, *Halbdrapp.* [66]) *

---

[47]) *Bodi,* los, frei (jüd. *potur?*)

[48]) Jüd. *Ischa.*

[49]) *Sus, Söschen,* Pferd (jüd. *Sus*).

[50]) A.-L. hat *Buze.* Im Emmenthal *Büdi,* Huhn.

[51]) Jüd. *taljenen,* henken.

[52]) Jüd. *K'li,* Gerät, Instrument?

[53]) Wol aus *Gaiss.*

[54]) Im Wörterb. von St. Georgen: „Kupfer, *Heu*" (A.-L. IV 137).

[55]) Jüd. *Momon,* Mammon.

[56]) Jüd. *mesummen,* baar.

[57]) Jüd. *Gallach,* der Geschorene.

[58]) *Tofes,* Gefangener (jüd. *Tophus*).

[59]) A.-L. hat *Leck* (Loch).

[60]) S. Anm. 41.

[61]) TRAIN: *Brisge, Prische*; im Wörterbuch von Christensen: „*Brissge Draske,* Bruder" (A.-L. IV 201).

[62]) *Tof,* gut (jüd. *tow*), *Kaffer,* Mann (jüd. *Kapher,* Bauer).

[63]) TRAIN hat *Glanz* (m.). *Schein* heisst bei A.-L. Tag.

[64]) S. Anm. 30.

[65]) *Sohof,* Gold, Gulden (jüd. *Sohow*).

[66]) Franz. *drap.*

Haar, *Jaaris,* [67])* *Strubbert.* [68])

Hembd, *Gembsli.* [69])

Hencken, Köpffen, Räderen, *Caporen* [70]) *schicken.*

Hencker, Scharffrichter, *Dömerth.* [71])*

Herr, *Printz.* [72])*

Herbrig, da man das Allmosen austheilet, item Nacht-Herberg, *Leilen,* [73]) *Fede.* [74])*

Huhn, *Stentzel.* [75])*

Hosen, *Butz,* [76])* *Geimer.* [77])*

Hund, *Kohluff.* [78])

Huth, wüllerner und von Stroh, *Obermann.*

Jud, *Blattenkimm.* [79])

Kalb, *Böhmeli.* [80])*

Katz, *Gingis.* [81])*

Kauffen, *Königen.* [82])

Käss, *Carnet.* [83])

---

[67]) TRAIN: *Jaar(e)*(n.), Gehölz, Wald (jüd.*Jaar*).

[68]) *Strupper, Strüpper, Struppert* (zu *struppig*).

[69]) *Kamis, Kamsel, Kemsel, Gemsel,* Hemd, Kamisol.

[70]) *Kappore,* Sühnopfer, Tod (jüd. *Kappora,* Sühnung); daher unser *kapores.*

[71]) Offenbar verwandt mit dem bei A.-L. IV 613 verzeichneten *Dolman, Galgen* (jüd. *tolo,* er hat aufgehängt).

[72]) Im Wörterbuch des Konstanzer Hans: „*Prinz* oder *Sinst,* der regierende Herr" (A.-L. IV 169).

[73]) Jüd. *Laila,* Nacht.

[74]) TRAIN: *Fade (f.),* Herberge. Lies oben „Leilen-Fede"?

[75]) TRAIN: *Stärchen, Stierchen,* doch kaum hieher gehörig. SANDERS *stenzen,* fortjagen.

[76]) TRAIN: Hosen, *Boxen, Bucksen; Butschgajum, Butschkern.* (Von *Buckskin?*)

[77]) Möglicherweise zu schweiz. *gīme,* klaffen, gähnen, gespalten sein.

[78]) Jüd. *Kelew.*

[79]) *Keim,* Jude; vgl. Anm. 31.

[80]) *Bum* ist die Abkürzung von *Poremedine,* die Schweiz; wäre eine Verwandtschaft möglich? Auch an eine Zusammenstellung mit Böhmen lässt sich denken.

[81]) *Ginggis* heisst im Schweiz. „Knirps"; daneben ist aber auch *Ginggel* für „Kaninchen belegt", endlich könnte man an *ginggele* „tändeln" denken. Im Wörterbuch des Konstanzer Hans: „*Gengil,* die Katze" (A.-L. IV 167).

[82]) Jüd. *kinjen, kanjen.*

[83]) S. Anm. 3.

Kind, *Kotum,* [84]* *Gampis.* [85]*

Kleider, *Klufftie.* [86]

Kirchen, *Gassgen,* [87] *Jassgen.*

Kommen, *Holchen.* [88]

Knecht, *Halbstossum.* [89]*

Korn, *Nasen.* *

Köhl, *Grünen.* [90]*

Kupfer-Geschirr, *Roten Plumpt* [91]* oder *Budil.* [92]

Leder, *Schwumm.* [93] *

Luntz, Metz, *Aftzger.* [94]

Losen, Auflosen, Aufhorchen, *Linsen,* [95] *Tröschen.* [96]*

Mann, *Kaffer,* [97] *Garie,* [98]* *Bnig,* [99] *Ruch.* [100]

Magd, *Halb-Schicksol.* [101]

Markt, *Tschug.* [102]

Maria Mutter Gottes, *Döffir* [103] *Mämmi.* [104]*

Mehl, *Farin,* [105]* *Staupert.* [106]

Messer, *Sacum.* [107]

---

[84] Jüd. *koton,* klein.

[85] TRAIN: *Gambeser.*

[86] Jüd. *Kelaph,* Rinde, Schale.

[87] Vgl. A.-L. IV 550.

[88] S. Anm. 41.

[89] Sonst heisst Knecht *Halb-Schekez,* von deutsch *Halbe,* Seite und jüd. *Schekez,* nicht-jüd. Knabe.

[90] TRAIN: *Grunert;* im Wörterbuch v. Christensen: „*Gruneet* [Schreibfehler?], Kraut" (A.-L. IV 207).

[91] TRAIN: *Plump,* Zinn (lat. *plumbum*); im hilburgh. Wörterbuch „*Blump,* Schröthe" (A.-L. IV 151).

[92] Jüd. *bedil,* Zinn.

[93] TRAIN: *Schwamm. Schwumm* ist schweizerisch.

[94] *Nafke,* Strassenhure (jüd. *Naphko*)

[95] S. Anm. 42.

[96] *Trösche* ist die schweiz. Form für deutsch *dreschen;* aber es bleibt fraglich, ob Zusammenhang mit dem Gaunerwort vorliegt.

[97] S. Anm. 62.

[98] Entstellt aus *Gatscho* (zigeun. *gaxo*), zigeun. *gari,* membr. vir. oder franz. *gars?*

[99] Bei A.-L. IV 583: *Pink.*

[100] S. Anm. 8.

[101] Jüd. *Schickzel,* nichtjüdisches Mädchen.

[102] *Schuck, Schock,* Strasse, Markt (jüd. *Schuck*).

[103] S. Anm. 62.

[104] Zu *Mam(m)a.*

[105] Franz. *farine.*

[106] Deutsch *Staub.*

[107] Jüd. *Sakin.*

Meidlin, Jungfrau, *Schicksol.* [108])

Metzger, *Katzauff.* [109])

Mittag, *Mitteljum.* [110])

Möschen Geschirr, *Gelber Plumpt,* oder *Budil.* [111])

Mörden, *Dalchen,* [112])* *Molieren,* [113])* *Caporen.* [114])

Mutter, *Mämmi.* [115])*

Nacht, *Leilen.* [116])

Nichts, *Loo.* [117])

Nachts gehen stehlen oder etwas bekommen, *Leilen holchen.* [118])

Nasen, *Bonum.* [119])

Nonnen, *Seicherin.* *

Nonnen-Kloster, *Seicherbollent.* [120]) *

Nudlen, Milchraum, *Perament.* *

Ohren, *Löffel,* * *Schwinlig.* [121]) *

Prediger, Pfarrherr, *Galach.* [122])

Reden, Schwätzen, etwas bekennen, er redet, *Masseren, Pfeiffen,*
    er schmausst. [123])

Verschwätz nur nicht, *Masseren umme Loo.* [124])

Rock, *Mahlbossum.* [125])

Rosenkrantz, Pater noster, *Stiger.* [126]) *

Rohr, Fusil, Pistolen, Buffert, *Glaseyum.* [127]) *

Ruthen ausstreichen, *Fägen* [128]) * *Kolen.* [129]) *

---

[108]) S. Anm. 101.

[109]) Jüd. *Kazow, Kazen;* Konstanzer Hans: „*Kazuf*" (A.-L. IV 171).

[110]) *Mittejom* (jüd. *Jom,* Tag).

[111]) S. Anm. 91. 92.

[112]) Zu deutsch *Dolch?*

[113]) Jüd. *mollen,* beschneiden.

[114]) S. Anm. 70.

[115]) S. Anm. 104.

[116]) S. Anm. 73.

[117]) Jüd. *lo,* nicht, nein, nichts.

[118]) S. Anm. 73. 41.

[119]) Jüd. *Ponim,* Gesicht, Fläche.

[120]) S. Anm. 25.

[121]) Zu *Schwein?*

[122]) S. Anm. 56.

[123]) S. Anm. 5. 6.

[124]) S. Anm. 6. 117. *(n)umme* ist schweiz. für nur.

[125]) Jüd. *Malbusch,* Kleid.

[126]) Im Liber vagatorum: „*Himelsteig,* pater noster" (A.-L. I 183).

[127]) Train: *Glasajum* (n.), *Glasse* (f.), *Klasajum, Klèsajum* (n.), Flinte

[128]) Nach Train: heisst *fegen* plündern.

[129]) Train: *kollen,* knallen, schallen (jüd. *Kol,* Stimme, Schall).

Sterben müssen, exequiret werden, *Kaporen* [130]) *go.* [131]).

Saltz, *Sprang.* [132]).

Säck ausraumen, *Schlupfen.* *

Schneider, *Stupfer.* *

Schaaf, *Lasel.* [133]) *

Schelmen, *Ganoffren.* [134])

Schuh, *Elemer.* [135])

Schwein, *Kaser,* [136]) *Nissner.* [137]) *

Seyl, *Längling.* *

Stehlen, *Schornen,* [138]) *Schnüffen,* [139])* *Greipen,* [140])* *Gampfen.* [141])

Stehlen durch Filouterie und Handgriff, mit einer Rappieren
    daran Wachs oder Bech, *Marquetisen,* [142]) * *Knechten.* *

Stehlen durch gewaltthätige Einbrüch, und sich vornehmen die
    Leuth zum Geld angeben zu zwingen, *Koch halten.* [143]) *

Stehlen gehen und verjagt werden / oder nichts bekommen, *Ins
    Holtz* oder *in Wald donneren.* * Auch sich vornehmen
    die Leuth zu ermorden, *Koch halten* * *und Caporen.*

Silber, *Keseff.* [144])

Stadt, *Mocum.* [145])

Schloss, Hrn. Hauss, *Castel.* *

Stier, *Böhm.* [146])*

Soldat, *Lalinger,* [147]) * *Reguff,* [148]) *Balimachum.* [149])

---

[130]) S. Anm. 70.

[131]) *Gō* mundartl. für „gehen".

[132]) A.-L., *Sprenkart,* Salz (zu *(be)sprengen?*)

[133]) TRAIN: *Lansel.*

[134]) *Gannew,* Dieb (jüd. *Gannaw*).

[135]) *Ellenmänner, Elemer* (jüd. *Naal,* Schuh).

[136]) *Chasser* (jüd. *Chasir*).

[137]) Möglicherweise zu *nüschen, nischen,* suchen, stöbern.

[138]) Zigeun. *tschoraf.*

[139]) Zu *schnüffeln?*

[140]) = *greifen.*

[141]) S. Anm. 134.

[142]) Zu franz. *marquette,* Tafel Jungfernwachs.

[143]) TRAIN: *Koche gehen,* auf einen Mord ausgehen.

[144]) Jüd. *Keseph.*

[145]) Jüd. *Mokom.*

[146]) S. Anm. 80.

[147]) TRAIN: *Laninger, Launinger, Löhninger.*

[148]) TRAIN: *Rekuf;* vgl. A.-L. IV 591.

[149]) Jüd. *Baal Milchomo.*

Strümpf, *Streiffen.* [150] *
Stroh, *Rusch.*
Stillschweigen, Läugnen, *Regmen,* [151]* *Cartouchen,* [152]* *Fallen.* [153]
Strecken, *Reisstag halten.* [154] *
Suppen, *Bolifsgen,* [155] *Schnallen.* [156] *
Schreiben, etwas Geschriebnes, *Cassfeyen.* [157]
Tag, *Jum.* [158]
Thaler, *Ein Ratt.* [159]
Taback, *Doberen,* [160]* *Suter,* [161]* *Nebel.* *
Theil vom Diebstahl, *Schapolis.* [162]   ·
Tuch von Wüllen, *Drapp.* [163]* *
Tuch, leinenes, *Schnee.* [164]
Vergraben, *Verdulben,* [165]* *Verschaberen.* [166]
Umbringen vid. Mörden.
Wasser, *Flodi,* [167]* *Meium.* [168]
Wacht-Knecht, Unter-Weibel, *Witz,* [169]* *Klein-Soder.* [170]*
Gross-Weibel, *Gross-Soder.* *
Weib, *Eschi.* [171]

---

[150] TRAIN: *Streifling, Ströfling.*
[151] Möglicherweise Druckfehler für *Stiegnen,* das TRAIN erwähnt.
[152] Cartouche war ein berüchtigter Dieb († 1721).
[153] A.-L. hat für *fallen* die Bedeutung „verhaftet werden.“
[154] Wol zu „reissen“.
[155] *Polifke, Polifte, Poliffe, Belifke, Belifte* u. s. w. (böhm. *poljwka*).
[156] Bair. *Wasserschnallen.* Von *schnallen,* geräuschvoll schlürfen.
[157] *Kaswenen* u. *kosew sein,* schreiben (jüd. *kossaw*).
[158] Jüd. *Jom.*
[159] Jüd. *Rat* „phonetisch belebte Abbreviatur von Reichstaler“ A.-L. IV 456. 590.·
[160] TRAIN: *Dobrich, Dowen, Dowerich.*
[161] Niederd. Form zu *süss?* oder zu *sieden?*
[162] *Schibboles,* Gewinn, Anteil (jüd. *Schiboleth*).
[163] S. Anm. 66.
[164] Von der Weisse her.
[165] Elsäss. *delben,* graben (angelsächs. *delfen*).
[166] S. Anm. 7.
[167] TRAIN: *Flude,* Flut; ebenso der Konstanzer Hans (A.-L. IV 169).
[168] Jüd. *Majim.*
[169] Offenbar identisch mit *Wittisch,* Nichtgauner, Philister etc.; vgl. A.-L. IV, 621 fg.; beim Konstanzer Hans: „*wetsch,* der Schütze, Büttel“ (A.-L. IV 169.)
[170] Zu dem von Train angeführten *Schode,* einfältiger Mensch? Der Konstanzer Hans hat: „*Schoderer,* Amtsdiener“ (A.-L. IV 169.)
[171] Jüd. *Ischa, Esches,* Frau.

Welscher, ein Frantzoss, *Haass.* *
Wirth, *Spitzi.* [172]).
Wirth, so den Dieben Unterschleiff gibt, *Blatten-Spitzi.*[173])
Wein, *Jeijum,* [174]) *Joli.* [175])
Zinnen Geschirr, *Weissen Plumpt,* oder *Budil.* [176])
Zu-Namen, Ueber-Namen, *Zuzincken.* [177])
Zeichen geben, ruffen / wann jemand kommt, weilen man stiehlt,
　　Zincken stecken oder *Zincken ausnemmen.*

Zum Schrätteliglauben.

Mitgeteilt von Dr. Th. von Liebenau in Luzern.

Ueber den Schrätteliglauben berichtet uns der Luzerner
Stadtschreiber Rennward Cysat (M. 103 fol. 272, ca. 1606,
Stadtbibliothek Luzern) wie folgt:

Von dem Doggkelin, zu latyn genannt Ephialtes oder Jn-
cubus und wyters ze tütsch Schrättelin.

Diss ist ein accidens und lybliche kranckheit, wird verursacht von schwärem melancholischem geblüt, wenn der mensch,
so disem mangel underworfen oder sonst durch andere disposi-
tionen und zufäll am ruggen ligende schlafft (als ich es selbst
auch etwan an mir erfaren), das den menschen gedunckt, es
lege sich etwas schwäres, mensch, thier oder anderes, uff ine
und trucke ine so hart, dass er vermeine, es ine erstecken wölle.
Und obwol der mensch sich stark bearbeit zu schryhen, so mag
ers doch nit fortbringen. Ist also ein beschwärliche beängstigung,

---

[172]) *Ospes. Ospis, Hospis, Spiess* (lat. *hospis*).
[173]) S. Anm. 31.
[174]) Jüd. *Jajin.*
[175]) Im Wörterbuch des Konstanzer Hans: „*Gfinkelterjole,* der Brannten-
wein“ (A.-L. IV 169).
[176]) S. Anm. 92.
[177]) *Zink. Zinken,* jede geheime Verständigung durch Laute, Mienen,
Geberden, Zeichen (zigeun. *sung*).

darüber die medici und physici ire ordentliche rationes geben.
Aber der pöffel hat seine sonderbare abergläubische imaginationes,
fantasyen und meinungen daby, als ob es ettwas thiers sye, oder
ettwas geists in der gstalt einer katzen, so sich allso dem menschen
uff die brust legte, mit anderen mehr seltsamen umbstenden,
daruff doch gar nüt se setzen.

Wol hand ouch unsre wyber iren wohn, dass diss dogkelin
den sugenden jungen kinden nachts überlegen und sy an iren
brüstlinen suge, davon jnen die brüstlin und werzlin ettwan
geschwällen, ja ouch milch gebent. Darfür nun sy, die wyber
solliches abzetryben einen wirten[1]) an die wiegen henckend,
dieses dogkelin mit sollchem klotteren dess wirtens abzetryben.
Aber diss hat kein natürlich fundament.

Glychen wohn hat man ouch ghept, wann man nachts in
den kammern by gar stillem wäsen ettwas hören klepffelen glych
wie die unruw an einer uhr oder zyttlin, da der pöffel es dahin
gedütt, es schmide das dogkelin allso, da aber man by unsern
zytten durch flyssigs nachgründen und uffwachen funden, das
es die holtzwürm oder holtzmaden, so im holtz und täffer wach-
send un ligent, mit irem nagen also verursachent.

---

[1]) Wirten = verticulum, Schwungring der Spindel, (ZIEMANN, Mittel-
hochdeutsches Wörterbuch p. 656.) Gewöhnlicher ist im Gebiete von
Luzern hiefür der Ausdruck *Wirtel*.

Miszellen — Mélanges.

Zum Bächtelistag in Frauenfeld.
Vgl. S. 164.

Im zweiten Hefte dieses Archivs bemerkt E. Haffter, dass der Bertolds- oder Berteli-Schmaus (gewöhnlich „Bächtelistag" genannt) der Bürger von Frauenfeld jeweils um die Mitte oder in der 2. Hälfte des Januar, immer aber an einem Montag abgehalten wurde. Für die Festsetzung dieses Montags gelte eine ihm nicht bekannte Regel.

Unterzeichneter ist nun im Falle zu bemerken, dass dieser bewegliche Montag jeweils der auf Hilarius (13. Januar) folgende Montag ist. Der Schmaus fällt also frühestens auf den 14. und spätestens auf den 20. Januar.

J. Häberlin-Schaltegger.

Zum Schnaderhüpfel.

In den Collectaneen von Joh. Mart. Usteri (Zürcher Stadtbibl. Mscr. P, b, 7) findet sich folgender Auszug aus einer anonymen (uns unbekannten) Schrift „Bruchstücke aus den Ruinen meines Lebens von H . . . . ." Aarau 1820 :

„Notizen von den Wäldleren, im Regen Krais, Königr. Baiern an der böhmischen Grenze. Liebe zur Poesie. — Alles wird in kurzen Versen ausgedruckt — auch die Liebenswerbung — und so auch geantwortet, diese zweizeiligen Strophen nennt man Schnaderhüpfler, und sie werden immer in der gleichen Melodie abgesungen.

Der Verfasser citiert 2 Beispiele:

Einer kommt mit 3 Hahnenfedern ins Wirtshaus (die Buben (unverheiratete) tragen deren wie die Tyroler, so viele, als sie glauben Gegner bezwingen zu können, oder wirklich bezwungen haben); er singt:

> He lusti, Curaschi, drei Federn am Huat,
> Den Buab'n will i sagen (sehen), der mir eppes thuat.

Ein Anwesender antwortet:

> Ich hör halt An (Einen) singa, der singa nit kon
> Es war mer glai lieba, er packet mi on.

Der Erste greift an und singt:

I nim di, i pack di, i schmeiss di glai um.
Du konst mir nix thuan, denn du bist mer z'dumm.

Es erfolgt ein Faustkampf, alles sieht zu, der Zweite erhält die Ober-
hand und singt:

Der macht mer ka Müha nit, der is mer viel z'faul;
Drei Federn am Huat und d'Kurasch nur im Maul.

Ein Alter bewirbt sich um ein schönes Mädchen; er singt:

Zwa schneeweisi Täublen flieg'n aussi im Wald
In e schwarzauget's Dirnel verlieb i mi bald.

Das Mädchen antwortet sogleich:

Mei lass nur die Dirneln und d'Täubeln im Wald
Zum flieg'n und zum lieben bist du schon viel z'alt.

E. Hoffmann-Krayer.

Berichtigungen und Nachträge.

S. 152 Mitte lies (statt: die Kuh) den „Kutz".

Bücheranzeigen. — Bibliographie.

DR. GEORG M. KÜFFNER, Die Deutschen im Sprichwort. Ein Beitrag zur Kulturgeschichte. Heidelberg (Carl Winter) 1899. 8°.

Ein kulturhistorisch überaus wichtiges Kapitel ist die Charak-
teristik, die der Volksmund einem Lande im Sprichwort zu teil werden
lässt. Freilich müssen diese Aussagen mit kritischem Blicke betrachtet
werden. Während einzelne Aussprüche durchaus den Eindruck der
objektiv richtigen Beobachtung machen, tragen andere unleugbar eine
subjektiv tendenziöse Färbung, sei es nun, dass sie von Hass und Neid
oder von Selbstüberhebung eingegeben sind. Wer aber diese verschiedenen Beweggründe zu sichten versteht, der wird aus einer derartigen Zusammenstellung des „blason populaire" grossen Nutzen ziehen.

Der Verfasser der vorliegenden Sammlung ist mit grossem
Fleisse und lobenswerter Unparteilichkeit zu Werke gegangen. An die
500 Sprichwörter und Redensarten, wie sie über die Deutschen und

ihre einzelnen Stämme im Umlauf sind und waren, hat er in Rubriken geordnet und so eine höchst verdienstliche Ergänzung zu dem etwas knapp gehaltenen Werke Reinsberg-Düringsfelds (Internationale Titulaturen) geliefert. Der erste Teil handelt von den „Deutschen im Sprichwort als Gesamtvolk"; von guten Eigenschaften finden u. A. sprichwörtlichen Ausdruck: Aufrichtigkeit, Treue, Genügsamkeit, Tapferkeit, Fleiss, Klugheit, Gelehrtheit, von schlechten: Dummheit, Steifheit, Langsamkeit, Plumpheit, Grobheit, Hochmut, Streitsucht, Ungeduld, Verschlagenheit, Rohheit, Unreinlichkeit, Argwohn, Frass und Völlerei (besonders stark vertreten). Im zweiten Teil folgen in alphabethischer Reihe die einzelnen Stämme und Aussprüche über sie, wobei die Schwaben, Bayern und Preussen das stärkste Kontingent stellen. Ein Quellenverzeichnis (in dem merkwürdigerweise Wanders Sprichwörterlexikon fehlt) bildet den Schluss.

Dass es dem Verfasser bei der Schwierigkeit der Quellenbeschaffung unmöglich war, die erreichbare Vollständigkeit zu erzielen, wird ihm keiner verargen, der die ungeheure Weitschichtigkeit des Materials kennt. Zu einem derartigen Werke werden sich immer und immer wieder Nachträge machen lassen, umsomehr als es einem Einzelnen kaum gelingen wird, sich die Kenntnis der gesamten einschlägigen Litteratur anzueignen.

Es wäre zu weitläufig, wollten wir das noch zu Benützende hier aufführen. Nur auf ein Denkmal sei noch wegen seines hohen Alters (X./XI. Jahrh.) hingewiesen; es ist ein Einsiedler Codex (Ahd. Glossen Bd. IV 426 oben), in dem u. A. von der „Avaritia Francorum" (Franzosen?) und der „Fortitudo Saxonum" gesprochen wird; ferner heisst es dort „Saxones comparantur equis. Franci tumidi."

Besondere Schwierigkeiten erheben sich bei der Rubrizierung, und hier ist es auch, wo man in vorliegender Arbeit manches beanstanden könnte; namentlich scheint uns der Verfasser mit den Verweisungen auf andere Nummern etwas zu sparsam gewesen zu sein. Dass das „deutsche Phlegma" unter der Rubrik „Beständigkeit" figuriert, scheint uns etwas zu optimistisch.

Doch dies Alles sind gegenüber den Vorzügen der Arbeit nur unbedeutende Ausstellungen. Möge der grosse Aufwand von Mühe durch eine zahlreiche Leserschaft belohnt werden.

E. H.-K.

AUGUST BERNOULLI, Die Sagen von Tell und Stauffacher. Eine kritische Untersuchung. Basel 1899. 8°. 54 S. Preis: Fr. 1.50.

Es darf von allen Freunden schweizerischer Sagenkunde begrüsst werden, dass ein hervorragender Kenner unserer einheimischen Geschichte, dessen Gründlichkeit unter den Fachgenossen längst bekannt ist, es unternommen hat, eine allgemein verständliche Darstellung unserer berühmtesten Sage zu bringen. Ohne das Verdienst früherer Abhandlungen über diesen Gegenstand zu unterschätzen, dürfen wir doch sagen, dass, nach den Fortschritten, die die schweizergeschichtliche Forschung in den letzten Dezennien gemacht hat, eine nochmalige Prüfung der Ueberlieferung auf Grund der bis jetzt gewonnenen Resultate wünschenswert erscheinen musste. B. hat sich, wie das zu erwarten war, dieser Aufgabe mit grossem Geschick entledigt.

In einem ersten Teile wird zunächst eine knappe, aber überaus durchsichtige Darstellung des politischen Zustandes und der geschichtlichen Entwicklung der Urkantone gegeben, die als Grundlage dienen soll für die im zweiten Teile auf die Entstehung der Sage zu ziehenden Schlüsse. Es kann natürlich nicht in unserer Absicht liegen, auf die historischen Erörterungen hier einzutreten; für uns sind von speziellem Interesse nur die sagengeschichtlichen.

Den Eingang derselben bildet eine allgemeine Betrachtung der Ueberlieferung im „Weissen Buche" zu Sarnen, aus dem Aeg. Tschudi seine berühmte Erzählung geschöpft hat. Es wird darauf hingewiesen, wie lose dort die fünf Sagen vom geblendeten Mann im Melchi (erst später ist daraus Melchtal gemacht worden), von dem im Bad Erschlagenen zu Altzellen, von Stauffacher und seinem Geheimbund auf dem Rütli, von Tell und endlich vom Ueberfall der Burg zu Sarnen aneinandergereiht sind, und wie nahe die Wahrscheinlichkeit liegt, dass die Erzählung im weissen Buche ein Kompilation aus ältern Schriften sei, die der Schreiber nach Willkür modifiziert hat.

Tendenziös entstellt ist nach B. in erster Linie die Sage von den ausgespannten Ochsen und dem geblendeten Vater, wo es sich wol nur um einen Akt brutaler Pfändung auf Befehl eines (unbekannten) Burgherrn handelte (Frühzeit des XIII. Jahrh.); diese Erzählung wie die von dem Bade in Altzellen (I. Hälfte d. XIII. Jahrh.), wo weder der Name des Erschlagenen noch der des Totschlägers überliefert ist, stehen zu der Befreiung der Waldstätte in keiner Beziehung.

In der Tellsage sind zwei Versionen zu trennen 1) der alte Mythus (Russ und Tellenlied), der nur von dem Apfelschuss, dem Sprung auf die Platte und dem Erschiessen des Vogts von dort aus etwas weiss (nur hier ist der Name Tell überliefert), 2) die Erzählung von dem Aufpflanzen des Hutes, der Verhaftung des Unbotmässigen, seinem Entweichen und dem Schuss in der Hohlen Gasse (vor 1291). Beide Ueberlieferungen hat das Weisse Buch verbunden, da eine gewisse Aehnlichkeit zwischen ihnen bestand. Freilich dürfte die zweite Version auf einem historischen Ereigniss („stürmischer Auftritt an einem Gerichtstage") beruhen.

Diese Tellsage ist im Weissen Buche mitten in die Erzählung von Stauffacher eingeschoben. Der Held dieser Sage ist höchst wahrscheinlich Wernher Stauffach der ältere (urk. nachweisbar 1267). Der Bericht über ihn ist durch die mannigfachen Interpolationen unklar und verschwommen geworden. Als Kern der Ueberlieferung ist des Schwyzers Stauffacher Initiative zu einem Geheimbund mit Unterwalden und die wiederholten nächtlichen Zusammenkünfte auf dem neutralen Boden des Rütli herauszuschälen (vor der Erhebung von 1247). Das Uebrige sind tendenziöse oder spätern Ereignissen entnommene Zuthaten. Zu den letztern gehört namentlich die Zerstörung der Burgen in Uri, die erst aus der Zeit des ewigen Bundes datieren kann.

Das letzte Kapitel ist dem Ueberfall der Burg zu Sarnen
gewidmet, der auf den 25. Dezember 1246 angesetzt wird.

Ein zusammenfassendes Schlussergebnis und der einschlägige
Bericht aus dem Weissen Buche in neuhochdeutscher Uebertragung
beschliessen die verdienstvolle Schrift.

Möge sich kein gebildeter Schweizer die Gelegenheit
entgehen lassen, sich über diese wichtigen und allgemeines
Interesse beanspruchenden Fragen in vorliegender Schrift
Klarheit zu verschaffen.

                                            E. H.-K.

TARTARINOFF, E., Die Beteiligung Solothurns am Schwabenkriege bis
    zur Schlacht bei Dornach (22. Juli 1499). Nebst 172 urkund-
    lichen Belegen und 24 lithograph. Beilagen. Festschrift, verfasst
    im Auftrage der h. Regierung des Kantons Solothurn zur IV.
    Säkularfeier der Schlacht bei Dornach. Solothurn 1899.

Ohne uns auf eine Kritik dieser allseitig gerühmten Arbeit ein-
zulassen, wollen wir doch nicht verfehlen auch unsre Leser auf diese
gediegen und vornehm ausgestattete Festschrift aufmerksam zu machen.
Sie bildet eine unauslöschliche Erinnerung an jene erhebenden Feiern
der letzten Julitage.

                                            RED.

RÄTISCHE TRACHTENBILDER. Herausgegeben vom Organisationscomité
    der Calvenfeier. Photographischer Farbendruck: Polygr. Inst.
    A.-G. Zürich. o. J. (1899). 34 Trachten auf 12 Tafeln. Preis:
    10 Fr. —

Das um die Reproduktion schweizerischer Trachten so überaus
verdiente Polygraph. Institut hat uns nun eine zweite Sammlung von
Trachtenbildern geschenkt. Was bei der die ganze Schweiz umfassenden Prachtausgabe nicht der Fall sein konnte: das Eingehen auf
die Varietäten in einzelnen Thalschaften, ist nun hier im vollsten Umfange zur Geltung gekommen. Wir waren erstaunt über die Fülle
und den Reichtum an prächtigen, oft luxuiösen Trachten, wie sie
Graubünden aufweist.

Den Wert einer solchen Sammlung brauchen wir nicht noch
besonders hervorzuheben. Sie ist ein Unikum, da es u. W. in der
Schweiz bis jetzt noch nicht versucht worden ist, eine möglichst vollständige Zusammenstellung sämtlicher Trachten eines Kantons zu machen.

                                            E. H.-K.

Fragekasten. — Informations.

Schatzgräberei.

Kommt das Schatzgraben in der Schweiz noch heutzutage vor
und was werden zum Finden und Heben des Schatzes für zauberische
Mittel verwendet? (Handschriftliche Wegleitungen, topographische Merk-
zeichen, Wünschelrute, Kristal, Beschwörungsformeln etc.)
Auch Angaben aus älterer Zeit werden mit Dank angenommen.
Dr. St. Eljasz-Radzikowski, Lemberg.
(Antworten an die Redaktion dieses Archivs).

Ein altes Gassenlied.

Im zweiten Basler Rufbüchlein (Manuskript im Staats-Archiv)
werden fol. 55 unter dem J. 1509 verboten: „schandlich vnd schmach-
lieder als der blowstorck vnd derglychen Allenthalben jnn den husern
vnd ouch vff den Gassen gesungen.“
Ist einer unserer Leser im Stande, über diesen „blowstorck“ Auskunft zu geben?

E. H.-K.

Spielnamen.

In höchst dankenswerter Weise hat der Verein für Verbreitung
guter Schriften durch Herrn Sekundarlehrer R. Wyss eine Anzahl
Unterhaltungs- und Bewegungsspiele zusammenstellen lassen. Das Heft-
chen ist im Juli 1899 als Sonderpublikation zur Ausgabe gelangt.
Gemäss seiner Bestimmung für die gesamte Schweiz sind die Spielnamen jedoch in schriftdeutscher Sprache abgefasst. Der Unterzeichnete
wäre daher für Mitteilungen der schweizerdeutschen Spielnamen, und wären es auch nur vereinzelte, überaus dankbar. Wer
das betr. Büchlein besitzt, braucht nur die Nummer des Spiels mit
der schweiz. Bezeichnung und dem Ort zu versehen. Also z. B. Nr. 5:
Fangis (Zürich); Nr. 6: Ferchten-er der schwarz Ma (Basel); Nr. 29:
Ressli-Fuulzi (Basel).
Zürich V.
Dr. E. Hoffmann-Krayer.

Dr. Karl Ritter †

Am 23. April dieses Jahres wurde in der Generalversammlung zu Luzern Dr. Ritter in den Ausschuss
unserer Gesellschaft gewählt. Als er die Annahme der
Wahl erklärte, versicherte er gleichzeitig, er werde, so
bald er von seiner damaligen Krankheit sich erholt, thätig
für die Interessen der Gesellschaft eintreten. Es sollte
anders kommen. Am 8. August ist er an einer Gehirn-
krankheit gestorben.

Der Dahingeschiedene, aus der Nähe von Weimar
stammend (geboren 1856) und zum Volksschullehrer ausgebildet, war nach Zürich gekommen, um sich von 1880—86
historischen Studien zu widmen. Nach seiner Promotion war
er nach Trogen berufen worden, wo er dreizehn Jahre
lang an der Kantonsschule gewirkt hat. Daneben hat sich
Ritter mit grossem Eifer der Erforschung der Schweizer-
geschichte hingegeben, durch eine Reihe selbständiger
Publikationen, wie durch Herausgabe des Appenzellischen
Jahrbuches sich um seine neue Heimat sehr verdient gemacht, und zweifelsohne wäre er auch der Mann gewesen,
für die schweizerische Volkskunde im Lande Appenzell
Tüchtiges zu leisten.

Wir bedauern seinen frühen Hinschied aufrichtig.

Revues des Traditions populaires.

Alemannia. Zeitschrift für Sprache, Kunst und Altertum besonders des alemannisch-schwäbischen Gebiets. Herausgegeben von *Friedrich Pfaff*. Jährlich 3 Hefte. Jahrg. 6 Mk. Verlag: P. Hanstein, Bonn.

Beiträge zur deutsch-böhmischen Volkskunde. Herausgegeben von der Gesellschaft zur Förderung deutscher Wissenschaft, Kunst und Litteratur in Böhmen Geleitet von Prof. Dr. *A. Hauffen.* Verlag: J. G. Calve, Prag.

Blätter für Pommersche Volkskunde. Monatsschrift. Herausgegeben von *A. Knoop* und Dr. *A. Haas.* 4 Mk. jährlich. Bestellungen bei A. Straube, Labes (Pommern).

Bulletin de Folklore. Revue trimestrielle. Organe de la „Société du Folklore wallon", publié par M. *Eugène Monseur.* Un an: 6 frs., un numéro: 1 50 frs. Bureaux: 92, rue Traversière, Bruxelles.

Český Lid. Sbornik věnovaný studiu lidu českého v Čechách, na Moravě, ve Slezsku a na Slovensku. (Das tschechische Volk. Zweimonatsschrift für tschech. Volkskunde in Böhmen, Mähren, Schlesien und Ungarn), hrg. von Dr. *Č. Zibrt.* Jahrg. 4 fl. 10 Fr., 3 Rubel). Administration: F. Simáček, 11, Jeruzalémská ul., Prag.

Folk-Lore. Transactions of The Folk-Lore Society. Quarterly. Annual Subscriptions: 1 L. 1 s. Publisher: David Nutt, 270, Strand, London.

The Journal of American Folk-Lore. Editor *William Wells Newell* Quarterly issued by The American Folk-Lore Society. Annual subscription: Doll. 3.00 Publisher for the Continent: Otto Harrassowitz, Leipzig.

Korrespondenzblatt des Vereins für Siebenbürg. Landeskunde. Redaktion: Dr. *A. Schullerus.* Erscheint monatlich. Jahrg. 2 Mk. Verlag: W. Krafft, Hermannstadt.

Lud. Organ Towarzystwa Ludoznawczego we Lwowie pod redakcyą Dra *Antoniego Kaliny.* (Das Volk. Organ d. Poln. Ver. f. Volkskunde in Lemberg, hrg. v. Prof. Dr. *A. Kalina).* Vierteljahrsschrift. Für Mitglieder 4 fl., für Nicht-Mitglieder 5 fl. Adresse: Lwów (Galicien), Ulica Zimorowicza 7.

Mélusine. Revue trimestrielle, dirigée par M. *Henri Gaidoz.* Un an: 12.25 frs., un numéro: 1.25 frs. Bureaux: 2, rue des Chantiers, Paris.

Mitteilungen der Schlesischen Gesellschaft für Volkskunde. Herausgegeben von *F. Vogt* und *O. Jiriczek.* Heft 0,50 Mk. Schriftführer des Vereins: Dr. *O. Jiriczek,* Kreuzstrasse 15, Breslau.

Mitteilungen des Vereins für Sächsische Volkskunde. Herausgegeben von Prof. Dr. *E. Mogk* (Färberstrasse 15) Leipzig.

Mitteilungen und Umfragen zur bayerischen Volkskunde. Jährlich 4 Hefte. Herausg. im Auftrage des Vereins für bayer. Volkskunde und Mundartforschung von Prof. Dr. *O. Brenner,* Würzburg. Jahrgang 1 Mk.

Ons Volksleven. Monatsschrift. Herausg. von *Joz. Cornelissen* und *J. B. Vervliet.* Jahrg. 2.50 Fr. Verlag: L. Braeckmans, Brecht.

Revue des Traditions populaires, recueil mensuel de mythologie, littérature orale, ethnographie traditionelle et art populaire. Organe de la „Société des Traditions populaires", dirigé par M. *Paul Sebillot.* Un an: Suisse 17 frs.; pour les membres: 15 frs.; un No.: 1.25 frs. Bureaux: 80, boulevard St-Marcel, Paris. — (Pour recevoir un numéro spécimen, il suffit d'en faire la demande à M. Sébillot en ajoutant un timbre de 15 centimes.)

A Tradição. Revista mensuel d'ethnographia portugueza. Directores: *Ladislau Piçarra* e *M. Dias Nunes.* Preço da assignatura 600 réis. Editor-administrador: *José Jeronymo da Costa Bravo de Negreiras,* Rua Larga 2, Serpa (Portugal).

Unser Egerland. Blätter für Egerländer Volkskunde. Herausg. von *Alois John,* Eger.

Der Urquell. Eine Monatsschrift für Volkskunde. Herausg. von *Friedr. S. Krauss.* Jahrgang 4 Mk. Redaktion: Neustiftgasse 12, Wien.

Volkskunde. Monatsschrift. Herausg. von *Pol de Mont* und *A. de Cock.* Jahrgang 3 Fr. Verlag: Hoste, Veldstraat 46, Gent.

Wallonia. Recueil mensuel de littérature orale, croyances et usages traditionels, fondé par *O. Colson, Jos. Defrecheux et G. Willame.* Belgique: Un an 3 frs., un No. 30 c., Union postale: 4 frs. Administration: 88, rue Bonne-Nouvelle; Rédaktion: 6, Montagne Ste-Walburge, Liège.

Zeitschrift des Vereins für Volkskunde. Vierteljahrsschrift. Herausg. von *Karl Weinhold.* Jahrg. 12 Mk. Vorsitzender des Vereins: Prof. Dr. *K. Weinhold,* Hohenzollerstr. 10, Berlin W.

Zeitschrift für österreich. Volkskunde. Redaktion: Dr. *M. Haberlandt.* Jahrgang 4 fl. 80. Verlag und Expedition: F. Tempsky, Wien.

Zur Beachtung!

Den Mitgliedern steht die Bibliothek der Schweiz. Gesellschaft für Volkskunde jederzeit zur Benutzung offen. Meldung beim Sekretär.

Bücher werden auf Bestellung ausgeliehen und franko zugesandt; nach Empfang ist die Quittung ausgefüllt zurückzusenden.

Einzelne **Probehefte der Zeitschrift** werden den Mitgliedern gratis und franko verabfolgt, falls solche zu Zwecken der Propaganda für unsere Gesellschaft oder deren Organ verwendet werden.

Schweizerische Gesellschaft für Volkskunde.
Société Suisse des Traditions Populaires.

Schweizerisches
Archiv für Volkskunde.

Vierteljahrsschrift

unter Mitwirkung des Vorstandes herausgegeben
von
Ed. Hoffmann-Krayer.

Dritter Jahrgang. Heft 4.

ZÜRICH
Druck von Emil Cotti's Wwe.

INHALT.

Der Umfang des Jahrganges ist auf 20 Bogen festgesetzt.

Der Abonnementspreis beträgt für Mitglieder Fr. 4.—, für Nichtmitglieder Fr. 8.— ; für das Ausland kommt der entsprechende Portozuschlag hinzu.

Beiträge für die Zeitschrift, **Beitrittserklärungen**, **Büchersendungen** sind zu richten an den Redaktor

Herrn Dr. *E. Hoffmann-Krayer,* Freiestrasse 142, Zürich V.

Geldsendungen an

Herrn *E. Richard,* Börse, Zürich I.

Chants patois jurassiens

Publiés par M. Arthur Rossat (Bâle)

1. Les *Chants patois jurassiens*, auxquels les *Archives* veulent bien accorder l'hospitalité, ont été recueillis dans la Vallée de Delémont et dans l'Ajoie (Pays de Porrentruy). J'ai commencé en 1894 à rassembler des matériaux pour une étude phonétique du patois de Delémont, et c'est dans mes courses à travers le pays que j'ai eu l'occasion d'entendre et de noter ces chants populaires.

Il est toutefois regrettable qu'un pareil recueil n'ait pas été entrepris quinze ou vingt ans plus tôt; on aurait alors certainement trouvé un plus grand nombre de ces productions patoises, car il existait des chansonniers manuscrits qui ont été égarés ou détruits depuis. [1]

Mais enfin mieux vaut tard que jamais, et voilà pourquoi je me suis activement occupé, en m'adressant de préférence aux plus vieilles personnes, de sauver ce qui s'était encore conservé dans nos villages.

Pour le moment, je ne présenterai à mes lecteurs que du patois *delémontain*, du *rǫdǫ* (= patois de la Vallée), comme on l'appelle dans le pays, ou du patois *ajoulot*. Je me réserve de publier plus tard le résultat de mes recherches dans le Val de Moutier, les Franches-Montagnes et le Vallon de Saint-Imier.

2. Voici le système de *transcription phonétique* que j'ai employé:

1°) *Voyelles.*

J'indique par ⁻ et ˘ les voyelles longues et brèves.

ẹ = e long ouvert   (frç: t*ê*te, p*è*re)
ĕ = e bref ouvert   (frç: eff*et*, port*ais*)
ẹ̄ = e long fermé   (frç: forc*é*, prem*ier*)
ĕ̄ = e bref fermé   (frç: d*é*part, p*é*rir)
ǝ = e muet   (frç: p*e*tit, l*e*ver)

---

[1] A Courroux, par exemple, une bonne dame m'a appris que, pendant près d'une année, elle avait allumé son feu avec les pages d'un vieux livre « où c'était rien qu'écrit qu'en patois. » Elle avait achevé de brûler le volume deux ou trois mois auparavant.

œ = eu ouvert   (frç: c*œu*r, p*œu*r)

ŏ = eu fermé   (frç: f*eu*, v*eu*t)

ǫ = o long ouvert (frc: enc*o*re, b*o*rd)

ŏ̦ = o bref ouvert (frç: d*o*nne, p*o*lice)

ọ = o long fermé (frç: c*ô*te, ch*au*d)

u = frç. *ou*

ü = frç. *u*

Les *nasales* sont: ã (frç: ch*an*t); ɛ̃ (frç: p*ain*); õ (frç: b*on*);
i, ũ, ü̃ (nasales pures d'*i*, d'*ü* et d'*u*).

2°) *Consonnes.*

p, b, t, d, k, l, m, n, r, f, v ont la même valeur qu'en français.

g est toujours guttural, même devant *e* et *i*.

ñ = *n* mouillée   (frç: a*gn*eau)

s = spirante sourde   (frç: *s*avoir, *c*esse, *c*e*c*i, *s*eul)

z = spirante sonore   (frç: poi*s*on, *z*èle)

x = chuintante sourde (frç: *ch*eval)

j = chuintante sonore (frç: *j*eune, *j*amais, *g*enre)

χ = médiopalatale sourde (allemand i*ch*); son particulier
au patois de Porrentruy (= latin: *cl*, *fl*). Ex.: ĩ χǫ (un clou),
gōχɛ̄ (gonfler). Delémont rend ce son par x (ĩ xǫ, gōxɛ̄)

y = médiopalatate sonore (allemand *j*a): yạdĩne (Claudine),
yi (lin).

w est le *w* anglais et correspond au premier élément de
la diphtongue *oi (piwă = frç. pois).*

L mouillée n'existe pas dans notre patois.

3. Il n'est pas nécessaire d'indiquer spécialement par un
accent la syllabe tonique. Notre patois accentue régulièrement
la dernière syllabe non muette de chaque mot.

4. La *traduction* que je donne en regard est toujours
littérale. J'ai mis entre crochets [ ] les mots exigés par la
phrase française.

5. Voici comment je diviserai mes chants patois:

A. Noëls et Chants de fête. — Prières. [1)]

B. Rondes et *vǫyəri.*

C. Pastorales, Chansons d'amour, etc.

D. Chansons satiriques.

A la suite de ces chants, je compte publier une collection
de proverbes patois.

[1)] Bien que les *Prières* ne soient pas à proprement parler des
« *Chants patois* », je me permets de les faire rentrer dans cette première
partie; on comprendra facilement pourquoi.

Iʳᵉ Partie
Noëls et Chants de fête. — Prières.

———

▲

Noël

(Patois de Courroux)¹)

1. ēkŭtə, Djąnə-Mē̆rīə,   Écoute, Jeanne-Marie,
   ătă txēsnătə.   Entends chansonnettes.
   S'ą sę bĕl ɛ̆djə²) di ɛ̆ɪə   C'est ces (belles) beaux anges du ciel
   tχə³) nǫ̆ diă novēlătə,   Qui nous disent des nouvelles,
   k'ē̆l txɛ̆tă tǫ̆ ɛ̆ɛ̆bχə: Qu'(elles) ils chantent tous ensemble:
   Alléluia!   Alléluia!
   Gloire à l'Eternel   Gloire à l'Eternel
   Et paix dessus la terre!   Et paix dessus la terre!

2. Vŭ ă̆lę̆-vǫ̆, mę̆ bę̆ bwărdjïe,   Où allez-vous, mes beaux bergers,
   Dans cette nuit sombre?   Dans cette nuit sombre?
   Vǫ̆ trǫ̆vrę̆ lŭ *Messie*   Vous trouverez le Messie
   K'ą vəni ą mŏdə.   Qui est venu au monde.
   — Lę̆ mĕrkə pǫ̆ lŭ trǫ̆vę̆?   — La marque pour le trouver?
   — ă *Bethléem* ĕl ą nę̆   — (En) A Bethléem il est né,
   dɛ̆ ēnə ētąl frĕdə,   Dans une étable froide,
   ătrə [lə] bŭ̈ə ę̆ l'ɛ̆nə.   Entre [le] bœuf et l'âne.

3. Kăkə, kăkə ę̆vǫ̆ lę̆ dwă   Frappe, frappe avec les doigts
   ă l'ö də l'ētąl.   A la porte · de l'étable.
   nǫ̆z⁴)-ę̆vĭ̃ bĭ̃ öÿŭ pŭ̈ərę̆   Nous avions bien entendu pleurer

———

¹) C'est le même que celui publié dans *Arch.* III, p. 43 sqq. — Je le transcris phonétiquement, avec quelques annotations.

²) Comme on pourra le voir dans ce noël et dans d'autres, le mot ·ɛ̆djə est très souvent employé comme *féminin*. Cf. n° 2, str. XI, p. 267. Voir aussi *Prières:* 19, 20 et 21, p. 285; 23, p. 286.

³) *Tχə* = qui, que, pron. relatifs. (Delémont et Porrentruy disent *kə*.) Ce traitement se retrouve dans tout le Val Terby (Vicques, Courchapoix, Corban, Mervelier et Montsevelier). — Courroux, à la limite, a *tχə* et *kə*. (Cf. le vers suivant). Cette prononciation particulière a fait donner le ·sobriquet de *tχötχę̆* (ceux qui disent *tχə*) aux gens de ces villages. « Nǫ̆ sɛ̆ lę̆ tχötχę̆ dɛ̆ tǫ̆ l'vä (Nous sommes les *tχötχę̆* dans tout le Val) », me disait M. le curé de Courchapoix. — C'est du reste la façon de parler des *Paniers*, poème patois écrit vers 1736 par le curé Raspieler de Courroux ·(Porrentruy 1849.)

⁴) Le trait d'union sert à noter les *liaisons*.

dą vwǎ [1]) nǫ bẹ́rbijǎtə.　　　　　　　Depuis vers nos petites brebis.
Dǒ bǒdjǒ̆, ǒxǎ Djǒ̄zę̆;　　　　　　　　Donc, bonjour, oncle Joseph.
vwǎsï i övïə [2]) bï̄ frę̄,　　　　　　　Voici un hiver bien froid,
lęz-ę̄brə sǒ djïəvrę̄.　　　　　　　　　Les arbres sont givrés.
dǒ, bǒnə Mę̄rie. [3])　　　　　　　　　Donc, bonne Marie. [3])

4. Mǒ Düə, k'ę̆ fę̆ frę̆ si　　　　　　Mon Dieu! qu'il fait froid ici
pǔ sę̆tə pǭr ę̆rmǎte!　　　　　　　　Pour cette pauvre petite âme!
l'övïə a ǎkǫ̆ bï̄ grǎ　　　　　　　　L'hiver est encore bien grand
pǔ ętrə a l'ętąl.　　　　　　　　　　Pour être (en) dans l'étable.
Pîərǎ, prǎ dę̄ bąk𝜒ǎ [4])　　　　　　Pierre, prends des brindilles (bû-
　　　　　　　　　　　　　　　　　　chettes)
ę̆ nǫ̆ fę̆ i̯ bǖ füəlǎ　　　　　　　　Et nous fais un bon petit feu
pǔ sę̆tə pǭr ę̆rmǎtə,　　　　　　　　Pour cette pauvre petite âme,
k'ą si kə trę̆byǎtə.　　　　　　　　Qui est ici qui tremblotte.

5. Vǫ̆ n'ę̆ gę̄r d'ǎtǎdmǎ,　　　　　　Vous n'avez guère d'entendement,
mǒ bęl ǒxǎ Djǒ̄zę̆,　　　　　　　　Mon bel oncle Joseph,
də vəni lǫ̆djïə si,　　　　　　　　　De venir loger ici,
dǎ sę̆tə ętąl frę̆də. [5])　　　　　　Dans cette étable froide.
sə vǫ̆z-ę̆tə i̯ bǖ txę̆pü,　　　　　　Si vous êtes un bon charpentier,
bǫ̆txi i̯ pǒ sę̄ pę̆rtü;　　　　　　　Bouchez un peu ces pertuis;
kar lę̆ bïzə ę̆djąlə　　　　　　　　Car la bise gèle
sę̆tə pǭr ę̆rmǎtə.　　　　　　　　　Cette pauvre petite âme.

6. — Vǫ̆z-ę̆ bęl ę̆ [6]) gərmǫ̆nę,　　— Vous avez (bel à) beau murmurer,
ę̆ vǫ̆ la ęvwǎ pǎsïǎs.　　　　　　　Il vous faut avoir patience.
pwǎ lę̆ vęl ę̆ dəmę̄dę̄　　　　　　　Par les villes [nous] avons demandé,

---

[1]) *Dą vwa* = depuis vers (et non *auprès de*; cf. *Arch.* III, p. 47, str. 8); *dą* = de ex = dès, depuis: *i n'l'ę̆ p'vü dą öt djǫ̆* = je ne l'ai pas vu depuis huit jours; *rwǎ* = versus, vers.

[2]) *Övïə*, qu'on retrouve suivant les endroits sous les formes *övę̆ə* ou *üvę̆ə* = hibernu, hiver. N'est-ce pas la forme *ürę̆ə* au lieu de *müə* qu'il faudrait lire dans le manuscrit de 1750 (*Arch.* III, p. 47, str. 3)? Puisque « le dernier jambage de l'*m* et le premier de l'*ü* sont confondus sous une rature » (note 2), ne vaudrait-il pas mieux y voir *uv* que *mu*? — Au surplus, *müə* = mur ne se trouve pas dans le patois ajoulot, ni dans le délémontain, mais dans le *montaignon*, le patois des Franches-Montagnes. On aurait donc eu ici *mür*, ou plutôt *mürǎ*. — Me(n)se = *mwǎ* mois.

[3]) Ce passage est corrompu; j'ai entendu la version: *bǒdjǒ̆ dǒ Mę̄rïə* = bonjour donc, Marie. (Cf. nº 2, str. 2, p. 265).

[4]) *Bąk𝜒ǎ*, mot du patois de Courroux; ailleurs on dit *brę̆xyǎ*, *brötxya* = brindille.

[5]) Frigidu donne régulièrement *frę̆*, fém. *frę̆də*; friscu = *frǎ*, *frątxə*. P. 269 note 1, *frwǎdə* est français.

[6]) Cette façon de parler a passé dans le français jurassien. On entend dire, par exemple: Oh! cet enfant, vous avez *bel à* dire, vous avez *bel à* faire, il n'écoute rien!

să trovę ręzidăs. | Sans trouver résidence.
nǫ n'ę k'ĩ bŭə ę ĩ ęnə. | Nous n'avons qu'un bœuf et un âne.
Di mŏdə.s'ă ę mǫkę. | Du monde s'en (a) est moqué.
Sə nŏz-ętĩ rętxə, | Si nous étions riches;
djękŭ no .mănrę fętə. | Chacun nous (mènerait) ferait fête.

7. — Ditə dŏ, ŭxă Djǫzę, | — Dîtes donc, oncle Joseph,
ŭ sŏ sę bădătə? | Où sont ses bandelettes?
Męriə, pră sŏ măyolă | Marie, prends son petit maillot
ę fę sŏ kŭtxătə. | Et fais sa couchette.
Mădlŏ, ręyŭə ¹) sŏ yę | Madelon, fais son lit.
Jean l'ędrę, lə bęrsrę, | Jean l'aidera, le bercera,
Dizŭ txĕsnătə | Disant chansonnettes
pŭ sętə pŏr ęrmătə. | Pour cette pauvre petite . âme.

8. Pĩ əră, fŭ², vitə ę l'ǫtĭ, | Pierre, cours vite à la maison,
pră tŏ ętɣ̃ĩyătə, | Prends ta petite écuelle,
i mǫrəlă də pĕ frĭ, | Un petit morceau de pain frais,
fę·yi sǫ sǫpătə, | Fais-(y)-lui sa petite soupe,
bętə-lę ŭ si pyęlę, | Mets-la dans ce plat.
S'ęl ĭ trǫ txĭd, xǫxə-yĩ. ³) | Si elle est trop chaude, souffle(s-y)-[la]-lui.

Lə pǫr ăfŭ pĩ ərə, | Le pauvre enfant pleure,
s'ĭ də frę k'ę grĭlə. | C'est de froid qu'il grelotte.

9. Nə lęxiə nyŭ vənĩ | Ne làissez personne venir
dədŏ sętə ętĭl; | Dedans cette étable;
lŭ popŏ ą ădrəmĩ | Le poupon est endormi
dədă sę kŭtxătə. | Dedans sa couchette.
Vwasi vəni tǫ d'ĩ kǫ | Voici venir tout d'un coup
trwĭ rwă mŏtę sur chameaux; | Trois rois montés sur chameaux;
Des présents apportent, | Des présents apportent,
kăkə ŭ lę pǫərtə. | Frappent à la porte.

---

¹) *Ręyŭə*, du verbe *ręyŭę* = 1. raccommoder, repriser: *ręyŭę dę dzęs* (pantalon); 2. arranger: *ręyŭę i yę* (faire un lit). — Le poème patois du curé Raspieler, les *Paniers*, donne, vers 594: *ęyŭə-lę də tŏ mŏ* = arrange-la de ton mieux; vers 708 . . . *tə yi ręyŭərę dədǫ stŭ grǫ męrtę* = tu les lui raccommoderas sous ce gros marteau.

²) Le verbe *fürə* n'a pas le sens de *fuir*, mais celui de *courir*. Cf *Paniers*, vers 95: *fŭ t'ă vitə* = cours vite . . .

³) La version imprimée, *Arch.*, III, p. 48, str. 8: «sai laa tro *chás soye l'y*» me parait corrompue. Dans tout notre patois, c a l i d u = *trǫ*, fém. *trǫd*. Il est inexact de traduire *soye l'y* (= *xǫxə yi*, ou *xoxə li*) par «souffle *dessus*»; il faut traduire: souffles-y, pour: souffle-la-lui, forme très fréquente, même dans le français jurassien. Ex.: donnes-y, prêtes-y. Cf. le vers 4 de cette même str. 8: *fę-yi*. Souffler = *xǫxę* (Delęmont), ou *ɣaəɣę* (Ajoie); cf. p. 269, str. 7.

10. Mădlŏ, vĭ ĭ pŏ̧ vwă
 tᵧü kăkə ă lḝ pŏ̧ərtə
 ḝ dï-yĭ kə l'ăfĕ dŏ̧ə
 Que doucement s'approche.
 Vwăsi ĭ pœ̆ l'ĕtxerbŏ̧nḝ.
 si l'ăfĕ lə vwă, vŏ kriḝ.
 tirə-tə drĭə lḝz ą̈trə,
 rətyŭr tḝ berbătə.

Madelon, va un peu voir
Qui frappe à la porte
Et dis (-y)-lui que l'enfant dort,
Que doucement s'approche.
Voici un vilain encharbonné.
Si l'enfant le voit, [il] veut crier.
[Re]tire-toi derrière les autres,
Nettoie ta barbiche.

11. T'ḝtŏ̧ ¹) bĭ̌ mą̈ rlḝvḝ
 pŭ ălḝ ă vwăyĕ̌djə.
 ḝ-tə ĭ rḝxə txəmənḝ ²)
 ŏ̧ bĭ ĭ mą̈ sĕ̌djə?
 tyĕ̌ l'ăfĕ ḝrḝ drəmĭ,
 kə t'vwărḝ, vŏ trḝzi
 tə dḝrŏ̧ ĕ̌vwă ŏtə,
 tə fḝ păvŭ ą mŏdə.

Tu étais bien mal (re)lavé
Pour aller en voyage.
Es-tu un (racle-cheminée) ramoneur
Ou bien un (mal sage) méchant?
Quand l'enfant aura dormi,
Qu'il te verra, [il] veut sursauter:
Tu devrais avoir honte,
Tu fais peur au monde.

12. — Vŏ̧z-ḝtə bĭ ḝką̈mĭ
 də mŏ nwă vizĕ̌djə.
 lḝ djĕ də nŏ̧tə pḝyĭ,
 s'ą yŏ̧t nătürel.
 I nə sœ̆ p'si mąvḝ
 kŏ̧m i sœ̆ ĕtxerbŏ̧nḝ.
 Cherchant, je vous prie,
 Ce beau fruit de vie.

— Vous êtes bien stupéfaits
De mon noir visage.
Les gens de notre pays,
C'est leur naturel.
Je ne suis pas si mauvais
Comme je suis encharbonné.

13. Nŏ̧z-ĕ trăversĭə lḝ mḝ,
 lḝ bŏ̧, lḝ kăpḝñə,
 pŭ vəni ădŏ̧rḝ lŭ rwă
 di sĭə ḝ də lḝ tḝərə.
 Son étoile nous a conduits,
 Nous éclaire jour et nuit,
 Jusqu'ici ³) nous montre
 Le sauveur du monde.

Nous avons traversé les mers,
Les bois, les campagnes,
Pour venir adorer le roi
Du ciel et de la terre.

14. — Vənĭ dŏ vwă notrə ăfĕ,
 ĕ̌l ą dĕ sĕ̌ krątxə.
 mḝ vənĭ tŏ̧ bĕ̌lmă

 k'ĕ̌ ne sə rḝvwăyə.
 — Lŭ bĕ̌l ăfĕ kə vŏ̧z-ḝ,

— Venez donc voir notre enfant,
Il est dans sa crèche.
Mais venez tout (bellement) douce-
  ment,
[De peur] qu'il ne se réveille.
— Le bel enfant que vous avez,

---

¹) Imparfait: i'ḝtŏ̧, t'ḝtŏ̧, ĕ̌l ḝtḝ, nŏ̧z-ḝtĭ̌, vŏz-ḝtĭ̌, ĕ̌l ḝtĭ̌.

²) Cf. p. 271, note 3.

³) Pour « jusqu'à ce qu'ici. » On entend communément : « Je veux attendre *jusque quand* il viendra. » Le patois dit toujours *djök* pour *jusqu'à ce que.* Ex: I võ dmürḝ si *djök* ĕ̌l ḝrḝ fini = Je veux rester ici jusqu'à ce qu'il ait fini (litt.: *jusqu'il aura*).

ĕ̆ k'ĕ̆ dǫ̈ə bɪ dəlę̄
dədĕ̆ sĕ̆ krĕ̆txătə!
lŭ bŭ Dŭe lŭ krą̈xə!²)

    Et qu'il dort bien tranquillement¹)
    Dedans sa petite crèche!
    Le bon Dieu le (croisse) bénisse!

15. Nǫ̈ kɪǫ̈mrĕ̆ ă l'äfĕ̆
dę̄ djǫ̈lïə bwĕ̆tătə.
vǫ̈ trǫ̈vrę̄ pęə ³) dədĕ̆
pŭ yi ĕ̆txtę̄ robătə.
Voici de l'or et de l'argent,
De la myrrhe et de l'encens,
Pour le reconnaître
Qu'il est de tout être.

    Nous ferons cadeau à l'enfant
    De jolies petites boîtes.
    Vous trouverez toujours bien dedans
    Pour (y) lui acheter une petite robe

16. Nǫ̈z-ã̆ rvĕ̆ ã̆ nǫ̈ pĕ̆yi.
Or adieu, Mĕ̆riə!
Priez pour nous votre fils
kə də nǫ̈ ę̄ə pïdïə.
Sə lĕ̆ dyę̄r vï si,
rəfŭtə ã̆ nǫ̈trə pĕ̆yi.
Vǫ̈z-ĕ̆rę̄ tę̄rătə,
djĕ̆rdi ĕ̆ mąjnătə.

    Nous [nous] en revenons en nos pays.
    Or, adieu, Marie!
    Priez pour nous votre fils
    Que de nous [il] ait pitié.
    Si la guerre vient ici,
    (Courez) Réfugiez-vous en notre pays.
    Vous aurez de petites terres,
    Jardin et maisonnette.

17. Mădlŏ̆, ĕ̆-tə bï vŭ
fę̄r lĕ̆ grəmĕ̆s,
tyĕ̆ si nwă s'ą̈ rətχəlę̄
pŭ grĕ̆tę̄ sę̄ fĕ̆s?⁴)
ĕ̆l ą̈ pŏ̆etmã̆ nwă.
si, mĕ̆ léz-ą̈trə sŏ̆ djǫ̈lïə.
Bę̄ txĕ̆pę̄ də ną̈s⁵)
k'ĕ̆l ĕ̆ txŭ yǭ tę̄tătə.

    Madelon, as-tu bien vu
    Faire la grimace,
    Quand ce noir s'est reculé
    Pour gratter ses joues?
    Il est vilainement noir.
    — Oui, mais les autres sont jolis.
    Beaux chapeaux de noce
    Qu'ils ont sur leurs (petites) têtes.

---

¹) Je ne suis pas certain de cette traduction, que m'a donnée une seule personne de Courroux; les autres ne comprenaient pas ce mot *dəlę̆*. — La leçon de *Arch.*, III, p. 50, str. 14: *Dé laimendet*, me paraît encore plus obscure. En tous cas *Dé laimendet* ne peut pas signifier « Mon Dieu! »

²) C'est l'expression habituelle. A une personne qui éternue, on dit: *dŭə vǫ̈ krą̈xə* = Dieu vous bénisse. (*krą̈xə* = crescat; crescere = *krątrə*).

³) P*ęə* = seulement; ex: *vï pęə* = viens seulement, viens donc, viens toujours. Cf. p. 280 n° 14, str. 1. — Peut-être vaudrait-il mieux dire: *pwă dədĕ̆*, par dedans? La sens serait alors plus simple et plus naturel. Cf. p. 266, str. 7: *pĕ̆ dədĕ̆*.

⁴) F*ĕ̆s* = facie, joue, et non pas fesse: *i'ĕ̆ mą̈ ā̆ lĕ̆ fĕ̆s* = j'ai mal à la joue; *ĕ̆nə ĕ̆fĕ̆siə* = une gifle.

⁵) *Arch.*, III, p. 50, str. 17, le ms. a *nanci[e]*, et l'on a traduit: *chapeaux de Nancy.* — Je crois qu'il faut lire plutôt: *ną̈s* ou *năs* = noce. Cette forme nasalisée n'aurait rien d'extraordinaire dans notre patois, où elle aurait été amenée par l'*n* initiale comme dans magis = *mĕ̆*; cf. *Arch.*, III, p. 50, même strophe. Cf. encore: mittere = *mă̆tr*, mettre, me = *mĕ̆* (p. 287, n° 27, note 3).

18. — Pìərǎ, ę̆-tə prę̆zīmę̆
    ặ sę̆ djō̜līə trą̆satə
    k'ę̆l ę̆vī pặdūə ą̆ kǫ̆,
    k'ę̆ fę̆zī dɣīdɣənǎtə.
— Vǫ̆ vǫ̆ trǒpę̆ *furieusement.*
    s'ą̆ dę̆ txīnǎtə d'ę̆rdję̆,
    bę̆l ę̆ djō̜lìǎtə,
    kə vą̆lə bī sǎ rǎpə

    — Pierre, as-tu fait attention
    (En) A ces jolies petites tresses
    Qu'ils avaient pendues au cou,
    Qui faisaient: drin! drin!
    — Vous vous trompez furieusement.
    C'est des chaînettes d'argent,
    Belles et joliettes,
    Qui valent bien cent rappes.

19. *Marie, Joseph* ę̆ ǎfę̆
    k'ą̆ dę̆ lę̆ krę̆txǎtə,
    ę̆dūə! sə¹) nǫ̆z·ǎ rvę̆
    vwä nǭ bę̆rbijǎtə.
    Nǫ̆ vę̆ vwärdę̆ nǫ̆ mǫ̆tǒ.
    Nǫ̆ pę̆srę̆ ą̆ pǫ̆pǒ,
    Qu'en lui grâce abonde
    pŭ rę̆txtę̆ lŭ mǒdə.

    Marie, Joseph et [l']enfant
    Qui es(t) dans la petite crêche,
    Adieu! Or, nous nous en revenons
    Vers [ou: voir] nos petites brebis.
    Nous allons garder nos moutons.
    Nous penserons au poupon,
    Qu'en lui grâce abonde
    Pour racheter le monde.

20. Rəvəni nǒ vwä səvǎ,
    rəvəni ǎ vę̆l
    kǫ̆mę̆dę̆ bī ǎ tǫ̆
    sę̆ dję̆ dę̆ mǒtę̆ñə²).
    Rəvəni vwä nǫ̆trə ǎfę̆.
    nǫ̆ vǫ̆ pą̆rę̆ pŭ pą̆rę̆,
    ę̆ Mǎrią̆nǎtə
    sę̆rę̆ kǫ̆mę̆rǎtə.

    Revenez nous voir souvent,
    Revenez en (ville) visite.
    [Re]commandez bien à tous
    Ces gens de montagnes (?).
    Revenez voir notre enfant.
    Nous vous prendrons pour parrains,
    Et Mariannette
    Sera la petite commère.

(Communiqué par M. le curé Dizard, à Courroux.)

2

Cantique patois sur l'adoration des bergers et des mages
(Patois de Courrendlin)

Je dois à l'obligeance de M. le doyen Eschemann, à Courrendlin, le noël suivant qui parfois explique et complète quelques expressions ou strophes de celui que je viens de transcrire. Je laisse les titres des couplets tels que M. Eschemann les a notés.

1. *Visite des bergers.*

Vŭ ǎlę̆ vǫ̆, mę̆ bę̆ bwǎrdjīə,
En cette nuit sombre?

    Où allez-vous, mes beaux bergers
    En cette nuit sombre?

---

¹) Même emploi que le vieux français *si*, servant à unir deux membres de phrases, comme l'allemand *so.* Cf. p. 288, prière n° 28.

²) Passage évidemment corrompu.

— Nǫz-älă vwă *le Messie* | — Nous allons voir [*ou:* vers] le Messie

k'ą vəni ą mŏdə. | Qui est venu au monde.

— Lə txəmĭ pǫ̈ lə trǫ̈vę? | — Le chemin pour le trouver?

— ę̆ *Bethléem* ę̆ fąt-älę̆, | — A Bethléem il faut aller,

dŏ ę̆nə ę̄tąl frwădə, | Dans une étable froide,

ătrə lə bü̈ə ę̆ l'ę̆nə. | Entre le bœuf et l'âne.

2. *En arrivant à la porte de l'étable.*

Kăkə, kăkə ę̆vǭ lə dwă | Frappe, frappe avec le doigt

ă l'ü̈ də l'ę̄tąl. | A la porte de l'étable.

— Sę̆ bę̆ xirə kə vwălă, | — Ces beaux messieurs que voilà,

ǭ k'ę̆ sŏt-ę̆mąblə! | Oh! qu'ils sont aimables!

— Dü̈ə vǫ̆t' bŏdjǫ̆, ŏxä Djǭzę̆, | — Dieu [soit] votre bonjour, oncle Joseph!

vwāli l'övęə k'ą bĭ frę̆, | Voici l'hiver qui est bien froid,

lę̆z-ę̆brə sŏ djĭəvrę̆. | Les arbres sont givrés.

Bŏdjǫ̆ dŏ, Mę̆riə. | Bonjour donc, Marie.

3. *Reproches à Saint-Joseph.*

Vǫ̆ n'ę̆ dyę̆r d'ătădmă, | Vous n'avez guère d'entendement,

mŏ bę̆l ŏxä Djǭzę̆, | Mon bel oncle Joseph,

də vənĭ lǫ̆djĭə ĭsĭ | De venir loger ici

dŏ st' ę̄tąl frwădə. | Dans cette étable froide.

S' vǫ̆z-ę̄tĭ ĭ bŭ txę̆pü̈, | Si vous étiez un bon charpentier,

vǫ̆ rbǫ̆txrĭ tǫ̆ sę̆ pę̆rtü̈ | Vous reboucheriez tous ces pertuis

pǫ̆ stə pǭər ę̆rmätə | Pour cette pauvre petite âme

kə lę̆ bĭjə ę̄djālə. | Que la bise gèle.

4. *Excuses de Saint-Joseph.*

— Vǫ̆z-ę̆ bę̆l ę̆ grmwänę̆ | — Vous avez (bel à) beau murmurer,

fąt-ę̆vwä päsiäs. | [Il] faut avoir patience.

pę̆ lę̆ vę̆l ŏ dəmēdę̆ | Par les villes [nous] avons demandé

sŏ trǫ̈vę̆ rę̆zidäs. | Sans trouver résidence.

Nǫ̆ n'ŏ k'ĭ bü̈ə ę̆ ĭ ę̆nə, | Nous n'avons qu'un bœuf et un âne,

di mŏdə nǫ̆ sŏ rflü̈zę̆. | Du monde nous sommes refusés.

Sə nǫ̆z-ę̄tĭ rę̆txə, | Si nous étions riches,

txę̆tχ̆ü nǫ̆ fę̆rę̆ fę̆tə. | Chacun nous ferait fête.

5. *Arrivée des mages.*

Mădəlŏ, vę̆ vitə vwă | Madelon, va vite voir

tχü kăkə ă lę̆ pǭərtə. | Qui frappe (en) à la porte.

Di-yi kə nǫ̆t ăfŏ dǭə, | Dis-(y) lui que notre enfant dort,

dü̈səmä s'ę̆prǭxə. | [Que] doucement [il] s'approche.

ǭ tχü ą si pœ̆ l'ētxę̆rbwänę̆? | Oh! qui est ce vilain encharbonné?

nǫ̆t ăfŏ vö fę̆r ę̆ pü̈ərę̆. | Il veut faire (à) pleurer notre enfant.

Tir-t'ŏ drĭə lę̆z-ątrə, | Tire-(t'en)-toi derrière les autres,

rę̆tyü̈rə tę̆ bę̆rbătə. | Nettoie ta barbiche.

6. *Le roi nègre recommande de ne pas avoir peur.*

Vŏz-ętə bĭ ĕkᶏmĭ	Vous êtes bien stupéfaits
də mŏ pœ̆ vəzędjə.	De mon vilain visage.
Lę djŏ də *notre pays,*	Les gens de notre pays,
s'ᶏ lüətə *naturel.*	C'est leur naturel.
I nə sœ̆ pə txi mᶏvę	Je ne suis pas si mauvais
kŏmə i sœ̆ ŏtxĕrbwᶏnę	Comme je suis encharbonné.
Cherchant, je vous prie,	
Ce beau fruit de vie.	

7.

Nŏ krŏmərŏ ᶏ l'ᶏfŏ	Nous ferons présent à l'enfant
dę djŏlĭə bwᶏtᶏtə,	De jolies petites boîtes;
k'ĕ i ęrę pę dədŏ	(Qu')il y aura par dedans
pŏ yi ĕtxtę rŏbᶏtə.	Pour lui acheter une petite robe.
Vwᶏsi də l'ŏə ĕ də l'ĕrdjŏ,	Voici de l'or et de l'argent,
də lĕ mĭr ĕ də l'ᶏsᶏ,	De la myrrhe et de l'encens,
pŏ lə rəkoñᶏtrə	Pour le reconnaître
k'ĕl ᶏ pę dxü tŏt-ᶏtrə [1])	Qu'il est par dessus tout autre.

8. *On envoie Madelon faire de la soupe pour l'enfant.*

Mᶏdəlŏ, vę vĭtə ᶏ l'ŏtᶏ,	Madelon, va vite à la maison,
prᶏ ĕnə ĕtχęyᶏtə,	Prends une petite écuelle,
i bü mŏrsę də pę frᶏ,	Un bon morceau de pain frais,
fĕ-yi d'lĕ sŏpᶏtə.	Fais-(y)-lui de la soupe.
Bŏtə-lĕ dŏ si pyĕtę si;	Mets-la dans ce plat-ci;
ei i ᶏ trŏ txᶏdə, xŏxə-yi.	Si elle est trop chaude souffle(s-y)-*la*-lui.
Lə pŏr ᶏfŏ püərə,	Le pauvre enfant pleure,
s'ᶏ də frwᶏ k'ĕ grülə.	C'est de froid qu'il grelotte.

9. *Réflexions sur les mages qui sont partis.*

Pĭərᶏ, ĕ-tə prĕzĭmę	— Pierre, as-tu pris garde
txü sę djŏlĭə trᶏsᶏtə	(Sur) A ces jolies tressettes
k'ĕl ĕvĭ pᶏdü ᶏ kŏ	Qu'ils avaient pendues au cou,
kə fĕzĭ gᶏgyᶏtə?	Qui faisaient: glin, glin!
— Vŏ vŏ trŏpę ĕxüriəmᶏ.	— Vous vous trompez assurément.
S'ᶏ dę txĭnᶏtə d'ĕrdjŏ,	C'est des chaînettes d'argent,
bĕl ĕ djŏliᶏtə,	Belles et joliettes,
k'vᶏyᶏ bĭ sᶏ rᶏpə.	Qui valent bien cent rappes.

10. [2])

Pĭərᶏ, mŏtxə ĭ pŏ tŏ nę,	— Pierre, mouche un peu ton nez,
fᶏt-ə k'ᶏ tə l'dijə?	Faut-il qu'on te le dise?

---

[1]) Cf. n° 1, p. 263 str. 15.

[2]) Cette strophe et la suivante n'ont aucun rapport avec notre noël
et ont été ajoutées au texte primitif par la tradition orale.

mă vẹti, măl-ŏvœrnẹ [1])
y'ẹ̆ də twă pidĭə.
Sə t'ẹ̆ frẹ̆, pră mŏ mẽtẹ̆,
sə t'ẹ̆ fŏ, pră di tǫ̆ətxẹ̆. [2])
Reprends donc haleine
pǫ̆ rəpχẹ̆rə ă l'ẽdjə.

Mal vêtu, mal (hiverné) nourri,
J'ai de toi pitié.
Si tu as froid, prends mon manteau,
Si tu as faim, prends du gâteau.
Reprends donc haleine
Pour (re)plaire à l'ange.

11. *Réflexions.*

Adam ẹ̆tẹ̆ bŭ gĕrsŏ
sŏ sẹ̆ sătxə gǫ̆ərdje.
ğ̆l ẹ̆ mǫ̆ə [3]) dĕ lə byăsŏ, [4])
nǫ̆z-ẹ̆ mĭ ă l'ǫ̆ərə. [5])
S'ğ̆l œ̆xə lĕbŭrẹ̆ sẹ̆ txŏ,
ẹ̆ sẹ̆ fănə ğ̆ kǫ̆ də pwŏ,
nǫ̆z-ĕrĭ viktwặrə
txŭ l'ẽdjătə nwặrə.

Adam (était) eût été bon garçon
Sans sa sèche (gorge) bouche.
Il a mordu dans la poire sauvage,
Il nous a mis (au vent) dehors.
S'il eût labouré ses champs,
Et sa femme à coups de poing,
Nous aurions victoire
Sur (la petite ange noire) le diable.

Voici la mélodie de ce Noël:

---

[1]) Mal hiverné = mal nourri; expression très pittoresque qui se comprend facilement: il faut *nourrir* le bétail qu'on *hiverne.*

[2]) *Tǫ̆ətxẹ̆* (torca + ellu) = gâteau; on dit aussi *tñŏ* (cf. Vaud: *kɔñŭ*).

[3]) On a les deux formes: *mǫ̆ə* et *morjü* = mordu, infin: *mǫ̆ədrə.*

[4]) *Byăsŏ* = poire sauvage. [La pomme sauvage s'appelle *bŏtrĭ.*]
Cf. frç. *blocier, beloce.* Bridel (*Gloss. du patois*) donne *blesson* et *blosson.*

[5]) Mot encore très employé. Le latin aura a donné *ǫ̆ərə,* vent,
ǫrẹ̆yĭə, venter, faire du vent.

Voici encore le même noël, tel que me l'a chanté un vieillard de Bonfol, Pierre-Joseph Mamie (71 ans). Il est intéressant de voir comment la tradition orale l'a altéré.[1]) On pourra aussi comparer le patois de Bonfol (Ajoie) avec celui de Courrendlin ou de Courroux (Delémont).

1. ĕkŭtẹ Djān-Mẹriə,
   txēsnät nǒvĕl.
   S'ạ lẹz-ēdjə di sïə
   kə txētā nǒvẹlät,
   ŏ txēlā: ạ gloria!
   tǒt āswān: Alleluia!
   Gloire éternelle
   Par dessur la terre!

Ecoutez, Jeanne-Marie,
Chansonnettes nouvelles.
C'est les anges du ciel
Qui chantent [des] nouvelles.
En chantant: Ah! gloria!
Tous ensemble: Alleluia!

2. ẹ sŏ vnŭ to d'ï kǫ,
   sẹ trạ rwă, txŭ des chameaux,
   ẹ vĕ kăkẹ ā lẹ pūətxə.[2])

Ils sont venus tout d'un coup,
Ces trois rois, sur des chameaux,
Ils vont frapper (en) à la porte.

3. Djān-Mẹriə, vẹ t'ā vūə,
   tχŭ käkə ā lẹ pūətxə
   ẹ di yǒ kə l'äfē dūə,
   Que doucement s'approchent.
   S'ạ si pĕ nwă l'ātxĕrbwĕnẹ
   kə nŏt äfē ẹ tē rẹkriẹ.[3])
   Vĕ t'ā driə lẹz-ātrə
   rẹtχŭriə tẹ bĕrbät.

Jeanne-Marie, va-t'en voir
Qui frappe à la porte
Et dis-leur que l'enfant dort,
Que doucement [ils] s'approchent.
C'est ce vilain noir encharbonné
Que notre enfant a tant (ré)crié.
Va-t'en derrière les autres
(Récurer) Nettoyer ta barbiche.

4. Tχē vǒ rpẹsrẹ pwă xi
   rəvəni ā vĕl.
   Nǒ batĕyərē[4]) nǒt äfē,
   nǒ vǒ prädrē pǒ pārē;
   vǒ dŭ, lẹ Mẹyānatə[5]),
   sẹrï lẹ kǒmẹratə.

Quand vous repasserez par ici,
Revenez en (ville) visite.
Nous baptiserons notre enfant,
Nous vous prendrons pour parrain;
Vous deux, la Marianne,
Serez les marraines.

5. ẹ sā rạlẹ prǒmənẹ
   xŭ sẹ villes sombres,
   Là où le Messie est né,

Ils sont (r)allés promener
(Sur) Dans ces villes sombres . . .

---

[1]) Mon homme n'a pas voulu démordre de l'arrangement de ses couplets; à toutes mes observations, il m'a répondu en branlant la tête: « C'est ainsi qu'on le chante. »

[2]) Pūətxə, Ajoie; pǒərtə, Delémont.

[3]) Rẹkriẹ a plutôt le sens de décrier; mais ici il faut comprendre: c'est ce noir encharbonné qui a tant fait crier notre enfant.

[4]) Batẹyiə = babtizare forme ordinaire. Le mot bätiziə (p. 34, n° 29) est français.

[5]) Expression très fréquente: Marianne et toi, vous serez les marraines.

Est venu au monde.
En marchant pour le chercher,
A Bethléem ils l'ont trouvé,

dĕ ĕ̈nə ĕ̠tặl frwădə ¹),	Dans une étable froide,
ätr lə bü̈ə ĕ̠ l'ĕ̈nə.	Entre le bœuf et l'âne.

6. *Pierre,* ĕ́-tə bĭ̄ prĕzĭ̄mᶒ
    txü̈ sᶒ djọ̈lĭə trặsät?
    — Tə te trŏpə ĕ̈xürĭəmä̃.
    S'ặ dᶒ txĕ̠nat d'ĕ̠rdjä̃,
    kə fĕ̠zĭ̄ glĭ̄glĭ̄nătə,
    kə vāyĭ̄ bĭ̄ sä̃ răpə.

    Pierre, as-tu bien fait attention
    A ces jolies petites tresses?
    — Tu te trompes assurément.
    C'est des chaînettes d'argent,
    Qui faisaient glin glin,
    Qui valaient bien cent rappes.

7. Rᶒ̈yü̈ə-yi sŏ yᶒ,
    fĕ̠-yi sᶒ̈ sᵒ̈pätə.
    vwāli di pᶒ̈pĕ̈ ²) pwă li.
    S'ĕ̈l ặ trᵒ̈ txä̃, χü̈əχə-yi,
    txĕ̈tə-yi txĕ̈sənätə.
    Dü̈ə, dü̈ə, mᶒ̈ pǖər ĕ̠rmătə.

    Fais-lui son lit,
    Fais-lui sa petite soupe.
    Voici de la bouillie pour lui.
    Si elle est trop chaude, souffle-la-lui.
    Chante-lui chansonnettes.
    Dors, dors, ma pauvre petite âme.

8. *Hélas!* kə pä̃sĭ̄-vo,
    mŏ bᶒl-ŏxä djọ̈zĕ̈,
    də vəni dŏ vᵒ̈ lᵒ̈djiə
    dədĕ̃ s't'ᶒ̠tặl frwădə?
    Vᵒ̈ k'vᵒ̈z-ᶒ̠tə ĭ̄ bŏ txᶒ̈pü,

    rəbūtxĭə tᵒ̈ sᶒ̠ pətxü̈³);
    kặr l'ăfĕ̃ grü̈lə
    s'ặ di frwă k'ᶒ̈l ädü̈rə.

    Hélas! que pensez-vous,
    Mon bel oncle Joseph,
    De venir donc vous loger
    Dedans cette étable froide?
    Vous (que vous) qui êtes un bon
           charpentier,
    Rebouchez tous ces trous;
    Car l'enfant grelotte,
    C'est du froid qu'il endure.

3

Lə Bŏ ä   Le nouvel-an
(Patois de Courroux)

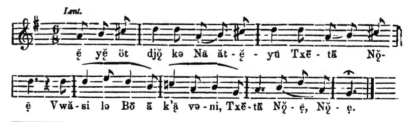

ᶒ̈ yĕ̈ öt djᵒ̈ kə Nā ät-ĕ̈ - yū Txĕ̃-tä Nᵒ̈-
ᶒ̠ Vwă-si lə Bŏ ä k'ặ və-ni, Txĕ̃-tä Nᵒ̈-ᶒ̠, Nᵒ̈ - ᶒ̠.

---

¹) Cf. p. 260, note 1; *frwădə* est un mot français.
²) *Pĕ̈pĕ̈* = allemand Pappe, bouillie pour les enfants.
³) *Pətxü* (Ajoie) Cf. p. 260, str. 5, *pĕ̠rtü* (Delémont).

3. Kə Dũə bənặxə lẹ käpüsĭ   Que Dieu bénisse les capucins
     Etc.
   ẹ̃ yi bẹyə ẹ̃dẹ di bñ vĭ!   Et leur donne toujours du bon vin!
     Etc.

4. Sẹ pọr pẹrə lə mẹ̃ritặ bi.   Ces pauvres pères le méritent bien.
     Etc.
   ẹ̃ vẽ ẹ mätẹ̃nə xə mẹ̃tĭ!   Ils vont aux matines si matin!
     Etc.

5. Sẹ pọr pẹrə vẽ ẹ́ nü pĭə.   Ces pauvres pères vont à nu-pieds.
     Etc.
   S'ặ pọ̆ ătrẹ dədẽ lə sĭə.   C'est pour entrer dedans le ciel.
     Etc.

6. Nọ̆ yi t𝑋üặjặ[1]) bĭ sə *bonheur,*   Nous leur souhaitons bien ce bonheur.
     Etc.
   Dũə lẹ prẹ̃sẹ̃rvə *de malheur!*   Dieu les préserve de malheur!

7. Də vọ bĭ nọ̆ vọ̆ rmẹ̃rsiặ,   De vos bien nous vous remercions.
     Txẽtặ nọ̆ẹ̃,
   ẹ̃nə bwänə ặnẹ nọ̆ vọ̆ swätặ,   Une bonne année nous vous sou-
                                              haitons.

     Txẽtặ nọ̆ẹ̃ nọ̆ẹ̃.

(Communiqué par M. Saulcy, ancien régent, à Develier).

6

Lo bõ ặ[2])   **Le nouvel an**
(Patois d'Ajoie)

     Bõ- swặ, bõ-swặ mẹ̃-trə də sẹ lĭõ vwa si lə bõ ặ
k'ặ və-ni kə tọ̆ lə mõdə ặ rẹ̃-djọ̆-yi. Kə Dũə vọ̆ bọ̆t ặ
ĭ bõ ặ Kə Dũə vọ̆ dõ lẹ̆ bwặn ặ - nẹ̃.

---

     [1]) Du verbe *t𝑋üặtr* = accorder, souhaiter. On dit aussi en français:
je le lui *corde* bien.
     [2]) Ce chant, inconnu à Delémont, est très populaire dans tout le
pays de Porrentruy.

1. Bõswă, bõswă, mẹtrə də sẹ liõ!
vwäsi lə bõ ã k'ą vəni,
kə tọ̆ lə mõdə ą̆ rẹ̆djọ̆yi.
Kə Dũə vọ̆ bọ̆tə ã ĩ bõ ã!
kə Dũə vọ̆ dõ ¹) lẹ̆ bwãn ãnẹ̆.

Bonsoir, bonsoir, maître de ces lieux!
Voici le bon an qui est venu,
Que tout le monde est réjoui.
Que Dieu vous mette en un bon an!
Que Dieu vous donne la bonne année!

2. ẹtẽ lẹ̆ grọ kə lẹ̆ pətẹ̆,
kə tọ̆ lə mõdə ą̆ rẹ̆djọ̆yi.
Kə Dũə vọ̆ bọ̆tə ã ĩ bõ ã!
kə Dũə vọ̆ dõ lẹ̆ bwãn ãnẹ̆!

Autant les grands qu^e les petits,
Que tout le monde est réjoui.
Que Dieu vous mette, etc.

3. Lẹ̆ dũsə viərdjə ẽt-ĩ djẹ̆djĩ, ²)
k'ẹ̆ yi krạxẹ̆ di pẽ ẹ̆ di vĩ,
K'ẹ̆ yi krạxẹ̆ də tọ̆ lẹ̆ bĩ.
kə Dũə vọ̆ dõ lẹ̆ bwãn ãnẹ̆!

La douce vierge a un jardin,
Qu'il y croissait du pain et du vin,
Qu'il y croissait de tous les biens.
Que Dieu, etc.

4. Nọ̆tə *Seigneur s'y promenait*
ẽvõ ĩ bạtõ d'ẹ̆rdjẽ fạrẹ̆.
Kə Dũə vọ̆ bọ̆tə ã ĩ bõ ã!
kə Dũə vọ̆ dõ lẹ̆ bwãn ãnẹ̆!

Notre Seigneur s'y promenait
Avec un bâton ferré d'argent.
Que Dieu, etc.

5. Lọ̆ pü brăv ãn di pẹ̆yi,
s'ą̆ lọ̆ Djũərdjä³) kə lọ̆ vwali.
kə Dũə lọ̆ bọ̆tə ã ĩ bõ ã!
Kə Dũə vọ̆ dõ lẹ̆ bwãn ãnə̃!

Le plus brave homme du pays,
C'est le Georget que (le) voici.
Que Dieu le mette en un bon an!
Que Dieu vous, etc.

6. Kə Dũə bniə⁴) stə mąjõ,
tọ̆ lẹ̆ lẹ̆tə ẹ̆ lẹ̆ txəvirõ!
Kə Dũə vọ̆ bọ̆tə ã ĩ bõ ã!
kə Dũə vọ̆ dõ lẹ̆ bwãn ãnẹ̆!

Que Dieu bénisse cette maison,
Toutes les lattes et les chevrons!
Que Dieu vous mette, etc.

Autre Bõ ã
(Patois de Mervelier)

1. ą̆dọ̆⁵) bõswąr, ą̆dọ̆ bõ an!
vwäsi lə pərmĩə djọ̆ˑde l'ã.
Notre Seigneur nous aime tant
Qu'il le renouvelle tous les ans.

? bonsoir, ? bon an!
Voici le premier jour de l'an.

---

¹) *Dõ*, subj. prés. Cf. l'ancien frç. *dont*.

²) *Djẹ̆djĩ* (jardin) n'est pas le mot habituel, on dit: cohortile = kœrti (Del.), *tχœtxi* (Por.).

³) Diminutif de *Georges*. Le nom changeait suivant la personne chez qui les enfants chantaient.

⁴) *Bniə*, subj. prés. Cf. l'autre forme *bnąxə* n° 5, p. 271, str. 2, et n° 7, p. 274, str. 4.

⁵) Mot dont on ne connaît pas le sens; c'est évidemment la corruption, par la tradition populaire, d'un mot comme: ẹ̆dõ adonc, donc.

18

2. *Notre Seigneur a-t-un jardin,*
   Là où il croît du pain et
   *   du vin.*
   C'est pour nourrir ses or-
   *   phelins.*

3. *A vous, madame, et d'action,*
   La charité, donnez nous-la,
   Au paradis la retrouverez-
   *   vous.*[1])

4. Kə dũə bnặxə stə mặjõ,   Que Dieu bénisse cette maison,
   tǫ̆ pę́r ặ mę̧[2]), tǫ̆ pȩr ặsõ[3])!   Tout par (en) le milieu, tout par
                                               en haut!

   Et le maître de la maison,
   Que Dieu lui donne sa béné-
   *   diction!*

                    (Ch. Mouttet-Naiserez, Mervelier).

                    ——— —— ———

8

Lǫ̆ Pę̧lsio   La « Pelsion »

C'est un chant particulier à *Develier* et qui se dit le soir
du 5 janvier, veille des Rois. Les jeunes bouviers le chantent
dans le village et accompagnent chacun des « ǫtxiặlǫbǫ! » d'un
vigoureux coup de fouet. On ignore complètement ce que
signifient ces mots de « Pę̧lsiõ » et de « ǫtxiặlǫbǫ ».

1. S'ặ stũ swä ĩ swä   C'est ce soir un soir
   mwäyũ k' lę̧z-ặtrə swá;   Meilleur que les autres soirs;
   pǫ̧r sặ vǫ̧ vit-õ vwä.   Pour cela vous vient-on voir.
   s'ặ dixə kǫ̧m ę̧l ặ vwá   C'est ainsi comme il est vert.
   s'ặ *bien, je vous salue.*   C'est bien, je vous salue.
      ǫtxiặlǫbǫ!   ôtchialôbô!

2. S'ặ l'swá d'lę́ pę̧lsiõ.   C'est le soir de la « Pelsion ».
   ę̧lõdjiə vǫ̧ bȩtõ   Allongez vos bâtons
   pę́r drwätə ę̧ pȩr rę̧zõ.   Par droite et par raison.
      ǫtxiặlǫbǫ!   Etc.

   ——— ———

---

   [1]) Voilà aussi un très joli exemple de la façon dont le peuple
altère parfois le texte d'une chanson.
   [2]) *ặ mę̧,* adverbe   (en) au milieu; le mot ordinaire est *milặ.*
   [3]) *Pę́r ặsõ*   par en haut: on a encore aujourd'hui l'expression
li ặsõ - là haut. Ex: *rę̧ rivặ li ặsõ mə tχur şoli* va *voir* là haut me
chercher cela.

3. Nǫ̆z-ądrē ęvą lę prę
   retχǫdrǝ lē rǫzęǝ,
   lę grǫ̀sǝ ę̆ lę mnûǝ.
   ǫtxiälǫ̆bǫ̆!

   Nous irons en bas les prés
   Recueillir la rosée,
   La grosse et la menue.
   Etc.

4. Nǫ̆z-ądrē dŭz-ę̆-dŭ,
   lę tętǝ dǝdǫ̆ le djŭ.
   nǫ̆z ądrē txŭ l'pǫ̆mę, [1])
   noz-ądrē txŭ l'rę̆mę. [2])
   ǫtxiälǫ̆bǫ̆!

   Nous irons deux à deux,
   La tête dessous le joug.
   Nous irons sur le rouge-fauve,
   Nous irons sur le tacheté.
   Etc.

5. Nǫ̆z-ądrē ę̆ le txęrûǝ,
   nǫ̆ virǝrē lę rǫ̀ǝ, [3])
   nǫ̆z-ŭ ąrē l'ętrē, [4])
   nǫ̆t mętrǝ ęrǝ l'grē.
   ǫtxiälǫ̆bǫ̆!

   Nous irons à la charrue.
   Nous tournerons les sillons,
   Nous en aurons la paille,
   Notre maître aura le grain.
   Etc.

6. Nǫ̆z-ądrē drĭǝ txętę. [5])
   nǫ̆z-ąrē di lę̆sę, [6])
   nǫ̆z-ŭ frē di mętǫ̆, [7])
   tŭ d'pĭǝr k'ę̆ yę̆ ą fǫ̆.
   ǫtxiälǫ̆bǫ̆!

   Nous irons derrière « Chą̂teau ».
   Nous aurons du lait,
   Nous en ferons du caillé,
   Tant de pierres qu'il y a au fond.
   Etc.

(M. Chappuis, crieur public, à Develier).

9

Lǫ̆ pitχǝ mę̆ [8])   Le premier mai
(Patois de Pleigne)

S'ę̆ lę̆ mę, lǫ̆ pitχǝ mę,
s'ę̆ lǫ̆ pǝrmĭǝ djǫ̆ dǝ mę,
k'nǫ̆ sǫ̆t-ŭtrę dē stǝ vęl,

pǫ̆ lǝ pē ę̆ lę̆ fęrēn,
ę̆ lęz-ûǝ dǝ vǫ̆ djǝrēn,
ę̆ lǝ bûǝr dǝ vǫ̆ vętx.
Nǫ̆ sǫ̆ rąlę vwä vǫ̆ byę̆,
lǝ sē byę̆ ę̆ lǝ sąvędjǝ;

C'est le mai, le pique-mai,
C'est le premier jour de mai,
Que nous sommes entrés dans cette
       ville,
Pour le pain et la farine,
Et les oeufs de vos poules,
Et le beurre de vos vaches.
Nous sommes allés voir vos blés,
Le sain blé et le sauvage;

---

[1]) *Pǫ̆mę* (Del.), *pâmę* (Ajoie)   bœuf pommelé, rouge-fauve.

[2]) *Rę̆mę* (ramellu)   tacheté, rayé, à ramages [fém. *rę̆mę̆l*]. Ici
donc, un bœuf tacheté. — On dit aussi un *tę̆ rę̆mę*   une salamandre
ҳtę̆   triton, salamandre d'eau; *tę̆ rę̆mę*   triton rayé, salamandre de terre).

[3]) *Rǫ̀ǝ* (riga), sillon.

[4]) *ętrē* (stramen), paille.

[5]) Nom d'une métairie au dessus de Develier.

[6]) *Lę̆sę* (— lacticellu), lait.

[7]) *Mętǫ̆* — sérac, lait caillé.

[8]) *Lǫ̆ pitχǝ mę*   le mai qui *pique*, c'est à dire, qui pointe, qui
commence, le premier mai. On dit communément : *lǝ djǫ̆ kmēs ę̆ pitχę*
le jour commence à piquer, à poindre.

Nŏ sŏ rặlẹ̆ vwặ vŏz-ặvwĕn.   Nous sommes allés voir vos avoines.
prẹ̆yặ Dü̈ə k'nŏ lẹ̆ rặmwặn.   [Nous] prions Dieu qu'il nous les
                          ramène.

ĕnə piər txẹ̆yŏ̆lẹ̆, [1])   Une pierre cailloutée (?),
Dü̈ə lẹ̆˙vwặyə dẹ̆djặlẹ   Dieu la veuille dégeler
ặ kặtrə pẹ̆!   En quatre parts!
ặtrə pẹ̆ nŏ̆ sŏt-ặlẹ̆,   Autre part nous sommes allés,
txi sẹ xir, txi sẹ dẹ̆m,   Chez ces messieurs, chez ces dames,
txi lẹ̆ pü grŏ̄ bŏ̆rdjẹ̆ d'lẹ̆ vẹ̆l.   Chez les plus gros bourgeois de
                          la ville.

Bĕyĕt-nŏ̆ ï pŏ̄ də bü̈ər   Donnez-nous un peu de beurre
pŏ̆ rviriə nŏ̆ mijŏlặtə;   Pour retourner nos omelettes;
bĕyĕt-nŏ̆ ï pŏ̄ də lẹ̆   Donnez-nous un peu de lard
pŏ̆ frĕyiə nŏ̆ txẹ̆rbŏ̆nẹ̆. [2])   Pour graisser nos charbonnés (?).
S'ặ l'pü bẹ̆l ặfĕ di siə   C'est le plus bel enfant du ciel
k's'ĕ sŏ̄ñiə [3])   Qui s'est signé
tŏ̆ pẹ̆ dvĕ, tŏ̆ pẹ̆ driə.   Tout par devant, tout par derrière.
s'ặ lẹ̆ pü bẹ̆l krŭ di siə.   C'est la plus belle croix du ciel.

               (Justin Kohler, cordonnier, Delémont).

10

Autre pitχə mẹ̄[4])
(Patois de Courroux)

S'ặ lŏ̆ mẹ̆ lŏ̆ pitχə mẹ.   C'est le mai, le pique-mai.
pü lŏ̆ pərmiə djŏ̆ də mẹ,   Pour le premier jour de mai,

---

    [1]) *Txẹ̆yŏ̆lẹ̆*, dérive de *txẹ̆yŏ̆*, caillou. Ici encore le sens est altéré, comme dans le *mai* suivant. Voyez le sens exact au n° 11, p. 277. On prie Dieu de préserver les blés et les avoines d'être *ặtxẹ̆yŏ̆lẹ̆ də piər*, « encailloutés de pierres », c'est à dire couverts de pierres.

    [2]) Ce vers qui revient dans plusieurs de nos chants de mai, n'est pas bien clair; que faut-il entendre par *frĕyiə* (fricare) *nŏ̆ txẹ̆rbŏ̆nẹ̆*? Il s'agit sans doute d'omelettes qu'on a brûlées, *carbonisées*, et qu'il s'agit de vite graisser avec un peu de lard. — La version des *Paniers*, p. 9: *bĕyït-nŏ̆ ï pŏ̄ də lẹ̆ pŏ frŏ̆tẹ̆ nŏ̆ frŏ̆mẹ̆djă*, « Donnez nous un peu de lard pour frotter nos fromages », n'est pas plus claire. Frotter du fromage avec du lard?

    [3]) *Sŏ̄ñiə* = signer (*sặñiə*, Ajoie). La voyelle est presque toujours nasalisée devant ñ. Cf.: *besặñiə* (besogne), *karặñiə* (carogne), *rặñiə* (teigne), *txẹ̆tặñiə* (châtaigne), *vergặñiə* (vergogne), *rặsặñiə* (renseigner), *pĕñiə* (peigne).

    [4]) Le même que le précédent, mais très altéré. Ces chants de mai se psalmodiaient sur un air assez monotone, dont voici quelques mesures:

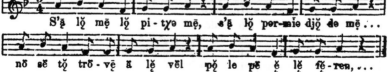

S'ặ lŏ̆ mẹ̆ lŏ̆ pi-tχə mẹ, s'ặ lŏ̆ per-miə djŏ̆ də mẹ . . .
nŏ sĕ tŏ̆ trŏ-vẹ̆ ặ lẹ̆ vẽl pŏ̆ le pẹ̆ ĕ lẹ̆ fẹ̆-ren, . . .

nŏ sē tŏ trŏvę ã lę vęl — Nous [nous] sommes tous trouvés à la ville

pû l'pē ę lę fãrēn, — Pour le pain et la farine,
pû l'būr də vŏ vętx. — Pour le beurre de vos vaches.
Lə sē byę ę lə sãvędjə — Le sain blé et le sauvage,
tŏt-ę piər ę txęyŏlę. — Tout est pierre et caillouté.
ątrə pę nŏz-ę ę fęr, — Autre part nous avons à faire,
txi lę xir ę txi lę dęm, — Chez les messieurs, chez les dames,
txi l'pęrvŏ d'lę vęl, — Chez le prévôt de la ville,
vęl, vęl də vęl. — Ville, ville des villes.

11

Autre pitχə mę
(Patois de Vermes)

Vwãsi lŏ mę, lŏ pitχə mę, — Voici le mai, le pique mai,
s'a lŏ prəmiə djŏ də mę. — C'est le premier jour de mai.
Nŏ sŏt-ãtrę dã stə vęl, — Nous sommes entrés dans cette ville,
pŏ lə pē ę lę fęrēn, — Pour le pain et la farine,
ę lęz-üə də vŏ djarēn, — Et les œufs de vos poules,
ę lə būrə də vŏ vętx. — Et le beurre de vos vaches.
Nŏ sŏt ęyü vwã vŏ byę, — Nous sommes allés voir vos blés,
vwã vŏ byę, vwã vŏz-ãvwēn. — Voir vos blés, voir vos avoines.
ę sõ xi bęl kə sē Djərmē. — Elles sont si belles que saint Germain (?).

Düə lę pręsęrv də djalę — Dieu les préserve de gelée (ou: de geler)

ę də piər ũtxęyŏlę! — Et [d'être] de pierres encailloutées!
Sə vŏ velę bi fęr, — Si vous voulez bien faire,
ątrə pę nŏz-ēt-ę fęr, — Autre part nous avons à faire,
txiə lę xir, txiə lę dęm, — Chez les messieurs, chez les dames,
txiə lę bŏrdjə də lę vel; — Chez les bourgeois de la ville;
ã lę txębr tŏ dəvē, — En la chambre tout devant,
tŏtə pχēn de byõ pē; — Toute pleine de pain blanc;
ã stę di mitã, — En celle du milieu,
tŏtə pχēn də frŏmã; — Toute pleine de froment;
ã stę tŏ deriərə, — En celle de tout derrière,
tŏtə pχēn də dəniə. — Toute pleine de deniers.
Bęyiə-nŏ ĭ pŏ di būrə — Donnez-nous un peu (du) de beurre
pŏ rviriə nŏ mijəlãtə, — Pour retourner nos omelettes,
bęyiə-nŏ ĭ pŏ di lę — Donnez-nous un peu (du) de lard
pŏ fręyiə nŏ txęrbŏnę. — Pour graisser nos charbonnés (?).

(Mlle Fleury, institutrice, Vermes.)

12

Autre pitχə mē
(Patois de Courrendlin)

S'ą nǫ̆mę̄ lə pitχə mę̄,
C'est nommé le pique-mai,

s'ą̆ lə prəmī̆ə djǫ̆ də mę̄.
C'est le premier jour de mai.

Nǫ̆ sŏt-ę̆yü vwä̆ vǭ byę̆,
Nous sommes (été) allés voir vos blés,

vwä̆ vǭz-ę̆vwēn.
Voir vos avoines.

Nǫ̆ lę̄z-ē̆ bĭ swä̆ ¹) trovę̄.
Nous les avons bien facilement trouvés.

Dǖə lę̆ vwę̆rdə də dją̆lę̄
Dieu les garde de gelées (*ou* geler)

ę̆ də piər txę̆yǫ̆lęə!
Et [d'être] de pierres [en]caillouté́s!

(**M.** Oscar Broquet fils, Courrendlin).

Voici maintenant la façon dont les enfants remerciaient les personnes qui les gratifiaient d'une pièce de monnaie ou de tout autre cadeau [Cf. *Paniers*, p. 8]:

Tχə l'bŏ dǖə bnąxə stə mąjŏ,
Que le bonne Dieu bénisse cette maison,

xə bĭ lę̆ lę̆t kǫ̆mə lę̆ txevrŏ!
Si bien les lattes (comme) que les chevrons!

Nǫ̆ vǫ̆ rmę̆rsiã dę̆ bĭ kə vǫ̆ nǫ̆ fę̆tə,
Nous vous remercions des biens que vous nous faites,

nǫ̆ prirē̆ dǖə, pę̆r sę̆ divinə *grâce*,
Nous prierons Dieu, par sa divine grâce,

k'ę̆nə àtrə ãnę̆ vǫ̆ nǫ̆z-ã pę̆yəxĭ bę̆yiə
Qu'une autre année vous nous en puissiez donner

ã grǭsə djǫ̀ə ę̆ ã bŏnə sētę̆.
En grande joie et en bonne santé.

(Courrendlin, Oscar Broquet).

Mais si on les renvoyait les mains vides, ils chantaient:

Nǫ̆ vǫ̆ rmę̆rsiã də vǫ̆trə sütxə krǭtə,
Nous vous remercions de votre sèche croûte,

prēdjiə-lę̆ bĭ pǫ̆ mǫ̆yiə vǫ̆trə sǫ̆pə.
Gardez-la bien pour (mouiller) tremper votre soupe.

ę̆pri vǫ̆t mǫ̀ə, lę̆ txĭ, lę̆ txę̆ vǫ̆ pixrē̆ dxü,
Après votre mort, les chiens, les chats vous pisseront dessus.

lę̆ txĭ, lę̆ txę̆ vǫ̆ pixrē̆ dxü!

(Delémont.)

---

¹) *Bĭ swä̆*, expression très employée: *s'ä bĭ swä̆* c'est bien facile. bien aisé.

13

Lę̆ pą̄siō̃ di dŭ̃ Djẹ̄zū̃	La Passion du doux Jésus
(Patois d'Ajoie)	
1. Lę̆ pą̄siō̃ di dŭ̃ Djẹzü,	La passion du doux Jésus,
k'ę̆l ą̄ trixt ę̇ dọ̄lā̃tə!	Oh! qu'elle est triste et dolente!
ę̆kŭ̃tę-lę̆, pətẹz-ę̆ grā̃,	Ecoutez-la, petits et grands,
pǫ̆ xü lü pą̄r ẹgzā̃pχə.	Pour sur lui prendre exemple.
2. ę̆l ę djū̃nę kărā̃tə djǫ̆	Il a jeûné quarante jours
sē̃ mē̃djīə sǫ̆təñē̃s;	Sans manger *soutenance;*
ę̆l ę̆ mē̃djīə trą̄ grē̃ də byę,	Il a mangé trois grains de blé,
l'at-ę̆vü[1]) rę̆sọsitẹə.	Il (est) a été ressuscité.
3. Dvē̃ k'sə sę̆ trą̄ djǫ̆ pẹsę	Avant qu'[il] se soit trois jours passé,
vǫ̆ vwą̆rę d'ą̄tr ẹ̄gzā̃pχə.	Vous verrez d'autres exemples.
ọ̄, vǫ̆ vwą̆rę̄ mō̃ tχū̃ə grüle	Oh! vous verrez mon coeur trembler
kǫ̆m ę̆nə fœ̆yə də trā̃bχə.	Comme une feuille de tremble.
4. Vǫ̆ vwą̆re mō̃ kūə flą̄djălę	Vous verrez mon corps flageller
də tǫ̆tə fiər rę̆djə.	De toute (fière) cruelle rage.
ọ̄, vǫ̆ vwą̆rę mō̃ sē̃ kŭ̃lę	Oh! vous verrez mon sang couler
tǫ̆ lə lō̃ də mẹ̄ mā̃brə.	Tout le long de mes membres.
5. Vǫ̆ vwą̆rę mę̆ tẹt kŏrā̃nę	Vous verrez ma tête couronner
ę̇vọ̄ ę̆nə ẹpę́n byā̃txə.	Avec une épine blanche.
Vǫ̆ vwą̆rę mẹ dū pīə χūlę	Vous verrez mes deux pieds clouer
ę́ mẹ̇ dū brę̆ ẹtā̃drə.	Et mes deux bras étendre.
6. Vǫ̆ vwą̆rę mę́ gūərdjə ę̀brüvę	Vousverrez ma bouche abreuver
də fīəl ę̆ də vinẹgrə.	De fiel et de vinaigre.
Vǫ̆ vwą̆rę mō̃ tχū̃ə trẹpą̄xiə	Vous verrez mon cœur transpercer
ę̀vọ̄ ę̆nə fiər lā̃sə.	Avec une (fière) cruelle lance.

(Mme Fenk-Mouche, institutrice, Porrentruy.)

Les plus vieilles personnes donnent ce chant comme extrèmement ancien. — A ce propos voici ce que dit M. A. Biétrix dans l'Appendice de sa *Grammaire patoise* (1897), manuscrit dont l'Ecole Cantonale de Porrentruy a fait l'acquisition l'année dernière:

« Ce chant si naïvement triste, avec un air bien approprié, nous fut appris par une digne mère, alors que nous n'avions encore que trois ou quatre ans d'âge. Nous n'avons jamais pu l'oublier. C'est l'un des plus vieux morceaux patois dont on puisse avoir le souvenir » (p. 145).

[1]) Le participe *ę̆vü* est ajoulot: Delémont dit: *ę̆yü*.

M. le professeur Chapuis, à Porrentruy, a bien voulu me
communiquer la mélodie de ce chant, que M. A. Biétrix[1])
a eu la grande bonté de lui chanter. Je me permets d'adresser
ici à ces deux messieurs mes plus vifs remerciements.

Lé pã-si-ŏ di dŭ djé-zü k'ĕl ã trixtə ĕ dŏ-
lã-tə! ĕ-kŭ-tĕ lĕ, pə-tĕz-ĕ grã,   s'ĕ vŏ p/ĕ də l'ã-
tã-drə²) pŏ xü lü pãr ĕg-zã-pyə.

A la 4ᵉ strophe, on m'a cité une variante:

vŏ vwärĕ mŏ kŏə flüdjälĕ   Vous verrez mon corps flagellé
də tŏtə fiərə rüetxə ³) . . .   De toutes (fières⁴) cruelles verges . .

———— · ·

14

Kärimãtrã⁵)   Carnaval.

1. Kärimãtrã k'ã drie txi nŏ,   Carnaval qui est derrière chez nous,
    kə püərə, kə püərə!   Qui pleure, qui pleure!
    — Bĭ vlãtĭə i'ãdrŏ⁶) txi vŏ,   — Bien volontiers j'irais chez vous,
   mĕ i n'ŏzə, mĕ i n'ŏzə;   Mais je n'ose, mais je n'ose;
   bĭ vlãtĭə i'ãdrŏ txi vŏ,   Bien volontiers j'irais chez vous,
   mĕ i n'ŏzə, i n'ŏzərŏ.   Mais je n'ose, je n'oserais.
    — Vĭ yi pĕə bĭ ĕrdiəmã,   —Viens y seulement bien hardiment,
   kärimãtrã, ǫ, ǫ!   Carnaval, hoho!
   vĭ yi pĕə bĭ ĕrdiəmã,   Viens-y seulement bien hardiment,
   kärimãtrã ǫ!   Carnaval ho!

———— — —

¹) M. Biétrix a actuellement 72 ans.

²) *S'ĕ vŏ p/ĕ də l'ãtãdrə.* Je n'ai pas ce vers dans la chanson qui
m'a été transmise de l'Ajoie.

³) L'expression *ĕnə rüǝtxə*, [Delémont: *ĕnə rãǝrtə*], de l'allemand Rute,
désigne une verge flexible, un lien de gerbe, etc

⁴) *Fiərə*, lat. ferum pointu, aigu, puis acide, aigre: *dĕ fiə txŏ*
des choux aigres (choucroute)

⁵) *Kärimãtrã*   carême entrant, Carnaval.

⁶) *I'ãdrŏ*, 1ʳᵉ pers. sing. du conditionnel. On conjugue: *i'ãdrŏ, t'ãdrĕ,
ĕl ãdrĕ, nŏz-ãdrĭ, rŏz-ãdrĭ, ĕl ãdrĭ.*

2. Karimąträ k'ą driə txi nǫ,
   kə püərə (bis)!
   — Bĭ vlätiə i dȩbǫ̈txrǫ̈ vǫ̈t
          kąklǒ[1]),
   mȩ̈ i n'ǫzə (bis);
   bĭ vlätiə i dȩbǫ̈txrǫ̈ vǫ̈t kąklǒ,
   mȩ̈ i n'ǫzə, i n'ǫzərǫ̈.
   — Dȩbǫ̈txə-lǫ̈ pȩ̈ə bĭ ȩrdiəmä,

         Etc.[2])

Carnaval, etc.

   — Bien volontiers je déboucherais
       votre poëlon . . .

   — Débouche-le seulement bien
       hardiment.

         Etc.

3. Kărimąträ k'ą driə txi nǫ,
   kə püərə (bis)!
   — Bĭ vlätiə i vǫ̈ rābrȩ̈srǫ̈.

   mȩ̈ i n'ǫzə, i n'ǫzərǫ.
   — Rābrȩ̈s-mə pȩ̈ə bĭ ȩrdiəmä.

         Etc.

Carnaval, etc.

   — Bien volontiers je vous (r)em-
       brasserais . . .

   — Embrasse-moi seulement bien
       hardiment.

         Etc.

4. Kärimąträ k'ą driə txi nǫ,
   kə püərə (bis)!
   — Bĭ vlätiə i kûtxrǫ̈ ȩ̈vǫ̈[3]) vǫ̈,

   mȩ̈ i n'ǫzə, i n'ǫzarǫ̈.
   — Kûtxiə pȩ̈ə bĭ ȩrdiəmä.
         Etc.

   — Bien volontiers je coucherais
       avec vous . . .

   — Couchez seulement bien hardiment
       Etc.

5. Kärimąträ k'ą driə txi nǫ,
   kə püərə (bis)!
   — Bĭ vlätiə i vǫ̈ l'fȩ̈rǫ̈,

   mȩ̈ i n'ǫzə, i n'ǫzarǫ.
   — Fȩ̈ lǫ̈ pȩ̈ə bĭ ȩrdiəmä.
         Etc.

   — Bien volontiers je vous le
       ferais . . .

   — Fais le seulement bien hardiment.
       Etc.

(Justin Kohler, cordonnier à Delémont).

Voici la mélodie de ce *kärimątra* telle que me l'a fournie,
avec une légère variante, M. Justin Kohler:

Kä-ri-mą-trä k'ą driə txi nǫ, kə püə-rə, kə püə-rə! Kä-

---

[1] *Kaklǒ* poëllon en terre de Bonfol.
[2] On intercale parfois ici deux strophes: a) — bĭ vlätiə i pąrǫ̈ ȩnə
fǫ̈rtxàt (je prendrais une fourchette) — präz-ä pȩ̈ə ȩnə bĭ ȩrdimä, etc.;
b) — bĭ vlätiə i pąrǫ̈ l'bûdĭ (le boudin) — prä-lǒ pȩ̈ə bĭ erdiəmä, etc.
[3] *ȩrǫ̈* ou *dȩrǫ̈* avec.

ri - mā - trā k'ā drĭə-txi nŏ, kĕ pūər sŏ sŏr!¹) — Bĭ vlā - tiə i'ą-

drŏ-txi vŏ, mĕ i n'ŏ - zə, mĕ i n'ŏ - zə; bĭ vlā-tĭə i'ą-drŏ txi

vŏ, mĕ i n'ŏzə, i u'ŏ - zə - rŏ. — Vĭ yi pĕə bi ĕr-diə-mă, kă-

ri - mā-trā! Hŏ - hŏ! Vĭ yi pĕə bĭ ĕr - dĭə - mā, kă-

ri - mā - trā, hŏ!

Autre mélodie

(Célestin Carabinier, 60 ans, Delémont)

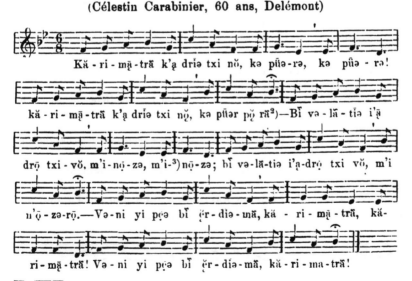

Kă - ri - mā - trā k'ą drĭə txi nŏ, kə pūə - rə, kə pūə - rə!

kă - ri - mā - trā k'ą drĭə txi nŏ, kə pūər pŏ rā²) — Bĭ va-lā - tĭə i'ą

drŏ txi - vŏ, m'i - nŏ - zə, m'i -³) nŏ - zə; bĭ və-lā-tiə i'ą-drŏ txi vŏ, m'i

u'ŏ - zə-rŏ. — Və-ni yi pĕə bĭ ĕr-diə-mā, kä - ri - mā - trā, kä-

ri - mā - trā! Və - ni yi pĕə bĭ ĕr - dĭə-mā, kä - ri - ma - trā!

---

¹) Qui pleure son sort.
²) Qui pleure pour rien.
³) Remarquer l'élision: *m'i n'ŏzə*   *mĕ i n'ŏzə*.

15

Kärimą̈trä   Carnaval

1. Kärimą̈trä k'ą̈ driə txi nǫ̈,
   kə pūərə, kə pūərə.
   lę̆ bę̆l ǭtäs i ę̆ dmēdę̆
   k'ą̈-sə k'ę̆l ę̆vę̆. [1]
   — Bĭ vlätĭə i'ädrǭ txi vǫ̈,   } bis
   mę̆ i n'ǫze, i n'ǫzerǫ.
   — ätrę̆, ätrę̆, kärimą̈trä,
   bĭ ĕrdĭəmä!

   Carnaval qui est derrière chez nous,
   Qui pleure, qui pleure.
   La belle hôtesse lui a demandé
   (Qu'est-)ce qu'il avait.
   — Bien volontiers j'irais chez
            vous, } bis.
   Mais je n'ose, je n'oserais.
   — Entrez, entrez, Carnaval,
   Bien hardiment!

2. Tχē kärimą̈trä fĕet-ätrę̆,
   ę̆ pūərə (bis).
   lę̆ bę̆l ǭtas i ę̆ dmēdę̆
   k'ą̈-sə k'ę̆l ę̆vę̆.
   — Bĭ vlätĭə i äbräsrǭ vǫ̈t
          miñǫ̈t [2] } bis
   mę̆ i n'ozə, i n'ǫzərǫ.
   — äbräsĭə-lę̆, kärimą̈trä,
   bĭ ĕrdĭəmä!

   Quand Carnaval fut entré,
   Il pleure (bis).
   La belle hôtesse lui a demandé
   (Qu'est-)ce qu'il avait.
   Bien volontiers j'embrasserais votre
        mignonne,
   Mais je n'ose, je n'oserais.
   — Embrassez-la, Carnaval,
   Bien hardiment!

3. Tχē kärimą̈trä l'ät-ę̆yü bĭ äbräsĭə,

   ę̆ pūərə (bis).
   lę̆ bę̆l ǭtäs vĭ rdəmēdę̆
   k'ą̈-sə k'ę̆l ę̆vę̆.
   — Bĭ vlätĭə i kŭtxrǫ ę̆vǭ
         vǫ̈t miñǫ̈t, } bis
   mę̆ i n'ǫzə, i nǫ̈'zərǫ.
   — Kŭtxĭə, kŭtxĭə, kärimą̈trä,
   bĭ ĕrdĭəmä!

   Quand Carnaval l'a eu bien em-
         brassée,
   Il pleure (bis).
   La belle hôtesse vient redemander
   (Qu'est-)ce qu'il avait.
   Bien volontiers je coucherais avec
        votre mignonne,
   Mais je n'ose, je n'oserais.
   — Couchez, couchez, Carnaval,
   Bien hardiment!

4. Tχē kärimą̈trä ą̈t-ę̆yü kŭtxĭə,
   ę̆ pūərə (bis).
   lę̆ bę̆l ǭtäs vĭ rdəmēdę̆
   k'ä-sə k'ę̆l ę̆vę̆.
   — Bĭ vlätĭə i ką̈srǫ l'kǫ̈rdǭ
     d'lę̆ kǫ̈rnät də vǫ̈t miñǫ̈t [3]), } bis
   mę̆ i n'ǫzə, i n'ǫzerǫ.
   — Ką̈sę̆, ką̈sę̆, kärimą̈trä,
   bĭ ĕrdĭəmą̈!

   Quand Carnaval (est) a été couché,
   Il pleure (bis).
   La belle hôtesse vient redemander
   (Qu'est-)ce qu'il avait.
   — Bien volontiers je casserais le
        cordon de la cornette de votre
        mignonne,
   Mais je n'ose, je n'oserais.
   — Cassez, cassez, Carnaval,
   Bien hardiment!

---

[1] Remarquer l'expression: lui a demandé *qu'est*-ce qu'il avait.
[2] *Miñǫ̈t*, mot peu usité dans notre patois   mignonne.
[3] Je laisse le vers tel qu'on me l'a cité.

5. Tχē kärimậträ ü kậsę l'kǫ̆rdŏ   Quand Carnaval eut cassé le cordon de
   d'lę̆ kǫ̆rnät d'lę̆ miñǫ̆t,   la cornette de la mignonne,
   ę̆ püərə (bis).   Il pleure (bis).
lę̆ bę̆l ǭtäs i ę̆ dmēdę̆   La belle hôtesse lui a demandé
   k'ậ-sə k'ę̆l ę̆vę̆.   (Qu'est-)ce qu'il avait.
— Bĭ vlậtiə i vǫ̆z-ặ frǭ ę̆tē, ⎫   — Bien volontiers je vous en
               ⎬ bis   ferais autant,
mę̆ i nǭzə, i n'ǭzərǭ. ⎭   Mais je n'ose, je n'oserais.
— Fę̄tə, fę̄tə, kärimậträ,   — Faites, faites, Carnaval,
   bĭ ę̆r ɾiəmặ!   Bien hardiment!

(M. Rais, fossoyeur, à Delémont.)

Prières [1]

16. *En prenant l'eau bénite*

ậ bniə i t'prặ;   Eau bénite, je te prends;
də trwä txǭz mə dę̆fặ[2]):   de trois choses me défends:
də l'ę̆nəmi, di sę̆rpặ,   de l'ennemi, dit serpent,
də mę̆txēn[3]) djặ,   de méchantes gens,
də möri d'mǭə sǫ̆bitmặ.   de mourir de mort subitement.
Djęzü, Mę̆riậ, sē Djǭzę̆   Jésus, Marie, saint Joseph,
i vǫ̆ rkǫ̆mēdę̆ mŏ kǫə, mŏ ậmə   je vous recommande mon corps,
                             mon âme
ậtrə vǭ brę̆.   entre vos bras.

(M. le Doyen Eschemann, Courrendlin)

17. Id.[4])

ậ bniə i t'prặ;   Eau bénite, je te prends;
də trwä txǭz Düə ɪn'dę̆ɾäde: De trois choses Dieu me défende:
d'l'ę̆nmi, d'lę̆ sę̆rpặ,   De l'ennemi, (de la) du serpent,
d'mę̆txēⁱə djặ,   De méchantes gens,
d'möri d'mǭə sǫ̆bitmặ.   De mourir de mort subitement.

(M. Justin Kohler, cordonnier, 78 ans, Delémont)

18

ậ bŏ Düə i m'sử sŏñiə ę̆ rkǫ̆mēdę̆   Au bon Dieu je me suis signé et
k'ę̆ m'bę̆yửx, sə yi pχę̆, ę̆nə bwän   recommandé qu'il me donne, s'il
nŏ̈ (ę̆nə bwän djǫ̆rnę̆).   lui plaît, une bonne nuit (une bonne
                      journée).

(Mme Broquet-Borne, Pleigne.)

---

    [1]) Nombre de personnes âgées disent encore chaque jour l'une ou
l'autre de ces prières.
    [2]) *Dę̆fặ* — impératif. Cf. n° 17, *dę̆fädə*   prés. subj.
    [3]) L'ancienne forme *mę̆t.rēn* pour le féminin est encore usitée
actuellement dans le Porrentruy: Delémont l'a remplacée par *mę̆txēⁱə*.
    [4]) Cf. *Arch.*, II, p. 157.

19. A l'ange gardien, etc.

Düə vǫt bŏdjǫ¹), mě s̄ẽtə bŏn ēdjə, vǫ m'ę̄ bĭ vwärdę̄ ǟdjdö; vwärdę̆t mə bĭ ǟkǫ̆ mö stə nö, mö kǭə də tēt̄ąsiō, mö ̄ąmə də dän̄ąsiō. Djē̆zü, *Maria*, sē̆ Djǭzě, i vǫ̆ rkǫ̆mēdę̄ mö kǭə ě̆ mö ̄ąmə ̄ätr vǭ brę̆. mo dŭ Djē̆zü, *prenez mon corps et mon âme entre vos bras. Ainsi soit-il!*

Dieu [soit] votre bonjour, ma sainte bonne ange, vous m'avez bien gardé aujourd'hui; gardez-moi bien encore mieux cette nuit, mon corps de tentation, mon âme de damnation. Jésus, *Maria*, saint Joseph, je vous recommande mon corps et mon âme entre vos bras. Mon doux Jésus, prenez mon corps et mon âme entre vos bras.

(M. Jacquat, 80 ans, à Berlincourt)

20. Id.

Bōsrēï̄-vo²), mě bwēn ēdjə *gardien*, i vǫ̆ rkǫ̆mēdę̄ mö kǭə, mö ̄ąmə ̄ätr vǭ brę̆. pǫ̆pŏ³) Djē̆zü, prǟt mö tyœ, fę̆t di miən⁴) s̄äbl̄ąblə ̄ą vǭtrə. *Jésus, Marie, Joseph, faites que je vive.*

Bonsoir à vous, ma bonne ange gardien, je vous recommande mon corps, mon âme entre vos bras. Poupon Jésus, prenez mon cœur, faites (du) le mien semblable au vôtre. Jésus, etc.

(M. Joseph Girardin, à Courfaivre)

21. Id.

Bōswār, mě bŏn ēdjə *gardien*, s'̄ąt-ě̆ vǫ̆ k'i m'rəkǫ̆mēdə. vǫ̆ m'ě̆ bĭ vwärdę̆ ǟdjdö, vwärdę̆t-mə bĭ stə nö, s'ě̆ vǫ̆ pχ̄ę̆. pǫ̆pŏ Djē̆zü, *prenez mon cœur, donnez-moi le vôtre et faites du mienne semblable au vôtre.* (Mettemberg)

Bonsoir, ma bonne ange gardien. C'est à vous que je me recommande. Vous m'avez bien gardé aujourd'hui, gardez-moi bien cette nuit, s'il vous plaît. Enfant Jésus, prenez mon cœur, donnez-moi le vôtre et faites (du) le mien semblable au vôtre.

22. Id.

̄ą bŏ Düə, lě̆ sēt̄ə viərdjə, sē̆ Djǭzě, sē̆ Nĭkŏlā, mö bŏ ēdjə *gardien*, bŏ Düe ̄ą tyü m'ę̄ r̄ädü ě̆ rkǫ̆mēdę̄, ę̄ə pidīə dę̄ pǭərz-̄ąmə di pür̄gątw̄ąr! pǫ̆pŏ Djē̆zü, ę̄mę̄ mö tyœ̄ə, bě̆yę̆t-mə l'vǭtrə; fę̆təz-̄ä di miən s̄äbl̄äbl

Au bon Dieu, la sainte Vierge, saint Joseph, saint Nicolas, mon bon ange gardien, bon Dieu en qui [je] (m'ai) me suis rendu et recommandé, ayez pitié des pauvres âmes du purgatoire! Enfant Jésus,

---

¹) *Düə vǫt bŏdjǫ̆* — Dieu *soit* votre bonjour, Dieu vous salue! Cf. p. 265, str. 2.

²) Contraction pour: *bōswār ę̆ vǫ̆.*

³) Notre patois ne dit jamais: *āfē̆* (enfant) Djē̆zü, mais toujours *pǫ̆pŏ Djē̆zü.*

⁴) *Lə miən* = le mien, littéralement le mienne. On entend très souvent *lə miən* au lieu du masculin. Bien des gens, même en français, vous disent: C'est *le mienne.* Cf. n° 21: faites du *mienne* . . . .

ạ vǫ̈trə. Də vǫ̈t bõ swē vǫ̈ m'ę̧ bĭ vwärdę̧ adjdö; vwärdę̧ mœ̈ ēkǫ̈, stə nö, mõ kǫ̈ə də tētāsiõ, mõ ậmə də dậnậsiõ. Sētə viərdjə, mę̧ bõn mę̧r, ę̧ə pidiə de ɯwá; fę̧t-mœ̈ ĭ ậfē də bĭ ę̧ d'ǫ̈nœ̈r pǫ̈ djē̆ñiə ¹) l'ᵊiᵊ, si yi pχ̧ę̧. *Ainsi soit-il!*

(Mᵐᵉ Catherine Gueniat, 86 ans, Courroux)

aimez mon cœur, donnez-moi le vôtre; faites-en du mien semblable au vôtre. (De) Par votre bon soin, vous m'avez bien gardé aujourd'hui; gardez-moi encore cette nuit, mon corps de tentation, mon âme de damnation. Sainte Vierge, ma bonne mère, ayez pitié de moi; faites [de] moi un enfant de bien et d'honneur, pour gagner le ciel, s'il lui plaît. Ainsi soit-il!

23. Id.

I m'kûtx, trwậ bę̧l ēdjə ę̧ mę̧ piə, ậ mę̧ tę̧te; sēt Djän d'kǫ̈t²) mwa; ę̧ kätr kậr d'mõ yę̧ lę̧ kätr ę̧vā-ję̧lis³), *saint Jean, saint Luc, saint Marc, saint Matthieu.* — Di tä k'i ę̧rę̧ sę̧ kätr bõ ēdjə, i n'ę̧ p'pävũ d'l'ę̧nmi. — Sēt Djän ę̧ mõ kǫ̈tę̧, mõ *saint ange gardien* pǫ̈ m'ę̧kõ-päñiə, k'ę̧l mə prę̧zę̧rvœ̈x d'mǫ̈ə sǫ̈bit, k'ę̧l m'ę̧xixtœ̈x ã lę̧ viə, ã lę̧ mǫ̈ə! *Ainsi soit-il!*

(Mᵐᵉ Borne, 82 ans, Pleigne)

Je me couche, trois (belles) beaux anges à mes pieds, à ma tête; sainte Jeanne à côté de moi; aux quatre coins de mon lit les quatre évangélistes: saint Jean, saint Luc, saint Marc, saint Matthieu. — Du temps que j'aurai ces quatre bons anges, je n'ai pas peur de l'ennemi.— Sainte Jeanne à mon côté, mon saint ange gardien pour m'accompagner, qu'elle me préserve de mort subite, qu'elle m'assiste en la vie, en la mort! Ainsi soit-il!

24

ạ bõ Düə, ã lę̧ sēt viərdjə, ã nǫ̈ glǫ̈riö pätrõ sē Djœ̈r mē̆ę̧ sē R̆ãdoald, sĭ nǫ̈ rädü ę̧ rkomē̆dę̧!
(M. Oscar Broquet, Courrendlin)

Au bon Dieu, à la sainte Vierge, à nos glorieux patrons saint Germain et saint Randoald, soyons-nous rendus et recommandés!

25

(Patois de Buix, Ajoie)

ạ bõ Düə, lę̧ sēt viərdjə kə nǫ̈ sõ rädü ę̧ rkǫ̈mē̆dę̧. Ję̧zü, Mę̆rjə, Djǫ̈zę̧̈, i vǫ̈ rkǫ̈mē̆də mõ küə, mõ amə ãtrə vǫ̈ brę̧. Düə mə tę̧̈s ĭ ậfē bĭ sę̧djə ę̧ d'ǫ̈nœ̈r ę̧ krę̧ñĭ Düə! — Bę̧ə lə bõswạr ã mõ pę̧r, ã mę̧

Au bon Dieu, la sainte Vierge (que) nous [nous] sommes rendus et recommandés. Jésus, Marie, Joseph, je vous recommande mon corps, mon âme entre vos bras. Dieu me fasse un enfant bien sage et d'honneur

---

¹) Forme du patois de Courroux. Delémont dit: dχ̧ę̈ñiə.

²) *D'kǫ̈t,* ou *kǫ̈t* près de, à côté de: *vi kǫ̈t mıca* viens vers moi, près de moi.

³) Les mots français en —*iste* ou —*isme* sont devenus —*is* en patois. Ex.: *lə kätę̧ℓχ̧is* le catéchisme, *l'ę̧raję̧lis* l'évangéliste, *lə rümậtis* = le rhumatisme.

mẹr; ẹl ẽ söfrĭ yǫ̈t sẽtẹ̈ pŭ mə nŏri ẹ̈ m'ẹyŏvẹ̈ dẽ lẹ́ krẽtə di bŏ Dũə. — Dũə ẹ̈ə l'ãmə də mŏ pẹr, d'mẹ̈ mẹr, d'mŏ päpŏ, d'mẹ̈ mmĭ, d'mẹ̈z ŏχä, d'mẹ̈ tẽtə ẹ̈ trẹ̈tü mẹ̈ pwarã̆! — ạ bŏ Dũə, lẹ́ sẽt viərdjə lẹ̈ vǘyə rẹdjǫ̆yĭ ã lẹ́ bẹ́l djũə dĭ pẹ̆rẹ̆dĭ, ẹ̈ pö nǫ̈ ạxi[1]) tχẽ nǫ̈ pẹ̈txirẽ fö d'si mŏdə-si! Requiescant in pace. Amen!

(Mᵐᵉ **Fenk-Mouche,**
à Porrentruy)

et craignant Dieu! — [Je] donne le bonsoir à mon père, à ma mère. Ils ont souffert leur santé pour me nourrir et m'élever dans la crainte du bon Dieu! — Dieu ait l'âme de mon père, de ma mère, de mon grand-père, de ma grand'mère, de mes oncles, de mes tantes et [de] tous mes parents! — Au bon Dieu, la sainte Vierge les veuille réjouir en la belle joie du paradis, et puis nous aussi quand nous partirons (hors) de ce monde-ci! R. I. P. Amen!

26
(Patois de Fontenais, Ajoie)

Sẽt Mẹ̈riə Mãdlẹn k'alẹ̈ pẹ̈ sẽ Mẹtxẽ ᵗxmĭ ẹ̈ räkŏtrẹ̈ sĭ Djẽ, vǫ̈ y ẹ̈ di: sĭ Djẽ, n'ẹ̈ vǫ́ pə vü not sẹ̈n̆ǘr? — ˣyẹ̈[2]), i l'ẹ̈ vü xü l'ẹbrə də lẹ́ ᵏrũ, lẹ̈ dü brẹ́ ẹtãdü, lẹ̈ ɼiə krũjiə, lẹ́ tẹt kǫ̈rǫ̈nẹ̈ d'ẹpẽn.

Stü kə dirẹ̈ stə pətẹ́t prwayiər trwạ fwä l'mẹtĭ, trwạ fwä l'swä, nə vwarẹ̈ djmẹ́ lẹ̈ flạm di pürgãtwạr ni de l'ãtiə.

(M. **Laville,** instituteur,
Soyhières)

Sainte Marie Madeleine qui allait par ces méchants chemins et rencontrait saint Jean, vous lui avez dit: Saint Jean, n'avez-vous pas vu Notre Seigneur? — Si, je l'ai vu sur l'arbre de la croix, les deux bras étendus, les pieds croisés, la tête couronnée d'épines.

Celui qui dira cette petite prière trois fois le matin et trois fois le soir, ne verra jamais les flammes du purgatoire ni de l'enfer.

27
(Patois de Vermes)

I mə rkǫ̈mẽdẹ̈ ạ bŏ Dũə, ã lẹ́ sẽt viərdjə, ã mẹ́ bẹ́l patrǫ̈nə, ã mŏ bẹl ẽdjə gạrdiẽ. — Vǫ̈ m'ẹ̈ bĭ vạrdẹ̈ stü djǫ̆; vạrdẹ̈tə mẽ[3]) bĭ stə nö, sẹ́ vǫ̈ pχẹ̈, prẹ̈zẹ́rvẹ̈ mẽ[3]) də tǫ̈ mãlœr; prẹ̈zẹ́rvẹ̈ mŏ kǫ̈ə də pävũ, mẹ́ pǫ̈r ạmə də dãnạsiŏ. — a Dũə bẹ̈ni, bẹ̈yẽtə mẽ[3]) ẹ̈nə ur sẽtə pǫ̆ vivr ẹ̈ bĭ möri, po ạlẹ̈ vwä not *seigneur* ã pẹ̈rẹ̆di.

(Mᵉˡˡᵉ **Fleury,** institutrice,
Vermes)

Je me recommande au bon Dieu, à la sainte Vierge, à ma belle patronne, à mon bel ange gardien. — Vous m'avez bien gardé ce jour; gardez-moi bien cette nuit, s'il vous plaît, préservez-moi de tout malheur; préservez mon corps de peur, ma pauvre âme de damnation. — Au Dieu béni, donnez-moi une heure sainte pour bien vivre et bien mourir, pour aller vers (ou voir) notre seigneur en paradis.

---

[1]) ạxi, aussi, mot très rare: on dit toujours: ẹ̈xbĭ. [ẹ̈ pö nǫ̈ ẹ̈xbĭ].

[2]) ˣyẹ̈ français si, répondant à une interrogation négative

[3]) Forme toute particulière que je n'ai rencontrée qu'à Vermes Partout ailleurs on dit mə.

28
(Patois de Mervelier)

ạ nŏ di bŏ Dǖə si¹) mə kǔtxrę,　Au nom du bon Dieu, (si) ⌊je⌋ me coucherai,

viərdje Męrîə sälüərę,　Vierge Marie saluerai,

tχę̌ m'běyöxə sǫ̌ tχi yi dmēdrę̌:　Qu'elle me donne ce que je lui demanderai:

l'ę̈mǫ̈ə di bŏ Dǖə *premièrement*,　L'amour du bon Dieu premièrement,
sa vie honorablement,　Sa vie honorablement (?),
kə l'ēdjə də Dǖə m'y swat-ǟ gęrdə,　Que l'ange de Dieu m'y soit en garde,
dę̌ pēnə d'l'ǟfęr m'y gęrə²),　Des peines de l'enfer m'y (gare) préserve,

dę̌ tǫ̌rmǟ d'lě̈nmi,　Des tourments de l'ennemi,
ę̈ mŏ ǟmə ǟ *Jésus-Christ*.　Et mon âme à Jésus-Christ.
Běyę̈t-mwǟ ę̈nə ūrə sę̈t-ę̈ ǖrözə pǫ̌　Donnez-moi une heure sainte et heureuse pour bien vivre et bien
bĭ vivrə ę̈ bĭ möri, pę̌ lę̈ mǫ̈ə də　mourir, par la mort de Jésus-Christ,
Jésus-Christ, notre pauvre âme.　notre pauvre âme. Ainsi soit-il!
Ainsi soit-il!

(Ch. Mouttet-Naiserez, 71 ans, Mervelier)

29
(Patois de Vermes)

A proprement parler, ceci n'est pas une prière; c'est une sorte de légende qui s'est transmise en se corrom pant fortement mais que l'on récite cependant en guise d'oraison. Cf. n° 26, p. 267.³)

Tχē Djē Fömi ạ vni, *l'esprit l'ę̈*　Quand Jean Feumi (?) est venu,
portę̌ bǟtizîə.⁴ ɩ — Lę̈ bě̈l vîərdjə　l'esprit l'a porté baptiser. — La belle
i ę̈ dmēdę̌: kǒmə ę̈t-ę̈ nŏ⁵) sę̈t　Vierge lui a demandé: Comme[nt]
ǟfę̈? — Sĭ Djē di rənŏ.⁶) — Dǖə　a (à) nom cet enfant? — Saint
bnîə stə mạjŏ, fänə ę̈ ǟfę̈, djəmę̈　Jean du Renom (?). — Dieu bénisse
ę̈nə gǫ̌tə də bŏ sę̈. — Lę̈ bě̈l vîərdjə　cette maison, femme et enfant,
s'ǟ vę̌, ǟ ę̈bě̈tē lę̈ rǫ̌zǟ, ę̈tě̈rodjə　jamais une goutte de bon sang (?). —
sŏ fę̈ sĭ Djē. — ạ mŏ bę̌ fę̈, vwǟli　La belle Vierge s'en va, en abattant
l'fǖə də l'ǟfîə. — ạ mę̌ bě̈l męr,　la rosée, interroge son fils saint
n'ę̈yĭ p' pǎvǔ di fǖə də l'ǟfîə, s'ạ̌　Jean: — Ah! mon beau fils, voici
ĭ pŏ grǫ̈ ę̈ lŏ, kǫ̌ dę̌ pwǟ də tę̈tə　le feu de l'enfer! — Ah! ma belle

---

¹) Cf. p. 264, note 1.
²) *Gęrę̌* — frç. garer.
³) Sur les oraisons en forme de récits, voir l'article de M. S. Singer, *Die Wirksamkeit der Besegnungen* (*Arch.* I, p. 202).　*[Réd.]*
⁴) Cf. p. 268, note 4.
⁵) Cf. Villehardouin: Li dux de Venise qui *ot a nom* Henris Dandole, etc·
⁶) Je ne sais à quoi ce nom fait allusion.

rŏ. Sẹ̈ kə sẹrẽ lẹ̈ rẹjŏ¹) de Düə, si pŏ pẹ̈ərẽ; ẹ̈ sẹ̈ kə n'lẹ̈ sẹrẽ p', ẹ̈ pïə dəmürərẽ, kriərẽ: *Jésus, Jésus!* k'ẹ̈-yə fẹ̈, k'ẹ̈-yə di? lẹ̈ rẹjŏ də Düə i n'ẹ̈ p'ẹ̈pri. S'i²) dẹ̈ rãtrẹ̈ dẽ mŏ pẹ̈yi, lẹ̈ rẹjŏ də Düə i ẹ̈pẹ̄rẹ̈, djmẹ̈ i n'lẹ̈ rẹbyərẹ̈, s'ẹ̈ yi pχẹ̈.

(Melle Fleury, institutrice à Vermes)

mère, n'ayez pas peur du feu de l'enfer; c'est un pont gros et long, comme des pois de tête-rond (?). Ceux qui sauront la raison de Dieu, ce pont passeront; ceux qui ne la sauront pas, à pied demeureront, crieront: Jésus, Jésus! Qu'ai-je fait, qu'ai-je dit? La raison de Dieu, je n'ai pas appris[e]. Si je dois rentrer dans mon pays, la raison de Dieu j'apprendrai, jamais je ne l'oublierai, s'il lui plaît.

Prières burlesques
30
(Patois de Vendlincourt, Ajoie)

Notre Père txi l'prẹtə
nŏz-ạ̈viẽnə
txi lẹ̈ djərẽn,
nŏz-ǫ̈ñŏ
txi l'djǫ̈zǫ̈yŏ.
Miserere mei Dei;
vwǎsi k'nǫ̈ t'vəñã tχöri.
— Tə m'pẹ̈yrẹ̈ bĭ mẹ pạ̈sə *mea*³)
— *Ah! oui,* dẹ̈ *oui, monsieur* l'tχürïə,
vǫ̈z-ã vlẹ̈ ẹ̈trə trẹ̈ bĭ pẹ̈yïə.
dã k'ẹ̈⁴) n'i ẹ̈rẹ̈ rã k'lẹ̈tχẹ̈yät

ẹ́ pö lẹ̈ tχiyïə,
vǫ̈z-ã sərẽ trẹ̈ bĭ pẹ̈yïə.
— Bǫ̈tẹ̈-lẹ̈ vitə dədẽ si ptxü,
ä̈fẽ k'ẹ̈l n'ã rəpẹ̈txœ̈xə djã̈mẹ̈.
Sẹ̈tə pïə de tĭər fəri vo-yi⁵),

dẹ̈txü lo nẹ̈.

Notre père chez le prêtre
Nous advienne
Chez la poule,
Nos oignons
Chez le Josoyon.
Miserere mei Dei;
Voici que nous te venons quérir.
— Tu me payeras bien mes pas.
— Ah! oui, parbleu oui, monsieur le curé,
Vous en voulez être très bien payé.
(Dès que) Quand même il n'y aurait que l'écuelle,
Et puis la cuiller,
Vous en serez très bien payé.
— Mettez-la vite dedans ce trou,
Afin qu'elle n'en reparte jamais.
Sept pieds de terre (frappez) foulez-(vous)-lui
Dessus le nez.

¹) Qu'est cette « raison de Dieu? »

²) *S'i* pour *sə i* = si je.

³ Ce mot latin *mea* n'a rien à faire ici. « Mes pas » (prononcez *pass*) = mes démarches.

⁴) *Dạ̈ kə* ne s'emploie pas dans le sens du français «dès que», mais il signifie: « Quand même, si même. » On dit encore en français dans tout le Jura: « Dès qu'il aurait un million, il le dépenserait (= quand même il aurait. . . .)! »

⁵) *Fəri*, frapper, est pris ici dans le sens de: frapper ou fouler avec les pieds. — Foulez-*vous* lui: cf. La Fontaine: Et *vous* lui fait un beau sermon. . . .

Et in paradisios   *Et in paradisios* (sic)
pǫ̆txĕt-lĕ̆ ã pĕrĕdi,   Portez-la en paradis,
k'ĕl nə rəvəñǽxə *jamais.*   Qu'elle ne revienne jamais.

(Hélène Gigandet, 69 ans, Hospice des Vieillards, St-Ursanne)

31

Un vieillard de Vermes disait tous les soirs cette prière:

Mõ kǫr ę̆ tęər,   Mon corps à terre,
mõ ãmə ã bõ Düə,   Mon âme au bon Dieu,
en bas l'bougre![1])   (En) A bas « le bougre! »

32

I m'kütxə kŏm I büə,   Je me couche comme un bœuf,
i m'iövə kŏm ę́nə vętxə,   Je me lève comme une vache,
l'dyę̆l nə prã p'lę rüdjə bętə.   Le diable ne prend pas les rouges
(Pleigne)   bêtes.

33

I vǫ̆ salüə, Męriə,   Je vous salue, Marie,
vǫ̆z-ętə pχ̆en də *grâce*   Vous êtes pleine de grâce
ę̆ mwä pχ̆en də brētvĭ.   Et moi pleine d'eau-de-vie.
ã-õ[2]) pädü not *Seigneur*   (On) Ils ont pendu notre seigneur,
ã-õ[2]) krüsifię̆, ã-õ[2]) ętrēγ̆ę̆.   Ils[l'] ont crucifié, ils[l']ont étranglé.
n'a-sə p'ęnə kõfüzio   N'est-ce pas une confusion
pǫ̆ tǫ̆[3]) lę pērätę̆?   Pour tout[e] la parenté?

(Vermes)

34

Pour guérir les maux de dents, les farceurs font répéter
phrase après phrase la prétendue invocation suivante:

ǫ grã sę̆ Grəlü.   Oh! grand saint Grelu,
lęt kə mę̆ gǫərdjə[4])   Faites que ma bouche
læxə kŏm lə partü d'mõ tχ̆ü.   Soit comme le trou de mon c...[5])

(Soyhières).

[1]) « Le bougre » doit évidemment se rapporter ici au *diable.*

[2]) Très belle syllepse (: *on ont*): on   õ ou ã; ont   ę̆, qui
s'assimile en õ après le ã. Ils ont - ęl ę̆; on a - ã-õ.

[3]) *Tǫ̆* - - tout, presque toujours invariable. On dit aussi en français
jurassien: « *tout la* semaine, *tout l'*année. »

[4]) *Gǫərdjə* signifie toujours la bouche. Cf. p. 279 str. 6.

[5]) C'est à dire, sans dents.

Luzerner Akten zum Hexen- und Zauberwesen.

Mitgeteilt von E. Hoffmann-Krayer.

(Schluss).

37.

Margret Elsener. 1546.[1]

(Antwortschreiben von Ammann und Rat von Zug an Schultheiss und Rat von Luzern, Samstag nach Oswaldi 1546. Betr. den Besitz der E. sei nur ein kleines verschuldetes Gütchen vorhanden, so dass ihr Töchterchen bei Freunden erzogen werden müsse. Es könne also an die den Luzernern erwachsenen Unkosten nichts gespendet werden).

(Ebenso vom Samstag vor Lätare:) Vnsser fründtlich willig diennst etc. Üwer schryben, vnns von wägen Margrethen ellsinerin gethan, haben wir enpfangen. Sines Inhalts verstanden, thůnd üch hieruff annthwurttswyse zůuernemen, Das wir willenns gweseon, gedachte Margrethen elsinerin böses lümbdens halb gefengklichen anzůnemen. In dem sy (als wir achtten) gwarnet[2], je das sy Lanndtrünnig[3] worden, vnnd die wyl aber jr sy ergriffen vnnd jn gfengknus enthalttend, wellend wir üch desse [!], so vnns von jro fürkomen[4]. nit verhalten, Sunders üwerm begern nach versteonndigenn.

Erstlichenn so sind wir durch vnnsern burger Heiny vr [Ur], ob vnser statt am berg sesshafftt, berichtt, wie es sich an einem donstag begeben, das bemelte Margreth elsinerin zů sim stall komen vnnd gredt: „Ich můss jn din stall gan lůgenn, was du für hüpsch vee habest;" daruff er gredt: „Du darffst nütt zůlůgenn;" daruff sy gredt: „Ich můss gan lůgenn, mich wundertt," vnnd jn dem jn stall gangenn vnnd zum stier gangenn, den griffen vnd gstreichlet vnd gredt: „Ä, wie wer er so gůtt zů-

---

[1] Vgl. über sie auch das Luzerner Ratsprotokoll XVII 132

[2] sie wurde, wie wir glauben, davor gewarnt. Vgl. S. 294 Anm. 1.

[3] landflüchtig.

[4] zu Ohren gekommen.

ässen." Daruff der stier anfachen gschwellenn vnnd am samsstag znacht gstorbenn. Demnach am suntag am morgen Sye sy, Margreth elsinerin, wider zů jm komen vnd gfragtt: „Heiny, wie stadt es vmb din feely?", habe er geanthwurtt: „Es stadt gradt darum, wie mirs ettlich lütt gunnendt."

Demnach hatt vnser burger Růdy ackly ouch anzöügt, das syn tochtter vff ein zytt für genannten Margretth ellsinerin gangen, da habe gedachte M. .E. jren jns har griffenn vnd gsprochenn: „Wie hast du so hübsch har!" demnach sye bemelter siner tochter wee jm houptt wordenn vnd angentz das har vast alssamen vssgangen.

Fürer hatt einer, genantt ůly weltty, anzöügtt, wie das syn frouw vast kranck gsin sye vnnd habe berůrtte M. E. gebättenn, Sy sölle mit jren gen Beinwyl zů Santt Burckhartten[1]) gan, daruff sy geanthwurtt: „Ich kan jetz nit gan, Ich hab zůschaffen," vnnd demnach an geuerd vber achtt tag sye sy, M. E., selbs zů siner frouwenn gangenn, Als sy vff der Gutschen[2]) glegenn, vnnd habe vorhin ein steckenn an ein boum gstelt, vnnd zů jrenn gredt: „Ich will jetz mit dir zů Sanntt Burckartt", habe syn frouw gredt! „Ich bin so kranck, jch mag nit gan", habe sy gredt: „Du můst gan", daruff sy geanthwurtt: „Müss ich gan, so wil ich gan", vnd darmit vffgstanden, vnd als sy zum huss vssgangenn, habe berůrte M. E. jren den steckenn, den sy vorhin an Baum gstellt, jn dhand gebenn; da syend sy gangenn; vnnd hab sich die sach so vil bessertt, das sy zeabend vmb die zechne wider heim kommen syenndt.

Wytters sind wir ouch verstendigett, demnach vergangner jaren der hagel gschlagen, das bemeltte M. E. zů einem an vnnserm berg, genant Göttschy zur wittwen, welchen er [der Hagel] ouch vast übel geschedigett, kommen vnd jnne sins vnfals klagt[3]), der selbig zů jren gredt: „Mir jst nun[4]) für

---

[1]) Beinwyl im aarg. Bezirk Muri. Leu schreibt in seinem Schweiz. Lexicon III 23 darüber Folgendes: „Unter dem Chor in einer schönen gewölbten Kapelle soll unter einem Grabstein ein daselbst in dem XI. Seculo gewesener Pfarrer Burkhard begraben sein, zu dessen Grabe wegen vorgebender Wunder-Würkungen eine starke Wallfahrt ist, wie dann auch aus dem unten bei dem Pfarrhof befindlichen sog. Burkhards-Brunnen, welcher bey dieses Heiligen Grabe entspringen soll, Wasser aufgefasst und anderswohin geschickt wird."

[2]) Ruhebett, Sofa.

[3]) ihn ob seines Unfalls beklagt.

[4]) nur.

annder lütt, jch hab da Siben gütte Ross, jch wil ettwan mins schadens wider zůkhommen[1])"; als sy aber wider von jmm kommen, habe sy zu ettlichen gredt: „Götschy tröst sich vast siner Rossenn, es törfft jin aber wol fälenn"; vnnd jn dryen tagenn sye das best darunder thodt gsin vnnd die anndern alle einandern nach gstorben.

Ittem so hatt sy ouch vnnsers Burgers Jacob brandenbergs frouwen Eins abends schnäggenn brachtt, die hatt sy nit gwellenn vnnd jst hön[2]) gsin, jst demnach kranck angentz daruff worden vnd noch hüttigstagss zum theil Lam, vermeint, das sy sölichs von niemand annders dann von jro habe.

So hatt sy [M. E.] ouch verschinens zytts better bestrichenn[3]). Ist vnnsers Burgers Jacob schönbrunners Frouw für sy gangenn, dero hatt sy den bestrychlumppenn jn mund gschlagenn. Ist angentz vnnd biss vff hüttigenn tag kranck vnnd zů Bett glegen; vermeint, das sy ouch sölichs von jro habe.

Dis alles wir üch Lutt üwers begerns hiemit zůschrybenn wellenn, üch dester setter[4]) mit jro wüssen zůhaltten.

Vss Zug, Samsstags vor Letare, Anno etc. xlvj°.

Ammann vnnd Rath der statt Zug.

* * *

(Es folgt ein in Luzern geschriebener Bogen mit einzeln aufgezählten Delikten, die sich fast vollständig mit den im vorigen Brief enthaltenen decken):

1546

Margrett Elsener von Zug soll Růdolffen můss Erlempt[5]) han, der ist noch Lam.

(Delikte betr. H. Ur, R. Ackli's Tochter, U. Welti's Frau, G. zur Wittwen, J. Brandenberg's und J. Schönbrunner's Frau).

(Am Rand:) Zinstag vor Judica Anno 1546.

Alls margrett elsener von zug jn miner gn. H. gfencknus komen, hatts veriechen, zů jren syg einer kön, heist Hanns kienast, ist von Zürich.

---

[1]) mich von meinem Schaden erholen.

[2]) erzürnt.

[3]) die Hüllen der Bettstücke inwendig mit einer Wachslösung bestreichen, um das Hervordringen der Federschaftspitzen und das Eindringen von Staub zu verhüten. Vgl. SCHWEIZ. ID. unter *licken* (Bd. III 1249).

[4]) damit ihr desto solidere Anhaltspunkte habt.

[5]) gelähmt.

Ir schwager bat forster hatts gwarnet.[1] (Am Fusse:)
Anna frantz von zug.

Margrett Elsener von zug hatt veriechen:

Heini vr sölle[2] ir 40 lib.; hab sy jms gheuschet, hab
er geredt, heusche sys jm, so welle er jr thûn, das ir wirs
kume[3]. Clagt sich, sy hab grossen hunger glitten mit jrem
cleinen kind.

Rûdi acklis tochtter halb redt sy, sy hab ein pfaffen an
jr gehebt, ouch mit lob[4] zûschrybeu ein schlieren[5], ouch den
grind gehept, vnnd syg ir das har desshalb vssgangen.

Der frowen halb, so mit ir zû sannct burckhart gangen.
Rett sy, syg bim füwr gsessen, hab ir hussfrow ein bein gestreckt vnnd geschrüwen vnnd sy betten, sy sött ir helffen;
rette sy, ich bin weder got noch helg; bette sy sy zum andren
mal; rette sy: „Bitt gott vnd vnse liebe frow"; do bette sy sy
zum driten mal; Rette sy: „Willt nit an got gloûben, so gloûb
an tüffel"; allso rette sy: „kom, du mûst mit mir zu sant
burchhart," Rette sy: „Ich kan ietz nit kon"; iedoch gienge sy;
do ghätte sy sich[6] vast übell. Allso kemendt sy mit ein andren
zû Sannt burckhart, do bkem[7] ir ein brûder[8], dem geb sy,
margret elsiner, ein Crützer durch gotts willen, das er gott für
sy bätte, wan vor drybittungen iren vil zûschwär gsyn; vnnd do
sy heim kon, hab sich funden, dz sy der Dry hellgen bûssen ghan.[9]

---

[1] Diese Aussage steht im Zusammenhang mit einer Stelle im zweiten
Brief. Vgl. S. 291 Anm. 2.

[2] schulde.

[3] dass es ihr noch schlimmer ergehen werde.

[4] Verlaub.

[5] eiterndes Geschwür.

[6] befand sie sich.

[7] begegnete.

[8] Ordensbruder.

[9] Der Freundlichkeit des hochw. P. Odilo Ringholz, O. S. B, verdanke ich hierüber folgende Auskunft:

Die Frau hat offenbar drei Wallfahrten zum Grabe des hl. Burkhard
in Beinwil versprochen. Sie fand später, dass eine dreimalige Wallfahrt
für sie zu beschwerlich sei, machte nur einmal die Wallfahrt und gibt
als Ersatz für die 2 weitern einem Bruder (Wallfahrer oder Ordensmann)
ein Almosen. Als sie nach Hause kam und sich (bei einem Beichtvater
oder sonst) darüber Rat einholte, wurde ihr der Bescheid, dass sie hier
mit ihrem Versprechen Genüge geleistet.

Aehnliche Dispensen, resp. Umwandlungen von Gelübden, kommen
noch jetzt vor.

Der Siben Rossen halb hatt sy gseyt, Cristen kalb syg drüber bschickt worden; der hab gerett, er [Götschi] meness ab[1]) vnnd syg alls ein verlogner man, dz jm jn zug nieman nŭt gloŭbe.

Beder frowen halb, so kranck syn söllendt, redt sy, sy sygen bed gsundt.

Rŭdolff mŭssen halb wŭsse sy nit, dz er weder jren noch sy jm ie args gethan.

* * *

(Brief der Behörden von Zug an diejenigen von Luzern:)

Vnser früntlich, willig dienst etc. Ŭwer schriben vnns gethan von wegen vnd anthreffende Margrett Elsinerj, So jer jn gefencknuss haben, dass ier die vff vnser schriben vnd zŭ geschickten kuntschaft vmb all arttickell mitt der martter, wie sich söllicher halb gepŭrtt, nach aller Notdurfft befragen lassen, da sy aber keines arttickels gantz vnd gar nitt gichttig noch bekanttlich sin, ouch vff ettlich arttickell jr anttwurt geben, dass haben wir alless jnhaltz wol verstanden; vff das jer von vnss begeren, üch witter zŭ berichtten, wie doch söllich clagen, üch hieuor zŭ geschriben, vnss von den personen kuntschafftz wiss oder sunst vffgenomen, Ouch wass stadtz wesens, vnd wandelss die sigen, jer üch witter dar nach wŭsen zŭ halten.

Vff das wellen wir üch anttwurtz wiss nitt bergen, dass wir söllich kuntschafften nach vnserm bruch förmcklich jngenomen vnd geschrifftlichen verfasen lassen, Ouch angezeigtte personen, so kuntschaft gseitt hand, für from, Erlich, biderb lütt haben, dennen Eidt vnd eer zŭ verthruwen ist, vnd üch hiemitt witter geschwornj kuntschaft zŭ schriben.

Namlichen so hatt der vnser heinj vrr nach gethanem eidt bezügett, dass M. E. zŭ jm komen vnd jn jn vnsers burgers Jörg dachelhoffers weid vff alle höche gefŭrt vnd jn gebetten, er sölle jren helffen zwei messer sŭchen. Dass were beschechen Am nechsten sunntag, als der hagell an der mittwuchen daruor geschlagen hette. Vff dass er sy gefragtt, wass sy da gethan, sy habe Ettwan den hagell da gemachett; daruff sy jm kein antwurtt geben. — Me hatt er geseit, dass sy jn zŭ vstagen[2]) vmb milch [angegangen], vnd alss er jren nitt wellen geben, hette

----

[1]) „er menne sie [die Pferde] ab“, er richte sie durch übermässige Arbeit zu Grunde.

[2]) im Frühjahr.

sy gerett, ess müsse jn gerüwen vnd müsse dess sinen nit gefröwt
werden.[1] Darnach am herpst were jm ein kü abgangen. — Witter
hatt er geseitt, alss wir dan hieuor ouch kuntschaft von jm in genomen, were er Glich darnach inss holtz gangen, were jm wee
an Eim bein worden, da er vermeintte, söllichs Ouch von jren
hette, da jn gelertt worden, so er vermeintte söllichs von jr
harkomen, sölte Er ein gewichtte[2] kertzen darum binden; dass
er gethan, were sin sach daruff bes[s]er worden. — Der schuld
halb vmb die vierzig pfundt, so sy anzeigtt hatt, Ist sin anttwurt vnd hatt geseitt, dass er Iren ettwass schuldig gesin, Aber
nie so vill; Er habe sy ouch bezalt, dass er jren nütz me
schuldig sie, dan er dem Rogenmesser ettlich geltt von jrentt
wegen geben, dem sy söllichs Enthragen[3] habe.

Witter so sind wir durch vnsere werchlütt jm steinbruch
bericht, dass sy [E.] vngeferlich bin Eim jar zů jnen komen,
dan jr huss nitt ver vom steinbruch jst, vnd jnen Ein stein zeigt
vnd lassen sechen Glich einem strallstein, sie vnden flach vnd
oben Rund gsin; daruff Marttj Jermann zů jr gerett, dass
söllichs grad Ein stein wer, alss die hägx, so man zů wedy-
schwill verbrentt, ghan hette; ouch geseitt, dass er den selben
stein gesechen vnd dem glich gsin were.

Ouch so sind wir von Jacoben brandenbergs frowen
bericht, das jren Ein eren man Anzeigt, dass sin Eewib Ouch
von Einer hägxen verderpt oder Erlempt[4] worden, da sy gelert
worden, sich darfür lassen zů segnen; dass sy gethan vnd wider
genessen were. Vff das sy sich Ouch lasen segnen, vnd stand
jre sachen jetz von gotts gnaden wol.

Rüdy ackliss tochter halb wüsen wir jren Angezeigten
stucken vnd argen lümdenss nütz von jr, achten, sy Niemandtz
dafür habe[5] etc. . . . .
Datum zug frytag vor dem palmtag Anno 1546.
        Ammann vnd Ratt der Statt vnd ampt zug.

.   *   *

(Freitag vor Jubilate haben die Luzerner nochmals einen
Brief an die Zuger gerichtet mit der Anfrage, ob sie oder die

---

[1] werde an dem Seinen keine Freude erleben.
[2] geweihte.
[3] entwendet.
[4] gelähmt.
[5] d. h. von den Dingen, die die E. über Ackli's Tochter gesagt,
wisse man hier nichts.

Angehörigen der E. diese aufnehmen möchten, worauf die Zuger
antworten, das sei wegen der Armut der E. nicht möglich.
Datum Dienstag nach Jubilate 1546).

* * * .

Protokoll über die eigenen Aussagen der E. und
Todesurteil. [1])

Lieben herren, alls dan [2]) magret elsener von zug ju
miner g. h. gfencknus komen, hat Sy veriechen. [Vff Mitwochen
nach Civilli Anno 1546 hat margret Elsener von zug veriechen] [3]):

Alls sy vff ein zyt an zuger berg zů heini vren gwellen
gan milch Reychen [4]), Syge ves dem wald dwäris [5]) zů ir kon
ein man, schwartz becleyt mit eym schwartzen mantell, der
namptte sich Düttrich, vnnd zů ir geredt: „Du hest niemandt,
vnnd thůndt dir din fründ kein gůtts; willt [6]) dich mir ergen
vnnd mir volgen, so will ich dich leren, das du dich an allen
denen, so dir zuleyd thůndt, rechen magst, vnnd ich will dir
vil gůtts thůn vnnd gůtts gnůg gen, vnnd Heini vr hett [7]) dir
ouch zleyt than; vollgist mir, so will ich dich leren, das du
dich an jm magst rechen“, wo sy jme aber nit volgen [8]) welle [9])
er sy plagen an lyb vnnd an gůt. Do er jr souil gůtter wortten
gebe, willfarette sy jme, vnnd sy hab [10]) zwey jare [11]) könen
heggsen, aber nie kein hagell gemacht. Dann ferndt [12]) vff dem
tag alls der gross Hagel schlůge, der so übell gschent hatt,
gienge sy an zuger berg gan heuwen; do retten etlich, es
wurde haglen; Rette sy: „So hagle aller tüffel namen“; in
dem keme das gross wetter vnnd schlůge so hart; vnnd alls

——— ———

[1]) Dieses Schriftstück liegt im Brouillon und in der Reinschrift
vor. Wir drucken hier das erstere ab und geben die sprachlich inter-
essanteren Abweichungen in den Fussnoten, wobei wir die Reinschrift
mit R bezeichnen.

[2]) alls dan] Alls dan dise Arm frow R.

[3]) Das Eingeklammerte ist durchgestrichen.

[4]) gwellen gan milch Reychen] gan millch reychen wöllen R.

[5]) querfeldein. — dwäris] enttwäris R.

[6]) willt] willt du R.

[7]) hett] hatt R.

[8]) volgen] vollgotte R.

[9]) welle] wölle R.

[10]) hab] habe R.

[11]) jare] jar R.

[12]) ferndt] fern R.

sy heim kem[1]), funde sy ir gůtt alles jns estrich gschlagen.
Keme[2]) Důttrich zů ir vnd rette: „Dorumb[3]) das du zů einsidlen
gebichttet[4]), ist dyn gůtt ouch gschlagen, hetest[5]) nit bichttet,
so were dir nůt gschen[6])“, vnnd rètte[7]), er wölte jren nůt mer.[8])

    Allso giengo sy vff den berg vff dem tag, alls Důtrich
erstlich mit ir geredt[9]), jm[10]) Heini vren stall; Rette zum[11])
stier: „Verdirb aller thůffel namen“; allso verdurbe der stier.

    Růdi acklis tochter hab sy dz har verderbt.

    Item[12]) jr hussfrowen anthan, das sy grossen schmertzen
jnn eim schenckel erlitten vnnd demnach mit jr zů sant burckhart gangen; da sygs[13]) gsundt worden.

    Item Důttrich hab sy glert hagel machen; sy hab[14]) aber
deheinen[15]) gmacht.

    Item alls sy v wuchen begsen könen, sygs[16]) gan einsidlen
gangen vnts[17]) bychttet vnnd zum sacrament gangen; da hab
sys[18]) nümen könen.[19])

    Item vff ein zyt syge[20]) ir vogt Heyni vr by ir vnd ir
tochtter jm bett glegen; syg[21]) Důtrich hinder der thůr glegen
vnnd alls eyn mensch[22]) gschnuffet; hab vr[23]) ein knebel gnon,
jn[24]) winckel gworffen, do syg nůt me[25]) da gsyn.

---

[1]) kem] käm R.
[2]) keme] Do keme vorgenant R.
[3]) Dorumb] darumb R.
[4]) gebichttet] gebychtett hast R.
[5]) hetest] hättest Aber R.
[6]) gschen] geschächen R.
[7]) rette] Redte darby R.
[8]) wolle nichts mehr von ihr wissen.
[9]) geredt] geredt hatt R.
[10]) jm] jnn R.
[11]) zum] zů Einem R.
[12]) Item] Aber habe sy R.
[13]) sygs] syge sy wider R.
[14]) hab] habe R.
[15]) deheinen] keinen R.
[16]) sygs] syge sy R.
[17]) vnts] vnd söllichs R.
[18]) da hab sys] darnach habe sy söllichs R
[19]) sie habe nicht mehr hexen können.
[20]) syge] so syge R.
[21]) syg] syge der R.
[22]) mensch] mönttsch R.
[23]) hab vr] habe der Heiny vr R.
[24]) jn] denselben jn R.
[25]) me] mer R.

Item sy hab ir tochtter anzeigt, was ir[1]) Dûtrich zû-
gseyt; hab die tochtter geantwort: „Es ist ein trug; was wott[2])
ein frömbder man vns gûts thûn, so vnns die heimschen nüt thûndt.

Item Dûtrich hab jren ein biren gen; dorab[3]) hab sy ein
muntfol gessen, wäre grad[4]) alls holtz zû essen; gebe jm . .[5])
(Folgt das Urteil auf Verbrennung nach üblicher
Formel).

Zusammenfassung von Nr. 37.

Zeugenaussagen

Dem H. Ur hat sie durch Zauberei einen Stier getötet,
der Tochter des R. Ackly das Haar ausgehen machen, mit der
Frau des U. Welti wallfahrtet sie nach Beinwil, worauf jene
geheilt wird, dem G. Zurwittwen tötet sie sieben Pferde, lähmt
J. Brandenbergs Frau, hext J. Schönbrunners Frau Krankheit
an, indem sie ihr einen Bettbestreichlappen in den Mund schlägt.

Eigene Aussagen.

H. Ur sei ihr Geld schuldig gewesen, und wenn sie es
ihm verlangt, habe er Drohungen ausgestossen. R. Acklys
Tochter habe einen unsittlichen Lebenswandel geführt; das Haar
sei ihr ausgegangen, weil sie den Grind gehabt habe. G. Zurwittwen habe seine Rosse abgearbeitet; deshalb seien sie ihm
zu Grunde gegangen. Die angeblich krank gemachten Frauen
seien beide gesund.

Zeugenaussagen.

Laut H. Ur hat sie auch Hagel gemacht, ihm eine Kuh
getötet und ihn am Bein gelähmt. 40 ℔ sei er nie schuldig gewesen. In einem Steinbruch hat sie verdächtige Steine aufgelesen.
J. Brandenbergs Frau sagt, sie sei nur durch Gegenzauber
wieder genesen. Acklys Tochter sei von der E. fälschlich verdächtigt worden.

Eigene Aussagen.

Der böse Geist sei unter dem Namen Dietrich zu ihr gekommen und habe ihr versprochen, sie werde sich an allen

---

[1]) ir] iren der R.
[2]) wott] wollt R.
[3]) dorab] darab R.
[4]) grad] grad glych R.
[5]) gebe jm] die gäbe sy jm wider R.

Feinden rächen können, wenn sie sich ihm ergebe; da habe sie
nachgegeben und habe infolgedessen zwei Jahre hexen können;
Hagel habe sie aber nie gemacht. Sie ist geständig, H. Ur einen
Stier getötet, R. Acklys Tochter das Haar verdorben, ihrer
Hausfrau den Schenkel gelähmt zu haben. Nachdem sie in
Einsiedeln das h. Sacrament genommen, habe sie nicht mehr
hexen können. Zum Schluss einzelne Angaben über den bösen
Geist. —

38.

Margret Hunziger. 1547.

Sich het an kuntschaft funden
1547

das margret Huntzigerin geret, sy wüss eim noss[1]) vnnd
schwyn jnzgen[2]), dass in try tagen finig werde.

Sy hab eim, so irem man ein hoff glichen vnd simselbs [!]
ein weyd vorbehallten, dem hab sy eim hüpschen jungen noss
zu bsorgen anthan[3]), jmers, alls ers gschlagcn[4]), sy vmb dz
gschlagen noss glouffen vnnd geret[5]), wers nit finig.[6])

Alls eins eremans [!] frow mit jr kybet[7]), do ein knab
dorin geret, dem sy getreuwt, vnnd syg derselbig erlamet jn
eim knoden.[8])

Uff eim wolff syg sy geritten.

Vff ein zyt syg sy gefragt, wohar sy kom; habs gseyt, sy
hab aber ein hagel gmacht; vnnd äb[9]) 2 stund verschinen[10]), syg
ein hagell kon, den sy gmacht han sölle.

So syg sy by eim brunnen sitzende funden worden.

---

[1]) Rind.
[2]) einzugeben.
[3]) Unklar! Sollte der Sinn sein: dem habe sie Sorge wegen eines
Kindes verursacht?
[4]) geschlachtet.
[5]) geredet.
[6]) Offenbar fehlt der Schluss der Rede.
[7]) zankte.
[8]) Fussknöchel.
[9]) ehe.
[10]) verstrichen.

Lena Egglerin vff dem hof roten egglen. 1548.

Ůli fellman sagt, wie by xj oder xij jaren sich begeben, das sich ettwas hanndels zwuschen im, ouch einer tochter zů Roten eggleren erloffen, ie das die můter, lena Egglerin vnnd das selb volk ansprach an inn gewunnen vnd vermeinten, er söllte irer tochter ettwas schuldig sin. Jetz den selben hanndel sig nit von nöten zemelden; aber ie vnnder anndren wortten do redte lena Egglerin, die můter, zů im gantz scharpf, er sölt vnd můsst das zalen, mit ettwas tröw wortten.[1] Vff das do begegnote im ettwas, das im nit lieb wär; nemlich das sinem fech ettlichem die milch genumen ward. Also wenn man sy wölt melchen, so gabend sy nünt dan blůt. Sig nit minder.[2] Wo ers erlanngen mocht, so hulffe er dem fech wider also: wenn einer ků also was, so neme er etwa gewicht saltz[3] vnnd gäbe das der ků zů lecken, oder, wo ers nit ghan mocht, brannte er gwicht balmen[4]), brannt die zů äschen, gäb irs zů lecken, so hulffe es ein zit; aber glich so gegnete es einer andren ků, das er also etlich zit vnd jar ein hertte zit mit diser sach hette.

Je er frůgte biderb lüten Rät, wie er der sach thůn. Do ward inn ettwas gelertt, das versůchte er; es wollt aber inn nünnt helffen; es bössert erst darab, dann das im für vnd für ettwas vnfals begegnete. Das geschäche ouch, das im ouch ein ků ergastet[5]), das sy kein milch welt gen vnnd kein růw im stall mocht han; vnd so er sy ettwan vslies, so hatt die ků kein růw vnnd erwanndt[6]) nit, bis das sy an ein zun kam, so zwüschen sinem gůtt vnd Rotteggleren gůtt was; do stůnd die ků, als Gertman spricht; es gange nit Recht zů vnnd man sölt ir helffen.

Es hatten och das volk zů Rot egglen ein hündlin, das ein helle stim hette vnd ein bös, fräfels hundli wäre. Des stim er wol kannte; das och Niemer vom hus keme, es wär dann eins

---

[1] Drohworten.
[2] das ist und bleibt so!
[3] geweihtes Salz.
[4] geweihte Palmen vom Palmsonntag her.
[5] Es ist wol „ergaltet“ zu lesen. Ergalten = die Milch verlieren.
[6] kehrte nicht um, liess nicht davon ab.

vss dem huss by im. Dasselb hündli sig zům dickenmal im, -dem fellman, zů nacht für sin hus komen, vmb das hus ge- loffen vnnd bollen. Das er nun nit gern hort, dann er versache ·sich alweg[1]), das hündli wär nit allein da; vnnd so dick das hündli keme, so begegnete im allweg das im nit lieb was.

Je nach lanngem keme er in willen vnd wellte zům pfaffen gan Zoffingen vnnd desselben Rät hat.[2]) Da begegnet im vff -dem weg einer, genannt Hanns Weibel, der ettwa zů willsow gsessen, von dem er dick gehört, er sölt ouch mit denen dingen künnden.[3]) Dem sagt er sin anligen vnnd handel, wie es im gieng, ouch wie inn einer etwas gelert, das hett aber nünt gholffen, vnnd bätte inn vmb gotts, och vnser frowen willen, er söllt im räten vnd helffen. Do fragt Hanns weibel, was inn einer gelert het, sölt er im sagen. Daruff seit er ihm, was er inn gelert hett. Do sagt hans weibel: „Es hilfft Nünt," or müst im anderst thůn, vnd wolt er im folgen, so wolt er im helffen vnd inn Nünt anders leren, dann das nit wider Gott och mit Eren vnd fromkeit zugieng. Also lart er inn ettwas vnd sagt, wenn er im also tät, ob dann sach ist[4]), das die person ettwa da vmbher ist, so můss sy gegenwertig vnder augen kumen, das er sy sehe; ald er schlüge sy nider, das sy ins bett müsst komen. Das vermug an[5]) got Niemand.

Also vff ein Sunntag, do tät er im also, wie Hans Weibel inn gelert hat, ettwa vor tag, das er damit grech[6]) was, alss es anfieng tagen; aber es kam Niemand, Er sehe och Niemand. Vnd als er vff den selben Sunntag gen willisow zů kilchen gen welt, or vnd sin volk, do keme das volk von Rotegglen vff dem weg zů im, das sy also vff dem weg mit einandren anfiengen reden; doch so wär die alt rotegglerin nit da. Da täte die tochter so vnwirsch gegen im, fellman, desglichen Er vor nie von ir gsehen. Do habe er wol ghört, das die Suns wiber von rotegglen mit –einem volk anfiengen reden vnd sagten, wie der allten lena Egglerin vff den selben tagen morgens vor tag ettwas zů- hannden gstossen, das sy so mortlich gschruwen vnd sich so

¹) er dachte sich wol.

²) l. „han".

³) sich auf Zauberei verstehen.

⁴) wenn es sich dann trifft.

⁵) ohne.

⁶) fertig

übel gehept vnd das sy so ein arm mensch worden wär, desglichen sy Nie ghört hetten. Vnd als er sölhs hort sagen, vmb welhe Zit ir das zühanden gstossen, do wäre es eben vmb die zit gsin, als er die Kunst triben hett. Es wurde och von stund an besser vmb sin fech vnnd gebe im die milch nach vnd nach ie lenger ie mer.

Das aber er Rede, das die rotegglerin gethan oder das er von ir ettwas gsehen oder ghört, das hab er nit, wie wol er den argkwon vff sy hett.

Es habend och das volk zü Rotegglen, als sy wider heim komen sind von der kilchen, der frowen gern wollen helffen vnd ie nach einem mit namen Cůni entlibůcher zů opffersee geschickt, der dann den marchtropfen[1]) kan senugnen. Der nun die frowen beschowt, ob sy ouch disen bresten hette. Der nun (als im fürkomen) söllichen bresten nit an der frowen funden.

Item so sige Bastion schäffer, sin nachpur, ettwas begegnet, söll man inn darumb fragen.

Desglich üli schäffer sig ouch ettwas begegnet.

Item ülin zu walldispül in mentznower kilchhöre sig ouch ettwas gegnet.

Item Hanns Spiller in Willisower ampt sagt, wie er vor x jaren zu Hannsen vngerfingers tochter gestossen vnd by sinem schweher also im hus gsin. Da aber sin schweher vnd dasselb folk mit dem volk zü rotegglen nit wol eins sind, vnd vff ein zit, als sin frow gros mit eim kind hieng [l. gieng?], do was sy in die bery gangen[2]) vff der roteggleren gůtter. Je demnach, als sy gnesen, da könnde dasselb kind, sig vngfarlich ietz by x jaren alt, noch nit reden. Demnach hab sy im aber eins bracht. Dasselb künde reden. Demnach hab sy im noch iij kind bracht, die künden nit reden, vnd so er sy zůn scherern gebracht vnd rat ghept, hab vil biderben lüten, die sagen, es sig den kinden nit an erborn vnd es gang nit recht zů, vnd diewyl ein söllicher böser lümbd über die frowen gang, so habs er ouch ein bösen argkwan vff sy.

Aber das[s] er wisse, das sys than hab, das wiss er nit.

Item so sige sinem sweher Hannsen vngerfinger etwas begegnet, den söll man darumb fragen.

---

[1]) Rückenmarkslähmung?
[2]) Beeren lesen

Item so weiss Hanns Näf an egerten ettwas von ir.

Item üli schäffer an egglen sagt, wie er vor etlichen jaren gehört von einer frowen, genannt michlini, die sagt, wie dann der ietzgen Eggleren müter in Entlibüch vor etlichen jaren gfangen vnd gen Lucern gfürt vnnd da gericht ward, do was die ietzig lena Egglerin so jung ettwas vngfärlich vber x jaren. Vnd vff ein zit, als ein junger gsell zů ir sass, als das meidtli ein ristli [1]) werch in hennden hat, vnd greif das meidtli an, do hat das meidtli ein dängel [2]) werch inn hennden vnnd schlůg den gsellen vff die hannd ald vff den füs, iren entweders [3]), do ward im gantz wee an dem selben glid. Do ward ein söllich mumel [4]) in entlibüch, das sy meinten, man sölt das meidtli der müter nach schicken. Vnd keme desshalb für die Nün [5]) im Entlibüch vnd wurde mengerley geraten. Doch nach langer handlung so schickten sy das meidtli gen Willisow zů iren fründen, demnach schickten die fründ das meidtli in Bern piet. Demnach, als sy etwas erwachsen, sig sy wider kumen vnd hab ein man da gewunnen.

Wyter so sagt er, er hab von Hanns Zuber ghört, der sagt im, wie er von sinem vatter ghört, er hette die lena Eggleren vff einem wolf sehen ryten vnnd hette dem wolf ein tůchli vmb den hals gleit vnd gscheche das im krisental.

Item wie er irs Suns wib vff ein zit hold wurd; aber er habe Nie Nünt mit ir züschaffen ghept vnd so bald das gschach, so schlůge nachin allweg vnfal in sin fëch, das im etwa zů ziten ein hopt fech abgieng, das aber im vor Nie gegnet was, Ee er ir hold ward.

Bastion schäfer sagt, er sig ein kůfer, vnd vngfärlich by iiij jaren, das die roteggleren zů im in sin hus komen sig vnnd köfte ein gschirr von im, vnnd vnnder andren vil worten, als sy vil schwetzen mag, do fragt sy in, wie lang er an dem gschirr gmachet hett, vnd was es im gullte. Do seite er ir das; da sagt sy: so magstu wol ein werchman han. Vnd also, do sy hinweg welt, do bot sy im die hannd vnd sagt zů im: „Nun zurn nünt", vnd gieng damit hinweg. Aber Ee sy heim keme,

[1]) Büschel gehechelten Hanfes.
[2]) Undeutlich!
[3]) eins von beiden.
[4]) Gerede.
[5]) Neunergericht. S. Segesser, Rechtsgeschichte II 207.

da zurnte er; dann es geschech im von stund an, das im das
gschirr verwarloset ward, das es im nünt me howen welt, vnd
wenn ers schon wider zů rust, so hulffe es nit lang vnd bsonder
mit den fůgbomen[1]) welt im keiner gůt thůn; wenn er schon
ein Nüwen machte, so werte er nit lenger dann ein tag ald
.zwen. Deren machte er wol v ald vj. Also můsste [er] dauon
lon, bis vff die stund das es gnůg was.

Er hab ouch allweg den argwon ghan, sy künde mit den dingen.

Item desglich so sig im ouch etwa mit der milch begegnet;
wann er sy übers für hůb, so sprutzte sy vnd wolte Nünt gůtz
gen. Das werete also den sumer vs vnd vs.

Item Cůni Entlibůcher sagt, Er sig vff ein zit beschickt
worden gen Rotegglen; dann sy meintend, die roteggleren
hette den marchtropfen[2]). Aber er beschowte sy, da hette sy
vff dasselb mal den marchtropfen nit. Aber was ir sunst begegnet wär, ald was ir brëst, das wiste er nit. Aber darnach
vff ein andre zit, do keme er wider zů ir, da hett sy inn. Do
hulff er ir. Sunst wiss er Nunt von ir.

* * *

[3]) Am Ersten rett Ůly wechter zů waldispůll, wie
dass er vff ein zitt hett ein zimermann gehan mit namen
hentzi schule. Der selbig rette, er wuste einen, der hette
die lena rottenegglen gesen vff einem Wolff Ritten, vnnd
were mornendes zů dem kon vnnd hette gerett: „Ich han dich
gester wol gesen"; do rette der mann: „Du magst mich wol
gsen han, ich han aber dich nit gsen; ich han aber wol eine
gester gsen vff einem Wolff ritten.

Zum Anderen rett Ůly wechter, er heig ein vetteren
gehan mit namen hans wechter; der selbig der hett der lena
rottenegglen dochter zur Ee; vnnd do er erst die selbig frowen
genon hett, do hett er nie kein gluck mer. Vnnd vff einen
abend spatt do wer sin schwiger nider gan vffen jn einen gaden,
do wer er noch hafor [!], do horte er neiwas for den pfeisteren
kressmen[4]) vnnd güsten[5]); do lůgte er, was da wer, do sach er

---

[1]) Fügbaum, langer Fügehobel.
[2]) s. S. 303 Anm. 1.
[3]) Getrennt von obigen Akten fanden sich die folgenden von anderer
Hand geschrieben vor. Sie bestehen aus zwei einfachen Oktavblättern,
die in einem Doppel-Foliobogen, mit fragmentarischer Zeugenaussage betr.
einen Bettler eingeschlagen sind.
[4]) kratzen, krabbeln.
[5]) schnüffeln?

ij wölff an dem hus kratzen als ob sü gern in dass hus weren.
Do rett lena rottenegglen an bett[1]) jm gaden, was er da
lûgte; er hette da nütt zelûgen, es gang doch in nutt An.

Zum dritter [!] rett aber Ûly wechter, wie er geste[hen?][2])
sy by dem schützen hus zû Willisow. Do sigen vil eren lütten
dar by ouch gsehen [!]; die heigen heitter[3]) gerett, es sig ein
gantzes nöst voll; was in dem selben hus sig: der sun vnnd
alle samen könnend hegxen. Er rett ouch witter, er besinne
sich, dass dass [!] min herren ir mûtter erdrenckt hand von
wegen einer früntschafft[4]), sust hette man sy ouch verbrent. Do
rette ietz lena rottenegglen, sy könne wol ouch eim ein
suppen machen wie ir mûtter. — Witter rett er ouch, er wüste
noch vil zesegen, dass er von iren gehört vnd sy gethan hette.

Witter rett Hans vndelfinger, das er ze willisow mit
hus[5]) gesin sig; do heig er ein vetteren ghan mit namen klaus
vndelfinger; der selbig der heig ietz die lena rottenaggla
an jm ghan vnnd heig ij oder iij kind by iren ghan. Der selbig
fründ heig ouch ein kinbare[6]) frowen ghan; vnnd vff ein zitt
sig er mit sis fräntz frowen zum h[errn?] wilhelm herport
gangen. Do habe die selb frow den schultheisen gebeten, dass
er jren welle helffen, sitt dar ir man die frowen heig [an ym][7]
ghan, so sig er ir man in xv jaren nie me worden.

Item ûly vechter [!] rett, wie das ein frow sig, mitt namen
spilhofferen[8]), seshaff jm reckenbûl in willisower ampt, die
selbig frow sig ouch ein vnholde; doch so lase erss ouch an
ander lütt, dennen [?] es wol zewüsen sig.

Mitt namen einer, der sig zum spilhoffer ze hus zogen,
dem ij ros verdorben sind.

Item Aman klotzysen von mentznow.

Item der Sigirist von mentznow.

Item Jost spor zû bugenschwand.

---

[1]) von Bett aus?
[2]) Das Eingeklammerte nicht ganz leserlich; vielleicht „gester gsin.“
[3]) unverbohlen.
[4]) D. h. die Mutter sei wegen einer Connexion zum Ertränken
(statt Verbrennen) begnadigt worden.
[5]) wohnhaft.
[6]) noch zeugungsfähig.
[7]) Das Eingeklammerte unleserlich.
[8]) S. Nr. 40.

Zusammenfassung von Nr. 39.

Uli Fellmann, sagt, dass ihm infolge einer Streitsache mit der E. das Vieh keine Milch gegeben hätte. Der angewandte Gegenzauber habe nur vorübergehend gefruchtet. — Auch sonst scheine sie ihm eine Kuh behext zu haben. — Nachts höre er oft das Hündchen der E. um sein Haus bellen, worauf ihm immer Schlimmes begegne. — Hans Weibel habe ihn einen Gegenzauber gelehrt, mit Hilfe dessen er die L. krank gelegt habe.

Hans Spiller sagt, seine Frau habe ihm mehrere stumme Kinder geboren; das gehe nicht mit rechten Dingen zu.

Uli Schäffer sagt, er habe erfahren, dass die E. als Mädchen, während ihre Mutter in Luzern gerichtet worden sei, einem zudringlichen Burschen auf die Hand geschlagen, worauf diese erkrankt sei. Schon damals habe man böse Gerüchte umgeboten. — Hans Zubers Vater habe die E. auf einem Wolf reiten sehen. — Als er (Sch.) ihrer Sohnsfrau hold gewesen, habe sein Vieh Schaden gelitten.

Seb. Schäffer, der Küfer, sagt, dass ihm nach einer Unterredung mit der E. alles Gerät zu Grunde gegangen sei. — Auch seine Milch sei nichts mehr nutz gewesen.

Uli Wächter, hat von Henzi Schule gehört, dass Einer die E. auf einem Wolf habe reiten sehen. — Sein Vetter Hans W., der E. Schwiegersohn, habe Wölfe an dem Haus der E. kratzen sehen, worauf ihn die E. weggejagt. In einem Gespräch habe die E. fallen lassen, sie könne dieselben Zaubereien, wie ihre Mutter, die hingerichtet worden sei. —

Hans Undelfinger sagt, dass die E. mit seinem verheirateten Vetter Ehebruch begangen habe.

Uli Vechter nennt als weitere Hexe die Spilhoferin.

40.

Spielhoferin von Menznau. ca. 1531.[1]

Kuntschaft von wegen der Spilhofferin.

Rett Aman clotzysen von Mentznow, die frow syg sin

nachpůrin gsin by fünff jahren, sy syg ein hantlich¹) wyb, das
niemandt gern vil mit jro zu. schaffen Gehept. Aber jm syge-
vil fech abgfallen von wollffen vnd sünst, der merteyll von wöll-
ffen. Aber das er v̄tzit Args von der frowen wüsse sölcher
hexen werch, oder sy je gezigen,²) Oder sy darfür gehept,³)
oder dessglich von jemandt ouch sölhs gehört; villicht krümmer-
finger halb Ein wenig vnd hantfests dins.⁴)

Jost Spory von mentznow Rett ouch, wie der erst gerett
hat: was jm abgangen syg, hab er sim vnfal zu gleit.⁵)

Steffen fry, Sigrist, von mentznow, Rett ouch wie die
Andern: das jm abgangen von wöllffpissen oder sünst clag er
ab jro nütt, sunder sim vnfal.

Der Kuntschafft costen.

41.

Hans Schütz aus dem Wallis. 1549.

Alls Hanns schütz von wallis vss dem obren zenden in
miner g. h. fencknus komen, hat er' veriechen, er syg in bermp-
iett zům tritten maal gfangen gsin von wegen dess teufferischen
gloůbens; doch wandle er vnder den [!] tryen gloůben jm
bapstumb, by den lutrischen vnd teufferen gfal jm alls nüt.

Zů arwangen syg ein tüffel zů jm kon in eins cleinen
schwartzen mans gstallt; doselbst hette ein tochtter sich selbs
erhenckt. Do hätte er sin wonung. Dasselbig lechen kouffte
er, füre der tüffel zům tach vss, liessi jn da jm hus vij jar.
Darnach verkouffte ers, zug dem almůsen nach. Sin wyb vnnd
kind sygent jn entlibůch.

¹) grob, händelsüchtig.
²) bezichtigt.
³) sie als Hexe angeseben.
⁴) Die Stelle hier ist verderbt; der Sinn ist wol: Der Zeuge habe
nie gehört, dass sie den Leumund einer Hexe habe ausser in einigen
Fällen von krummen Fingern (Gicht) und bei Händeln (?). Ist zu lesen
‚hantfests dings'?
⁵) habe er seinem Unglück zugeschrieben.

42.

Margreth Thüttinger v. Brittnau 1549. [1])

Lieben Herren, nach dem der diser Arm Möntsch Mit Namen margreth thüttinger von brittnow vss Bernpiett jn Miner g. H. von lucern gefäncknus kumen ist, hatt sy verjechen, wie sy zů zoffingen Einem töchterly ein toppler [2]) vnd j batzen, dessglychen ein vmbschurtz [3]) vnd ein par ermell [4]) genommen.

Item zů Olltten hab sy ein wellen thůch [5]) vnd ein schurtz genommen.

Item Sy hab zů Gettnow ein par hösliy, ein thůchly vnd ein jüppen genommen; dasselbig Aber jro wider Abgelüffen [6]) worden sig.

Item zů Arburg dem Ziegler hab sy ein fässly Mitt wyn genommen, Syg vngefarlich ein Omen [7]) gsin.

Item vnd wann sy dann den lütten gewäben, So hatt sy ettwann einem jettlichen ein ellen vier oder zechen ellen vngeuarlich thůch vnd dessglychen garn genommen; vnd was sy den lüten genommen, darumb wüss ir Man Nütt, vnd so ers gewüst, hätte ers jro nitt vertragen.

Item Nach dem vnd Alls das dorff Brittnow verbrunnen, da hatt sy vsstragen vnd genommen wärch, garn, vier lynlachen vnd ein küssy, vnd darus hatt sy gelöst xiiij gl.

Item vnd Alls dann sy dem Hans Horny zů brittnow ein Ancken ballen genommen, harumb er sy geschlagen, vnd sy geursachott [8]), Allso das sy jns besslers huss füwr jn ein tägell [9]) genommen vnd dem Hans Horny An einer eggen sines tachs sin huss Anzüntt vnd darmitt das dorff brittnow mitt ettwas

---

[1]) Von den hiehergehörigen Akten drucken wir bloss den zusammenfassenden Bericht ab, da er zugleich sämtliche in den Gerichtsprotokollen aufgezeichneten Delikte enthält.

[2]) J. BUSINGER, Die Stadt Luzern 1811.107 setzt den Doppler seit 1554 zu 9 Heller an.

[3]) Eigentlich ist „Umschurz" ein Lendentuch, wie es Christus am Kreuz trug, Maaler gibt das Wort jedoch mit lat. *amiculum* wieder.

[4]) S. ARCHIV I 199.

[5]) so viel als auf eine Walze (Welle) geht. (?)

[6]) abgejagt.

[7]) Ohm.

[8]) Eigentl.: sie dazu genötigt, sie veraulasst.

[9]) kleine offene Oellampe.

lütten vnd gůtt verbrent worden ist; doch habe sy sunst Niemand
wöllen schädigen, wann Allein den Horner [!].

Item Sy hab den hagell zů Brittnow gemacht, vnd zů jro
kummen Syge der böss geyst, heysse lucifer.

Demnach habe sy Aber ein hagell gemachott jn Hans
steffens weyd vff dem Ebnett, Syge über Reyden vnd da
vmbhar gangen, hab Nitt grossen schaden than, vnd wann sy
hab ein hagell gemachott oder wöllen machen, Syge sy jns
bollendall gangen, vnd Syge hür zwey jar.

Item vnd wenn der böss zů jro kummen syge, habe er
ein theylltt[1]) Cleyd An ghan, Rott vnd schwartz vnd habe ouch
Rossfůss, vnd vill mit jro zů schaffen gehebt.

Item sy sige vff ein zytt vff Aller Seelen tag vff der
prattellen matt[2]) mitt Andern gsin, werend jro wole hundertt vff
die fartt[3]) by ein Andern, vnd wärend ettlich vss Zürich vnd
Bernpiett, vss willisower Ampt vnd vss dem Enttlibůch, mög nitt
wüssen wohar; Sy habs nitt bekendt.

Item vnd wann sy Allso zůsamen Ryttend, So Ryttends
vff stůllinen[4]), die salbettends Mitt Arbonen salb; die hab jnen
der Tüffel geben.

Item So sye der bös zů jro jn Thurn kummen vnd jro ein
schwertt Ans hertz gesteckt, Sy geschlagen vnd über sy hön
gsin, darumb das sy söllichs verjechen vnd geseyt habe.

Item vnd Alls dann sy ein fromme, Eren vnd vnuerlümbdette
frow mitt Nammen Vrsely herig von Arburg Augeben, Sy
söllte ouch ein sölliche jrs glychen syn, vnd sy habe es von jro
Allso glertt etc. Syge die vrsach, das sy mitt jro an ein gericht
von Einer Anckenballen wägen, so sy jro genommen, kummen
sygen; vnd alls die gericht sässen Sy entscheyden[5]) vnd sy zů
der thür vss gangen, hab sy iro [H.] getröwt vnd geredt: „Ich
will dir woll den lon darumb geben"; vnd desshalb sy Allso
vss nyd vnd hass Angeben, vnd nütt von jro wüsse, dann von
Einer frommen Eren frowen.

(Es folgt das Urteil auf Verbrennung nach der gewöhnlichen
Formel).

---

[1] in der Farbe geteilt.

[2] Die Wiese bei Pratteln (Kt. Baselland) war als Hexenwiese weit
bekannt; vgl. Schweiz. Id. IV 550; auffallend ist, dass sich Luzerner Hexen
mit Vorliebe dort versammelten.

[3] damals.

[4] Stühlen.

[5] über ihren Streitfall entschieden.

Zusammenfassung von Nr. 42.

Nach dem Bekeuntnis verschiedener Diebstähle und Brand-stiftungen gibt die Th. auch zu, auf Veranlassung Luzifers Hagel gemacht und Hexenritte ausgeführt zu haben. Der Böse sei auch in das Gefängnis zu ihr gekommen.

43.

Hans Galley von Thonon. (1549). (1547?) [1]

(Brief von „lautuändrich, weibel vnd gemeinfierzig[2]) im land ëntlibúch" an Schultheiss und Rat von Luzern):

.... Wir fûgen üwer wisheit zûwüssen, wie ein armer bättler man zû schüpfen in üwer namen geuangen ligt, nempt sich Hans gallett [!] von dtonen, dersälbig inzig[3]) ein vnhulden oder strüdel[4]) sy, haben wier in namen ûwer densälbigen mitt pin gefragt; hatt ër mit siner vergicht gerett, dz ër ein strüdel ist, vnd namlich hat ër in wälschem land fil bös wätter gemacht zû fifis, ouch zû gännf, zû morse, zû basel vnd ouch in üwer gebiett zû willisow vnd noch an einem ort, hat ër nit können nemmen[5]), ist ouch in üwer gebiett, vnd hatt hie im land äntlibúch an ettlichen änden den lütten, So im ein gotzbrat[6]) gwûnst, hatt er grett: „Brat dich der tüfel!", gesprochen, er wellt, dz der hagel vnd tonnder all ir gût vnd hus schlûg, flux darnf ist ein böser hagel kon. Vss der vrsach hatt man in ge-fangen; ër ist aber des sälbigen wätters nit gichtig[7]); wol spricht er, es hab inn ein frow gmacht, die sig sin gsellin, die hab ein rock an, ist rott vnd gäl; zeigt ouch zwen ander wälsch bättler an, spricht, die sigend ietz heim gan schinden, këmend schier wider, der einer hatt ein schwarzen bart, ist gar wälsch, hat ein bös[8]) güppli[9]) an, der ander hat kein bart, ouch ein güpplin

---

[1]) S. S. 312 Anm. 2.
[2]) Ueber die Vierziger im Entlibuch s. Segesser, Rechtsgesch. 1 585; II 230.
[3]) Eigentlich Bezichtigung, hier wol der Bezichtigte.
[4]) Hexenmeister; zu „strüdelen", verwirren.
[5]) nennen.
[6]) Die Bedeutung dieses Wortes ist uns unklar.
[7]) geständig.
[8]) fadenscheinig.
[9]) Jacke.

an vnd fûrt ein knaben vnd ein frowen mit im, kan gût tütsch.
Diser obgemält Hans galler [!] kan ouch nit fil tütsch, haben
wir ein tollmätsch ghan, der kan ouch nit fil, desshalb wier nit
fil witer gfragt, Sunder thûnd üwer wisheit semlichs kund, vnd
wär wol vnser bit (ob ës an üwerem willen sin wirt), dz dieser
hie im land für rächt[1]) gestelt wärd. Tûnd hierinn nach üwerem
gûttbeduncken. Gaben [!] vf mäntag nach lorantzi anno 1547[2]) iar.

* * *

Lieben Herren, Nach dem diser arm mentsch, mit Namen
Hanns galley von Thonon jn miner g. h. fencknuss kommen,
hat er veriechen:

Alls er vff ein zyt vmûtig [!] vnnd hertzlich trurig gsin,
syg der böss geist bousillon zû jm kon jn einer katzen gstallt
vnnd geret zû jm, so er sich jme wöllt ergeben, wölltte er jm
gold vnnd gellt gnûg gen. Allso ergebe er sich jm. Do gebe
jm der böss geist ein sack voll gelt; den neme er, wöllte kram
kouffen vnnd sich domit began[3]); alls aber Er den kram bsalen
wöllt, wers nüt dan eychis Loub. Allso keme demnach der böss
geist zû jm vff eim Crützweg in mentschen gstallt, gar schwartz
bekleyt. Rette er zûm bösen geist: „Du hast mich trogen; ich
will nüt mer mit dir zethûn han. Antwortte der böss geist, er
söllte jm trüwen, gollts vnnd gelts wellte er jm gnûg gen; gebe
jm 400 kronen; darunder werent 20 kronen gût, das übrig wäre
eychis loub. Die zwentzig gûtten kronen wurden jm zû wyblis-
purg gstollen.

In siner gselschaft sygent l[4]), samlent sich etwan vff eim
mittwochen znacht jn eim feld zwüschen losanna vnd morgen.[5])

Er habe liiij hagell gmacht mit einem bulffer, so er jn
eim Nüwen seckel hab.

Sin vatter vnnd mûtter habens jn glert, sygen der pestelentz
gstorben.

---

[1]) Gericht.
[2]) Wir lesen 1547, wie auch der Inhaber einer späteren Hand, der
diese Jahrzahl deutlich auf die Rückseite des Briefes geschrieben hat;
es ist dieselbe, die 1549 auf den folgenden Akten nachgetragen hat. Ein
mir nachträglich von Herrn v. Liebenau zugeschicktes Blatt, diesen Prozess
betreffend, das offenbar das Konzept für die oben abgedruckten Akten
war, hat ebenfalls „1549“.
[3]) Lebensunterhalt verschaffen.
[4]) 50 Leute (?).
[5]) Morges.

Der bös geist, alls er vff der von fryburg ertrich kommen, hab jm ein Rock vnnd j par hosen gen vnnd jn heissen jn krieg zien; syg vnder houptmann Caspar werlin von fryburg für bolonien zogen. Do kem der böss geist vff der wacht zů jm, hiesse jn mit sim würt spilen, er wellt vnder dem tisch syn vnnd jm gelts gnůg gen; vnnd so er das gellt verspillte, söllte er denn würt fragen, wie er jm sin huss vnnd heim gen wellt, er wellt jms abkouffen vnnd darzů welltte er, der böss geist jm gellts gnůg gen. Allso spillte er mit dem würt vnnd verlure lxviij kronen; die gebe jm der böss geist. Do fragtte er den würt, ob er jm sin hus zekouffen wöllt gen, antworte der würt: nein; wie offt er jn fragtte, geb er jm allweg den bescheid: nein. Allso gieng er vom wirt wider an sin ort. Do keme der bös geist wider zů jm, gebe jm aber kein gellt mee.

Er hat ouch veriechen, das kein vnhuld, syg man old wyb, so jn weltschlannd ist, jn thütschland hagell mog machen, vnnd kein vnhuld, so in thütschland syg, jn weltschland hagel mog machen. Werde man gloublich allso finden.

So sygent jn siner gselschafft überal v^c, daruon sygen 80 gericht, mit dem füwr xij, vnd die übrigen mit dem Strick vnnd schwert.

Letstlich ongferdt vor 5 jaren syg der böss geist jn mentschen gstallt zů jm kon zwüschen bernn vnnd Solothurnn vnnd jm fürghallten, er hallte sich übel an jm, das er zkilchen gang vnnd bätte; habe er dem bösen geyst geantwort, er sölle von jm gan, er welle nüt meer mit jm zů schaffen han; gienge allso zů Solothurn zů kilchen, bette gott, sin würdige můtter vnnd all gottes geliebten helgen, jnne vor dem bösen geist zů bewaren. Allso hab jm [!] gott der almechtig dess bösen geists entladen; hab den sidhar nit meer gsen.

Wytter hatt er veriechen, es syg vngfarlich by zechen jaren, das j^c vnd lxxx mörder jm wald, gnempt jourten gsin, by denen er gwonet; aber nit gmürt[1]), sonders gewartet. In sim bysin habens xxiiij personen ermürt, vnder den wäre einer von yfian[2]), gnant Claude Raison, by dem fundens 24 kronen; der welltte gan Zurzach[3]) vnnd kram drum kouffen. Derselbig

---

[1]) gemordet.
[2]) Evian (?)
[3]) Auf die Messe von Zurzach.

kennte jn, bett jn, dz er jm hulff; vnnd alls er für jn bätte,. welltens ju [Galley] ouch ztodt schlan. Er keme von juen, syg vngfarlich by nün jaren.

Zů willisow habe er ein hagell über den haber gmacht.

(Es folgt das Urteil auf Verbrennung nach herkömmlicher Formel).

Zusammenfassung von Nr. 43.

G. gesteht ein, auf Anstiften eines bösen Geistes mehrfach Hagel gemacht zu haben; auch habe er von dem Geiste Geld empfangen, das sich hernach als Eichenlaub erwiesen habe. Im italienischen Krieg sei er von ihm zum Spiel verleitet worden. Er behauptet, ein italienischer Hexenmeister könne in Deutschland eben so wenig ausrichten, wie ein Deutscher in Italien. Durch Gebet habe er sich des bösen Geistes entledigen können. Auf eine Zeit habe er sich auch bei einer Räuberbande aufgehalten.

44.

Barbara Knopf von Muri. 1549.

Vffgenomne kunttschafft der knopffinen halb.

Es Redtt vnd bezügtt Heinj Zhůben, Es hab sich begeben das Er Mitt der Knopffinen von russwyll ab der killwj gangen, wärend sy des schimffs Eins [1]) vnd aber darab verjagt worden, vnd am samstag darnach wurde jm ein khů kranck vnd sturbe Am Andern tag. Darnach wurde jm aber eine kranck. Do beschicktte er den kristen kolben seligen, vnd so balld Er zům stall käme, Redtte Er: „das hest von der knopffinen, Du hest Mitt jr schimpffen wellen vnd bist verjagt worden; wann du gern witt, jch will dirs [2]) vnders antlitt stellen; du Můst aber Eins Mans hertz han"; aber die selb khů käme wider. [3])

Simon zů wüschiswyll Redtt vnd bezügtt, Alls sy by jm. zhuss gsin, wurde Er mitt jr vneins; Redtte sy: „Ä, Du můst

---

[1]) ludum amatorium inter se convenisse.
[2]) dir sie.
[3]) erholte sich.

sin nütt gnüssen", vnd glych angentz dar Nach käme er vmb
13 houptt vech vnd vieng [!] jm an sterben jn acht tagen· darnach.

So Redt vnd bezügtt künratt Morff, Alls sy ouch by jm
zhuss gsin, hätte er sy erzürntt (womitt, syg jm vergessen);
aber jnn zwey tagen darnach wurde jm ein stier kranck. Wurde
Er von siner Mütter seligen vnderwisen, die knopffinen zebitten,
ob sy dem stier hellffen könnt, sy wär ouch wydtt gwandlett.[1]
Das heyg er than, vnd alls sy Mitt jm gieng, wett sy Nitt gar
jnn stall; aber von stund an wurde es besser vnd käme wider.
Das stünde Ettwan 4 oder 5 wuchen, trüge jm jr Man allwegen
'holltz von syner bygi, vnd alls er jnn ein mall ergriff, wär er
übell zü friden vnd kriegtte mit knopffen; do gäbe sy für
jren Man anttwurtt vnd ballgette Rattlich[2] mitt jm, gezügen;
Inn zwey tagen darnach wurde jm der stier aber kranck wie
vor vnd sturbe. Wytter heyg er jr vff ein zytt füren söllen,
vnd alls er dasselb nitt hab können thün, sturbe jm angentz
ein kalb daruff.

Es Redt vnd bezügtt Heini Morff, alls er jren Ouch hab
söllen ettwas füren vnd das Nitt angentz können schicken, wurde
sy ouch zornig. Inn 2 tagen darnach wurde jm kranck ein
stierli vnd sturbe.

Es redtt vnd bezügtt Annj billig, die knopffinen heig
jr tröüwt vnd gredtt vmb das Sys nitt hett gheisen jr hellffen
reytten[3]: „Du Müst Sin Nütt gniessen, din teyll Müs dir wol
werden". Wurde glych darnach an beiden henden lam vnd
moge an der einen Noch nütt.[4] Dessglychen syg jr ouch ein
schad an eim oug zügfallen, das sy erblindet syg. Wytter alls
sy den kristen kolb selig die hand gschowen lan, heyg er zü
jr gredtt, es kome jr von bösen lütten, vnd sy sölltte gar ves-
dorett sin, wann Sy sich nitt hett so wol gsägnett.

Hans Müller vff der bunig redtt, er heig jr ein ross
glien, vnd alls er wider nach dem ross gschicktt, syg sy mechtig
zornig gsin. Glych darnach lüffend Sine ross alle, so er jnn
der weyd hatt gar vngstümlich, vnd Mornades wär die selb gurên[5]
todtt, vnd syg jm die selb rosszucht alle gstorben.

---

[1] weit herumgekommen, daher bewandert.
[2] gehörig; eigentl. säuberlich.
[3] Hanf brechen.
[4] sie könne mit der einen immer noch nichts machen.
[5] Stute.

Knecht Hans redtt, der tannbach heyg jr ein ků, die jm jnn sin Matten brochen gsin, wider darus gejagtt; syg sy ouch zornig gsin vnd jm jnn bartt gflůcht vnd gredtt: „Es můs jm nitt gschäncktt werden." Mornades Syg jm ouch ein ross kranck worden vnd am dritten tag gstorben.

Hans schärer redt, er heyg jnn bernpiett gschnitten by eim gsellen, vnd wäre der knopff ouch da; vnd alls sy jnn red kämend, truwte der selb gsell (hiess Jacob Hůber) jr ouch nütt. Redtte der knopff: „Jacob, du schwigest wol! ich wil mitt dir wetten, Min frow wüsse das jetz daheimen". Wytter syg jnnen [!] Nitt zů wüssen.

Jost schärer redt, alls er jr ouch nitt hab ein ross wellen lien, vnd Mornades, alls er Nach dem ross gschicktt, sygs jm bach glegen vnd syg jm ein bein enzwey gsin, vnd stärbe jm für vnd für vech, ross vnd rinder.

* * *

Alls dan barbell knopffinen von Muri jn miner g. h. fencknus komen, hat sy veriechen:

Der müller vff der bunig hab ir ein buchstössige guren glichen; hab sy jm ein kalb gen; solang er ir dz ross lasse, so söll sy jm das kalb lan. Ir sig das kalb ouch gstorben; jren sig ouch hüwr wol für xiiij oder sechtzen gulden fech gstorben.

Sy trage an anni billig gar kein schuld.

Sy Syg ouch eintzit[1] jn der kintbet glegen, keme eini vff dem wellenberg zů ir, bet sy, sy sött jren kalbern dlüss vertryben; leg sy jm bett. Demnach keme die selb vff ein zyt zů ir, bette sy durch gots willen, sy am arm gsunt zmachen. Rette sy: „Ich kan dich nit gsund machen."

Tanbachs ross halb ret sy, [sy] hab hinder jrem hus hirss gsunet. Ir man hab gseit: „Barbel louff, tryb sfech vss tanbachs matten, das ers nit schlache." Syg sy glouffen vnd hab gsen, wie tanbachs knab ir jre ků so übell gschlagen; wan sys melchen wellen, hab sich dků von schmertzen buckt. Vff ein zyt hab sys tryben, syg tanbach iren bkon. Zů dem hab sy geredt: „Lůg du rotten[2] tanbach, wie du mir min ků gschlagen"; rette er: „Ich hans nit tan"; antworti sy jm: „So hets aber din

---

[1] auf eine Zeit.
[2] Offenbar zu „Rotte" i. S. v. Gesindel: also „lumpig."

bûb tan; ich wellt mich schemen, das ich eim allso ein vnfer-
nüfftig [!] tier schlûge. Wie dick hau ich dir din fech vss-
triben vnd nie gschlagen."

Sin ross syg kröttig [1]) worden vnd desselbigen [!] ggstorben.

Das ir man gerett, alls einer von ir gredt, er truw ir nit,.
Sy wüsses ietz doheimen etc. Das will sy nit gichtig [2]) syn.

Jost schârers ross halb ist nit gichtig.

Heini zhûbens ha[l]b ists nit gichtig.

Simons zû wüschiswyls halb ist nit gichtig.

Cûnardt morffen halb ist sy nit gichttig; wüss von keim-
stier nüt, hab im ouch nüt gholffen.

Heini morffen halb ists ouch nit gichttig.

Sy hat nüt than, dan das sy ein böss mul hab vnd
wunderlich syg; hab etwan den lütten treüwt, aber nüt args
than. Sy bgärt ouch, das man jr die vnderougen stelle, die
sölichs von ir reden, welle sy sich verantworten, oder das ir
den eyd vss miner g. h. gricht vnd piett thû schwerren, welle
sy nit mehr darin komen.

Claus studer zû stergow hab sy übertörlet, das sy
ebrüchig worden. Wie wal [!] sy von ir selber krank worden,
hab sy ein kindli empfangen, das syg noch jnleben vnnd nit
vast starck. Sy mag ouch nit wüssen, ob dz kind irs eemans
oder claus studers syg.

Zusammenfassung von Nr. 44.

Laut Zeugenaussagen hat die K. mehrfach Vieh behext
und getötet, auch Menschen Lahmheit und Blindheit angezaubert.
Sie selbst bestreitet alle Anklagen. Kl. Studer habe sie zum
Ehebruch verleitet.

45.

Margret Bodenmann von Savien. 1551.

Vff frytag vor misericordiä
Anno 1551.

So bezügt Namlich vnnd erstlich petter Moser, vnnderuogt
zû malterss, Alls Sy jm einss mallss habe wellen höuwenn, do-

---

[1]) mit Fesselgeschwulst behaftet.

[2]) geständig.

hatt Sy sich gehan¹), jr Sig wee jm houpt. Do heyg er Sy nit
wellen lassen houwen vnnd gsprochenn, Sig jr wee jmm houpt,
So soll Sy heim gan; vnnd vff dass jst Sy zornig worden vrnd
jm dorff vmher glüffenn vnnd gseyt, wie er Sy nit welle lassenn
hoüwenn. Vnnd darnach jm Nachgenden Sumer Sigennt jm zwo
kû verdorbenn, Allso dass mann Ann jnen kein presten nit
funden hett; vnnd Auch jm Selbenn Sumer, enneter Emen²) jnn
eyner weydt iij stier, die hatt er Auch todt jnn der weydt
funden ligen Ann³) Alle Massen⁴) vnnd presten; vnnd Auch ij
kalber, die Sinndt Auch Allso vff der weydt verdorben. Vff dass
Alless hatt er Sinen Sonn jnnes enthlibûch gschyckt zûm herrenn,
jnn darum zû fragen; da hatt der her jm ethwass Anzeigt,
dass er thûn Söllte, So wellte er hellffenn, dass ess besser
wurdt. Vff dass jst er darnach vss nechster engelwyche⁵) zû
einnsidlenn komen, vnnd do hatt der gezüg jm vm denn Ratt,
So er Sinem Son genn, dancket; Do hatt der her zû jm ge-
sprochenn: „Dass hest du vonn wibrenn, dinen nachburen"; do
hatt er gesprochen: „Sindtss zwo, eine, dry Oder mer?" Daruff
hatt er jm kein Anthwortt genn; Ob Aber dass die bodenmannin Sig, dass wüss er nit. — Item er bezügt Auch, das jr,
der gefangnen, Sonn noch vff donstag, Am morgen wie man Sy
gfangen hatt, by jr Am bett glägenn Sig, vnd dass er vor vnnd
eyssdar⁶) by jr glägen Sig, dass heygent jm die gsellenn für-
zogen.⁷) — Der vnnderuogt Seytt Ouch, wye dass der hosang
vnnd Annder Krienser sollennt geseytt hann, wellennt die von
Mallterss dass nest nit vssnen, So wellennt Syss vssnen; Sy ver-
meynent Ouch, der vernig hagell Syg von Mallterss kon. Vermeint, wann Mann denn Hosangen fragte, er wurde ethwass
mer segen.

Lienhart Margstein, der wirt zûm krütz zû malterss,
bezügt, wie dass er einss malss vff der killwe gemetzost [l. ge-
metzot], vnnd do hab er fleysch vssgehouwen vnnd jre Ouch

---

¹) sich beklagt.
²) jenseits der Emme.
³) ohne.
⁴) Wundmale.
⁵) Das bekannte Fest in Einsiedeln; s. O. Ringholz, Wallfahrtsgeschichte 1896 S. 8 ff.
⁶) früher und immer.
⁷) vorgehalten.

Sechss Oder vij lib. gerüst, vnnd wie Nun Sy dass fleysch hatt
.wellen reychenn, do hey der metzer jme ein gantzen lidt[1] vss
dem keller bracht. Do heyg Sy gseytt: „Du mûst mier Ab
·den [!] Stuck genn", do hatt der züg dass nit wellenn thûn.
Daruff Sig Sy zornig hinweg glouffen, vnnd darnach wardt
.jm jm herpst ein kû kranck, der wass nütt zû hellffen, vnnd
verdarb; eb Ab [!] Sy söllich geschaffett, dass mög er nit
·eygenthlich wüssen, weder dass die lütt vermeintennt, Sy hettess
.gethan, vnnd gethruwe man jr Nütt Annderss.

Fridli mûljbach bezügt, wie dass Sin Mûtter mit jr
vneinss gsin, vnnd daruff habennt Sy ein kû gehann, die hab
kalberet, do hey die kû kein millch jnn drytagen welleñn genn.
Dass Nam Sy wunder. Wüssennt nit, eb Syss than hatt.

Annj Tscholj vnnd ellsi thatoli [!], schwösteren, be-
zügennt, wie dass Sy dem vnderuogt hacken jnn der rüttj
heygennt. Do hannd die lütt von der gefangnen geseytt. Daruff Seytt Sy, die gefangen, Sy wer Auch by jnen gsinn jnn
der Rüttj, Sy wüste woll, wass man von jrenn geseytt hette.
Sy zügennt Aber, Sy Sig Nienen darby gsin, wüssennt nit, wer
.jren gseytt heyg, dass man von jrenn gseytt heig. Ob Sy ess
zwifflet[2], wüssenntss [!] Sy nit.

Blungj[3] Bûcher bezügt, wie dass die gefangen zû jr
konn Sig Ann eim Morgenn vnnd heyg wellenn von jrenn millch
Nenn, do heygss jrenn verseytt. Vff dem Abennt hatt die kû
kein millch mer genn vnnd Allso für vnnd für Abkonn vnnd ver-
·dorben; weyss Aber nit eyentlich, Ob Syss gethan habe.

Annj, Cluss heggerss jungfrouw, bezügt, wie dass Cluss
·hegger ein kû habe, vnnd do Sig Sy einss malss konn vnnd
hatt wellenn milch kouffen; do hatt Sy diss [!] jren verseytt; do
ist Sy zörnig worden vnnd hinwäg gangen; vnnd vff dass heyg
die kû knüderen[4] Ann denn Streichenn[5] überkonn, doch nitt
verdorben. — Item Sy bezügt Ouch, wie dass Sy geanckett
·heyge zweymall. Do heyg Sy dass erst mall Ankess gnûg ge-
·machot; Aber dass Annder mall heyg Sy glich fill millch Abgnon
vnnd Lanng Angket, do heygss zum Letztenn Nunen [!] ein

---

[1] ein ganzes Viertel von einem geschlachteten Stück Vieh.
[2] geahnt, vermutet.
[3] Wol Apollonia.
[4] knotenartige Verhärtungen.
[5] Euterzitzen.

klein stücklin genn. Darab heyg Sy sich verwundret. Vff dem [!]
Selbenn tag ist Sy Ob dem bach zů jr komen vnnd gffratt [!]:
„Annj, wass machst vss diner milch, vill Ancken?" Do hatt
Annj gseytt: „Wass Sott ich machen; ess will Nütt genn";
daruff hatt die gefangen gelachet vnnd ist hinwäg gangen; do
hatt Sy [Anni] Söllichss vff Sy [B.] gezwifflot. [1])

*   *   *

Hanns Hosang bezügt, das Hanns kost von Malters zů
kriens jn sym huss geret habe, eim syg ein frow gstorben,
hette bodenmannin gern dasselb gwandt. [2]) Das syg einer frowen
worden, genempt schlamphansin. Do hab bodenmannin,
geret: „He, sy würts nitt lang tragen"; vff das syg selbige
schlamphansin von sinnen kon; syg ongfarlich vor osteren
gschen dissjars. Datum Sampstags vor misericordie Dominini 1551.

So syg selbige bodenmanin vffhin ob der kilchen zmalters
jn fronhoff zum wyders huse, jm milch gheuschet, vnd alls er
jr keini gen, hab sy geret, es törffte jn wol grüwen. Daruff
syge jm ein noss [3]) abgangen.

So habent etlich mit ir grechttet, syg Heini schnyder
richtter oder fürsprech gsin; zů dem sy geret, man sot dem
rychen vnd armen glich richten; hab er ir geantwort: „Han ich
dir nit recht gricht?", zů dem sy geret: „Einer möcht wol syn
glück vnd lebe · mit [4]) kürtzeren." Vff das Heini schnyder
kranck worden vnd gstorben.

Diss alles hab obgnempter Heini kost jn syn, dess gezügen, huse geret.

*   *   *

Item der bader von Mallters hett gerett, es heiy sich vff
ein zit geschickt, das er bad heiy kan [5]), vnd das disy frow
ouch sy kon. Do hett er zů jren gerett: „Lieby mütter, thuond
so woll vnd gand an wenig wider hein, den jr xend woll, das
ich jetz sust fy l zů schaffen han; aber komend bald wider, so
will ich vch gern min best thůn." Da hett die vor gemelt frow
das gwand wider genun [6]) vnd zů dem bader gerett: „Ist den.

---

[1]) ·m Verdacht gehabt.
[2]) abgewendet.
[3]) Rind.
[4]) damit, dadurch.
[5]) gehabt.
[6]) genommen.

min gelt nit as gûtt as [1]) ander luitten?" Rett der bader witter, als bald als diay frow sy vssiy kon, do sy m sin frow von atund an kranck worden, das sy im nutt me hett kinen [2]) helfen, vnd dar zu er selbs, aber es sy bald vm in gutt worden [3]), das er die luit heiy kinen fercken [4]); vnd rett dar by, es hey dem nach kein gluck wellen dar in sin, er sy schier halb thoub [5]) xin; er hey ettwan eim halb gehowen [6]) vnd dar von gelauffen zu eim anderen, das er nitt hey gewist schier war mit er vm gyeng. [7]) Aber er rett nitt, das sy schuldig sy; er hett aber ein zwyffell kan. Das ist, das er dar von weist. Witter rett der bader, das da fyll eren wyber jn dem bad werend den tag vss; aber inen geschwund [8]) schier allen; wottend ettlichee wyber wetten, ich wurdy ein iar leben oder es wurdy mich ein gros vngluck an gan.

Item der baltiser brucker hett gerett, Es hab sich ge- schickt, das er der frowen sun hey gedingett vnd ist der bub im fyll zu full gesin, das er in hett musen lan gan zu der mutter. Do ist die mutter er zurt [!][9]) worden vber jn, das er iren den buben hett wider geschickt. Glich dar nach hett es sich geschickt, das ich han ein jungen hengst kan, der jst vber vss muttig xin vnd gernn by den rossen xin. Den han ich in den walld zu anderen rossen lan louffen, da hett der hengst nit by denn anderen rossen wellen sy [!], sunder alwegen allein, vnd hett sich jmer von den rossen gezogen jn ein schwendy; da ist er mir ver dorben vnd be lyben, vnd glich nach dem hengst sind mir ij suw ouch ver dorben. Ich red nit, das sy schuldig sy; aber wie ich sy er zurytt [10]) [!] han, da jst mir das geschechen. Das ist, das ich dar vm reden.

Item witer hett Hans genhart gerett, es hab sich ge- schickt vff ein zit, wie die alt mullera zu malters jst gestorben, da hett sy miner frowen ein kleidig gemacht, da sy von diser

---

[1]) ebenso gut, als . . .
[2]) können.
[3]) es sei bei ihm bald wieder gut geworden.
[4]) bedienen.
[5]) toll.
[6]) geschoren (?).
[7]) was er that.
[8]) wurden fast alle ohnmächtig.
[9]) erzürnt.
[10]) erzürnt.

zit hett wellen scheiden; da jst jetz disy boden manin die
xin, die die kleidig ouch gernn hett kan. Vff semlich wie miner
frowen das gwaud jst worden jn das hus, da hett sy kein
xundy stund nimer mer kan, ist schier gar von den sinen kon.
Vff semlichs hett es schich [!] geschick [!] vff ein zit, das ein
man ist kon, in des widers hus, der hett sich vir ein farenden
schuller vss gethan, der hett gerett, es sy ein frow gestorben
mit namen die mullery, vnd die hey ein kleidig anweg gen
einer frowen, dar vm musy sy thoub sy [!], dan von desy wegen,
das die boden manny die kleidig hetty auch gern kan da bin
ich eist [!] kumer hafft worden vnd miny nach buren mit mir
das [!]. Vff semlichs ist ein gutter mensch zu mir kon vnd mir
an zeigt, ich selly sy, mit namen die boden manyn, lasen
biten iij mallen durch gotz wyllen vnd durch vnser lieben frowen
wyllen vnd das sotty ally iij mal geschechen, eb sy zureden
mecht kon. Da hett jetz min frow sy selber gebetten, eb sy
wisy, wie jren zu hellffen sy, so biti sy sy durch gotz wyllen
vnd aller gloubygen selen willen, das sy jr helfy. Ist das geschechen an eim mentag, ist min frow zur kylchen gangen. Wie
myn frow ist wider hein kon, da hett sy mir an zeigt, wie sy
die boden manin heiy gebetten. Do han ich gefragt: „Was
hett sy dier fir ein antwurt gen?“; da hett sy gerett: „Sy hett
mich ruch an gefallen“, vnd eb min frow mechty ein wort vs
gereden, so hett die boden manin zwey gerett vnd zu jren
gesprochen: „Was ziest[1] du mich? was sotty ich dir helffen?
ich kan mir selbs nit hellffen, ich han auch gros hauptt wee.“
Nun hett es sich geschickt vff den abett, wie wier hein wellen
nider gan[2], da hend wir ein klein gebëttet, gott sys vnn ver
wissen[3], da han ich ein meitly vff mich gnon vnd hans wellen
nider tregen[4] wie ich for me han than; da ich bin zu der stuben
vssy kon, da ist ein thess[5] vnd ein grosser wind kon grad als
wen ein groser blast in ein fir[6] kem, vnd kam mir dar zu, das
ich schier nit wist, war mit ich vmgieig [!]. Da dach [!] ich:
ach gott, hett ich numen das kind nit vff mir, das ichs nit etwan

---

[1] bezichtigst.
[2] zu Bette gehen.
[3] Gott sei es nicht vorgeworfen. Wozu diese Redensart?
[4] zu Bette legen (?)
[5] Getöse (?)
[6] Feuer.

'lamty.[1]) Nun ist die frow mir nachgangen vnd ist zu dem fur
gangen vnd hets wellen bas ver sorgen, da han ich thrullich
an gott dacht, vnd der hett mir gehulffen, das ich mit dem kind
bin in die kamer kon; da han ich der frowen gerieft vnd zů
jren geret, sy sely flux kon vnd mir das kind ab nen. Vff
Semlichs ist der frowen sach besser[2]) xin dan for nie; jst gar
thoub[3]) worden, das ich sy han musen an das arm issen[4]) legen,
dan ich bin iren gar nutt sycher xin by den kinden noch sust.
Vff semlichs hett es sich gen, das der Hans fryenberg ist an
eim ort xin, da hett die husfrow jn gefragt: „Wie stat es vm
die frowen?" da ist die bodenmanin ouch da selbens xin;
vnd da hett er gerett: „Es stat mir vbell an, das ichs reden,
ich bin werlich noch nie by jren xin, aber min frow wol; sy
rett, das es ein arns [!] wyb sy." Da ist disy for gemelt boden
manin er fyr gewyst[5]) vnd geret: „Es sott eim anderen ver
langett sin, da ist iren geschechen."[6]) Das ist, das ich dar von
weis vnd mir geschen ist, das han ich alles an zeygt, wies mir
der vnder fogt het botten.

*   *   *

Actum Donstag Nach dem helgen pfingstag Anno xv° lj
Lieben Herren,
Alls dan diss arm wybsbild Margret Bodenmanin von sauien
vss dem pundt jn myner g. h. fenchnus komen, hat sy veriechen,
Sy habe sich dem bösen fyent hockenfůss ergeben vnnd vilmalen mit jme zů schaffen gehept (syg by ir gsyn jn gstallt eins
hüpschen jünglins [!], on bart vnd hab schwartz fůss ghan) vnnd
vss syuem bösen ratt vnnd jrem bösen gloůben volgende werch
volnbracht.

So hab sy vss Nyd zwey kůyen, dero syg eyne wyders
zů Mallters gsyn, die strich[7]) gestreckt; hab sy der bös geist, so
wyss bekleyt gsyn, geheissen vnnd die strich, alls sy gewent,
jn die hend gen vnnd gheissen, sy söllt die strich strecken.

---

[1]) Infolge des Zugwindes (?).
[2]) böser (?)
[3]) tobsüchtig.
[4]) Armeisen.
[5]) hervorgeschossen.
[6]) Der Sinn ist wol: Die Behexung was für einen Andern bestimmt;
ist aber ihr [Hans Genharts Frau?] zu Teil geworden.
[7]) Euterzitzen.

Das hat sy gethan, mog aber nit wüssen, ob demnach die ků̆ blůtt oder milch gen habennt.

Noch eyner ků hab sy ouch allso die strich gestreckt.

Sy hab der bader zů Malters vff ein zyt, alls sy jns bad gwellen, heim gan heissen; den vnnd die jm bad gsyn, hab sy jn dess vnglücks namen angeblasen; daruon der bader vnd syn frow kranck worden; dan der böss geist syg ir nachgeuolgt vnd ir gholffen.

Hanns genharts frowen hab sy angeplasen, darumb, das die allt müllerin zů malltters jnen cleyder geordnet, die aber sy, die tätterin gern ghan hätte; darzů hab der bös geist jr gholffen. das obgnemptte frow ein böser plast dergstallt angangen, sy gar Nach[1]) von sinnen komen; dan ir, der tätterin, der bös geist allweg Nachgfolgt syge.

Sy habe ouch vss Mosers zů Malters spycher j viertel kornn gnomen.

(Folgt das Urteil auf Verbrennung nach üblicher Formel.)

Zusammenfassung von Nr. 45.

Laut den Zeugenaussagen hat die B. nicht nur manches Stück Vieh mit Krankheit behaftet oder es durch Behexung getötet, sondern auch Menschen Krankheit angezaubert, die teilweise tötlichen Ausgang nahmen. Nach eigener Aussage hat sie all ihre Uebelthaten auf Anstiften eines bösen Geistes vollführt, mit dem sie auch fleischlichen Umgang gepflegt hat.

46.

Anna Demut. 1551.[2])

Vff andingen miner g. h. vnd befelch herr Ratsrichtters vogt egglius so handt bezügt vff Sant Cůnrats tag Anno xv° lj Hanns wyss, Mauritz lysibach, ůli brůlmann, Jacob Sutter gegen einer frowen, nempt sich Anna Demůtt.

---

[1]) beinahe.

[2]) Auf der Ruckseite steht: Anna Heimig vss fisper zenden der Landtschaft wallis berůrende Anno 1551.

Hanns wyss bezügt, sy hab jn von eins heglins wegen
ghasset vnnd bescholckt.[1]) Vff ein zyt habs[2]) mit lob[3]) hüsli-
mist[4]) für vnser frowen Cappel, gnempt zem grünen wassen,
gschüt. Hab aman wyss den brüllman [den Mist] heissen
dannen thůn, [damit], so jemant kem gan betten, der gstanck
nit do läge. Das brůlman than; den sy desshalb für gricht
betagt[5]), gnempten hüslibuw[6]) bsallt[7]) han wellen, vnd alls ir
nüt drum gsprochen[8]) worden, hab sy amann wyssen vnd jnen
[Hans W. und den Seinen] treüwt vast übell vnd schwarlich,
sy bescholkt, sy wellt jm ein letzi[9]) lan, dass er weder zien
noch tragen mog. Allso glych syg das gross wetter kon; ob
aber sy das gemacht, mog er nit wüssen.

Uli brůlmann bezügt, dess hüsli buws halbs sygs gangen,
wie aman wyss gret het, vnd wytter, er hab an eim offnen
schnitt[10]) vom langen guntzen ghördt, Aman wyss vnd er,
gezüg, sygent an dem wätter schuldig, das sy obgnempts wyb
erzürnt habent, Türing gerwer syn frow vnd syns sons wybe [!],
alls sy zů sant Jost gwellen, habent das obgnempt wyb funden
vnfer von der renck[11]) jn einer weyd huren.[12]) Wass [sy] aber
gmacht, mag er nit wüssen; aber selbigen abent hab das wetter
gschlagen.

Maritz [!] lysibach bezügt, er hab ein knaben[13]) ghan,
der syg ir son, der hab jm ein melchtern vnd ein krůg prochen;
do syn frow jms gseyt, hab er ein schalck[14]) vss gstossen vnd
grett, sy kriege das er nit esse[15]), sich letz gestellt, je das der
knecht drum vrlob gnon vnd hinweg gangen. Do aber dwerch

---

[1]) beschimpft.
[2]) habe sie.
[3]) mit Verlaub zu sagen.
[4]) Abtrittjauche.
[5]) vorgeladen.
[6]) Abtrittjauchedünger.
[7]) bezahlt.
[8]) zuerkannt.
[9]) bleibenden Schaden.
[10]) Ernte.
[11]) Flurname?
[12]) kauern.
[13]) Knecht.
[14]) Fluch.
[15]) sie trachte darnach, dass er nichts zu essen bekomme.

vff dem feld am meisten allso keme die mütter mit dem sun-
vmb den lon; rette er [L.], so er [der Knecht] on vrsach von
jm gang, syg er [L.] jm nüt schuldig; doch welle er jn dess-
rechten drum syn.[1]) Do hab sy gseyt, sy well nit mit jm
rechten, sy wells jm vff syn seel setzen vnnd dess lons an sym-
lyb vnd seel zůkommen[2]); do er, gezüg, gerett: „Treüw[3]) mir
nit! min herren hannd gůtt gricht vnd recht, das bruch mit mir,
dess will ich erwarten, vnd treüw mit nüt; dan söllt mir über
ein jar etwas gschechen, wän söllt ichs zichen, dan die, so mir
treüwent?" Sodann habe er gschnitten vnd zů dem huss glůgt,
darin sy gsyn, gieng ein vast ticker rouch vss selbigem husse
ongfarlich vmb die zwey nachmittag, vnd er, gezüg, meinte, sy
hätte das huse angstossen[4]); aber er gsech kein flamen; vermeinte, es füreten etwan murer mit grünem holtz drin, gienge
wider an schnitt. Morndes schlůg das gross wetter. Ob sy
daran schuldig, mog er nit wüssen.

Jacob Sutter bezügt, alls brůllman herren spittel-
meisters hoff koufft hinder dem dz wyb gsessen, dero hab er
glichen, das[5]) jm goumptte[6]), damit jm jn gütteren nüt zůgrunt
gange. Sy hab jm gwerchet; sonst wüsse er gar nüt von ir.
Wol syg etwas grüttells[7]) vmbhar gangen; er mag aber gar
nüt args von ir wüssen.

Zusammenfassung von Nr. 46.

Mehrere Zeugen bezichtigen die D. des Wettermachens.

47.

Anna Haldi von Schattdorf. 1551.[8])

Annj Halldj von schatorff vss dem land vrj ([9] ir vatter

---

[1]) Recht zu teil werden lassen.
[2]) ihn den Lohn mit Leib und Seele bezahlen lassen.
[3]) drohe.
[4]) angezündet.
[5]) dass sie.
[6]) aufpasste.
[7]) Gerede.
[8]) Auf der Rückseite dieses Bogens: „1551 Anni Haldi ist mit dem-
füwr gricht."
[9]) Das Eingeklammerte steht am Rand.

het gheissen petter Haldi, ir mütter trini biderbist von
silinen; jr eeman het gheissen ůli von ellggi, ist ein turgower
gsyn, ist v jar, das er gstorben ist) hat verjechen, Sy heyg jetz
verschines Samstags das wätter by wangen jnn eim bach gemacht, vnd syg lutziuier jr bůll, vnd domalen daselbs by
wangen zů jro komen; mit dem sygs vmbhar gfaren vom ertrich [?], hab mit ir zůschaffen ghan, syg von ir gflochen, do
syg dz wetter kon.

Ittem jnn zuger piett heyg sy ein. hagell gmacht, syg
ettwan fünff jar, vnd heyg jro jr bůll ghullffen. Ist gichtig.[1]

By allttorff heyg sy ein hagell gemacht. Ist gichtig.

By Signow im ämentall heyg sy ein hagell gemacht, syg
etwan jx jar. Ist gichtig.

Item jnn bern piett gegen thun heyg sy ein hagell gemacht,
sy by x jaren. Ist gichtig.

Ittem es sy ettwan vierzechen tag, Sy Sy vff der brattellen
Matt[2]) gsin; Syg Sy gangen vnd sygend zwo gespillen by jro
gsin, vnd heyg sy jr bůll[3]) ab der Matten tragen, syg schwartz
gsin. Ist gichtig.

Ittem jnn Zuger vnd Zürich piett heyg sy zwen hagell
gemacht, syg ettwan x oder xij jar. Ist gichtig.

Ittem so heyg sy jnn russwyller ampt gespillen, die heyg
sy glertt, heygend All Mannen, heist eine grettj, heyg jro
ghullffen, dry hagell vmb Malltters Machen, syg zů thann daheim.
Die ander heist Ellsy, syg zů wyll daheim.

Ittem jr bůll syg jnn einer schür zů jr komen, vnd heygend
jr gspillen jro daselbs vmbher helffen hagell Machen jn ementhal.

Ittem jnn Zuger piett vmb Mentzingen heyg sy zwo ge-
spilen, heist eine frenj zů stetten jnn Mentziger kilchöre, die
ander heist fronegg, syg jm Sal daheim jnn Mentziger kilchöre,
Syg ettwan ein jar olld zwey, das sy by jnnen syg gsin.

Item zů Nüchen jnn mentziger kilchöre heyg sy ein gspillen,
heist barbellj vnd jr Man Hans Müller.

Ittem zů thun heyg sy ettlich gespillen, mag nitt wüssen,
ob sy noch läbend, heiss die ein barbellj nebend thun vssher
vff eim hoff, heist hoffstetten.

---

[1]) geständig.
[2]) S. S. 310 Anm. 2
[3]) Darüber: „kein gspil.“

Ittem jnn hasslj kilchöre, heist der hoff am rein, heyg sy ein gspillen, heist Salome, heyg jro ghullffen ein hagell machen. Ist gichtig. Ist by x jaren.

Ittem jr büll heyg sy heisen zům waser gan vnd mitt den händen jnn sim Namen darin schlan vnd jro vil gůtts verheisen zů geben. Ist gichtig.

1551
Anni Haldi berůrent[1])

Gretti zthan: by der ists vil zherberg gsin, syg mit ir vff brattelen mat gfaren; dise hab ein allten man, syg nit wydt von sant Niclaus, vnd sy ist ouch allt, hets etwan vj jar bkent.[2]) Die ander heist ellsi, ist zwyl do heim; dieselbig het ein jungen man vnfer von nüwen kilch, ist nit vast allt vnd ist ouch mit ir vff pratlen mat gsyn.

Freni vnd fronegg sygent ir gspilen; by denen sygs zů herberg gsyn, sy habents thůn wellen[3]); hab jnen aber nit wellen graten; sy sig by jn zherberg gsyn.

Barbeli, Hanns müllers frow syg ir gspil, syg by ir zherberg gsyn; sy habs versůcht; hab ir aber nit wellen graten.

Barbeli vff hoffstetten by thun: by deren sygs zherberg gsyn; deren hab es ouch nit wellen graten.

Sy bhet[4]) mit marter, die sy anggen[5]) het, sy schuldig sygent.

Lieben Herren,

Alls dan Anni Haldi von schatorff vss dem landt vri jn miner g. h. fencknus komen, hat sy veriechen, vngfarlich sygs süben iar, das sy mit dem bösen geist, der sich genempt het Lucyfer, zů schaffen ghan, heige sy vilmalen übel geschlagen vnnd gstossen, sy etwan vom ertrich obsich gfůrt vnd dan wider lan vallen. Sy hab ouch den grossen schedlichen hagell by wangen gmacht by eim bach; darin hab ir bůl lucifer ir die hennd gstossen, doruff syg das schwär verderplich wetter kon.

(Folgt das Urteil auf Verbrennung nach herkömmlicher Formel).

---

[1]) Am Rande des sonst nur linkshälftig beschriebenen Bogens.

[2]) Am Rande von anderer Hand folgende Notizen: „Die jn miner herren gebiett von stund annemen." „Die von zug schrybouch [!] nit gan bernn."

[3]) D. h. Hagel machen.

[4]) beharrt.

[5]) denunziert.

(Auf der dritten Seite des Doppelbogens steht die flüchtig geschriebene Notiz:) Vor vij jaren hab sy den bösen geist an ir gban vnd übel gschlagen vnd gstossen, vnd hab den grossen hagel letzt zwillisow gmacht, sonst keinen.

Zusammenfassung von Nr. 46.

Die H. bekennt, teilweise unter Marter, dass sie eine grosse Anzahl von Hagelwettern gemacht habe und zählt aus verschiedenen Gegenden der Schweiz und der angrenzenden Gegenden Helfershelferinnen auf. Ihr Buhle sei Lucifer gewesen, der sie zu all diesen Dingen angewiesen.

Hexenküche, Hexensabbat und Hexenverbrennung.
(Nach einem farbigen Bild der Wickiana).

Gebräuche im Birseck.

Mitgeteilt von Dekan G. Sütterlin in Arlesheim.

(Schluss).

B. Gebräuche, welche mit den verschiedenen ländlichen Verrichtungen verbunden waren.

1. Ein sinniger Gebrauch war s. Z. das Schneiden des „Glückhämpfeli". Am Ende der Ernte, wenn das letzte Getreide abgeschnitten wurde, liess man ein Büschel Aehren, gewöhnlich neun, wohl entsprechend dem neunmaligen Kyrie eleison bei der heil. Messe,[1] stehen und, nachdem sämtliche Schnitter bei demselben ein Dank- und Bittgebet verichtet hatten, dasselbe womöglich durch ein „unschuldiges" Kind abschneiden, und zwar mit drei Sichelhieben und in den drei höchsten Namen. Die abgeschnittenen Aehren wurden dann in einen Strauss zusammengefügt, mit Korn- und andern Blumen durchflochten und einem zierlichen Bande umwunden. Auch bildete man etwa damit einen „heiligen Geist", d. h. man stellte sie so zusammen, dass sie eine Taube darstellten. Dasselbe wurde darauf daheim hinter den Spiegel gesteckt oder über demselben aufgehangen und blieb daselbst bis zur neuen Saat im Herbst. Da aber wurden die Aehren zerrieben und die Körner unter das Saatkorn gemischt. Man glaubte, dass dadurch dieses besser gedeihe. Darum sah man noch bis in die neuere Zeit bei jeder gläubigen Bauernfamilie ein solches Sträusschen in der Wohnstube. Dem Schreiber dieses war es wiederholt vergönnt, das „Glückhämpfeli" zu schneiden, und er fand darin, wie übrigens auch Andere, jeweilen ein kleines Geldstück.

2. Anmutig war auch die „Sichellöse." Wenn das letzte Fuder Getreide heimgeführt wurde, wurde dasselbe mit einem kleinen Bäumchen geziert, und alle, die bei der Ernte mitgeholfen hatten, setzten sich zu demselben und fuhren so unter Singen

---

[1] Vgl. WEINHOLD, Die mystische Neunzahl bei den Deutschen, in: Sitzungsber. d. k. preuss. Akad. d. Wiss. XIII (1897). [RED.]

und Johlen nach Hause. War der Herr der Ernte etwas wohl-
habend, so wurde das Bäumchen noch mit Taschen- und Halstüchern behängt, welche den Schnittern als Zeichen der Zu-
friedenheit mit ihrer Arbeit zufielen. Daheim fand dann das
„Erntemahl" statt.

3. Eine ähnliche Feier fand statt nach Beendigung des
Dreschens, die „Flegellöse" genannt. Bevor man nämlich die
Maschinen kannte, mittelst. deren die Getreidekörner aus den
Aehren ausgedrückt werden, wurden dieselben mit Flegeln aus-
geklopft. Das war neben der Pflege des Viehes, dem „Holz-
machen" und der Anfertigung von Strohbändern für die zukünftige
Ernte die Winterarbeit des Landmannes. Sobald sämtliche Früchte
eingeheimst waren, fieng man an zu dreschen. Je nachdem der
Bauer vermöglich war, besorgten dieses Geschäft 2—8 Männer,
welche im Takte darauf losschlugen. Das gab dann eine förmliche
Musik das Dorf hindurch, die dadurch noch erhöht wurde, dass
sie schon in der Stille der Nacht, zumeist um 3 Uhr morgens
begann, und dass viele Tennen mit Dielen belegt waren. Auf
jeden Drescher war für den Tag eine Anzahl Garben berechnet.
Waren diese ausgedroschen, so gieng es ans „Putzen", d. h. das
Getreide wurde durch Wannen oder Schwingen und Reitern oder
Siebe von der Spreu und dem Staube gereinigt. Wem es daran
gelegen war, möglichst sauberes Getreide zu haben, der wor-
felte das Gereinigte überdies noch, indem er es mittelst einer
dazu bestimmten Schaufel, der aus der Bibel bekannten Wurf-
schaufel, von einem Ende des Tenns nach dem andern warf
wobei das Getreide seiner Schwere wegen mitten in der Scheune
niederfiel, Spreu und Staub aber davonflogen. Die „Renneln"
kannte man damals noch nicht. — Das Dreschen dauerte in
der Regel bis Weihnachten. War man damit fertig und das
Korn in die dafür bestimmten Behälter des Speichers gebracht,
so wurde den Dreschern ein Mahl bereitet, wofür gewöhnlich
ein Schwein sein Leben lassen musste. Dieses Mahl, bei dem
es selbstverständlich fröhlich zugieng, wurde im Volksmund
„Pflegellöse" genannt, weil die Flegel wiederum für ein Jahr
„gelöst" wurden, und bildete erst den eigentlichen Abschluss der
Ernte.

Wie bei allen Arbeiten des Landmannes, so anstrengend
dieselben mitunter auch waren und demselben oft kaum 5 Stunden
Schlaf gönnten, herrschte auch beim Dreschen gemütliche Heiter-

keit und fehlte es nicht an mancherlei Schwänken. So geschah
es nicht selten, dass die Drescher, wenn sie nach dem Morgenessen in die Scheune zurückkamen, ihre Flegel oder Wannen
von dem Wipfel eines nahen Baumes oder der First eines Daches
herunter holen mussten, um weiter arbeiten zu können. Nach-
bardrescher hatten dieselben während ihrer Abwesenheit dorthin
verbracht. — Auch die „Wähen" mussten während dieser Zeit
herhalten. Wenn die Drescher witterten, dass irgendwo Brot
gebacken werde, erspähten sie die Zeit, wo die Bäckerin sich
aus dem Backhause entfernte, und entwendeten die Wähen, die
in der Regel mit dem Brote gebacken wurden. Doch den
Weibern fehlt es bekanntlich auch nicht an List. Wenn dieselben merkten, dass eine solche Absicht bestehe, überzogen
sie einen zähen und schmutzigen Waschlappen mit Teig und
bucken ihn zu einer anscheinend schönen Wähe. Das Lachen
war dann natürlich auf ihrer Seite, wenn die Räuber ein ver-
driessliches Gesicht zu ihrer Beute machten.

Zur Ernte ist noch nachzutragen, dass, bevor man das
Mähen des Getreide mit der Sense kannte, jeweilen Scharen von
„Wäldern", d. i. Leute ab dem Schwarzwalde in die Gegend
kamen, um das Getreide mit der Sichel schneiden zu helfen.
Jeder besser situierte Bauer stellte eine Anzahl derselben ein.
Gewöhnlich bestand eine Schar aus 2—6 Frauen und einem
Manne, der die Aufgabe hatte, die Sicheln von Zeit zu Zeit zu
dengeln und zu wetzen. Diese „Wälder" waren fidele, aber
dabei arbeitsame und geschickte Leute, die meist im Verding
(Akkord) arbeiteten und nach Beendigung der Ernte ein schönes
Geld nach Hause trugen. Vor 50 Jahren noch gab es keine
Ernte ohne „Wälder", wie jetzt keine Baute ohne Italiener.

4. Während die Männer sich beim Dreschen vergnügten,
suchten die Frauen Unterhaltung in den „Stubeten oder Kelt-
abenden. Im Winter nämlich, wenn die Erde mit Schnee bedeckt war, und man in Feld und Garten nicht mehr arbeiten
konnte, nahmen die Frauen und Jungfrauen die Spinnräder
hervor und spannen die Reisten, die sie sich durch Anpflanzen
von Hanf und Flachs gewonnen hatten, um ihrem Hause das
nötige Weisszeug zu beschaffen, sowie Zwilch zu Hosen, Röcken
und Handschuhen. In früheren Zeiten wurden alle Hand-,
Wasch- und Leintücher, sowie Hemden und Bettanzüge und die
meisten Kleider selbst verfertigt. Auch Wolle wurde selbst

gezogen und gesponnen. Dafür dauerten aber die Kleider nicht nur „einen Vesper und Feierabend", wie jetzt, sondern jahrelang, ja vererbten sich von Vater auf Sohn und manchmal noch auf· den Grosssohn, was freilich jetzt auch deswegen nicht mehr möglich wäre, weil die Mode zu häufig ändert. — An Weihnachten musste jede Spinnerin wenigstens neun Strangen Garn haben, wozu es zwei Spulen voll brauchte. Die nicht so viel gesponnen hatte, galt für eine faule Spinnerin, und man behauptete, die Mäuse zerfrässen einer solchen die Reiste. Es· war dann aber auch schön anzusehen, wenn im Frühjahr hundert und mehr Ellen Tuch vor oder neben dem Hause zum Bleichen durch die Sonne ausgebreitet waren. Das machte unwillkürlich den Eindruck der Wohlhabenheit eines solchen Hauses. Darum wetteiferten auch die Hausfrauen, die grösste „Bleiche" zu haben, und es gab wenige Häuser, in denen im Winter nicht wenigstens ein Rädchen schnurrte.

Um nun aber bei dem Spinnen, wie die Männer beim Dreschen, auch etwelche Kurzweil zu haben, kamen abends eine Anzahl Spinnerinnen an einem Orte zusammen, oft bis zu einem Dutzend, das eine Mal in diesem, das andere Mal in jenem Hause, und da wurde dann, während die Rädchen schnurrten und Jede zuerst die Spule zu füllen trachtete, allerlei verhandelt und erzählt, wie es zu geschehen pflegt, wenn mehrere Weiber beisammen sind. Gieng ihnen aber der Stoff aus, so trat ein alter Mann, der, die Pfeife im Munde, auf der Ofenbank oder „Kunst" sass, in die Lücke. Dieser unterhielt die Gesellschaft mit mehr oder minder ausgeschmückten Geschichten aus den früheren Zeiten des Dorfes, auch wohl mit Gespensterspuckereien und Hexenwerken, wobei die zarten Spinnerinnen oft nicht geringe Gänsehaut bekamen. Diese Zusammenkünfte nannte man Stubete oder Keltabende, und solche gab es bis gegen die Mitte dieses Jahrhunderts.

C. Anderweitige Gebräuche.

1. Das Wurstmahl und das Würstleinsingen. In der guten alten Zeit, als man alle Lebensbedürfnisse soviel wie möglich selbst zu produzieren suchte, und es noch nicht so viele Metzger gab, wurde in jedem Bauernhause — und Bauern waren die Birsecker s. Z. fast alle — jährlich wenigstens ein Schwein geschlachtet; und das war dann ein festlicher Akt. Verwandte und Bekannte wurden auf den Abend zu einem

Mahle eingeladen, dem sog. Wurstmahle. Dabei gieng es lustig
zu und passierte es bisweilen, dass ein grosser Teil des Schweines
schon am ersten Tage aufgezehrt wurde, namentlich wenn das
geschlachtete Tier kein besonders schweres war. So wird erzählt — ob es sich im Birseck zugetragen hat oder in der
Nachbarschaft oder ob es am Ende gar nur erfunden ist, wissen
wir nicht; immerhin aber gibt es ein Bild von der damaligen
Gepflogenheit — auch ein Pfarrer habe einmal ein Schweinchen
geschlachtet und nach Brauch und Uebung seine Amtsbrüder
der Nachbarschaft dazu eingeladen. Als nun diese spät abends
das gastliche Haus wieder verliessen, habe ihnen der Gastgeber
bis auf die Strasse hinaus mit der Lampe geleuchtet, und auf
die Bitte derselben, er möchte sich doch nicht so viele Mühe
machen, sie wüssten den Weg schon, ihnen geantwortet, er
wolle doch seinem Säuli noch heimzünden.

Wir sagten, die Birsecker seien fast alle Bauern gewesen.
Indessen gab es auch solche, die nicht so glücklich waren, ein
Schwein mästen zu können. Um aber doch auch etwas von der
Herrlichkeit des Wurstmahles zu geniessen, begaben sie sich in
das Haus, wo ein Schwein geschlachtet worden und gaben durch
ein Lied oder einen Spruch zu verstehen, dass sie auch etwas
von dem Leckerbissen zu kosten wünschten, welcher Wunsch
auch bereitwillig erfüllt wurde und das nannte man das Würstleinsingen. Unter andern wurde dabei folgendes Lied gesungen
(nach P. Brodmann „Heimatkunde von Ettingen“):

> Wurst heraus, Wurst heraus!
> Glück und Segen in diesem Haus!
>
> Die Sau, die het en grosse Chopf:
> Das git de Jude ’ne Opferstock.
>   Wurst heraus etc.
>
> Die Sau, die het e grosse Schnure:
> Gent-mer e Stück vo hinge dure. [1]
>   Wurst heraus etc.
>
> Die Sau, die het so grosse Ohre:
> D’Jude soll der Teufel hole. [2]
>   Wurst heraus etc.

---

[1] hinten durch.
[2] sind wohl die Wucherer gemeint.

Die Sau, die het e lange Hals:
Gent-mer e Stück und 's anger[1]) all's.
   Wurst heraus etc.

Die Sau, die het so grosse Site:
Gent-mer e Stück, so chan-i witer.
   Wurst heraus etc.

Die Sau, die het e grosse Mage:
Gent-mer, was i cha ertrage.
   Wurst heraus etc.

Die Sau, die het so dicke Därm':
Machet kei so greussli Lärm.
   Wurst heraus etc.

Die Sau, die het so grosse Füess:
O wie sind die Schnitz so süess!
   Wurst heraus etc.

Un Junpfere mit em rote Rock:
Loset, wie das Surchrut chocht!
   Wurst heraus etc.

Die Sau, die het so dicke Knie':
Gent-mer e bitzli vom rote Wi.
   Wurst heraus etc.

Die Sau, die het so grosse Chlaue:
Loset, wie d'Katze miaue!
   Wurst heraus etc.

Die Sau, die het e chrumes Bei:
Gent-mer e Wurst, so chan-i hei.
   Wurst heraus etc.

Die Sau, die het e lange Schwanz,
Git der Jüdene e Hochzits-Chranz.
   Wurst heraus, Wurst heraus!
   Glück und Heil in diesem Haus!

    2. **Der Zimmerspruch.** Wenn ein neues Haus aufge-
richtet war, wurde auf der First ein Tannenbäumchen befestigt,
mit so viel Taschen- oder Halstüchern behangen, als Arbeiter

---

[1]) andere.

an dem Bau beschäftigt waren. Daneben stellte sich dann ein
Zimmermann und hielt von der Höhe herab eine Rede, worin
er dem Bauherrn Glück und Segen zu dem Hause wünschte und
damit gewöhnlich noch Anspielungen auf den Herrn der Welt
und sein grosses Gebäude verband. Dabei trank er auf das
Wohl des Bauherrn und warf dann das Glas zur Erde nieder
und zwar so, dass es womöglich nicht zerbrach. Dies nannte
man den Zimmerspruch. Darauf folgte dann das Aufrichtmahl.
Nachfolgendes Beispiel eines Zimmerspruches, der uns von einem
Zimmermeister aus Ettingen mitgeteilt wurde, hat wohl nicht
mehr ganz seine ursprüngliche Form.

> Beliebt es euch, ein wenig still zu sein
> Und reden mich zu lassen?
> Gott grüss' euch Alle insgemein,
> Ihr Herren, Frauen und Jungfrauen, gross und klein!
> Von mir sollt ihr Alle gegrüsset sein.
> Mein' ich die Eine oder Andere nicht,
> So bin ich kein ehrlicher Zimmergesell' nicht.
> „Ehre sei Gott in der Höhe!"
> Damit wollen unser Werk wir enden.
> Ehe von dieser Stell' ich gehe,
> Lasst danken mich mit gefalt'ten Händen.
> Gott segne das durch Himmelsgaben,
> Was Menschen hier verrichtet haben,
> Der Baumeister, der den Erdenbau gemacht,
> Der Sonne, Mond und Sterne aus nichts hervorgebracht!
> Von Einem will ich nun fangen und heben an,
> Vor Allen, die da unten stah'n:
> Hochgeehrter Herr des Baus! ich bitt' Euch in allen Ehren:
> Wollt Euch ein wenig zu mir kehren
> Und dies' mein Wort mit Fleiss anhören!
> Wir haben heut durch Gottes Macht
> Diesen neuen Bau zustand' gebracht,
> Der von rohem Holz gezimmert ward
> Wohl in diesem Arbeitsjahr.
> Der Bau ist gefügt aus Riegeln und aus Pfosten;
> Das soll den Bauherrn eine gute Mahlzeit kosten.
> Bauherr! trag auf Gebratenes und Gesottenes,
> Weisses Brod, Wein und Bier bis zur Genüg',
> So viel, dass der Tisch sich bieg'.

Wollt Euch den neuen Bau wohl ansehn,
Ob er nach Eurem Wunsch thut stehn.
Ich frage Euch mit frohem Mut,
Ob Euch dieser Bau gefallen thut?
Gefallet er Euch wohl,
Gefallet er auch dem Meister und den Gesellen wohl.
Meister und Gesellen haben keinen Fleiss dabei gespart;
Drum ist der Bau also wohl verwahrt,
Dass ihn Jedermann darf achten.
Wer will bauen an Strassen und Gassen,
Der muss die Herrn und Narren tadeln lassen.
Hätt' ich aller Jungfrauen Gunst
Und aller Meister ihre Kunst
Und aller Künstler ihren Witz,
Wollt ich bauen auf einer Nadel Spitz'.
Dieweil ich aber das nicht kann,
Muss bauen ich auf wohl geraumten Plan.
Dazu erfordert es aber guten Verstand
Und eine wohl geübte Hand,
Um einen solchen Bau recht abzumessen
Und alle Stück' und Zimmer geschickt in einander zu passen.

Darauf folgt in Prosa eine Verherrlichung des Zimmer-
handwerkes als des vornehmsten von allen Handwerken mit
Berufung auf Gott, der in der heil. Schrift ein Baumeister genannt werde, auf Joseph, den Nährvater Jesu, der ein Zimmermann gewesen, auf Jesus, der seinem Pflegvater beim Zimmern
geholfen habe und darum ein Zimmermannssohn genannt worden,
auf Salomon, der den Tempel zu Jerusalem erbaut, und darauf,
dass Gott während des letztern Baus jeweilen des Nachts und
niemals am Tage habe regnen lassen (?!). Dann fährt der Spruch
weiter fort:

Ich hoff', der Bauherr werde keinen Unfall haben
Und uns Zimmerleut' also begaben
Mit Speis' und Trank, wie's ist Brauch,
Und mit einem Trinkgeld auch.
Sollte dieses nicht geschehen bald,
So soll der Bau Händ' und Füss' bekommen
Und laufen wieder in den Wald.
Geschieht aber dies mit freundlichen Worten und guten Sitten,
Dann wollen wir den lieben Gott für den Bauherrn bitten.

Er erhalt' ihn gesund, bis der Hase fängt den Hund
Und jedes Blatt wiegt hundert Pfund.
  Zuerst will ich eins zur Gesundheit trinken,
Sonst thut mir das Herz in die Hosen sinken.
Ein neu gefülltes Glas frisch zur Hand genommen;
Nun soll die Reih' an Euch, hochedler Bauherr,! kommen.
Bauherr! ich trinke nicht aus grossem Durst,
Sondern Euch und der Baufrau zur Gesundheit nur.
Gern wollt' das Glas auch Euch ich reichen dar;
Aber es ist mir zu weit;
Ich hab' keinen Gaul, auf dem ich reit',
Und da zu hoch es mir ist herabzuspringen,
Will ich das Glas hinunter lassen klingen.
Glück und Glas, wie bald bricht das?
Glück und Unglück ist allen alten Jungfern ihr Frühstück.
Und wenn das Glas jetzt bricht,
So ist keine ehrliche Jungfrau in . . . . . nicht.

Nach einer allegorischen Anwendung des Baues und des
Vorganges bei demselben auf die Kirche oder Gemeinde Gottes,
deren Grundstein Christus ist, schliesst endlich der Spruch:

Wer auf Diesen (sc. Christus) sich thut gründen,
Wird Gottes Kind sein und ewiges Leben finden,
Darum seht einmal, seht mit reizendem Vergnügen,
Wie prächtig der Geschmack am Bauen ist gestiegen.
Drum Heil, ja dreimal Heil dem Bürger, der so denkt,
Der willig und mit Lust sein Herz zum Wohlthun lenkt,
Der, wenn er Geld hat, sich zwar Paläste baut,
Doch auf die Armut auch ganz huldvoll niederschaut!
  Kein merklich Unglück ist beim Bau geschehen,
Dieweil der Herr in Gnaden uns hat angesehen.
  Nun will meinen Spruch ich enden:
Gott woll' dazu seinen Segen spenden!
Vor Wasser, Feuerschaden und aller Gefahr
Dieses Haus, o Herr! gnädiglich bewahr'.
Wer darin wohnt, den lass' in Glück und Frieden sein,
Und wer darin stirbt, den führ' in den Himmel ein!
Gott Vater, Sohn und heil'ger Geist
Sprich du selbst „Amen" drein.

Sagen aus dem Saasthal im Wallis.

Von B. Reber in Genf.

Da ich im andern Visperthal (in demjenigen von Zermatt)
früher schon zahlreiche Spuren vorhistorischer Einwohner, besonders aber zwei sehr bedeutende Sculpturensteingruppen auf
den Hubelwängen, oberhalb Zmutt[1]) konstatierte, so war es
mein Wunsch, auch das Saasthal in gleicher Weise zu durch-
forschen. Es sind dabei keine direkten Anzeichen einer vor-
historischen Bevölkerung zum Vorschein gekommen. Doch glaube
ich, der Vollständigkeit halber schon, einige Sagen und Ortsbenennungen erwähnen zu sollen. Bei einer spätern Untersuchung
wird vielleicht Weiteres in Erfahrung gebracht.

Schon etwa hundert Schritte bevor man, von Stalden aus,
die zweite Häusergruppe, auf der Karte Resti genannt, mit
einem verwegenen Stege über den Vispabgrund, erreicht, bemerkt man rechts, hart am Wege einen grossen, länglich drei-
eckigen, erratischen Block, an dessen rechter Seite ein Bächlein
herunter fliesst. Dieser Stein zeigt auf seiner Oberfläche, 75 cm.
über dem Wege, drei in einer 90 cm. langen, fast geraden Linie
liegende, ovale, innen etwas kantig vertiefte Einschnitte, als ob
sie zum bequemern Besteigen hergestellt worden wären. Bei der
dritten Vertiefung links, wenig höher, liegt ein vierter, ähnlicher
Einschnitt. Diese alt aussehenden Sculpturen gleichen den sogenannten Teufelstritten im Turtmannthal.[2]) Auffallend erscheinen
diese Einschnitte hier um so mehr, als gar kein Grund vorhanden ist, an dieser gefahrlosen Stelle einen Aufsteig zu schaffen.
Immerhin mögen sie der gleichen Kategorie von Sculpturen wie
jene im Turtmannthal angehören. Traditionelles oder Sagenhaftes darüber konnte ich nicht in Erfahrung bringen. In Stalden
kennt man den Stein nicht und Menschen sah ich das ganze
Thal hinauf bis Saas-Grund keine mehr.

*　　*　　*

Hinter der berühmten Wallfahrtskapelle „Zur Hohen.

---

[1]) Anzeiger f. Schweiz. Altertumsk., 1891, S. 565: 1896, S. 74.
[2]) ib. 1895, S. 410.

Stiege" bei Saas-Fee, ungefähr auf Dachhöhe, nordöstlich der-
-selben, mit einer Leiter erreichbar, bemerkt man eine lange,
in den Gneissfelsen gehauene Rinne, die scheinbar den Zweck
hat, das Regen- und Schneewasser von der ganz an den Felsen
angelehnten Kapelle abzulenken. Die Rinne ist hier viele Meter
lang und reicht ungefähr über die Mitte des Gebäudes hinaus.
Am gleichen Orte befindet sich ein ebenfalls in den Felsen ge-
hauener Tritt. Nach meiner Vermutung mag beides mit dem
Kirchlein zusammenhängen und von gleichem Alter sein.

Die Sage über den Ursprung des Kirchleins ist eine weit
verbreitete (wird z. B. auch von der Wallfahrtskapelle in Jonen
im Reussthal, Aargau, erzählt)[1]. Der Bau sollte weiter unten, a
einem etwas bequemer erreichbaren Orte ausgeführt werden. Alle
Morgen aber fand man die Stelle leer und das Baumaterial sowohl als die Werkzeuge immer wieder auf der jetzigen Stelle
des Kirchleins, wo es dann auch errichtet wurde.

Dem Fee-Kin entlang zieht sich von Fee aus dem Thale
zu „die Bielen", eine grossartige, ausgewaschene Felsenpartie,
die auf Schritt und Tritt ihren Ursprung als Gletscher- und
Flussbett beweist, liegen doch heute noch die beiden Saas-Fee-
Gletscher nicht eine halbe Stunde von hier entfernt. Die abge-
rundeten Felsvorsprünge gleichen dem „Rocher du Soir" in
Salvan und sind jedenfalls in die „Roches moutonnées" einzu-
reihen. Nur schade, dass ich, trotz tagelangem Suchen, keinen
„Rocher du Planet", wie in Salvan, gefunden habe.

*   *   *

Der „Gotwergistein" (Gotwergi = Zwerg) liegt auf den
verwaschenen Felsen der Bielen, aber schon unten im Thale,
zwischen der fünften und sechsten Stationskapelle, rechts, nur
etwa zehn Meter über dem Wege beim Steigen nach der „Hohen
Stiege". Es ist ein sogenannter schwebender, nur auf wenigen
Punkten aufliegender Block, der in jeder Richtung mehrere
Meter misst Anstatt ihn auf dem Rücken des Gletschers hieher
versetzen zu lassen, geschah dieses im Volksglauben, allerdings
lange schon vor der jetzt bekannten Gleschertheorie, auf dem
Rücken eines Gotwergi. Diese in allen Berggegenden des Wallis
eine grosse Rolle spielenden Zwerge oder Bergmännchen per-
sonificieren in gewissem Sinne einfach die Naturkräfte. Die

---

[1] Vgl. auch Archiv II 1: Rauracis 1830, 125.

untere Seite des erwähnten Blockes zeigt „Eindrücke", d. h natürliche Errosionen, welche mehr oder weniger der Form eines menschlichen Körpers gleichen, besonders Kopf, Schulter, Rumpf und Arme. Die Sage geht daher, dass ein Gotwergi den Block auf der Schulter den Berg herunter getragen und hier abgestellt habe. Die Vertiefungen sind der Abdruck seines Körpers, mit dem Kopf im Norden, die Beine im Süden, der Rumpf am stärksten vertieft.

* * *

Das „Bozenloch" überschreitet man zwischen der 12. und 13. Kapelle beim Aufsteigen auf die hohen Stiege. Es ist nichts anderes, als eine wild aussehende, mit prächtigen Lärchen bewachsene Stelle von grossen, durcheinander geworfenen, eine kleine Schlucht bildenden Felsblöcken. Die Benennung allein aber genügt, um zu zeigen, dass man sich im Volksglauben etwas Diabolisches darunter vorstellt. „Bozen" sind nämlich bösartige „Berggeister".

* * *

„Zur Schüssel" heisst eine Gegend auf „Wengertschen", unterhalb der Mittagsfluh, unweit von Saas-Fee, weil man hier im Felsen eine runde Aushöhlung bemerkt. Seit etwa zehn Jahren aber ist diese Stelle mit Eis bedeckt, und wer weiss, wann sie wieder sichtbar wird, aber der Name wird der Gegend bleiben.

* * *

Das Haus mit dem Zauberstein in Moos spielte in einem Prozesse zwischen den Almagellern und den Saas-Gründlern eine Rolle, wie aus folgender Darstellung hervorgehen wird. Der Weiler Moos liegt ungefähr in der Mitte zwischen den Dörfern Saas-Grund und Almagell. Das betreffende Haus ist halb gemauert und halb in Holz gebaut. Die weisse Tünche lässt es schon von Weitem erkennen und die Thalleute beeilen sich, so schnell als möglich vorbei zu kommen. Mancher Fremde ahnt nicht, warum sein Begleiter, wenn er aus der Gegend stammt, plötzlich den Schritt beschleunigt und nur Wenigen wird die Geschichte erzählt. Es muss schon ein ganz besonderer Anlass sein, wenn sie zur Kenntnis gebracht wird.

Die grosse und schöne Furggalp am Fusse des Almageller-horns, seit uralten Zeiten Eigentum des Dorfes Almagell, wurde den Saas-Gründlern verpachtet. Nach einer Reihe von Jahren aber behaupteten diese, die reiche Almei der Furggalp gehöre

ihnen. Nach langem Streite kam es zum Richterspruche, welcher
in dem erwähnten Hause gefällt wurde. Die Bürger von Saas-
Grund wurden zum Eide angehalten, welcher bei der Einsichtnahme
der Oertlichkeiten auf der Furggalp selbst geschworen werden
musste. Sie hatten alle Erde aus ihren Gärten in Saas-Grund
in den Schuhen und schworen auf der Furggalp, dass sie auf
eigenem Grund und Boden stünden.[1]) Die Alp blieb den Saas-
Gründlern, aber ihre Seelen spuken, ewig verdammt, als böse
Geister dort oben herum. Auch das Haus, wo der ungerechte
Spruch geschah, liegt in ihrem Bereich und Niemand vermochte
mehr darin zu wohnen Da holte man von der Furggalp einen
kleinen Stein, dem von den Priestern die Macht verliehen ist,
die bösen Geister zu bannen. Der Stein soll sich heute noch
in dem Hause befinden und der Glaube an den Spuk ist noch
sehr stark, sozwar dass man im Thale wohl keinen Menschen
finden könnte, der in dem verwünschten Hause eine Nacht ohne
den Stein, zubringen würde. Sogar bei den Aufgeklärtern verursacht ein über diese Geschichte gehegter Zweifel böses Blut.
Als Beweis, dass die Almageller Recht hatten, wird angeführt,
dass dieselben heute noch die Murmunda (d. h. das Recht der
Jagd auf Murmeltiere) auf der Furggalp besitzen, wie vorher,
als die Alp noch ihr Eigen war. Daran hatte man beim Prozesse
nicht gedacht.

*   *   *

Am Wege von Almagell nach Mattmarkt, bevor man den
A-B-C-Guffer erreicht, trifft man zwischen dem Wege und der

---

[1]) Den nämlichen falschen Eidschwur habe ich in der Tradition
mehrmals getroffen; nirgends aber in so frappanter Weise, wie in der
Sage vom „Stifelreiter" von Muri (im Freiamt) Da dieselbe vielfach
bearbeitet und gedruckt wurde, (Rochholz, Schweizersagen a. d. Aargau
I S. 301 u. II S VIII u. 113) darf sie als ziemlich bekannt vorausgesetzt
werden. Es sei mir hier nur gestattet, beizufügen, dass dieser falsche
Schwur sich auf eine noch stärkere Gotteslästerung gründet Der „Stifeli-
reiter" hatte nämlich nicht bloss Erde des Klosters Muri (in dessen Interesse er übrigens seine Verbrecherlaufbahn führte) in seine Schuhe
gethan, sondern auch einen weitzackigen Kamm, im Volksmunde „Richter"
(zum Richten des Haares) genannt, nebst einem Schöpflöffel im Hute ver-
steckt und schwur nun : „So wahr ich auf dem Grund und Boden des
Klosters Muri stehe und über mir den Schöpfer und den Richter wisse,
etc." Unmittelbar nach diesem Schwur hat ihm der Belzebub in einem
Ruck den Kopf vollständig umgedreht, sodass das Gesicht über dem
Rücken stand, sich zu ihm auf das Pferd gesetzt und ist mit demselben
am Stamme einer glatten Buche hinauf, davon gesprengt.

Visp, beide berührend, eine Stelle, welche sich äusserlich durchaus von der Umgebung nicht unterscheidet, die aber merkwürdigerweise „Gotwergigrab" genannt wird.

*   *   *

Ein „Gotwergiloch" befindet sich links von der Hannigalp, auf dem Melligen·oder Mellig, unterhalb des Ulrichshorns und des Balfrins, von Saas-Fee aus in der Richtung gegen den Riedpass. Ein „Melligen" wird hier jedes Steinmännchen genannt, welches man auf hohe Berggipfel pflanzt. Es bestehen solche darunter, welche aus den ältesten Zeiten stammen.

*   *   *

Der „Blaue Stein", südwestlich vom Mattmarkt-See, am Wege nach dem Monte-Moro-Pass bildet hier in dieser erhaben grossartigen Einöde mitten in der Gletscherwelt wohl schon seit Jahrtausenden den Wegweiser. Dieser erratische Riesenblock[1]) schaut im Winter, trotz seiner 35—40 m. Höhe manchmal nur noch mit seiner Gipfelfläche aus dem Schnee hervor. Einen weitern „Blauen Stein", zugleich aber ein vorhistorisches Monument habe ich schon früher in Visp constatiert.[2])

*   *   *

Von Mattmarkt aus erreicht man, am Tälliboden vorbei den Tällibach überschreitend, schnell den Monte-Moro, einen der ältesten Pässe der Alpen, der uns ohne grosse Beschwerden aus der Schweiz nach Italien führt und umgekehrt.

Bei einem längern Aufenthalte wären wohl, wie schon erwähnt, noch manche interessante Sagen, ferner archäologische Funde wie Gräber u. s. w. in Erfahrung zu bringen. Für diesmal schliesse ich mit einer sehr eigentümlichen Stelle, welche „Heidengräber" oder „Heidenfriedhof" genannt wird. Es ist dies eine kleine, ebene Fläche, hoch in den Felsen, links der Saas-Visp, vom Thale aus in etwa zwei Stunden erreichbar. Eine genaue Untersuchung dieser Gegend muss ich auf später verschieben. Vielleicht bleibt es nicht bloss beim Namen und kommen gerade an diesem Orte wirkliche Anzeichen der früheren Bewohner des Thales zum Vorscheine.

---

[1]) M. ULRICH, die Seitenthäler des Wallis und der Monterosa, Zürich 1850, S. 29 spricht von Gabbro und sagt zugleich „Ebel nennt sie Nephrit Charpentier Blaustein."

[2]) ANZEIGER f. SCHWEIZ. ALTERTUMSK., 1891, S. 566.

Register.

(Vom Herausgeber.)

I.

Summarisches Register, nach Materien geordnet.

Siedlung. 158 ff.

Wohnung. Hausrat von Pfarrhöfen 155.

Volkstümliche Kunst. Schnitzerei 155 (Bild). 176 (Bild).

Sitten, Gebräuche, Feste. Taufe 233 fg. Hochzeit 234 ff. Begräbnis 164. 234. Namenstag 139 ff. Gebräuche verschiedener Berufe und Stände: Aelpler 55 ff. Bauern 330 ff. Gauner 151. 239 ff. — Kirchweih 55 ff. St. Niklaus 225. Weihnacht 41 ff. 153. 225. 259 ff. Neujahr 269 ff. Berchtoldstag 164. 250. Dreikönige 226 ff. 264 ff. Fastnacht 228 ff. 280 ff. Mittfasten 229. Ostern: Eierlese 175. 232. Osterkügelein 233. — Pfingsten 233. Maibräuche 275 ff. Kirchlich-volkstümliche Bräuche: Heiligenverehrung 1 ff.

Recht. Hexenprozesse 22 ff. 81 ff. 189 ff. 291 ff.

Volksmeinungen und Volksglauben. Hexen- und Zauberwesen 22 ff. 81 ff. 189 ff. 291 ff. 128 ff. 173 ff. Himmelsbrief 52 ff. Volksmedizin: Durchlöcherter Stein 58. Mittel gegen die Pest 133 ff. Blutsegen 137. — Segen 137. 138. 284 ff. Gebete 284 ff. Gespenstische Nachttiere 146 ff. Schrätteli 248 fg. Gespenster 154. Vorbedeutung 156. Schutzmittel: Geweihtes 160. — Zaubermittel: Rute 173 ff.

Volksdichtung. Lieder: Weihnachtslieder 41 ff. 259 ff. Passionslieder 279. Dreikönigslieder 226 ff. 264 ff. 274. Gassenlied 255. Neujahrslieder 269 ff. Mailieder 275 ff. Altjungfernlied 123. Fastnachtslieder 280 ff. — Sprüche und Reime: Fingerreim 157. Bettelreime 230 ff. 334 ff. Schnaderhüpfel 149 ff. 250. — Segen 284 ff. — Zimmerspruch 335 ff. — Sagen: Pestsagen 133 ff. Feesagen 142 ff. Rechtssagen 341 fg. Nachttiere 147. Namensagen 148. 160. Kirchenbau 157. 340. Glockensagen 177. Felseindrücke 339. Zwerge und Berggeister 340. 341. 343. — Rätsel 162.

Spiel. Klappern 57. 151.

Volkswitz und Spott. Ortsneckereien 148. 237 fg.

Namen. Ortsnamen 158 ff. Familiennamen 160.

Sprache. Rotwelsch 239 ff.

II.

Alphabetisches Sach- und Wortregister.

(Die eingeklammerten Zahlen beziehen sich auf die Bibliographie).

Zeitschriften für Volkskunde.
Revues des Traditions populaires.

Alemannia. Zeitschrift für Sprache, Kunst und Altertum besonders des alemannisch-schwäbischen Gebiets. Herausgegeben von *Friedrich Pfaff*. Jährlich 3 Hefte. Jahrg. 6 Mk. Verlag: P. Hanstein, Bonn.

Beiträge zur deutsch-böhmischen Volkskunde. Herausgegeben von der Gesellschaft zur Förderung deutscher Wissenschaft, Kunst und Litteratur in Böhmen Geleitet von Prof. Dr. *A. Hauffen*. Verlag: J. G. Calve, Prag.

Blätter für Pommersche Volkskunde. Monatsschrift. Herausgegeben von *A. Knoop* und Dr. *A. Haas*. 4 Mk. jährlich. Bestellungen bei A. Straube, Labes (Pommern).

Česky Lid. Sborník věnovany studiu lidu českého v Čecbách, na Moravě, ve Slezsku a na Slovensku. (Das tschechische Volk. Zweimonatsschrift für tschech. Volkskunde in Böhmen, Mähren, Schlesien und Ungarn), hrg. von Dr. *Č. Zibrt*. Jahrg. 4 fl. 10 Fr., 3 Rubel. Administration: F. Sináček, 11, Jeruzalémská ul., Prag.

Folk-Lore. Transactions of The Folk-Lore Society. Quarterly. Annual Subscriptions: 1 L. 1 s. Publisher: David Nutt, 270, Strand, London.

The Journal of American Folk-Lore. Editor *William Wells Newell* Quarterly issued by The American Folk-Lore Society. Annual subscription: Doll. 3.00 Publisher for the Continent: Otto Harrassowitz, Leipzig.

Korrespondenzblatt des Vereins für Siebenbürg. Landeskunde. Redaktion: Dr. *A. Schullerus*. Erscheint monatlich. Jahrg. 2 Mk. Verlag: W. Krafft, Hermannstadt.

Lud. Organ Towarzystwa Ludoznawczego we Lwowie pod redakcyą Dra *Antoniego Kaliny*. (Das Volk. Organ d. Poln. Ver. f. Volkskunde in Lemberg, hrg. v. Prof. Dr. *A. Kalina*). Vierteljahrsschrift. Für Mitglieder 4 fl., für Nicht-Mitglieder 5 fl. Adresse: Lwów (Galicien), Ulica Zimorowicza 7.

Mélusine. Revue trimestrielle, dirigée par M. *Henri Gaidoz*. Un an: 12.25 frs., un numéro: 1.25 frs. Bureaux: 2, rue des Chantiers, Paris.

Mitteilungen der Schlesischen Gesellschaft für Volkskunde. Herausgegeben von *F. Vogt* und *O. Jiriczek*. Heft 0,50 Mk. Schriftführer des Vereins: Dr. *O. Jiriczek*, Kreuzstrasse 15, Breslau.

Mitteilungen des Vereins für Sächsische Volkskunde. Herausgegeben von Prof. Dr. *E. Mogk*, Färberstrasse 15, Leipzig.

Mitteilungen und Umfragen zur bayerischen Volkskunde. Jährlich 4 Hefte. Herausg. im Auftrage des Vereins für bayer. Volkskunde und Mundartforschung von Prof. Dr. *O. Brenner*, Würzburg. Jahrgang 1 Mk.

Ons Volksleven. Monatsschrift. Herausg. von *Joz. Cornelissen* und *J. B. Vervliet*. Jahrg. 2.50 Fr. Verlag: L. Braeckmans, Brecht.

Revue des Traditions populaires, recueil mensuel de mythologie, littérature orale, ethnographie traditionelle et art populaire. Organe de la „Société des Traditions populaires", dirigé par M. *Paul Sebillot*. Un an: Suisse 17 frs.; pour les membres: 15 frs.; un No.: 1.25 frs. Bureaux: 80, boulevard St-Marcel, Paris. — (Pour recevoir un numéro spécimen, il suffit d'en faire la demande à M. Sébillot en ajoutant un timbre de 15 centimes.)

A Tradiçao. Revista mensuel d'ethnographia portugueza. Directores: *Ladislau Piçarra* e *M. Dias Nunes*. Preço da assignatura 600 réis. Editor-administrador: *José Jeronymo da Costa Bravo de Negreiras*, Rua Larga 2, Serpa (Portugal).

Unser Egerland. Blätter für Egerländer Volkskunde. Herausg. von *Alois John,* Eger.

Volkskunde. Monatsschrift. Herausg. von *Pol de Mont* und *A. de Cock*. Jahrgang 3 Fr. Verlag: Hoste, Veldstraat 46, Gent.

Wallonia. Recueil mensuel de littérature orale, croyances et usages traditionels, fondé par *O. Colson, Jos. Defrecheux* et *G. Willame*. Belgique: Un an 3 frs., un No. 30 c., Union postale: 4 frs. Administration: 88, rue Bonne-Nouvelle; Rédaktion: 6, Montagne Ste-Walburge, Liège.

Zeitschrift des Vereins für Volkskunde. Vierteljahrsschrift. Herausg. von *Karl Weinhold*. Jahrg. 12 Mk. Vorsitzender des Vereins: Prof. Dr. *K. Weinhold,* Hohenzollerstr. 10, Berlin W.

Zeitschrift für österreich. Volkskunde. Redaktion: Dr. *M. Haberlandt.* Jahrgang 4 fl. 80. Verlag und Expedition: F. Tempsky, Wien.

Zur Beachtung!

Den Mitgliedern steht die **Bibliothek** der Schweiz. Gesellschaft für Volkskunde jederzeit zur Benutzung offen.

Bücher werden auf Bestellung ausgeliehen und franko zugesandt; nach Empfang ist die Quittung ausgefüllt zurückzusenden.

Einzelne **Hefte der Zeitschrift** werden den Mitgliedern gratis und franko verabfolgt, falls solche zu Zwecken der Propaganda für unsere Gesellschaft oder deren Organ verwendet werden.

Zum Bezug von Büchern und Heften wende man sich an Herrn Dr. *O. Waser,* Limmatquai 70, Zürich I.

Schweizerische Gesellschaft für Volkskunde.
Société Suisse des Traditions Populaires.

Schweizerisches
Archiv für Volkskunde.

Vierteljahrsschrift

unter Mitwirkung des Vorstandes herausgegeben

von

Ed. Hoffmann-Krayer.

Vierter Jahrgang.

Mit 6 Illustrationen im Text, 1 Karte und 1 Farbendruck.

25211.16

Serv fund

INHALT.

Schweizerische Gesellschaft für Volkskunde.
Société Suisse des Traditions Populaires.

Schweizerisches
Archiv für Volkskunde.

Vierteljahrsschrift

unter Mitwirkung des Vorstandes herausgegeben

von

Ed. Hoffmann-Krayer.

Vierter Jahrgang. Heft 1.

Der Umfang des Jahrganges ist auf 20 Bogen festgesetzt.

Der Abonnementspreis beträgt für Mitglieder Fr. 4.—, für Nichtmitglieder Fr. 8.— ; für das Ausland kommt der entsprechende Portozuschlag hinzu.

Beiträge für die Zeitschrift, Beitrittserklärungen, Büchersendungen sind zu richten an den Redaktor

Herrn Dr. *E. Hoffmann-Krayer,* Freiestrasse 142, Zürich V.

Geldsendungen an

     Herrn *E. Richard,* Börse, Zürich I.

Die Henker und Scharfrichter als Volks- und Viehärzte seit Ausgang des Mittelalters.

Von Dr. Franz Heinemann in Luzern.

Aus dem Rechtsleben des späteren Mittelalters ist im Laufe der Zeit eine Gestalt herausgewachsen, die durch ihr blutrotes Kleid sich von ferne schon als Vertreterin des Blutamtes und der Grausamkeit ankündigt: der Henker. Auf jeder Seite der alten Kriminalrodel finden sich Spuren seiner bluttriefenden Hand; aus Bilderchroniken und mittelalterlichen Turmbüchern grinst er entgegen, hier mit gezücktem Schwert zum Hauptabschlag ausholend, dort mit flammender Fackel sein Opfer anbrennend und den Feuerbrand schürend: jetzt mit nerviger Faust die Winde der Folter anziehend, dann wieder zum Vierteilen das Fleischbeil schwingend.

Wie im Widerspruche möchte es daher klingen, wenn der mittelalterliche Henker mit dem Nebentitel eines Heilkünstlers und Wundpflegers, unseres Wissens zum ersten Male, einer eingehenderen Betrachtung gewürdigt wird. Und doch ist man gewiss gerne damit einverstanden, wenn der Nachrichter einmal mit den versöhnenden Emblemen der Phiole und des Salbentopfes erscheint, statt immer mit der glühenden Zwickzange oder dem Richtbeil in der blutbefleckten Hand.

Die abgesonderte Lebensweise des Scharfrichters, die Scheu vor seiner Erscheinung und das Seltsame seines ganzen Wesens trugen seiner Person den Ruf eines Zauberers ein. Die Versuchung, diesen Nimbus des Geheimnisvollen zu erhalten, ja hierin den Volksglauben zu bestärken, lag gewiss nur zu nahe, wo ein klingender Ersatz sich darbot für die vielen Entbehrungen, welche die Unehre mit im Gefolge hatte. Als Hüter der Arcana verstand es der Henker, die Abscheu vor ihm und seinem Amte in Respekt zu verwandeln. So erstritt er sich auf die menschliche Gesellschaft und deren seelisches Leben einen Einfluss, wie er auch auf das körperliche Wohl in Eigenschaft als „Heilkünstler" einen solchen sich gesichert hatte.

Schon im frühen Mittelalter umwob die unsterbliche Spinne des Volksaberglaubens die Ausübung des Blutamtes oder einzelner Verrichtungen desselben mit einem Gewebe symbolischer Deutung und sagenhafter Verknüpfung. Bis auf die Gegenwart haben sich einzelne Fäden dieses abergläubischen Gewebes aus düsterer Vorzeit durchgezogen. Ein alter Volksglaube lehrte, dass die Totenfinger eines gehenkten Diebes — zumal aber die eines Unschuldigen, — an einem Bindfaden im Fasse verwahrt, das Bier wohlschmeckender machen und dass sich aus einem solchen Fasse das doppelte oder mehrfache des Inhaltes zapfen lasse. Finger oder auch die Fingernägel Hingerichteter in der Tasche tragen, hiess vor den Zufälligkeiten des Lebens sich schützen. Auch bewahrten sie Genossen der Diebszunft vor dem Galgen. Darum fehlte oft schon am Tage nach der Execution dem Aufgeknüpften der eine oder andere Daumen und Finger. — Unterm Galgen sprosste nach dem Volksglauben aus der letzten Thräne oder auch aus dem Urin oder Sperma der Gehängten die mit Haar und Leibesgestalt ausgerüstete Wurzel des „Erdmännchens", auch Galgenmännchen, Alraune oder „Allermannsharnischwurzel" (radix victorialis) geheissen. Dieses Zaubergewächs bildete nebst dem sog. „Schädelmoos" für die Henkersippen ein einträgliches Handelsobjekt. Nach Galgenmännchen wurde in nächtlichen heimlichen Stunden gegraben, doch mussten die Wurzeln so ausgezogen werden, dass der Entwender den dabei ertönenden Weheschrei nicht zu hören bekam, ansonst er dem Wahnsinn anheimfallen musste. Wie hoch man den Besitz eines solchen Amulettes schätzte, ist aus folgender Stelle eines Briefes ersichtlich, den ein Leipziger Bürger an seinen Bruder nach Riga im Jahre 1595 schrieb: „Da haben sie (die Leute) mir geantwortet, du hättest solches Unglück nicht von Gott, sondern von bösen Leuten und dir könnte nicht geholfen werden, du hättest denn ein Alruniken oder Ertmänneken und wenn du solches in deinem Haus oder Hove hättest, so würde es sich mit dir wol bald anders schicken. So hab ich mich nu von Deinetwegen ferner bemühet, und bin ich zu den Leuten gegangen, die solches gehabt haben, als bey unserm Scharffrichter und ich habe ihm dafür geben als nemlich mit 64 Thaler und des Budels (Henkers) Knecht ein Engelkleidt (ein Stück Geld) zu Drinkgeld. Solches soll dir nu, lieber Bruder, aus Liebe und Treue geschenket syn . . . . ." Nachdem die guten Wirkungen

des Erdmännleins gegen Fieber- und andere Krankheiten, Vieh-
presten, gegen schwere Schwangerschaft und bei Unfruchtbarkeit
der Weiber aufgezählt worden, schliesst der Brief: „Nun, lieber
Bruder, das Ertmänneken schicke ich Dir zu einem glückseligen
neuwen Jahr und lass es nicht von dir kommen, dass es mag
behalten dein kindeskindt . . hiemit gott befolchen. Datum Leipzig,
Sonntag vor Fasstnacht 95.[1]) Wie in vorhistorischer Zeit aus
Schädeln ausgesägte Knochenrondelle als Heilamulette dienen
mussten, die auf dem blossen Leib getragen, gegen Krankheiten
wirksam sein sollten, so kannten auch die Jerusalemfahrer zur
Zeit der Kreuzzüge eine Reihe von Wunderamuletten, die sie
auf den vielen Kriegsfahrten gegen Krankheit und Wunden
schützen mussten. Unter diese Zahl fallen auch die sogenannten
„Mineral-Amulette." Wie der Luzerner Arzt und Naturforscher
K. N. Lang anzugeben weiss, wohnte Ammonshörnern die Wunderkraft inne, die Pestseuche zu bannen, weshalb in den Dörfern
der Schweiz und des Schwarzwaldes solche Steinamulette zur
Abwehr des schwarzen Todes und anderer Seuchen in Häusern
und Ställen aufgehängt wurden.[2])

Die Nachfrage nach solchen Amuletten zu befriedigen, war
ein einträgliches Nebengeschäft des Henkers. Der Ruf von der
Wunderkraft der gelieferten Talismane gieng in der Folge auf
den Henker selbst über. Dem Pilsener Scharfrichter rühmte
man um das Jahr 1618 das Giessen nie verfehlender Freikugeln
nach, die dann auch im Kampfe gegen Mansfeld verwendet
wurden. Der Scharfrichter von Passau erlangte um 1611 Be-
rühmtheit und Reichtum durch die Herstellung der sogenannten
„Passauerzeddel", thalergrosser, mit wunderlichen Figuren be-
deckter Wunderpapierblättchen, welche, auf dem Leibe getragen,
die Soldaten so „hart" machen sollten, dass Säbel und Kugeln
an ihnen abprallten. Solche Schutzmittel zum Festmachen gegen
Hieb und Stich haben noch bis in die allerneueste Zeit innerhalb des Soldatenstandes Verehrer gefunden, wie bei Gelegenheit
der letzten Kriege wiederholt festgestellt worden. —

---

[1]) Vergl. SCHEIBLE's KLOSTER 6. Bd.: Die gute alte Zeit, Stuttgart
1847 S. 180—222. Daselbst finden sich auch nach Originalen verfertigte
Abbildungen solcher „Galgenmännchen."
[2]) H. BACHMANN: Karl Nikolaus Lang, Dr. phil. et med. 1670—1741
(GESCHICHTSFREUND Bd. 51, 162—280).

Zauberwirkung und sympathetische Heilkraft ward auch den Splitterchen des Stäbchens zugesprochen, das beim Urteilspruch über den Sünder gebrochen und diesem zu Füssen geworfen ward. Noch heutzutage finden sich in abergläubischen Schweizer-Gegenden Leute, welche auf Stricke, an denen sich einer erhängt, erpicht sind und Stummel davon als Glücksbringer auf sich tragen. Wo dergleichen heute auch mehr im halben Scherze geschehen mag, schlummert darin doch ein ernster Zeuge alter Ueberlieferung. Das bei Enthauptungen fontaineartig dem Halse entspringende Blut galt als Kurmittel gegen die fallende Sucht. Noch aus dem Jahre 1812 ist aus Neustadt im hessischen Odenwalde ein Fall bekannt, wo der Henkerknecht bei der Hinrichtung dem fallsüchtigen Patienten Gläser rauchenden Blutes reichte, sobald das Haupt gefallen. [1]) Das ganze Mittelalter hindurch und noch bis in auf unsere Tage hat die Heil- und Wunderkraft des menschlichen oder tierischen Blutes eine Rolle gespielt. Eine lange Reihe auf uns gekommener mittelalterlicher Liebesträuke und Aphrodisiaka verwenden das Menstrualblut derjenigen Jungfrau, deren Liebe beantwortet werden will. Wie zähe diese mittelalterliche „Rezeptierkunst" übrigens im Glauben des Volkes wurzelte und selbst noch heute ihre Ableger hat, zeigte unlängst ein Gerichtsfall in einer schweizerischen Ortschaft, wo ein Weib unter der Anklage der Verführung stand und wobei Zeugenschaft und Volksmund geschäftig waren, glauben zu machen, die Wirkungen dieses weiblichen Verführungswerkes seien lediglich die Folge eines solchen, von der Verführerin heimlich gereichten Blut-Zaubertrunkes.

Nur durch das Blut einer reinen Jungfrau sollte der „arme Heinrich" von der schrecklichen „Miselsucht" geheilt werden. Wie ferner heutzutage die feinen Pariser Damen zur Auffrischung ihres Teint zum Genusse schäumenden Tierblutes greifen, wie unsere blutleere Jugend zur Spezialität des „Hämatogen" Zuflucht nimmt, so trank auch die alte Zeit zu Heilzwecken Blut. Der Henker verkaufte es und zwar Jungfrauen- oder Junggesellenblut am teuersten, Judenblut dagegen am wohlfeilsten. Damit dürfte zusammenhängen, wenn wir auf den Hinrichtungsbildern des 16. und 17. Jahrhunderts ab und zu Gefässe zur Aufnahme des „kostbaren", frischen Menschenblutes abgebildet finden (vergl.

---

[1]) Vergl. BENEKE, Von unehrlichen Leuten. Hamburg 1863. S. 142.

u. a. die Bildersammlung der Wikiana der Zürcher Stadtbibliothek).
Selbst aus der Menschenhaut des Hingerichteten zog der Henker
Gewinn; er verkaufte sie zur Heilung des Podagra, ähnlich wie
noch heute bisweilen die Aalhaut verkauft und gegen Glieder-
reissen dem siechen Gliede aufgebunden wird.

Auf diese Weise kam es, dass die Kunst der Zauberei
und die der Sympathie in wechselseitiger Verschlingung mit
Berechnung gehegt und gepflegt wurden als Erbgut der Henker-
sippe, wie ihr Beruf selbst. Scharfrichterswittwen wurden zu
Hüterinnen der vom verstorbenen Meister ererbten Geheimnisse
und waren bemüht, diese und den Ruf der überkommenen Kunst
auszubeuten. Zu ihnen pilgerte der Liebende, und holte bei
der Meisterin sich Rat und Liebestrank, Geheimmittel, die ihm
die Gegenliebe der Schönen sichern sollten. Oder es galt, für
Untreue Rache zu nehmen und da lieh die Meisterin durch
Verwünschung und Nestelknüpfen ihre Beihülfe.

Die Mitwelt, die den Scharfrichter als ehrloses, sünden-
beflecktes Glied aus ihrer Gemeinschaft verstiess, nahm sonder-
barer Weise ohne Zaudern den Heiltrunk aus dieser verachteten
Hand. Manch einer, der am hellen Tage und vor Augen der
Oeffentlichkeit in weitem Bogen die verrufene Erscheinung des
Henkers umgieng, jede Berührung ängstlich mied, zog in der
Verschwiegenheit der Nacht hinaus zum vereinsamten Stöcker-
häuschen, dort Rat zu holen, wenn im Inneren ein Fieber glühte,
oder wenn ein Glied sich geworden. Was ist daran wunderlich,
nachdem man weiss, dass das christliche Mittelalter mit Vorliebe
sich die Heilsäfte durch Vertreter eines Stammes reichen liess,
den es als Brunnenverseucher und Giftmischer im gleichen Atem-
zuge verschrie und blutig verfolgte? Und war nicht jener Stand
zünftiger Dirnen, die ihre Jungfräulichkeit und christliche Zucht
längst dem Begehren der Allgemeinheit daran gegeben, würdig
erachtet einer Reihe köstlicher Tafelstipendien und Privilegien,
die aus der Huld weltlicher und geistlicher hoher Häupter
geflossen?

Auf den Nebenzweig der Medizin und Chirurgie ward der
Henker durch seine Lebensumstände geleitet und angewiesen.
Religiöse Vorurteile wie auch weltliche engherzige Verbote
hatten jahrhundertelang das beste wissenschaftliche Hülfsmittel
die anatomische Beschauung und Zergliederung des menschlichen
Leibes der Berufsmedizin vorenthalten; ihm, dem Scharfrichter

aber lagen diese Geheimnisse offen und frei vor. Ja ihm drückte
die Mitwelt das Seziermesser zur pflichtmässigen Vivisektion am
menschlichen Leibe geradezu in die Hand und trug ihm reichlich
jenes Material anatomischen Studiums herbei, das ein Vesal, ein
Felix Platter u. a. m. in gefahrvoller, mühsamer Weise den
Gräbern und Friedhöfen heimlich entheben mussten. Der Scharfrichter schien wie geboren, Blut fliessen zu sehen, ohne zu beben,
Todesjammer zu hören, ohne zu erzittern. Er wusste, dass er
das Messer sicher zu führen hatte, wollte er nicht selbst diesem
zum Opfer fallen. Das gab sichere Hand und geübtes Auge
und beides kam dem Henker zu statten, wo es galt, auch zu
heilen und zu retten, statt nur zu vernichten. Sodann giengen
nicht alle Amtsverrichtungen des Scharfrichters darauf aus, das
Opfer geradenweges zum Tode zu führen. Die Ceremonie der
Peinlichkeit zog sich oft in der Abfolge eines Martyriums
hin, bei welchem Phasen der Verwundung mit Pausen zur
Heilung abwechselten, so wie heutzutage ab und zu Versuchs-
tiere nach leichterem operativem Eingriffe wieder in Verpflegung
genommen werden, um, wieder vollblutig und vollkräftig ge-
geworden, zu neuem, vielleicht nunmehr todbringendem Blut-
entzug zur Verwendung zu kommen. Zu einem solchen Wechsel-
spiel von Heilung und Verwundung führten die bekannten
Marterwerkzeuge des peinlichen Verhörs, wie: Folter, Daumen-
schneller u. s. f. Nach ähnlich peinlichen Anwendungen fiel
das unglückliche Opfer, so wie es war, als blutender, in Wund-
fieber oder Krämpfen liegender Patient dem Henker zur Besorgung
und Ueberwachung zu. Man möchte gerne annehmen, dass der
Scharfrichter in dergleichen Lagen aus freien Stücken beige-
sprungen wäre, halbzertretenen Geschöpfen den Blutstrom zu
schliessen, das Brandmal zu kühlen. So er dies nicht von sich
aus gethan, haben in vielen Fällen der Geschäftsgang des Gerichts-
hofes und dessen juridisches Interesse ihm hiezu Veranlassung
gegeben: Die Selbstanklage des Opfers war vielleicht noch nicht
in der erwarteten Vollständigkeit, noch nicht zur vollen Befriedigung abgerungen, und doch war der Gemarterte schon
entkräftet eingesunken: wollte in Wiederholung des Verfahrens
völlige Klarheit oder besser das gewünschte Mass unsinniger
Selbstanklagen erreicht werden, so musste das Opfer aufgehoben
und zu einem ferneren Torturgange in Pflege gegeben werden.

Eines Grossteils der Verurteilten warteten zudem blosse
Leibesstrafen, Züchtigungen, die den Tod gar nicht herbei führen

sollten: so das Riemenschneiden, Zungenschlitzen, Handabschlagen, Gliederstümmelung, locale Verbrennung und andere Scheusslichkeiten verwandter Natur. Nach alter Rechtsanschauung war der Gerechtigkeit Genüge geschehen, wenn das Urteil nach Massgabe des Vergehens und Richtspruches vollzogen war. Derjenige, der in Sühnung seiner Schuld die Hand zum Beilschlag hinhielt und nun mit blutendem Armstummel wieder in die menschliche Gesellschaft und deren Rechte zurücktrat, hatte gewiss ein Anrecht darauf, dass die in gewaltsamer Amputation vollzogene Leibesstrafe nicht in ihren Nebenfolgen gar zur Lebensstrafe ausarte, welch letztere in keinem Verhältnis zur Grösse des Vergehens gestanden und nicht im Sinne des Strafurteils gelegen hätte. Aehnliche berechtigte Ansprüche hat auch jener erheben dürfen, der in der peinlichen Voruntersuchung bereits am Leibe und an seiner Gesundheit geschädiget worden und den nachträglich die Gunst eines Gottesurteils oder eines anderen Zufalls von der Anklage reinwusch. Auf solche Fälle mag es Bezug haben, wenn die Stadtrechnungen und Ratsbücher der alten Zeit wiederholt Ausgaben für Anschaffung von Salben und Medikamenten „zuhanden des Nachrichters" verzeichnen. So wissen wir z. B. aus Frankfurt, dass derjenige, dem „die augen ausgebrochen" worden, nach dieser schrecklichen Prozedur der Blendung im Heilig-Geistspitale zur Heilung verblieb, bevor die weitere Strafe, das Verjagen aus der Stadt, in Anwendung kam.[1] Die Seckelmeister- und Staatsrechnungen verschiedener Schweizerstädte wie Bern, Freiburg, Lausanne verzeichnen im 15. und 16. Jahrhundert Ausgabeposten für Medikamente und Salben, die dem Henker oder Nachrichter auf Staatskosten zur Heilung und Pflege Gefolterter oder sonst Verstümmelter verabreicht wurden. So erhielt nach einer Einzeichnung der freiburgische Henker nicht bloss den Auftrag, einem Verurteilten die Augen auszustechen, sondern er empfieng zugleich die nötige Salbe, um die wunden Augenhöhlen zu heilen. Aehnliche Angaben liessen sich ohne Zweifel den meisten deutschen und schweizerischen Stadtarchiven entheben. —

Nichts Aussergewöhnliches war es, dass der Scharfrichter ausserhalb seiner amtlichen Stellung Arzneien verkaufte, und die Chirurgie ausübte. Es bedurfte jedoch dabei einer gewissen

---

[1] Vergl. KRIEGK, Deutsches Bürgertum I, 253.

Vorsicht, denn die zünftigen Wundärzte blickten vielerorts eifer-
süchtig auf seine Heilerfolge. Sein Wohnort ausserhalb der
Stadtmauern war der beste Schutz gegen ähnliche Nachstellungen.
Im Jahre 1443 hatte der Züchtiger von Frankfurt a. M. es
gewagt, mitten in der Stadt eine Verkaufsbude mit Medikamenten
aufzuschlagen und daran das Frankfurter Wappen als Lockschild
auszuhängen. Der Stadtbehörde muss diese Verwendung des
Stadtschildes in Händen eines Unehrlichen als Entweihung erschienen sei, und sie verbot dem Scharfrichter, ihr Wappen
fernerhin auszuhängen; auch durfte er fortan seine Arzneien
nur mehr in seinem Hause, also ausserhalb des städtischen
Weichbildes, feilbieten. (Kriegk I, 230).

Die grosse Menge glaubte in diesem Arznen die edle Absicht des Scharfrichters erkennen zu müssen, sein blutiges Hand-
werk auf diese Weise zu sühnen. Bald auch blieben Gunst
und Ehre hinter dem klingenden Erfolge nicht mehr zurück.
Manch einer, der mit seinen sympathetischen Kuren sich eine
Kundsame und einen guten Ruf als Heilkünstler errungen, warf
das Richtschwert vollends weg und betrieb ausschliesslich die
ärztliche Praxis. So sagt der Chronist auch vom Hamburger
Scharfrichter Malten Matz aus: er, der im Richten wenig Glück
gehabt, „that feine Kuren an Menschen und Vieh und hatte viel
Respekt, selbst beim Volke." Nur so geschah es, dass dessen
Frau daselbst ein ehrenhaftes Begräbnis erhielt und selbst mit
Gepränge unter Absingung geistlicher Lieder bestattet wurde
(Beneke a. a. O.).

Die Beurteilung des medizinischen wie des chirurgischen
Wirkens und Könnens des Scharfrichters, das sich auf die
Heilung von Mensch und Vieh bezog, darf übrigens nicht schlank-
weg mit einem allgemeinen Verdikt oder abfälligen Lächeln sich
zufrieden geben. Die Henker und Scharfrichter arzneten wohl
nicht besser, aber kaum schlechter als der damalige Durch-
schnittsmedicus und als das Gros der marktschreierischen Bader
und Steinschneider jener Zeit. Kein Geringerer als der berühmte
Schweizerarzt Theophrastus Paracelsus (gest. 1541), dieser be-
deutendste fahrende Quacksalber des ausgehenden Mittelalters,
gesteht aus freien Stücken ein, dass er eine Anzahl seiner Geheimmittel „bei Landfahrern, Nachrichtern und Scherern, bei
Gescheiden und Einfältigen" gesammelt. [1] Für das medizinische

[1] Vgl. F. FISCHER, Paracelsus in Basel; in „Beiträge zur vater-
ländischen Geschichte", Basel V (1854), 112.

Ansehen der Henker bei ihren Zeitgenossen ist es gewiss sehr bezeichnend, dass selbst die Behörden wichtige ärztliche Missionen und Geschäfte des Gesundheitsamtes in die Obhut des Nachrichters legten. Der Hamburger Scharfrichter Marx Grave (1612—1621), der im Rufe stand, die von der Folter siech gewordenen rasch und glücklich zu heilen und jeden chirurgischen Fall geschickt zu behandeln, wurde, wie Beneke berichtet, von der Waisenhausverwaltung im Jahre 1618 mit der Kur zweier geisteskranker Mädchen betraut. Der Hamburger Scharfrichter Hennings, ebenfalls „medicinae practicus", war so geschickt, dass der Senat ihm ausdrücklich gestattete, „auch seine Geschicklichkeit punkto artis chirurgiae, von hiesigen Barbieren, Wundärzten und Badern unangefochten, zu exercieren." Die bisanhin noch nicht bekanntgegebene Thatsache, dass eine Behörde selbst die eigenen Kriegsverwundeten dem Nachrichter in ärztliche Pflege gab, beweist zur Genüge, in wie gutem Rufe die Arzneikunst der Henker stand. Im Staatsarchive zu Luzern liegt eine nach mehreren Seiten interessante Wundrechnung, von der Hand des Luzernischen Nachrichters, Meister Baltzer Mengis, aus dem Jahre 1656. Darin führt der Scharfrichter die Kosten für die von ihm behandelten luzernischen Verwundeten aus der ersten Villmergerschlacht auf: „Verzeichnus was ich für patienten geheillet hab im Namen Miner gnädigen Herren ich nimm auch über mich die Artzney, auch für müe und arbeit." Seine Heilerfolge, wie auch die Arten der Verwundung verzeichnet er im einzelnen und gibt unter anderem als behandelte Fälle an: „wägen eines schutzes in die site", „etliche wunden uff dem kopf und ein stich in den arm", „wägen der musgeten jme zersprungen und jme den daumen weggeschlagen", „wägen eines schutzes durch den hals, . . . durch den Schenkel, . . . in den Rugge, hat jm 2 ripi abeinandergeschlagen", „. . hab ich ein kuglen us dem Rachen getan und Artznej darzu gäben zu heillen" u. s. f. Die ganze Rechnung mit ca. 30 behandelten Fällen, von denen nach Mengis Angabe nur einer tötlich verlief, verzeichnet die hohe Summe von 292 gl. und 25 ß. Aus den im einzelnen angefügten Wundtaxen ist ersichtlich, dass der Henker die Amputation eines Fingers, nebst Nachbehandlung mit 20 gld. berechnete; Fleischschüsse durch Waden, Hals u. s. w. sind durchschnittlich mit 17—20 gl. angesetzt. In einem ferneren Wundzeddel macht der Scharfrichter noch einige weitere von ihm behandelte Fälle nebst deren Kosten namhaft, worunter:

„wägen eines schusses durch den Schenkel . . . . . 17 gl. 25 ß"

  „ „ „ „ die site durch u. durch 15 gl. 25 ß"

  „ „ „ „ ein aug . . . . 13 gl."

  „ „ „ „ den kopf . . . . 11 gl."

  „ „ „ „ den Schenkel . . . . . 15 gl."

  „ „ „ „ den fuoss, welchem ich

ufs wenigest 20 Stuckh bein sambt der kuglen

uss dem fuoss gedan hab . . . . 20 gl."

„Gaspar Peterma von Root der ist noch nit heil; von jme biss

dato den 4. April . . . . 25 gl."

Summa der Wund-Kosten dieser zweiten Liste 111 gl. 25 ß.

Für die Verpflegung mit Speis und Trank stellte der Scharfrichter eine eigene Rechnung, welche überschrieben: Es habet
min gnedig Herren mir bevolchen, dieser nachbenannten personen täglich jedem vor 24 ß spiss und thrankh zu gäben."
Diese Verpflegungskosten beliefen sich auf 256 gl. 8 ß. —

Wie den Rechnungen der zur Heilung der Verwundeten
thätigen Feldschärern, so ergieng es auch diesen Forderungen
des Scharfrichters: sie wurden von den Gnädigen zu Luzern
als zu hoch erfunden und durch die „verordneten Medici" auf
ein bescheideneres Mass zurückgeführt. Es schrieb die Hand
des nachprüfenden Beamten zu Ende der Rechnung: Mit Meister
Balz dem Nachrichter ist für sjne Patienten umb alles sowohl
für spys und thrank als für syn artzney überkommen worden,
so Herr Seckelmeister mit brief und gält bezahlen wird . . .
Umb 500 gl.

Auch über die Kantonsgrenzen hinaus erstreckte sich die
Civilthätigkeit des Luzerner Scharfrichters als Wundpfleger.
Dass er auch hier wiederum durch seine hohen Arzneitaxen der
Behörde Gelegenheit zur Vermittlung gab, erweist sich aus
einem Schreiben, das der Landammann von Schwyz unterm
14. April 1595 nach Luzern sandte, sich beschwerend: „hand ir
üch wol zu erinnern, was massen wir üch ettlich malen von
einer presthaftigen Tochter wegen hand zugeschrieben, welche
der Nachrichter geartznet hadt und siner belonung halben, ein
anforderung zimlich gross getan." Die Behörde von Schwyz
war einverstanden, dass die Rechnung bezahlt werden solle,
doch „wer der allein unser beger, ihr (Herren in Luzern) mit ihme
(dem Nachrichter) wollten reden lassen, dass ihr in Ansechung
der tochter armudt und das sy nit allerdings genesen, sich

um ein par kronen welte schlyssen lassen" (d. h. herabsetzen
lassen). —

Aber auch die Behörde durfte sich in ihrer erwähnten
Toleranz gegenüber dem arznenden Scharfrichter nicht zu weit
vorwagen, ohne den Widerspruch und die Unzufriedenheit der
zünftigen Aerzte gewärtigen zu müssen. Um den guten Schein
zu wahren und die staatlich anerkannten Medici gegen solche
Uebergriffe der Scharfrichter und anderer Kurpfuscher zu
schützen, wurde bisweilen ein obrigkeitliches Veto entgegenge-
stellt. Darauf läuft nachfolgende, wahrscheinlich aus der 1. Hälfte
des 17. Jahrhunderts stammende handschriftliche Eintragung
hinaus, die uns auf einem undatierten Blatte des Staatsarchives
Luzern erhalten ist und lautet: „Diewyl auch wir nit ohne beduren
vernemmen muessen, das sich der Nachrichter dess Orts so
unverschambt verhalten und sich vermessen doerfe, inen unsseren
verordneten Statt Physicis ueber jhre churen und bender [Wund-
verbände] ze gon. Und also jnen freventlich ynzegryfen, so ist
nun Unserer ernstlicher will und meinung, das er sich dessen
genzlich muessigen, und jn sin Chur einiche Patienten nit meer
annemmen, noch ueber gesagter Unserer doctoren und Statt-
arzeten bender gehen sollend, es seye dann sach, das sy, unssere
Statt Physici sich derselbigen Patienten allenglichen entschlagen
und hannd von Jnen abzogen habent." —

Auf den Nebenberuf des Henkers als Volksarzt bezieht
sich folgende vom „Schweizerischen Idiotikon" (II 1463) ans
Licht gezogene Stelle, die auf ein Pest-Elixir hinzielt, das in
alter Zeit unter dem Namen „Henkertropfen" bekannt war.
„Diese Tropfen werden feuren, wie der höllische Teufel; sie
hiessen unter des (des Doktors) Grossvater Henkerstopfen und
sind seit 100 Jahren für Menschen und Vieh unter diesem
Namen gebraucht worden. Als aber sein Vater (ein Henker)
ehrlich gemacht wurde, wollten sie die Tropfen auch ehrlich
taufen und gaben ihnen den Namen Himmelstropfen." — Der
Henker und Scharfrichter war aber nicht nur Volks- sondern
auch Vieharzt. Sein Nebengeschäft als Wasenmeister, Schinder
oder Abdecker einerseits, die damalige Vermischung von Menschen-
und Tierheilpflege andererseits, machen diese Doppelstellung zum
voraus begreiflich. Dass nicht zu geringschätzig über die Tier-
arzneikunst der Scharfrichter geurteilt werden dürfe, können
wir aus einem im Jahre 1716 und wiederum 1787 in Freiburg in

der Schweiz gedruckten Werke ersehen, dass den Titel trägt
„Nachrichters nützliches und aufrichtiges Rossarzneybüchlein..."
Der Scharfrichter Johannes Deigendesch bekennt sich als Verfasser; er behandelt darin „die meisten innerlichen Krankheiten
und äussern Zustände der Rosse"; eine Menge mit Fleiss zu-
sammengetragener Arzneimittel, auch „einige Composita selbsten
zu machen, insonderheit der sympathetische Pulver." Im Anhang
folgen „Rindvieh-Arzneyen, so wohl nützlich als nötig." Auch
die Chirurgie kommt in dem 168 Seiten starken Werklein zu
ihrem Rechte. Einleitend entschuldigt der Scharfrichter in Breit-
spurigkeit sein scheinbar überflüssiges Beginnen, der Menge der
schon bestehenden Rosse Arzneibücher ein weiteres beizufügen.
„Es ist ja besser" meint er, „auch dem Nächsten mit etwas zu
dienen, als sein verliehenes Pfund in dem faulen Sack herum
zu tragen, oder gar mit unter die Erden zu nehmen." In einer
Nacherinnerung zum Schlusse des Buches kommt der Scharfrichter wieder auf dieses Bedenken zurück, wie folgt: „Ich will
aber auch nicht unterlassen, die Ursachen zu melden, welche
mich zu diesem Werklein bewogen haben: nämlich, weilen ich
weiss, dass ein mancher Nachrichter von unverständigen und
lasterhaften Leuten viel mehr als andere Leute Verachtung leiden
muss. Es gibt auch manchmal Gottesvergessene Leute, welche,
wann sich durch Verhängnis Gottes eine Strafe oder Seuche
unter dem Vieh befindet, einem ehrlichen Nachrichter die Schuld
und Ursach beymessen. Es ist zwar nicht zu läugnen, dass
nicht unter den Nachrichtern sowohl, als unter andern Leuten,
auch schlimme Leute gefunden werden; aber sage mir: was kann
der Unschuldige für den Schuldigen, sie haben aber auch nichts-
destoweniger ihre Strafen zu gewarten, als wie andere Leute,
wann sie Uebels thun: Wie ich dann selbst habe (anno 1697
den 15. September zu Creuzenach einen Scharfrichter unter dem
kaiserlichen Generalstab) müssen mit dem Schwerdt richten.
wegen seines Verbrechens." Unter frommem Spruche schliesst
der Autor seine Abhandlung, die er den „Neidern zum Trotz" in
die Welt gesetzt. — Die offizielle Stellung, deren sich Scharfrichter als Tierärzte erfreuten, wird in origineller Weise durch
eine Stelle im Protokoll der Luzerner Sanitätskammer vom Jahre
1775 beleuchtet. Aus dem Sitzungsbericht ergiebt sich, dass
beim Ausbruch eines Viehprestens auf der Bernerseite des
Kantons Luzern die Behörden von Bern dem luzernischen Rate

ihre Scharfrichter von Bern und Aarau unter dem Amtstitel
„unsere Viehärzte“ zur Consultation und Visitation in die ver-
seuchte Gegend schickte. Es ist diese Sendung als eine um so
ernstere und offiziellere aufzufassen, als die bernische Ratsbehörde in hohem Grade mitinteressiert sein musste, dass die
Epidemie eingedämmt, der eigene Kanton von der Gefahr der
Ansteckung befreit und die Grenzsperre aufgehoben werde.
Der offizielle Bericht des luzernischen Aufsichtsbeamten, Junker
Meier, an das Sanitätskollegium meldet, der Tierarzt von Bern
habe die Visitation besorgt und wie er. (Meier) aus dessen
Bericht an die Berner Ratsbehörde habe ersehen können, sei
darin Aufhebung der Grenzsperre beantragt. —

Da die Scharfrichter im Einrichten der beim Foltern ge-
brochenen und verrenkten Glieder einige Uebung und Erfolge
hatten und aus Tierfett selbstverfertigte Wundsalben in ihrem
Depot hielten, blieb es nicht aus, dass mälig Leute aus allen
Ständen die Nachrichter zur Beratung in Krankheits- und Wund-
fällen zuzogen und damit zugleich den Ruf des scharfrichterlichen
medizinischen Könnens gewaltig in die Höhe brachten. Niemand
hat die Fälle unglücklichen Arznens gesammelt, die Missgriffe
des Schinders registriert! Nur ab und zu fiel ein vorher vom
Henker lange herumgezogener und unglücklich behandelter
chirurgischer Fall zur Freude der Zunftchirurgen in die Hände
einer medizinischen Fakultät. So wurde im Jahre 1730 der
chirurgischen Abteilung der Universität Leipzig der gebrochene
Arm eines Knaben zugeführt, der vorher vom Scharfrichter behandelt worden war. Derselbe hatte jedoch die Fraktur derart
fest eingeschnürt und in Schienen gezwängt, dass mangels der
Blutzirkulation das Glied brandig wurde, so dass von der Fakultät
der abgestorbene Arm ohne Blutverlust und mit Leichtigkeit
vom Schultergelenk getrennt werden konnte. Solche verunglückte
Kuren wurden natürlich von der Berufsmedizin nach Kräften
verwendet, die ihr verhasste Ausübung der Medizin durch den
Scharfrichter beim Publikum ins richtige Licht zu rücken. Dieses
Beginnen war aber noch verfrüht. v. Siebold erzählt, dass selbst
S. Hochwürden, der Abt, welcher im hohen Alter eine Verhärtung der Parotis hatte, sich dem Abdecker zuwandte, um
sich von ihm kurieren zu lassen. Leute, die sonst in ihrer
Gesundheit, zufolge ihrer Stellung den Henker und Schinder
keines Blickes würdigten, liefen, krank geworden, ihm nach.

Es ist dies auch gar nicht verwunderlich, wenn man weiss, in
welchem Masse zeitweilig selbst die königliche Huld dem Scharfrichter und seiner Heilkunst sich zuneigte. Es musste den
ärztlichen Stand Deutschlands doch höchst peinlich berühren,
als Friedrich, der erste König von Preussen, den Berliner Scharfrichter Coblenz zum Hof- und Leibmedicus ernannte, der allem
Protestieren des medizinischen Kollegiums, allen Vorstellungen
der Wundärzte Berlins beim Könige zu Trotz, in seiner Ehren-
stelle verblieb. Der Eindruck über diese Berufung mag bei den
Aerzten Deutschlands auch dann nicht verbessert worden sein,
als die königliche Rüstkammer in Berlin dem Berliner Publikum
das Richtschwert sehen liess, mit dem des neuen Leib-Hof-
medicus Grossvater 68, dessen Vater 29 und der königliche
Leibarzt selbst über 100 Köpfe abgeschnitten hatten. — Nur
vorübergehend wurde nach dem Tode des Königs den Scharfrichtern alles Kurieren verboten (1725). Dessen Sohn Friedrich
der Grosse gestattete ihnen schon 1744 wieder auf Grund eines
Examens die Behandlung der Brüche, Wunden und Geschwüre.
Als die Gesellschaft der Berliner Wundärzte sich gegen diese
Verfügung erhob, erliess der Monarch eine Verfügung, von der
Georg Fischer mit Recht sagt, dass sie „dem deutschen Chirurgen
die Schamröte ins Gesicht jagen musste" und die unter anderm
folgende Sprache führt: „da aber Se. Königliche Mayestät nicht
indistinctement allen Scharfrichtern, sondern nur denen habilen
solch kurieren erlaubt haben, so lassen Höchstdieselben es auch
dabei fernerhin bewenden, massen das Publikum in nötigen
Fällen Hilfe haben will; wann die Chirurgi so habil seind, als
sie sich in ermeldeten ihrer Vorstellung gerühmet haben, jedermann sich ihnen lieber anvertrauen, als bei einem Scharfrichter
in die Kur gehen wird: wohingegen aber, wenn unter den
Chirurgen Ignoranten seind, das Publikum darunter nicht leiden
kann, sondern jene sich gefallen lassen müssen, dass sich jemand
lieber durch einen Scharfrichter kurieren und helfen lasse, als
ihnen zu gefallen lahm und ein Krüppel bleibe. Und also sollen
sich die Chirurgi nur alle recht geschickt machen und habili-
tieren so werden die Kuren der Scharfrichter von selbsten und
ohne Verbot aufhören." [1]

---

[1] Vergl. G. Fischer, Chirurgie vor 100 Jahren. Historische Studie.
Leipzig 1876. S. 62.

Diese allerhöchste Beweisführung zu Gunsten der scharf-
richterlichen Ausübung der Heilkunst scheint auf einige Zeit die
Opposition dagegen zum Schweigen gebracht zu haben. Während
in Oesterreich durch eine Verfügung vom Jahre 1753 die Be-
handlung innerer und äusserer Krankheiten der Thätigkeit des
Scharfrichters entzogen wurde, durften die Scharfrichter in
Sachsen die Chirurgie noch weiter betreiben und in einzelnen
Teilen Badens erstreckten sich ihre Heilversuche auf das gesamte
Feld der Heilkunde und es dauerte diese Freiheit bis zum
Jahre 1807.[1]) Die Reichsgesetze der Jahre 1731 und besonders
1772 trugen ohne Zweifel das ihrige bei, die alte Tradition
der Scharfrichterfamilien zu durchbrechen. Sie sicherten jenen
Scharfrichterskindern, die das väterliche Gewerbe verliessen,
Ehrlichkeit zu und nahmen so von einem Teil der Henkerfamilie
den jahrhundertalten Fluch der Unehre weg. Hatten schon
vorher vereinzelte Scharfrichtersöhne den Weg zur bürgerlichen
Ehre durch das Studium der zünftigen Arzneikunst gefunden,
so war ein solcher Schritt angesichts der erwähnten Verheissung
noch viel aussichtvoller, noch viel erfolgreicher. Wie zähe aber
in der Schweiz selbst, noch in den ersten Dekaden unseres zu
Ende gehenden Jahrhunderts das Volk an der Heilkunst des
Scharfrichters festhielt, mögen zum Abschlusse unserer Untersuchung folgende zwei Beispiele erweisen.[2]) Das bei den Prozess-
akten über die Ermordung des Luzerner Schultheissen Keller
liegende Tagebuch des Dr. Leodegar Corraggioni verzeichnet
unterm 18. August 1825 einen Passus aus dem Zeugenverhör,
wonach Barbara und Klara Wendel im sogenannten „Gauner-
Prozess" gestehen, „die Landjäger in Luzern haben sie 1819 sehr
oft fleischlich genossen" und sich dann vom Scharfrichter in Zug
ärztlich behandeln lassen (!). — Diese Angabe ist um so glaubwürdiger, als nachträglich in der That mehrere Landjäger wegen
Unsittlichkeit entlassen wurden. — Das andere Beispiel bietet als
kulturhistorisches Kuriosum nicht weniger Interesse. An einer
Landsgemeinde in Altdorf standen sich bei der Wahl des
„Landesphysicus" zwei Bewerber gegenüber, ein studierter Arzt
und der Scharfrichter von Uri. Da für letztern Kandidaten

---

[1]) a. a. O. S. 63.
[2]) Die beiden Mitteilungen verdanke ich der Freundlichkeit des
Herrn Staatsarchivars Dr. von Liebenau.

besonders die zahlreich anwesende Bauernsame eingenommen
war, sah Landammann J. L. Lauener (1829—1831), dass er
nur durch einen Witz dem Arzte zum Siege verhelfen könne.
Er stellte daher die Frage an die Landsgemeinde: Stimmt Ihr
demjenigen, der hindersi und firsi gid? oder dem, der obsi und
nidsi gid? —

Die Zeit und die Kulturentwicklung des 19. Jahrhunderts
haben die Wahrheit des prophetischen Wortes in der königlichen
Ordre des „alten Fritz" dargethan, wo es hiess: es mögen sich
die Chirurgi „nur erst alle recht geschickt machen, und habili-
tieren, dann werden die Kuren der Scharfrichter von selbsten
und ohne Verbot aufhören." Wie der mittelalterliche Henker
und seine Folter vor dem Lichte der Humanität und unseres
Kulturlaufes nicht mehr bestehen mochten, so ist auch für die
Heilkünste des Scharfrichters neben dem Aufschwung der mo-
dernen Chirurgie und Heilkunde kein Platz mehr geblieben.
Die heutzutage vom Staate vorgeschriebenen Prüfungen und
Diplome haben im Laufe der Zeit immer wirksamer die mittelalterliche Kurpfuscherei verscheucht. Es geschah dies zum Wohle
der Menschheit und zum Stolze unseres Jahrhunderts. —

Hauszeichen eines Hufschmieds zu Firminy (Loire).

Volkstümliches aus dem Frei- und Kelleramt.

Von S. Meier, Lehrer, in Jonen.

Geburt und erste Pflege des Kindes.

Nach dem Kinderglauben wird das Neugeborene von der „Heband" (Hebamme) draussen im Walde beim „Kindlistei" geholt, ähnlich wie die Kälbchen von der „Heutili" herunterkommen oder unter dem Heustock hervorkriechen.

Die Geburt ist glücklich vorübergegangen, der „Ofen ist zsämegheit", wie der Volksmund sagt, und die Frau, die eine Zeit lang „i der Hoffnig" war, liegt „chrank" neben dem Neugeborenen. Eine Wöchnerin wird vom Vater den Kindern stets als „krank" dargestellt, zuweilen mit dem Zusatze, „worumm händ-er si bös gmacht", oder „worumm händ-er nid gfolget."

Der Anzug des Sprösslings ist ein leichter, lockerer und bequemer: ein mit zwei Schnürchen zum Binden in der Nackengegend versehenes „Gschöpli" (Jäckchen) aus Baumwollenstoff oder Barchent, eine Nabelbinde aus Flanell oder Baumwollenstoff. Weiterhin als Hülle eine Windel aus Gingang, Barchent, Baumwollstoff oder Leinwand, zuletzt eine „Fäsche" (Wickeltuch) aus Flanell oder Schipper. Als Unterlage dient zunächst ein „Watteblätz" (ca. 45 cm. langes und 35 cm. breites, mit leichtem, meist farbigem Baumwollstoff überzogenes und rautenförmig gestepptes Stück Watte), oder, was jetzt das allgemeinere ist, ein „Blätz" aus Molton, welcher wiederum auf ein Stück Wachstuch zu liegen kommt. Ist der „Watteblätz" oder der „Moltonblätz" nass und steht momentan keine andere Unterlage zur Verfügung, so behilft sich die „praktische" Mutter auch mit Zeitungspapier. So eingewickelt und gebettet liegt das kleine Geschöpfchen neben der Mutter, oder, falls vor seinem Erscheinen schon ein besonderes Bettchen für dasselbe zurechtgestellt worden ist, auf seiner eigenen Lagerstatt. Diese besteht aus einem „Spreuelsack", „Spreuersack", oder, wo es die Mittel erlauben, aus einem Sack voll gerupften Rosshaares, der entweder in ein „Bettstättli", meist aber in eine weisse, ovale „Zeine" gelegt und mit einem Flaumdeckli zugedeckt wird. (Da soeben vom

Spreuersack gesprochen wurde, sei hier gleich eingeschaltet, dass
einem alten Brauche gemäss ein Mädchen, das schwanger ist,
zuweilen dadurch geärgert und an den begangenen Fehltritt erinnert wird, dass „gute Leute" den zu seiner Wohnung führenden
Weg nächtlicherweise mit „Spreueln" bestreuen). · „Hat der
Säugling eine Windel benetzt, so ist es selbstverständlich, dass
sie durch eine frische ersetzt wird", lautet ein Grundsatz, der
eigentlich hier nicht zur Sprache gebracht werden sollte. Da
es aber bei uns neben reinlichen und obigen Grundsatz genau
befolgenden Müttern und Kindswärterinnen auch solche gibt, die
man „Schmutzlumpen", „glichgültigs Pflunggi" „Giltmerglichi"
etc. nennt, so sei auch gesagt, wie diese es machen. Diese verwenden die „verseichte" Windel einfach so lange, bis sie „an
ale vier Zöpfe verseicht ist", d. h. so lange es geht. Aehnlich
verhält es sich mit dem Waschen und Trocknen der Kinderwäsche.
Während nämlich einige ein Wäschestück schon nach bloss ein-
maliger Benetzung der Wäsche unterziehen, hängen andere die
nasse Windel, oder den nassen „Seichblätz" einfach über den
warmen Ofensitz, an die Ofenstangen, über die Holzbeige vor
dem Haus, an den Gartenzaun oder an die Waschleine zum
Trocknen auf, bis schliesslich doch ein Waschen nötig wird. —
Entsteht im Zimmer ein übler Geruch, so wird derselbe durch
„Bräuke" zu vertreiben versucht, d. h. durch Anzünden von sog.
Rauchzäpfchen oder Verbrennen von Aepfelrinden oder Wach-
holderbeeren auf glühenden Kohlen. Ein etwas selteneres Verfahren inbezug auf Reinhaltung ihres „Titi" beobachtete die
Frau eines gewissen Dorfobersten : sie stellte — da es ihr zu
viel Mühe machte, nach jedesmaligem „Bächele" (Pissen) das Kind
„troch z'legge" (trocken zu legen) — die Zeine einfach in ein mit
einem Rande versehenes Blech. Das Uebrige lässt sich denken. —
   Wenn die Säuglinge jetzt so angezogen werden, dass sie
sich auch im Bettchen frei regen können, so herrschte in dieser
Beziehung noch vor kaum 20 Jahren ein merklicher Unterschied.
Dieser Unterschied bestand darin, dass man das Titi während
des ersten Vierteljahres „einband", d. h. dass die Mutter oder
die Wärterin demselben erst ein Gschöpli anzog, nachher es in
eine Windel hüllte und hierauf — Aermchen und Beinchen
schön gestreckt — von den Schultern an mit einer ca. 2½ m.
langen und etwa 8 cm. breiten baumwollenen Binde umwickelte,
wobei nicht unterlassen wurde, das über die Füsschen hinaus-
ragende Ende der Windel zurückzuschlagen „ans Füdeli" hinauf

und mit einzubinden. Ein auf diese Weise eingewickeltes Kind
wurde zuweilen spassweise auch „Birewegge" genannt. Das
Miteinbinden der Aermchen verhindere, dass sich das Kind mit
den Fingernägelchen das Gesicht wund kratze oder gar die
Aeugelein verletze, so meinte man. Noch ist beizufügen, dass
die Köpfchen der Wickelkinder mit einem weissen, gestrickten
oder gehäckelten Käpplein bedeckt wurden und dass man als
Kinderbettchen eine „Wiege" verwendete. War das Wetter zu
einem Aufenthalt im Freien günstig, so wurde das Kind auf
den Armen hinausgetragen, allfällig in einem gewöhnlichen, vom
Vater selber gezimmerten, zweiräderigen und zum Ziehen ein-
gerichteten „Wägeli", das später gelegentlich von den grössern
Geschwistern des Säuglings als „Chüedräckchare" (Karren zum
Sammeln des Kuhkotes) zu dienen hatte, spazieren geführt.
Wie aber seither die Wiege, so ist auch dieses ziemlich primitive
und holperige Lokomotionsmittel in Ungnade gefallen und man
hat dafür das „hofligere" (vornehmere) aber auch kostspieligere
„Scheesli", „Scheesewägeli" eingeführt.

Bezüglich der Nahrung der „Titi" ist zu bemerken, dass
die Frei- und Kellerämterweiber im Allgemeinen die Zeit des
Stillens so weit thunlich abkürzen, die einen, weil das Stillen
„z'vel Arbet" gebe, die andern, weil es ihnen „verläidet",
dritte, weil die Hausgeschäfte oder Arbeiten im Garten und
auf dem Feld sie stark in Anspruch nehmen, vierte, weil sie
sich fast genieren dem Kinde „sälber z'trinke z'geh" (es zu
säugen). Wieder andere unterlassen das Stillen ganz, „wil sie
's nid chönntid", d. h. aus Mangel an eigener Milch. So bekam und bekommt jetzt noch eine grosse Zahl Säuglinge statt
der ihnen von der Natur angewiesenen Nahrung oft schon von
den ersten Tagen an mit Zucker versüsste Kuhmilch zu trinken
und zwar „halb und halb" d. h. zur Hälfte mit Wasser ver-
dünnt. Diese Milch reichte man den Kleinen früher mittelst
eines weissen, irdenen „Mammeli", jetzt aber bedient man sich
allgemein des Saugfläschchens, denn dieses kann dem Kinde in's
Bettchen hineingegeben werden und man hat somit bedeutende
Arbeitersparnis. Im Fall der Not muss oft auch bloss ein Löf-
felchen genügen. Ausschliessliche Milchnahrung wurde indessen
noch vor wenig Jahren für einen Säugling als unzureichend
bezw. zu wenig „gfuerig" (fütternd, nahrhaft) gehalten und man
half daher etwa von der sechsten Woche an zur Abwechslung
mit Gries- oder Mehlbrei oder einem Milchsüppli nach.

Als Beruhigungsmittel für kleine Kinder stand von jeher
in hohem Ansehen der „Nüggel“. Diesen fabrizierten ehemals die
Mütter oder Kinderwärterinnen selber. Sie kauten einfach Brot,
füllten damit ein „linigs Lümpli“ (leinenes Läppchen) banden
dieses mit einem Faden, oder mit einem Schnürchen, im Notfall
auch mit einem Strohhalm zu und der Nüggel war fertig und
wurde dem Kind in den Mund gesteckt. Seit Jahren aber
kommen statt des selbstfabrizierten und inhaltsreichen Nüggels
leere Kautschuklutscher zur Verwendung. Doch müssen auch
diese noch ein geschätzter Artikel sein, denn nicht selten sieht
man zwei-, drei- und vierjährige Kinder herum gehen mit einem
Nüggel im Munde und oft gar noch einem in der Tasche.

Taufe.

Ein wichtiger Akt im Leben des Säuglings ist die Taufe.
Diese wurde von jeher so früh als möglich, oft schon am zweiten
Tage nach der Geburt vorgenommen; denn ein Kind, das ungetauft stirbt, kommt, wie es in Boswyl heisst, an einen Ort,
wo es weder Freud’ noch Leid gibt; oder, es wird in einem
Sack vor den Himmel hinausgehängt (Tägerig). Leute, welche
mit dem Taufenlassen länger als drei Tage warten, kommen
daher auch gewöhnlich stärker ins Gerede und solche, welche
acht und noch mehr Tage vorbeigehen lassen, werden schier als
religions- und glaubenslos verschrieen.

Bei der Taufe sind bekanntlich „Götti“ und „Gotte“
nötig. Da ist es nun hier bräuchlich, dass, insofern noch
Grosseltern am Leben sind, vorab diese „z’Gvatter“ genommen
werden, nachher folgen Onkel und Tanten, Vettern und Basen,
oder die Geschwister des Täuflings selber, vorausgesetzt, dass
sie bereits „komeniziert“ haben, d. h. zum Tische des Herrn
getreten sind. Auch bei Freunden und Bekannten, bei Pfarrern
und Lehrern wird hie und da angepocht. Keine unbedeutende
Rolle spielen beim „z’Gvatterneh“ zuweilen die Vermögensver-
hältnisse der Ausersehenen, besonders wenn die Eltern des
Täuflings der ärmern Klasse angehören, und Mancher ist recht
stolz darauf „en riche Fäger“ zum „Gvatterma“ oder eine, „die
brav Chümi“ (Kümmel = Geld) besitzt, zur „Gvatteri“, bezw.
„Gvatterjumpfere“ (ledige Gevatterin [Boswyl] zu nehmen. Eine
besonders begehrte Persönlichkeit muss der Obermüller Joseph
Füglistaller in Jonen (geb. 1715, gest. nach 1793) gewesen

sein, hatte er doch A° 1789 „Taufgothi und gothe 62.“ Es
kommt ferner vor, dass zu Götti und Gotte heiratsfähige Leute
ausersehen werden, die „enand gern gsehnd“, oder von denen
man glaubt, sie würden eine Zusammenkunft auf diesem Wege
begrüssen. Es ist auch schon erlebt worden, dass Eltern,
welche im Falle waren, für ihr neugebornes Kind Paten zu
suchen, anonyme Brieflein erhielten, des Inhalts, man möchte
den und diese zu Gevatter nehmen. Natürlich war es dabei auf
Leute abgesehen, die später „ein Paar geben“ sollten.

Das „z'Gvatterneh“ geschieht entweder mündlich oder
schriftlich. Im erstern Fall ist es dann gewöhnlich der Vater des
Kindes, dem diese Aufgabe zufällt. Ein Dorfwächter, der den
Ortsvorsteher zum Pathen für sein Kind auserkoren hatte, ent-
ledigte sich seiner Mission wie folgt: „Guet Tag, Gmäindamme;
mer händ die letst Nacht e Bueb übercho und jez möcht i gern
froge, eb-er ä wettid so guet si und de Hagel zumene Christ
mache.“

Wird ausserhalb der Verwandschaft z'Gvatter genommen,
so ist es nicht immer sicher, dass die angefragte Person geneigt
ist, „z'Gvatter z'stoh“, zumal, wenn es sich um ein armes Kind
handelt. Wer aber ein derartiges Gesuch abschlägig bescheidet,
thut dies in der Regel so, dass er dem Gesuchsteller als Ersatz
für den verweigerten Liebesdienst eine Geldgabe im Betrage
von 50 Cts. bis 5 Fr. verabreicht. Damit ist indessen nicht gesagt, dass der Angefragte mit seiner Gabe etwa einmal nicht
an den „Lätzen“ komme. Ein Beispiel wird dies darthun. Kam
da einmal ein armer Kellerämter mit einem derartigen Anliegen
zu einem wohlhabenden Bauern seiner Gemeinde. Dieser aber
sagte kurzweg: „I mag jez ned z'Gvatter stoh, do hest feuf
Franke, suech-der en andere Götti.“ Der Andere aber: „Bhaltid
eue Feufliber, i bi jez wäg e me Götti cho und nid wäge Gäld.“
Sprachs und gieng. — Hatte man früher in Erfahrung gebracht,
dieser oder jene müsse „z'Gvatter stoh“, so nahm man, wenn
die betreffende Person in die Nähe kam, eine Bürste, oder in
Ermanglung einer solchen einen Besen und bürstete sie ein
wenig mit den Worten: „I mues di (I mues de hübsch Götti,
die hübsch Gotte) dänk echli börste.“[1]) Dieses Bürsten kommt
vereinzelt jetzt noch vor.

_____

[1]) Oder: „Se, i wil di e chli abbutze“, oder: „Wer mues i abbutze?“
(Boswyl).

Wenn in Jonen (Kelleramt) ein Lediger, bezw. eine Ledige
zum ersten Male Patenstelle vertreten muss und das betreffende
Kind männlichen, bezw. weiblichen Geschlechts ist, so sagt man
etwa zu ihm, er, bezw. sie, habe „'s Glückhübli (das Glück-
häubchen) uff".

Gehts dann zur Taufe, so geschieht dies fast stets in Begleitung einer oder mehrerer „Schlottergotten"[1]) (Mädchen oder
Erwachsene) und eines oder mehrerer „Schlottergötti", die gewöhnlich noch im Knabenalter stehen (seltener Männer, und in
diesem Falle meist nur, wenn ihre Frau Patenstelle vertreten
muss). Noch ist hier beizufügen, dass vor zwanzig Jahren beispielsweise in Boswyl eine Gotte, wenn sie noch ledig war, bei
Anlass der Taufe einen Kranz in den Haaren trug. Auch mag
erwähnt werden, dass der Täufling von der Hebamme zur Kirche
getragen wird und zwar in einem besondern, ihr eigentümlich
zugehörenden und mit einem weissen, gazeartigen Tuche bedeckten Tragkissen.

Der erste Teil des Taufaktes beginnt unter dem „Fürzeien"
(Porticus) der Kirche, an einigen Orten bei ungünstigem Wetter
auch innerhalb des Hauptportals und besteht in der Einsegnung
des neuen Erdenbürgers. Bevor aber derselbe noch beginnt,
haben manche Hebammen den Gevatterleuten die zum ersten
Male in der betreffenden Kirche als Taufzeugen funktionieren
müssen, noch gar Vieles zu sagen betreffs der Fragen und Antworten, welche mit der Taufe verbunden sind, oder bezüglich
des Gehens, Stehens, Knieens etc., wegen des Tragens des
Kindes, Händeauflegens beim Taufen etc.

Der Einsegnung folgt die Taufe. Schreit während derselben
der Täufling, so sehen das gewisse Leute nicht gern; denn sie
fürchten, er werde nicht glücklich werden oder er werde bald
sterben, „es chöm nid dervo". Ist die Taufe vollzogen, so begeben sich Götti und Gotte mit dem Täufling vom Taufstein
weg zum Hochaltar, wo sie auf der untersten Stufe niederknien
und ein kurzes Gebet (Englischer Gruss oder ein Vaterunser)
verrichten. Ist der Täufling ein Knabe, so wird er bei diesem
Anlasse meistenorts vom Götti auf den Armen getragen, ists
aber ein Mädchen so besorgt dies die Gotte. Während der
Dauer ihres Gebetes haben die übrigen Taufzeugen ihren Platz
in den vordersten Bänken. Vor dem Verlassen der Kirche be-

---

[1]) Begleiterinnen, die die wirklichen Paten sekundierten.

gibt sich in vielen Fällen der Pate in die Sakristei, um dort
Pfarrer, zuweilen auch den Sigrist zum „Taufimohl" einzuladen.
Für seine Mühewalt erhält der Sigrist eine Gabe an Geld, die,
wenn er höflich genug war, den Paten das Knien auf den
Altarstufen durch Hinlegen von Kissen zu erleichtern, noch um
etwas vermehrt wird. Im Allgemeinen aber beträgt die Gabe
50 Cts. und wird vom Paten entweder unter das Kissen, auf
dem er kniete, geschoben (Tägerig, Bremgarten), oder dem Sig-
risten persönlich übergeben.

Die Tauffeierlichkeit findet ihren Abschluss im „Taufimohl", welches bald in einem Wirtshaus, bald im Hause des
Vaters, der durch die Geburt seines Kindes zum „Wirt" geworden, bald in demjenigen des Paten eingenommen wird. Zieht
man das Wirtshaus vor, so ist es der Götti, der die entstehende
Uerte bezahlt. Er erhält dagegen von der Patin ein Geschenk
im Werte von mindestens 5 Franken. Je nach den Vermögensverhältnissen des Taufpaten oder der Eltern des Täuflings ist
das Mahl ein einfaches (Most, oder Wein und Brod, vielleicht
auch ein Bratwürstchen, oder ein Stücklein Fleisch oder Käse),
oder es ist ein reichliches (Suppe, Gemüsse, Braten, Cotelettes,
Geflügel etc. mit Wein, Nachtisch). Fälle, wo ein Götti aus
Geiz weder ein „Taufimohl" noch einen Tauftrunk zahlt oder
gibt, kommen äusserst selten vor.

Mit der Patenschaft ist für Götti und Gotte noch ein
anderer Brauch verbunden, und dieser besteht darin, dass nach
der Taufe der Hebamme zu Handen der Mutter des Täuflings
ein Betrag von 5, 10, 15, 20 bis 50 Franken „i Ibund" gegeben wird; manche händigen diesen Betrag den Eltern direkt
ein oder übergeben, bezw. übersenden ihnen denselben in Form
eines Gutscheins auf eine Sparkasse. Auch die Wöchnerin selber
geht meist nicht leer aus. Die Patin bringt ihr nämlich bald
nach der Taufe verschiedene gute Dinge, wie Wein, Fleisch,
Kaffee etc. Man heisst das „i d'Kindbetti träge". In Boswyl
erhielt vor 40—60 Jahren eine Wöchnerin „i d'Kindbetti" zwei
Pfund Rindfleisch, zwei Mass Weisswein, einen grossen Eierring
oder eine „Eierzüpf", oft auch noch ein Pfund Kaffee. Aermern
Leuten brachte man statt des Eierrings oder der Eierzüpf zuweilen das, was an Mehl, Eiern, Butter für ein derartiges Gebäck
nötig ist. Dieser Brauch hat sich zum Teil jetzt noch erhalten.

Wenn im Vorhergehenden von der Taufe die Rede gewesen
ist, so geziemt es sich auch über die Namen, welche die Kinder

bei jenem Akte erhalten, einige Worte zu sagen. Da ist denn
zu bemerken, dass sich seit den ältesten christlichen Zeiten bis
auf den heutigen Tag im Frei- und Kelleramt (wie übrigens
auch in andern katholischen Landesgegenden) die Sitte erhalten
hat, einem Täufling vorzugsweise den Namen eines Kirchenheiligen
unserer Confession beizulegen. Hiebei wurden ganz besonders
bevorzugt die Namen der Heiligen — vorab des Patrons —,
welchen die eigene Ortskirche oder die frühere Mutterkirche
geweiht war, sehr oft erhielt der Täufling auch den Namen des
regierenden Pabstes oder sonst einer bedeutenden Persönlichkeit.

Ist ein Name einmal gegeben, so pflanzt er sich nicht selten
durch mehrere Generationen, ja sogar Jahrhunderte hindurch
in der gleichen Familie fort; freilich kann es dann aber anderseits auch vorkommen, dass Namen, die ehemals allgemein gebräuchlich waren, mit der Zeit abgehen und durch andere ersetzt werden.

Häufig genügt ein Name allein nicht, es werden zwei, drei
und sogar vier gegeben, je nachdem bei den Eltern die Absicht
obwaltet, neben einem neuen Namen noch denjenigen des Vaters,
des Paten etc. zu vererben. Es scheint auch früher schon Mode
gewesen zu sein — wenn auch nur für kurze Zeit — den Kindern
ungewohnte und fremdartig klingende Namen zu geben. Ein
Beispiel hiezu bietet die Schulchronik von Jonen aus dem Anfang
des gegenwärtigen Jahrhunderts. Sie verzeichnet nämlich folgende
Namen: Johann Jodokus Leodegar; Maria Anna Velicitas;
Jakob Quirin; Bernard Jervasius; Maria Barbara Judith; Anna
Maria Beykard; Franz Hilar Felix; Maria Anna Melchtildis;
Joh. Leod. Getulius; Joh. Leonz Januar; Marin Jos. Gabriel;
Jak. Leonz Stanislaus; Jakob Erasimus; Joh. Prosper; Hiro-
nimus Burk. Gedi. — Seltene, vor a. 1500 im Gebrauche ge-
wesene Namen bringt auch das Jahrzeitenbuch von Oberwyl, z. B.
Hug, Zebus, Berchtold, Elli, Heda, Gerin, Geri, Guta, Luggi,
Richi, Richenza, Beli, Erma, Metzi, Willi, Mechilt (Mechtild),
Adelheid. Was nun aber die gewöhnlichen Personennamen
betrifft, so finden sich im Frei- und Kelleramt vertreten:

a) Männernamen. [1]

Alois. Dialektformen: Alewis T; Aläis B. T; Leiss T; Wisel,
B. J; Wisi B. J; Wiseli J.

[1] T = Tägerig; B = Boswyl; J = Jonen.

Andreas : Andares J 1585; Andrēs B; Rēs T. B.

Anton : Toni B. J. T; Töneli T ; Antoni T ; Anton J.

Augustin : Stini B.

Balthasar : Baltz J 1770; Balz J. B; Balzli J.

Baptist: Badist J 1774; Patist J 1807; Badistli T.

Bartholomäus : Bartli (Auw). — Bartlimē T.

Bernhard : Bernard J 1692 ; bernhardt J 1697 ; bernat J 1774.
       Bernet, Bernetli J. — Bähni J. T.

Burkhard : Burket J. B ; Burketli J.

Blasius : Pläsi T.

Bonaventur : Väntur, Vändur J.

Christoph : Stoffel J 1584.

Dominikus : Tomini J.

Erasmus: Rasi J.

Ferdinand: Ferdi J.

Georg : Jöry J 1774; — Jeri J; Jörgg, Jergg B.

Germanus : Germann T. — Mahni (Arni).

Gottfried : Gottfred J; Fridli J; Fridel B; Fritz B.

Gregor : Gregori (Arni); Goriss T.

Hieronymus : Roni B.

Heinrich : Heni (Oberwyl vor 1500); Heini (Islisberg 1556);
       Heini (J 1585); Heinj (J 1595); Heini T; Heinerich T;
       Heiri J. B; Heirech B. T; Heirechli T.

Jakob: Jacob J 1584; Jakob, Jakobli, Jakobeli, Jokeb, Jokebli
       J ; Jogli J 1585 ; Joglj J 1595 ; Joggli J 1662 ;
       Jogly J 1662; Jogle J 1662; Jegli J 1715; Jogj J
       1762; Joggel B; Joggeli J.

Ignatius : Nazi. (Ob. Lunkhofen, Bünzen).

Johannes : Johannis J 1789 ; Johanes J 1807 ; Johaness J;
       Johann J; Johaniss J 1719; Iehaness T; Haniss B;
       Haness B; Hanessli T; Hans (Bremgarten 1405); Hannes
       J 1585; Hauns J 1585; Hanss J 1594; Hanseli T;
       Hänsel T; hensly J 1427; Hensle (Oberwyl vor 1500);
       Ha-ü-si T ; Häus T ; Häuseli T; Hansel T; Hansi J. B;
       Schang J; Schangeli, Schaugli T.

Joseph : Joseph J 1707; Joseph, Seffi, Joseep, Seepi J.; Seppel
       B; Seepeli J ; Sepp J ; Seppli, Seepel B ; Seppi J.

Jost : Jost J 1697 ; Jöstli J.

Kaspar: Kaspar J 1585; Casper J 1592; Chasper, Chasperli J;
       Chapper J. T; Chäppi (Lunkhofen); Chappi T; Chabel
       B ; Chabeli J.

Karl : Karl, Karlli J.

Leo.

Leodegar : Ludi J 1799 ; Ludigari J ; (Arni ; Lunkhofen). (Das
Kelleramt war Jahrhunderte hindurch dem St. Leode-
garstift in Luzern zehntpflichtig).

Leonz: Leonz J 1662; luntzi J 1724; Leonti J 1724; Leontzi
1748 ; Luntzi J 1767 ; luntzj J 1767 ; Luntzy J 1774 ;
Lunzy J 1774; Lunzi J 1807; Lunzeli J; Lünz T. J. B;
Lünzeli T; Lunz J.

Laurenz: Lorenz (Birri 1645); Lentz J 1662; Lorentz J 1789;
Laurentz J 1807; Loränz T; Länz J.

Leonhard: Lienhard, Lieni, Lienetli T.

Lukas: Lukas J; Lux B. T.

Markus : Marx (Niederwyl).

Martin: Marti J 1789, Marteli T; Märti T; Märtel B.

Matthäus: Mathee, Matheeli T.

Matthias: Mathyss, Mathis J 1585; Mattiss J 1595; Mathys J 1692;
Matis J 1697. — Matisli.

Moritz: Moritz (Berikon 1565); Maritz, Moritz, J.

Meinrad: Mäiròd, Mäirödli, Ödi T. B. — Ödel B.

Melchior: Melchior J 1585; Melcher J 1594; Melcker, mellker,
J. 1595.

Michael: Michel (Berikon 1585); Michell J 1592; Michael J 1742;
Michel J; Micheli T. — michel (Oberwyl vor 1500).

Nikodemus: Nikedee J.

Nikolaus: Klaus J 1592; Klouss J 1595; Claus J 1697; Chlaus J;
Chläusli (Besenbüren). — Claus, clas (Oberwyl vor 1500.)

Oswald: Oesli J 1697 ; Osli J 1791.

Paul: Pauli J. T.

Peter: Peter (Oberwyl vor 1500), J 1584; beter J 1774 ;
Beter J. T; Beterli T.

Rudolf: Rudi J 1585 ; Ruedi J 1662 ; Ruotz J 1697 ; Ruotsch J
1724; Ruetsch. — rudi (Oberwyl vor 1500); ruody
(Mägenwyl 1773).

Sebastian: Baschy J 1697; Paschschi J.

Stephan: Stephan J 1662; Stäffe J.

Theodor: Thedor B. T.

Thomas: Thomen J 1595; Tomme, Tömmeli J.

Ulrich: Volrich (Oberwyl vor 1500); voli dto.; Uli J 1584;
ylj, yli J 1585; Uollrich J 1769; Uly J 1774; Ueli J;
Uerech, Uerechli, Uechi T.

Valentin: Valedin, Väledi (Muri).
Viktor: Vikter J. B. T; Vigel, Vigeli B.
Vinzenz: Vicentz J 1767; fitentz J 1762.
Wendolin: Wändel, Wändeli, Wändi T.
Wolfgang: Wolfgang (Oberwyl vor 1500), J 1585; 1645; 1697;
      wolffgang J 1595; Gängel J; Gängi (Lunkhofen).
Zebedäus: Zebedee, Zäppi T.

Combinationen.

Beat Jakob: Badjogg, Badjoggeli J.
Franz Joseph: Franzsepp, Franzseep J.
Franz Leodegar: Franzludi J.
Heinrich Benedikt: Häinibäne B.
Jakob Leonz: Jokeblunz, Jokeblunzi J; Jokünz T.
Jakob Martin: Jokebmärti T.
Johann Heinrich: Hanshäiri T.
Johann Jakob: Hansjokeb, Hansjoggeli T.
Johann Kaspar: Hans-chasper J.
Johann Leonz: Hanslunz J.
Johann Martin: Hamärtel, Hamärteli T.
Johann Petrus: Hausbeter (Arni)
Johann Ulrich: Hansuerech T.
Joseph Leonz: Sepplunz, Sepplünzi T.
Kaspar Leonz: Chasperlunz J.
Kaspar Laurenz: Chasperlänz J.
Michael Leodegar: Michiludi (Lunkhofen).
Michael Leonz: Michellunzi J.
Petrus Martinus: Betermarti, Bittermarti, Betermärti T.

b) Frauennamen.

Albertine: Albärtine T; Albärti T. J; Bärti, Berti J.
Agnes: nesa (Oberwyl vor 1500); Anees, Aneesli J.
Agathe: Aget, Agetli J. T.
Anna: Anna (Oberwyl vor 1500); Anna J. B; Anneli J; Anni.
Barbara: barbel (Oberwyl vor 1500); Babeli J; Babi T; Baab T;
      Bääb T; Bäbi T. J; Bäbeli T; Babette J; Babettli J;
      Babett J.
Christine: Christi.
Cäcilia: Zille J.
Dorothea: Dorethee T.

Elisabeth: elsbet (Oberwyl vor 1500); els dto.; elli (?) dto.; Else
    dto. —Elise J; Lisebeth J; Lisebethli J; Beth J; Bethli B;
    Betheli J; Lise, Liseli, Eliseli.
Franziska: Franzischge, Franzi, Fränzi J.
Gertrud: Trute (Lunkhofen).
Genoveva: Gäneveve, Veeve, Eev. J.
Helene: Hele (Oberwyl vor 1500); Halee, Helee T.
Ida: Ita (Oberwyl vor 1500); Idde J 1800; Ida J; Idali J.
Johanna: Johane, Hane, Hane, Haneli J.
Josephine: Josephine, Josephi, Seppe J. T; Schosi (Dottikon);
    Joseffe (Lunkhofen); Sophi J; Sofi B.
Karoline: Karlli, Karline, Karlineli J.
Katharina: Katharina, trina (Oberwyl vor 1500); Katri, Katrindli,
    Katrineli J; Kätter T; Kätterli T.
Klara: Klara, Chlòre, Chlörli J.
Laurentine: Läntine, Länti T.
Marie: Maria, Mari, Marili J. T. B.
Margaretha: margret, Gret, greta (Oberwyl vor 1500); Margreth,
    Gret J; Gretli.
Magdalena: Madlee, Leeni, Leene J.
Martine: Marti J.
Rosa: Rosa, Rose, Roseli J; Rösi T; Rosali J; Rosine J; Rösi J.
Salomea: Salemee, Sale T.
Theresia: Theres, Thereşli, Reesi J.
Ursula: Orsele J.
Verena: fren, frene (Oberwyl vor 1500); Vree, Vrene, Vreni,
    Vreneli J.
Veronika: Vronika, Vronekli J; Vroni T.
Waldburge: Waldburgi, Burgi J; Burge T.

Combinationen.

Anna Maria: Anne Marei, Amerei, Meili, Meieli T; Mei J.
Maria Barbara: Maribab B.
Marie Josepha: Mariseppe T.
Marie Verena: Marivree T.

    Eine Eigentümlichkeit gewisser Leute (z. B. von Jonen)
besteht darin, dass auf lautgetreue Aussprache des einmal gegebenen Namens gedrungen wird und Mancher fasst es oft als
ernstliche Beleidigung auf, wenn trotzdem etwa einmal jemand
entweder aus Versehen oder geflissentlich den Namen nach alter

Manier d. h. „puretütsch" ausspricht, und er gibt dem Fehlbaren
sein Missfallen etwa so zu verstehen: „Euse Bueb haisst denn
Leonz und ned Lunzi"; oder: „Roseli! Ä wi wüest! Sägid dem
Chind doch ä Rosa! (Gänd em ä de rächt Name.)" u. s. f. Die
gleichen Leute haben dann aber nichts dawider und sie finden
auch nichts Auffallendes darin, wenn der Personenname lautrein,
der Geschlechtsname dagegen mundartlich ausgesprochen wird,
wie z. B. Leonz Rütima statt Leonz Rüttimann; Bernhard
Füglistaler statt Bernhard Füglistaller; Jakob Huseer statt Jakob
Hausheer u. s. f.

Ein beliebter Brauch der Frei- und Kellerämter war es
von jeher, den betreffenden Personennamen, sobald sein Träger
sich verheiratet hat, zur Bildung bezw. Ergänzung eines Fa-
miliennamens zu verwenden, der dann mit der Zeit ganz
eigentümliche Formen annehmen kann. Muster derartiger Familiennamen sind in mancher unserer Gemeinden zu Dutzenden
vorhanden und es befinden sich darunter solche, die bereits ein
respektables Alter erreicht haben.

Nachstehend eine bezügliche Auslese:

s Ambabe (von Anna Maria Barbara) T, s Badiste (von
Baptist geb. 1742) J, s Badjoggelis (v. Beat Jakob 1750) J,
s Balze, s Balzebänes B, s Bernete (v. Bernhard 1697) J, s Baschis
(v. Sebastian vor 1740) J, s Betermärtis T, s Chabeljohane
(v. Kaspar) B, s Chappers, s Chapperuelis (v. Kaspar, vor 1774) J,
s Chasperlänze, s Chaspertommes (v. Kaspar 1789) J, s Chlause-
ludis, s Chlauselänze (Leodegar 1771, Laurenz vor 1750) J,
s Dietlis (Dietrich) T, s Franzeseepe B, s Gengels, s Gängels
(v. Wolfgang 1697) J, s Gorisse (v. Gregor) T, s Hansuereche,
s Uereche (Hans, Ulrich) T, s Häinibänes, s Häinibänehanse
(v. Heinrich, Benedikt) B, s Joggliburkarte, s Joggligustave B,
s Jokebe (v. Jakob) J, s Jöselhansejoseepe B, s Jose J, s Joste
(v. Jost 1767) J, s Kapelis 1783, s Chabelis (v. Kaspar) J,
s Leisse, s Leissebernetlis (v. Alois) T, s Lünze T, s Luxebeterlis,
s Beterlis (v. Lukas) T, s Märtis T, s Melchers J, s Melcher-
lunzis, s Melcherbenis (v. Melcher 1775) J, s Niggis, s Niggi-
chappers T, s Osliruetsche (v. Oswald 1697), s Ruetsche J,
s Philippe J, s Seepe (v. Joseph 1748) J, s Simehäireche (v.
Simon 1697) J, s Zäppis (v. Zebedäus) T.

(Fortsetzung folgt).

Volkstümliche Notizen

aus dem Manuscript von Klosterkaplan Jakob († 1791)[1]

Mitgeteilt von Ant. Küchler, Pfarrhelfer in Kerns.

Vermischtes.

Proportion einiger bekandten Stätten.
Zwey Zug ein Zürich.
Zwey Zürich ein Basel.
Zwey Basel ein Strassburg.
Zwey Strassburg ein Meyland.
Zwey Meyland ein Paryss.
Zwey Paryss ein Cayro, oder Allcayr.[2]

Dass Einmahl 1 über die Finger, bis auf 100; nemmlich von 25 an.

So vill Finger, also vill mahl einss bis auf Zehne abgehet, haltet mann in ieder Hand und von ieder Zahl auf, die übrige Finger aber nider. Die nidergehaltene seynd Zehner, die aufgehaltene aber werden durch einander multiplicirt. Als zum Exempel, wan ich will wissen, wie vill 8 mahl 9 machen, so geht von 8 bis 10 Zwey ab: halte also an einer Hand 2 Finger auf. Von 9 aber bis 10 geht Eins ab: halte also an der andern Hand 1 Finger in die höche, so bleiben an beyden Händen zusammen nidergehalten 7 Finger, nemmlich an einer 3 und an der anderen 4: dise machen so vill mahl 10, das ist 70. Anbey ist an einer Hand 1 Finger, und an der andern Hand 2 Finger aufgehalten; multiplicire also 1 mahl 2, machet 2. Thue solche zu obigen 70, so gibt ess 72. Also machen

---

[1] Klosterkaplan Franz Nikolaus Jacob AA. LL. et Phil. Mag. wurde im Wallis geboren den 2. April 1719 und starb zu Sarnen den 14. Mai 1791. Klosterkaplan zu Sarnen wurde er 1749. Sein Vater war Arzt. Siehe meine Chronik von Sarnen S. 62.

[2] Seit der Mitte des vorigen Jahrhunderts dürfte sich das Verhältnis dieser Städte bedeutend geändert haben.

8 mahl 9 = 72. Es ist zu bemerken, dass, wenn nur an einer Hand Finger erhoben sind, dieselben nicht addirt werden dürfen und dass man auf der einen Seite weder eine Zahl unter 5, noch über 10 nehmen darf.

Zu was Stunden die Wächter allhier (Sarnen) am Abend und am Morgen rufen.

Von S. Martini bis zu S. Mathiae Tag um 8 Uhr Feür und Licht,
„ 4 „ den gut Tag.
„ S. Mathiae „ „ S. Georgii Tag „ 9 „ Feür und Licht,
„ 3 „ den gut Tag.
„ S. Georgii „ „ S. Michaelis „ 10 „ Feür und Licht,
„ 2 „ den gut Tag.
„ S. Michaelis „ „ S. Martini „ 9 „ Feür und Licht,
„ 3 „ den gut Tag.

* * *

Das Miess, (Moos) welches der Zimmermann in Aufbauung eines Holtz-Hausess zwischen die Zimmer-Höltzer hinein legt, soll nicht im auf- sondern abgehendem Mond gesammblet werden. Ist absonderlich wegen dem Ungeziefer.

* * *

Grüenes Holtz zu der Zimmer-Mann-Arbeit lasset sich endtlich schon gebrauchen an Orth, wo der Luft hinzukommet, als wie zu denen Stiegen und Tach-Stuhl etc., wo aber der Luft nit anstreichen kann, zum Exempel bey denen Böden, welche ob und undtenhär verdeckt, da wird dass grüene Holtz in wenig Jahren versticken und verfaulen. Ja so gar das vorhin ausgedörrte Holtz leydet in solchen Orthen nit wenig Gefahr; desswegen die alte Bauw-Meister villfältig gepflegt haben, an denen Stein-Häuseren bey ieder Contignation (so viel Sie nötig befunden) kleine Luft-Löcher durch die Mauren hineinzumachen, damit die Balcken Luft haben. Solche löcher dienen zwischen allen Balcken, und werden so klein gemacht, das man selbe auswändig des Gebäuws nur kaum in Obacht nemmet, absonderlich, wann in derselben Gegend auf weis der Quader Arbeit ein Krantz gemahlt wird.

* * *

Der gute Wein muss Catholisch seyn, Luterisch und ein Jud; das ist: Ungemischt, lauter, und ohne Wasser oder ungetauft.

Kösten, welche ein geistliche Braut bey Ankleidung einer Novitzin in allhiesigem Closter haben muss.

Vorläufig oder etliche Täg vor der Ankleidung etwan ein 20 Bätzler.

An dem Tag der Einkleidung bey dem ersten Opfer legt mann in die Schüsslen etwan ein 10 schillinger mehr oder minder.

Bey dem anderen Opfer auch so vill, oder etwas minder.

Die Gaab der angehenden Novitzin in die Hand wenigist ein 20 Bätzler.

Mit der Mahl-Zeit hat Sie nichts zu thun, wann Sie nit gern will.

*   *

Gesundheitss Trunck undter etlichen guten Freünden, da einer das nasse Gewehr präsentiert und vorspricht:

Vivat Amicitia Sprechen die andern nach.
Quae amat in Praesentia
Defendit in Absentia
Succurrit in Egentia.

*   *

Etter, Etty, Muomen seynd Walliser Wörther. Etter heisst Vatters- oder Mutters Bruder. Die gemeyne Leuth sollen ein Undterschied machen und der Mutter Bruder Etty nennen. Muomen ist Gross-Vatters oder Gross-Mutter Schwester.

Pflanzregeln.

Böllen soll man säen, da der Mond klein und ist besser nach als vor dem Neu-Mond.

Kabis Samen-Stauden soll man setzen bey dem Neü-Mond, absonderlich im Zeichen Wider im Monat Aprill oder auch gegen Ausgang dess Monats Mertzen.

Samen-Rueben, (welche Samen tragen sollen), kann mann einsetzen bey ausgehendem Mertzen oder anfangendem Aprill etwan den dritten Tag nach dem Neu-Mond, im Zeichen Stier.

Krautt Samen kam mann aussäen im Monat Aprill den zehnten Tag nach dem Neu-Mond in dem Zeichen Leüw.

Krautt-Wurtzlen, welche im vorderen Jahr angesäet worden, und über Winther gestanden, kann mann Versetzen im Monat Aprill den Zehenden Tag nach dem Neü-Mond, in dem Zeichen Leüw, wann grad disess Zeichen; sonst wird noch weder

an der Zahl der Tägen noch an dem Zeichen nicht viel gelegen seyn.

Peterli-Samen, wie auch Prockeli-Samen säet mann
auss zur Zeit, zu welcher die Samen-Rueben versetzt werden.

Spinat-Samen säet mann gern im Zeichen Zweyling
nach dem Neu-Mond.

Schalotten (ein Gattung Böllen) kann mann setzen im Monat
Aprill den 14ten Tag nach dem Neü-Mond, in dem Zeichen Waag.

Erbis oder Erbsen soll mann stecken gegen Ausgang
Mertzenss oder Anfang Aprillenss nächster Tägen nach dem
Neü-Mond, treffe ess, wass vor ein Zeichen es wolle.

Mein Magt hat A. 1758 erst den 10ten Tag nach dem
Neü-Mond Erbsen gesteckt, in dem Zeichen Jung Frau, und
nachgehends den 14ten Tag nach demselben Neü-Mond, in dem
Zeichen Waag. Ist alless wohl gerahten.

Hanf kann mann säen gegen Ausgang Mertzenss oder
Anfang Aprillss nach dem Neü-Mond, welcher um selbe Zeit
sich ereygnet, etwann den dritten Tag nach selbem.

Sonst sieht mann auch auf dass Zeichen des Stierss, des
Zweylings, und der Jung Frauen.

Das Zeichen Leüw will nit gut befunden werden, aus
Meinung, der Hanf werde mit Laub behengt biss auf den Boden
hinab.

Spinet oder Spinadel oder endtlich Spinetsch ein gewisse Gattung dess Krauttss wird angeseet im Frühling und
zwahr so bald der Schnee verschwunden, und wann nachgehends
gleichwohl ein frischer Schnee auf dass angeseete Bett fallet,
wird Ihme selbiger nit vill schaden.

Wind Erbs oder Spanner Kifel soll man im Frühling
nit zu frühe stecken; dann Sie mögen die Reüfen und Kälten
nit wohl erleyden.

Die Herbst-Rosen-Stauden, welche sollen bis weith im
Herbst hinein Rosen tragen, werden geschnitten Mense Aprili im
Voll Mond. Die Knöpf aber soll mann im Meyen eben auch in
Plenilunio ausbrechen oder abschneiden.

Nägeli-Stauden soll mann ausbrechen im Voll-Mond.

Rosmarin Keidel (dass ist, dass äusserste daran) soll
mann 3 oder 4 Tag vor dem Vollmond ausbrechen, so werden
selbige Keidel vill dickher oder laubreicher werden.

Erbsen, so mann stecken will, sollen nicht an dem Offen,
sondern an der Sonnen getörrt werden.

3

Wetterglaube.

Einige Vorzeichen dess Regen-Wetterss.

§ 1. Von denen Thieren.

Die Haneu und Hännen, wann Sie bey anfangendem Regen nicht unter das Tach fliechen, sonder immerdar auf der Weithe bleiben, ist ess ein Zeichen, dass dass Regenwätter länger anhalten wolle.

Wann diese Thierer sich nit gern in ihren Stall Treiben lassen, Zeigen Sie hiedurch vor, dass das langwierige Regen-Wetter im Thun seye.

Die Schwalben oder Schwalmen, wann Sie dem Boden nach flüegen, ist es ein Zeichen dess Regen-Wetterss.

Andere Vögel, wann Sie auch Sommers-Zeit vor die Fenster kommen, absonderlich in dem Flug au denen Fenstern anstossen, ist es eben auch ein Vor-Zeig des Regen-Wetters.

Dessgleichen auch die Flüegen, wann Sie den Menschen beissen und stechen.

Ja so gar die Flöhe erzeigen sich bey solcher Beschaffenheit des Lufts mit beissen und stechen vill handtlicher, desswegen nit nur der Mensch, sonder alle Thier zu solcher Zeit disen Thierlenen mehrers zu wehren haben.

Die Ursach dessen allen mag hauptsechlich seyn; weilen der luft bey reguerischer Witterung ausgezogen und dannethin leerer und leichter ist: bey welcher Beschaffenheit alle Thier mehr als andermahlen hungerig: geht also jedes Thierlein seiner Nahrung nach, als die Muckheu dem Gras und anderem Gewächss, denen Mucken die Hanen und Hüner, die Fliegen und Flöhe nach dem Fleisch etc.

§ 2. Von den Neblen.

Von dem Herbst einschlüesslich bis in dass Fruhe-Jahr eben auch einschliesslich achtet man sich deren Neblen wenig; dann diser halbe Theil des Jahrss natürlich und auch nutzlich die Nebel haben will. In dem Sommer aber, da sich sonderbar denen rinnenden Wässern nach ein Nebel sehen lasst, es seye morgends fruhe vor Sonnen-Aufgang oder Abends spaht nach Sonnen-Nidergang, so wird noch selben Tag, oder Tags hernach ein Regen, wo nicht gar ein Donner- oder Hagel-Wetter zu er-

wahrten seyn; alles wozu der Nebel die Materi gibet. Kommt
ein Regen, so wird es mit demselben Regen nicht ausgemacht
seyn. Mann kann und soll dissfahlss noch auf andere mitlaufende
Zeichen sehen, aus welchen Zusammenhaft eine Vernünftige
Muthmassung zu schlüessen. Kommet dann die Sonne darüber
und schmöltzet den Nebel, vor selbiger in die Lüfte aufsteigen
kann, hat dieser Nebel, so viel nit zu bedeüten. Mag aber derselbe aufsteigen, ist der Regen wie gewiss, absonderlich, wann
es undterneblet, das ist, wann noch ein Nebel auffsteiget der
nit gar bis zum oberen hinaufmag.

Weiters ist ein Undterschied zu machen zwischen denen
Schön-weiss und heüteren Neblen, welche sich rings herum
beyläüffig in halber Höche der Bergen vest setzen und zwischen
denen dicke und Äschefärbigen; dann bey Gelegenheit der ersteren
pflegt man hier zusagen, das Land habe ein Krantz und besteht mit selben das schöne Wetter gar gut, wird auch oft
solches schöne Wetter ein Nebel-Schohn genänndt. Nicht solche
Beschaffenheit hat es mit denen letzteren, nemmlich mit den
finstern und grauen Neblen etc.

§ 3. Von den Schohn-Wülcklenen.

Was oben von dem Nebel-Krantz gemeldt worden, lasset
sich auch einigermassen auff die so genannte Schohn-Wülcklein
ziechen: auch diese sieht mann gar gern auff oder ober den
Güpflen der Bergen (absonderlich deren höchsten) sich vestsetzen.
Als bald dise wülcklein ihre Posten verlassen und in die weithen
des Himmels sich auflassen, steht es mit dem Schohn schon nit
mehr gut; dann es ein Zeichen, das die Winde schon in dem luft.

§ 4. Von dem Rauch.

Nebst demme, das der Rauch zum richtigisten anzeiget,
was vor ein Wind streiche, ob der Schohn- oder Wetterwind etc.
so zeigt er auch die Schwere und Leichte dess luftss, aber wie
das Queck-Silber in dem Barometer-Glass. Verstehe hier aber
sonderheitlich den Rauch, welcher zu denen Caminen ausfahret.
Wan also dieser gerad gleich einer Saulen in die Höche steigt,
ist gut Wetter im Land. Thut er sich aber gleich ober dem
Camin aus breitheren, ist der Regen wie gewiss, dessen noch
ein gewisseress Zeichen, wann der Rauch gleichsam über das
Haus-Tach hinab trohlet. So ist auch ein Zeichen der reg-

nerischen Witterung, wann selbiger Rauch im Hauss herum-
streichet und ehnder in die Zimmer sich eindringet, als das er
sein gewohnten Weeg zum Haus hinaus nemmen wurde.

Die Ursach ist wie bey dem Barometro, die Leichte des
Luftss, welcher bey regnerischer ausgesoggen und leer, folgsam
leichter und unfäbiger den Rauch in die Höche zu erhöben.

§ 5. Von denen Winden.

Hiervon wäre ein Vieless zu reden und zu schreiben,
Allein was mir nit genugsamm bekant, lass ich unberührt, und
will lieber die Schiffleuthe und andere der Winden erfahrne
von der Sach reden lassen, als das ich selbst rede. Dis weis
ich überhauptss, das der Sud-West-Wind insgemeyn Regen, hingegen der Nord-Ost-Wind gutt Wetter bringe. Der Sud-West-
Wind ist, welcher Zwischen Mittag und Nidergang der Sonnen
heraus wehet, wird hierlandss Ven [Föhn] genändt. Der Nord-
Ost-Wind hingegen kombt zwischen Mitternacht und Aufgang
der Sonne und wird in hiesigem Ort die Äckerle-Biss benambset.

§ 6. Von einigen Haus-Zeichen.

Dass Weiber-Volck hat ein Zeichen dess baldigen Regenss
an dem Ruess der Pfannen, wann nemlich dieser Ruess entzündet, und auch feürig bleibet, nachdem die Pfannen ein Zeit
lang von dem Feür hinweg: da sagen Sie dann das Regen-
Wetter vor, und zwahr mit zimmlich gewissem Erfolg.

Item wann an dem Wasser-Kessel der Rauft obenhär mit
einem gelben Rost anlauffet.

Wann die Kühe schon am Morgen ab der Allmend in das
Dorff kommen, oder zu denen Häuseren, wird es am Abend
regnen. Sage: die Kühe, nit nur eine oder die andere, welche
villeicht ihr Heimat suchet etc. Die Ursach mag eben das Ge-
flug seyn.

Wann die Haus-Röthelein anstatt ihress Gesangss nur
quetschgen, als wann Sie das Schnäbelein auf ein ander reibeten,
ist disess ein Zeichen, das ess innerthalb 3 Tagen eintwederss
regnen oder gar schneien werde.

(S. 184 schreibt Klosterkaplan Jacob:)

Von Vor-Bedeütungen des Regen-Wetterss ist oben Fol.
125 schon Vieless, doch nur überhauptss, gemeldet worden.
Folgen noch einige Vor-Zeichen, welche sonderheitlich
hier zu Sarnen in Obacht Zu nemmen.

1. Wann am Morgen gegen Gisswyl hinauf ein Nebel gesehen wird, kann mann zimmlich gewiss ein Regen auf den Abend vorsagen, absonderlich wann diser Nebel sich also vertheilt, alss wann gleichsam Nebel-Schiffer im Luft herumstreiften.

2. Gibet mann Acht, ob an dem Berg Giswyler-Stock genandt, ein Nebel sich sehen lasse und wie hoch selbiger hinauff Steige. Mag er nicht weiter, als an halben Berg hinauf, ist dass schöne Wetter ferne: erhöbt er sich aber über den Berg hinauf, hoffet man gut Wetter.

3. Betrachtet mann die Felsen an dem Kernser-Berg ober S. Nikolauss bis gegen dem Gross-Äckerli hinüber, wie selbe am Abend nach Sonnen-Nidergang darein sehen. Bey regnerischer Witterung werden sie gantz bleich und Todt-färbig aussehen; hingegen wann das Wetter schöhn werden will, ein wenig rothlecht erscheinen. Sage: rothlecht, das ist nicht feürig, sonder purpur-roht.

4. Wann die Melchen oder auch das Aa-Wasser dämpfet, das ist, wann kleine Nebelein darauss steigen und herumstreifen, steht es mit dem Wetter nicht gut, absonderlich wann dise Nebelein ein üblen Geruch von sich geben.

5. So lang die Melchen trüeb lauffet, ist der Schon noch nit im land: wohl aber wann selbe schön häll dahär flüesset, also, dass man die Stein am Boden sehen kann.

Bauren-Regel wegen dem Jech[1]) oder Geiäch.

Wann nach liecht-Mess im Fruhe-Jahr ein Nebel ligt und ein Geiäch hinderlasset, so wird 12 Wochen darnach ein Schnee kommen, so weit hinab, als das Geiäch gewessen. Das Geiäch aber, wanns obige Bedeüthung haben soll, muss biss in die höchste Wälder hinauf langen. Mann gibt meistens im Mertzen darauf Achtung.

Bauren-Regel wegen dem Gugger[2]).

Der Gugger soll den 10. Aprill anfangen zu guggen und an S. Joannis Baptistä Tag aufhören.

Bauren-Regel.

Die Schnee-Lauwen, welche im Hornung herab reithen, reithen im Aprill wider hinauf.

---

[1]) Rauhreif. S. Schweiz. Id III 5
[2]) Kukuk.

(S. 94 schreibt Jacob:)

Zeichen zum guthen oder ungestümmen Wetter.

Nocte rubens Coelum cras indicat esse serenum. Mane
rubente Polo Sol dicit; surgere nolo.

das ist:

Wann es abendss am Himmel schön roth ausichet, ist es
ein Zeichen, das nachgehender Tags schön Wetter seyn wolle.

Wann hingegen am Morgen vor Sonnen-Aufgang der
Himmel roth ausihet, ist es ein Zeichen, das selbigen Tags noch
regnen werde daher im teütschen ein anderes Sprichwort: Morgen
roth, Abend tott.

Pallida Luna pluit, rubicunda flat, alba serenat.

das ist:

Scheint der Mond bleich, ist es zum regnen; scheint Er
roth, zu windigem Wetter: scheint Er aber schön weiss, ist es
zum heithern Wetter ein Zeichen.

Von dem Nebel wird gesagt: vor Weyhnacht Brod, nach
Weyhnacht Tod.

Ein Schohn oder schön Wetter, welches von dem Ven
oder Mittag-wind beygebracht wird, kann etwan 2 bis 3 Täg
anhalten.

Wann es neuwet bey heüterem Himmel, das ist, wann
es häll und klahr, da der Neü-Mond sich einlasset, wird das
schöne Wetter gemeyniglich über 3 Täg nit anhalten.

Wann die Muheimen[1]) mit ihrem Gesang oder surren
die Nacht hindurch sich lustig machen, ist ein Zeichen, dass
ein schöner Tag erfolgen werde.

Byss ist ein hiesiges Landt-Wort und heisst also der
Wind, welcher von Ost Item auch der so von Nord härkommet.
Den ersteren nennet mann in hiesiger Gegend die Ackherli-
Byss, den anderen die Ar-Byss. Der erstere wehet zwar oft
im Jahr, doch sonderheitlich einmahl im Fruhe-Jahr durch etliche
Täg, und bringt grosse Kälte, wird benamset die grosse Byss.
Solang dise Byss nit kommet, ist kein Sommer zu hoffen, wie
deren Alten Sprich-wohrt, und gewisse Lehr, die von der Er-
fahrnuss bestehtet wird.

---

[1]) Heimchen.

Eine Umfrage von E. Hoffmann-Krayer.

Das „Matten-Englisch" ist ein noch heute in der Stadt Bern gebräuchlicher Schüler-Jargon, so benannt von dem s. Z. verrufensten Quartiere Berns, der „Matte", die südlich und südöstlich von der Stadt zwischen Berg und Aare eingebettet liegt. Ursprünglich wohl ausschliesslich von der dort wohnenden niedrigen Bevölkerung gesprochen, hat sich das Matten-Englisch auch der dortigen Schuljugend mitgeteilt und ist von da überhaupt teilweise in die Schuljugend Berns eingedrungen.

Die Bezeichnung „Englisch" ist bis jetzt noch nicht genügend aufgeklärt. Einer unserer Kontribuenten, Herr Dr. Ris, sagt hierüber: „Matten-Englisch heisst die Sprache in der übrigen Stadt (Nicht auch in der Matte selbst? Red.), vielleicht ironisch, weil Englisch in Bern heute noch als etwas Feines, Fashionables gilt. Näherliegend freilich scheint mir zur Erklärung ein topographisches Détail zu sein: der engste, schmutzigste und finsterste Teil des ganzen Quartiers, zwischen der alten und der neuen Nydeggbrücke eingezwängt, heisst nämlich die Mattenenge, kurzweg *Ängi*. Dort sitzt auch der eigentliche Herd der Sprache, das bernische Haymarket. Der Name hiess daher wol ursprünglich Matten-Engisch." Wir wollen einstweilen auf die Etymologie nicht weiter eingehen, sondern nur noch zu bedenken geben, dass nach einem andern Einsender, Herrn Pfister, für ‚ja' neben *iŭ* auch *yes* gebraucht wird, woher die Bezeichnung „Englisch" unter Umständen stammen könnte.

Wir bringen nun im Folgenden vorderhand nur reines Material, wie es uns von den verschiedenen Einsendern zugestellt worden ist, indem wir uns möglichst an ihre Orthographie halten.

Etymologische Erörterungen können selbstverständlich erst nach Abschluss unserer Sammlungen angestellt werden.

Beiträge, Ergänzungen, Verbesserungen, Aussprachebezeichnungen und Aehnliches sind in jeder Form und selbst in kleinstem Umfange willkommen.

Dr. E. Hoffmann-Krayer (Zürich V).

Mitteilungen von Herrn stud. Pfister.

(Durch gütige Vermittlung unsres Mitgliedes, Herrn Dr. phil. A. Gansser.)

jem,
jes, } ja.
ĭ'ŭ [1])

nobiskwant, nein.
hăch, Mann.
mŏss, Frau.
gĭ'ŭ, Jüngling.
mōdi, Mädchen.
tŭnze, geben, reichen.
ĭgŭ, Stück.
lĕm, Brot.
länte, werfen.
chĕmp, Stein.
kōldampf, Hunger.
tschĕbäng, Schanze.

gĕ'mele, Peitsche.
fŭnĭ (neutr.) Zündholz.
ā'fŭnele, anzünden.
verchüble auslachen.
schlö'ffere, schlittschuhlaufen.
gschpĭ'ppe,
gschpa'ppe, } schauen, gucken.
pŭmmer, Apfel.
hĭ'genz = hach.
gŭt (masc.), Messer.
täli (neutr.), Franken Geld-)
  stück).
wänter (masc.), Zwanzigfran-
  kenstück.
fōtsch, Kopf.

2.

Mitteilungen von Herrn Dr. med. Ris in Thun.

Zwei Tage aus „Matte-Ggiels" Lebenslauf.

Hüt am Morge het i der Tschiegg e Ggiel, wo i der Schiffere wohnt, vom Leist Wanz uf e Ranze erwütscht. Är isch drum i d'Schossere g'si ga pammerle geschter. Da isch ihm der Burehach nachetechlet, aber der Fisel isch ferm g'haset. Z'letscht isch em Bur sy Ggiel ihm no nacheg'satzet u het g'sponifet, wohi är gang. Aber der Fisel, wo d'Wammerli zopft het g'ha, isch drum du no nid heitrabet, är isch zersch a d'Grächtere no zu-mene Mooseli e Lygel Lehm ga lé-ute. Nachhär isch er ersch gäge hei zue. Ungerwägs g'seht er i der Aengi es par Fisle stah u seit zue ne: Uu, die het mer e ferme Styg Turbe la lige: zu däm Mösli gan i no meh ga pjute". Aber d'Fisle hei

---

nüt welle ghöre: si hei d'Tööpen i de Hose g'ha u d'Laferen obsig g'chert: „Guen, wie dä Hach dert obe die Moos abgoofet“, säge sie zue-n-ihm. „Daisch mer eithue“ seit der Ggiel, i mues etzt hei ga buute, süsch git's Buugang“. Daheim het ne du der Hach, wo's het vernoh g'ha wäge de Pamere, afe zerscht i d'Chlöbe g'noh un ihm uf e Chibis un uf d'Tööpe 'tunzt. Und sy Moos het g'seit: „hätt är di nit abg'wydet su thät i di abflachse; ab de Schine jetz, i ds Tälige ga spruusse!“ — „Nobis“, seit da der Ggiel, „scho wieder ga sprööcke? i ma [mag] ja d's Huttli [Rückenkorb] schier nit fuge!“ — „Su nimm ds Kätteli“, seit d'Moos, u jetz uufg'hört mule, süsch git's eis i d'Laffette.“ — Du het er die é-uteri Chluft ag'leit, der Gupf uf e Tüssel 'tha un isch dervo d'dähnet. Zersch isch er no nes par Muuggi ga grume, het dem Fidel pfiffe un es Funi g'noh, dermit d'Zünggen a'zündet für ds näble u het's la strässe.

Doben uf der Brügg bigägnet ihm e Tätel uf eme Gglepper un är het d'dänkt: „Dä het es toofs Galuberli“. Nam Spröke gägen Abe isch er a Bode g'hocket u het d'Schinke vo sech g'streckt, du ds Guuti füre gnoh u die zopfte Pumere grüschtet u se g'chipft. Bim Heigah het er si dermit verthörlet, Chempen über d'Aare z'ländte, bis nen e Hygends ich cho furt buusse. Aber är het glych no nid hei möge: „han i jetz eso fermi Büetz g'ha, han i es Schüümli verdienet un i ga jetz by där Punt zueche, wo allbez der Schuelhach mit is geit gan es Tonneli ha, we mer Spazere hei.“ Dert isch är es Schüümli ga schweche fer füfzäche Stimme. Wo-n-er du über die alti Brügg chunt, g'seht er es par Fisle, wo g'rädelet hei; dene het er gschwind e Glesel un en angere Griedel pföönet u du g'fragt: „Ggiele, wei mer e chlei Verdunzlis mänge?“ Si hei g'seit: „i-el“. Einisch, won-er si isch ga verbuusse, isch er überflogen u het der Zingge verschosse: derfür hei me du die angeren uusg'mängt. Das het ne taube g'macht, er het g'seit: „Was bruuchet dir d'Lüt z'vermänge?“ un isch d'rvo g'gange. Aber die hei-n-ihm geng no nacheg'guglet, so lang si ne g'seh hei. Er het no d'Tädtle ghöre püffe u het dänkt: „Wenn i einisch es par Täli hn, gumpen i mer o ne flotti Büchse“. Du isch er hei ga z'Nacht buute, het d'Ladli abzogen un isch ga pfuuse.

Am angere Tag het er d'Tschaagg g'schwanet, isch d'Städteren uuf uf die grossi Tschäbere un isch ga d'Isere blände. Uf der chlyne Tschybäng het er no mit es par Ggiele Chrach g'ha.

Fer das alles het ihm der Leist wieder Wams 'tunzt, u we's
scho der Ggiel tüecht het, es syg nobis tof, su isch's doch de
beschte gsi für ihm d'Fugen uus z'trybe.

Wörterverzeichnis.

A.

abflachse ⎫
abwyde ⎭ prügeln.

B, P.

Pamer, Pumer, Wammerli,
   Apfel.
pamerle, wammerle, Aepfel
   stehlen.
pfööne, stehlen.
pfuuse, schlafen.
pjute, betteln.
blände s. *länte.*
bryme s. *wanze.*
Büetz, Arbeit.
püffe, schiessen.
Buugang, Schelte, Tadel.
Pumer s. *Pamer.*
Punt, Pinte, Wirtschaft.
huusse s. *ver-b., furt-b.*
huute, essen.

Ch s. K.

D, T.

Täli, Franken (die Münze.)
Dälige, Dählhölzli (ein Wald
   bei Bern).
Talpe s. *Tööpe.*
dääne, gehen, schleichen.
Tätel, Soldat.
téchle, déchle, rennen, laufen.
toof, schön, nett.
Toneli, Fässchen Bier.
Tööpe, Talpe, Hände.

trabe, laufen.
Draat s. *Chis.*
Tschäbere, Schanze.
Tschaagg, Tschiegg, Schule.
Tschĭbäng, Stibäng, Schanze,
   Stadt; vgl. auch *Tschäbere.*
Tschiegg s. *Tschaagg.*
tunze, dunze, geben; s. auch
   ver-d.
das tunzt, das ergiebt.
Turbe s. *Lehm.*
Düssel, Kopf.

F.

ferm, stark, gross (Adj.), sehr
   (Adv.)
Fisel s. *Ggiel.*
flachse s. *abflachse.*
Förmli, Hosenknopf (als Einsatz
   beim *Grädele*).
Fuuge, Flausen, Possen.
fuge, schwer arbeiten.
Fuuni, Zündholz.
furtbuusse, fortjagen.

G.

Galuberli, Rösslein.
Ggiĕl, Fisel, Knabe.
Goof, goofe s. *Wanz, wanze.*
Glĕsel, gläserne Spielkugel.
Grächtere, Gerechtigkeitsgasse
   (in Bern).
grädele, rädele, das Klicker-,
   Schusser-,   Marbelspiel
   machen.

Grädel, Griedel, Spielkugel.
gruume, grumpe, kaufen.
guene, gucken, lugen.
gugle, lachen.
Guuti, Messer.

H.

Hach s. auch *Leist,*
Hägens,
Högens, } Mann (auch: Vater).
Hygends,
hase, rennen.

I, J.

i-ĕl, ja.
Isere, Jessere, Eisenbahn.

K, Ch.

Chabis, Chịbis, Kopf.
Kätteli, Chätteli, zweirädriger Karren.
Chĕmp, Chislig, Stein.
chipfe, essen.
Chis, Draat, Geld.
Chlöbe, Finger.
Chluft, Kleidung.
Chrach, Streit. .

L.

Ladli, Holzschuhe.
Lâfere, Laffette, Gesicht, Mund.
länte, blände, werfen, mit Steinen bewerfen.
Lehm, Turbe, Brod.
Leist, Schuelhach, Lehrer.
lĕ-ute, betteln.
Lygel, Stygel, Stück.

M.

Mänge, machen; s. auch *ver-m.,* *uus-m.*

Modi, Mädchen.
Moos, Frau (auch: Mutter).
Muuggi, Bonbons, Tabletten.

N.

näble, rauchen.
nobis, nein, nicht.

P. s. B.

R.

rädele s. *grädele.*
Ranze, Gesäss.

S.

salze, rennen, laufen.
Schiffere, Schifflaube (eine Gasse des Mattenquartiers).
schlöfere, schlittschuhlaufen.
Schossere, Schosshalde (ein Quartier bei Bern).
Schüümli, ein Glas Bier.
schuene, rennen.
schwäne, schwänzen (d. Schule).
schweche, trinken.
spanîfe, sponife, schauen, sehen.
spöcke, spruusse, Holzfrevel verüben.
Stadtere, Stîdtel, Stibäng, Stadt.
Stîbäng s. *Tschibäng, Stadtere.*
Stimme, Rappen, Centime.
lä (lassen) *strässe,* sich beeilen.
Stygel s. *Lygel.*

T s. D.

U.

überfloge, überschlage (Partic.), gefallen, gestürzt.
uusmänge, verlachen; s. auch *mänge.*

V.

sich verbuusse,⎫ sich
sich verdunze,⎭ verstecken.

Verdunzlis, Versteckenspiel.

vermänge, verlachen; s. auch
mänge.

W.

Wammerli s. Pamer.

Wanz, Wams, Goof, Schläge.
wanze, bryme, goofe, schlagen,
hauen.
wyde s. abwyde.

Z.

Zingge, Nase.
zopfe, heimlich nehmen.
Züngge, Zigarre.

Die uns von Herrn Dr. Ris zugesandten etymologischen
Bemerkungen werden erst nach Abschluss der Sammlung Ver-
wertung finden.

3.

Einige rotwelsche Deutungen zu Obigem von Prof.
Dr. F. Kluge in Freiburg i/B.

Nobiskwant aus rotw. nobis, ‚nein‘ und quant ‚gut, schön‘.

Hach in Avé-Lallemant's Wörterbuch, auch 4,113.

Moss schon im Liber vagatorum.

Modi, rotw. model seit 1620 allgemein.

Lêm allgemein, rotw.

Koldampf jetzt allgemein Handwerksburschensprache.

Pummer, rotw. oft Bommerling (niederdeutsch bomerken) Avé-
Lallemant 4,105.

Guuti, ‚Messer‘, rotw., cout Avé-L. 4,105.

Kies, Drat, ‚Geld‘, allgemein, rotw.

Kluft desgleichen.

Ladli, ‚Holzschuhe‘, gehört wol zu Ledi, Benennung einer
Schiffsart. Im Niederdeutschen sagt man Elbkähne für
grosse Schuhe [1])

schweche allgemein, rotw.

spanlfe ist erweitert aus rotw. spannen ‚sehen‘.

spruusse, zu rotw. Sprauss ‚Wald‘ = Avé-L. 4,120.

goofe, schlagen, schon goffen im Lib. Vag.

[1]) Da Ledi(-Schiff) u. W. nur in der Ostschweiz vorkommt und die
umlautslose Form nicht zu belegen ist, so ist vielleicht eher an Lade (masc.),
„Brett", zu denken. Bedeutungsgeschichtlich ist Prof. Kluges Erklärung
natürlich sehr leicht möglich; vgl. auch basl. Weidlig, „grosse Füsse", eigentlich „Rheinkahn". [Red.]

Autres cloches, autres sons

Par M. Ernest Muret (Genève)

(Cf. *Archives*, III, pages 179—188)

Plus d'un lecteur de nos *Archives* prendra sans doute plaisir à accroître l'intéressant recueil des *Glockensagen aus der Schweiz*, formé par feu Arnold Nüscheler et publié par M. E.-A. Stückelberg. Comme nulle bonne volonté ne doit être découragée, je n'ai pas besoin de m'excuser de n'apporter à l'œuvre commune qu'une très modeste contribution.

Le jour de la Dame, à Lausanne

Jusqu'en 1862, le 25 mars, jour de l'Annonciation, était fêté dans le canton de Vaud sous le nom de *jour de la Dame*. L'aimable *authoress* qui se cachait sous le pseudonyme de Mario*** a tiré de ses souvenirs d'enfance une vive description de cette fête, chère à nos pères et bien oubliée depuis longtemps:

A Lausanne, « il était de tradition le jour de la Dame de manger des petits pâtés. Ne pas le faire eût été manquer au décorum qu'en devait à la bonne fête. Mais personne n'y manquait On faisait même plus, — on s'en bourrait. » Également « par tradition, les populations foraines se déversaient sur la capitale ... on aurait dit un pèlerinage, tant on y venait de plusieurs lieues à la ronde. »

Arrivés la plupart vers les onze heures du matin, les campagnards montaient en foule pressée au clocher de la cathédrale. Munies de sachets, « les paysannes apportaient leurs pépins de courge pour les faire balancer par la grande cloche de la cathédrale pendant qu'elle sonnerait midi, ce qui dans leur idée devait donner de la vertu à cette semence et par là augmenter le volume de ce peu poétique produit de leurs terres. »

(Silhouettes romandes. Paris et Lausanne, 1891. P. 59).

La *Barbe* de Lens

Au temps de *Barbe de Platéa*, l'héroïne d'une sorte de nouvelle historique ou légendaire dont Mario*** semble avoir puisé les éléments dans une tradition locale, le village de Lens (district de Sierre) « ne se vantait pas encore des grandes cloches[1]) qui font aujourd'hui sa renommée, les plus belles du pays. ». La noble dame « résolut de doter la paroisse d'une cloche qui surpasserait toutes les autres autant en grandeur qu'en sonorité, et se ferait entendre dans toute la montagne et les endroits d'alentour. »

« Selon une tradition locale, au jour fixé pour la fonte de la dite cloche, la dame de Platéa vint de Sierre à Lens avec un mulet « si pesamment chargé d'or et d'argent, » que parvenu au sommet de la dernière montée, le pauvre animal qui en avait plus qu'il n'en pouvait porter, s'affaissa sous le poids de son fardeau et refusa d'aller plus avant.

« Le retard occasionné par cet incident n'empêcha pourtant pas la pleine réussite de la cloche qui reçut au baptême les prénoms de sa marraine.

« En retour de ce don, il fut stipulé, ainsi que le voulait la coutume en pareil cas, que chaque fois que dame Barbe, de Diogne, se résidence d'été, se rendrait aux offices de la paroisse, du plus loin qu'on la verrait venir, la grande cloche lancée à toute volée annoncerait son arrivée, et de même au départ l'accompagnerait de sa puissante voix jusqu'à sa rentrée au château. »

Dans la nuit de Noël, « les montagnards, lorsqu'ils entendent la Barbe, leur grosse cloche, préluder aux accents du concert pastoral, disent encore comme au temps jadis: « Voici la marche de la dame de Diogne! »

(*Un Vieux Pays.* Croquis valaisans. Seconde édition. Lausanne, 1892. Pages 284—287).

La cloche de saint Théodule, à Sion

On trouve de curieux détails sur cette relique et une version singulière de la légende dans une des notes qui font suite au poème intitulé: « Le Tableau // de la Suisse // Et autres alliez de la France és hautes // Allemagnes // *Auquel font defcrites les*

---

[1]) La Barbe, la Salvaterre, la Marie et la Théodule. L'onomastique des cloches n'est pas sans intérêt pour l'historien et l'hagiographe.

ſingularités des Alpes, || & rapportées les diverſes Alliances des Suiſſes: particulierement celles qu'ils ont || auec la France. || Par MARC LESCARBOT Aduocat // en Parlement. // A PARIS // Chez ADRIAN PERIER, rüe S. Iacques, au Compas d'Or. // MDCXVIII. › L'auteur, qui séjourna en Suisse auprès de l'ambassadeur de France, Pierre Jeannin de Castille (10 novembre 1611—1616), nous apprend lui-même (pp. 71 et 73) qu'il avait été en Valais ‹ pour le service du Roi › et qu'il se trouvait à Sion en 1612.

‹ J'ay remarqué en mon Tableau de la Suisse, › écrit-il à la page 72, ‹ beaucoup de singularités du païs de Valais. Mais je serois reprehensible si j'oubliois à dire qu'au tresor de l'Eglise de Sion y a un metal qu'ils appellent sacré, lequel ilz gardent en grande reverence depuis huit cens ans, à ce qu'ilz disent, & n'en donnent que des petits morceaux par grande singularité, aux Princes, Ambassadeurs, & grands Seigneurs, ou grands amis (comme fit de nostre temps l'Evesque qui estoit lors à Sion, audit Sieur de Castille Ambassadeur) pour garentir du tonnerre, de la peste, des fievres, & beaucoup d'autres maux. J'ay quelquefois requis le Bourgmaistre de Sion de m'éclaircir cette histoire. Il me dit qu'au temps de sainct Theodule jadis Evesque de ladite ville, le diable se mit en devoir d'emporter la cloche de l'Eglise, qui lui nuisoit, à-cause qu'elle faisoit assembler le peuple pour prier Dieu. Lors le bon Evesque se mit en prieres & le conjura, si bien qu'il laissa tomber ladite cloche dans un pré voisin de là, où l'on en voit encore les marques, & depuis a esté gardé ce sacré metal. ›

Cette version, puisée à si bonne source, n'est sans doute pas autre chose qu'un *rifacimento* de la version commune, inspiré par la prudence ecclésiastique et par un timide rationalisme. La version commune elle-même pourrait, ainsi que le suggère ingénieusement Alfred Maury dans ses *Légendes pieuses*,[1] avoir été inventée afin de rendre compte de représentations figurées montrant le saint flanqué du diable et d'une cloche symbolique. Cependant, les documents iconographiques dont j'ai pu avoir connaissance, grâce à l'obligeance de M. Stückelberg, ne sont pas antérieurs à la fin du XV siècle; et notre légende surgit vers le même temps dans un des manuscrits de la *Vie*

---

[1] Nouvelle édition dans les *Croyances et Légendes du Moyen âge* (Paris, 1896), p. 255, n. 6.

latine de saint Théodule, écrite en 1491 par un certain Ruodpert,[1])
et dans le poème allemand de Henri Vischer, conservé aux archives
de Sion dans un manuscrit qui porte la date du 26 août 1501.[2])
La fantastique chevauchée *ad limina* que ces textes attribuent
à saint Théodule l'a été également, sauf le trait caractéristique
de la cloche, à saint Antide, évêque de Besançon, dont la *Vie*
remonte, suivant les Bollandistes, au XIe siècle.[3])

Les variantes recueillies de nos jours dans la tradition
populaire n'ont pas gardé trace de la version de Lescarbot.
Maint détail distingue le récit de M. Courthion, dans les *Veillées
des Mayens,* de celui du chanoine Ruppen, reproduit dans les
Glockensagen aus der Schweiz. Une autre variante, publiée
par M. Maurice de Palézieux,[4]) prête au diable chargé de la
cloche un rôle qui, dans les traditions de la Suisse française, est
souvent tenu par le géant Gargantua. Elle « rapporte que le
diable portait la cloche dans une hotte et qu'étant arrivé au
sommet du Mont-Joux (St-Bernard) la charge était si lourde que
diable, hotte et cloche roulèrent au bas de la montagne et ne
s'arrêtèrent qu'aux environs de Martigny pour former le Mont
Catogne, qui, vu depuis les bords du Léman, a assez la forme
d'une hotte renversée. »[5])

Il serait curieux de connaître les destinées modernes de la
fameuse cloche. Au témoignage de Sébastien Briguet, chanoine
de Sion, dont la *Vallesia Christiana* parut en 1744 dans cette
ville, les débris en étaient conservés encore au milieu du XVIIIe
siècle au château de Valère. C'est à la bénédiction de saint
Théodule que Briguet, sans daigner mentionner la légende,
attribue les propriétés miraculeuses du métal, dont le son, dit-il,

---

[1]) Murer, *Helvetia Sancta,* p. 17, col. 1. Cf *A A. S. S.* Aug. III,
p. 275, col. 2.

[2]) Vernaleken, *Alpensagen,* pp. 307—315.

[3]) *A. A. S. S.* Jun. V, p. 42. Le rapprochement a déjà été fait
par Murer.

[4]) *Bulletin de la Société suisse de Numismatique,* t. V, p. 37. La
provenance du récit n'est malheureusement pas indiquée.

[5]) Voyez A. Ceresole, *Légendes des Alpes vaudoises,* pp. 268 et 269,
et J. Genoud, *Légendes fribourgeoises,* p. 138.

[6]) A Jongny, au-dessus de Vevey, à ce que j'ai appris de mon ami
M. A. Taverney, on raconte que la Dent de Jaman, dont la silhouette n'est
pas sans analogie avec celle du Catogne, aurait été formée de la même
façon par le contenu de la hotte renversée de Gargantua.

écartait les maléfices et dispersait le sabbat.[1]　Des reliques du saint, conservées dans les diocèses de Lyon et de Besançon, passaient au XVIIe et au XVIIIe siècle pour efficaces contre les intempéries.[2]　Selon Vernaleken, on trouvait naguère dans le Vorarlberg des traces de la croyance en saint Théodule comme protecteur contre les orages.[3]

[1] P. 98: « Campanas ab Eo benedictas sonitu suo veneficorum, ac Dæmonum impios cœtus solvere, et maleficia discutere solitas esse, iisdem habetur Testimoniis, eandem verò virtutem aliis campanis, quibus immixtum fuerit tantillum Metalli ê quâdam campanâ ab Ipso benedictâ, cujus residuum in Castro Valeriæ asservatur, inesse, continuo experimento compertum est apud Vallenses. »　C'est encore à M. Stückelberg que je dois la connaissance de ce texte important.

[2] Ib. et *A. A. S. S.* Aug. III, p. 275 A-B.

[3] P. 315. Vernaleken renvoie à Bergmann, *Ueber die Walser* (Wien, 1844), pp. 31 et 32.

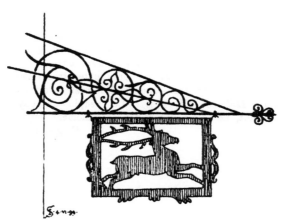

Wirtshausschild aus Rapperswyl.

Miszellen. — Mélanges

Fantômes apparus dans le pays de Vaud

On sait que le poème de *la Savoie,* par Jacques Peletier du Mans, qui a paru à Annecy en 1572, a été réimprimé deux fois: en 1856, par M. Joseph Dessaix, dans le tome premier des *Mémoires de la Société savoisienne d'histoire;* et en 1897, par M. Ducloz, libraire à Moutiers en Tarentaise. Au troisième livre de ce poème, vers 335 et suivants, Peletier parle de la peste qui avait désolé le pays de Vaud, en 1564 et dans les années suivantes:

> Mais, entre tant de mémorables signes,
> Et de merveille à tous les siècles dignes,
> Du lac Léman le fait contagieus
> Est l'un, pour vrei, des plus prodigieus;
> Enorme fait, qui toute foi excède,
> Toute longueur de tems, et tout remède:
> Par tant d'étés, par tant d'hyvers suivans,
> Et entre gens sur leur garde vivans!
>
> Ancor, le bruit, rengrégeant les prodiges,
> Y va meslant fantômes et prestiges,
> *Corps simulez, de rencontre et devis,*
> *Ne diférans en rien des hommes vifz.*

On n'a pas d'autre témoignage, que je sache, sur ces bruits superstitieux qui couraient ainsi, sur ces fantômes que les passants auraient rencontrés et qui auraient devisé avec eux.

Ces vers de Peletier sont un des textes très rares qu'on peut citer à l'appui de ce que Jean-Jacques Rousseau a dit dans une note de la *Nouvelle Héloïse* (VI, 11): « Le peuple du pays de Vaud, quoique protestant, ne laisse pas d'être extrêmement superstitieux.»

Genève.   Eugène Ritter.

Marques de famille de Lessoc (Gruyère).

Les marques de famille servaient de marques de propriété, surtout pour des objets exposés à être enlevés, comme du bois laissé au bord de la route. Comme la hache était l'instrument le plus commode pour les faire, elles sont formées d'un certain nombre de « coups », et l'on disait : « ma marque a tant ou tant de *coups*. » Quelques-unes avaient des noms dérivés de leur forme, par exemple, celle qu'on appelait *le pas de la chèvre*, deux coups à angle aigu avec deux autres coups devant ou derrière.

Ces indications m'ont été fournies par M. Zumbrunnen, de Fenalet.

Je dois la communication de la feuille dont on donne ci-dessus la réduction, à l'obligeance de M. le Curé Pythoud de Lessoc, auquel soient exprimés tous mes remerciements.

Lausanne.   Alf. Millioud.

Dr. J. Hunziker, Das Schweizerhaus nach seinen landschaftlichen Formen und seiner geschichtlichen Entwicklung dargestellt. Erster Abschnitt: Das Wallis. Aarau (H. R. Sauerländer & Co.) 1900. Lex. 8°, XII + 240 Seiten, 331 Abbildungen. — Preis 12 Fr.

Ein mächtiges Schaffen und Drängen hat sich in den letzten Jahrzehnten auf dem Gebiete einheimischer Kulturforschung und Volkskunde bemerkbar gemacht. Allüberall regt sich ein kräftiges Streben und Erfolge reihen sich an Erfolge, seit der Dilettantismus einem ernsten wissenschaftlichen Forschen Platz gemacht hat. Freilich können wir einstweilen nur von guten Anfängen reden und selbst diese befinden sich auf den einzelnen Gebieten in ganz verschiedenen Stadien von Vorgerücktheit. Namentlich fehlt es noch vielfach an zusammenfassend-entwicklungsgeschichtlichen Darstellungen. Zu einer schweizerischen Rassenkunde sind bei aller Anerkennung, die den Arbeiten von His, Rütimeyer, Kollmann, Studer, Bannwarth gezollt werden muss, erst vorbereitende Arbeiten getroffen; auch eine Darstellung der Prähistorie unseres Landes wird erst abgeschlossen werden können, wenn einmal die an allen Enden in Angriff genommenen Ausgrabungen weiter gefördert und die so verdienstvollen prähistorischen Karten für jeden Kanton hergestellt worden sind; eine allgemeine deskriptive, vergleichende, geschichtliche Mundartengrammatik steht noch immer aus, während der gesamte schweizerdeutsche Wortschatz in dem überaus reichhaltigen Idiotikon bereits eine Sammelstätte gefunden hat; von der Kirchengeschichte haben Gelpke und Egli nur die früh-mittelalterlichen Verhältnisse zusammenhängend geschildert; eine Rechts- und Wirtschaftsgeschichte ist trotz den vielen vortrefflichen lokalen und sachlichen Monographien immer noch nicht in Angriff genommen worden, die Rahn'sche Kunstgeschichte schliesst mit dem Ausgang des Mittelalters ab, und die Fortführung der Litteraturgeschichte bis in die Neuzeit ist durch den leider allzufrühen Tod Bächtolds wieder auf Jahre hinausgeschoben worden; was endlich die ausserhalb von Kirche, Recht, Wirtschaft, Kunst und Litteratur fallenden Lebens-äusserungen des Schweizervolkes betrifft, die nach Entwicklung strebende Kultur und die im Volksgeiste ruhenden volkstümlichen Sitten und Anschauungen, so ist Vereinzeltes schon in grosser Masse vorhanden; aber eine zusammenfassende Schilderung oder gar eine Geschichte ist bis jetzt weder hier noch dort in Angriff genommen worden. Speziell auf dem Gebiete der Volkskunde wäre eine kompendiöse Darstellung als Wegleiter für die zahlreichen Freunde schweizerischer Volkssitte dringend zu wünschen; ähnlich ungefähr, wie es E. H. Meyer für das gesamte deutsche Gebiet unternommen hat (s. Archiv II 183). Freilich, ohne gründliche, auf zahlreichem Einzelmaterial aufgebaute Vorarbeiten könnte ein solches populärwissenschaftliches Buch nicht geschaffen werden, und besonders bedürften die anthropologischen, ethnologischen, rechts- und wirtschaftsgeschichtlichen Verhältnisse der Schweiz einer eingehenden Durchforschung, bevor ihnen das für die Volkskunde Wichtige entnommen werden könnte.

Eines der wichtigsten Kapitel der ethnologischen Volkskunde ist die Hausforschung. Schon seit Jahrzehnten beschäftigt sich Prof. Dr. J. Hunziker in Aarau mit diesem Gegenstande und hat durch seinen unermüdlichen Eifer und seine Energie ein so gewaltiges Material aus allen Gegenden zusammengebracht, dass er sich nun in den Stand gesetzt sieht, eine erschöpfende Beschreibung und Entwicklungsgeschichte der schweizerischen Hausformen in Angriff zu nehmen. Als erste reife Frucht seiner Bemühungen begrüssen wir das eben erschienene Buch mit aufrichtiger Freude und warmem Dank. Es liegt eine wahre Riesenarbeit in diesem Werke; und doch, wie leicht und angenehm hat der Verfasser uns den so spröden Stoff vorzuführen gewusst! In Form eines Reiseberichtes durch das schöne und interessante Wallis werden wir fast spielend auf die reich variierten Gestaltungen der dortigen Haustypen aufmerksam gemacht; wir wandeln mit dem Verfasser durch das warme Gelände des untern Rhonethals, wo das jurassische Haus heimisch ist, bis hinauf in die weltentlegensten Winkelchen wilder Alpenthäler mit ihrem burgundischen Typus, wir lernen unser Augenmerk auf die kleinsten charakteristischen Eigenheiten bäuerlicher Hauskonstruktion und rudimentärer Kunst richten, wir lernen „sehen", da wo wir zuvor blind vorübergegangen sind. Als ganz besonderes Verdienst müssen wir es H. anrechnen, dass er auf die Nomenklatur der Hausteile ein so grosses Gewicht gelegt hat; mit Recht betont er den hohen Konservatismus der Sprache, der uns heute noch die Erinnerung an Bauformen bewahrt, die seit Jahrhunderten aus der Wirklichkeit verschwunden sind; „die Sprache allein kontrolliert auch in letzter Instanz den Funktionswert des einzelnen Banglieds." So arbeiten sich der Techniker, der Historiker und der Sprachforscher gegenseitig in die Hände

Für das ganze Werk ist folgender Plan vorgesehen, der in seiner Ausarbeitung nach des Verlegers Aussage bereits druckfertig vorliegt. 1. Das Wallis, 2. Das Tessin, 3. Graubünden nebst Sargans, Gaster und Glarus, 4. Die Nordostschweiz, 5. Die Innerschweiz, 6 Das Berner Oberland nebst dem Pays d'Enhaut, den Ormonts und dem Jaunthal, 7. Das jurassische Haus, 8. Das dreisässige Haus, und endlich als neunter und wichtigster, weil zusammenfassender, Abschnitt, eine Gesamtübersicht der ethnologischen Einzelresultate nebst einer kartographischen Darstellung der Verbreitungsbezirke schweizerischer Hausformen.

Es ist der sehnlichste Wunsch aller Freunde unserer vater-
ländischen Volkskunde, dass es dem Verfasser vergönnt sein möge, das
grossartige Werk in ungeschwächter Gesundheit und Thatkraft zu Ende
zu führen, und dass auch der Verleger, der keine Opfer gescheut hat,
um das Werk seinem Inhalte gemäss würdig auszustatten und durch
einen ausserordentlich niedern Preis einem grössern Leserkreise zugänglich zu machen, für seine Hochherzigkeit Belohnung finden möge.

E. Hoffmann-Krayer.

Alfred Tobler, Sang und Klang aus Appenzell. Eine Sammlung
    älterer Lieder für vierstimmigen Männerchor. Zweite, ver-
    mehrte Auflage. Zürich und Leipzig (Gebr. Hug & Co.) o. J.
    (1899). 8°. XX + 482 Seiten.

„Die vorliegende Auswahl von Liedern will vom appenzellischen
Standpunkte aus beurteilt sein und hat den Grund ihrer Entstehung
in dem oft geäusserten Wunsche, es möchte wieder mehr der alte, einfache Volksgesang gepflegt und unser Dialektgesang und das heimische
Jodellied, das den Appenzellern so wol ansteht, wieder zu Ehren gezogen werden." So drückt sich der Herausgeber in seinem Vorworte
aus und hat damit den äussern und innern Gehalt seiner schönen
Sammlung gekennzeichnet. Freilich, allzu enge Grenzen werden sich
hier nicht ziehen lassen, und so hat T. denn auch eine grössere Anzahl
von Liedern ausserappenzellischer, ja sogar ausserschweizerischer Herkunft aufgenommen.
    Ob er daran gut gethan hat, hängt von dem Standpunkte ab,
den man einnimmt. Will man einer Auswahl trefflicher Kunstlieder
im Volke Eingang verschaffen, so ist freilich das beste Mittel, man
streut sie in eine Sammlung ächt heimischer Lieder ein; will man dagegen ein ganz treues, unverfälschtes Bild gewinnen von dem Grund-
charakter eines lokal umgrenzten Volksgesangs, so verwirren solche
Eindringlinge einigermassen und trüben die klare Schärfe des Bildes;
zumal wenn wir nicht wissen, ob ein solches Kunstlied bereits in
weitern Kreisen des Volkes gesungen wird, oder ob es der Herausgeber
erst eingeführt haben möchte. Bei einigen der der Sammlung einver-
leibten Lieder zweifeln wir, ob sie dem Appenzellervolke je in Fleisch
und Blut übergehen werden.
    Das soll aber den Wert der Sammlung in keiner Weise herab-
drücken, und wenn wir oben auch von einem innern Gehalte derselben
gesprochen haben, so meinen wir damit gerade den grossen und mannig-
faltigen Reichtum an ächt volkstümlichen Klängen, die sämtlich einen
spezifisch appenzellischen Charakter tragen und in ihrer Eigenart die
Grundanschauungen des Völkchens wiederspiegeln. Die Sammlung birgt
wirkliche Volkslieder in genügender Anzahl, um uns von seinem Ideen-
kreis eine Vorstellung zu machen. Dabei ist es auffallend, dass, wie
auch keine Moll-Melodien existieren, die sentimentalen Lieder gänzlich
fehlen. Im Vordergrund steht das kurzstrophige Scherz- und Necklied
oder dann das Schnaderhüpfel („Stomperli"). Innig-zarte Töne sind

nicht Sache des Appenzellers und wenn je einmal die Liebe zu Worte kommt, so geschieht es mehr in neckisch-tändelnder, als in leidenschaftlicher oder schwärmerischer Weise. Eigentliche Tanzliedchen sind nur spärlich belegt (Nr. 172 ff.), doch wo sie vorkommen, tragen auch sie nirgends einen heissblütigen Charakter. Der Grundzug der Liedertexte ist also ein heiterer, neckischer, harmlos-schalkhafter, der sich nur in seltenen Fällen bis zum beissenden Spott steigert. Die Musik ist dementsprechend frisch, keck, lebhaft in der Melodie, anregend im Rhythmus, und fast nirgends fehlt der Jodel. Was den letztern betrifft, war es uns interessant, zu erfahren, dass die Melodieen oft nach ihrem Urheber und sozusagen Inhaber getauft wurden (S. XIII); ein Anklang an den ritterlich-höfischen und meistersingerischen Usus.

Auf das Einzelne können wir hier nicht eintreten, so gerne wir einige besonders bemerkenswerte Stücke (wie die Kühreiben, Lockrufe u. A.) hervorgehoben und besprochen hätten.

Eines jedoch halten wir für unsere Pflicht: dem Herausgeber zu danken für seine mühevolle, Jahrzehnte umspannende Arbeit. Sie hat eine reife und erquickende Frucht gezeigt. Die fröhlichen Sänge und Klänge, die uns aus jenen freundlich-lachenden Geländen herüberklingen, geben uns ein klareres Bild von dem eigenartigen Appenzellervölkchen, als die eingehendsten Beschreibungen seiner Sitte und Art.

E. Hoffmann-Krayer.

Dr. J. Zimmerli, Die deutsch-französische Sprachgrenze in der Schweiz. III. Teil: Die Sprachgrenze im Wallis. Nebst 17 Lauttabellen und 3 Karten. Basel und Genf (H. Georg) 1899. IV + 154 Seiten. 8°.

Das herrliche Rhonethal und seine Zuläufer hat je und je eine ganz besondere Anziehungskraft auf den Forscher ausgeübt; noch nie aber scheint die Thätigkeit auf fast allen Gebieten des Wissens sich so intensiv diesem interessanten Fleck Erde zugewandt zu haben, wie in den letzten zehn Jahren. Wir erinnern an die geologischen Arbeiten von Heim, Schmidt, Zeller, an die prähistorischen und historischen von Heierli, Öchsli, Wartmann, Hoppeler, an die rechtsgeschichtlichen von Heusler und an die neuesten ökologischen Forschungen Hunzikers. Das Wallis ist es auch, mit dem Zimmerli sein vortreffliches Werk über die deutsch-französische Sprachgrenze abschliesst. Der erste Teil, im Jahre 1891 erschienen, behandelte den Jura, der zweite (1895) das Mittelland, die Freiburger-, Waadtländer- und Berner-Alpen; beiden ist von der Kritik einstimmig das beste Zeugnis ausgestellt worden, ein Ruhmestitel, der durch vereinzelte und speziell sprachgeschichtliche Beanstandungen nicht geschmälert werden kann. Der dritte Teil ist in seiner Gesamtanlage gleich gehalten wie seine Vorgänger, nur dass erfreulicherweise eine Zusammenfassung der historischen Ergebnisse sämtlicher drei Teile und ein Kapitel über die Sprachmischung in der französischen Schweiz eingeschaltet ist. Im Uebrigen erörtert der Verf. auch in diesem letzten Teile zunächst die Sprachenverhältnisse der einzelnen Gemeinden und schliesst daran eine Darstellung der charakteristischsten Lautgestaltungen der deutschen und romanischen Mundarten, wobei, wie in den frühern Teilen, die letztern den Löwen- anteil davontragen. Wir wollen darüber nicht mit dem Verf. rechten; er hat auf Grund sorgfältiger Einzelforschungen die Erfahrung gemacht, dass die romanischen Patois auf dem ganzen Grenzgebiet unter sich mehr divergieren, als die deutschen, und ihnen infolgedessen eine ein- gehendere Behandlung gewidmet. Eines jedoch ist unseres Erachtens zu bedauern: da nun doch einmal das ganze deutsche Wallis auf seine Sprache hin untersucht worden ist, warum sind die so überaus alter- tümlichen deutschen Mundarten am Ost- und Südfusse des Monte Rosa unbeachtet geblieben? Freilich, politisch genommen gehören sie nicht mehr zur Schweiz; aber in diesem Falle hätte Z. füglich über den gezogenen Rahmen hinausgehen dürfen und müssen im Interesse der Sache sowol als wegen der effektiven Sprachverwandtschaft dieser piemontesischen Gemeinden mit dem Wallis. Vielleicht aber waren administrative Schwierigkeiten vorhanden, und diese sind oft schwerer zu überwinden als die topographischen.

Wir müssen es den Spezialforschern und insbesondere den Kennern der romanischen Mundarten überlassen, an den Einzelaufstellungen Kritik zu üben. Für uns sind die Resultate wichtiger. Interessant ist namentlich der statistische Nachweis des Rückgangs der deutschen Idiome in den Grenzgebieten, sowie die Thatsache, dass die Bezirke Sitten, Ering (Hérens), Siders, Leuk im Mittelalter romanisch waren, und dass die Sprachgrenze erst im 15. und 16. Jahrhundert von Gampel nach Siders vorgerückt ist.

„Die Germanisierung des Bezirks Leuk und der weiter west- wärts gelegenen Volkszentren Siders, Sitten und Brämis war eine Folge der im 15. Jahrhundert begründeten unbedingten Suprematie des Oberwallis im kirchlichen und politischen Regimente der ganzen Thalschaft".

S. 100 ff. fasst Z. die historischen Ergebnisse seiner drei Unter- suchungen zusammen, wobei man den Gesamteindruck gewinnt, dass das romanische Element, im Gegensatz zu den ehemaligen Fortschritten des germanischen, heutzutage an Einfluss zunimmt.

Für besonders wertvoll halten wir den Exkurs über die ger- manischen Ortsnamen im französischen Gebiet (S. 106 ff.). In den nordjurassischen Bezirken Pruntrut, Delsberg und Münster haben sich 23% „Weilernamen" erhalten; sie sind vermutlich auf fränkische Sesshaftigkeit zurückzuführen (S. 115). In der Südwestschweiz, be- sonders in den Bezirken Morges, Cossonay, Echallens, Moudon, Glâne, Gruyère und Saane treten an die Stelle der -weiler die -ingen (17%), in denen Z. burgundische Reste sieht. Der Umstand endlich, dass in den Ortsnamen des romanischen Wallis gar keine Spur germanischer Elemente mehr zu finden ist, berechtigt zu dem Schluss, dass die Unterwerfung dieses Landesteils durch die Burgunder und die Franken „lediglich politischen Charakter hatte und von keiner erheblichen Ein- wanderung deutschen Volkes begleitet war".

Dies einige Hauptpunkte, die wir hervorgehoben haben, um unser Interesse an dem Gegenstand zu bekunden. Dem Verfasser aber sprechen wir unsern herzlichsten Glückwunsch aus für die Vollendung seines verdienstvollen Werkes.

E. Hoffmann-Krayer.

Julius Cramer, Die Geschichte der Alamannen als Gaugeschichte. In: UNTERSUCHUNGEN zur deutschen Staats- und Rechtsgeschichte, hg. v. O. Gierke. Heft 57. Breslau 1899. 8°. XVII + 579 SS. Preis 15 M.

Ein einheitliches Bild zu gestalten aus der Fülle der Einzelforschungen, die der alamannischen Vorzeit so vielfach sich zugewandt haben, ist eine Aufgabe, deren Lösung wohl als ein erstrebenswertes Ziel erscheinen darf. Der Verfasser des vorliegenden Werkes betrachtet die Geschichte der Alamannen unter einem eigentümlichen Gesichtspunkte; sie ist ihm Ansiedlungs- und zugleich Gaugeschichte, von der territorialen Entwicklung ausgehend will er Verfassung, Wirtschaftsleben und äussere Schicksale der Alamannen in der Zeit ihrer nationalen Selbständigkeit erläutern. Demgemäss zerfällt der dargebotene Stoff in zwei Hauptabschnitte.

Das erste Buch „die Königszeit" ist vorzugsweise erzählenden Inhalts. Drei Ansiedelungsepochen werden unterschieden: die erste, während des dritten Jahrhunderts, in den rechtsrheinischen Gebieten von der Lahn bis zum Südabhang des Schwarzwalds; die zweite, im fünften Jahrhundert, von der ersten getrennt durch lange, wechselvolle Kämpfe mit den Römern, erstreckte sich auf das linke Rheinufer und Landstriche an der Donau; endlich die Rückwanderung, nach Verlust der nördlichen Gebietsteile an die Franken. Als Grundlage der Landesverteilung wird die Heeresverfassung angesehen. Die Tausendschaften wandelten sich in Gaue um, mit Königen an der Spitze. Das Gebiet des Gaues wurde an die Hundertschaften aufgeteilt, und diese wiederum überwiesen den Zehntschaften die Plätze zur Niederlassung, in Dörfern, Weilern oder Einzelhöfen.

Der zweite Hauptteil enthält die Beschreibung der Gaue, wie dieselben erkennbar sind aus den urkundlichen Quellen, welche von der Karolingerzeit an reichlich fliessen. Den Uebergang bildet eine Schilderung der Verfassungszustände in der Zeit der Grafen, die als Oberhäupter der Gaue an Stelle der Könige traten (Buch 2). Es folgen: (Buch 3) die alamannisch-fränkischen Gaue, (B. 4) die alamannischen Gaue des Stammlands, (B. 5) die neualamannischen Gaue des zweiten Rätien, (B. 6) die Bargrafschaften, (B. 7) die neualamannischen Gaue des Elsass und (B. 8) der Schweiz, nebst einem Anhang über Currätien. Massgebend für die Einreihung der Gau- und Grafschaftsnamen ist ein durchweg in den Vordergrund gestellter Gesichtspunkt. Die ursprünglichen Grossgaue zerfielen in Teilgaugrafschaften, später wurden auch blosse Hundertschaften zu Grafschaften erhoben; so sucht der Verfasser die territoriale Gliederung jüngerer Zeiten zurückzuführen auf die älteste, deren Umrisse am Ende des vierten Jahrhundert aus Ammianus Marcellinus ersichtlich sind, und diese wiederum aus jener zu erklären.

Es kann nicht verhehlt werden, dass gegen die gesamte Auffassungsweise prinzipielle Bedenken vorliegen. Erst jüngst ist nicht ohne gewichtige Gründe der Zusammenhang zwischen den Gaugrafschaften und älteren Landeseinteilungen schlechthin geleugnet worden. Einer der namhaftesten deutschen Rechtshistoriker betrachtet die Hundertschaften in Alamannien als eine unter fränkischem Einfluss entstandene Einrichtung. Den Ausdruck Zehntschaften wenden die Quellen nicht in dem Sinne an, den ihm der Verfasser beilegt. Ob also sein gaugeographisches System Anklang finden wird, mag dahingestellt bleiben. Dankenswert ist auf jeden Fall die von umfassender Litteraturkenntnis zeugende Schilderung der alamannischen Heldenzeit. Die sehr ausführliche Erörterung des für die Gaukunde verwertbaren Materials, erläutert durch die beigegebene Karte, gewährt einen Ueberblick, wie er bisher nur schwer zu erlangen war, und die Gaugeographie ist kein dürres Gerippe von Namen und Daten, sie gewinnt Leben und Wärme durch ihre innige Beziehung zu den geschichtlichen Vorgängen. In der Gestaltung, welche die Ansiedler dem Boden gegeben haben, auf dem sie sich niederliessen, offenbart sich ihr ureigenes Wesen. Diesem Gedanken, der dem Werke vorausteht, wird man gern beistimmen.

G. C.

Troels-Lund, Himmelsbild und Weltanschauung im Wandel der Zeiten. Autorisierte, vom Verfasser durchgesehene Uebersetzung von Leo Bloch. Leipzig (B. G. Teubner) 1899. 8.⁰ VI + 286 Seiten. Preis geb. 5 Mark. —

Wie jedes Buch, das unser Verständnis öffnet für die grossen Grundanschauungen einzelner Völker und Epochen, so begrüssen wir auch das vorliegende mit herzlicher Freude. Es liegt ein grosser, genialer Wurf in dem Ganzen, der den Leser fesselt- und mitreisst.

Der Zweck des Verfassers ist ursprünglich, die Himmels- und Weltanschauung des 16. Jahrhunderts auf Grund einer Untersuchung der voraufgehenden Entwicklungsphasen darzustellen. Es soll also in grossen Zügen eine Geschichte des menschlichen Gedankens über die Daseinsbedingungen von Makro- und Mikrokosmos und ihrer bewegenden Faktoren entworfen werden. Dieser Plan ist mit grosser Genialität und Umsicht zugleich durchgeführt, indem die Himmels- und Weltbegriffe zunächst der Völker des Altertums aus den meteorologischen und klimatischen Verhältnissen heraus erklärt werden. Aus ihnen setzen sich die Bestandteile zusammen, aus deren Mischung dann, mit besonderer Betonung des (persischen) Teufelsglaubens und der (babylonischen) Sterndeutung die Grundanschauungen der Renaissance- und Reformationszeit hervorgehen. Eine tiefsinnige Beleuchtung der Gegenwart schliesst als schönste Partie des Buches das Ganze ab.

Man hat das Buch „die Bibel der Humanität" genannt; das ist geschmacklos und trivial. Sicher aber ist, dass den Ausführungen

Troels-Lunds kein denkender Mensch gleichgültig gegenüber stehen
wird. Mag man sie nun billigen oder verwerfen, so wird man immer
den tiefen Ernst und die Sittlichkeit des Verfassers anerkennen müssen.
Wie würde- und pietätvoll ist nicht die Gestalt Jesu von Nazareth,
in dem der Verf. doch nur einen Sittenlehrer sieht, behandelt!

Für Manchen, der an eine strenge, empirische Forschung ge-
wöhnt ist, möchte das Buch leicht etwas Aprioristisches an sich tragen;
zumal da die meisten Behauptungen nicht durch konkrete Belege
unterstützt werden. Wir haben aber durchweg den Eindruck, dass
allen Thesen eine ernste Forschung zu Grunde liegt und der Ballast
von Anmerkungen und Beispielen absichtlich — wenn auch vielleicht
etwas zu radikal — weggelassen worden ist, um den Umfang des
Werkes nicht zu sehr auszudehnen.

Auch im Einzelnen wird der Verf. noch manche Kontroverse
erfahren, wie das ja bei der Natur des Gegenstandes nicht anders
möglich ist; stets aber wird sein Buch zum Denken über die höchsten
Dinge anregen und so, wenigstens prinzipiell, bei allen selbständigen
Geistern Beifall finden.

Die Art und Weise, wie das Vordringen aus dem Teufels- und
Gestirnglauben zu der zerknirschenden Erkenntnis eines unendlich
grossen Alls, und von dieser durch das Studium des unendlich Kleinen
zu dem Bewusstsein einer aufsteigenden Entwicklung nach der gott-
ähnlichen Liebe hin, geschildert wird, gehört zum Schönsten, was in populärer Philosophie geschrieben worden ist.

Möge das Buch, das uns Bloch in einer vorzüglichen Uebersetzung zugänglich gemacht hat und von dem nun bereits eine zweite
Auflage notwendig geworden ist, auch in der Schweiz viele Freunde finden.

E. Hoffmann-Krayer.

Histoire et description de Salvan-Fins-Hauts, par Louis Coquoz, ins-
tituteur. — Lausanne, imprimerie Charles Pache, 1899;
in-8°, 271 pages. [1]

Après Emile Javelle, le chanoine Gross, M. Edouard Rod, Mario ***,
M. et Mme Georges Renard, qui ont décrit le paysage et les habitants,
recueilli les traditions et les légendes, il n'y avait guère qu'un enfant
de la vallée qui pût encore enrichir notre connaissance de la région de
Salvan et Fins-Hauts. Le petit livre que nous annonçons retrace, depuis les plus lointaines origines jusqu'à nos jours, l'aspect physique,
l'histoire politique et militaire, les destinées des familles, le genre de
vie et d'habitation, les mœurs, les coutumes et les croyances, les ins-
titutions civiles et religieuses, les conditions économiques et sociales,
en un mot la civilisation progressive de cette contrée, naguère presque
inconnue, mais désormais, hélas! livrée en proie aux touristes et aux
hôteliers. Ayant charge d'âmes en son village natal des Marécottes,

---

[1] Les pages 273 à 323, qui ne contiennent que des annonces, auraient
dû être numérotées à part.

dans la commune de Salvan, M. Louis Coquoz n'est pas un de ces instituteurs dédaigneux du passé qui enseignent aux jeunes générations le mépris des usages et du patois des ancêtres. Comme nous, il regrette l'ombre des vieux arbres qu'on abat pour améliorer les routes, l'ancien costume qui seyait bien mieux aux femmes que la singerie des modes citadines, et les beaux chalets de mélèze bruni que remplacent peu à peu de vilaines bicoques maçonnées par des Italiens. Mû par l'amour de sa petite patrie alpestre, il a mené durant plusieurs années de patientes enquêtes dans les archives de l'abbaye de Saint-Maurice et des deux communes, et aussi dans les papiers des familles; car, tout comme les nobles et les bourgeois, ces montagnards ont leurs parchemins, et quelques-uns de leurs noms figurent dans des documents dont la date reculée pourrait flatter la vanité de maint petit seigneur. De ses recherches et de la tradition orale, M. Coquoz a tiré plus d'une anecdote piquante et bien des détails précis et pittoresques, grâce auxquels le passé obscur s'éclaire, s'anime et revit à nos yeux, côte à côte avec le présent.

A travers les quinze chapitres qui se succèdent un peu au hasard, je signale aux curieux de traditions populaires les points qui méritent le plus d'attirer leur attention: l'existence d'une grotte aux fées (p. 25), l'usage longtemps persistant de la numération par vingt (p. 47) et celui des « marques domestiques » (p. 50), l'histoire des pâturages (pp. 68-97), avec les légendes relatives à la *montagne* de Salanfe (p. 80), la mention d'un sourcier (p. 113), une bizarre recette pour faire des projectiles de chasse (p. 141), la description de pratiques religieuses et des coutumes funéraires locales (pp. 184 et 187), enfin (p. 193) une petite collection de dictons qui ne manquent pas de saveur et dont nous souhaiterions connaître la forme patoise. Beaucoup de noms de lieu indiqués par M. Coquoz ne se trouvent pas même dans l'excellent Guide de M. Aug. Wagnon, *Autour de Salvan* (2de édition, Lausanne, 1895). Je félicite notre auteur d'avoir osé, quoique maître d'école, s'affranchir parfois de l'orthographe officielle et, par exemple, au lieu de *Triquent,* écrire *Tretien,* qui se rapproche beaucoup plus de la prononciation locale.   En recueillant quelques noms de lieux aujourd'hui abandonnés et le plus possible de formes anciennes des noms encore en usage, il aura apporté une utile contribution à la géographie historique et à l'étude des patois du Valais.   Malheureusement, comme il n'indique jamais la provenance exacte de ses renseignements, il est impossible de vérifier ces allégations toujours sujettes à caution.

En jugeant cet ouvrage, il ne convient pas de se placer au même point de vue que pour apprécier l'œuvre d'un littérateur ou d'un érudit de profession.   Vous n'attendrez pas d'un quasi-autodidacte une histoire vraiment critique et documentée.   Vous ne trouverez pas mauvais qu'il ne manifeste aucun scepticisme à l'endroit des fameuses « inscriptions préhistoriques » signalées à Salvan par M. Reber, [1] et qu'il prenne au

---

[1] Je n'entends pas contester le mérite ni l'intérêt des découvertes de M. Reber et je m'associe de grand cœur à sa campagne pour la conservation des singulières entailles pratiquées dans les rochers de Salvan et d'autres lieux. Mais son interprétation de ces dessins laisse place à bien des doutes.

grand sérieux les élucubrations d'un M. Léon Franc, chimiste à Monthey, qui a renouvelé il y a quelques années les absurdes hypothèses de Bridel et des autres celtomanes sur l'origine du français et de nos patois romands. En faveur de quelques jolies pages, vous pardonnerez aussi à M. Coquoz son style trop déclamatoire et trop peu châtié. Si l'on tient compte des circonstances défavorables au milieu desquelles ce livre a été écrit, on ne marchandera pas l'éloge à son auteur. Je ne saurais assez louer le bel exemple que nous donne ce modeste instituteur, demeuré paysan, en consacrant ses forces et ses rares loisirs au service de la patrie et de la science.

E. M.

Französische Volkslieder. Ausgewählt und erklärt von Dr. Jakob Ulrich. — Leipzig, 1899; in - 8°, XXXII—176 pages.

Dans la foule innombrable des chansons populaires françaises qui ont été recueillies et publiées depuis une quarantaine d'années, M. Ulrich nous semble avoir fait un choix aussi judicieux qu'agréable. Il y a joint; ce qui manque au charmant recueil posthume formé par les amis de Maurice Haupt, une introduction et des remarques destinées à orienter le lecteur dans une province peu connue de la littérature française et à l'initier à ce travail de comparaison sans lequel il ne saurait y avoir d'étude scientifique de la poésie populaire.

Malheureusement, si le dessein de M. Ulrich est digne de louange, l'exécution en trahit plus de hâte que de soin, de goût et de réflexion. L'introduction est insuffisante et, si l'on fait abstraction des nombreuses citations, qui se lisent avec plaisir, n'offre guère qu'une suite d'observations banales ou superficielles. Trop de pages sont perdues à établir, ce qui ne fait de doute pour aucun homme cultivé, que nos classifications ne s'adaptent jamais que très imparfaitement à la réalité. Encore n'aurait-il pas fallu choisir, pour le démontrer par un exemple frappant, les chansons du type:

Il y a un loup dedans un bois,
Le loup ne veut pas sortir du bois,

ou, en allemand: *Joggeli wot go Birli schüttle;* car ces chansons et les nombreuses formules analogues, connues en français sous le nom de *randonnées*, forment précisément un groupe bien distinct et facile à caractériser.

L'arrangement du recueil laisse beaucoup à désirer. Pourquoi les numéros 1–39 sont ils intitulés *ballades* et les numéros 45–61 *romances?* Sous la rubrique des *pastourelles* figurent plusieurs morceaux qui n'appartiennent pas au genre pastoral, comme la célèbre chanson dialoguée des *Transformations* (n° 79). L'on ne devrait jamais réunir sous un numéro d'ordre et un titre uniques des pièces qui ne sont pas de simples variantes d'une seule et même chanson, mais (comme 73 b et c) des versions différentes du même thème, à plus forte raison qui n'ont en commun (comme 68 a et b; 73 a, b–c et d; 119 a et b) que leur donnée générale ou la qualité des personnages mis en scène. Mainte identification, maint groupement, proposés dans

les remarques (14 et 15-18; 19-20 et 4-8) ou dans l'introduction
(5 et 6; 97, 175 et 176), ne sont fondés que sur de vagues et
lointaines ressemblances et ne méritaient pas d'être signalés.

La disposition typographique des vers et des strophes et leur
numérotation sont parfois arbitraires ou peu intelligibles, et rarement
satisfaisantes. Tantôt les longs vers de nos chansons populaires sont
imprimés sur une seule ligne; tantôt, ainsi que dans les *romances*
espagnols, chaque hémistiche est traité comme un vers distinct, sans
que d'ailleurs ces variations s'expliquent par une scrupuleuse fidélité
à la lettre des textes originaux. Comparez, à ce point de vue, les
n°° 136, 137 et 139, tous trois empruntés au même volume de la
collection Rolland. Nombre de pièces, telles que les a réimprimées
M. Ulrich, sans les refrains et les répétitions caractéristiques, ne sont
plus que les squelettes des chansons originales. Voyez, par exemple,
au n° 112, à quoi s'est réduite, par une mutilation barbare, celle du
Bobo de la jeune fille, dont je n'ai pu apprécier toute la grâce
malicieuse qu'en recourant au texte de M. Rolland. Il n'est point
nécessaire de répéter noir sur blanc tout ce que l'on répète en chantant
et en dansant; mais il importerait que les répétitions fussent toujours
indiquées par un mot ou par un signe quelconque.

Faute d'une bibliographie complète et systématique, plus d'un
lecteur ne pourra tirer parti des renvois à Quépat, auquel est emprunté
le n° 38 b, à Haupt et à Nigra, qui sont à plusieurs reprises cités
dans les remarques. Les références ne sont d'ailleurs pas toujours
exactes. Dans le glossaire, qui serait mieux à sa place à la suite
des chansons qu'à la fin de l'introduction, on est surpris de trouver
des mots qui ne manquent à aucun dictionnaire (*catin*, *luron*, *marri*),
et l'on en cherche en vain d'autres qui sont beaucoup moins familiers
à un Français instruit. Les trop nombreuses fautes d'impression ne
sont pas toutes relevées à l'errata.

                                                          E. M.

La Chanson de l'Escalade en langage savoyard, publiée avec
d'autres documents sur cette entreprise par Eugène Ritter. —
Genève, H. Kündig, 1900; petit in-8°, 65 pages.

Notre savant collaborateur, M. Eugène Ritter, dont on connaît
les importants travaux sur l'histoire littéraire de la Suisse française et
de la Savoie, vient de publier une nouvelle édition de la célèbre
Chanson de l'Escalade. Le texte en « a été établi par la comparaison
de quatre anciennes éditions. » Il est accompagné d'une traduction,
« ou plutôt » d'une « transcription française », dans laquelle M. Ritter
a inséré les principales variantes et expliqué des allusions difficiles à
comprendre. A la suite du poème sont reproduits quelques documents
peu connus concernant l'entreprise de décembre 1602. La popularité
dont jouissent toujours à Genève les souvenirs de l'Escalade assure à
cette jolie plaquette de nombreux lecteurs, même en dehors du monde
des érudits. Sauf erreur, le *Cé qu'è lainô* n'avait plus été réimprimé

en entier depuis la publication des *Chansons de l'Escalade,* en 1845, par les soins de l'éditeur Jullien.

Composée sous l'impression immédiate de l'évènement, par un Genevois qui s'est servi de son patois local de préférence au français, [1]) la *Chanson de l'Escalade* est moins précieuse comme document d'histoire que comme texte de langue. Les idiomes de la Suisse romande n'ont été écrits que fort tard, et les rares textes genevois, fribourgeois, jurassiens, antérieurs au *Cé qu'è lainô* ne sont comparables ni pour l'importance ni pour l'étendue à ce poème en soixante-huit quatrains de vers décasyllabes. Malheureusement, la nouvelle édition ne se prêtera pas à des recherches linguistiques conduites avec la minutieuse précision que l'on exige aujourd'hui. Les anciens imprimés, écrit M. Ritter (p. 31), offrent entre eux « des différences, soit pour *les leçons:* j'ai donné les principales variantes; — soit pour *la graphie:* la prononciation du patois varie de village à village, et chacun de ceux qui l'écrivaient suivait sa manière de le prononcer; il est tout simple aussi que ces textes aient été imprimés avec beaucoup de laisser-aller. Dans ce fourmillement de formes diverses, j'ai choisi celles qui m'ont paru les meilleures, de façon à obtenir un texte cohérent. »

Ainsi l'éditeur, jugeant impossible d'appliquer à la reconstitution du texte original une méthode critique rigoureuse, s'est fié à son goût personnel, assurément très éclairé et très délicat. Le petit nombre de variantes qu'il a fait connaître ne permet pas de contrôler son choix, encore moins de compléter par l'examen et la comparaison des formes écrites les données que nous fournissent les assonances et la mesure des vers sur les façons de parler de l'auteur et de ses contemporains. Nous espérons que M. Ritter voudra bien compléter à l'usage des philologues sa présente publication, en nous donnant dans quelque revue spéciale le recueil complet des variantes du *Cé qu'è lainô.* Nous serions également curieux d'apprendre ce qu'on peut savoir au sujet de la musique de cette chanson et de sa popularité dans la Genève de l'ancien régime.

F. M.

Fragekasten. — Informations.

Gebäckformen.

Der Unterzeichnete stellt im Interesse der Volkskunde die Bitte, ihn in einer Arbeit über sog. Gebildbrote oder über Gebäckformen, die einen bestimmten, lokal üblichen Typus haben, zu unterstützen. Nur durch ein grosses Material von Original-Gebäcken ist es möglich, eine Uebersicht und Vergleichung der Formen und so ein für die Volkskunde wertvolles Resultat dieser Forschung zu erhalten und zu gewinnen. Jeder Beitrag ist willkom-

---

[1]) Sur l'usage du patois et du français dans l'ancienne Genève, voir les *Recherches sur le patois de Genève,* publiées par M. Ritter au tome XIX des *Mémoires de la Société d'histoire et d'archéologie de Genève.*

men und wird dankbarst angenommen. Etwaige Kosten für Ankauf der Originalware, Verpackung (solid. in Wolle, als Muster ohne Wert) und Versendung übernimmt

Bad Tölz (Oberbayern)   Hofrat Dr. M Höfler

Solche Gebildbrote sind z. B in der Schweiz:

Gepiptes Brot, Mondbrot, Steckenbrot, Aufsätzbrot, Lenzburger Schneckenbrot, Schnittbrot, Fochesenbrot, Seelenbrot, Fastenbrot, Horibrot, Mättenbrot (Etymologie des Wortes erwünscht), Seelen-Wecken, Mültschen-Weckli, Osterfladen, Fastnachtsküchli, Basler-Zeltli, Rugel, Kartoffelstern, Rädlein, Tirgeli (Etymologie des Wortes erwünscht), Schlabbe, Aufjuck, Musli (Zürich), Totenbeinli, Züri-Hüppli, Köpfli, Nüdschnitten, Scheit, Palmblätter. Schild, Bibermann, Weckenvogel, Sommervogel, Mailänderli etc.

                                              Der Obige.

Preisausschreibung.

Die in diesem Archiv Bd. II S 253 ausgeschriebene Konkurrenz hat vier Arbeiten ergeben :

1. Volksbräuche im Kanton Glarus.
   Motto:
       Nur durch das Auge der Wurd kannst du die Werdandi erkennen.
2. Kulturbilder aus dem Taminathale.
   Motto:
       Das Alte stürzt, es ändert sich die Zeit.
3. Chansons valaisannes.
   Motto:
       Androsace.
4. Us et coutumes des jours de fête et usages locaux propres à Estavayer
   Motto:
       Stavia stat ad lacum ut rosa inter spinas.
   Eine Jury von fünf Mitgliedern, bestehend aus den Herren :
       1. Prof. Dr. Gauchat, Zürich,
       2. Dr. E. Hoffmann-Krayer, Zürich,
       3. Prof. Dr. Hunziker, Aarau,
       4. Prof. Dr. Morf, Zürich,
       5. Prof. Muoth, Chur

wurde im Januar gewählt und ist z. Z. mit der Prüfung der eingelaufenen Arbeiten beschäftigt. Wir werden in der nächsten Nummer das Resultat veröffentlichen.

Zürich. Anfang März 1900.

                                              Der Vorstand.

BIBLIOGRAPHIE

über schweizerische Volkskunde
für das Jahr 1899.

des Traditions populaires de la Suisse.
Année 1899.

Von Dr. E. Hoffmann-Krayer.

Vorbemerkung.

Zur Vervollständigung des Litteraturverzeichnisses ist die Mitarbeiterschaft unserer Leser erforderlich. Wir richten daher die freundliche Bitte an jeden derselben, uns durch Zusendung von Zeitungsausschnitten, bzw. durch Mitteilungen und Nachrichten unterstützen zu wollen. Adresse: Dr. E. Hoffmann-Krayer, Freiestrasse 142, Zürich.

Allen Denjenigen, die uns bisher in dieser Hinsicht behülflich gewesen sind, sprechen wir unsern verbindlichsten Dank aus.

Im Jahre 1899 sind uns Mitteilungen zugegangen von:

Avertissement

Pour que cette bibliographie soit complète, la collaboration de nos lecteurs est indispensable. Nous serons très reconnaissants à tous ceux qui voudront bien nous envoyer des extraits de journaux et de revues ou toute autre communication d'un intérêt bibliographique. Adresse: Dr. E. Hoffmann-Krayer, Freiestrasse 142, Zurich.

Nous exprimons nos meilleurs remerciements aux personnes qui nous ont aidés jusqu'à présent.

Ce sont pour la bibliographie de cette année:

Prof. Jos. Leop. BRANDSTETTER (Luzern), Em. FRIEDLI (Zürich), Prof. Dr. J. FRCH (Zürich), Dr. E. HAFFTER (Bern), Privatdoc. J. HEIERLI (Zürich), Dr. TH. v. LIEBENAU (Luzern), P. Gab. MEIER O. S. B. (Einsiedeln), Prof. E. MURET (Genf), Dr. E. A. STÜCKELBERG (Zürich), Prof. R. THOMMEN (Basel), Expedition des „VATERLAND" (Luzern), Prof. Dr. Th. VETTER (Zürich), Ein ungenannter Geber aus Nydeck. —

I. Bibliographisches.

1. *Jahresbericht* über die Erscheinungen auf d. Gebiete d. German. Philologie. Hrg. v. d. Ges. f. deutsche Philologie in Berlin. 20. Jahrg. (1898). Dresden u. Leipzig 1899. Nr. XIX. XX: Mythologie, Sagenkunde u. Volkskunde. — 2. *Jahresberichte* für neuere deutsche Litteraturgeschichte. VI Bd. I, 5: Volkskunde. — 3. *Bibliographie* der schweiz. Landeskunde. Bern (K. J. Wyss). — 4. *Hoffmann-Krayer, E.,* Bibliographie über schweiz. Volkskunde für das Jahr 1898. *Schweiz. Arch. f. Volksk.* III 59 ff. — 5. *Früh, J.,* Bericht über d. neuere wissenschaftl. Litteratur d. Länderkunde Europas: Die Schweiz. *Geogr. Jahrb. XXI.*

II. Vermischtes.

1. *Haffter, E.*, Volkstümliches aus dem Rheinwald. *Bünd. Monatsbl.*
S. 3 ff. 1. Sage von der Verfluchung der Kräuter Cyprian und Elts durch eine Hexe.
2. Rechtssage betr. die Areue-Alp. 3. Redensart: 's *ist en Trivülsch*, Reminiszenz aus der
Herrschaft der Trivulzio. 4. *Schümeli, Schümeli, lauf de Trab Und sieh' die tote Lüt ins Grab*,
Reminiszenz aus den Pestzeiten. 5. Im „Arenest" bei Splügen werden nach dem Kinderglauben die Neugeborenen geholt. — 2. *Ceresole, A.*, Nos fêtes de jadis. *Au
Foyer romand*, p. 145 suiv. Hochzeitssitten: „Les *tsermaillis* (amis de noce)
avaient le privilège d'apporter aux époux, après qu'ils s'étaient retirés des *offas*, soupe
ou potage au vin . . . . „Aux portes de nos églises le *grain* traditionnel comme souhait,
d'abondance est encore joyeusement jeté sur les jeunes mariés." Begräbnis: Toten-
mähler. Fastnacht: Feuer, Fackeln, Speisen. Mai: Maibäume. „Château d'Amour."
Ernte- u. Winzergebräuche. Alpbräuche. Alte Tanzverbote. Schützengilden.
3. *De Loës, L.*, Un village des Hautes Alpes. Chandolin III. Mœurs, coutumes,
traditions. IV. Légendes. *Bibliothèque universelle* p. 282 suiv. — 4. Sitten u.
Bräuche im obern Toggenburg i. 1. Viertel d. XIX. Jahrh. *Züricher Post* Nr. 118.
Volkskundliches daraus: „Zusammenschellen" erst getrennter u. dann wieder vereinigter
Ehepaare, Zuchtpolizei durch eine Art „Knabengesellschaft" ausgeübt, Liebeswerbung. —
5. *Heer, J. C.*, Schweiz (aus: Land u. Leute. Monographien zur Erdkunde hrg.
v. Scobel Bd. V) Bielefeld und Leipzig. — 6. La population du Hasli.
Conteur vaudois, 29 juillet. Aeusseres der Bewohner, Tracht, Geschlechterverkehr
im J. 1820. — 7. *Nüesch, A.* und *Bruppacher, H.*, Das alte Zollikon. Kultur-
hist. Bild einer zürcher. Landgemeinde von d. ält. Zeiten bis zur Neuzeit.
Zollikon (Selbstverlag der Verf.). — 8. *Meyer, W.*, Ortsbeschreibung und
Geschichte der Gemeinde Dübendorf. Zürich. Orell Füssli. — 9. (*Kessler, Ad.*),
Um das Land des heil. Gallus herum. *St. Galler Stadt-Anzeiger*, 9. Dez.
Zinskäse (an Michaelis) und „Schirmkäse" an das Kloster Pirminsberg. Das „Viehröcken"
(unerklärte Panik des Viehs). — 10. *Coquoz, L.*, Histoire et description de Salvan-
Fins-Hauts. Lausanne. s. o. S. 60. —

III. Siedlung.

1. *Favre, J.*, Les carrières de La Raisse et les Romains. *Le Rameau
de Sapin*, p. 41 suiv. —

IV. Wirtschaft.

Alpwirtschaft. 1. *Bericht* über die Alpwanderkurse des schweiz. alp-
wirtsch. Vereins im Sommer 1898. Kursgebiete: I. Waadt-Wallis.
II. Kanton Schwyz. (Solothurn 1898). — 2. *Strüby, A.* u. *Schneebeli, H.*,
Die Alpwirtschaft im Kt. Schwyz. (*Schweiz. Alpstatistik* 7. Lief.) —
3. *Kobelt, W.*, Die Alpwirtschaft im Kt. Appenzell I./Rh. (*Schweiz.
Alpstatistik* 8. Lief.). — 4. *Alpwirtschaftliche Monatsblätter*. Zeitschr.
f. Alpwirtschaft u. Viehzucht, hrg. v. Prof. *A. Strüby*, Solothurn. —
S. auch XI 1. —

Landwirtschaft. 5. *Chambaz, O.*, La fin du rouet. *Conteur vaudois*, 20 mai.
Rückgang der Hanf-Kultur u. des Spinnens im Gros-de-Vaud. — 6. Arbeitskal.
für den Gemüsegarten u. f. den Bienenzüchter. *Der Schweizer-Bauer*
(Kal.; Bern) S. 3. 5. 7. usw. — 7. Wieder ein Kapitel Landwirt-
schaftliches. *Luzerner Hauskal.* — 8. Le tabac à Payerne. *Conteur*

vaudois, 1 juillet. Renseignements sur l'origine de la culture du tabac dans le district de Payerne. — 9. Die Frauen in der Landwirtschaft. *Lustiger Distelikalender.* —

V. Wohnung.

Haus. 1. Bauernhaus in Glarus. *Der Schweizer-Bauer* (Kal.; Bern) S. 72. Abbildung. — 2. Berner Haus. Landhaus in Iseltwald, bei *Heer* (s. II 5) S. 43. — Heidenhäuser in Unterseen. Berner Haus bei Grindelwald, Äschi, Meiringen *ib.* S. 44. 45. — 4. Holzhäuser bei Zermatt *ib.* S. 155. — 5. Haus zur Treib. Unterwaldner Bauernhaus *ib.* 180. 181. — 6. Altes Bauernhaus in Seon (Bild). *Die Schweiz* III 231. — 7. *Hunziker, J.*, Das Schweizerhaus. I: Das Wallis. Aarau 1900. —

VI. Volkstümliche Industrie.

Keramik. 1. *V.*, Ursprung und Geschichte unserer Haushaltungsgefässe, speziell der Töpferwaren. *Aargauer Tagblatt* 19. 26. 28. März. —
Strahler (Kristallsammler). *Der Schaffhauser Bote* (Kal.) S. 84. Mit Bild. —

VII. Tracht.

Appenzell. 1. Appenzeller-Gruppe an der Einweihungsfeier des Landesmuseums. *Neuer Appenzeller Kalender* (Heiden). Bild. — 2. *Heer* (s. II 5) S. 62. —
Bern. 3. Mädchen aus dem Simmenthal (Anf. XIX. Jahrh.). *Die Schweiz* III 38. — 4. Mädchen aus der Umgebung von Bern (Anf. XIX. Jahrh.) *Ebd.* 39. — 5. *Heer* (s. II 5) S. 41. — 6. Mädchen aus dem Haslithal *ib.* S. 146. — S. auch II 6 u. VII 18. —
Freiamt. 7. Freiämterin. *Die Schweiz* III, Heft 1. N. e. Aquarell v. Ludw. Vogel. — 8. *Lehmann, H.*, Das Schweiz. Landesmuseum in Zürich. Aus der Abteilung für Volkstrachten. Die Freiämtertracht. *Die Schweiz* III Beilage S. 1. Mit Abbildung: Kindertracht aus dem Freiamt. —
Freiburg. 9. Deutsch-Freiburgerin (Brauttracht). Bei: *Heer* (s. II 5) S. 54. — S. auch VII 18. —
Glarus. 10. Alte Glarnertracht. *Der Schweizer Bauer* (Kal.; Bern). Farbiges Bild. —
Schwyz. 11. *Heer* (s. II 5) S. 120. —
Tessin. 12. *Heer* (s. II 5) S. 130. —
Thurgau. 13. Bodenseefischer aus Ermatingen. Originalzeichn. von Hans Meyer. *Die Schweiz* III 45. — 14. *Heer* (s. II 5) S. 82. —
Unterwalden. 15. *Heer* (s. II 5) S. 116. —
Waadt. 16. *Heer* (s. II 5) S. 56. —
Wallis. 17. *Heer* (s. II 5) S. 150. 164. —
Vermischtes. 18. Maler König und die alten Schweizertrachten. *Histor. Kal.* S. 48 ff. Mit farbigen Bildern: Trachten aus dem Kant. Bern u. Freiburg, Abendsitz bei König in Unterseen, Kiltgang im Kant. Bern. —

VIII. Sitten, Gebräuche, Feste.

Taufe, Konfirmation. s. VIII 44. —

Geschlechterverkehr. Kiltgang. 1. *B.*, Lettre de Berne. *Genevois* 15 avril. — S. auch II 6; VII 18. —

Hochzeit. 2. *d'Antan, P.*, Autour du mariage. *Conteur vaudois*, 6 mai Heiratskontrakt von 1689. — S. auch II 2; VIII 44. — 3. Alte Hochzeits-gebräuche im Frickthal. *Eidg. Nationalkal.* (Aarau) S. 36. Mit Bild. 4. Hochzeitsgebräuche in Avers. *ib.* S. 41. Mit Bild. —

Krankheit s. VIII 44. —

Tod und Begräbnis. 5. Seltsamer Leichentransport. *Schweizer Bauer* Nr. 50. Beil. (nach *Basler Nachr.*). — S. auch 2; VIII 44. —

Gepflogenheiten [Beim Kirchgang]. 6. *L. F.*, Le „Reposoir". *Tribune de Lausanne*, 8 juillet. Die Männer in Bauen (Kt. Uri) bilden, die Pfeife im Munde, vor der Kirche auf Bänken Spalier u. kritisieren d. vorübergehenden Frauen.

Land- u. alpwirtschaftliche Gebräuche. S. II 2. —

Berufsarten und Stände, Gesellschaften und Zünfte. 7. Ordnungen und Bräuche eines Ehrs. Handwerks der Tischmacheren in der Stadt Chur. *Bündn. Monatsbl.* (Chur) 33 ff. 69 ff. 89 ff. — 8. *Angst, H.*, Scheibe der „Gesellschaft von Dalwil" von 1522 im hamb. Mus. f. Kunst u. Gew. *Anz. f. schw. Alt.* S. 28 ff. — 9. *Häberlin-Schaltegger*, Bilder a. d. gesellschaftl. Leben früherer Jahrh. *Schweiz. Wochenztg.* Nr. 25. Constablergesellschaft in Frauenfeld. —

Aelpler. 10. Volksbräuche [Prémices des Alpes]. *Basler Nachrichten* 29. März. Die Sennen von Val d'Anniviers reservieren dem Pfarrer von Vissoye den Milchertrag ihrer Herden vom dritten Weidtag und überreichen die daraus gemachten Käse am 4. August unter feierlichen Ceremonien. — 11. F r o-m a g e s de famille. *Gazette du Valais*, 29 oct. Ueber 100jähr. Käse als Zeichen der Wolhabenheit. Käse die bei der Geburt e. Kindes gemacht und nur bei besondern Festlichkeiten angeschnitten werden. — S. auch II 2. — 12. *Jules Cd.*, La bénédiction du troupeau. Segnung der Herden auf der Alp von Emaney durch den Geistlichen. —

Kesselflicker. 13. Vieilles choses. *Conteur vaudois*, 23 sept. Chaudronniers auvergnats ambulants au canton de Vaud. —

Berufe etc. 14. *Tärler, H.*, Die Pfeiferbruderschaft in Königsfelden. *Anz. f. schwz. Gesch.* 30, 235. —

St. Niklaus. 15. *P. Em. W.*, Der „Samichlaus" in der Urschweiz. *Die Schweiz* II 487. Mit Abbildung. —

Weihnachten. 16. Der Neujahrsesel. *Bund* 27. Dez. Umzug eines mit Nüssen u. Aehnl. beladenen Esels in Bern um die Weihnachtszeit. — 17. *H.*, Erinner-ungen. *Luz. Volksbl.* 28. Dez. Weihnachts- und Neujahrssingen, Schreckgestalten des G l u n g e l (männl.) und des B a u r i (weibl.) in Grossdietwil, Altbüron, Fischbach, Ebersecken. — S. auch VIII 44. —

Sylvester. s. VIII 44; IX 31. —

Neujahr. s. VIII 44. —

Dreikönige. s. VIII 44; IX 26. —

Fastnacht. 18. Der B l o c h t a g. In: *Häne, J.*, Der Auflauf zu St. Gallen im J. 1491 S. 166 ff. — 19. Les Brandons [au canton de Neuchâtel]. *Gazette de Lausanne*, 25 févr. — La s c h l i t t e d a della Secziun „Bernina" S. A. C. *Fögl d'Engiadina* 11. Febr. — S. auch II 2; VIII 44. —

Palmsonntag. 20. *Kessler, G.*, Der Palmesel. *Vaterland* 25. März. —
Ostern, Pfingsten. s. VIII 44. —
Frühlingsbräuche. 21. Der Vierläutenumzug in Seon. *Eidg. Na-
tionalkal.* (Aarau) S. 40. Mit Bild. — 22. [Lichter den Bach ab
schicken]. *Vaterland* 9. März. —
Gedenkfeiern. 23. Fêtes du Centenaire de l'indépendance du canton de
Vaud. *Le véritabele Messager boiteux de Berne et Vevey*, p. 69. —
24. Neueneggfeier. *Appenzeller Kal.* Abbildung. — 25. Dasselbe. *Schweiz.
Dorfkal.* (Bern) S. 87. Abbildung. — 26. Die thurgauische Jahrhundert-
feier in Weinfelden. Neuer Appenzeller Kalender (Heiden) Mit Bild. —
Schützenfeste. 27. Tir fédéral de Neuchâtel. *Le véritable Messager boiteux
de Berne et Vevey*, p. 76. — 28. *A. W.*, Un tir fédéral à Neuchâtel
en 1535. *Musée Neuchâtelois*, p. 193. — 29. *Jenny, G.*, Das Gesellen-
schiessen zu St. Gallen 1527. — S. auch II 2. —
Sängerfeste. 30. *Nef, K.*, Die ersten Gesangsfeste der Schweiz. *Schweiz.
Musikzeitung* S. 1. 9. Mit Abbildung d. Sängerfests v. 1825 auf Vögeliseck. —
Schwingfeste. 31. *Heer* (s. II 5) S. 42. —
Kirchliche Gebräuche. 32. Musegger Umgang. *Vaterland* 25. März
1. Beil. — 33. *Kessler, G.*, Der Palmesel *ib.* 2. Beil. — 34. *Juchler, M*,
Fronleichnam in Appenzell. *Die Schweiz* III 140 ff. Mit Illustr. —
35. *Effmann, W.*, Die Glocken der Stadt Freiburg (Schweiz). *Frei-
burger Geschichtsblätter* V 1 ff. — 36. *X.*, Nos Jeûnes. Souvenirs
d'antan. *Journal de Genève*, 1 sept. 1898. — 37. Feste in Unterwalden.
Nidwaldner Kal. (bei den einz. Monaten). —
Gebräuche staatlichen Charakters. 38. Landsgemeinden. Urner
Landsgemeinde. *Illustr. Sonntagsbl.* (Chur) 149. Bild. — 39. Appenz.
Landsgemeinde in Hundwil. *Heimatklänge* (Altdorf) 71 ff. Mit Bild. —
40. Die Bündner Landsgemeinde. *Der Bund* 10. Mai. — S. auch XI 4. —
Märkte. 41. Zur Geschichte der Zurzacher Messen. *Sonntagsbl. d. Thurg
Ztg.* S. 29. — 42. [Verschiedene histor. Arbeiten über den Markt von
Locarno in:] *Il Mercato di Locarno*, vol. II (1899). — 43. La foire
de la Saint-Denis, à Bulle. *Le véritable messager boiteux de Berne et
Vevey*, p. 52. — Avec illustration. —
Vermischtes. 44. *[Barblan, G.*, Sitten und Gebräuche des Unterengadins]
Der Freie Rätier 18., 19., 20. April. Wöchnerin, Patenbitten, Taufe, Kon-
firmation, Verlobung, Hochzeit; Krankheit, Tod, Begräbnis, Ostern, Pfingsten,
Weihnachten, Silvester, Neujahr, Dreikönige, Fastnacht. — S. auch II 3. —
(Unsicher). 45. Das Blumenfest von San Provino. *Revue officielle des
étrangers de Lugano* I (1899) [nicht geliefert]. —

IX. Volksmeinung und Volksglauben.

Kalender- und Wetterglauben. Kalender- und Wetterregeln
1. Berner Bauernregeln. *Berner Volksztg.* Nr. 17. Beil.: Die Bauern-
stube. — 2. *Vital, A.*, Reglas da contadin. *Annalas della Soc. reto-
romantscha* XIII 161 ff. — 3. *Arbeiterfreund-Kalender* S. 3. 5. 7. 9. 11.
13. 15. 17. 19. 21. 23. 25. — 4. *Schweiz. Volkskal.* (Grüningen) bei
den einzelnen Monaten. — 5. *Neuer Züricher Kal.* (Grüningen)
ebenda. — 6. *Historischer Kal.* (Bern) S. 3. 5. 7 etc. — 7. *Der*

Schweizer-Bauer (Kal.; Bern) S. 3. 5. 7 etc. — 8. *Einsiedler Marien-Kal.* bei den einz. Mon. — 9. *Schweizer Hausfreund* (Kal.; Zürich) S. 3. 5. 7 usw. — 10. *Bauern-Kal.* (Langnau) S. 3. 7. usw. — 11. *St. Galler Kal.* S. 3. 5. 7 usw. — 12. *Vetter Jacob* (Kal.; Zürich) bei d. einz. Monaten. — 13. *Lustiger Disteli-Kal.* (Grüningen) ebd. — 14. *Vetter Götti* (Grüningen) ebd. — 15. *Bensigers Marien-Kal.* (Einsiedeln) ebd. — 16. *Der Pilger aus Schaffhausen* (Kal.) ebd. — 17. *Schweiz. Dorfkal.* (Bern) ebd. — 18. *Badener Kal.* S. 3. 5. 7 usw. *Grütlianer-Kal.* S. 3. 4. 5. ff. — 20. *Neuer Einsiedler Kal.* bei den einz. Monaten. — 21. *Der Schaffhauser Bote* (Kal.) ebd. — *Eulenspiegel-Kal.* (Zofingen) ebd. — 23. Wettervoraussage und „Bauernregeln." *Sonntagsblatt der Thurgauer Ztg.* S. 287. —

Segen. 24. *Ribaud, Th.*, La Bénédiction des Alpes. *Almanach des familles chrétiennes* (Einsiedeln), p. 38. — 25. [Alpsegen auf d. Urnerboden] *Schweiz* III 509. 535. (mit Bild). —

Orakel. 26. *Vital, A.*, Il Cudesch da Babania. *Annalas della Società retoromanscha* XIII 71 ff. —

Kinderglauben. s. II 1. —

Zauberei u. Hexerei. 27. *v. Liebenau, Th.*, Die Seelenmutter zu Küssnacht und der starke Bopfart. *Kathol. Schweizerblätter* S. 290 ff. Der „starke Bopfart" ist ein Segensspruch. Der Artikel enthält ein reiches Material über Zauberwesen und Besegnungen.

Tiere. 28. *Kunze, F.*, Die Schwalbe. *Sonntagsbl. d. Thurg. Ztg.* S. 165. —

Pflanzen. 29. Der Baum im Volksmund. *Sonntagsbl. d. Thurg. Ztg.* S. 171. — 30. (Farrnkraut). *Züricher Post* Nr. 198. Wenn man Farrn (Vexierchrut) in die Tasche steckt, so verirrt man sich (Zürch. Weinland). —

Verschiedenes. 31. Silvester im Volksglauben. *Bad. Tgbl.* 31. Dez. 1898. Eheorakel: Bleigiessen, Lichter im Wasser schwimmen lassen, Rosmarinzweig in den Bach werfen, mit Namen beschriebene Zettel, Zauberspiegel in dem man den Geliebten sieht. Fruchtbarkeitssegen. Reichtumssegen. Todesorakel. — 32. [Niesen] *Michel de R.*, Sur les vœux que l'on fait à ceux qui éternuent. *Almanach des familles chrétiennes* (Einsiedeln) p. 21. — 33. Die Finger im germanischen Volksglauben. *Sonntagsgruss der „Limmat"* 3. Juni. —

X. Volksdichtung.

Sagen. 1. *Fahlweid, A.*, Der Schimmelreiter. Eine Sage aus dem Kanton Zug. *Ill. Sonntagsbl. z. Thurg. Taghl.* S. 375 (1898). Betrügerischer Eid. — 2. *The Lago Maggiore Times* (Locarno) 7. Jan. Teufelstein b. Broglio. — 3. *Bernoulli, A.*, Die Sagen von Tell und Stauffacher. Eine kritische Untersuchung. Basel. — 4. *Salvioni, C.*, E ancora delle „case dei pagani" *Bollettino storico*, XX 155. Vgl. Arch. III 66, Nr. 25. —, 5. *Camenisch, N.*, Geschichten und Sagen aus Alt Fry Rhätien (In 10 Heften). Davos. — 6. *Luck, G.*, Die Fänggen. Aus der Alpensage. *Schweiz* III 261. — 7. *Finsler, G.*, Eine Legende zur Schlacht am Gubel. *Zwingliana* S. 123. — 8. Das Gastmahl zur Mitternachtszeit. Einer Walliser Sage nacherzählt. *Bauern-Kal.* (Langnau) S. 47. — 9. *Farner, U.*, Uli Rotach, eine historische Figur. *Schwz. Wehr- und Landsturm-Soldaten-Kal.* S. 32. — 10. Am Madonnenbilde. Eine

Sage aus der Südschweiz. *Revue officielle des étrangers de Lugano*
I (1899). — 11. *Baud-Bovy, D.*, La légende de la Blümlisalp. *Au
Foyer romand*, 1900, p. 141 suiv. — 12. *Schmid, Ferd.*, [Die Tyrannen
von Naters] *Blätter aus der Walliser Geschichte* Bd. II S. 242 fg. —
13. *v. Liebenau, Th.*, Das Geleit am Gotthard. Ein Beitrag zur Erklärung der Tellsage. *Kathol. Schweizerblätter* S. 271. — 14. *Luck, G.*,
Der Teufel [in der Alpensage]. *Schweiz* III 509. — S. auch II 1. 3. —
Lieder. 15. Apprenons par cœur nos chants patriotiques. *Le véritable
messager boiteux de Berne et Vcrey*, p. 56. — 16. *Nef, K.*, Das
schweiz. Volkslied „'s Vreneli ab-em Guggisberg". *Schweiz. Musikzeitung* 8. Juli. — 17. *Pellandini, V.*, Canzoni popolari ticinesi.
Bollettino storico, p. 79. 1. I Ticinesi al confine durante la guerra franco-tedesca
2. Il ritorno dei militi ticinesi dalla Svizzera tedesca. 3. Se 'l governo mi dà la
spada. 4. Sì, sì, andrem sul campo. — 18. Sammlung von 20 Schlacht-
liedern der Eydtgnossen, gedruckt in den Jahren 1600 und 1601 bei
Rud. Wyssenbach in Zürich. *Beilage zu Lagerkatalog Nr. 232 v. K. W.
Hiersemann in Leipzig* (Oktober 1899). — 19. *Tobler, A.*, Sang und
Klang aus dem Appenzell. Eine Sammlung älterer Lieder für vier-
stimmigen Männerchor. Zweite vermehrte Auflage. Zürich u. Leipzig.
Enthält eine grosse Zahl ächter Volkslieder. — S. auch XIV 2. —
Sprüche und Reime. 20. *Farner, A.* u. *Wegeli, R.*, Bauernchroniken aus
den thurg. Bezirken Diessenhofen und Frauenfeld etc. *Thurg. Beiträge
z. vaterl. Gesch.* Heft 38 (1898). S. 73: volkstüml. Reime auf histor. und
andere Ereignisse. — 21. *Vital, A.*, Rimas d'infants e simlas chosas.
Annalas della Soc. reto-romantscha XIII 174 ff. 1. Chi comainza? 2. Gös
d'infants. 3. Cur chi's quinta tarablas. 4. Surnoms. 5. Da tuotta sorts. —
S. auch II 1. —
Inschriften. 22. Hausinschriften und Sprüche. *Schweiz. Volkskalender*
(Grüningen). — 23. Ueber Hausinschriften. *Der Werdenberger* (Buchs)
11. Febr. — 24. Glasscheibeninschriften: *Ochsenbein*, Glasge-
mälde im alten Schützenhause zu Burgdorf. *Herald. Archiv* S. 82 ff.
Schauspiel. 25. *A. B.-F.*, Gewirkter Wollenteppich aus Basel mit der
Gesch. des reichen Mannes und des armen Lazarus im Hist. Museum.
Allg. Schweizer Zeitung No. 40. Aus den Spruchbändern schliesst der Verf.
auf ein älteres Basler Lazarusspiel, das zeitlich vor dem Zürcher Spiel v. 1529 läge.

XI. Recht.

1. *Gianzun, R. A.*, Sü d'alp. Davart il vegl drett dellas alps da
Schlarigna. *Annalas della Soc. reto-romantscha* XIII 215 ff. — 3. *Merz, W.*,
Aktenstücke zur altaargauischen Kriminaljustiz. *Schweiz. Zeitschr. f. Strafr.*
XI 371 ff. — 3. *Ders.*, Hexenprozess in Aarau 1586. *ib.* 385 ff. — 4. Rechts-
quellen des Kant. Tessin hrg. v. *A. Heusler* in *Ztschr. f. schweiz. Recht*
Bd. 40. — 4. [Der. Banntag in Liestal]. *Schweizer Bauer* 8. Mai. Beschreibung
des Bannamritts. — 5. *Schmid, Ferd.*, [Das jus primæ noctis in der Sage von
den Naterser Tyrannen] *Blätter aus d. Walliser-Geschichte* Bd. II. S. 243. —
S. auch II 1. 2. —

XII. Redensart und Formel.

Sprichwort. 1. *Pellandini, V.*, Proverbi ticinesi raccolti in Arbedo. *Archivio
per lo studio delle trad. pop.* XVII, 451 ff. — 2. *Luzerner Haus-Kal.*

Bei März, April, Mai, Juni, Juli, August, September, Oktober, November, Dezember. — 3. *Vital, A.*, Poesia e scienza populara ladina. I. Proverbis. *Annalas della Soc. reto-romantscha* XIII 141 ff. Reichhaltige Sammlung. — S. auch II 1. —

XIII. Spiele.

1. *Wyss, R.*, Unterhaltungs- und Bewegungsspiele für die Jugend. Basel. (Verlag des Vereins f. Verbreit. guter Schriften). Leider sind die Spielnamen fast sämtlich ins Schriftdeutsche umgesetzt. — 2. *E. Z.*, Das Schwingen, ein schweizerisches Nationalspiel. *Schweiz* III 175 ff. Mit Abbildungen. —

XIV. Musik und Tanz.

Musik. 1. Hackbrettspielerin. Alphornbläser. *Heer* (s. II 5) S. 183. 184. — 2. *Gauchat, L.*, Etude sur le ranz des vaches fribourgois. Zürich. (Programm). —
Tanz. s. II 2. —

XV. Volkswitz und -Spott.

Prellereien. 1. *Kessler, G.*, In den April schicken. *Sonntagsbl. der Thurg. Ztg.* S. 100. —

XVI. Namen.

Ortsnamen. 1. *Brandstetter, J. L.*, Der Teufel in schweiz. Lokalnamen. *Vaterland* 1. Beil. zu No. 59. — 2. *Vetter, F.*, Weil oder Wil? *Der Bund* Nr. 126. Tritt für die Schreibung -wyl ein. — 3. *Ferrand, H.*, Les Noms des Montagnes. *Echo des Alpes*, p. 204 suiv. — 4. *Ribeaud, E.*, Quelques remarques sur l'origine des noms des localités du Jura bernois. *Le Pays du Dimanche* (Porrentruy), 12 mars. — 5. Von den St. Galler Kurfürsten. *Oberländer Anzeiger* (Ragaz) 14. Juli. — 6. *Salvioni, C.*, Dei nomi leventinesi in *-éngo*, e d'altro ancora. *Bollettino storico*, p. 49 ff. — 7. *Derselbe*, Noterelle di toponomastica lombarda. *ib.*, p. 85 ff. —
Personennamen. 8. *L. B. J.*, Prénoms neuchâtelois. *Feuille d'Avis* (La Chaux-de-Fonds), 26 avril. —

XVII. Sprache.

Sprachschatz. 1. Glossaire des Patois de la Suisse romande. *Gazette du Valais*, 8 Febr. — 2. *Schnorf, K.*, Das Idiotikon der Westschweiz und sein Verhältnis zum deutsch-schweizerischen Idiotikon. *Neue Zürcher Zeitung* 4. Februar. Referat eines Vortrags von Dr. L. Gauchat. — 3. *J. R.*, Die Seele im Spiegel deutscher Sprache. *Sonntagsblatt des „Bund"* 316. 342. 332. 339. —
Sprachgrenze. 4. *Zemmrich, J.*, Deutsches und französ. Volkstum in der Schweiz. *Globus* LXXV 137 ff. Mit Karte. — 5. *Born, P.*, Die sprachlichen Verhältnisse in der Schweiz *ib.* 274 ff. — 6. *Zimmerli, J.*, Die deutsch-französische Sprachgrenze in der Schweiz. III. Teil: Die Sprachgrenze im Wallis. Basel. Besprechung: Sonntags-Beilage der Allg. Schweizer Ztg. S. 195 und hier S. 55. —

Mitglieder

der Schweiz. Gesellschaft für Volkskunde.

Membres

de la Société suisse des Traditions populaires.

Vorstand. — Comité.

Präsident:	Dr. Th. Vetter, Prof. für englische Philologie	Zürich
Vicepräsident:	E. Muret, Prof. de philologie romane	Genève
Aktuar:	Dr. E. A. Stückelberg, Privatdozent für Altertumskunde	Zürich
Quästor:	Oberstlieut. E. Richard, Sekretär der Kaufmännischen Gesellschaft	Zürich
Beisitzer:	Dr. E. Hoffmann-Krayer, Privatdozent für deutsche Philologie, Redaktor des Archivs für Volkskunde	Zürich

Ausschuss. — Conseil.

V. van Berchem	Genève
Dr. Joh. Bernoulli, Oberbibliothekar der Landesbibl.	Bern
J. Bonnard, Prof. de philologie romane	Lausanne
Dr. Brandstetter, Prof. an der Kantonsschule	Luzern
Dr. A. Burckhardt-Finsler, Prof. für Geschichte, Direktor des historischen Museums	Basel
Hochwürden Regens L. C. Businger	Kreuzen b. Solothurn
Dr. J. Hunziker, Prof. an der Kantonsschule	Aarau
Pfarrh. A. Küchler	Kerns
Dr. G. Meyer v. Knonau, Professor für Geschichte	Zürich
J. C. Muoth, Gymnasialprofessor	Chur
E. Pometta, Vicepresidente del Tribunale	Bellinzona
Oberstlieut. Dr. R. v. Reding-Biberegg	Schwyz
Joseph Reichlen, Artiste-peintre	Fribourg
Dr. Ris, Arzt	Thun
Hochwürden Msgr. J. Stammler, Pfarrer	Bern

Ehrenmitglieder. — Membres honoraires.

1. Dr. Arthur Hazelius, Direktor des Nordischen
   Museums   Stockholm
2. Paul Sébillot, Secrétaire général de la Société
   des Traditions populaires   Paris
3. Geh. Regierungsrat Dr. Karl Weinhold, Prof.
   für deutsche Philologie   Berlin

Korrespondierende Mitglieder. — Membres correspondants.

4. Abbé D'Aucourt, Curé   Miécourt (Jura bernois)
5. Henri Junod, Missionnaire   Neuchâtel

Mitglieder. — Membres.

6. Alioth, Manfred (Rittergasse)   Basel
7. Alioth-Vischer, W., Oberst (Rittergasse)   Basel
8. Amberger-Wethli, Fr. (Grütlistrasse 17)   Zürich
9. Amberger, H., Direktor des Schweiz. Bankvereins
   (Böcklinstrasse)   Zürich
10. Andreae, Fritz (Metzgerplatz 13)   Strassburg
11. v. Arx, O., Prof. Dr.   Winterthur
12. Auckenthaler, H. A., Dr. med. (Gartenstrasse 16) Zürich
13. Bachmann, Alb., Prof. Dr. (Heliosstrasse)   Zürich
14. Bachofen-Petersen, J. J. (Gellertstrasse 24)   Basel
15. Balmer, H., Dr., Privatdozent   Bern
16. Bär, F., Pfarrer   Castiel b. Chur
17. Barbey, Maur.   Manoir de Valleyres,   par Orbe (Vaud)
18. Barzaghi-Cattaneo, A., Kunstmaler   Lugano
19. Baud-Bovy, Daniel   Aeschi (Bern)
20. Baumann-v. Tischendorf, K. (Thalgasse)   Zürich
21. Baumgartner, A., Prof. (Hottingerstrasse)   Zürich
22. Baur, Hans, Architekt (Mühlebachstrasse 173)   Zürich
23. Bedot, M., Prof. à l'Université, Directeur du
   Musée d'Histoire naturelle   Genève
24. Beer, Rob., Buchhändler (Peterhofstatt)   Zürich
25. Bendel-Rauschenbach, H., Prof.   Schaffhausen
26. Bendiner, M., Dr., Redaktor   Zürich
27. Benziger, Nik., Nationalrat   Einsiedeln
28. van Berchem, V. (8, rue Eynard)   Genève
29. Bernoulli-Burckhardt, A., Dr. (Leimenstrasse 78) Basel
30. Bernoulli, Frl. A. (Pavillonweg)   Bern
31. Bernoulli-Riggenbach, Frau E.   Basel
32. Bernoulli, Joh., Dr., Landesbibliothekar (Pavillonweg) Bern
33. Betz, L. P., Dr., Privatdozent (Heliosstrasse)   Zürich
34. Bischoff-Sarasin, Alb. (Wettsteinplatz)   Basel
35. Bischoff, J. J. A., Dr. med. (Martinsgasse)   Basel

86. Bischoff-Wunderly, Ed. (Augustinerstrasse) Basel
87. Bischoff, K., Dr., Notar (Albananlage) Basel
88. Bleuler-Huber, H., Oberst, Präs. d. Schw. Schulrats Zürich
89. Blösch, E., Prof. Dr., Stadtbibliothekar Bern
40. Blumer, A., Dr. La Varenne-Saint-Hilaire (Seine), France
41. Bodmer, Hans, Dr. (Gemeindestrasse 19) Zürich
42. Bodmer, Herm., Dr. (Gemeindestrasse 19) Zürich
43. Bonnard, J., Prof. à l'Université Lausanne
44. Boos, H., Prof. Dr. Basel
45. Borel, Mlle C.-Ch., (6, rue du Vieux-Collège) Genève
46. Bouvier, B., Prof. à l'Université (10, Bourg-de-Four) Genève
47. Bovet, Mme Ernest (53, via Arenula) Roma
48. Brandstetter, R., Prof. Dr. Luzern
49. Brenner, K., Pfarrer Sirnach
50. Bridel, Georges-Antoine (place de la Louve) Lausanne
51. Bridel, Ph., Prof. de Théologie (Grand Pont) Lausanne
52. Brindlen, Jos., Hochw., Präfekt Brig
53. Brocher-de la Fléchère, H., Prof. à l'Univ. (9, rue Bellot) Genève
54. Bron, L., Négociant (Corraterie) Genève
55. Brun, C., Dr., Privatdozent (Zollikerstrasse 106) Zürich
56. Brunner, J., Prof. Dr. (Plattenstrasse 46) Zürich
57. de Budé, Eug., Publiciste Petit-Saconnex, près Genève
58. Bugnion, Ch.-A., Banquier (Hermitage) Lausanne
59. Bühler-Weber, H. Winterthur
60. Bührer, K., Redaktor der „Schweiz" Zürich
61. Burckhardt-Finsler, A., Prof. Dr. (Sevogelstrasse) Basel
62. Burckhardt, Aug., Dr. (Albanvorstadt 94) Basel
63. Burckhardt-Werthemann, Dan., Dr., Privatdozent
    (Albangraben) Basel
64. Burckhardt-Ryhiner, K. L. (Aeschengraben 18) Basel
65. Burckhardt, Otto, Architecte (14, rue St-Guillaume) Paris
66. Burgener, Jos., Notar Visp
67. Burkhalter, Dr. med. Langenthal (Bern)
68. Bürli, J., Arzt Zell (Luzern)
69. Burmeister, Alb., Professeur Payerne
70. Burnier, Ch. (Préfleuri) Lausanne
71. Burnat, E., Architecte Vevey
72. Businger, L. C., Hochw., Regens Kreuzen b. Solothurn
73. Bütler, P., Dr., Seminarlehrer Rorschach
74. Caro, G., Dr. (Klosbachstrasse 85) Zürich
75. Cart, W., Professeur à l'Université Lausanne
76. Chabloz, F. Saint-Aubin-le-Lac (Neuchâtel)
77. Chambaz, Octave Rovray (Gros-de-Vaud)
78. Claraz, G. (Sprensenbühlstr. 20) Zürich
79. Clausen, F., Bundesrichter Lausanne
80. Coolidge, W. A. B. (am Sandigenstutz) Grindelwald
81. Cornu, Jul., Prof. Dr. Prag
82. Correvon, Henri (2, rue Dancet) Genève
88. Courthion, Louis, Journaliste Genève

84. Couvreu, Eug. (Grande Place)   Vevey
85. Cramer-Frey, Frau Nationalrat (Parkring)   Zürich
86. Cramer, Henri, Schweiz. Consul   Mailand
87. Cuches, Jules, Dr.   La Chaux-de-Fonds
88. Dändliker, K., Prof. Dr.   Küsnacht-Zürich
89. David, Th., Sculpteur (49 avenue de l'Observatoire) Paris
90. Dettling, A., Lehrer   Seewen-Schwyz
91. Dettling, M., Kantonsrat, Gemeindeschreiber   Schwyz
92. Diacon, Max, Bibliothécaire de la Ville   Neuchâtel
93. Diggelmann, Charles (Hirschengraben)   Zürich
94. Dimier, Mlle (411, La Forêt)   Genève
95. Dinner, F., Dr. jur.   Glarus
96. Doge, François   La Tour-de-Peilz (Vaud)
97. Dörr, C., cand. med. (Zürichbergstrasse 15)   Zürich
98. Dübi, H., Dr., Gymnasiallehrer (Rabbenthalstr. 49) Bern
99. Dubied, Arthur, Prof. (avenue de la Gare)   Neuchâtel
100. Ducrest, Fr., Abbé, Professeur au Collège   Fribourg
101. Dunant, E., Privat-docent (3, rue Daniel Colladon) Genève
102. Durrer, J., Dr., Adjunkt am Eidg. statist. Bureau Bern
103. Durrer, Rob., Dr., Staatsarchivar   Stans
104. Eberle, H., Sekundarlehrer (Hammerstrasse 14) Basel
105. Eberle, O., Dr. med. (Ankerstrasse 61)   Zürich
106. Eggimann, Ch., Libraire   Genève
107. Egli, P., Sekundarlehrer (Zürichbergstr. 15)   Zürich
108. Ehrenfeld, A., Dr., Bezirkslehrer   Olten
109. v. Ehrenberg, Frau L.   Luzern
110. Escher, Konr., Dr., (Bleicherweg)   Zürich
111. Escher, Herm., Dr., Stadtbibliothekar   Zürich
112. Escher-Bürkli, Jak., Dr., (Löwenstrasse)   Zürich
113. v. Escher, Frl. N.   Albis-Langnau
114. Eschmann, Frau M.   Cardina sopra Chiasso (Italia)
115. Facchetti-dei Guiglia, A. (9 via Manzoni)   Milano
116. Fäh, Franz, Dr., Schulinspektor (Holbeinstrasse) Basel
117. Faclam, Ferd. P. H., Zahnarzt (Wallstrasse)   Basel
118. Favey, G., Prof. à l'Université   Lausanne
119. Favre, C., Colonel (rue de Monnetier)   Genève
120. Favre, Ed. (8, rue des Granges)   Genève
121. Feer, C.   Aarau
122. Fehr, E, Buchhändler   St. Gallen
123. Feigenwinter, Ernst, Dr., (ob. Heuberg)   Basel
124. Feilberg, H. F., Dr., Pastor   Askov pr. Vejen (Dänemark)
125. Fient, G., Kanzleidirektor   Chur
126. Fierz-Zollinger, Frau E. (Villa Freudenberg)   Zürich
127. Fininger-Merian, L., Dr. (Engelgasse 50)   Basel
128. Finsler, G., V. D. M. (Hardstrasse)   Basel
129. Fisch, K., Oberstlieut., Instruktionsoffizier   Aarau
130. Fischer, K., Dr. med.,   Sanatorium Braunwald (Glarus)
131. Fleckenstein, F., Kaufmann   Zürich
132. Fleiner, A., Redaktor (Freie Strasse)   Zürich

133. Fleisch, Urban, Pfarrer — Wiesen (Graub.)
134. Florin, A., Regierungsstatthalter — Chur
135. Forcart, M. K., cand. med. (St. Jakobstrasse) — Basel
136. Forcart-Bachofen, R., Kaufmann (St. Jakobstrasse) — Basel
137. Francillon, Gustave (avenue Eglantine) — Lausanne
138. Francillon, Marc-G. (avenue Eglantine) — Lausanne
139. Frey, Joh., Prof. Dr. (Plattenstrasse) — Zürich
140. Fricker, Barth., Prof. — Baden
141. Fridelance, F., Maître à l'Ecole d'Application — Porrentruy
142. Friedli, Emanuel, pr. adr. Dr. H. Bruppacher — Zollikon
143. Furrer, Jos., Landrat — Silenen (Uri)
144. Fusch-Körting, G. (Alpenquai 34) — Zürich
145. Gansser, A. (Schönleinstr. 7) — Zürich
146. Ganz, R., Photograph (Bahnhofstrasse) — Zürich
147. Ganzoni, R. A , Dr. — Chur
148. Gauchat, L.-W., Prof. Dr. (Engl. Viertelstr.) — Zürich
149. Geering, A., Buchhändler (Bäumleingasse) — Basel
150. Geering, T., Dr., Sekretär der Handelskammer — Basel
151. Geigy, Alfr., Dr. (Leonhardsgraben) — Basel
152. Geigy-Hagenbach, Frau E. (Petersgraben) — Basel
153. Geigy-Hagenbach, K., Kaufmann — Basel
154. Geigy-Merian, Rud. (Aeschenvorstadt 13) — Basel
155. Geigy-Schlumberger, Dr. Rud. (Bahnhofstr. 3) — Basel
156. Geilinger, R., Oberst, Nationalrat — Winterthur
157. Geiser, K., Dr., Adjunkt d. Schweiz. Landesbibl. — Bern
158. Gemuseus-Passavant, Rud. — Brombach (Baden)
159. Genoud, Léon, Dir. des Musées industriel et pédagog. — Fribourg
160. Georg, A., Dr., Secr. de la Chambre de Commerce — Genève
161. Georg, H., Buchhändler — Basel
162. Gerster, L., Pfarrer — Kappelen
163. Gertsch, Fritz, Oberstlt. — Bern
164. de Giacomi, Dr. (Bärenplatz 4) — Bern
165. v. Girsewald, Baron C. (Gartenstrasse) — Zürich
166. v. Girsewald, Baronin C. (Gartenstrasse) — Zürich
167. Gobat, H., Inspecteur des Ecoles — Delémont
168. Godet, Alfr., Professeur — Neuchâtel
169. Goppelsröder, E., Fabrikant (Freiestrasse) — Zürich
170. Gossweiler, W. (Dufourstrasse) — Zürich
171. Grandpierre, Ch., Dir. d. Argus der Schweiz. Presse — Bern
172. v. Grebel, H. G., Dr. (Pelikanstr. 13) — Zürich
173. Grellet, Jean, Rédacteur — Neuchâtel
174. Gruner, H., Ingenieur (Nauenstr. 9) — Basel
175. Häberlin, A., Postverwalter — Kreuzlingen
176. Häberlin, H., Dr. med. (Sonneggstrasse 16) — Zürich
177. Haffter, C., a. Regierungsrat — Frauenfeld
178. Haller, B. (Herrengasse) — Bern
179 Häne, J., Dr. (Klausstrasse 50) — Zürich
180. de la Harpe, Edm. — Vevey
181. Hart, A. Bushnell, Professor — Cambridge, Mass. (U. S. A.)

182. Hauswirth, Armin (Erlachstr. 5)   Bern
183. v. Hegner-v. Juvalta, Kaufmann (Stadthausquai)   Zürich
184. Heinemann, F., Dr., Bibliothekar   Luzern
185. Herzog, H., Dr., Kantonsbibliothekar   Aarau
186. Heusler, Andr., Prof. Dr. (Grellingerstrasse)   Basel
187. Heusler, Andr., Prof. Dr. (Schöneberger Ufer 41)   Berlin W
188. Heyne, M., Prof. Dr.   Göttingen
189. His, Rud., Dr., Privatdozent (Kaiserstrasse 33)   Heidelberg
190. Hofer, Hans, Kunstanstalt (Münzplatz 3)   Zürich
191. Hoffmann, A. A., Kaufmann (Rittergasse 21)   Basel
192. Hoffmann-Burckhardt, Frau A. (Rittergasse 21)   Basel
193. Hoffmann-Fleiner, E. (Albanvorstadt 12)   Basel
194. Hoffmann, Hans (Ritterg. 21)   Basel
195. Hoffmann-Krayer, E., Dr., Privatdoz. (Freiestr. 142) Zürich
196. Hoffmann-Krayer, Frau H. (Freiestrasse 142)   Zürich
197. Holenstein, Th., Dr.   St. Gallen
198. Holzmann, M., Dr. med. (Seestrasse)   Zürich
199. Honegger-Weissenbach, Rob. (Bahnhofstrasse)   Zürich
200. Hopf, O., Pfarrer   Meiringen
201. Höpli, Ulr., Commendatore, Buchhändler   Mailand
202. Hotz, R., Dr. (Schanzenstr.)   Basel
203. Huber, J., Dr., Buchhändler   Frauenfeld
204. Huggenberger, Alfr.   Bewangen-Islikon
205. Hunziker, J., Prof. Dr.   Aarau
206. Jeanjaquet, J., Archiviste (17 Parcs)   -   Neuchâtel
207. Jecklin, C., Prof. Dr.   Chur
208. v. Jenner, Eug., Fürsprech   Bern
209. Jenny, G., Dr. (Blumenaustrasse)   St. Gallen
210. Imesch, Dion., Hochw., Prof.   Brig
211. Imfeld, Xav., Ingenieur (Asylstr.)   Zürich
212. Ithen-Meyer, A.   Ober-Aegeri
213. Ithen, Frl. A.   Ober-Aegeri
214. Josephy, C., Dr. (Hirschengraben 3)   Zürich
215. Jullien, Al., Libraire (32, Bourg-de-Four)   Genève
216. Kägi, A., Prof. Dr. (Stockerstrasse)   Zürich
217. Kälin, Kanzleidirektor   Schwyz
218. Kappeler, Dr. med.   Konstanz
219. Kasser, G., Dir. d. hist. Museums   Bern
220. Kaufmännischer Verein   Zürich
221. Keiser, A., Hochw., Rektor   Zug
222. Keller, J., Seminardirektor   Wettingen (Aarg.)
223. Kennedy, Mrs. Marion (15 Avenue Blackheath) London, S. E.
224. Kessler, Gottfr.   Wil (St. Gallen)
225. Kirsch, J. P., Prof. Dr.   Freiburg (Schweiz)
226. Kissling, R., Bildhauer   Zürich
227. Kisling, R., Kaufmann (Grossmünsterplatz 9)   Zürich
228. Knüsly, Eugen, (Thalgasse 29)   Zürich
229. Knüsly, Hans (Thalgasse 29)   Zürich
230. Köchlin, E. A., Dr., Notar (Rennweg)   Basel

231. Koller, J., Dr. med.   Herisau
232. Kracht, C. (Villa Baur)   Zürich
233. Krayer, Ad., (Gellertstrasse)   Basel
234. Krayer-Förster, A. (Gellertstrasse)   Basel
235. Krayer, Georg, (Gellertstrasse)   Basel
236. Krayer-Förster, Frau H. (Gellertstr.)   Basel
237. Kuder, R., Architekt, (Jenatschstrasse)   Zürich
238. Küchler, A.. Hochw.   Kerns
239. Kümin, Jos., Hochw., Kaplan   Merlischachen
240. Kündig, Rud., Dr., Notar (Sevogelstrasse)   Basel
241. Lagger, Franz, Hochw., Pfr.,   Zeneggen, Bez. Visp (Wallis)
242. Landolt-Ryf, C. (Schulhausstrasse)   Zürich
243. Langmesser, Aug., Dr.   Küsnacht-Zürich
244. Lauterburg, Ed., Dr. (Belvaux 15)   Neuchâtel
245. de Lavallaz, L. (Academy)   Greenock (Scotland)
246. Lavater-Wegmann, H. (Aubrigstr. 10)   Zürich
247. Lecoultre, J., Prof. à l'Académie (avenue de la Gare) Neuchâtel
248. Lehmann, H., Dr. (Landesmuseum)   Zürich
249. v. Lengefeld, Fräul. S. (Kornmarkt 11)   Nürnberg
250. Lichtenhahn, C., Dr. (Sevogelstr.)   Basel
251. v. Liebenau, Dr. Th., Staatsarchivar   Luzern
252. Lienert, Meinr., Redaktor, Seestrasse   Zürich
253. de Loës, Mlle L.   Bendes, près Vevey
254. Luchsinger, R., jur.   Zürich
255. Lorenz, P., Dr.   Chur
256. v. Marchion, J. F.   Chur
257. Martin, R., Prof. Dr. (n. Beckenhofstr. 16)   Zürich
258. v. Martini, Fritz   Frauenfeld
259. Marty, Ant., Prof. Dr. (Mariengasse 35)   Prag
260. Marty, J. B., Hochw., Kapl. d. Schweizergarde (Vat.) Rom
261. Mathey, Mlle H.   Wavre (Neuchâtel)
262. Mayenfisch, E., Dr. med. (Stadthausquai)   Zürich
263. Mayor, J., Conservateur du Musée Fol   Genève
264. Meier, Gab., P., O. S. B., Stiftsbibliothekar   Einsiedeln
265. Meier, John, Prof. Dr. (Nonnenweg 62)   Basel
266. Meier, S., Lehrer   Jonen (Aargau)
267. Meisser, S., Staatsarchivar   Chur
268. Mercier, Henri, Priv.-doc. à l'Univ. (3, rue de la Plaine) Genève
269. Merz, C., Dr. med.   Baar (Zug)
270. Meyer, C., Prof. Dr. (Gartenstr.)   Basel
271. Meyer, Konr., a. Inspektor (unt. Zäune 25)   Zürich
272. Meyer v. Knonau, G., Prof. Dr. (Seefeldstr.)   Zürich
273. Michel, A., Pfarrer   Dussnang (Thurg.)
274. Micheli, Hor., Dr. Correspondent du *Journal de Genève* (Bundesgasse)   Bern
275. Millioud, Alfred (Archives Cantonales)   Lausanne
276. Miville-Burckhardt, R. (St. Jakobstrasse)   Basel
277. Möhr, J., Pfarrer   Flerden-Thusis
278. de Molin, A., Privat-docent   Lausanne

279. de Montenach, Baron G.   Fribourg
280. Moosberger, H., Dr., Advokat   Chur
281. Morel, A., Bankdirektor (Freiestr. 96)   Basel
282. Morel, Ch., Journaliste   Genève
283. Morf, H., Prof. Dr. (Pestalozzistrasse)   Zürich
284. de Morsier, Mlle Mathilde   Plongeon, près Genève
285. Müller, Albert, Architekt (Plattenstrasse)   Zürich
286. Müller, Hans, cand. phil. (Eidmattstrasse 2)   Zürich
287. Müller, H., Pfarrer   Laufenburg
288. Muoth, J. C., Prof.   Chur
289. v. Muralt, W., Dr. med. (Rämistrasse)   Zürich
290. Muret, E., Prof. à l'Univ. (15, rue Pierre Fatio) Genève
291. Muret, Mme E. (15, rue Pierre Fatio)   Genève
292. Muret, Eug., Lieutenant-colonel (La Chaumière) Morges
293. Muret, M., Dr. med., Privat-docent (3, rue du Midi) Lausanne
294. van Muyden, H., Peintre (12, avenue de Florissant) Genève
295. Mylius, Alb. (Lange Gasse)   Basel
296. Nägeli, O., Dr. med.   Ermatingen
297. Nater, J., Lehrer   Aadorf
298. Naville, Adr., Doyen de la Faculté des Lettres Genève
299. Naville, Ed., Prof. à l'Univ.   Malagny, par Versoix (Genève)
300. Naville, Louis, (cours des Bastions)   Genève
301. Nessier, Hochw., Präfekt am Kolleg. Maria Hilf Schwyz
302. Nicati, P., Architecte   Vevey
303. Oechsli, W., Prof. Dr. (Gloriastr. 76)   Zürich
304. Ochsner, M., Verhörrichter   Schwyz
305. Oltramare, P., Prof. à l'Université (32, chemin
     du Nant Servette)   Genève
306. Oswald, C., Dr. (Kohlenberg 29)   Basel
307. Oswald, Ad., Dr. med. (Kantonsspital)   Zürich
308. Paravicini-Engel, E.   Basel
309. Paravicini, Carl R., Dr. (St. Jakobstr. 20)   Basel
310. Payot, F., Editeur   Lausanne
311. Pellandini, V., Ajutante Capostazione   Taverne
312. Perrochet, Ed., Président de la Société d'Histoire La Chaux-de-Fonds
313. Peschier, Eugène, Prof.   Konstanz
314. Pestalozzi-Junghans, F. O. (Grütlistrasse 20)   Zürich
315. Pfleghard, O., Architekt (Bahnhofstrasse 56)   Zürich
316. Pineau, Léon, Professeur (60, boulevard Béranger) Tours (France)
317. v. Planta, J.   Tänikon (Thurgau)
318. v. Planta, P.   Fürstenau (Graub.)
319. v. Planta, R., Dr. (Belvoir)   Zürich
320. v. Planta, R. U., Oberst (Pelikanstrasse)   Zürich
321. Pletscher, H., Reallehrer   Schleitheim
322. Pometta, E., Vicepresidente del Tribunale   Bellinzona
323. Prato, Stanislao, Professore   Arpin (Italia)
324. de Pury, J., Lieutenant-colonel   Neuchâtel
325. Rahn, J. R., Prof. Dr. (Thalacker)   Zürich
326. Reber, B. (22, avenue du Mail)   Genève

327. v. Reding-Biberegg, Dr. R., Oberstlieut. Schwyz
328. Reichlen, François (330, quartier Saint-Pierre) Fribourg
329. Reichlen, J., Peintre Fribourg
330. Reinle, K. E., Dr. Hawick (Scotland)
331. Richard, E., Oberstl., (Börse) Zürich
332. Ris, Dr. med. Thun
333. Ritter, K., Dr., Lehrer an der Kantonsschule Trogen
334. Rivoire, E., Notaire (15, quai de l'Ile) Genève
335. Robert, W. Jongny, p. Vevey
336. Rod, Ed. (16, rue Lafontaine) Paris
337. Roos, J., Schriftsteller Gisikon(Luzern)
338. Rossat, A. (Schweizergasse 10) Basel
339. Rossel, Virg., Prof. Dr. Bern
340. Roth, A., Dr., Schweiz. Gesandter (Regentenstr. 17) Berlin
341. Roth, Hans, Dr., (Thunstrasse 24) Bern
342. Rothenbach, J. E., Seminarlehrer Küsnacht-Zürich
343. Rothenhäusler, E., Apotheker Rorschach
344. Röthlisberger, W., Artiste-peintre Thielle (Neuchâtel)
345. Ruepp, P. A., Dr. med. Merenschwand b. Muri
346. Rüttimann, Ph. A., Hochw., Kaplan Vals
347. Ryhiner, Gust., Dr. (Gartenstr. 46) Basel
348. Ryhiner, W., Pfarrer Winterthur
349. v. Salis, R. (Villa Gruber) Genua
350. Salzmann, L., Gerichtsschreiber Naters
351. Sarasin, Alfr., Bankier (Langegasse 80) Basel
352. Sarasin-Iselin, W. (St. Jakobstr. 14) Basel
353. de Saussure, F., Prof. à l'Université Malagny, par Versoix
354. de Saussure, Th., Col., Dir. du Musée Rath (2, Tertasse) Genève
355. Schaller, G., Dir. de l'Ecole normale des Instituteurs Porrentruy
356. Schär, A., cand. phil. (Silbermannstr.) Strassburg
357. Schirmer, A., Dr. (Leonhardstr. 16) Basel
358. Schirmer, G., Dr. (Kasinostr. 19) Zürich
359. Schlegel, E., Pfarrer Wallenstadt
360. Schlumberger-Vischer, Ch., Bankier (Aeschen-
      vorstadt 15) Basel
361. Schmid, J. R., Postdienstchef Basel
362. Schmid, S., Dr. Wohlen(Aargau)
363. Schnüriger, J M., Hochw., Pfarrer Steinen (Schwyz)
364. Schoch, R., Prof. Dr. (Zürichbergstrasse) Zürich
365. Schuler, H., Dr. (Jenatschstrasse 6) Zürich
366. Schulthess, O., Dr., Privatdozent Frauenfeld
367. Schuppli, H. (Mal. Dworjanskaja 10, Sazepa) Moskau
368. Schwyzer Ed., Dr (Rennweg 20) Zürich
369. v. Schwerzenbach, C., Bregenz
370. Secrétan, Eug. (le Mélèze) Lausanne
371. Seippel, P., Prof. (Bergstrasse 141) Zürich
372. Senn-Holdingbausen, W., Verlag Zürich
373. Simon, J. (Albananlage) Basel
374. Singer, S., Prof. Dr. Bern

375. Soldan, Ch., Dr.. Juge fédéral　　　　　　　　　Lausanne
376. Speiser, P., Dr., Regierungsrat　　　　　　　　　Basel
377. Spiess, Ed , Dir. d. allg. Gewerbeschule　　　　Basel
378. Spiller, Rud., Dr.　　　　　　　　　　　　　　　Frauenfeld
379. Spörri, J., Kaufmann (Bahnhofstr.)　　　　　　　Zürich
380. v. Sprecher, Th., Landammann　　　　　　　　　Maienfeld
381. Stadler, E. A., (Schönberggasse)　　　　　　　　Zürich
382. Stäbelin, Jos. (Falkeng. 21)　　　　　　　　　　Zürich
383. Stammler, J., Monsignore, Pfarrer, päpstl. Kämmerer Bern
384. de Stapelmohr, H., Libraire (Corraterie)　　　　Genève
385. Staub, W., Pfarrer　　　　　　　　　　　　　　Affoltern a. Alb.
386. Stebler, F. G., Dr., Vorstand der eidg. Samen-
kontrollstation (Bahnhofstrasse)　　　　　　　Zürich
387. Stehlin, K., Dr. (Albananlage)　　　　　　　　　Basel
388. Steiger, A , Antiquar (z. Löwenburg)　　　　　　St. Gallen
389. v. Steiger, K., stud. med. (Bierhübeliweg, 11)　Bern
390. Steiner H., (Freigutstr.)　　　　　　　　　　　Zürich
391. Steinmann, Frl. M. (Börsestrasse 10)　　　　　　Zürich
392. Stelzner, Frau H. (Pension Fortuna, Mühlebachstr.) Zürich
393. Stern, A., Prof. Dr. (Englischviertelstrasse)　　Zürich
394. Stickelberger, H., Prof. Dr.　　　　　　　　　　Burgdorf (Bern)
395. Stoll, O., Prof. Dr. (Klosbach)　　　　　　　　　Zürich
396. Strasser, G., Pfarrer　　　　　　　　　　　　　Grindelwald
397. Sträuli, E., Pfarrer　　　　　　　　　　　　　　Ober-Hittnau
398. Strehler, Alfred (Selnaustr. 14)　　　　　　　　Zürich
399. v. Strele, R., k. u. k. Bibliotheksvorstand　　　Salzburg
400. Streuli-Hüni, E., Kaufmann (Bleicherweg)　　　Zürich
401. Strickler, Jos., Dr. (Herreng. 20)　　　　　　　Bern
402. Strœhlin, P.-Ch. (86, route de Chêne)　　　　　Genève
403. Stückelberg, Alfr., Dr. (Petersgraben 1)　　　　Basel
404. Stückelberg, E. A., Dr., Privatdozent　　　　　Zürich
405. Stückelberg, Vico (Petersgraben 1)　　　　　　　Basel
406. Studer, J., Pfr. (Nägelistr.)　　　　　　　　　　Zürich
407. Stürm, Jos., Kaufmann (Florastrasse)　　　　　Zürich
408. Styger, M., Kantonsschreiber　　　　　　　　　Schwyz
409. Sulzer, M., Dr. med. (St. Leonhardstrasse 7) . St. Gallen
410. Suter, Jak., Rektor des Töchterinstituts und
aarg. Lehrerinnenseminars　　　　　　　　　Aarau
411. Suter, P., Sekundarlehrer (Kasernenstr. 15)　　Zürich
412. Sutermeister, O., Prof. (Stadtbachstrasse)　　　Bern
413. Sütterlin, G., Hochw., Pfarrer und Dekan　　　Arlesheim
414. Tappolet, E., Prof. Dr. (Freiestrasse)　　　　　Zürich
415. Tatarinoff, E., Prof. Dr.　　　　　　　　　　　Solothurn
416. v. Tavel, Albert, Fürsprech (Laubeckstrasse 20)　Bern
417. Taverney, Adrien, Privat-docent　　　　　　　　Lausanne
418. Thommen, R., Prof. Dr. (Seevogelstr.)　　　　　Basel
419. Thurneysen-Hoffmann, Frau A. (Albanvorstadt)　Basel
420. Thurneysen, P. E. (Albanvorstadt)　　　　　　　Basel
421. Tissot, Charles-Eugène, Greffier du Tribunal　　Neuchâtel

422. Tobler, A., Dr. jur. (Wettingerhaus)   Zürich
423. Tobler, Alfr.   Wolfhalden (Appenzell)
424. Tobler-Blumer, A., Prof. Dr. (Winkelwiese)   Zürich
425. Tobler, C., Nationalrat   Thal
426. Tobler, G., Prof. Dr.   Bern
427. Tobler-Meyer, W. (Rämistr.)   Zürich
428. de Torrenté-Waser, Ingénieur   Sion
429. Ulrich, A., Seminarlehrer   Berneck
430. Ulrich, R., Konservator des Landesmuseums   Zürich
431. Urech, F., Dr. (Schnarrenbergstr. 1)   Tübingen
432. Usener, H., Prof. Dr., Geheimrat   Bonn
433. Usteri-Pestalozzi, E., Oberst (Thalgasse 5)   Zürich
434. Vallotton, Mlle Hélène (La Muette)   Lausanne
435. Vegezzi, P., Canonico   Lugano
436. Vetter, F., Prof. Dr.   Bern
437. Vetter, Th., Prof Dr. (Plattenstrasse)   Zürich
438. Vodoz, J., Dr. (Adlergarten)   Winterthur
439. Vögeli, Albert (Kappelergasse 18)   Zürich
440. Vollmöller, K., Prof. Dr. (Wienerstrasse 25)   Dresden-A.
441. Vonder Mühll, G. (Albanvorstadt)   Basel
442. Vonder Mühll, W., Dr., Notar (Albangraben)   Basel
443. Vulliemin, A., (1, Belles Roches)   Lausanne
444. Wackernagel, R., Dr., Staatsarchivar   Basel
445. Waldis, Kaspar (z. Engelladen)   Schwyz
446. Wanner-Burckhardt, Chr. (Gerechtigkeitsg. 26)   Zürich
447. Wanner, G., Gymnasiallehrer (Schönau)   Schaffhausen
448. Waser, J. H. (Limmatquai 70)   Zürich
449. Waser, M., Hochw., Pfarrer   Schwyz
450. Waser, O., Dr. (Limmatquai)   Zürich
451. Wavre, W., Prof.   Hauterive, près Neuchâtel
452. v. Wattenwyl, H. A., Ingenieur (Spitalg. 40)   Bern
453. Weber, A., Landammann   Zug
454. Weber, H., Dr., 2. Kantonsbibliothekar   Zürich
455. Weckesser, J., Relieur-artiste (93, rue Ducale)   Bruxelles
456. Wegeli, R., stud. phil.   Diessenhofen (Thurg.)
457. Wehrli, F., Architekt (Münstergasse)   Zürich
458. Weidmann, F., Fürsprech   Einsiedeln
459. Weitzel, A., Secrétaire de la Dir. de l'Instruction
   publique   Fribourg
460. Welti, Fr. E., Dr. (Junkerngasse)   Bern
461. Welti, H., Dr. (Lützowstrasse 20)   Berlin W.
462. Westermann, E., Ingenieur (Rigistrasse)   Zürich
463. Wickart, A., Hypothekarschreiber   Zug
464. Wieland, C., Prof. Dr. (Gellertstrasse)   Basel
465. Wiget, Th., Dr., Dir. d. Kantonsschule   Trogen
466. Wildberger, W., Oberlehrer   (Neunkirch Schaffh.)
467. Wille, U., Dr., Oberstdivisionär   Mariafeld-Meilen (Zürich)
468. Wind, Al., Pfarrer   Jonen (Aargau)
469. Wirz, E., Buchhändler   Aarau

470. Wirz, M., Architecte (rue d'Italie)   Vevey
471. Wissler, H., Dr. (Steinwiesstr. 18)   Zürich
472. Wyss, O., Prof. Dr. (Seefeldstrasse)   Zürich
473. v. Wyss, W., Prof. Dr. (Selnaustrasse)   Zürich
474. Zahler, H., Dr., Sekundarlehrer   Münchenbuchsee
475. Zahn, E., Bahnhof   Göschenen
476. Zellweger, O., Redaktor der Allg. Schweiz.-Ztg. Basel
477. Zemp, Jos., Prof. Dr.   Freiburg (Schweiz)
478. Zimmerli-Glaser, J., Dr. (Hôtel Beau-Rivage) Luzern
479. Zindel-Kressig, A., Telegraphenbeamter   Schaffhausen
480. Zutt, R., Dr., Regierungsrat   Basel

Bibliotheken und Gesellschaften.

481. Bibliothek, Königl.   Berlin
482. Bibliothek, Kgl. Württemberg.   Stuttgart
483. Bibliothèque de l'Université   Lausanne
484. Bodleian Library   Oxford
485. Harvard College Library   Cambridge, Mass., U. S. A.
486. Hofbibliothek, Grossherzogliche   Darmstadt
487. Hofbibliothek, K. K.   Wien
488. Hof- und Staatsbibliothek, Kgl.   München
489. Kantonsbibliothek   • Frauenfeld
490. Kantonsbibliothek   · Zürich
491. Landesbibliothek, Schweiz.   '   Bern
492. Lesegesellschaft, Allg.   Basel
493. Lesegesellschaft z. Hecht   Teufen
494. Lesezirkel Hottingen   Zürich
495. v. Lipperheide'sche Büchersammlung, Freiherrl. Berlin
496. Museumsgesellschaft   Zürich
497. Seminar-Bibliothek   .   Küsnacht-Zürich
498. Société de Zofingue, Section Vaudoise   Lausanne
499. Staatsarchiv d. Kantons Bern   Bern
500. Staatsarchiv des Kant. St. Gallen   St. Gallen
501. Stadtbibliothek   Schaffhausen
502. Stadtbibliothek   Winterthur
503. Stadtbibliothek   Zofingen
504. Stadtbibliothek   Zürich
505. Universitätsbibliothek, K. K.   Graz
506. Universitätsbibliothek, K. K.   Innsbruck
507. Universitätsbibliothek, K. K.   Prag
508. Wessenberg-Bibliothek   Konstanz

Zeitschriften für Volkskunde.
Revues des Traditions populaires.

Alemannia. Zeitschrift für Sprache, Kunst und Altertum besonders des alemannisch-schwäbischen Gebiets. Herausgegeben von *Friedrich Pfaff.* Jährlich 3 Hefte. Jahrg. 6 Mk. Verlag: P. Hanstein, Bonn.

Beiträge zur deutsch-böhmischen Volkskunde. Herausgegeben von der Gesellschaft zur Förderung deutscher Wissenschaft, Kunst und Litteratur in Böhmen. Geleitet von Prof. Dr. *A. Hauffen.* Verlag: J. G. Calve, Prag.

Blätter für Pommersche Volkskunde. Monatsschrift. Herausgegeben von *A. Knoop* und Dr. *A. Haas.* 4 Mk. jährlich. Bestellungen bei A. Straube, Labes (Pommern).

Český Lid. Sborník věnovaný studiu lidu českého v Čecbách, na Moravě, ve Slezsku a na Slovensku. (Das tschechische Volk. Zweimonatsschrift für tschech. Volkskunde in Böhmen, Mähren, Schlesien und Ungarn), hrg. von Dr. *Č. Zibrt.* Jahrg. 4 fl., 10 Fr., 3 Rubel. Administration: F. Simáček, 11, Jeruzalémská ul., Prag.

Folk-Lore. Transactions of The Folk-Lore Society. Quarterly. Annual Subscriptions: 1 L. 1 s. Publisher: David Nutt, 270, Strand, London.

The Journal of American Folk-Lore. Editor *William Wells Newell.* Quarterly issued by The American Folk-Lore Society. Annual subscription: Doll. 3.00 Publisher for the Continent: Otto Harrassowitz, Leipzig.

Korrespondenzblatt des Vereins für Siebenbürg. Landeskunde. Redaktion: Dr. *A. Schullerus.* Erscheint monatlich. Jahrg. 2 Mk. Verlag: W. Krafft, Hermannstadt.

Lud. Organ Towarzystwa Ludoznawczego we Lwowie pod redakcyą Dra *Antoniego Kaliny.* (Das Volk. Organ d. Poln. Ver. f. Volkskunde in Lemberg, hrg. v. Prof. Dr. *A. Kalina*). Vierteljahrsschrift. Für Mitglieder 4 fl., für Nicht-Mitglieder 5 fl. Adresse: Lwów (Galicien), Ulica Zimorowicza 7.

Mélusine. Revue trimestrielle, dirigée par M. *Henri Gaidoz.* Un an: 12.25 frs., un numéro: 1.25 frs. Bureaux: 2, rue desChantiers, Paris.

Mitteilungen der Schlesischen Gesellschaft für Volkskunde. Herausgegeben von *F. Vogt* und *O. Jiriczek.* Heft 0,50 Mk. Schriftführer des Vereins: Dr. *O. Jiriczek,* Kreuzstrasse 15, Breslau.

Mitteilungen des Vereins für Sächsische Volkskunde. Herausgegeben von Prof. Dr. *E. Mogk,* Färberstrasse 15, Leipzig.

Mitteilungen und Umfragen zur bayerischen Volkskunde. Jährlich 4 Hefte. Herausg. im Auftrage des Vereins für bayer. Volkskunde und Mundartforschung von Prof. Dr. *O. Brenner,* Würzburg. Jahrgang 1 Mk.

Národopisný Sborník Českoslovanský. Vydává Národopisná Společnost Českoslovanská a Národopisné Museum Českoslovanské. Jährlich 2 Bände. Jahrg. 6 Kronen. Für Mitglieder 2 Kr. Adresse: Prag, Příkopy 12.

Nyare Bidrag till kännedom om de svenska landsmålen ock svenskt folklif. Utgifven på uppdrag af Landsmåls föreningarna i Uppsala, Helsingfors ock Lund genom *J. A. Lundell*. Boklådspris för årgången 4,50 Kronor. Stockholm (Samson & Wallin).

Ons Volksleven. Monatsschrift. Herausg. von *Joz. Cornelissen* und *J. B. Vervliet*. Jahrg. 2.50 Fr. Verlag: L. Braeckmans, Brecht.

Revue des Traditions populaires, recueil mensuel de mythologie, littérature orale, ethnographie traditionelle et art populaire. Organe de la «Société des Traditions populaires», dirigé par M. *Paul Sébillot*. Un an: Suisse, 17 frs.; pour les membres: 15 frs.; un numéro: 1.25 frs. Bureaux: 80, boulevard St-Marcel, Paris. — (Pour recevoir un numéro spécimen, il suffit d'en faire la demande à M. Sébillot, en ajontant un timbre de 15 centimes.)

A Tradição. Revista mensuel d'ethnographia portugueza. Directores: *Ladislau Piçarra* e *M. Dias Nunes*. Preço da assignatura: 600 réis. Editor-administrador: *José Jeronymo da Costa Bravo de Negreiras*, Rua Larga 2, Serpa (Portugal).

Unser Egerland. Blätter für Egerländer Volkskunde. Herausg. von *Alois John,* Eger.

Volkskunde. Monatsschrift. Herausg. von *Pol de Mont* und *A. de Cock.* Jahrgang 3 Fr. Verlag: Hoste, Veldstraat 46, Gent.

Wallonia. Recueil mensuel de littérature orale, croyances et usages traditionnels, fondé par *O. Colson, Jos. Defrecheux et G. Willame.* Belgique: Un an, 3 frs., un numéro, 30 cent., Union postale: 4 frs. Administration: 88, rue Bonne-Nouvelle; Rédaction: 6, Montagne Ste-Walbnrge, Liége.

Zeitschrift des Vereins für Volkskunde. Vierteljahrsschrift. Herausg. von *Karl Weinhold.* Jahrg. 12 Mk. Vorsitzender des Vereins: Prof. Dr. *K. Weinhold,* Hohenzollernstr. 10, Berlin W.

Zeitschrift für österreich. Volkskunde. Redaktion: Dr. *M. Haberlandt.* Jahrgang 4 fl. 80. Verlag und Expedition: F. Tempsky, Wien.

Zur Beachtung!

Den Mitgliedern steht die **Bibliothek** der Schweiz. Gesellschaft für Volkskunde jederzeit zur Benutzung offen.

Bücher werden auf Bestellung ausgeliehen und franko zugesandt; nach Empfang ist die Quittung ausgefüllt zurückzusenden.

Einzelne **Hefte der Zeitschrift** werden den Mitgliedern gratis und franko verabfolgt, falls solche zu Zwecken der Propaganda für unsere Gesellschaft oder deren Organ verwendet werden.

Zum **Bezug von Büchern und Heften** wende man sich an Herrn Dr. *O. Waser,* Limmatquai 70, Zürich I.

Schweizerische Gesellschaft für Volkskunde.
Société Suisse des Traditions Populaires.

Schweizerisches
Archiv für Volkskunde.

Vierteljahrsschrift

unter Mitwirkung des Vorstandes herausgegeben

von

Ed. Hoffmann-Krayer.

Vierter Jahrgang. Heft 2.

ZÜRICH

Der Umfang des Jahrganges ist auf 20 Bogen festgesetzt.

Der Abonnementspreis beträgt für Mitglieder Fr. **4.**—, für Nichtmitglieder Fr. **8.**— ; für das Ausland kommt der entsprechende Portozuschlag hinzu.

Beiträge für die Zeitschrift und **Büchersendungen** sind zu richten an den Redaktor

Herrn Dr. *E. Hoffmann-Krayer*, Freiestrasse 142, Zürich V.

Beitrittserklärungen an Herrn Dr. *E. A. Stückelberg,* Kappeler-gasse 18, Zürich I.

Geldsendungen an

Herrn *E. Richard*, Börse, Zürich I.

1061.

Nyw 'G
Sta Nia

New Bildelow.
Ind.

Nefals
eo 1850

Brookville, Ind.

Ferdinand, Ind.

St. Meinrad Und Nord America
1836.

Rairie View, Arc.

New Subiaco, Arc.
1887.

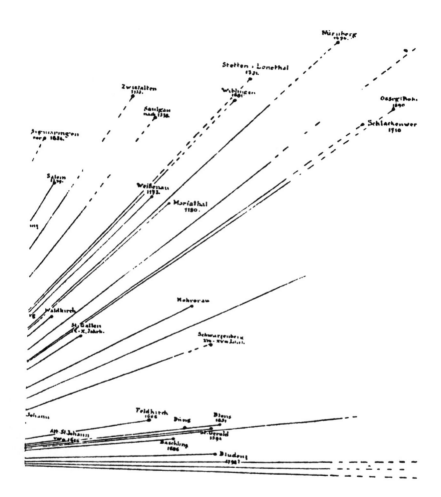

Mürzberg
1690.

Stetten · Lonethal
1332.

Zwiefalten
1133.

Wiblingen
1601

Sassigan
nach 1338.

Osseg (Boh.
1890

Sigmaringen
vor p 1686.

Schlackenwer
1910

Salem
1189

Weißenau
1192.

Mariathal
1180.

Mehrerau

Waldkirch

St. Gallen
IX · X. Jahrh.

Schwarzenberg
XVI · XVII Jahrh.

Johann

Feldkirch
1606

Düns

Blons
1631

Aft. St. Johann
vor p 1566

St. Gerold
1394

Baschling
1686

Bludenz
1741

Churwalden
1803.

Initiale O aus der Einsiedler Handschrift 111 mit der ältesten Darstellung
des Märtyrertodes des hl. Meinrad.

Die Ausbreitung der Verehrung des hl. Meinrad.

Von P. Odilo Ringholz O. S. B.

Einleitung.

Die Bedeutung der Reliquien und der Verehrung der
Heiligen für die Geschichte in ihrem weitesten Umfange hat
Herr Dr. E. A. Stückelberg in seinem Aufsatze „Translationen
in der Schweiz" im dritten Jahrgang des Schweizerischen Archivs
für Volkskunde kurz aber mit feinstem historischen Takte dargelegt, so dass die vorliegende Zusammenstellung keiner Recht-
fertigung bedarf.

Um die Ausbreitung der Verehrung irgend eines Heiligen
möglichst erschöpfend darzustellen, sind dessen Reliquien, Kirchen,
Kapellen, Altäre, Glocken, Bildstöcke, Bilder, Medaillen, Siegel
und Wappen mit seinem Bilde oder seinen Attributen, Brunnen,
Bruderschaften und Sodalitäten, Vereine, Handschriften und
Drucke seiner Lebensbeschreibung, Jahrzeitbücher und Kirchen-
kalender, in welche sein Name aufgenommen ist, die Verwendung seines Namens als Tauf-, Ordens-, Flur-, Häusername
und zu Urkundendatierungen, sein Officium in Brevier und Messbuch, geistliche Spiele, Sagen, kurz alle Anzeichen und Aeusserungen der Verehrung nachzusuchen und zu registrieren.

Das Alles ist hier in Bezug auf die Verehrung des hl.
Meinrad geschehen.

Und doch war das für unsern Zweck nicht genug. Es
mussten noch die sogen. Einsiedler-Kapellen, Nachbildungen
der Gnadenkapelle in Einsiedeln an andern Orten, berücksichtigt
werden. Wie nämlich in der Gnadenkapelle zu Einsiedeln eine
doppelte Verehrung, die Unserer Lieben Frau von Einsiedeln
und des hl. Meinrad, von jeher stattfindet, so ist es auch in den
auswärtigen Einsiedler-Kapellen, aber nicht in allen. Es gibt
nämlich solche, die nichts mit ihrem Originale gemein haben
als einzig eine Statue U. L. F. von Einsiedeln. Diese Kapellen
kommen hier für uns nicht in Betracht. Nur solche Einsiedler-
Kapellen können in der Regel hier Berücksichtigung finden, die
in ihrem Bau und ihrer innern Einrichtung genaue Nachbildungen der Einsiedler Gnadenkapelle sind und welche durch
ihre Weihe der Verehrung U. L. F. von Einsiedeln und des
hl. Meinrad gewidmet sind.

Es gibt einige übrigens seltene Ausnahmen von dieser
Regel, indem einige Einsiedler-Kapellen, die nicht ganz genaue
Nachbildungen des Originales sind, doch auch als Verehrungs-
stätten des hl. Meinrad zu gelten haben. Diese wurden selbstverständlich hier aufgenommen, so z. B. die in der alten Pfarrkirche zu Gries (s. u. Oesterreich).

Es ist aber wohl zu beachten, dass die ältern noch bestehenden auswärtigen Einsiedler-Kapellen in ihrem Baue nicht
mehr ganz der jetzigen Gnadenkapelle zu Einsiedeln gleichen,
da diese nach ihrer Zerstörung im Jahre 1798 in etwas ge-
änderter, dem praktischen Bedürfnisse mehr entsprechender Gestalt 1817 wieder hergestellt wurde.

Unsere Quellen für folgende Zusammenstellung sind zum
Teile ungedruckt und stammen aus dem Archive, der Bibliothek
und den Sammlungen des Stiftes Einsiedeln; zum Teile sind es
briefliche Mitteilungen von auswärts; zum Teile sind sie gedruckt und endlich beruhen sie zum Teile · auf eigener per-
sönlicher Erfahrung. Citiert werden in der Regel nur die
gedruckten Quellen.

Wie Herr Dr. E. A. Stückelberg durch seinen oben erwähnten Aufsatz diese Zusammenstellung mittelbar angeregt hat,
so hat er sie auch unmittelbar durch verschiedene Mitteilungen
aus seinen Sammlungen bereichert. Für diese gütigen Beiträge,

die in dem Texte oder in den Anmerkungen mit (St.) bezeichnet wurden, sowie für alle andern, die mir von den verschiedensten Seiten zugekommen sind, spreche ich meinen verbindlichsten Dank aus.

Im Interesse der Einfachheit und Kürze wurden leicht verständliche Abkürzungen angewendet. B. = Bild, HP. = Hauptpatron, NP. = Nebenpatron, P. = Patron, R. = Reliquien[1]), worunter, da es sich ja hier um keinen andern Heiligen handelt, immer der hl. Meinrad, dessen Namen wir kurz mit M. geben, zu verstehen ist. — Wo zu dem Worte Reliquien (R.) kein weiterer Zusatz gemacht wird, sind immer solche „ex ossibus", von den Gebeinen, gemeint. — Das Datum bei den Kirchen, Kapellen, Altären und Glocken bezieht sich immer auf deren Consecration.

Vollständigkeit wurde angestrebt, ist aber jedenfalls nicht erreicht worden, und Nachträge werden mit der Zeit immer noch zum Vorschein kommen. Doch ist alles, was mir erreichbar war, vollständig gesammelt worden, mit Ausnahme der Bilder und Medaillen, deren Zahl sehr gross ist und die nur wenig künstlerischen oder antiquarischen Wert haben. Von diesen wurden — was vollständig genügen dürfte — nur jeweils die ältesten datierbaren Exemplare einer Art und die bedeutenderen Stücke aufgenommen.

Um die Uebersicht zu erleichtern, ist der gefundene Stoff folgendermassen gegliedert worden:

I. Entstehung und Entwicklung der Verehrung des hl. M. in Einsiedeln.

II. Ausbreitung seiner Verehrung in der Schweiz.

III. im Auslande.

IV. Schlussbemerkungen. Die Meinradsreliquien bei der Kirchweihe in Basel im Jahre 1019.

I.

Entstehung und Entwicklung der Verehrung des hl. M. in Einsiedeln.

Einsiedeln ist von Anfang an und stets der Mittelpunkt dieser Verehrung gewesen.

M. (ursprüngliche Namensform Meginrât = kräftiger Rat), geboren ca. 797 im Sülichgau, der sich über die Gegend um Rottenburg und Tübingen am Neckar, sowie über das Steinlach- und Starzelthal erstreckte, also zum Teile im heutigen Württemberg, zum Teile in Hohenzollern lag, kam ca. 807 in die Schule

---

[1]) R. bei Medaillen bedeutet natürlich Revers.

des Benediktinerklosters auf der Insel Reichenau, wurde ca. 822 zum Priester geweiht, trat ca. 823 in den Benediktinerorden ein, wurde 824 von seinem Abte in das Reichenauer Klösterlein Babinchova, dem heutigen Benken im sanctgallischen Bezirke Gaster, als Vorsteher der dortigen Schule geschickt, zog sich 828 als Einsiedler auf die Passhöhe des Etzels und 835 in den Finsterwald, später Einsiedeln genannt, zurück, wo er am 21. Januar 861 von zwei Mördern getötet wurde. Da der Beweggrund dieser That nicht so fast Raubgier als viel mehr Religionshass war, und Meinrad nach dem Zeugnisse des Reichenauer Chronisten Hermann des Lahmen [1]) nach seinem Tode durch Wunder verherrlicht wurde, begann alsbald die private Verehrung des getöteten Einsiedlers als eines Märtyrers. Daher kam es, dass die sofort herbeigeeilten Mönche des Klosters Reichenau den Leichnam nicht an Ort und Stelle beisetzten, sondern in ihr Kloster übertrugen. [2]) Daher kam es auch, dass M. noch im IX. Jahrhundert eine Lebensbeschreibung (s. u. bei Reichenau) und das Prädikat sanctus, wenn auch noch nicht offiziell [3]), erhielt und schon zwanzig Jahre vor seiner

---

[1]) Mon. Germ. SS. V, 105: „post mortem virtutibus claruit."

[2]) Quellen für das Leben des hl. M.: 1. Vita s. passio ven. Meginrati Herem Mon. Germ. SS. XV 445—448. 2. Chronik Hermanns d. Lahmen. Mon Germ. SS. V 70. 71. 105. 420. 3. Die Annalen von Einsiedeln. Mon Germ. SS. III 140 145. 4. Die Reichenauer Chronik des Gallus Oehem aus den ersten Jahren des XVI. Jahrhunderts. Ausg. von Barack, S. 53. 54. 58. 87. 115. Brandi S. 50. 53. 72 96. — Ueber den Aufenthalt des hl. M in Babinchova s Anzeiger f Schweiz. Gesch. 1897. Nr. 3, 473—480; Linth-Blätter, Beil. z. St. Galler Volksblatt, 1897. Nr. 40 und 41. 1899, Nr. 14 und 43. — Ueber Ms. Ansiedelung auf den Etzelpass s. Einsiedler Anzeiger 1897, Nr. 2 und 3. — Ueber Ms. Todesjahr s. meine Wallfahrtsgeschichte U. L. F. von Einsiedeln, Freiburg i. B 1896 S. 4, Anm. 1. — Die Chronologie des Lebens Ms. ist nach den in der Vita enthaltenen Anhaltspunkten hergestellt — L. Schmid. Der heilige Meinrad in der Ahnenreihe des erlauchten Hauses Hohenzollern, Sigmaringen 1874.

[3]) In der alten soeben citierten Vita wird M. zweimal beatus und viermal sanctus, einmal sogar sanctus martyr genannt, und zwar in allen, auch den ältesten Handschriften. — Wir wissen genau, dass die Titel beatus und sanctus ungefähr bis zum VIII. Jahrhundert nicht immer die persönliche Heiligkeit ihrer Träger bezeichneten. Aber zur Zeit, als die Vita geschrieben wurde, hatten diese Titel bereits ihre heutige Bedeutung (vergl. St. Beissel. S. J., Die Verehrung der Heiligen und ihrer Reliquien in Deutschland bis zum Beginne des 13. Jahrh. S 35. 36. 105.)

Heiligsprechung sich nachweisbar R. in der Hand des Kaisers Heinrich II. befanden und in dem Hochaltar der Kathedrale zu Basel eingeschlossen wurden (s. u. bei Basel).

Der Finsterwald blieb von 861 an verlassen, bis zu Anfang des X. Jahrhunderts der Strassburger Domherr Benno dahin kam und Gleichgesinnte um sich sammelte. Im Jahre 934 zog der bisherige Dompropst Eberhard von Strassburg mit Hab und Gut und Leuten zu der kleinen Eremitengesellschaft, gründete ein Benediktinerkloster und führte die notwendigen Gebäude auf.[1] Die Kapelle des hl. M. blieb an ihrer ursprünglichen Stelle erhalten und über und um sie herum wurde die Kirche aufgeführt. Die Ottonen, die Herzoge von Schwaben und die Nellenburger begünstigten das neue Kloster und statteten es mit Gütern und Vorrechten aus. Der ursprüngliche Name war Meinradszelle, erst vom Jahre 1073 an kommt allmälig der deutsche Name Einsidelen auf, ohne aber den alten Namen ganz zu verdrängen. Die Erneuerung der alten Meinradszelle und Gründung des neuen Klosters sind ein thatsächlicher Beweis für die Verehrung Ms.

Die junge Stiftung wuchs rasch und blühte bald auf. 948 fand die Weihe der Kirche statt, bei welcher die wunderbare Einweihung der erneuerten M'skapelle sich ereignete, die sogen. Engelweihe.[2] Die Kapelle wurde zur Gnadenkapelle, eine Stätte der Verehrung U. L. F. von Einsiedeln und des hl. M. Der Zudrang zur Gnadenstätte nahm schnell grosse Ausdehnung an, so dass schon 987 die Kirche vergrössert werden musste. Aus dieser Zeit ist noch ein Verzeichnis der zwölf Altäre und der Reliquien der Stiftskirche vorhanden.[3] In den Teilen der Annalen von Einsiedeln, die gegen Ende des X. Jahrhunderts geschrieben wurden, wird M. oft beatus, sanctus und martyr genannt.[4]

1029 brannte die Kirche und das Kloster ab. Am 10. Mai 1031 wurde der Grundstein der neuen Kirche gelegt. Am

---

[1] Die Quellen für die Gründung und die ersten Aebte des Stiftes sind zusammengestellt in STUDIEN und Mitteilungen aus dem Benediktiner und dem Cistercienser Orden VII 1, S. 50—79 und 269—292; separat bei Herder's Verlag, Freiburg i. Br. 1886.
[2] Hierüber meine Wallfahrtsgeschichte, S. 7—9 und 311—361.
[3] ANZ. F. SCHWEIZ. GESCH 1898, S. 11—16.
[4] Einsiedl. Hds. 29, 319 u. 356. MON. GERM. SS. III 140 sqq

6. Oktober 1039 fand die Uebertragung der R. des hl. M.
von der Reichenau nach Einsiedeln statt; damit war nach damaligem Rechte die schon früher bestehende Verehrung officiell
anerkannt und die Heiligsprechung amtlich vollzogen. Acht
Tage darauf, am 13. Oktober, wurde die Kirche eingeweiht.¹) Berno,
Abt der Reichenau (1008—1048), verfasste und komponierte ein
eigenes Festofficium zu Ehren des hl. M.²) Bisherige Patrone waren: U. L. F., der hl. Märtyrer Mauritius und seine
Genossen. Von jetzt an erscheint St. M. unter den Patronen;
an erste Stelle kam, wie früher, U. L. F., an zweite St. M.
und an die dritte Stelle St. Mauritius mit seinen Gefährten.³)
Später kamen noch die hl. Märtyrer Justus und Sigismundus,
König, dazu.

In den ältesten Kalendarien erscheinen schon zwei Festtage des hl. M.: der Todestag, 21. Januar, und der Tag der
Uebertragung, 6. Oktober.

Zwischen 1118 und 1127 wurde die St. Johanneskapelle
im Kreuzgang geweiht und R. von St. M. in den Altar einge-
schlossen.⁴)

Aus dem XII. Jahrhundert stammt die älteste noch vorhandene Niederschrift des von dem Reichenauer Abte Berno
verfassten und komponierten eigenen Festofficiums Ms in der
Einsiedler Handschrift 83, Bl. 27ᵇ bis 28ᵇ mit Neumen, und der
Messgebete in der Einsiedler Handschrift 111, S. 26, wo in der
Initiale O die erste Darstellung seines Märtyrertodes
enthalten ist.⁵) Auf spätern Bildern, vom 15. Jahrhundert

¹) Dedicatio huius aecclesie III. Id. Oct Eodem anno translatio sancti
Meginradi de Augia II Non. eiusdem mensis. Handschrift 319, S. 32 zum
Jahre 1039. MG SS. III, 146. — Im Jahre 1584 nahm Baronius den hl. M.
in das offizielle Martyrologium Romanum auf.

²) P. Anselm Schubiger O S B, Die Sängerschule St. Gallens, S. 83.
84. — Die ältesten Niederschriften sind in den Einsiedler Handschriften
Nr 83 und 611 enthalten (s u)

³) So zum ersten Male urkundlich in einem Diplome Heinrichs IV
vom 24. Mai 1073 — Urkundlich wird M. zum ersten Male sanctus genannt
23. Febr. 1064 — Anz. f. Schweiz. Gesch. 1898, S. 16.

⁴) Handschrift 83 und 113. Jahrb. f. Schweiz. Gesch. X 310. Vgl.
Geschichtsfr. 43, 163

⁵) Abbildungen bei P. Gall Morel, Die Legende von St. Meinrad
(Facsimile des Blockbuches), S. V; meine Wallfahrtsgeschichte, S. 1 und:
Der heilige Märtyrer Meinrad (Einsiedeln 1900), Titelbild. — Die beste Re-
produktion steht zu Anfang dieser Zusammenstellung. Die Darstellung ist
verständlich; wir bemerken nur, dass das Gewand Ms. das Scapular ist.
Vgl. Müller und Mothes, Archäolog. Wörterbuch II 862. 863.

an, um dieses gleich hier zu erwähnen, wird M. meist im schwarzen Benediktinerordensgewande dargestellt, und folgende Attribute werden ihm beigegeben: 1. zwei Raben. Die alte Lebensbeschreibung erzählt nämlich, dass M. zwei Raben aufgezogen und dass diese die Mörder verfolgt und so zur Anzeige gebracht haben. 2. Ein Becher mit Brot, eine Andeutung seiner letzten Liebesthat, der Bewirtung seiner Mörder, ebenfalls der alten Lebensbeschreibung entnommen. 3. Eine Keule, als Zeichen seiner Todesart. 4. Ein Palmzweig, Zeichen des Sieges, das er mit allen Märtyrern gemein hat. 5. Ein Kreuz, das er knieend von U. L. F. in Empfang nimmt. Dieses Attribut deutet auf sein Todesleiden hin. 6. Auf vielen Bildern sieht man am Haupte die Todeswunde angedeutet.[1]

Ebenfalls aus dem XII. Jahrhundert stammt die Einsiedler Handschrift 249, in welcher die alte Lebensbeschreibung enthalten ist.

In derselben Zeit finden wir den Namen M. in die Litaneien eingefügt, so in den Handschriften 83 und 112.

Zwischen 1192 und 1210 liess der Abt Wernher II., damals nach seiner Resignation Dekan des Stiftes, u. a. auch zwei Reliquienschreine für die Patrone machen.[2]

Im XIII. Jahrhundert wird zum ersten Male der M.-Altar in der Stiftskirche erwähnt (Handschrift 117), und als dessen Weihetag der 2. August angegeben.

1226 wurde die obere Abteikapelle, St. Michael, geweiht und in den Altar R. eingeschlossen.[3] Dasselbe geschah bei der neuen Weihe, 6. September 1586.

In der Mitte des XIII. Jahrhunderts taucht die erste Nachricht von dem Abtei-Wappen auf. Es sind die Verse Konrads von Mure, die einzig in der Einsiedler Handschrift 128 enthalten sind:

Vult abbas Heremitarum ductu rationis
Ferre duos corvos, quos pro signo sibi ponis.[4]
Einsiedelns Abt, zu Wappentieren,
Will guten Grunds zwei Raben führen.

---

[1] Vgl. H. Detzel, Christl. Ikonographie II 533. 534. — Detzel verwechselt — wie so viele Andere — den echten Namen Meginrat mit Meginhard.

[2] Annal. Eins. Hs. 319, in Mon. Germ. SS. III 148. Stud. u. Mitt. a. d. Bened. u. Cist. Orden 1885, I 329. Hartmann, Annales Heremi 228. 229.

[3] Geschichtsfreund 42, 129.

[4] Anz f. Schweiz. Gesch. 1880, S. 234.

Der Grund hiefür ist einleuchtend; die zwei Raben sind eben Attribute Ms, und somit ist das Abteiwappen ein Zeichen seiner Verehrung.

1298, 22. Juli, erscheint die Namensform Meigenradus.[1]

Um diese Zeit verfasst und komponiert der Stiftsschulmeister Rudolf von Radegg eine Sequenz auf den hl. Meinrad, von der aber nur noch die erste Strophe erhalten ist.[2]

Ca. 1300 lässt Abt Johannes I. das Festofficium des hl. M. nebst allen andern Officien in das neue Guidonische Notensystem umschreiben.[3]

1314, 6.—7. Januar, überfallen die Schwyzer das Stift, erbrechen u. a. die Reliquienschreine, nehmen sie mit sich fort und schütten die Reliquien an den Boden. Die Ms.-Reliquien werden nicht namentlich erwähnt.[4]

1323, 12. August, wird die vergrösserte St. Johanneskapelle im Kreuzgang geweiht, in den Altar kamen R.[5]

Schon früh muss der Name M. als Taufname gegeben worden sein; denn im XIV. Jahrhundert war er bereits zum Geschlechtsnamen geworden. Im Jahre 1331 treffen wir einen Rudolf Meinratz (d. i. Sohn des Meinrat) und etwas später einen Ulrich Meinratz.[6] In demselben Jahre erscheint in der Nähe von Einsiedeln (in Egg?) „ſant Meginrates geſwende" als Flurname.[7]

1346 erscheint auf dem Siegel des Abtes Konrad II. von Gösgen zum ersten Male ein Rabe.

Auf den beiden Siegeln des Abtes Peter II. von Wolhusen 1376 bis 1386 oder 1387, erscheint auch nur ein Rabe, aber mit einem Kreuz auf dem Rücken, was weder früher noch später der Fall ist. Dreizehn im Jahre 1869 zu Wolsen im Kt. Zürich gefundene Bracteaten zeigen ganz dasselbe Bild und geben ein Recht zu vermuten, dass Abt Peter II. diese Münzen geschlagen

---

[1] GESCHICHTSFREUND 42, 146.

[2] Eins Hs. 114. P. GABRIEL MEIER, Catalogus I 95. GESCHICHTSFREUND 154.

[3] Eins. Hs. 611, Bl. 163b—167b — P. Anselm Schubiger hat a. a. O. Nr. 45 der Exempla eine Probe in heutiger Notenschrift veröffentlicht. — Cod. 23 ist die alte Nummer für die heutige 611. — Ueber die Thätigkeit des Abtes Johannes I. für den den kirchlichen Choralgesang s. GESCHICHTSFREUND 43, 151 ff. 393.

[4] GESCHICHTSFREUND 43, 243. 373. Separatausg. S. 115. 245.

[5] GESCHICHTSFREUND 43, 163.

[6] GESCHICHTSFREUND 45, 126. 47, 32.

[7] GESCHICHTSFREUND 45, 123.

habe.[1]) Erst seit dem Jahre. 1420 kommen zwei Raben auf den Abteisiegeln vor, um nicht mehr daraus zu verschwinden. Die Stellung dieser Wappentiere ist durchaus nicht gleichbleibend. Bald fliegen sie nach rechts, bald nach links, bald zeigen sie flatternd die Vorderseite. Erst seit 1773 fliegen sie beständig nach links vom Beschauer aus gerechnet.

1348, 10. November, überfallen die Züricher das Stift Einsiedeln und rauben alle Reliquien, geben sie aber wieder zurück. Einzelne Reliquien werden nicht genannt.[2])

Am 15. März 1378 vollendet der sonst nicht näher bekannte frater Georgius de Gengenbach seine Schrift Originale de capella gloriose virginis Marie ad Heremitas, die ein Leben des H. M., die Gründung des Klosters und die Berichte über die Engelweihe enthält. Dieses Schriftstück befindet sich im Stiftsarchiv Einsiedeln, ist noch ungedruckt und übrigens für die Geschichte Ms. wertlos. Sie ist bereits von der Volkssage durchsetzt, enthält viele besonders chronologische und topographische Irrtümer und steht mit den alten, echten Quellen in vielfachem Widerspruch. Und doch ist sie zur Grundlage aller spätern Einsiedler Chroniken, die alle auch das Leben Ms. behandeln, geworden. G. von Gengenbach gebraucht in diesem Büchlein hauptsächlich die Namensform Meinradus, Meynradus, seltener die alte Form Meginradus, Megynradus. — Die R. wurden im Hochaltare im Chore aufbewahrt.

1448, 3. März, rauben drei Männer die Reliquien in der Stiftskirche, werden bei Zürich ergriffen und hingerichtet. Die Züricher wollen die Reliquien behalten, müssen dieselben aber auf Verwendung des Herzogs Albrecht von Oesterreich am 12. Mai desselben Jahres zurückgeben. Genannt werden ein Dorn aus der Dornenkrone des Herrn und alle R. der allerseligsten Jungfrau Maria. Ob Ms. R. darunter waren, wird nicht gesagt.[3])

1465, 21. April, dritter Klosterbrand, wobei das Münster und die Gnadenkapelle ausbrennen. Letztere nahm an den Mauern keinen Schaden „wie wol vil holtzwerchs darob wass." Die Kapelle wird eingewölbt und von aussen vollständig ummauert. An allen Eckpunkten und an den Seitenwänden werden

---

1) ANZ. F. SCHWEIZ. ALT. 1869, S. 47. 79. 80.
2) FELIX HEMMERLIN, De furto reliquiarum.
3) FELIX HEMMERLIN, l. c.

Streben vorgelegt, welche sich in mittlerer Höhe nach spät-
gotischer Bauweise verjüngen.[1])

Um 1466 erscheint die erste deutsche Bearbeitung
dieser Ms. Legende mit Bildern, ein sogen. Blockbuch, dessen
Facsimile P. Gall Morel unter dem Titel: „Die Legende von
Sankt Meinrad und von dem Anfange der Hofstatt zu den Einsiedeln" im Jahre 1861 herausgegeben hat. Das Original befindet
sich im Stiftsarchiv Einsiedeln. In diesem Buche wird der
St. Meinradsbrunnen genannt und abgebildet, der offenbar
mit dem uralten Frauenbrunnen vor dem Stiftsgebäude identisch ist.

Die älteste Ausgabe der alten lateinischen vita seu passio
besorgte S. Brant im Jahre 1496 durch den Drucker Michael
Furter in Basel. Die Bilder sind ähnlich wie im Blockbuch.

Die folgenden Drucke der St. Ms.-Legende zählen wir,
die eine oder andere Ausnahme vorbehalten, nicht mehr auf,
weil sie bereits von P. Gall Morel im XIII. Bande des Geschichtsfreund zusammengestellt sind.

1470 wird von einigen Männern im Dorfe Einsiedeln die
St. Meinradsbruderschaft gegründet, die noch bis heute ihre
volle Lebenskraft bewahrt hat.

1481, 11. Juli, übersendet Albrecht von Bonstetten, Dekan
des Stiftes Einsiedeln, dem König Ludwig XI. von Frankreich
u. a. Schriften auch eine Abschrift der ältesten Lebensbeschreibung des hl. M., die sich jetzt zu Paris in der National-
bibliothek befindet.[2])

1494 auf die Engelweihe (14. September) lässt Albrecht
von Bonstetten durch den Rat von Nürnberg daselbst die St. Ms-
Legende drucken.[3])

1546 wird zum ersten Male im Stifte der Ordensname
M. gegeben. Bis zur Reformation behielten die in das Stift
Eintretenden ihren Taufnamen, der aber von da an geändert wird.

1550 werden in einem Inventar des Stiftes die grossen silbernen
Brustbilder der Patrone, also auch Ms. erwähnt. Ferner ge-
wirkte Antependien mit B., und Antependien und Fastentücher
(Tücher zum Verhüllen der Altar-Gemälde in der Fastenzeit)
des St. Ms.-Altars.[4])

---

[1]) Mitt. d. Hist. Ver. des Kt. Schwyz VII 23 Anm 3 und S. 159. 160. —
Bild der Gnadenkapelle s Wallfahrtsgeschichte S. 31. 32 und zu S. 53.
[2]) Cod Msc. Lat. 5656. A. Büchi, Quellen z. Schw. Gesch. XIII 173. 174.
[3]) Büchi, a. a. O., S. 141—143 und S. 176. 177.
[4]) Docum. Archivii Einsidl. Litt. B, p. 121 ff. — Vgl. E. A. Stückelberg
Ueber Hungertücher, Neue Zürcher Ztg. 25. Apr. 1900.

1552 wird ein Fertigungsgeschäft „auf Donstag nach mein-radi" (28. Januar) vollzogen. — Das Datieren nach dem Ms.-Tag kommt selbst in Einsiedeln selten vor.

1565, 6. Januar, lassen sich Abt und Konvent in die er-neuerte St. Ms.-Bruderschaft aufnehmen. — Miniaturbild im Urbar von Männedorf.

1567 teilt Ulrich Wittwiler in seinem Leben des hl. M. eine Notiz über die Beschaffenheit des Ms.-Hauptes mit: „das anmal eines streichs wird noch hûttigs tags in siner haupt-schidelen gesechen."

1569 wird im alten Beinhause, das auf dem Platze vor der nordwestlichen Ecke des Klosters stand und im Jahre 1859 niedergelegt ward, ein Seitenaltar dem hl. M. geweiht, was auch bei spätern Consecrationen, z. B. 28. Oktober 1678, geschah.

1573 stiftet die St. Meinradsbruderschaft ein ewiges Licht vor dem St. Meinradsaltar.

1576, 22. Juli, wird im Konventgarten vom Konvent und Waldleuten ein geistliches Spiel von St. Meinrads Leben und Sterben aufgeführt. — Andere St. Meinradsspiele und Prozessionen, bei denen der hl. M. auftritt, finden statt 1659, 1663, 1687, 1693, 1698, 1712 und 1721.[1])

1581 Miniaturen in einem Messbuche. Handschrift 104.

1586 erscheint zum ersten Male das Wirtshaus zum Raben.

1588 zwei Miniaturen im Buche der Stifter und Gut-thäter, andere Miniaturen im Leben der Einsiedler-Patrone, Handschrift 93.

Von 1597, 1616, 1640 und 1702 sind noch im Stifte Glasgemälde vorhanden, auf denen der hl. M. bald als Haupt-bald als Nebenfigur erscheint.[2])

1600 bringt ferrarius quidam faber (ein Schmid oder Schlosser) von Zürich dem Abte Augustin I. einen beträchtlichen Teil vom Gewande des hl. M.[3])

1602, das erste datierte Oel-B. auf dem Stammbaum des Stiftes Einsiedeln.[4])

---

[1]) GESCHICHTSFREUND 18, 100 ff. — Das Spiel von 1576 hat P. Gall Morel als 69. Publ. des litterar. Ver. in Stuttgart 1863 herausgegeben.

[2]) MITTEILUNGEN des Histor. Vereins des Kt. Schwyz, IV 41. 42.

[3]) Jos. DIETRICH, Collectanea Bl. 33, Hs. im Stiftsarch. Eins. S. a. u.˙ bei Zürich.

[4]) Abbildungen im Eins. Kal. 1884 S. 35; VAUTREY, Evêques I 79.

1605, 13. Juni, verleiht Papst Paul V. vermittelst Bulle der St. Ms.-Bruderschaft verschiedene Ablässe. [1])

1608, 16. Juli, werden in den Thurmknopf der St. Gangulfs- kapelle auf dem Brüel nahe beim Kloster R. eingeschlossen.

1617 lässt Erzbischof Marcus Sittich von Salzburg, Graf von Altems, die Vorderseite der Gnadenkapelle mit Marmor verkleiden. Nach seinem Tode lässt sein Bruder, Graf Kaspar von Altems, die übrigen drei Seiten verkleiden, so dass 1633 die ganze Verkleidung beendigt ist. [2])

1618, 9. August, R. im Hochaltar der Stiftskirche. 1645 nicht mehr.

Von 1628 stammt die älteste datierte Medaille mit der Darstellung des Märtyrertodes des hl. M. Diese kleine Me- daille ist viereckig, eine sogen. Klippe, und trägt auf der andern Seite das Gnadenbild ohne Prachtgewand.

Unter Abt Placidus (1629—1670) B. des hl. M. (in der Rechten Palmzweig, in der Linken Becher mit daraufgelegtem Brote, unten, die Füsse verdeckend, Abteiwappen mit den zwei Raben) auf dem Officialatssiegel des Stiftes. — Ein ähnliches aber grösseres Siegel, auf welchem der Heilige in der Rechten das Brot, in der Linken den Becher hält, führt in dieser Zeit die Oekonomieverwaltung Pfäffikon.

1631, 20. September, R. in dem Altar der St. Benedikts- kapelle auf dem Kirchhof.

1636, B. auf Unserer Frauen-Glocke in der Stiftskirche.

1637, St. Benedikts- und Ms.-Glocke. Ebenfalls 1833.

1646, 21. November, findet eine Untersuchung des in Ein- siedeln aufbewahrten Teiles vom Gewande Ms statt. [3])

1655 erste urkundliche Erwähnung des Hauses zu St. M. im Dorfe Einsiedeln.

1671 lässt Abt Augustin II. durch Joh. Kaspar Dietrich [wo?] ein neues silbernes Brustbild des hl. M. machen. — 5. Oktober, HP. und R. bei dem neuen Hochaltar und dem neuen St. Ms.-Altar.

Zwischen 1673 und 1683 zeichnet P. Athanasius Beutler ein grösseres Brustbild des hl. M., das F. Hainzelmann in

---

[1]) Doc. Arch. Eins. Litt. A, no. 15.

[2]) A. KUHN, Stiftsbau Maria-Eins. S. 104 bis 106. — Abbildung s. Wallfahrtsgeschichte S. 33.

[3]) S. u. bei Zürich.

Augsburg in Kupfer sticht. M. trägt in der Linken die Gnadenkapelle, mit der Rechten hält er eine Palme.

1677 widmet der Einsiedler P. Bernhard Waibel, ehedem·
Professor an der Universität Salzburg, damals Superior des
Wallfahrtsortes Maria Plain bei Salzburg, dem Abte Augustin II.
ein Kupferblatt, die Engelweihe vorstellend, mit St. M., B. Ulrich
von Augsburg und B. Wolfgang von Regensburg in der Glorie.
Rings um das Hauptbild sind 25 Scenen aus dem Leben, Sterben
und der Verherrlichung Ms. mit kurzem Texte gruppiert. Gestochen von G. A. Wolfgang.

1678 wird das Fest der Uebertragung der R. von
Reichenau nach Einsiedeln, das bisher am 6. Oktober ohne·
besonderer Feierlichkeit begangen worden war, auf den zweiten
Sonntag im Oktober verlegt und die Prozession mit dem hl.
Haupte an diesem Tage eingeführt.

Um 1680 wird der St. Georgs- bezw. St. Blasius-Hymnus
„Martyr egregie deo dilecte“ in den St. Meinradshymnus·
„Dilecte martyr numini“ umgedichtet, der noch jetzt im Ge-
brauche ist. [1])

1681, 7. September, II. P. am Hochaltar und R.

1684, 29. September bis 1858 NP. und R. in der Maria
Magdalena-Kapelle des Stiftes. — 11. November, NP. und R.
im Altar im obern Chore.

1686, 19. Juni, Consecration des neuen St. Ms.-Altars,
HP. und R.

Vor 1703. Ziemlich grosse ovale Medaille von Adolf
Gaap in Rom und Augsburg. [2]) Avers: U. L. F. von Einsiedeln,
Revers: Märtyrertod des hl. M.

Aus der Zeit zwischen 1714 und 1734 stammt ein grosser
Kupferstich. In der Mitte steht U. L. F. von Einsiedeln,
umgeben von dem Wappen der Schweizerischen Benediktinerstifte
und der katholischen Kantone. Zu Füssen des Gnadenbildes
liegt M. als Leiche, aus dessen Herz ein Stammbaum wächst,
der sich sofort in zwei Teile spaltet, die sich rings um das
Gnadenbild und die Wappen herumschlingen. Die Blätter der
beiden Aeste tragen die Bilder der Heiligen und seligen Kloster-
angehörigen, die Namen bedeutender Mitglieder und die Wappen
der Aebte. Das des Abtes Thomas 1714—1734, ist das letzte,
daher die Zeitbestimmung des undatierten Stiches. In den Ecken

---

[1]) P. Gall Morel O. S. B., Lateinische Hymnen des Mittelalters, S. 292.
[2]) Ueber A. Gaap s. Füssli, Allgemeines Künstlerlexikon I 261. II 403.

ist die Gnadenkapelle vor und nach ihrer Verkleidung, die Engelweihe und der Frauenbrunnen abgebildet. F. Fridolinus Thumb-
eisen delin. Philipp Kilian sculps.

1726, 17. August, R. vom Gewande im Knopf des nördlichen Glockenturmes der neuen Stiftskirche.

1735, 3. Mai, Weihe der neuen Stiftskirche. Patrone:
Muttergottes, Meinrad, Mauritius, Justus und Sigismund.   .

1736 bestätigt die Kongregation der Riten (Kirchenge-
bräuche) zu Rom den seit dem X. Jahrhundert gebräuchlichen
Titel des hl. M. als Märtyrer.

1743, 13. Oktober, HP. und R. im neuen Meinradsaltar der
Stiftskirche. — Das Altargemälde (das Jesuskind erscheint
mit seiner Mutter Maria dem hl. M.) hat Carlo Carlone von Scaria
bei Como gemalt, die Statuen St. Wolfgang und Eberhard I.,
Abt von Einsiedeln, rühren von seinem Bruder Diego Francesco
her. Das Gemälde oben an der Decke (St. M. in der Glorie)
von Cosmas Damian Asam von Benediktbeuern.[1]

1748 u. f. Medaillen auf die achte Centenarfeier der
Engelweihe von J. K. Hedlinger u. a. mit B. des hl. M.[2]

1749 malt Giuseppe Torricelli an der Decke des obern
Chores der Stiftskirche den hl. M.[3]

1761 werden in der Stiftspresse die deutschen zur Massen-
verbreitung bestimmten „kleinen Tagzeiten des hl. Märtyrers
und Landspatronen Meinradi" zum ersten Male gedruckt.

1781 malt der Maler Johann Melchior Würsch von Buochs
St. M. als Fahnenbild für die Konventfahne.

1783 lässt Abt Beat durch Joseph Ignaz Bauer, Goldschmied
in Augsburg, u. a. auch ein silbernes Brustbild des hl. M. machen,
zu welchem Zwecke das alte Brustbild eingeschmolzen wird (s. o.
1671). Der Bildhauer Babel hatte das Modell gemacht.

1785 wird das hl. Haupt neu gefasst, ebenso 1861.

1798, Mai, wird beim Einfall der Franzosen in Einsiedeln
das hl. Haupt geflüchtet; zwischen dem 26. und 31. Mai reissen
die Franzosen die Gnadenkapelle nieder.

1804 kommt das hl. Haupt wieder in das Stift zurück.

--- ---

[1] A Kuhn, Stiftsbau Maria-Einsiedeln (1883) S. 78. 171. 175. 187.
[2] Geschichtsfr. 40, 376. 377. Tafel I Wallfahrtsgesch. S. 78. —
W. Tobler-Meyer, Münz- u. Medaillensamml. Wunderly-v. Muralt I. Abt,
III. Band 1897 S. 397 ff.
[3] Kuhn, a. a. O. S. 90 186.

1817, 1. September, R. im Altar der neu erbauten Gnadenkapelle. [1]

1821, 2. September, R. im Hochaltar der Stiftskirche.

1834, 21. September, kommt das hl. Haupt, das bisher zuerst im Hochaltar und dann in der Kustorei aufbewahrt worden war, dauernd in die Gnadenkapelle.

1841 kommt das von Zehnder gemalte Brustbild des hl. M. (nebst einem solchen von St. Konrad) in die Gnadenkapelle.

1852 Gründung der „Sodalität der allerseligsten Jungfrau und Mutter Gottes Maria von Einsiedeln und des hl. Meinrad" an der Stiftsschule. — Der 21. Januar ist das zweite Titularfest. — Die Sodalitätsmedaille trägt auf einer Seite das Bild U. L. F. von Einsiedeln, auf der andern das des hl. M.

1854 u. ff. Gründung des neuen Klosters St. Meinrad in Indiana (Nord America) durch das Stift Einsiedeln.

1855, September, 1856, Juli, und 1857, September, macht Maler Heinrich Mücke von Düsseldorf in Einsiedeln Vorstudien für einen von Fürst Karl Anton Meinrad von Hohenzollern-Sigmaringen bestellten Cyklus von neun bezw. elf Gemälden über das Leben und den Tod des hl. M.[2]

1861 Millenariumsfeier des Todes des hl. M.[3] Fürst Karl Anton Meinrad von Hohenzollern-Sigmaringen schenkt dem Stifte auf den 21. Januar zwei grosse von Mücke gemalte Gemälde (der hl. M. auf dem Etzel und im Finsterwalde), auf denen die Porträte der fürstlichen Familie angebracht sind. — Festschriften: 1. LEBEN UND WIRKEN des hl. Meinrad für seine Zeit und für die Nachwelt. Einleitung, I. Buch (der hl. M. als Benediktiner der Reichenau) und II. Buch (der hl. M. im finstern Walde) verfasst von P. Karl Brandes, das III. Buch (Reihenfolge der geistlichen Söhne des hl. M.) von Abt Heinrich. 2. P. GALL MOREL, Die Legende von St. Meinrad (Facsimile des Blockbuches). 3. P. KARL BRANDES, Der hl. Meinrad und die Wallfahrt von Einsiedeln. Alle drei Bücher bei Gebr. K. & N. Benziger in Einsiedeln. 4. S. MAINRAD, eine Legende in Bildern. Reproduktion des Gemäldecyklus von Mücke, Text von R. von Stillfried, Druck und Verlag des lithogr. Instituts von Elkan,

[1] Abbildung Gnadenkapelle s. Wallfahrtsgesch S 34.
[2] MITT. d. Ver f Gesch. u. Alt in Hohenzollern XXXII 124. 129. 131.
[3] P. KARL BRANDES, Die Feier d tausendjähr. Bestehens von Maria-Einsiedeln i. Festj 1861 Einsiedeln 1862.

Bäumer & Co. in Düsseldorf. — Missa S. Meginradi M. für drei Chöre von P. Anselm Schubiger O. S. B. — Der in der zürcherischen antiquarischen Gesellschaft von E. Osenbrüggen gehaltene und in Schaffhausen 1861 gedruckte rechtsgeschichtliche Vortrag „Die Raben des hl. Meinrad" verdient wohl, hier erwähnt zu werden. — Millenariumsmedaille von Drentwett in Augsburg, mit B.[1])

M. Paul von Deschwanden malt ein Altargemälde (M. in der Glorie mit zwei Engeln und allen Attributen), das sich in der Pfarrwohnung des Stiftes befindet.

Andere Medaillen und Bilder.

1863, 21. Juni, wird die Sodalitätskapelle benediziert zu Ehren U. L. F. von Einsiedeln und des hl. M., dessen Bild von M. P. von Deschwanden (das Jesuskind erscheint dem hl. Meinrad) auf dem Altargemälde sich befindet

1868, 20. Januar, kommen zwei in Paris gefertigte Basreliefs (St. M. empfängt das Gnadenbild, Märtyrertod des Heiligen) in die Gnadenkapelle.

1873 malt M. P. von Deschwanden sieben Bilder in Leimfarben für den äussern Schmuck der Gnadenkapelle am Engelweihfest. Unter diesen Bildern sind einige Scenen aus dem Leben und Tode Ms. dargestellt.

1880 wird der Ms.-Brunnen im Kloster erneuert. Statue auf der Brunnensäule.

1882 neue Sodalitätsmedaille von Drentwett, mit B.

1883 gibt P. Alphons Ceberg O. S. B. bei Gebr. K. & N. Benziger das „St. Meinrads-Büchlein" heraus.

1884 wird eine nach dem Modell des P. Rudolf Blättler O. S. B. gefertigte St. Meinradsstatue auf einem Vorhügel des Freiherrenberges, dem sogen. Kreuz, errichtet. Der Standort wird von jetzt an von den Pilgern „St. Meinradshöhe" genannt. Um diese Zeit erhielt ein am Fusse dieses Vorhügels neu gebautes Haus, als darin eine Wirtschaft errichtet wurde, die aber bald wieder eingieng, den Namen Zum Meinradsberg, obwohl es unter dem Namen „Steinbruch" im Grundbuch eingetragen ist.

1888 B. Ms. auf der neuen Konventfahne; auf der andern Seite die Madonna. Beide Bilder sind gezeichnet von P. Rudolf Blättler und in Application gestickt von den Schwestern in der Au bei Einsiedeln.

---

[1]) Abbildung in meiner Wallfahrtsgeschichte S. 111.

1890 in der Jubelausgabe des bei Benziger & Co. erscheinenden Einsiedler-Kalenders zwölf Kopf-Vignetten von P. Rudolf Blättler O. S. B., das Leben Ms. darstellend, mit Text.

1896, 10. November, Consecration der geänderten Mensa des St. Ms. Altars in der Stiftskirche. HP. und R.

1897, B. auf einem Pluviale des neuen Pontificalornates, gezeichnet von P. Rudolf Blättler O. S. B., gestickt von den Benediktinerinnen in der Au.

1900, auf den 21. Januar erscheint bei Eberle und Rickenbach das Büchlein Der hl. Märtyrer Meinrad, erster Bewohner und Patron von Einsiedeln.

II.

Ausbreitung der Verehrung des hl. Meinrad in der Schweiz.

1. Kt. Schwyz.

Benediktinerinnenkloster Allerheiligen in der Au bei Einsiedeln. 1649, 5. Juli, wird der ganze Konvent in die St. Meinradsbruderschaft aufgenommen. 1687, 31. August, NP. auf einem Seitenaltar. Seit 1803 nicht mehr. — 1761 Ms.-Glocke mit B. — 1861 lässt Abt Heinrich hier das hl. Haupt neu fassen und schenkt davon einen Zahn und mehrere Partikel.

1883, B. von P. Rudolf Blättler O. S. B. in der Chorapsis der neuen Klosterkirche.

Rothenthurm, neue Pfarrkirche, 1897 Ms.-Statue auf dem St. Antonius-Altar.

Steinen, Pfarrkirche, 1125, 31. Dezember, NP. [1]) — Das Beisassengeschlecht Meinrad von Einsiedeln mit dem Beinamen Schlatter von dem Gute Schlatt in Steinen, erscheint im dortigen Jahrzeitbuch seit ca. 1560/70, ist aber im 18. Jahrhundert ausgestorben.

Schwyz, in der zweiten Hälfte des XV. Jahrhunderts Taufname. [2]) — 1700 grösste Glocke der Pfarrkirche mit B. Beim Neuguss derselben 1773 nicht mehr. — 1774, 25. November, R. im Hochaltar der Pfarrkirche. [3]) — Dominikanerinnenkloster St. Peter auf dem Bach, einige kleinere R.

---

[1]) Geschichtsfreund 1, 46; 43, 166
[2]) Geschichtsfreund 24, 219. 220. 221. 225; 30, 56.
[3]) Fassbind, Religionsgeschichte, Pfarrei Schwyz. Msc. im Stiftsarchiv Einsiedeln, Bl. 117b und 158 b.

Zwischen Rickenbach und Gründel an der Ibergerstrasse heisst eine Stelle Meirets (Meinrads)[1] und ein Fels, der bei dem Baue der genannten Strasse 1870 teilweise weggesprengt werden musste, Meinradsnossen (Nossen = Fels).

Morschach, Pfarrkirche, 1509, 29. August, NP. des mittleren in den 1820er Jahren entfernten Altars.[2]

Euthal, Filialkirche von Einsiedeln, 1869 NP. der grösseren Glocke.

Gross, Filialkirche von Einsiedeln, 1759 NP. und B. auf der grössern Glocke. — 1775, 7. Oktober, und 1863, 29. August, R. im Hochaltar. — 1864 Gemälde von M. P. von Deschwanden auf einem Seitenaltar.

Willerzell, Filiale von Einsiedeln. Am Wege nach Einsiedeln ein Kapellchen mit B.

Bennau, Filiale von Einsiedeln, 1895, 23. Juni, II. P. des Hochaltars der neuen Kirche.

Egg, Filialkirche von Einsiedeln, 1879, 12. Oktober, HP., B. und Inschrift auf der grossen, vom † Fürsten Karl Anton Meinrad von Hohenzollern gestifteten Glocke.[3]

Etzel, zur Filiale Egg gehörig, St. Meinradskapelle, HP., R. und B. an dem Orte, wo M. von 828 bis 835 sich angesiedelt hatte und wo nach Georg von Gengenbach bei Uebertragung seiner Leiche 861 ins Kloster Reichenau deren Eingeweide beigesetzt wurden. 1298, 22. Juli, erste urkundliche Erwähnung.[4] In den Handschriften 8, 87, 91, 107 und 117 wird vom XIII. Jahrhundert an der 7. Juni als Weihetag bezeichnet. — Ca. 1570 erste Abbildung der Kapelle.[5] — 1698 Neubau, 7. September R. im einzigen Altár. 1759, P. der grössern, 1788 auch der kleinern Glocke, auf jeder sein B. — 1794, 11. November, Neuconsecration des Altars, R. — 1896 Restauration der ganzen Kapelle von Innen nnd Aussen. Neues Oel-B. von P. Rudolf Blättler.

In der Oktav des M.-Festes, 21.—28. Januar, findet jeden Morgen von Einsiedeln aus dort feierlicher Gottesdienst statt, der von den Filial-Angehörigen und z. T. von den Einsiedlern fleissig besucht wird.

---

[1] Topogr. Karte der Schweiz, Bl. Schwyz, Nr. 260.
[2] Geschichtsfreund 45, 319.
[3] Mitt. d. Ver. f. d. Gesch. u. Alt. in Hohenzollern. 32 (1898/99), S. 150.
[4] Geschichtsfreund 42, 146.
[5] Wallfahrtsgeschichte S. 241.

Die Pfarrei Einsiedeln macht jedes Jahr am 26. Juni oder um jene Zeit einen Kreuzgang zur St. Meinradskapelle.

Dieser Kreuzgang galt anfänglich nicht dem hl. M., er hat folgenden Ursprung: Am 5. Mai 1439, im alten Zürichkrieg, fand am Hochetzel ein Gefecht zwischen den Schwyzern und Zürichern statt.[1] Bald nachher wurde auf dem Hochetzel eine Schlachtkapelle aus Holz gebaut und Einsiedeln, die Höfe und die March machten jedes Jahr auf den Tag der hl. Märtyrer Johannes und Paulus, 26. Juni, dorthin einen Kreuzgang. So steht noch in den alten Jahrzeitbüchern von Einsiedeln, Freienbach und Tuggen.[2] Allmählig schwand die Veranlassung dieses Kreuzganges aus dem Gedächtnis. Abt Adam von Einsiedeln gab unterm 6. Mai 1575 dem Ammann und Rat der March auf ihr Befragen Bescheid über den Ursprung dieses Kreuzganges. Nach und nach verlor sich auch diese Kenntnis wieder und zum letzten Male wird die Hütte oder Hochen Etzell Capell zufällig in einer Grenzbeschreibung vom 24. Mai 1635 erwähnt. Die schwer zugängliche, nur aus Holz gebaute Schlachtkapelle zerfiel; die March und die Höfe stellten den Kreuzgang auf den Hochetzel gänzlich ein; nur die Pfarrei Einsiedeln führte noch einen Kreuzgang aus, aber zu der leichter zugänglichen St. Ms.-Kapelle auf dem Etzelpass. Dadurch aber wurde der Charakter des Kreuzganges geändert. Der Kreuzgang wurde mit dem hl. M. in Beziehung gebracht, in welcher er ursprünglich nicht stand. Da sich aber im Volke eine dunkle Kunde von der nun ganz verschwundenen Hochetzelkapelle erhalten hatte, brachte das Volk auch diese mit dem hl. M. in Beziehung und so entstand die falsche Meinung, dass der hl. M. auf dem Hochetzel seine Klausnerhütte gehabt habe.

Dass der hl. M. in den Jahren 828 bis 835 auf dem Etzelpass sich angesiedelt hatte und dass dort immer die St. M.-Kapelle stand, geht aus allen noch vorhandenen geschichtlichen Nachrichten und aus Fründs Chronik hervor.[3]

Das Pilgergasthaus zum hl. Meinrad in unmittelbarer Nähe der Kapelle ist uralt. Im Jahre 1527 wird zum ersten Male — zufällig — ein Pächter erwähnt.[4]

---

[1] Chronik des Hans Fründ, Ausg. von Kind, S. 31. 32.

[2] GESCHICHTSFREUND 25, 174.

[3] Z. B. S. 25. 32. 33. Ausführlich ist diese Frage in m. Aufsatze „Wo stand die erste Einsiedler-Wohnung des heiligen Meinrad?" im Einsiedl. Anz. 1897, Nr. 2 u. 3 besprochen.

[4] DOCUM. Archivii Einsidl., Litt. L, no. 4.

St. Meinradsbrunnen am Nordabhange des Etzels mit Statue. 1881 erneuert.[1])

Ein anderer St. Meinradsbrunnen auf dem Kaltenboden zwischen den Stationen Biberbrücke und Schindellegi.

Feusisberg, Pfarrkirche, 1509, 26. Januar, NP. des mittlern nun entfernten Altares. — 1785, 24. August, und 1849. 3. September, HP. des Hochaltares.

Freienbach, Kapelle, seit 1308 Pfarrkirche, 1158, 5. Dezember, 1323, 14. August, und 1379, 20. Mai, Consecrationen der Altäre, R.[2]) — 1674, 19. August, R. und NP. bei dem schon seit längerer Zeit entfernten Altar in der Mitte. — 1727, 27. Juli, und 1887, 4. Dezember, R. und HP. beim südlichen Seitenaltar. — 1887 Glasgemälde.

Pfäffikon, Filiale von Freienbach, Dorfkapelle, 1132, 30. November, und 1501, 3. Dezember, NP.[3]) Schlosskapelle, 1501, 3. Dezember, NP. des Hochaltars. 1785, 23. Oktober, R. im Hochaltar, seit 1810 nicht mehr; HP. und R. bei einem Seitenaltar, der bei der Restauration der Kapelle 1893, wie die andern, mit einem neuen Aufbau und einem B. von P. Rudolf Blättler versehen wurde.

Insel Ufnau. In dem aus der zweiten Hälfte des XV. Jahrhunderts stammenden Jahrzeitbuch dieser ehemaligen Pfarrei ist M. auf den 21. Januar eingetragen.

Wollerau, Pfarrkirche, 1797, 30. Juli, NP. eines Seitenaltars.[4]) — An Wollerau knüpft sich die Sage von einem Zimmermann, der dort ansässig gewesen sei und bei seinen Arbeiten im Finsterwald den Heiligen kennen gelernt und ihn gebeten hätte, seinen eben geborenen Sohn aus der Taufe zu heben. Der Heilige hätte das in Richterswil, der ehemaligen Mutterkirche von Wollerau, gethan und sei dadurch noch mehr in der Achtung und Verehrung der Leute gestiegen. Derselbe Zimmermann hätte auch zur Entdeckung der Mörder beigetragen. Diese Sage erscheint zum ersten Male bei Georg von Gengen-

---

[1]) Abbildung des alten St. Ms -Brunnens in: Die Schweiz, hist. naturhist u. mal. dargest., 2. Jahrg., 1838 (Weibel-Comtesse, Neuchâtel), Nr. 14 zu S. 54. 55.

[2]) Jahrzeitbuch von Freienbach. — P. Joh. Bapt. Müller in: Mitt. d. Hist. Ver. d. Kt. Schwyz, II 111. 122. 126. — Geschichtsfreund 43, 170.

[3]) P. Joh. Bapt. Müller, a. a. O., S. 131.

[4]) Geschichtsfreund 29, 99.

bach im Jahre 1378, gieng in alle Legenden und Einsiedler Chroniken über und wurde seit ca. 1466 auch bildlich dargestellt.

Tuggen. In dem aus der zweiten Hälfte des XV. Jahrhunderts stammenden Jahrzeitbuch dieser Pfarrei ist M. auf den 21. Januar eingetragen. [1]

2. Kt. St. Gallen.

Maria-Bildstein in der Pfarrei Benken. An diesem Wallfahrtsorte wurde am 15. August 1899 die neue sogen. St. Ms.-Klause, eine Holzhütte mit Statue des hl. M. als Lehrer, eingeweiht. [2]

Alt St. Johann, ehemal. Priorat von St. Gallen. Vor 1626, in U. F. Bild „integrum membrum de dorso S. Meginradi."

Neu-St. Johann, Fortsetzung von Alt-St. Johann, nach 1629, R. auf einem Kissen. [3]

Cistercienserinnenkloster Wurmsbach, 1863 R.

Oberbollingen. Ausgehend von der (seither als unrichtig nachgewiesenen) Annahme[4]), dass hier die ehemalige Reichenauer Zelle gestanden habe, wo M., bevor er sich auf den Etzel zurückzog, der Schule vorstand, baute die Aebtissin Maria Dumysen (1591—1643) in den Jahren 1627 und 1628 hier die St. Ms.-Kapelle, HP. — 1861 schenkt Abt Heinrich IV. von Einsiedeln das ehedem in der Sodalitätskapelle im Stifte Einsiedeln befindliche, den hl. M. darstellende Gemälde dieser Kapelle.

St. Gallen, ehemalige Benediktiner-Abtei. Schon im IX.—X. Jahrhundert wurde hier die Vita sive passio venerabilis heremite

---

[1]) Geschichtsfreund 25, 129. — Nüscheler, Gotteshäuser III 525 nennt als Patron der Kapelle auf der Landzunge Hurden seit 1602, welche Jahrzahl er mit ? versieht, den hl. M. Der hl. M. war nie Patron dieser Kapelle oder eines in derselben befindlichen Altares, auch waren nie R. von ihm in dieser Kapelle, wie das Jahrzeitbuch der Ufnau, Bl. 29 b, und die Weiheurkunde vom 10. August 1602 (Doc. Arch. Eins. Litt. W, no. 25) ausweisen. Nüscheler wurde durch seine Quelle, den Catalogus personarum eccles. et locorum diœcesis constant. v. J. 1779 in diesem Punkte irre geführt. Die übrigen Angaben sind aber richtig.

[2]) Die dabei gehaltene Predigt ist gedruckt in den Linth-Blättern (Beilage zum St. Galler Volksblatt) 1899 Nr. 43 und separat.

[3]) Catalogus Ss. Reliquiarum, quae obim in Veteri Monasterio asservatae fuerunt etc. (St.)

[4]) Anz. f. Schweiz. Gesch. 1897 Nr. 3, S. 473—480. — Linth-Blätter (Beilage zum St. Galler Volksblatt) 1897 Nr. 40. 41 und 1899 Nr. 14.

Meginrati kopiert. [1]) — 1579 kam durch Schlosser Hans Sprüngli von Zürich ein Teil vom Gewande des hl. M., das in Zürich aufbewahrt wurde, an den Abt von St. Gallen. [2])

Waldkirch, Pfarrkirche, R. (St.)

Benediktinerinnenkloster Glattburg, 1863 ca. zwanzig Partikel R., je in einer Kapsel.

3. Kt. Thurgau.

Schloss Sonnenberg bei Stettfurt, 1750 B. auf einem in Steckborn gefertigten Kachelofen. — R. in Privatbesitz.

Eschenz, Pfarrkirche, 1738, 23. und 24. November, R. in allen drei Altären. HP. eines Seitenaltars.

Insel Werd i. Rh., St. Otmarskapelle, 1581, 26. Juni, R. in dem einzigen Altar.

St. Katharinenthal, ehemaliges Dominikanerinnenkloster bei Diessenhofen, bei der Klosterkirche Einsiedlerkapelle, 1735, 13. August, NP. Schon bei der alten Kirche stand eine Einsiedlerkapelle. [3])

4. Kanton Zürich.

Richtersweil, Pfarrkirche, im XV. Jahrh. R. [4])

Männedorf, Pfarrkirche, im XV. Jahrhundert in der grossen und kleinen Monstranz und im Kreuz R. [5])

Beerenberg, ehemaliges Kloster bei Winterthur, 1372, 22. Dezember, NP. des Hochaltars, wahrscheinlich auch R. [6])

Rheinau, ehemaliges Benediktinerkloster, X. Jahrhundert Kopie der alten Lebensbeschreibung Ms., von der aber nur noch ein Bruchstück übrig ist. [7]) — 1143 R. [8]) Zwei Partikeln „de tunica" S. M. [9]) — 1723, 24. Juli, NP. der Abteikapelle. [10])

---

[1]) In der Handschrift 577 der Stiftsbibliothek zu St. Gallen. Vgl. G. Scherrer, Verzeichn. d. Handschriften d. Stiftsbibl. v. St. Gallen, S. 187.

[2]) S. u. bei Zürich.

[3]) K. Kuhn, Thurgovia sacra III 180. (St.)

[4]) Jahrzeitb. v. 1496, Geschichtsfr. 29, S. 24 Anm. 1 u. S. 46.

[5]) Jahrzeitb. bei Leu, Msc. 2 auf der Stadtbibl. Zürich 3, 77—79. Ablassbrief a. d. XV. Jahrhundert. (St.)

[6]) Nüscheler, Gotteshäuser II 271. — Schubiger, Heinrich III. v. Brandis 259.

[7]) Rheinauer Hdschr. 81 S. 192—196 in der Kantons-Bibl. Zürich.

[8]) P. Bern. Rusconi in Ms. 502 der Stiftsbibl. Einsiedeln.

[9]) Verzeichnis v. J. 1751 im ehem. Stiftsarchiv v. Rheinau C II 280, jetzt im dortigen Pfarrarchiv.

[10]) A. a. O. C I 222.

Berg, Pfarrkirche, 1512 Glocke mit Bild.[1])

Zürich, Stadt, wo seit 861 die von den Mördern Ms. geraubten Kleidungsstücke aufbewahrt wurden und zwar vor 1240 wahrscheinlich in der alten St. Nikolauskapelle, von 1240 bis 1524 in der Dominikaner- (Prediger-) Kirche, dann im sogen. Ketzerturm. Schlosser Hans Sprüngli in Zürich hatte die Uhr dieses Turmes zu besorgen und nahm bei einer solchen Gelegenheit am 6. Juni 1579 einen Teil vom Gewande (Habit) des hl. M. und schickte es dem Abt von St. Gallen. — 1600 bringt ein Schmied oder Schlosser (wahrscheinlich derselbe Sprüngli) dem Abte Augustin I. in Einsiedeln einen beträchtlichen Teil vom Gewande des h. M.[2]) — 1646, 21. November, bezeugen Ferdinand Mayer, dessen Ehefrau Katharina Zink, Sebastian, Johann und Ursula Mayer, dass ein vorliegender Teil des Kleides, der im Reliquienschreine des hl. Meinrad zu Einsiedeln niedergelegt ist, wirklich vom ursprünglichen Kleide Ms. stamme, das im sogenannten Ketzerturme in Zürich aufbewahrt werde, und dass sie dasselbe sich selbst angelegt und den betreffenden Teil davon abgeschnitten hätten.[3]) — 1761 lässt das Stift Einsiedeln mit Beihilfe des Zürcher Oberpfarrers Ulrich die in genanntem Turme aufbewahrten Gegenstände -- worunter viele Kleider — aufs Genaueste untersuchen, aber ohne Erfolg.[4])

Dass sich Kleider des hl. M. und auch seiner Mörder in Zürich befanden, ist gar nicht so unwahrscheinlich. Die alte Lebensbeschreibung meldet, dass M. den Mördern selbst zwei Kleidungsstücke gab, dass die Mörder nach vollbrachter That den Leichnam beraubten und Kleider und Decken mit sich fortnahmen. Ferner berichtet die alte Lebensbeschreibung, dass die Mörder von dem unter dem Vorsitze des Grafen Adelbert tagenden Gerichte verurteilt und lebendig verbrannt wurden. Wo fand aber das Gericht statt? Das meldet keine alte Quelle, lässt sich aber leicht finden. Einsiedeln, d. h. der Finsterwald gehörte damals zum Zürichgau; Adelbert war zwar Graf des Thurgaues, amtete aber auch, und gerade im Jahre 861, im Zürichgau.[5]) Das Gericht

---

[1]) Nüscheler, Gotteshäuser II 261. Meine Wallfahrtsgeschichte S. XV u. 144.

[2]) S. o. bei Einsiedeln.

[3]) Das erlauchte Haus Hohenzollern etc. S. 106. 107.

[4]) P. Michael Schlageter O. S. B., Tagebuch, Hdschr. im Stiftsarch. Einsiedeln.

[5]) Wartmann, Urkundenb. d. Abtei St. Gallen II, no. 480. — G. Meyer v. Knonau, St. Gallische Geschichtsquellen II, Ratperti casus s. Galli p. 210.

war jedenfalls am Hauptorte des Gaues, also in Zürich. Dort
waren also die von den Mördern geraubten und ihnen abge-
nommenen Gewandstücke des hl. M. hinterlegt, dort blieben auch
nach der Hinrichtnng ihre eigenen Kleider. Ob das Stift Einsiedeln schon vor dem Jahre 1600 Teile von dem Habit etc.
des hl. M. besass, können wir nach dem uns zur Verfügung
stehenden Quellenmaterial nicht beweisen. Bei den lebhaften
Beziehungen, die von Anfang an zwischen der Stadt Zürich und
dem Stifte bestanden, scheint uns selbstverständlich zu sein, dass
das Stift frühzeitig in den Besitz solcher wertvollen Andenken
seines Heiligen kam. Hingegen scheint uns nach dem vorliegenden
Material, dass weder Sprüngli noch die Mayer einen zwingenden
Beweis beigebracht haben, dass die von ihnen bezeichneten
Bruchstücke auch wirklich von einem echten Gewande des h. M.
herrühren. Partikel vom Habit des h. M. kann ich nachweisen
im Stifte Einsiedeln, in den Propsteien St. Gerold und Fahr,
im Stifte Engelberg, im Kollegium zu Stans, in den Klöstern
Rheinau, Frauenthal und New Subiaco in Arcansas; aber alle,
mit Ausnahme St. Gallens, erst seit 1600. Die grösseren ehedem
im Stifte Einsiedeln und dem fürstlich-hohenzollernschen Schlosse
zu Hechingen befindlichen Stücke sind nicht mehr vorhanden,
bezw. geteilt worden.

1425 erscheint zum ersten Male urkundlich das Pilger-
wirtshaus zum Raben.[1]

Im Schweizerischen Landesmuseum befindet sich ein Glasgemälde aus der Zeit von 1569—1585 mit B.[2]

Seit 1899 R. in der Kapelle des Theodosianums und seit
1900 in Privatbesitz.

5. Kt. Aargau.

Fahr, Benediktinerinnenkloster, eine aargauische Enclave
im Kt. Zürich, Eigentum des Stiftes Einsiedeln, Klosterkirche,
1549, 8. November, Hochaltar NP. und R. — 1678 wird das
noch jetzt bestehende Wirtshaus ganz in der Nähe des Klosters
gebaut; es erhält 1778 das Einsiedler Abteiwappen als Schild`

---

[1] VÖGELIN U. NÜSCHELER, Das alte Zürich I² 243. E. OSENBRÜGGEN, Die
Raben des h. Meinrad S. 3. ENDERLI, Zürich und seine Gasthöfe (1896) S. 64 ff.
[2] LEHMANN, Führer durch d. Schweiz. Landesmus. S. 22. Vgl. RAHN,
Die Schweiz. Glasgemälde in d. Vincent'schen Sammlung Nr. 139. Beide
Autoren haben die Figuren in der Scheibe nicht recht gedeutet. Es sind die
Madonna, St. Meinrad und St. Justus.

und 1805 die Benennung „zum Raben." — 1745, 25. Juli, Hochaltar, R. „de veste" S. M. — 1748, 19. Mai, bei einem Seitenaltar R., beim andern zweiter P. — Ausser diesen R. befinden sich im Kloster noch mehrere andere, auch ein 9 cm. $\times$ 10 cm. grosses noch ungefasstes Stück „Von S. Meinrads rok", wie der dabei liegende Pergamentzettel ausweist.

Muri, ehemaliges Benediktinerkloster. Reginbold, Mönch von Einsiedeln, 1032—1055 erster Propst, lässt die alte Lebensbeschreibung Ms. kopieren, welche Kopie aber nicht mehr vorhanden ist, und hat offenbar die eine der in den Acta Murensia erwähnten R. gebracht. Eine andere R. brachte ein gewisser Adelbert vom Benediktinerstifte Maursmünster in Niederelsass wahrscheinlich im XII. Jahrhundert.[1] — 1557 schenkt Abt Joachim von Einsiedeln zwei gemalte Fensterscheiben für den Kreuzgang. Auf der einen, offenbar von dem Zürcher Glasmaler Karl von Aegeri gefertigten Scheibe ist neben U. L. F. von Einsiedeln auch M. dargestellt.([2]

Sarmenstorf, Pfarrkirche, 1786, 12. November, NP. des Hochaltars.

Rheinfelden, 1730 kam eine R. in den Privatbesitz des Barons von Calry.

6. Kt. Basel

Basel, Stadt, Kaiser Heinrich II. schenkte der Kathedrale u. a. auch R. vom hl. M., die bei der Weihe des Münsters am 11. Oktober 1019, welcher er und einige Bischöfe beiwohnten, in den Hochaltar eingeschlossen wurden.[3] — 1496 lässt Sebastian Brant durch Michael Furter in Basel die alte lateinische Lebensbeschreibung des hl. M. drucken.[4]

7. Kt. Solothurn.

Maria-Stein, ehem. Benediktinerkloster, R.

---

[1] Acta Murensia in: Quellen zur Schweizer Gesch. III, b. S. 24. 48. 49.
[2] Abbildung in: Die Glasgemälde der ehem. Benediktinerabtei Muri (1892) Nr. 9. Im Texte wird die Mönchsfigur fälschlich als St. Benedikt bezeichnet — Wahrscheinlich ist auch auf der 1623 von dem Abte Augustin I. von Einsiedeln in dem Kreuzgang des ehemaligen Cistercienserklosters Wettingen geschenkten Scheibe M., anstatt Benedikt. Vergl. H. Lehmann, Führer durch Wettingen (1894) S. 64.
[3] Die Belege siehe unten im IV. Teile, zweite Hälfte.
[4] S. o. bei Einsiedeln. Heckethorn, Printers of Basle (Lond. 1897) p. 80.

8. Kt. Bern.

Bern, Stadt, 1843, 16. Februar, erhält die Pfarrkirche
von dem erwählten Abte Eberhard und dem Kapitel des Klosters
Reichenau viele Reliquien, darunter auch vom hl. M.[1])

Gegen Ende des XIV. Jahrhunderts erscheint in der
Stadt der Taufname M.,[2]) der im XV. Jahrhundert zum Geschlechtsname wird.[3])

9. Kt. Zug.

Ober-Aegeri, Pfarrkirche, nach dem Jahrzeitbuch vom
Jahre 1536 P. des rechten Seitenaltars. Der Ms.-Tag, 21. Januar,
wurde damals wie ein Aposteltag gefeiert, kam aber später
wieder ab.

Im Grüth (jetzt Allenwinden) an der Strasse nach Aegeri
St. Wendelinskapelle, 1701, 7. November, NP. des Seitenaltars.[4])

Grüth, 1740, St. Meinradskapelle.[5]) Daneben der
St. Meinradsstein. Nach der Sage soll da M. durchgekommen
sein und auf dem Steine ausgeruht haben. Wer (besonders
von den Einsiedlerpilgern) ein Bein in die Höhlung oder Furche
des Steines lege, bezw. hindurchziehe, werde nicht müde.[6]) Diese
Sage hat einen geschichtlichen Untergrund. Es steht nach der
alten Lebensbeschreibung fest, dass M., als er den Ort für seine
Niederlassung aussuchte, bis nach Cham bei Zug gekommen ist,
also bei dem heutigen Allenwinden vorbeigehen musste.

Menzingen, alte Pfarrkirche, 1480, 18. Januar, NP. eines
Seitenaltars.[7])

Baar, Pfarrkirche, 1735 R. in U. L. F. Altar (St).

Frauenthal, Cistercienserinnenkloster, „de tunica" S. Mein-
radi und andere R. (St.)

---

[1]) Fontes rerum Bernensium, VI 716. (St.)

[2]) Justinger, Berner Chronik ed. Studer (1871) S. 29. Da der hier genannte
Meinrad Matter 1422 schon Mitglied des grossen und 1423 des kleinen Rates
war (Archiv d. hist. Ver. d. Kt. Bern V 534), muss er zu Ende des XIV.
Jahrhunderts geboren worden sein.

[3]) Leu, Schweiz. Lexikon XIII 20. Dieses Geschlecht ist schon längst
ausgestorben.

[4]) Geschichtsfr. 40, 47.

[5]) Geschichtsfr. 40, 50.

[6]) A. Lütolf, Sagen 270. Anz. f. Schw. Alt. 1869 S. 75. Archiv I 216. 217.

[7]) Geschichtsfr. 24, 193. 207; 40, 6. 15. 16. 29.

10. Kt. Luzern.

„Meinraden", Name eines Hauses westlich von Uffhusen.[1])
Luzern, Stadt, Hofkirche, 1460 R. in dem grossen, goldenen Kreuze.[2])

11. Kt. Nidwalden.

Stans, Collegium der hochw. Väter Kapuziner, R. vom
Habit und zwei Partikel R. in Privatbesitz.

Beckenried, Pfarrkirche, R.[3])

12. Kt. Obwalden.

Ranft, erste oder obere Kapelle, 1606, 9. Oktober, zweiter
P. und R. im Altare.[4])

St. Nikolaus, Filiale von Kerns, R. (St.)

Engelberg, Benediktinerstift. In zwei Reliquienverzeich-
nissen aus dem XII. Jahrhundert je eine R. — In einem Verzeichnis von ca. 1630 „pars de tunica et costa integra." (St.)

13 Kt. Uri.

Seedorf, Benediktinerinnenkloster, Partikel in einem
Schreine.

14. Kt. Graubünden.

Disentis, Benediktinerkloster, je eine Partikel in der
Abtei und in der St. Ms.-Büste.

Churwalden, ehemaliges Prämonstratenserkloster, 1502
29. September, R. im Hochaltar.[5])

15. Kt. Tessin.

In Bellinzona, wo das Stift Einsiedeln von 1675 bis 1852
eine Propstei mit Kirche und Gymnasium innehatte (die sogen.
Residenz), wurde in dieser Zeit die Verehrung des hl. M. gepflegt.
Bei der Aufhebung kamen die R. in das Stift zurück.

16. Kt. Glarus.

Näfels, seit den 1870er Jahren R. in Privatbesitz.

*　　　*

[1]) Topogr. Atlas, Bl. 181.

[2]) Urkunde im Staatsarchiv Luzern. (St.)

[3]) Konnte, weil erst nachträglich in Erfahrung gebracht, nicht mehr
in die Karte aufgenommen werden.

[4]) Geschichtsfr. 48, 53 und (St.).

[5]) Kopie der Konsecrations-Urkunde im Archiv des Seminars von St.
Lucius in Chur. Gefl. mitgeteilt von Hochw. Herrn Kanonikus J. G. Mayer
in Chur.

In allen Klöstern und Bistümern der Schweiz (Sitten aus-
genommen) ist das Fest des hl. M. in Brevier und Messbuch
aufgenommen, aber an verschiedenen Tagen der Monate Januar
und Februar. — Ein gebotener Feiertag ist der 21. Januar
nur in der Gesamtpfarrei (dem Bezirke) Einsiedeln.

Als Taufname für beide Geschlechter (weibliche Form
Meinrada) ist der Name M. in der ganzen Schweiz verbreitet,
am stärksten im Bezirke Einsiedeln. Als Ordensname trifft
man ihn fast in allen Männer- und Frauenklöstern der Schweiz.

In manchen Lesebüchern katholischer und auch protestantischer Schulen der Schweiz ist die St. Meinradslegende
enthalten.

III. Ausbreitung der Verehrung des heiligen Meinrad im Auslande.

1. Oesterreich.

Mehrerau, Zufluchtsstätte der Cistercienser des i. J. 1841
aufgehobenen Klosters Wettingen, Klosterkirche, ein von Abt
Heinrich IV. von Einsiedeln gestiftetes Glasgemälde des hl. M.
oberhalb des St. Bernhardsaltars.

Feldkirch (Vorarlberg), im Februar 1666 erhält P. Gabriel
Bucelin O. S. B. von Weingarten, Prior bei St. Johann aus Einsiedeln eine Partikel vom Gewande Ms. und andere R.[1]

Bäschling, Filialkapelle von Nenzing, Deckengemälde:
Märtyrertod Ms. und die hl. Maria Magdalena. Unterschrift: Meinrad
Kalchgrueber und seine Hausfrau Magdalena Thöldschin 1686.

Düns, Pfarrei, R. im Privatbesitz.

Propstei St. Gerold im grossen Walserthale (Vorarlberg),
Eigentum des Stiftes Einsiedeln, 1594, 2. Mai, in einer Abseite der
Propsteikirche St. Meinradsaltar. — B., Holzrelief von einem
Flügelaltar des 16./17. Jahrhunderts. — 1602 Glasgemälde des
hl. M., das sich seit 1898 in der Muttergotteskapelle an der
Nordseite der Propsteikirche befindet.[2] — 1696 werden drei
R. und eine Partikel „de tunica S. M." erwähnt. — 1856, Mai,
wird in einem Inventar eine ziemlich grosse R. aufgeführt. —

---

[1] P. Jo. Dietrich, Collect.Bl. 241. Hs. im Stiftsarch. Einsiedeln.

[2] Im XXVII. Jahresber. d. Ausschusses d. Vorarlb. Museum-Ver. in
Bregenz S. 79—81 findet sich eine Beschreibung dieses und noch eines
zweiten Glasgemäldes. Diese „Beschreibung" ist ganz verworren, irreführend
und dazu noch durch Druckfehler entstellt. Sie verwechselt z. B. St. Gerold
mit Einsiedeln, die Marienkapelle in St. Gerold mit der dortigen St. Antonins-
kapelle, den h. Sigismund mit dem h. Gerold, etc.

1876 **Ms.-Glocke.** — 1879, 7. Mai, HP. des Hochaltars. R. im Hochaltar, im St. Geroldsaltar und dem Altar der Marienkapelle.

Blons, Pfarrei, 1851, 30. Mai, R. in dem Feldkreuz auf der Egg.

Bludenz, Dominikanerinnenkloster St. Peter, mehrere kleinere R., wahrscheinlich seit 1798.

Schwarzenberg (Bregenzerwald), Bildstock aus dem 17./18. Jahrhundert mit Darstellungen U. L. F. von Einsiedeln und des Märtyrertodes des hl. M.

Gries bei Bozen, in der alten Pfarrkirche **Einsiedler-kapelle** mit R. Am 21. Januar wird gewöhnlich dort Gottesdienst gehalten und mit den R. der Segen gegeben.

Stams, Cistercienserstift in Tirol, 1900, R. in Privatbesitz.

Seckau (Kärnthen), Benediktinerstift, R. (St.)

Admont (Kärnthen), Benediktinerstift, in der Handschrift 140 aus dem XV. Jahrhundert befindet sich die alte Lebens-beschreibung des hl. M. — 1667 gibt P. Bernhard Waibel aus Einsiedeln ein sehr schönes in Wachs bossiertes Brustbild des hl. M., das jetzt im Stiftsarchiv aufbewahrt wird.

Salzburg, Stadt. Erzbischof Marcus Sittich war ein grosser Verehrer U. L. F. von Einsiedeln und des hl. M.[1]) — 1646 baut Erzbischof Paris von Lodron eine **Einsiedler Kapelle.** — St. Peter, Benediktinerstift, 1722, R. — **Nonnberg,** Benedik-tinerinnenstift 1666, R. — 1667, St. Meinradsaltar in der Kirche. — 1678, Kapelle U. L. F. von Einsiedeln und des hl. M. — R. im Altar des Nonnenchors. — Um diese Zeit fertigt der Graveur P. **Seel** in Salzburg eine **Medaille,** A.: Engelweihe, R.: Ms.-Kapelle und Märtyrertod, Legende: S. MEINRAD. M. PATR. EINSID.[2]) — Seit dem letzten Drittel des 17. Jahrhunderts wird M. als Patron des Stiftes Nonnberg verehrt und sein Fest am 21. Januar begangen, wobei eigens bereitetes Brot, die sogen. „Meinradi-Strutzeln", und Wein sogen. „Meinradi-Blut" geweiht werden. — Mehrere Bilder und Statuen. — Eine Zelle trägt den Namen St Meinradszelle. — Durch die Einsiedler Patres, die in der zweiten Hälfte des XVII. Jahrhunderts an der Uni-versität, im genannten Stifte und an dem Wallfahrtsorte **Maria-Plain** wirkten, wurde die Ms.-Verehrung besonders gefördert.

---

[1]) S. o. bei Einsiedeln z. J. 1617.
[2]) Ueber P. Seel s. Oberbayerisches Archiv 38, S. 103, Anm. ***).

Schlackenwerth (Böhmen), 1710 Einsiedler-Kapelle
erbaut von der Markgräfin Franziska Sibylla Augusta von Baden-
Baden, Gemahlin des Markgrafen Ludwig Wilhelm, des grossen
Feldherrn.[1]

Osseg, Cistercienserstift, 1890, R. in Privatbesitz

2. Bayern.

Teising bei Neumarkt (Oberbayern), Einsiedler-Kapelle
von Nikasius Ott'Heinrich Magensreitter zu und auf Teising
erbaut. Sie wurde am 20. September 1626 eingeweiht, ward
vollständig eingerichtet wie die Gnadenkapelle in Einsiedeln und
mit R. ausgestattet. Die Ms.-Feste werden dort begangen. Die
Wallfahrt ist bedeutend. — 1726 erste und 1827, 17.—26. August,
zweite Centenarfeier.[2]

Nürnberg, 1494 übernimmt der Rat auf Ansuchen Albrechts
von Bonstetten den Druck der Ms.-Legende.[3]

3. Preussen.

Berlin. Infolge der Beziehungen des Hohenzollernschen
Hauses zu dem Stifte Einsiedeln . wurde der hl. M. auch in
Berlin bekannt. Graf Rudolf Stillfried machte im Jahre 1854
in Einsiedeln Studien über M., die er in seinen Altertümern und
Kunstdenkmalen des erlauchten Hauses Hohenzollern, I. Band,
verwertete. Ferner schrieb er, wie schon bei Einsiedeln zum
J. 1861, erwähnt, den Text zur Bilderlegende Ms. und nach
dem Tode seiner dritten Gemahlin 1865 liess er zu ihrem
Andenken ein Bildlein herstellen, worauf U. L. F. von Einsiedeln und St. M. dargestellt waren. — Als am 29. Sept. 1889
einige Männer der Herz-Jesu-Pfarrei im Norden Berlins für
die dortigen Katholiken einen geselligen Verein gründeten, gab
der Generalpräses der Berliner kathol. Vereine, der Geistliche

---

[1] FREIBURGER DIÖCESAN-ARCH. XXIII 19, 23, 24.

[2] S. meine Wallfahrtsgeschichte S. 167—169.

[3] S. o. bei Einsiedeln. — Von Nördlingen sollen Peter und
Richard, die beiden Mörder des h. M. gewesen sein, schreibt G. v. Gen-
genbach im Jahre 1378. Diese Behauptung gieng in viele Ms.-Legenden,
Einsiedler Chroniken und Stadtchroniken von Nördlingen über. Einige der
letzteren wissen sogar den Beruf und Familiennamen der Mörder anzugeben!
Andere lassen sie von Nördlingen und Ulm stammen u. s. w. Das sind
alles Fabeleien. Die alte echte Lebensbeschreibung des h. M. sagt einfach,
Richard, ein Alamanne und Peter ein Rhätier, seien die Mörder gewesen.
Mehr wissen wir nicht. Wie Georg von Gengenbach auf Nördlingen geriet,
ist uns unerfindlich. Hat er den Nördlingern „eines anhängen" wollen?

Rat Eduard Müller († 6. Jan. 1895), ihm den Namen St. Mein-
rad-Verein. Dadurch erst wurde M. in Berlin unterm Volke
bekannt und seine Verehrung daselbst begründet. Das B. Ms.
befindet sich auf der Vereinsfahne vom Jahre 1892 und am
Prospekt der 1899 von dem Vereine für die Pfarrkirche gestifteten Orgel. [1]) Schon jetzt kommt der Taufname M. im
Vereine vor. — 1900 R. in Privatbesitz.

In einem Berliner Museum befindet sich ein aus der Schweiz
stammendes Glasgemälde von 1597, das einen Bannerträger
zeigt, zu dessen Rechten M., zur Linken St. Justus und oberhalb
die Ermordung Ms. dargestellt ist.[2])

Hohenzollern. Da der hl. M. höchst wahrscheinlich, der
hl. Adalrich (der im X. Jahrhundert als Einsiedler auf der
Ufnau lebte, sich dann dem Stifte Einsiedeln anschloss und
Leutpriester auf der Ufnau wurde) als Sohn Reginlindens aus
ihrer ersten Ehe mit Herzog Burkhard I. von Schwaben, sicher
in verwandtschaftlichen Beziehungen zu dem spätern Geschlechte
von Zollern (Hohenzollern) stand, bildeten sich Beziehungen
zwischen diesem Hause und dem Stifte Einsiedeln, die sich vom
Jahre 1125 ungefähr an urkundlich nachweisen lassen. Vertreter der verschiedenen Linien dieses Geschlechtes machten die
Wallfahrt nach Einsiedeln, so z. B. 1364, 1402, 1465, 1488,
besonders aber vom 16. Jahrhundert an. — 1602 sandte Abt
Augustin I. „mancherlei Gebein" vom Körper des hl. M. nach
Hechingen, u. a. einen Zahn. Nach 1600 gab das Stift einen
Teil vom Gewande Ms. dorthin.[3]) Eckhart bezeugt im Jahre
1729, dass im Schlosse zu Hechingen die Tunica des hl. M. mit
grosser Ehrfurcht aufbewahrt werde.[4]) Das kann sich aber nur
auf einen Teil derselben beziehen, der aber schon seit längerer
Zeit verschollen ist. 1745 schickt Abt Nikolaus II. dem Fürsten
Friedrich Ludwig ein Reliquiarium de S Meinrado. — 1751 liess
Fürst Joseph Wilhelm von Hohenzollern-Hechingen seinen Erst-
geborenen auf den Namen M. taufen.

Die Linie Hohenzollern-Sigmaringen zählt zwei
Fürsten mit dem Namen M.: Meinrad I. (1634 bis 1681) und
dessen Enkel, Meinrad II. (1689, bezw. 1698 bis 1715). Andere

---

[1]) Das erlauchte Haus Hohenzollern etc. S. 155—158.
[2]) Anz. f. Schweiz. Gesch. u. Alt. 1862, S. 38.
[3]) S. oben bei Einsiedeln zum Jahre 1600 und bei Zürich.
[4]) Commentarii de rebus Franciæ orientalis II 487.

Mitglieder dieses Hauses erhielten bis auf unsere Zeit zu ihren andern Namen auch den des hl. M. — Fürst Anton Alois Meinrad war ein eifriger Verehrer Ms., er liess 1826 einige dessen Leben und Tod darstellende Glasgemälde für die Schlosskapelle in Sigmaringen anfertigen und legte dieser Kapelle, in der sich einige R. befinden, den Namen St. Meinradskapelle bei. — Auf dem Kelche, den Fürst Karl Anton Meinrad im Jahre 1860 dem Stifte schenkte, ist auch ein B. Ms. Derselbe Fürst liess, wie schon oben bei Einsiedeln zu den Jahren 1855 u. ff. erwähnt wurde, durch H. Mücke einen Cyklus von neun, bezw. elf Bildern über das Leben Ms. malen, welcher in der fürstlichen Gruftkirche Hedingen (ehemal. Kloster) zu Sigmaringen seinen Platz fand und 1861 durch Lithographie vervielfältigt wurde. [1]

4. Württemberg.

Weissenau bei Ravensburg, ehemaliges Prämonstratenserstift, 1172, R. im Altar des hl. Johannes Ev.

Mariathal, Gmd. Eschbach, ehemaliges Prämonstratenserinnenkloster, 1180, R. im Muttergottesaltar und zwei R. ausserhalb desselben. [2]

Wiblingen, ehemal. Benediktinerstift, 1681, Einsiedlerkapelle. [3]

Stetten im Lonethal Oberamt Ulm, Einsiedlerkapelle, 1731 gestiftet von Marquard Anton, Freiherrn von Riedheim. Medaille A: die Madonna, R. Tod des hl. M.

Georg von Gengenbach (s. o. bei Einsiedeln zum Jahre 1378) hatte in seiner Lebensbeschreibung des hl. M. dessen Heimat, den alten Sülichgau, mit Saulgau verwechselt und so die falsche Ansicht aufgebracht, als ob dieses Städtchen der Geburtsort des Heiligen sei. So kam die Ms.-Verehrung hier auf. M. wurde Stadtpatron, in der Stadtpfarrkirche ihm zu Ehren ein Altar geweiht, eines der schon lange abgebrochenen Stadtthore trug seinen Namen und sein Bild. 1780 kam von Einsiedeln in die obgenannte Kirche eine R. [4]

---

[1] Alle Bellege aus m. Aufsatze : Das erlauchte Haus Hohenzollern etc. Vergl. R. v. STILLFRIED, Altertümer und Kunstdenkmale des erlauchten Hauses Hohenzollern, N. F. I (1859), St. Meinrad.

[2] ZTSCHR. F. D. GESCH. D. OBERRHEINS 29, 11. 14. 15. (St).

[3] Wallfahrtsgeschichte S. 170.

[4] STILLFRIED, a. a. O.

Seitdem i. J. 1841 durch den verdienstvollen Chr. Fr. Stälin in seiner Wirtembergischen Geschichte I 239. 310, und in den 1850er Jahren durch Stillfried in seinem eben citierten Werke auf Grund der alten Lebensbeschreibung aus dem IX. Jahrh. auf den alten Sülichgau als Heimat des hl. M. hingewiesen worden war, wendete man dem Sülchenkirchle bei Rottenburg, dessen Name nebst dem Sülchensteigle in der Nähe die einzige Erinnerung an den alten Sülichgau ist, wieder mehr Aufmerksamkeit zu und das B. des hl. M. wurde auf einem Flügel des neu erstellten Hauptaltars angebracht.

Zwiefalten, ehemal. Benediktinerkloster, 1133, 11. September, R. in dem Altar der St. Nikolauskirche.[1]

Rottenburg-Ehingen, in der Altstadtkirche (1369) werde der hl. M. verehrt.[2]

5. Baden.

Reichenau, ehemaliges Benediktinerkloster im Untersee bei Konstanz, Mutterkloster des hl. M. — 861 Uebertragung des Leichnams Ms. aus dem Finsterwald hierher. — IX. Jahrhundert, bald nach 861, verfasst ein sonst nicht näher bekannter Mönch die Lebensbeschreibung Ms. — Eine ehem. Reichenauer Handschrift aus dem X.—XI. Jahrhundert und eine andere aus dem XII. Jahrhundert mit der Lebensbeschreibung Ms. befinden sich jetzt in Karlsruhe.[3] — 1039 Uebertragung der R. nach Einsiedeln. — Abt Berno von Reichenau verfasst und komponiert das Festofficium Ms.[4] — Einige R. werden auf der Reichenau zurückbehalten, was daraus hervorgeht, dass von dort auch solche abgegeben wurden, so z. B. nach Bern.

Nach der Translation wird im Reichenauer Totenbuch der Name Ms. getilgt[5], dafür aber in die Heiligenverzeichnisse, Kalendarien, eingetragen. — Ganz nahe beim Kloster wird die St. Meinradskapelle gebaut aber 1606 wieder abgebrochen. — Beim St. Marcus-Altar im Chor des Münsters zweiter P. — 1477,

------

[1] Ortliebi Zwifaltensis chronicon in Mon. Germ. X 88.
[2] Mehr konnte ich nicht erfahren.
[3] Mon. Germ. SS. XV 444.
[4] S. o. bei Einsiedeln.
[5] F. Keller, das alte Necrologium von Reichenau in Mitt. d. ant. Ges. in Zürich, VI 41. 56 und 3 des Facsimiles. Mon. Germ. Necrol. I 272.

20. April neue Weihe.[1]) — Am Ms.-Tag war im Münster, in der St. Ms.-Kapelle und in der St. Kilianskapelle Ablass.[2])

In der ehemal. Klosterkirche sind zwei Gemälde vom hl. M. Eines vom Jahre 1729 stellt Ms. Aufnahme in den Orden vor, das andere, ältere und wertvollere, ist ein Brustbild des hl. M. mit der Todeswunde am Haupte. Von letzterem Gemälde finden sich im Stifte Einsiedeln zwei Kopien.

Konstanz, Weihbischof Franz Johann von Sirgenstein erhält 1736 u. a. auch eine R.

Salem, ehemal. Cistercienserstift, 1179, R. im Kreuzaltar.[3])

Messkirch, Pfarrkirche, R. hoch oben in einem Altare.

Brunnenhof, Gmd. Möhringen. „Bei demselben steht, jedoch schon auf Hattinger Gemarkung, die Brunnenkapelle. Bei dieser entstand ein unter einer Priorin stehendes Frauenkloster, das schon 1275 erwähnt wird.[4]) Seine weitere Geschichte ist unbekannt; vermutlich sind seine Nonnen nach Möhringen gezogen, wo vom XIV. Jahrhundert an ein Frauenkloster bestand.[5]) 1339 hatte laut einem Ablassbrief[6]) die Kapelle Brunnen regelmässigen Gottesdienst, ja sie hatte selbst das Recht, den Kranken die Wegzehrung zu reichen, und besass einen eigenen Gottesacker. Noch im 18. Jahrhundert war Brunnen ein stark besuchter Wallfahrtsort. Nach der Volksüberlieferung aber war diese Wallfahrt uralt; von Brunnen soll der hl. Meinrad das wunderthätige Muttergottesbild nach Einsiedeln übertragen haben,[7]) wo es durch den Rauch der Kerzen seine schwarzbraune Farbe erhalten habe.[8]) Nach einem Verzeichnisse, das noch Pfarrer Thoma von Hanstetten zu Ende des XVIII. Jahrhunderts in Händen gehabt hat, das aber z. Z. verschollen ist, haben die Tuttlinger, Möhringer, Wurmlinger, Kolbinger und Mühlheimer, ja sogar die Züricher gen Brunnen alljährlich im Mittelalter

---

[1]) Reichenauer Handschrift in Karlsruhe Nr. LXXXIV. — Mone, Quellensammlung der badischen Landesgeschichte I, 240.

[2]) Gallus Öhem, Reichenauer Chronik. ed. Barack S. 27—29. 31, ed· Brandi 28 29. 32. — Über die neue Weihe des St. Markusaltares s. Reichenauer Hdschr. 69. VII. 18 in Karlsruhe, Bl. 115 b.

[3]) Ztschr. f. d. Gesch. d. Oberrheins 31, 55. (St.).

[4]) Freiburger Diözesanarchiv I 25. 29.

[5]) Fürstenberg. Urkundenbuch VI 6.

[6]) Fürstenberg. Urkundenbuch V 378 c.

[7]) Eine Sage ohne geschichtlichen Anhaltspunkt.

[8]) Das ist richtig. Wallfahrtsgeschichte S. 36—38.

grosse Kerzen geopfert. Nach Thoma hat Brunnen vor Zeiten
dem Kloster Reichenau gehört. [1])

Schlosskapelle Ofteringen bei Waldshut, 1749, 28. Juli,
HP. eines Nebenaltars. Statue. Seit den 1860er oder 1870er
Jahren R.

St. Blasien, ehem. Benediktinerstift, 1781, 15. Februar, R.

Schwarzach, ehemal. Benediktinerstift, 1780, R.

Rastatt, in der Stadt, Einsiedlerkapelle, 1715 von der
Markgräfin Franziska Sibylla Augusta von Baden-Baden gebaut.[2])

6. Elsass.

Maursmünster bei Zabern, ehemaliges Benediktinerstift,
wahrscheinlich im XII. Jahrhundert R.[3])

Strassburg, 1502 nimmt Sebastian Brant den h. M in
seine bei Johannes Grüninger gedruckten deutschen Heiligenleben
(Legende) auf.

Murbach, ehemaliges Benediktinerstift, 1143 oder 1216,
R. im Kreuze über dem Hochaltar.[4])

7. Frankreich.

Delle, École libre de St. Benoît, Zufluchtsstätte der 1875
aus ihrem Kloster Maria-Stein vertriebenen Benediktiner, R.

Paris, 1481, 11. Juli, sendet Albrecht von Bonstetten
dem König Ludwig XI. eine Abschrift der ältesten Lebensbeschreibung des hl. M., die sich noch jetzt dort befindet.[5])

8. Italien.

Der Apostolische Nuntius Georg Spinola und dessen
Ceremoniar Venanz Philipp Pier erhielten 1738 u. a. je eine
R. Da der Ort, wohin diese R. kamen, nicht ermittelt wurde,
konnte er auch nicht in die Karte aufgenommen werden.[6])

---

[1]) Fr. L. Baumann, Forschungen zur Schwäbischen Geschichte (1899)
S. 345. 346.

H. Schreiber erwähnt in der Beigabe zum Freiburger Adresskalender
1836, S. 85, dass früher in der Kirche zu Lausheim bei Bonndorf ein
Messgewand des hl. M. gewesen sei, das man den Kranken angelegt
hätte. — Nach A. Kürzel, Der Amtsbezirk Bonndorf (1861) S. 198. 199,
soll es ein St. Nikolaus-Messgewand gewesen sein. (Frdl. Mitteilung
von Herrn H. v. Hermann in Lindau i. Bodensee).

[2]) Freiburger Diöcesanarchiv XXIII 27. 28. Abbildung in der Wallfahrtsgeschichte S. 169.

[3]) S. o. bei Muri.

[4]) Murbacher Annalen im Anz. f. Schweiz. Gesch. 1883, S. 175 (St.).

[5]) S. o. bei Einsiedeln.

[6]) G. Spinola erscheint nicht unter den schweiz. Nuntien. Wahrscheinlich war er Nuntius für ein anderes Land.

9. England.

Downside bei Bath, Benediktinerkloster, seit ca. 1895 R. in Privatbesitz.

10. Vereinigte Staaten von Nord-Amerika.

St. Meinrad, Benediktinerkloster im Staate Indiana, von Einsiedeln aus im Jahre 1854 gegründet. HP. der nach dem grossen Brande vom 2. September 1887 im Baue befindlichen neuen Abteikirche, des Klosters, des ganzen Territoriums und des zum Kloster gehörenden Missionsgebietes. HP. der jetzigen provisorischen Abteikapelle und eines Altares daselbst mit B. — 1889 St. Ms.-(Chor-)Glocke.[1]) — Beide Feste — 21. Januar und 2. Sonntag im Oktober (Translationsfest) — werden feierlich begangen.

Das Klostersiegel (St. M. in einem Nachen auf dem Wasser, mit der Umschrift: Sanctus Meinradus transmarinus) gieng bei dem oben erwähnten Brande zu Grunde. — Siegel des Abtes Fintan (1880—1898), B. U. L. F. von Einsiedeln und St. M.

Seit dem 21. Januar 1888 gibt die Abtei eine kleine Monatsschrift „St. Meinrads-Raben" heraus, die später mit den Zeitschriften „St. Benedikts-Panier" und „Paradieses-Früchte", aber unter eigenem Titel, vereinigt wurde. Redacteur dieser Zeitschriften ist P. Beda Maler O. S. B. in St. Meinrad.

Zweiter P. der Sodalität des mit dem Stifte verbundenen Kollegiums. — 1890 Deckengemälde in der Sodalitätskapelle.

St. Meinrad, Stadt beim Kloster, im Millenariumsjahr 1861 vom Kloster gegründet. — Stadtpatron. — HP. der provisorischen Pfarrkirche. — 1868, 28. Juni, wird der St. M.-Verein christlicher Männer zur Wahrung der Gemeinde-Interessen, Förderung des Kirchenbaues etc. gegründet. — 21. Januar Vereinstfest. — Der Taufname M. kommt vor, aber selten.

Ferdinand, 5 engl. Meilen nordöstlich von St. Meinrad, Pfarrei zu dem Kloster St. M. gehörig, Pfarrkirche, HP. eines Altares mit B. — In der Kapelle der Benediktinerinnen Ms-Statue.

Brookville, Indiana, Franklin Co., kathol. Pfarrkirche, Glasgemälde des hl. M.

New Subiaco, Spielerville, Arkansas, Benediktiner-Abtei, 1878 von St. Meinrad und Einsiedeln gegründet. II. P. der provisorischen Abteikirche und des daselbst stehenden „Ein-

---

[1]) St. Meinrads-Raben vom 1. Juni 1889.

siedler Altars." Seit 1887 mehrere R. von den Gebeinen und dem Habit. — Beide Feste werden gehalten. — II. P. der Sodalität an der Klosterschule und des Jünglingsvereines in der Pfarrei.

Prairie View, Arkansas, nordöstlich von New Subiaco. HP. der dortigen Missionskirche.

11. Vorder-Indien.

Kandy auf der Insel Ceylon, 1900 R. im Privatbesitz.

* * *

Ein Beweis für die Verbreitung der Ms.-Verehrung besonders in früherer Zeit, ist der Umstand, dass sich die Notiz von seinem Märtyrertod nicht blos in alamannischen Annalen und Chroniken findet, sondern dass auch Chronisten und Annalisten in weiter Ferne, so in Vormezeele bei Ypern, im alten Sachsenlande, in Quedlinburg, in Gemblours, Würzburg, Nieder-Altaich, Mölk u. a. O. diese Notiz in ihre Geschichtsbücher aufnahmen.[1]

Der Taufname M. findet sich schon im 11. Jahrhundert im alten Sachsenlande, so hiess z. B. 1070 ein Abt der Reichenau, ein geborener Sachse.[2] Im benachbarten Benediktinerstifte Petershausen waltete von 1066 bis 1079 der Abt Meginrad seines Amtes und im 12. Jahrhundert lebte dort eine heiligmässige Klosterfrau, die den Namen Meginrat führte.[3] Der Name war auch bei den Grafen von Görz und Tirol im 13. Jahrhundert gebräuchlich,[4] wenn schon damals, wie jetzt wenigstens in Oesterreich, die Namen Meinhard und Meinrad, die übrigens nicht identisch sind, verwechselt wurden.

Gegenwärtig kommt der Taufname Meinrad ausserhalb der Schweiz besonders in Hohenzollern, Württemberg, Vorarlberg und Tirol vor, sporadisch und selten im übrigen Oesterreich, ebenso im Staate Indiana, Nordamerika.

Als Ordensname ist der Name Meinrad in den Benediktinerklöstern häufig. Der Verfasser hat sich die Mühe genommen, in dem neuesten Ordensschematismus[5]), der übrigens nur die

---

[1]) Mon. Germ. SS. III 48. V 35. VI 28. 340. 577. IX 496. XX 784.

[2]) Gallus Öhem, Chronik, ed. Brandi, S. 94. 95.

[3]) Casus monasterii Petrishusensis in Mon. Germ. SS. XX 642—644. 651. 654. 655. 666. 673. 682.

[4]) Stillfried, a. a. O. Blatt 24 b.

[5]) SS. Patriarchæ Benedicti Familiæ confœderatæ, Romæ 1898 p. 40. 74. 81. 84. 87. 98. 110. 117. 165. 173. 181. 187. 198. 206. 222. 227. 233. 235. 238. 274. 318. 324. 334. 351. 354. 363. 371. 378. 380. 395. 405. 430.

männlichen Mitglieder iu sich begreift, die Zahl der Träger
dieses Namens zu zählen; es sind 33 Priester und Laienbrüder
in allen fünf Weltteilen zerstreut, zu denen noch ein Novize
in Brasilien kommt, der erst seit kurzem diesen Namen trägt.

Auch in andern Orden kommt dieser Name nicht selten
vor, so bei den Cisterciensern. Dem Verfasser sind — ohne
besondere Nachforschungen anzustellen — drei Cistercienser-
priester in Oesterreich, darunter ein Abt, dieses Namens bekannt geworden.

Das Officium des hl. M. in Brevier und Messbuch hatten
früher mehrere ausserschweizerische, nun aufgehobene Benedik-
tinerklöster z. B. Mehrerau und Füssen.   Jetzt haben es folgende Benediktinercongregationen (Gruppen mehrerer Stifte): die
Amerikanisch-Schweizerische, Amerikanisch-Casinensische, Bayer-
ische und Beuroner. Ferner die österreichischen Stifte: Admont,
Lambach, Marienberg, Raigern, St. Peter in Salzburg, Schotten
in Wien u. s. w.

Das alte Bistum Konstanz nahm 1599 das Officium in ihr
Brevier und Messbuch auf[1]) und behielt es bis zu seiner Auflösung im Jahre 1821 bei.   Die Erzdiöcese Freiburg i. Br. und
die Diöcese Rottenburg haben das Officium angenommen.

IV. Schlussbemerkungen. Die Meinradsreliquien bei der Kirchweihe in Basel im Jahre 1019.

Die für die Ausbreitung der Verehrung des hl. M.
thätigen Faktoren sind, wie aus der ganzen Zusammenstellung
hervorgeht, folgende :

1. Die St. Meinradslegende, die in volkstümlicher, freier, von der Sage durchsetzter Fassung, wie sie seit 1378 bekannt ist, in mehr als hundert verschiedenen Bearbeitungen und
Auflagen, teils selbständig teils in der Einsiedler Chronik verbreitet wurde.

2. Die Wallfahrt, durch welche diese Legende, die Einsiedler Chroniken, Bilder und Medaillen des h. M. massenhafte
Verbreitung fanden.

3. Die Beziehungen des Stiftes Einsiedeln zu andern
Stiften und Klöstern, sowie zu manchen fürstlichen und
adeligen Familien.

---

[1]) Mabillon, Acta SS. O. S. B., IV 2 p. 68 nota e.

4. Die Rechte, welche das Stift durch Patronat und Incorporation auf mehrere Pfarreien besass, bezw. noch besizt.

Aber gerade der an zweiter Stelle genannte Faktor, die Wallfahrt, war der Ausbreitung der St. Meinradsverehrung wieder weniger günstig. Die Wallfahrt, wie sie sich seit 948 entwickelte, ist in erster Linie eine Muttergotteswallfahrt. Die Verehrung U. L. F. von Einsiedeln beförderte zwar die des h. M., liess sie aber, wie es ganz erklärlich ist, nie zum Hauptzwecke der Wallfahrt werden.

Daher kommt es auch, dass die St. Ms.-Verehrung nie solche Bedeutung annahm, wie z. B. die eines andern Einsiedler Heiligen, des h. Wolfgang.

Wolfgang trat 965 oder 966 in das Stift Einsiedeln ein und legte hier die Gelübde ab. Um 968 wurde er zum Priester geweiht, gieng 971 als Missionär nach Pannonien und wurde 972 Bischof von Regensburg. Er starb am 31. Oktober 994 und wurde am 7. Oktober 1052 durch Papst Leo IX. heilig gesprochen.[1] Regensburg, Wolfgangs Bischofsstadt, wurde auch Centrum seiner Verehrung und diese Verehrung erhielt eine so ausserordentliche Verbreitung, dass St. Wolfgang wohl der volkstümlichste deutsche Heilige wurde. Ein Beweis für diese Thatsache ist der Umstant, dass J. B. Mehler in seiner in Verbindung mit zahlreichen Geschichtsschreibern herausgegebenen Festschrift: Der heilige Wolfgang, Bischof von Regensburg (1894) 66 Seiten (von S. 260 bis 326) über die Verehrung des hl. Wolfgang zusammenstellen konnte. Und doch sind einige Diözesen äuserst dürftig vertreten, so z. B. die Erzdiözese Freiburg i. Br., aus welcher man, bei planmässigem Forschen, zwanzig- bis dreissigmal mehr Stoff über seine Verehrung hätte beischaffen können, wenn die Herstellung der Festschrift nicht so rasch hätte bewerkstelligt werden müssen.

Merkwürdig ist aber, das dem h. Wolfgang in Einsiedeln, dem er doch durch seine Profess (Gelübde) angehört, verhältnismässig wenig Verehrung gefunden hat. Er wird zwar in allen Kalendarien des Stiftes aufgeführt, sein Fest ist in das Brevier und Messbuch aufgenommen, in allen Einsiedler Chroniken wird mehr oder minder ausführlich seiner gedacht, es sind einige Reliquien und Bilder vorhanden, gegen Ende des 17. Jahrhunderts erscheint ein Altar zu seiner Ehre, um aber bald wieder zu verschwinden, er ist Nebenpatron des einen oder anderen

<hr>

[1] Othloni Vita s. Wolfkangi episcopi in Mon. Germ. SS. IV 580 sqq.

Altars; aber nie erhob sich zu seiner Ehre eine Kapelle, ein
ihm geweihtes Heiligtum. Das manchmal vom Volke Wolfgangs-
kapelle genannte uralte Kirchlein auf dem Brüel beim Stifte ist
nicht zu seiner Ehre, sondern der beiden hl. Märtyrer Gangulf
und Laurentiuus geweiht und heisst St. Gangulfskapelle.

Zur Zeit, als die Verehrung des hl. Wolfgang aufkam, war
die U. L. F. von Einsiedeln schon zu vorherrschend, als dass
die St. Wolfgangsverehrung in Einsiedeln hätte tiefere Wurzeln
schlagen können. Das ist auch, wie schon angedeutet, der Haupt-
grund, warum die St. Meinradsverehrung in Einsiedeln nicht die
erste Stelle einnimmt und sich nicht noch mehr ausdehnte.

Zu diesem Grunde kam noch ein anderer: Das Stift war
war von jeher sparsam mit dem Verschenken von Meinradsreliquien. Es liegt vor uns ein Bittgesuch eines italienischen Bischofs
vom Jahre 1648 um Reliquien des h. M., das aber vom Stifte
abschlägig beantwortet wurde. Das Stift musste und muss mit
mit den Ms.-R. sparsam sein, da seit 1648 nur das Haupt, zwei
grössere und einige kleinere Gebeine, mehrere Partikel nicht
gerechnet, noch vorhanden sind.

Übrigens ist — und Vorstehendes beweist es sattsam — die
Verehrung des h. M. immerhin noch ziemlich bedeutend, viel
bedeutender, als der Verfasser sich vorstellte, bevor er die
Sammelarbeit begann. Zudem wird im Laufe der Jahre sich noch
mancher Zuwachs einstellen; denn wie schon in der Einleitung
betont wurde, lässt sich in solchen Dingen eine Vollständigkeit
wohl anstreben, aber beim ersten Versuch wohl nie erreichen.

Wir können aber sehen, wie in der Geschichte der Ms.-R.
und der Ausbreitung seiner Verehrung ein gutes Stück Einsiedler Klostergeschichte enthalten ist, und welche Bedeutung
die Reliquien und die Heiligenverehrung für die Geschichte
überhaupt haben können.

Einsiedeln, die Meinradszelle, war und ist das Centrum der
Verehrung des hl. M.; das hat die ganze Zusammenstellung bewiesen. Aber neben Einsiedeln war, wenigstens im Mittelalter,
das ehemalige Kloster Reichenau für die Ausbreitung der Verehrung Ms. thätig. Freilich haben wir dafür nur e in urkundliches
Zeugnis, die Abtretung einer Ms.-Reliquie nebst mehreren anderen,
die Reichenau im Jahre 1343 an Bern gemacht hat.[1] Für andere Reliquien-Abtretungen von Seiten Reichenaus haben wir

---

[1] S. o. bei Bern.

keinen urkundlichen Beleg. Vielleicht kamen von dort in die Nachbarschaft, nach Weissenau und Mariathal, Meinradsreliquien.[1]

Interessant wäre, erfahren zu können, woher, aus der Reichenau oder von Einsiedeln, Kaiser Heinrich II. die Ms.-R. hatte, die er 1019 dem Basler Münster schenkte.[2]

Bevor wir an die Beantwortung dieser Frage gehen können, müssen wir zuerst Sicherheit über diese Thatsache selbst haben.

Diese Zusammenstellung war in der Hauptsache bereits fertig, als in den Katholischen Schweizer-Blättern 1900, I. Heft, der hochinteressante Aufsatz „Basel als Reliquienstätte“ von Herrn Dr. E. A. Stückelberg erschien.

St. ist geneigt (S. 16 und 17), die Erwähnung der Ms-R. in dem Verzeichnis der Reliquien, die Heinrich II. dem Basler Münster schenkte und die am 11. Oktober 1019 in den Hochaltar eingeschlossen wurden, als späteres Einschiebsel zu betrachten und zwar aus dem Grunde, weil M. erst 1039 transferirt und heilig gesprochen wurde. Erst seit der Ausgrabung seiner Überbleibsel im Jahre 1039 hätten Reliquien in Umlauf gelangen und den Wert als Heiligtümer erhalten können. Zu diesem Urteil ist St. wohl deshalb gekommen, weil ich in meiner Ausgabe und Erläuterung des ältesten Verzeichnisses der Reliquien und Altäre der Stiftskirche zu Einsiedeln im „Anzeiger für Schweizerische Geschichte“ 1898, Nr. 1, S. 16, das er citiert, die Translation des h. M. im Jahre 1039 als Anfang seiner öffentlichen Verehrung bezeichnet habe. Aber durch diese Bearbeitung seiner Verehrung kam ich nach und nach darauf, dass seine öffentliche Verehrung früher begonnen haben muss, und ich halte es für meine Pflicht, hier auf diesen Punkt näher einzugehen.

Zuerst ist festzustellen, dass das Basler Reliquienverzeichnis meines Wissens noch nie beanstandet, sondern immer für echt gehalten wurde, wie das auch Stückelberg — mit Ausnahme des Namens Meinrad — annimmt. Die Notiz über die Weihe des Basler Münsters und die bei dieser Gelegenheit in den Hochaltar eingeschlossenen Reliquien steht in der Chronik der Bischöfe von Basel, die Nikolaus Gerung, genannt Blauenstein, verfasst

---

[1] Mit Salem, das noch näher bei der Reichenau liegt, hat Einsiedeln nachweisbar seit 1155 nähere Beziehungen gehabt und die dortige im Jahre 1179 erwähnte Ms-R. kam offenbar direkt von Einsiedeln dahin. Vgl. Ztschr. f. d. Gesch. d. Oberrheins I 318. 320. XXXV 37. 43. 54. 71.

[2] S. o. bei Basel.

hat.[1]) Dieser Chronist lebte im 15. Jahrhundert, war nach seinem
eigenen Zeugnisse[2]) sieben Jahre lang Geheimschreiber, Kaplan
und Hausgenosse des Bischofs Johannes IV. von Fleckenstein
1423—1436. Gerung hatte somit Zutritt zu den Urkunden und
diese Weihe- und Reliquien-Notiz ist nichts anderes, als eine mit
der Weihe gleichzeitige Aufzeichnung, die Gerung in seine Chronik
hinübergenommen hat, wie Hirsch in seinen Jahrbüchern des
Deutschen Reichs unter Heinrich II., III. Band, S. 82, Anm. 1.
ausdrücklich bemerkt. Daher wurde diese Notiz immer anstandslos
benutzt, so von Wurstisen, Sudan, Bucelin, Vautrey u. v A.

Der Name Meinrad steht im Drucke genau wie in der
Handschrift der Chronik, die sich auf der Basler Universitätsbibliothek mit der Bezeichnung Cod. D. IV. 10 befindet. Gerung
gebrauchte die seit dem 14. Jahrhundert übliche Form Meinradi,
anstatt der alten Form Meginradi, wie sie jedenfalls in seiner
Vorlage gestanden hatte.

Gegen die Anwesenheit Heinrichs II. in Basel bei der Kirch-
weihe am 11. Oktober 1019 hat man früher Bedenken geltend
gemacht, sie sei durch andere gleichzeitige Quellen nicht beglaubigt.
Diese Bedenken sind übrigens schon längst von Bresslau im III.
Bande der oben citierten Jahrbücher S. 82, Anm. 1 am Ende,
S. 115 und S. 138 ff. widerlegt, da der Aufenthalt Heinrichs am
Oberrhein im Herbste 1019 auch sonst gut beglaubigt ist.

Wenn nun noch die dreifache Möglichkeit nachgewiesen
wird, dass vor dem Jahre 1039 1. Ms.-R. auch ausserhalb seines
Grabes vorhanden sein, 2. Heinrich II. solche haben, und 3.
solche in einem Altare eingeschlossen werden konnten, muss
auch das letzte Bedenken gegen den Namen M. im Basler
Reliquienverzeichnis vom Jahre 1019 fallen.

Wir glauben, bereits oben bei Einsiedeln nachgewiesen zu
haben, dass die Verehrung Ms. sofort nach seinem gewalt-
samen Tode begann. M. glänzt nach seinem Tode durch Wunder; sein Leichnam wird, trotz der rauhen Jahreszeit und der
Schwierigkeit des Transportes, vom Finsterwald auf die Reichenau
übertragen, um dort beigesetzt zu werden; M. wird schon im

---

[1]) Gedruckt bei J. H. BRUCKER, Scriptores rerum Basiliensium (Basel
1752), p. 320—322. — Diese Chronik wird im VI. Band der Basler Chroniken
neu herausgegeben werden, weshalb wir hier von dem Abdruck dieser Notiz
absehen.

[2]) L. c. p. 341.

IX. und X. Jahrhundert beatus und sanctus, selig und heilig, und Märtyrer genannt.

Beide Klöster, Reichenau, in dem der Heilige als Mönch, und das junge Stift Einsiedeln, dem er als erster Bewohner des Ortes und geistiger Stammvater angehörte, hatten also alles Interesse, Reliquien von ihm zu besitzen. Reichenau hatte deshalb seinen Leichnam aus dem Finsterwald geholt, und es ist gar nicht so unwahrscheinlich, dass schon vor dem Jahre 1039 eine Ausgrabung und Untersuchung der Gebeine vorkam. Gelegenheit hätte sich genug geboten bei der regen Bauthätigkeit des Abtes Witigowo 986—997.[1]) Sollte aber keine Ausgrabung damals vorgekommen sein, so galten doch die Tücher (brandea), mit denen die Gräber der als heilig verehrten Personen bedeckt waren, als vollgiltige Reliquien.[2]) Auch haben die Reichenauer Mönche, was sich von selbst versteht, die Bücher, Gerätschaften und dergl. des getöteten Mitbruders nicht in seiner verlassenen Klause und Kapelle zurückgelassen, sondern als liebe Andenken, als Reliquien, mitgenommen.

Die Meinradszelle im Finsterwalde wurde zu Anfang des IX. Jahrh. wieder besiedelt und allmälig hier, wie schon oben erwähnt, das Benediktinerstift gegründet. Es ist nun nichts natürlicher, als dass man sich auch hier bemühte, Reliquien vom ersten, als heiliger Märtyrer verehrten Bewohner dieser Stätte zu erlangen. Noch jezt bewahrt die Handschriftensammlung unseres Stiftes ein Exemplar der Benediktinerregel aus dem VIII. oder IX. Jahrhundert (Handschrift 236); es ist keine leere Vermutung, wenn man in derselben das Exemplar erblicken will, das in Ms. Händen gewesen ist.[3]) Zudem hatte das Stift Einsiedeln ganz in der Nähe Reliquien vom h. M. auf dem Etzel, wo an der Stelle seiner ersten Niederlassung seine Eingeweide beigesetzt waren. Die Erde dieser Stelle galt ebenfalls als Reliquie.

Es konnten also schon vor der Translation im Jahre 1039 Reliquien vorhanden sein.

---

[1]) Purchardi Gesta Witigowonis in: Mon. Germ. SS. IV 627 sqq.

[2]) Ein Brauch, der sich sehr lange erhalten hat. Im Jahre 1471 wird erwähnt, dass die Steinplatte auf dem Grabe des sel. Markgrafen Bernhard von Baden in der Stiftskirche zu Moncalieri (Piemont) mit einem Tuche bedeckt war. Vgl. Der selige Markgraf Bernhard von Baden. Freiburg i. Br. 1892 S. 50. Beissel, a. a. O. S. 16. 17.

[3]) P. Gabriel Meier O. S. B. Catalogus p. XII und 193.

Sogar jetzt noch, wo doch die kirchlichen Gesetze über Reliquien-Verehrung viel bestimmter und strenger sind als in jener Zeit, kommt es noch oft genug vor, dass Reliquien von noch nicht selig oder heilig gesprochenen Personen ausserhalb ihrer Gräber sich befinden. Das ist z. B. der Fall mit den Ueberbleibseln des uns wohl bekannten Chronisten Hermann des Lahmen von der Reichenau. Er ist weder selig noch heilig gesprochen und doch besitzt das Stift Einsiedeln seit langer Zeit echte Reliquien von ihm, die sich früher sogar in Schreinen, die öffentlich ausgestellt werden, befanden und erst seit ca. 30 Jahren daraus entfernt sind.[1]

Wenn in dem ältesten Verzeichnis der Altäre und Reliquien des Stiftes Einsiedeln aus dem Jahre 987 oder später keine Ms.-R. aufgeführt werden, beweist das nicht, dass keine solchen vor 1039 vorhanden waren. Es beweist nur, dass 987 oder später kein Meinradsaltar vorhanden und keine Ms.-R. in den Altären und den beiden angeführten Behältnissen waren.

Hiermit ist die erste Möglichkeit nachgewiesen.

Die zweite Möglichkeit, dass Kaiser Heinrich II. im Jahre 1019 Ms.-R. haben konnte, ist durch Vorstehendes eigentlich schon bewiesen. Er konnte solche haben, wenn er nur wollte. Jedenfalls hat er sie geschenkt bekommen.

Jetzt kommen wir zur Beantwortung der oben gestellten Frage: Woher hatte Heinrich II. seine Ms.-R., von Reichenau oder von Einsiedeln?

Reichenau hatte damals keine besondere Veranlassung, den Kaiser Heinrich II. mit Ms.-R. zu beschenken, wohl aber Einsiedeln. Als der Kaiser im Herbste 1018 einige Wochen in Zürich weilte,[2] erschien vor ihm Wirunt, der vierte Abt der Meinradszelle (996 –1026), und erbat für sein Stift die Schenkung des ganzen Finsterwaldes, die dann auch der Kaiser unterm 2. September vollzog.[3] Gerade ein Jahr und fünf Wochen nachher schenkte Heinrich dem Basler Münster eine Meinrads-

---

[1] Andere Reliquien waren, bezw. sind noch jezt in den ehemaligen Benediktinerstiften Ochsenhausen und Weingarten. H. Hansjakob, Herimann, der Lahme (1875) S. 95.

[2] Nicht ohne Grund gedenken die alten Annalen von Einsiedeln ausdrücklich dieses Aufenthaltes. Mon. Germ. SS. III 144.

[3] Geschichte des fürstl. Benediktinerstiftes U. L. F. zu Einsiedeln etc. in: Gechichtsfr. 43, 203 ff. 323 ff. — Separatausgabe S. 75 ff. 195 ff.

reliquie! Von selbst legt sich der Gedanke nahe, dass der Kaiser diese Reliquie von Abt Wirunt als klösterliches Dankeszeichen für seine fürstliche Vergabung erhalten habe.

Nun ist noch die dritte Möglichkeit zu erörtern, ob man 1019 eine Ms.-R. in einen zu consecrierenden Altar legen konnte, bezw. durfte.

Translation und Gestattung der öffentlichen Verehrung fallen nicht immer zusammen. Es wurden Heilige schon lange öffentlich verehrt, bevor ihre Translation vorgenommen war. So bewilligte Papst Leo IX. nach dem Jahre 1052 dem Abte von Sithiu in dem Bistum Rheims die Erhebung der Gebeine ihres schon lange als Heiliger verehrten Patrons Bertin.[1]

Wir dürfen zudem nicht vergessen, dass die Translation vom Jahre 1039 nur einem äussern Umstande — der bevorstehenden Weihe der neu erbauten Stiftskirche zu Einsiedeln und dem Verlangen, bei dieser Gelegenheit die Ueberreste des hl. M. für seine ehemalige Wohnstätte zu erhalten — ihr Zustandekommen verdankte. Diese Translation war nicht mehr und nicht minder als das noch jetzt vielfach übliche Verfahren bei der sogen. beatificatio æquipollens, durch welches auf Grund schon vorhandener und nachgewiesener Verehrung die verehrte Person selig, bezw. heilig gesprochen wird. — Der selige Markkraf von Baden — um nur ein Beispiel aus späterer Zeit, wodoch die kirchliche Gesetzgebung in diesem Punkte schon strenger war, zu nehmen — starb am 15. Juli 1458 im Rufe der Heiligkeit und wurde auf Grund seiner Wunder sofort verehrt. Seine Reliquien wurden wie die eines Heiligen gehalten und öffentlich verehrt, Altäre und Kapellen wurden ihm errichtet, aber erst am 16. September 1769 wurde er von Papst Clemens XIV. auf Grund dieser Verehrung selig gesprochen.[2]

Die öffentliche Verehrung Ms. vor 1019 ist möglich, also konnte auch in dieser Zeit eine Ms.-R. in einen Altar eingeschlossen werden.

Dazu kommt noch ein sehr bedeutender Umstand. Bei der Weihe des Basler Münsters am 11. Oktober 1019 war neben dem Kaiser, dem Bischof Adalbero von Basel, dem Erzbischof

---

[1] BEISSEL, a. a. O. S. 113.
[2] Der selige Markgraf Bernhard von Baden, II. und III. Teil. — Die Litteratur bezgl. der Beatificatio æquipollens ist a. a. O. S. 145, Anm. 97 zusammengestellt.

Poppo .von Trier und einigen anderen Bischöfen auch Bischof
Rudhart von Konstanz zugegen. Sowohl Reichenau als auch
Einsiedeln gehörten damals zu diesem Bistum. Dem Bischof von
Konstanz stand nach damaligem Rechte zu, die Verehrung des
h. M. zu bestätigen, und dessen Reliquien für öffentlich ver-
ehrungswürdig zu erklären. Dazu bot gerade die Weihe des
Münsters eine gute Gelegenheit.

Es ist also möglich gewesen, dass vor 1039 eine Reliquie
des h. M. zum Einschluss in einen zu weihenden Altar verwendet werden konnte, und damit fällt jedes Bedenken gegen die
Aufführung einer Ms.-R. im Basler Verzeichnis, das keinen
kritischen Bedenken unterliegt und immer für echt gehalten wurde.

Villani e ruffiani.

Per Vittore Pellandini (Arbedo-Taverne).

Nel bellinzonese era invalso l'uso — e vige tuttodì —
tra gli abitanti della città di chiamare i campagnuoli collo
spregievole appellativo di: *maran* o *vilan*. Ne venne per natural
conseguenza che i campagnuoli rispondessero a quell'insulto chia-
mando *rüfian* gli abitanti della città. Raccontasi però che i
cittadini ebbero più volte a restar con tanto di naso per aver
voluto mettere in pratica, a quattr'occhi, coi campagnuoli il loro
epiteto ingiurioso. Ecco due esempi che raccolsi nel mio paese
e mi furono riferiti come autentici:

Una cittadina domandava un giorno ad una contadina che
sul mercato si teneva fra le mani una gallina da vendere:

    ‹O vilana cuntadina,
    Quant ta vörat da la tua galina?›

(O villana contadina, quanto costa la tua gallina?)

Risposele la contadina:

    ‹O rüfiana burghesina
    Trenta sold, la mia galina.›

(O ruffiana borghesina, trenta soldi, la mia gallina.)

La festa del Corpus Domini vien celebrata nelle parrocchie
di campagna, non al giovedì come la sua ricorrenza, ma la
domenica successiva, i parroci di campagna recandosi nel giorno
di giovedì alla cattedrale della città per celebrare colà la festa
con gran pompa. Un cittadino, prendendo motivo da ciò, domandava un giorno, in un'osteria della città ad un contadino:

«Quand l'è 'l Corpüs Domin di maran?»
(Quando ricorre il Corpus Domini dei marrani?)
Pronto come una schioppettata risposegli il campagnuolo:
«El Corpüs Domin di maran
L'è trí di dopu da quell di rüfian.»
(Il Corpus Domini dei marrani ricorre appunto tre giorni dopo
quello dei ruffiani).

La polenta.
Per Vittore Pellandini (Arbedo-Taverne).

«Con il latte e la polenta
L'appetito si accontenta»

scrisse un poeta: e la polenta è il cibo più in uso specialmente
fra la classe dei contadini nel Ticino e nell'Italia. Il montanaro,
quando è sui monti o sugli alpi si può dire che vive quasi sempre
di polenta: polenta con formaggio o ricotta, o polenta col latte.
Fanno eccezione i paesi di montagna dove il grano turco non
cresce, dove cresce solo un pò di segala, frumento e patate.
Là il montanaro si dedica quasi esclusivamente alla pastorizia e
fa uso invece della polenta, di pane misto di segala e frumento,
preparato in casa, di castagne e polte fatta con farina di castagne.

Dove la polenta è il cibo si può dire quotidiano del contadino, egli ama più la sua polenta col latte che i cibi squisiti
preparati nelle case signorili.

«Vi piace dunque così tanto la vostra polenta?» — domandava un giorno un signore straniero ad un contadino.

«Se mi piace tanto? rispose il paesano nel suo dialetto:

«Se la muntagna la füdess pulenta,	Se la montagna fosse polenta,
Se el lagh e füdess el laćć,	Il lago fosse il latte,
La barca la scüdèla,	La barca, la scodella,
I remur el cügiáa,	I remi, il cucchiajo,
Oh, che bon mangiáa!» —	Oh, che buon mangiare!

Parve al signore straniero che il montanaro poeta si esal-
tasse un pò troppo, parlando della sua polenta col latte, onde
ancora gli domandò:

«Ne mangereste una sì piccola porzione? E non ne dareste
un pó anche a me?»

«Se ne avanzassi,» rispose, senza scomporsi, il contadino.

I ticinesi hanno dagli italiani anche la canzone della polenta. Eccola:

Un bel dì fra l'Oglio [1]) ed il Brenta [2])
Venne al mondo la polenta;
Nella patria d'Arlecchino [3])
Nacque poscia il polentino;
E dall'ali di un cappone
Sortì fuori il polentone.

Salve, o polenta,
Piatto da re;
I tuoi fedeli
Proni ai tuoi pié.
Cantiamo in coro:
La-do-mi-re,
Polé, polé, polé, polé.

Di polenta cavalieri
Abbiam croci, abbiam commende;
Per insegna un bel tagliere,
Con un mestolo che pende.
Son divisi in due legioni:
Polentini e polentoni.

Salve, o polenta,
Piatto da re ecc.

La gran manna del deserto
Tanto buona e saporita
Non er'altro, ormai l'è certo,
Che polenta travestita.
Era il cibo degli Dei
La polenta con i üsèi [4])

Salve, o polenta,
Piatto da re ecc.

---

[1]) Fiume della Lombardia che nasce dal Monte Gavioe dal Corno dei Tre Signori; forma il lago d'Iseo e si getta nel Po vicino a Scorzarolo.

[2]) Fiume che nasce dai laghi di Caldonazzo e Levico nel Trentino, attraversa Val Sugana e sbocca nell'Adriatico.

[3]) Patria d'Arlecchino: Bergamo. Arlecchino era una maschera italiana che parlava il bergamasco. Caratteri: un misto di semplicità e di malizia, di lepidezza e di grazia, di ignoranza e d'arguzia. Distintivi: abito stretto, a scacchi di vari colori, scarpette senza tacco, testa rasa, maschera nera. Fu rappresentato in quasi tutti i teatri d'Europa. (Dizionario Enciclopedico pag. 151 e 152).

[4]) Con i üsèi: cogli uccelli.

Chants patois jurassiens

Publiés par M. Arthur Rossat (Bâle)

IIe partie

Rondes, longues, etc.

Les *vwẽyəri* (rondes) étaient très populaires dans tout le
Jura catholique. Voici ce qu'en dit M. A. Biétrix *(Grammaire
patoise*, Appendice, p. 157):

« C'étaient de petits chants plus ou moins humoristiques qui
ne se composaient guère que d'un ou de deux couplets . . .
C'étaient les marches militaires de l'époque. Dans notre jeune
âge, nous les avons encore entendues accompagnées des fifres et
des tambours de nos landwehrs jusqu'après 1830. Quelle joie
pour nous enfant de les suivre à l'exercice le dimanche après
vêpres, et quel bonheur de porter, à l'aller et au retour, sur
nos jeunes épaules le fusil d'un de nos soldats citoyens. »

Et là-dessus, M. Biétrix cite les trois *vwẽyəri* suivants:

1. Prentes in bon mairi, mai comère,
   Prentes in bon mairi, que saitche
          tot faire;
   Yevai lo maitin, traire les
          vaitches,
   Coulai le laissé, faire fran-
          maidge. [1])

   Prenez un bon mari, ma commère,
   Prenez un bon mari, qui sache
          tout faire,
   [Se] lever le matin, traire les
          vaches,
   Couler le lait, faire [le] fromage.

2. Les loups, les loups di bô
   Qu'aint maindgie lai tchievre
          â préte,
   Les loups, les loups di bô
   Qu'aint maindgîe lo préte aivô.

   Les loups, les loups du bois
   Qui ont mangé la chèvre au prêtre,
   Les loups, les loups du bois
   Qui ont mangé le prêtre avec.

3.[2]) Dorothée, Dorothée prends bin
          dyaidge[3])
       ai ton ôgé.
   Se note tchait te l'aittraipe
   Ei te lo veut to dépieumaî.

   Dorothée, Dorothée prends bien
          garde
       A ton oiseau.
   Si notre chat te l'attrape
   Il te le veut tout déplumer.

---

[1]) *Franmaidge (frãmẽdjə),* forme toute particulière, avec nasale provenant de l'*m* suivante. Le mot ordinaire est *fŏrmẽdjə* ou *frŏmẽdjə*.

[2]) Voici la mélodie de ce *vwẽyəri* avec une variante; je transcris
phonétiquement:

Je ne sais pas ce qu'étaient les *vɪ̨ęyəri* à l'époque dont parle M. Biétrix; mais en ce qui me concerne, personne, ni dans la vallée de Delémont, ni dans l'Ajoie, ne m'en a jamais parlé comme de « *marches militaires accompagnées des fifres et des tambours.* » On m'a toujours dit que c'étaient des *rondes* chantées en dansant les jours de grandes fêtes, quelque chose comme les *coraules* fribourgeoises. C'est du reste la définition qu'en donne Xavier Kohler dans sa préface des *Paniers* (p. 13):

« L'Ajoie avait aussi des *coraules;* moins poétique était le nom que le peuple leur a donné, des *roéyeri*. Comme pour les coraules, filles et garçons se réunissaient aux jours de grande fête, puis se donnant la main et formant un vaste cercle, ils dansaient en rond, en s'accompagnant de paroles vives et gaies: souvent aussi les sons criards d'un archet rustique marquaient la mesure. Un vers dont le sens était suspendu et ne s'achevait qu'à la fin du couplet, un cri joyeux terminaient d'ordinaire ce chant. La plupart des chansons que nous avons pu réunir appartiennent à cette famille allègre. Le patois y paraît dans toute sa franchise; il parle souvent un langage hardi, si ce n'est point un abus de nommer *hardis* les mots qui sortent de la ligne qu'une stricte décence ne permet jamais de franchir . . . . »

A Delémont les *rwę̨yəri* se chantaient surtout le soir des *Brandons*. Ce jour là était — il est encore — une joyeuse fête: sur toutes les hauteurs de la Vallée, et même jusque sur le sommet du Raimeux, on allume de grands feux de joie. Déjà le samedi après-midi, les enfants parcourent les rues de la ville, traînant une charrette et criant:

Vęyə t/fꭐ d'pę̨ - niə, dę̨ vęyə ę̨ - kɪ̨v!

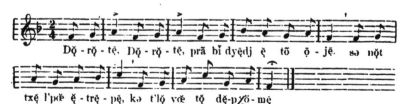

Dɣ̆ - rɣ̆ - tę̨. Dɣ̆ - rɣ̆ - tę̨, prã̆ bĭ dyę̨dj ę̨ tõ̆ ɣ̆ - ję̨. sə nɣ̆t

txę̨ l'pę̆ ę̨ - trę̨ - pę̨, kə t'lɣ̆ vę̆ tɣ̆ dę̨-p/fõ̆-mę̨

[3] *Dyę̨djə,* mot ajoulot: Delémont dit: *gę̨rdə* (cf. *Arch.* III, p. 336). Garder = *rą̆dję̨* (Ajoie) et *rɪ̆wǎrdę̨* (Delémont) Cf n° 48. str. 4.

Vẹyɘ lǐü d'pẹniɘ, dẹ vẹyɘ ẹkuv! [De] vieux fonds de paniers, des vieux balais! — Dans les ménages, on réserve pour ce jour-là les vieux paniers, corbeilles, caisses, planches, etc., tous les débris de bois, auxquels les paysans ajoutent quelquefois une gerbe de paille ou une grosse bûche. Avec tout cela et quelques branchages, on construit, sur une colline, au-dessus de la ville, la *ōl* (allemand Hütte) qu'on allumera le lendemain à la nuit tombante. Dès que cette *hutte* est en flammes, les enfants y allument leurs *fẹyɘ* (leurs *brandons*), qu'ils tournent à l'envi, pendant que la fanfare de la localité joue ses plus entraînantes mélodies. Lorsque tout a brûlé, on redescend gaîment en ville et l'on va finir la soirée dans les auberges, où l'on danse jusque très avant dans la nuit. Autrefois, la foule descendant de la montagne faisait un cortège dans les rues de la ville et s'arrêtait auprès des fontaines, autour desquelles on tournait en chantant. Et ce sont précisément ces rondes-là qu'on appelait les *vwẹyɘri.* [1]

La même chose se passait dans les villages, où il y avait en général une personne, le plus souvent une femme, spécialement chargée d'entonner les *vwẹyɘri* et de conduire les rondes. [2]

Quant aux *lōdjɘ (longues)*, moins connues dans la Vallée de Delémont, elles étaient fort répandues dans tout le Porrentruy et jusque dans le Pays de Montbéliard. Qu'on me permette de citer ce que dit à ce sujet l'*Almanach des Bonnes gens du Pays de Montbéliard* (année 1895) [3]:

« Avant que les danses actuelles: valse, polka, quadrille, etc., n'aient été apportées dans notre pays, c'est-à-dire jusqu'au commencement du siècle actuel, les bourgeois comme les paysans dansaient la *Londge* (longue) et l'*Ajoulotte*. Cette dernière danse, ainsi que son nom semble l'indiquer, était probablement originaire du pays d'Ajoie. Malgré toutes nos recherches, nous n'avons pu encore découvrir la musique d'une ajoulotte. [4] En

---

[1] Avant les rondes, les parents disaient aux jeunes gens:

vǫ sątrẹ brạmā ạ,	Vous sauterez bravement haut,
kɘ nǫt txẹn vɘñœx ā!	Que notre chanvre vienne haut!
ou bien:	
sątẹ, sątẹ, lẹ bẹxat!	Sautez, sautez, les filles!
pĺ vǫ sätrẹ, pĺ l'txẹnȥvœ vni grǫ!	Plus vous sauterez, plus le chanvre veut [de]venir grand!

[2] Cf. p. 139 note 4.

[3] Montbéliard, Imprimerie du Quatorze Juillet, Ad. Pétermand.

[4] Personne dans le Jura n'a le souvenir d'une danse de ce nom.

revanche M. Contejan a bien voulu nous envoyer l'ancien air de
longe que nous donnons ci-dessous. La *longe* se dansait de la
manière suivante: On forme une chaîne aussi longue que possible
de couples se tenant par la main. Après diverses évolutions, la
chaîne s'arrête et le premier couple se détache pour danser isolé-
ment, après quoi il va prendre rang à la queue de la chaîne. Le
second couple, devenu le premier, fait de même, et ainsi de
suite jusqu'à ce que le couple initial ait repris sa place à la tête
de la chaîne. Les airs sur lesquels on dansait les *longes* étaient
analogues aux airs de bourrées et les *djïndius* [1]) (ménétriers)
qui les jouaient de mémoire, n'avaient jamais appris la musique. »

« Air de Londge [2]) (Ancienne danse du Pays de Montbéliard). » [3])

[1]) Lire $d\chi_l d\chi_l\ddot{u}$ = violoneux, mot du patois de Montbéliard (cf. n⁰53, p. 154).

[2]) Bien que cet air de *lõdjə* ne provienne pas de notre Jura, j'ai cru
intéressant de le reproduire, afin de donner aux lecteurs des *Archives* une
idée de cette musique populaire.

[3]) Je cite textuellement. La *lõdjə* s'est dansée dans tout le Jura
catholique; ce n'est donc pas dans un sens absolu une *« ancienne danse du
Pays de Montbéliard. »*

35

ãtrə pĕri ĕ rŭã (vwĕyəri)	Entre Paris et Rouen

(Patois de Courrendlin)

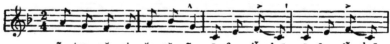

ã - trə   pĕ - ri   ĕ   rŭ - ã,   sĕ   fər - lĭ - dyĕ,   sĕ   fər - lĭ - dyĕ

ĕ yĕ - vĕt - ĕ - nə txĕ - pĕ - lə,   ọ̄ - tĕ - mwă sĕ   fər - lĭ - dyĕ!

1. ãtrə pĕri ĕ rŭã,
sĕ fərlĭdyĕ, sĕ fərlĭdyĕ, [1])
ĕ y ĕvĕt-ĕnə txĕpĕlə,
ọ̄tĕ-mwă sĕ fərlĭdyĕ!

Entre Paris et Rouen,
Ces ferlingués . . . .
Il y avait une chapelle,
Otez-moi ces ferlingués!

2. ĕ y ĕvĕt-ĭ mwănə bχĕ,
sĕ fərlĭdyĕ, etc.
kə kŏfĕsĕ lĕ nãnĕtə,
ọ̄tĕ, etc.

Il y avait un moine blanc,
Ces . . . .
Qui confessait la Nanette,
Etc.

3. tọ̆ lĕ mọ̆ k'ĕ yi dijĕ,
sĕ fərlĭdyĕ, etc.·
sĕrĭ-vọ̆ ²) mĕ mīə, nãnĕtə?
ọ̄tĕ, etc.

Tous les mots qu'elle lui disait,
Ces . . . .
[Il répondait:] Seriez-vous ma mie,
Etc.	[Nanette?

4. s) vọ̆ vlĭ ³) vni dẹ̄vọ̄ mwă,
sĕ fərlĭdyĕ, etc.
i vọ̆ fẹ̄rọ̄ *demoiselle,*
ọ̄tĕ, etc.

Si vous vouliez venir avec moi,
Etc.
Je vous ferais demoiselle,
Etc.

5. i vọ̆z-ĕtxẹ̄trọ̄ ĭ txvã,
sĕ fərlĭdyĕ, etc.
kə sãtrĕ kọ̆m lĕ yŭ̄natə! ⁴)
ọ̄tĕ, etc.

Je vous achèterais un cheval,
Etc.,
Qui sauterait comme la lune!
Etc.

(Mme Veuve Kohler, Courrendlin)

---

¹) On remarquera la variété et l'originalité des refrains de nos chansons.

²) *Sĕrĭ,* 2ᵉ pers. plur.; le présent du conditionnel est: *i sĕrọ̄, tə sĕrọ̄, ĕ sĕrĕ, nọ̆ sĕrĭ, vọ̆ sĕrĭ, ĕ sĕrĭ.*

³) *Vlĭ,* 2ᵉ pers. plur.; l'imparfait est: *i vlọ̄, tə vlọ̄, ĕ vlĕ, nọ̆ vlĭ, vọ̆ vlĭ, ĕ vlĭ.*

⁴) *Yŭ̄natə* = luna + itta: lune se dit *yŭ̄n.*

36

txŭ lə pŏ də *Lyon* [1]) (vwĕyəri)   Sur le pont de Lyon

(Patois de Courrendlin)

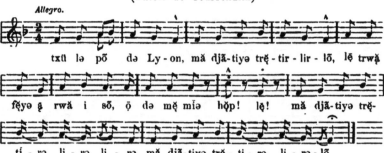

Allegro.

txŭ lə pŏ də Ly - on, mă djă-tiyə trĕ - tir - lir - lŏ, lĕ trwă̧

fĕyə ą̧ rwă i sŏ, ǫ də mḝ mĭə hŏ̧p! lḝ! mă djă-tiyə trĕ-

tĭ - rə li - rə li - rə, mă djă-tiyə trĕ - ti - rə li - rə - lŏ.

1. txŭ lə pŏ də *Lyon*,
   mă[2]) djătiyə trĕ-tĭrlirlŏ,
   lḝ trwă̧ fĕyə ą̧ rwă i sŏ.
   ǫ də mḝ[2]) mĭə hŏ̧p! lḝ!
   mă djătiyə trĕ-tirlirlirə,
   mă djătiyə trĕ-tirlirlŏ!

   Sur le pont de Lyon,
   Ma gentille tra tire lire lon,
   Les trois filles au roi y sont.
   Oh! de ma mie, hop! là!
   Ma gentille tra tire lire lire,
   Ma gentille tra tire lire lon!

2. lḝ trwă̧ fĕyə ą̧ rwă i sŏ,
   mă djătiyə, etc.
   lḝ pŭ bḝl ą̧ txwăt-ą̧ fŏ,
   ǫ də mḝ mĭə hŏ̧p! lḝ!
   Etc.

   La plus belle est tombée au fond.

3. lḝ pŭ bḝl ą̧ txwăt-ą̧ fŏ,
   mă djătiyə, etc.
   dĕvǫ kwă lḝ rĕvwăt-ŏ?[3])
   ǫ də mḝ, etc.

   Avec quoi la *(ravoit-)* retire-t-on?

4. dĕvǫ kwă lḝ rĕvwăt-ŏ?
   mă djătiyə, etc.
   dĕvǫ i kĕrtxă də lŏ̧tŏ, [1])
   o də mḝ, etc.

   Avec un crochet de laiton.

---

[1]) Cf. p. 140: *lə pŏ d'Aλıyŏ.* Il y a évidemment corruption du mot *Avignon.* On doit penser à la ronde:

Sur le pont d'Avignon
On y danse, on y danse,
Sur le pont d'Avignon
On y danse tout du long.

(Cf. A. Daudet, *Lettres de mon Moulin, La Mule du pape.)*

[2]) *Mă* est français; le patois dit *mḝ.* Cf. même strophe.

[3]) *Rĕvwăt-ŏ.* C'est la forme *régulière* du présent de *rĕvwă* = ravoir, comme si, en français, on conjuguait: je *ravois,* tu *ravois,* il *ravoit.*

5. dẹvǫ i kĕrtxă də lǫ̆tõ,
mă djătiyə, etc.
lə kĕrtxă ą̆ yü trǫ̆ lõ,   Le crochet a été trop long.
ǫ̆ də mẹ̆, etc.

6. le kĕrtxă ą̆ yü trǫ̆ lõ,
mă djătiyə, etc.
ĭ pwăsõ i rəvwăt-õ,[2])   Un poisson y (re)voit-on.
ǫ̆ də mẹ̆, etc.

7. ĭ pwăsõ i rəvwăt-õ,
mă djătiyə, etc.
d'si pwăsõ k'ătə[3]) fərẹ̆t-õ?   De ce poisson qu'en fera-t-on?
ǫ̆ də mẹ̆, etc.

8. d'si pwăsõ k'ătə fərẹ̆t-õ?
mă djătiyə, etc.
ą̆ tχürĭə lə pǫ̆ətxrẹ̆t-õ,   Au curé le portera-t-on.
ǫ̆ də mẹ̆, etc.

9. ą̆ tχürĭə lə pǫ̆ətxrẹ̆t-õ,
mă djătiyə, etc.
tənĭ, xĭrə, sti pwăsõ,   Tenez, (mon)sieur, ce poisson.
ǫ̆ də mẹ̆, etc.

10. tənĭ, xĭrə, sti pwăsõ,
mă djătiyə, etc.
srẹ̆ pǫ̆ dmõ vǫ̆t dẹ̆djünõ,   Ce sera pour demain votre déjeuner.
ǫ̆ də mẹ̆, etc.

11. srẹ̆ pǫ̆ dmõ vǫ̆ dẹ̆djünõ,
mă djătiyə, etc.
ẹ̆l ą̆ pü bẹ̆ k'ẹ̆ n'ą̆ bõ   Il est plus beau qu'il n'est bon.
ǫ̆ də mẹ̆, etc.

(Mlle **Fromaigeat**, dite la *Mayou*, 90 ans, Courrendlin)[4])

---

[1]) *Lǫ̆tõ* pour laiton. Nous avons la même prononciation dans le canton de Vaud : du *loton* jaune. Cf. italien *ottone*.

[2]) Ce n'est pas le même *ravoit* qu'à la strophe 3 ; on aurait *rẹ̆vwă* et non *rəvwă*. ·

[3]) *K'ătə-fərẹ̆t-õ?* Il y a eu confusion entre *qu'en* et *quand*, que la plupart des gens prononcent *quante*: «Quant*e* nous sommes venus, quant*e* je suis parti.» Notons que c'est le mot français, *quand* et non le patois *tχẹ̆* qui a provoqué cette confusion.

[4]) Cette personne, encore très alerte et très gaie, a pendant de nombreuses années *tχẹ̆tẹ̆ lẹ̆ vüẹ̆yəri*, «chanté les rondes», à Courrendlin. C'est d'elle que je tiens les renseignements que je donne dans mon introduction.

37

txü le põ d'äliyõ (vwĕyəri)   Sur le pont d'Alyon

(Patois de Courfaivre)

1. txü lə põ d'äliyõ, [1]
  ǫ brïdχə mi frïdχə fälǫridõ!
  lę̆ trwą fę̆yə ą̆ rwä i sõ.
   lę̆ mę̆rədjǫ̈lęn,
   lę̆ bę̆lə tχü̆zę̆n, [2]
   txę̆pę̆ pwčtü,
  tę̆ bę̆rb ę̆ tę̆ läg ę̆ tõ nę̆ lə
     [vwä-tü?
  ǫ brïdχə mi frïdχə fälǫridčn,
  ǫ brïdχə mi frïdχə fälǫridõ!

Sur le pont d'Alyon,
Oh! bringue mi fringue faloridon!
Les trois filles au roi y sont.
  La marjolaine,
  La belle cousine,
  Chapeau pointu,
Ta barbe et ta langue et ton nez
     [le vois-tu?
Oh! etc.

2. lę̆ trwä fę̆yə ą̆ rwä i sõ.

Les trois filles au roi y sont:

3. lę̆ pü bę̆l ą̆ txwä [3] ą̆ fõ.

La plus belle est tombée au fond.

----

[1] Cf. page 138, note 1.

[2] *l'χü̆zę̆n*, féminin de *tχü̆zï*. Cf. vicinu = rę̆jï, vicina = rę̆jęn. lnu, ine = ï: vinu = rï, fine = fï, linu = yï, crine = krï; mais inu = ęn: spina = ępęn, coquina = tχõjęn, farina = fę̆ręn, gallina *djərę̆n.*

[3] Cf. n° 36, strophe 3: *lę̆ pü bę̆l ą̆ txwät-ä fõ*. Ce *t*, quoique étymologique, n'est là que pour éviter l'hiatus; ce n'est pas la prononciation ordinaire, car notre patois a presque toujours la même forme pour le masculin et le féminin Ex: *ęl ą̆ trwä* = il est tombé; *i ą̆ t.rwä* = elle est tombée. Donc «*ą̆ txwä ä fõ*» est plus populaire, *plus patois*, si j'ose ainsi dire, que «*t.rwät-ą̆ fõ*».

.4. dẹvọ kwă lẹ rvwặrẹt-õ? [1]) Avec quoi la retirera-t-on?

5. dẹvọ ĭ krœ̆txă də lọ̆tõ. Avec un crochet de laiton.

·6. lə krœ̆txă ặ yü trọ̆ lõ. Le crochet a été trop long.

7. ẹ̆ rămwănẹ̆ ĭ bẹ̆ pwăsõ. [Il] a ramené un beau poisson.

8. di pwăsõ k'ằ fərặt-õ? Du poisson qu'en fera-t-on?

9. ặ tχürĭə lə pọ̆rtərõ. [2]) Au curé [ils] le porteront.

10. pọ̆ rõtĭ ặ kặklõ. Pour rôtir (au) dans le poêlon.

(Auguste Joset, tisserand, et Joseph Joset, sacristain, à Courfaivre).

Comme on le voit, je n'ai donné que le vers nouveau de chaque strophe. — J'ai retrouvé le même vwẹ̆yəri à Corban, avec un refrain un peu différent et quelques légères variantes; mais je n'ai pu en avoir la mélodie:

1. xü le põ də *Lyon,* Sur le pont de Lyon
   lẹ̆ trwá fẹ̆yə ặ rwă i sõ. Les trois filles au roi y sont.
   trŭsĭə, bẹ̆l, vọ̆t gọ̆diyõ, Troussez, belle, votre cotillon,
   ẹ̆l ặ xi lõ k'ẹ̆ trẹ̆nə. Il est si long qu'il traîne.

Les autres strophes sont les mêmes, sauf la 7°:

7. l'õ[3]) rămwănẹ̆ ĭ bẹ̆ pwăsõ Ils ont ramené un beau poisson
   k'n'ẹ̆vọ̆ k'lẹ̆ gọ̆ərdjə ẹ̆ l'mọ̆tõ.[4]) Qui n'avait que la bouche et le menton.
   trŭsĭə, bẹ̆l, vọ̆t gọ̆diyõ, Troussez, etc.
   ẹ̆l ặ xi lõ k'ẹ̆ trẹ̆nə.

———

38

mõ pẹ̄r m'ẹ̆ mẹ̆riẹ̆ (vwẹ̆yəri)   Mon père m'a mariée

(Patois de Courrendlin)

mõ pẹr m'ẹ mẹ-ri-ẹ ẹ l'ẹ-djə də tχĭz ặ; ẹ m'ẹ bẹ̆-yĭə ĭ á-nə də kẹ-trə vĭ dĭəj-ặ. ẹ mwă, põ-vrə pə-tẹ̆-tə, ko-mặ pẹ̄-sẹ̆ mẹ̆ nõ, ko-mặ pẹ-sẹ̆ mẹ̆ nõ?

[1]) Encore ici, forme *régulière* du futur de *rẹ̆rwă;* ce serait en français: je *ravoirai,* il *ravoira.* Cf. p. 138, note 3.

[2]) *Pọ̆rtərõ,* futur de *pọ̆rtẹ̆* (Delémont); l'ajoulot dit *pọ̆tχẹ̆.* C'est ce verbe-là que nous avons au n° 36, str. 8, et au n° 48, str. 2.

[3]) L'*õ* est mis pour *ẹ̆l õ* = ils ont.

[4]) *Mọ̆tõ* signifie aussi bien *menton* que *mouton.*

1. mŏ pệr m'ę̆ mĕriệ
    ę̆ l'ệdjə də tχĭz·ã;
    ę̆ m'ę̆ bę̆yĭə ĭ ănə
    də kę̆trə-vĭ-diəj ¹)·ã.
    ę̆ mwă, pộvrə ²) pətę̆tə,
    komã pę̄sę̆ mę̆ nö? (bis)

    Mon père m'a marié[e]
    A l'âge de quinze ans;
    Il m'a donné un homme
    De quatre-vingt-dix ans.
    Et moi, pauvre petite,
    Comment passer ma nuit? (bis)

2. lę̆ prəmiər nŏ d'ιnę̆ năs
    dę̆vộ lü y'ę̆ kŭtxĭə;
    ę̆ m'ę̆ vriə sę̄z-ę̆pạ̈l,
    s'ę̆ bộtę̆ ę̆ drəmi.
    ę̆ mwă pộvrə pətę̆tə,
             Etc.

    La première nuit de mes noces
    Avec lui j'ai couché;
    Il m'a tourné ses épaules,
    [Il] s'est mis à dormir.
    Et moi, pauvre petite,
             Etc.

3. də bŏ mę̆tĭ i m'yövə,
    txi mŏ pệr i m'ã vę̆.
    — bŏdjộ. bŏdjộ, mŏ pệr,
    kə l'bŏdjộ sę̆ por vộ!
    vộ m'ę̆ bę̆yiə ĭ ănə
    kə nə vạ̈ rã di tộ! (bis)

    De bon matin je me lève,
    Chez mon père je m'en vais.
    — Bonjour, bonjour, mon père,
    Que le bonjour soit pour vous!
    Vous m'avez donné un homme
    Qui ne vaut rien du tout!

4. — prã păsiãs, mę̆ fẹyə,
    s'ạ̈ ĭ rę̆txə mę̆rtxę̄;
    ę̆l ạ̈ ạ̈ yę̆ mạ̈lę̆tə.
    krę̆bĭ, ³) vöt-ę̆ mŏri?
    tə sạ̈rę̆ l'ę̆ritiərə
    də tộ sộ k'ę̆l ãrę̆. (bis)

    — Prends patience, ma fille,
    C'est un riche marchand;
    Il est au lit malade.
    Peut-être (veut)va-t-il mourir?
    Tu seras l'héritière
    De tout ce qu'il aura.

5. — ạ̈ diệl lę̆ rətxạ̈sə,
    sə lę̆ pχęji n'i sŏ pə!
    y'ę̆mərộ mŏ ĭ ănə
    pę̆ mŏ kŏtãtəmã
    kə d'ę̆vwă lę̆ rətxãsə
    də si vẹyə mę̆rtxę̄! (bis)

    — Au diable les richesses,
    Si les plaisirs n'y sont pas!
    J'aimerais mieux un homme
    Pour mon contentement
    Que d'avoir les richesses
    De ce vieux marchand!

6. tχę̄ i sãrę̆ mŏri,
    i n'vö rã ãportę̆
    k'ę̆nə txəmüjə ⁴) biãtxə,
    i nwă yəsü ⁵) pę̆ dxü.
    vwăsi lę̆ rę̆kŏpãs
    kə mŏ pệr m'ę̆ vŏyü.

    Quand il sera mort,
    Je ne veux rien emporter
    Qu'une chemise blanche,
    Un noir (linge) vêtement par-dessus.
    Voici la récompense
    Que mon père m'a voulu[e].

(Mᵐᵉ Kohler, Courrendlin).

¹) *Diəj-ă.* Decem = *diəx*, qui se prononce ainsi même devant une consonne (p. ex.: *diəx frã* = dix francs), mais devant une voyelle s'adoucit en *diəj*, p. ex : *diəj ữr, diəj ă.*

²) *Pộvrə*; en proclise on a toujours *pộr* (cf. *Arch.* III, p. 819, note 1); ici donc mot français.

³) *Krę̆bĭ*, littéralement «je crois bien», qui a pris le sens de «peut-être».

⁴) *Txəmüjə* n'est pas la forme ordinaire. Camisia = *txəmüədjə* dans tout le *vạ̈dę̆*; mais l'Ajoie dit *trəmije.* Cf. n° 48, str. 3.

⁵) *Yəsü*, forme régulière dérivée de linteolu.

39

mõ pẹ̄r ẹ̈ djürie . . . (vwẹ̈yeri) Mon père a juré . . . .

(Patois de Courrendlin)

mõ pẹ̄r ẹ̈ djü-rie k'ẹ̈ me mẹ̈ - rie-rẹ̈ dẹ̈-vọ̃ trwāz-ă-mwẹ̈-

rõ, le-kẹ̈ k'i vwẹ̈-rọ̃, di-rõ - lẹ̈ di - rẹ̈ - te, di-rõ - lẹ̈ di - rẹ̈.

1. mõ pẹ̄r ẹ̈ djürie
k'ẹ̈ me mẹ̈rierẹ̈
dẹ̈vọ̃ trwāz-ămwẹ̈rö,
leke k'i vwẹ̈rọ̃. [1])
dirõlẹ̈ dirẹ̈te,
dirõlẹ̈ dirẹ̈!

Mon père a juré
Qu'il me marierait
Avec trois amoureux,
Lequel (que) je voudrais.
Dironla dirette,
Dironla diré!

2. s'ạ̈ si bẹ̈ pœltie [2])
k'ẹ̈ m'ẹ̈ vọ̈vü bẹ̈yie;
k'i ne le võ pe.
k'ẹ̈ ne sẹ̈rẹ̈ pẹ̈e
sõn-ẹ̈dyœye ăflẹ̈.
dirõlẹ̈, etc.

C'est ce beau tailleur
Qu'il m'a voulu donner;
(Que) Je ne le veux pas.
(Qu') Il ne saurait pas seulement
Son aiguille enfiler.
Etc

---

[1]) *Vwẹ̈rọ̃*, conditionnel; forme peu ou pas usitée; on dit partout en Ajoie comme à Delémont: *i vọ̈rọ̃.*

[2]) On peut se demander comment le 3e vers des strophes 2, 3, 4 s'intercale dans le schéma rythmique et musical des strophes 1 et 5. — La chose est bien simple: on ne fait que répéter une des phrases musicales, comme suit:

s'ạ̈ si bẹ̈ pœl-tie k'ẹ̈ m'ẹ̈ vọ̈ - yü bẹ̈-yie, k'i ne le võ

pe. kẹ̈ ne sẹ̈ - rẹ̈ pẹ̈e sõn - ẹ̈-dyœye ă - fe - lẹ̈. di - rõ - lẹ̈ di-

rẹ̈ - te di - rõ - lẹ̈ di - rẹ̈.

Le chanteur ne se croit jamais lié à la mélodie; il l'allonge ou la raccourcit à son gré selon les paroles, qu'il chante de mémoire et qu'il modifie fréquemment. Cf. nº 68, strophes 1 et 2, et strophes 3, 4, 5.

3. s'ā si kǒrvēji̇ə   C'est ce cordonnier
    k'ę̆ m'ę̄ vǒyü bę̆yi̇ə;   Qu'il m'a voulu donner;
    k'i nə lə vǒ pə.   (Que) Je ne le veux pas.
    k'ę̆ nə sę̆rę̆ pę̄ə   (Qu') Il ne saurait pas seulement
    sǒ myǒ fəlę̄.   Son ligneul filer.
    dirǒlę̆ etc.   Etc.

4. s'ā si txę̆rbǒnę̄   C'est ce charbonnier
    kə m'ę̄ vǒyü bę̆yi̇ə;   Qu'il m'a voulu donner;
    k'i nə lə vö pə.   (Que) Je ne le veux pas.
    ·s'ā vę̆t-ā lę̆ fwār   [Il] s'en va à la foire
    tət-ētxarbǒnę̄   Tout encharbonné.   ·
    dirǒlę̆, etc.   Etc.   .

5. s'ā si bę̆ *joueur*,   C'est ce beau joueur,
    s'ā sü k'i vwę̆rǒ!   C'est celui que je voudrais!
    lü djüərę̆ lę̆ dēsə,   Lui jouerait les danses,
    mwă i lę̆ dēsrǒ!   Moi je les danserais!
    dirǒlę̆, etc.   Etc.

(Mme Kohler, Courrendlin).

40

Vwę̆yəri   Ronde
(Patois de Courrendlin)

mǒ pęr m'ę̄ mę̆rię̆,   Mon père m'a mariée,
m'ę̄ mę̆rię̆ trǒ tǒ.   Il m'a mariée trop tôt.
ę̆ m'ę̄ bę̆yi̇ə-t-ī änə   Il m'a donné un homme
tχə n'ętę̆ pə də mǒ grę̆.   Qui n'était pas de mon gré.
ę̆ s'ā vę̆ ā lę̆ fwār,   Il s'en va à la foire,
ā lę̆ fwār ę̆ *Nidau*.   A la foire, à Nidau.
ę̈ n'mę̄ rā răpǒrtę̆   Il ne m'a rien rapporté
tχ'ī ptę̆ frǒmę̄djəmā. [1]) Qu'un petit fromage(ment).
mwă, y'ętǒ lätxüzät, [2])   Moi j'étais gourmande,
y'ā ę̆swäyę̆ ī pǒ.   J'en (essayai) goûtai un peu.
ę̆l ę̄ pri ę̆nə brēs, [3])   Il a pris une branche,
ę̆ m' l'ę̄ rǒtü dxü l'dǒ.   Il me l'a rompu[e] sur le dos.
mwă, y'ętǒ mătinät,   Moi, j'étais petite mâtine,
i·y'ę̄ tǒrjü lə kǒ.   Je lui ai tordu le cou.

(Melle Fromaigeat, dite la *Mayou*, 90 ans).

---

[1]) *Fǒrmę̄djəmā*, mot absolument inusité. (Cf. p. 133, note 1).

[2]) *Lätxüzät*, diminutif de *lätxü* ou plutôt *lę̆txü* = lécheur, gourmand, fém. *lätxüzə*.

[3]) *Brēs*. Branca a donné *brēs*; c'est la seule forme employée dans le Jura; un mot comme *brētxə*, correspondant au français *branche*, n'existe pas dans la langue courante.

41

nǫz-ĕ trwą bĕlə pǫmə   Nous avons trois belles pommes.

(Patois de Delémont)

Gaiement.

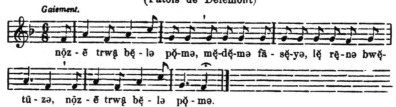

nǫz - ĕ trwą bę̆ - lə pǫ-mə, mę̆-dę̆-mə fã - sę̆-yə, lę̆ rę̆-nə bwę̆-

tũ - zə, nǫz - ĕ trwą bę̆ - lə pǫ - mə.

1. nǫz-ĕ trwą bĕlə pǫmə,   Nous avons trois belles pommes,
    mę̆dę̆mə fãsę̆yə,[1]) lę̆ rę̆nə   Madame Faucille, la reine boiteuse,.
          [bwę̆tũzə,
    nǫz-ĕ trwą bĕlə pǫmə.   Nous avons trois belles pommes.

2. — pü bĕlə kə lę̆ vǫtrə,   — Plus belles que les vôtres,
    mę̆dę̆mə, etc.   Madame, etc.
    pü bĕlə kə lę̆ vǫtrə.   Plus belles que les vôtres.

3. — n'ã sę̆rǫ-yə[2]) ĕvwã ĕnə,   — N'en saurais-je avoir une,
    mę̆dę̆ınə, etc.   Madame, etc.
    n'ã sę̆rǫ-yə ĕvwã ĕnə?   N'en saurais-je avoir une?

4. — nyã, nyã,[3]) pę̆ə p'lę̆ kũə   — Non, non, pas seulement la
    mę̆dę̆mə, etc.,   [d'ĕnə,   Madame, etc.,   [queue d'une,
    nyã, nyã, pę̆ə p'lę̆ kũə d'ĕnə.   Non, non, etc.

(Mᵐᵉ Joséphine Joliat-Kaiser, Delémont).

Ceci est une ronde enfantine plutôt qu'un *vıvę̆yəri*. Une
fillette, qui fait face à ses compagnes, s'avance en chantant la
première strophe; c'est elle qui est *mę̆dę̆mə fãsę̆yə*. Ses camarades
lui répondent par la 2ᵉ strophe, et le dialogue se poursuit jusqu'à
la fin de la 4ᵉ strophe; alors toutes s'enfuient, poursuivies par
« Madame Faucille », qui cherche à en attraper une, avec laquelle
elle recommencera le jeu jusqu'à ce que toutes aient été prises.
— Nous chantions à peu près les mêmes paroles et le même
air à Lausanne:

    1. Vous avez trois belles filles,
       Cousin, cousine, la reine boiteuse,
       Vous avez trois belles filles.
    2. Plus belles que les vôtres, etc.

---

    [1]) *Fãsę̆yə* de falcicula; falce = *fã*.
    [2]) *Yə* forme interrogative; ego = *i: i sę̆rǫ, sę̆rǫ-yə?*
    [3]) *Nyã* = non, ne peut venir du latin non. Y a-t-il peut-être une
influence de l'allemand *nein?*

drie txi nŏ̧ ... (vwḝyeri)   Derrière chez nous ...

(Patois de Soulce, Delémont)

drie txi nŏ̧ ... Ĭ - a̧ - bre-sǎk tŏ̧ txḝr-djie de ptḝ lŏ̧j - lǎ; ḝ

n'yă ḝ - vḝ k'ĭ bĭ pti - ñă k'mwä-nḝ bĭ sŏ djḝr-gwe-nă. mi-tḝ, mi-tḝ,

mi - tḝ-ŏ̧yḝs, mi - tḝ, mi - tḝ, mi - djŏ̧ - la̧. mi - tḝ, mi - tḝ, mi - tḝ-dyḝs,

mi - tḝ, mi - tḝ. mi - djŏ̧ - la̧.

drie txi nŏ̧ ĭ a̧bresǎk [1])	Derrière chez nous un havresac
tŏ̧ txḝrdjie de ptḝ lŏ̧jlǎ; [2])	Tout chargé de petits oiselets;
ḝ n'yā ā ĕvḝ k'i bĭ ptiñă	Il n'y en avait qu'un bien petit
k'mwǎnḝ bı sŏ djḝrgwenă. [3])	Qui menait bien son petit jargon.
mitḝ, mıtḝ, mitĕdyḝs,⎫ bis	
mitḝ, mıtḝ, midjŏ̧la̧. ⎭	

(Marianne Nicole-Schaffter, née en 1818, à Soulce).

---

tχ̧ĕ ŏ mĕrie lḝ fḝye ... (vwḝyeri) Quand on marie les filles ...

(Patois de Réclère, Ajoie)

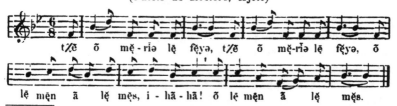

tχ̧ĕ ŏ mĕ - rie lḝ fḝye, tχ̧ĕ ŏ mĕ-rie lḝ fḝye, ŏ

lḝ mĕn ā lḝ mḝs, i - hã - hã! ŏ lḝ mĕn ā lḝ mḝs.

[1]) La tradition orale a altéré ce mot; je crois qu'il faudrait lire: ĩ ĕbra sǎ = «un arbre sec», ce qui donnerait un sens bien meilleur. Ce qui a pu induire en erreur, c'est que le mot sǎ, féminin sǎtxe, se place toujours avant le substantif: di sǎ pĕ̀ = du pain sec. ĩ sǎ bŏ̧rŏ = une toux sèche, ḝna sǎtxe krŏ̧te = une croûte sèche; ĩ ĕbra sǎ serait donc une forme exceptionnelle qu'on aurait facilement corrompue en a̧bresak = havresac. Cf. n° 72, note 4.

[2]) De ptḝ lŏ̧jlǎ, par analogie, d'après: ĩ bĕl-ŏ̧jḝ. De même: grŏ-lŏ̧jḝ, dḝ ptḝ-lŏ̧jḝ.

[3]) Djḝrgwenǎ, diminutif de djḝrgŏ.

1. tχõ õ mĕrĩə lĕ fĕyə, [1]) (bis)
   õ lĕ mĕn[2]) ᾶ lĕ mĕs,[3])
      i hᾶhᾶ!
   õ lĕ mĕn ᾶ lĕ mĕs.

        Quand on marie les filles,
        On les mène à la messe,
           i hanhan!
        On les mène à la messe.

2. lŏ tχürĩə yō dəmᾶd:[4]) (bis)
   ĕt-vŏ lĕ dõ ˈkōtᾶ?
      i hᾶhᾶ!
   ĕt-vŏ lĕ dõ kŏtᾶ?

        Le curé leur demande:
        Etes-vous là donc content[e]?
           i hanhan!
        Etes-vous là donc content[e]?

3. ŏ nyᾶ, rĕpō lĕ fĕyə, (bis)
   y'ĕ bĩ d'ᾶtr ᾶmwĕrö,
      yŭ hŭhŭ!
   y'ĕ bĩ d'ᾶtr ᾶmwĕrö.

        Oh! non, répond la fille,
        J'ai bien d'autres amoureux,
           Yu huhu!
         J'ai bien d'autres amoureux.

(Melle Delphine Jolissaint, ancienne institutrice, à Réclère).

44

tŏ drwä ᾶmę sĕ prę ... (vwĕyəri)

Tout droit au milieu de ces prés

(Patois de Grandfontaine, Ajoie)

Adagio.

tŏ drwä ᾶ - mę sĕ prę ĕ yĕ ĕ - nə mą - jō bχᾶtx; lĕz-

ᾶ - mwĕ-rö i vĕ pĕ də - vĕ. pĕ də - rĩə ... mwä k'i

sœ lo prĕ-fĕ-rĕ, i vĕ pĕ lĕ grᾶ pŭətxə

tŏ drwä ᾶmę sĕ prę
ĕ yĕ ĕnə mᾶjō bχᾶtx;
lĕz-ᾶmwĕrö i vĕ
pĕ dəvĕ, pĕ dərĩə.
mwä k'i sœ lŏ prĕfĕrĕ,
i vĕ pĕ lĕ grᾶ[5]) pŭətxə.

        Tout droit au milieu de ces prés
        Il y a une maison blanche;
        Les amoureux y vont
        Par devant, par derrière.
        Moi qui suis le préféré,
        Je vais par la grand' porte.

(Séraphin Vuillaume, Grandfontaine).

---

   [1]) *Fĕyə*. Ce mot que nous retrouverons souvent dans nos chansons, ne s'emploie plus aujourd'hui; on se sert exclusivement du terme *bĕxᾶt*.

   [2]) *Mĕn*, mot français; le patois dirait: *mwᾶn*, de l'infinitif *mwᾶnĕ*.

   [3]) *Mĕs*, mot français; le latin missa a donné régulièrement *mᾶs: i m'ᾶ ·rĕ ᾶ lĕ mᾶs* = je vais à la messe

   [4]) *Dəmᾶd*, forme française; on dit *dmĕdĕ*.

   [5]) Cf. en français: *grand' mère, grand' soif, grand' rue*, etc.

45

bĕyĭə ĭ yĕ . . . .   Donnez un liard . . . .
(Patois de Réclère)

bĕyĭə ĭ yĕ ā vĕnĕtrĕ [1])   Donnez un liard au ménétrier
k'ĕ di dĕ bwĕn dĕs;   Qui a dit de(s) bonnes danses;
bĕyĭ-y ā dŭ, bĕyĭ-y ā trą,   Donnez-lui-en deux, donnez-lui-en
bĕyĭ-y ā lĕ dŏzĕn.   Donnez-lui-en la douzaine. [trois,

(Eugénie Theubet, 60 ans, Réclère).

46

mŏn-ĕmā n'vö pə rvəni (lŏdjə)
Mon amant ne veut pas revenir
(Patois de St-Ursanne)

mŏn-ĕ-mā n'vö pə rvə-ni, s'ą fŏ-lie də l'à-tā-drə;

s'ĕ nə vö pə ĕr-və-ni, k'ĕ s'ā-lœx fĕr ĕ pă-drə! li-rə-lą

lą la-la-li-la li-rə la la li-la-li-la li-rə, la

la li la li-rə la, la li-la-li-rə la!

mŏn-ĕmā n'vö pə rvəni,   Mon amant ne veut pas revenir,
s'ą fŏlĭə də l'ătādrə;   C'est folie de l'attendre;
s'ĕ nə vö pə ĕrvəni,   S'il ne veut pas revenir,
k'ĕ s'ălœx fĕr ĕ pădrə!   Qu'il s'aille faire (à) pendre!
lirəla, etc.   Lirela, etc.

(Marguerite Marchand, 81 ans, St-Ursanne).

47

lĕ vĕñə (lŏdjə)   La vigne
(Patois de St-Ursanne)

də tĭər ā vĕ-ñə, vwă-li lĕ djŏ-lĭə vĕ-ñə; vĕ-ñĭ, vĕ-ñă lə

---

[1]) *Vĕnĕtrĕ*, corruption d'un mot tel que *ménétrier* ou *ménestrel*.

vĭ; vwă-li lĕ̆ djŏ̝- lĭə vĕ̆ñə də vĭ, vwă-li lə vĭ ă vĕ̆ - ñe

1. də tĭər¹) ă vĕ̆ñə,
   vwăli lĕ̆ djŏ̝lĭə vĕ̆ñə;
   vĕ̆ñĭ, vĕ̆ñă lə vĭ;
   vwăli lĕ̆ djŏ̝lĭə vĕ̆ñə de vĭ,
   vwăli lə vĭ ă vĕ̆ñə.

De terre en vigne,
Voici la jolie vigne;
Vignin-vignons le vin;
Voici la jolie vigne de vin,
Voici le vin en vigne.

2. də vĕ̆ñə ă grĕ̝nə,
   vwăli lĕ̆ djŏ̝lĭə grĕ̝nə;
   grĕ̝nĭ, grĕ̝nă lə vĭ;
   vwăli lĕ̆ djŏ̝lĭə grĕ̝nə də vi,
   vwăli lə vĭ ă grĕ̝nə.

De vigne en graine,
Voici la jolie graine;
Grainin-grainons le vin;
Voici la jolie graine de vin,
Voici le vin en graine.

3. de grĕ̝nə ă grĕ̆pə,
   vwăli lĕ̆ djŏ̝lĭə grĕ̆pə;
   grĕ̆pĭ, grĕ̆pă lə vĭ;
   vwăli lĕ̆ djŏ̝lĭə grĕ̆pə də vĭ,
   vwăli lə vĭ ă grĕ̆pə.

De graine en grappe,
Voici la jolie grappe;
Grappin-grappons le vin;
Voici la jolie grappe de vin,
Voici le vin en grappe.

4. də grĕ̆pə ă ŏ̝tə,
   vwăli lĕ̆ djŏ̝lĭə ŏ̝tə;
   ŏ̝tĭ, ŏtă lə vĭ;
   vwăli lĕ̆ djŏ̝lĭə ŏ̝tə də vĭ,
   vwăli lə vĭ ă ŏ̝tə.

De grappe en hotte,
Voici la jolie hotte;
Hottin-hottons le vin;
Voici la jolie hotte de vin,
Voici le vin en hotte.

5. də ŏ̝tə ă trŏ̝tə,²)
   vwăli lĕ̆ djŏ̝lĭə trŏ̝tə;
   trŏ̝tĭ, trŏ̝tă lə vĭ;
   vwăli lĕ̆ djŏ̝lĭə trŏ̝tə de vĭ,
   vwăli lə vĭ ă trŏtə.

De hotte en trotte,
Voici la jolie trotte;
Trottin-trottons le vin;
Voici la jolie trotte de vin,
Voici le vin en trotte.

6. də trŏ̝tə ă tyūvə,
   vwăli lĕ̆ djŏ̝lĭə tyūvə;
   tyūvĭ, tyūvă lə vĭ;
   vwăli lĕ̆ djŏ̝lĭə tyūvə də vĭ,
   vwăli lə vĭ ă tyūvə.

De trotte en cuve,
Voici la jolie cuve;
Cuvin-cuvons le vin;
Voici la jolie cuve de vin,
Voici le vin en cuve.

7. de tyūvə ă tĕ̆nə,
   vwăli lĕ̆ djŏ̝lĭə tĕ̆nə;
   tĕ̆nĭ, tĕ̆nă lə vĭ;
   vwăli lĕ̆ djŏ̝lĭə tĕ̆nə də vĭ,
   vwăli lə vĭ ă tĕ̆nə.

De cuve en tonne,
Voici la jolie tonne;
Tonnin-tonnons le vin;
Voici la jolie tonne de vin,
Voici le vin en tonne.

---

¹) *Tĭər*, du patois ajoulot, est une forme très ancienne. Le *vą̆dĕ̆* actuel dit *tę̆r*, car ici *ę* entravé + *r* = *ę̆ə*. Ex: ferru = *fę̆ə*, herba = *ę̆ərb*, verme = *rę̆ə*, nervu = *nę̆ə*, hibernu = *övę̆ə*, etc. Mais dans la langue plus ancienne, on avait aussi *ę* entravé + *r* = *ĭə* (Cf. *Paniers*, vers 227: *hierbe*, vers 71: *piedre*). L'Ajoie a conservé ce dernier traitement bernu: *üvĭə*, ferru = *fĭə*, cervu = *sĭə*, etc.

²) C'est le mot allemand Trotte = pressoir.

8. də tĕnə ã pŏ,
   vwäli lə djọli pŏ ;
   pŏtĩ, pŏtã lə vı;
   vwäli lə djọli pŏ də vĩ,
   vwäli lə vi ã pŏ.

De tonne en pot,
Voici le joli pot;
Potin-potons le vin ;
Voici le joli pot de vin,
Voici le vin en pot.

9. də pŏ ã vãr
   vwäli lə djọli vãr;
   vãrĩ, vãrã lə vĩ ;
   vwäli lə djọli vãr də vĩ,
   vwäli le vı ã vãr.

De pot en verre,
Voici le joli verre;
Verrin-verrons le vin;
Voici le joli verre de vin,
Voici le vin en verre.

10. də vãr ã gœlə,
   vwäli lę̆ djọliə gœlə;
   gœlĩ, gœlã lə vi;
   vwäli lę̆ djọliə gœlə də vĩ,
   vwäli lə vi ã gœlə.

De verre en gueule,
Voici la jolie gueule;
Gueulin-gueulons le vin;
Voici la jolie gueule de vin,
Voici le vin en gueule.

11. də gœlə ã pẽsə,
   vwäli lę̆ djọliə pẽsə;
   pẽsĩ, pẽsã lə vĩ;
   vwäli lę̆ djọliə pẽsə də vĩ,
   vwäli lə vĩ ã pẽsə.

· De gueule en panse,
Voici la jolie panse;
Pansin-pansons le vin;
Voici la jolie panse de vin,
Voici le vin en panse.

12. də pẽsə ã pĭxə,
   vwäli lę̆ djọliə pixe;
   pixĩ, pixã lə vĩ;
   vwäli lę̆ djọliə pixə də vĩ,
   vwäli lə vi ã pixə.

De panse en pisse,
Voici la jolie pisse;
Pissin-pissons le vin;
Voici la jolie pisse de vin,
Voici le vin en pisse.

13. də pixə ã tiərə,
   vwäli lę̆ djọliə tiərə;
   tiərĩ, tiərã le vĩ;
   vwäli lę̆ djọliə tiərə də vĭ,
   vwäli lə vĭ ã tiərə. ·

De pisse en terre,
Voici la jolie terre;
Terrin-terrons le vin;
Voici la jolie terre de vin,
Voici le vin en terre.

14. də tiərə ã vĕñə,[1]) etc.   De terre en vigne etc.

(Maria Lachat-Marchand, St-Ursanne)

J'ai trouvé cette *lõdje* à Villars-sur-Fontenais (M. Ernest Coullery, horloger); je ne fais qu'indiquer le premier vers de chaque strophe, la mélodie et les refrains étant les mêmes:

1. də tiər ã vĕñə,
   vwäli stə djọliə vĕñə,
   vĕñĩ, vĕñã lə vĩ, etc.
2. də vĕñə ã grĕpə . . . . .
3. də grĕpə ã ŏtə . . .
4. də ŏtə ã pręs (presse) . . .
5. də pręs ã swäyə (seille, baquet) . . .

6. də swäyə ã tŏnə (tonne) . . .
7. də tŏnə ã ɼęrsə (perce) . . .
8. də pęrsə ã litrə . . . .
9. də litrə ã vãr . . .
10. də vãr ã gœl . . .
11. də gœl ã pẽsə (panse) . . .
12. də pãsə ã pixə (pisse) . . .

13. də pixə ã tiər . . . .

¹) On recommence indéfiniment, autant que dure la *lõdjə*.

48

lĕ̆ dĕ̄s dę̆ găyə (lōdjə)   La danse des guenilles

(Patois de Vendlincourt, Ajoie)

lĕ̆ dĕ̄s dę̆ găyə, lĕ̆ dĕ̄s dę̆ găyə, s'ą̆ lǫ̆ ni dę̆ pŭ - yə.

tǫ̆ di tă̆ k'lę̆ găyə dŭr-rĕ̄, djə-mę̆ lę̆ pŭyə nə krəv-rĕ̄.

1. lĕ̆ dĕ̄s dę̆ găyə, [1]) lĕ̆ dĕ̄s dę̆ găyə,
s'ą̆ lǫ̆ ni [2]) dę̆ pŭyə.
tǫ̆ di tă̆ k'lę̆ găyə dürrĕ̄, [3])

djəmę̆ lę̆ pŭyə nə krəvrĕ̄.

2. tχ̆ü m'ę̆ fę̆ pǫ̆txę̆ [4]) lę̆ găyə?
s'ą̆ lǫ̆ vą̆r ę̆ lę̆ bŏtäyə.
tχ̆ü m'ę̆ fę̆ vni kǫ̆kĭ?
s'ą̆ lǫ̆ vĭ ę̆ lə brătvĭ [5])

3. ĕ̆lĕ̆rm! ĕ̆lĕ̆rm! [6]) mŏ tχ̆ü brŏl,
mĕ̆ txmĭjə s'ă̆ să̆,
mę̆ pŭs s'ă̆füă̆; [7])
ĕ̆lĕ̆rm! ĕ̆lĕ̆rm! mŏ tχ̆ü brŏl!

4. v'ă̆ [8]) lǫ̆ tă̆ ę̆ lę̆ sę̆jŏ
k'i vą̆djŏ̄ [9]) lę̆ tsĭəvr?
i mă̆nŭǫ̆ lę̆ rĭəm. [10])
mitnĕ̄ k'nǫ̆ n'lę̆ vą̆djă̆ pŭ,
nǫ̆ n'ĕ̄ pŭ də rĭəm.

La danse des guenilles (bis),
C'est le nid des poux.
(Tout du temps) Aussi longtemps
que les guenilles dureront,
Jamais les poux ne crèveront.

Qui m'a fait porter les guenilles?
C'est le verre et les bouteilles.
Qui m'a fait [de]venir coquin?
C'est le vin et l'eau-de-vie.

(Alarme) Au secours! mon cul brûle,
Ma chemise s'en sent,
Mes puces s'enfuient;
Au secours! mon cul brûle!

Où est le temps et la saison
Que je gardais les chèvres?
Je maniais le(s) fouet(s).
Maintenant que nous ne les gardons
Nous n'avons plus de fouet. [plus.

---

[1]) *Găyə*, patois ajoulot; Delémont dit *gwăyə* = guenille (cf. p. 152.
n° 49; *gwăŋŭ*); mais j'ai pourtant trouvé *gwăyə* dans le patois de Miécourt
(cf. p. 161, n° 66).

[2]) Le latin **n i d u** = *nĭ* dans l'Ajoie; tout le *rą̆dę̆* a la forme *nitχ̆ə*,
(cf. p. 163, note 3).

[3]) *Durrĕ̄*, contracté pour *dürərĕ̄*; **d u r a r e** = *dürĭə*.

[4]) Cf. la remarque, p. 141, note 2

[5]) *Brătvĭ* (cf. *Paniers*, 92), mot habituel pour désigner l'eau-de-vie,
le *brandevin*.

[6]) C'est le cri habituel pour: A l'aide! au secours!

[7]) *S'ă̆füă̆*, 3e pers. plur. de l'indicatif présent du verbe *s'ă̆fürə*.

[8]) *V'ą̆*, pour *rŭ a* = où est? Cette élision de l'u de *rŭ* est assez
fréquente. Cf. *Paniers* vers 141: *v'ą̆ lə rę̆χpę̆* = où est le respect? Ibid.,
p. 10: *v'ă̆-s' k'ą̆ lę̆ bĕ̆l* = *rŭ ą̆-s' k' ą̆ lę̆ bĕ̆l:* où est-ce qu'est la belle?

[9]) Cf. p. 134, note 3.

[10]) *Rĭəm*, de l'allemand **R i e m e n**, n'a pas le sens de « courroie », mais
de « fouet ». Cf. *Paniers*, v. 678.

5. brŭne, lẹ nŏjĕyə [1]) sŏ brŭnə,   Brunes, les noisettes sont brunes,
    brŭnə lẹ nŏjĕyə.   Brunes les noisettes.
    lẹ fẹyə ẹmă lẹ gĕrsŏ,   Les filles aiment les garçons,
    ĕ mwă, i m'ă pẹsə!   Et moi, je m'en passe!

(Hélène Gigandet, 69 ans, Hospice des Vieillards, St-Ursanne)

49

dĕsə, dĕsə .... (lŏdjə)   **Danse, danse ....**
(Patois de Bourrignon)

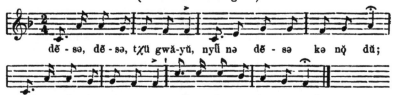

dĕ - sə, dĕ - sə, tχŭ gwă-yŭ, nyŭ nə dĕ - sə kə nǫ dŭ;

dĕ - sə, dĕ - sə, tχŭ gwă-yŭ, nyŭ nə dĕ - sə kə nǫ dŭ!

dĕsə, dĕsə, tχŭ gwăyŭ,   Danse, danse, cul guenilleux,
nyŭ nə dĕsə kə nǫ dŭ!   Personne ne danse que nous deux!

(M. H. Monnin, Bourrignon).

50

tǫ lə lŏ di bǫ ...   **Tout le long du bois ...**
(Patois de Grandfontaine, Ajoie)

tǫ lə lŏ di bǫ mẹ tχŭ - lăt trĭn, trĭ - nə;   tǫ lə lŏ di

bǫ i lẹ rə-yŏ-vǫ.   tχĕ ĕl ăt - ĕ - vŭ prŭ rə - yŏ - vẹ,

ĕl - ĕ fă - lŭ lẹ lẹ - xĭə trĭ - nẹ.

tǫ lə lŏ di bǫ   Tout le long du bois
mẹ tχŭlăt trĭn, trĭnə; [2])   Ma culotte traîne, traîne;
tǫ le lŏ di bǫ   Tout le long du bois
i lẹ rəyŏvǫ.   Je la relevais.

---

[1]) Pour *noisette*, on a les deux mots : *nŏjĕyə* et *nŭxăt*, dimin. de *nŭxə* = noix.

[2]) *Trĭnẹ* = trainer (cf. le vx. frç. *traîner*).

tχ̆ ĕl ặt-ĕvŭ [1]) prŭ rəyövę̆,	Quand elle a été assez relevée,
ĕl-ĕ̆ fålŭ [2]) lĕ̆ lĕxiə trīnę̆;	Il a fallu la laisser traîner;
tǫ̆ lə lŏ di bǫ̆, etc.	Tout le long du bois, etc.

(Xavier Babey, Grandfontaine).

51

dūə, dūə, nikǫ̆lặ! [3])	**Dors, dors, Nicolas! (Berceuse)**
	(Patois de Grandfontaine)

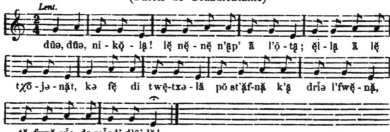

Lent.

dūə, dūə, ni - kǫ̆ - lặ! lĕ̆ nĕ̆ - nĕ̆ n'ặp' ặ l'ǫ̆ - tặ; ĕl - lặ ặ lĕ̆
tχŏ - jə - nặt, kə fĕ̆ di twĕ̆-txə - lặ pŏ st'ặf-nặ k'ặ drīə l'fwĕ̆ - nặ,
tǫ̆ frwặ-yiə də mīədj d'ūj-lặ!

dūə, dūə, [4]) nikǫ̆lặ!	Dors, dors, Nicolas!
lĕ̆ nĕ̆nĕ̆ [5]) n'ặ p'ặ l'ǫ̆tặ;	La maman n'est pas à la maison;
ĕll-ặ [6]) ặ lĕ̆ tχöjənặt, [7])	Elle est à la cuisine,
kə fĕ̆ di twĕ̆txəlặ [8])	Qui fait du gâteau
pǫ̆ st'ặfnặ [9]) k'ặ drīə l'fwĕ̆nặ, [10])	Pour ce petit enfant qui est derrière
	[le poêle,
tǫ̆ frwặyiə [11]) də mīədj d'ūjlặ. [12])	Tout frotté de fiente d'oiselet.

(Séraphin Vuillaume, Grandfontaine).

---

[1]) Forme du participe propre au patois de Porrentruy; Delémont dit *ę̆yŭ*. Cf. *Arch.*, III, p. 318. note 2.;

[2]) *Fålŭ* est français; le patois dit *fåyŭ*, infinitif *fåyę̆*.

[3]) A proprement parler, ceci .n'est pas une ronde; c'est une de ces chansons avec lesquelles on endort les enfants. Remarquer le grand nombre de diminutifs qui donnent à ce morceau une grâce naïve que la traduction française est impuissante à reproduire.

[4]) *Dūə* = impératif, est ajoulot. Le *rặdę̆* dit : *dǫ̆ə*.

[5]) *Nĕ̆nĕ̆*, mot enfantin au lieu de *mĕ̆mĕ̆* = maman; papa = *pĕ̆pĕ̆*, d'où *păpŏ* = *grand*-père. Cf. le suffixe italien — *one*.

[6]) J'ai noté *ĕll-ặ*, parce qu'ici on fait sonner les deux *l*, comme dans l'italien *ella*.

[7]) *Tχöjenặt*, diminutif de *tχöjĕn* = cuisine.

[8]) *Twĕ̆txlă*, diminutif de l'ajoulot *twĕ̆txę̆* (torca + ellu); on dit aussi *tŏətxę̆*. Cf. *Arch.*, III, p. 315, note 2.

[9]) *Afnặ*, diminutif de *ặfę̆*.

[10]) *Fwĕ̆nặ*, de furnu + ittu. Delémont dit: *fǫ̆rnă*.

[11]) *Frwăyiə*, du latin fricare, forme ajoulotte. Delémont a *frę̆yiə*

[12]) *Ujlặ* ou *ǫ̆jlặ*, diminutif de *ǫ̆ję̆* (avicellu).

52

yü, yü, mõ txvā̧![1])   Hue! hue! mon cheval

(Patois de Delémont)

yü, yü, mõ txvā,	Hue! hue! mon cheval,
pǫ̆ ălę̄ dmẽ ā lĕ[2]) sā̧;	Pour aller demain au sel;
yü, yü, mõ rõsĭ,	Hue! hue! mon roncin,
pǫ̆ ălę̄ dmẽ ā̧ vĭ!	Pour aller demain au vin!
s'tə fę̆ bĭ, t'ărę̆ di vĭ;	Si tu fais bien, tu auras du vin;
s'tə fę̆ mā̧, t'ărę̆ di pixă də txvā̧.	Si tu fais mal, tu auras du pissat
(Dr Kaiser, Delémont).	[de cheval.

Voici une variante que j'ai entendue à Grandfontaine:

yü, yü, mõ txvā̧,	Hue! hue! mon cheval,
pǫ̆ ălę̄ dmẽ ā lĕ sā̧;	Pour aller demain au sel;
yü, yü, mõ bidę̆,	Hue! hue! mon bidet,
pǫ̆ ălę̄ dmẽ ā lĕ pwă;	Pour aller demain à la poix;
yü, yü, mõ rõsĭ,	Hue! hue! mon roncin,
pŏ ălę̄ dmẽ ā̧ vĭ;	Pour aller demain au vin;
yü, yü, mõ vę̄lă,[3])	Hue! hue! mon petit veau,
pǫ̆ ălę̄ dmẽ ę̄ săbă;[4])	Pour aller demain aux sabots;
yü, yü, mę̆ pŭträt,[5])	Hue! hue! ma jument,
pǫ̆ ălę̄ dmẽ ā lĕ fwārăt!	Pour aller demain à la foire!

(Séraphin Vuillaume, Grandfontaine).

53

dχĭdχə, mę̆ dχĭdχə,[6]) ... (vwę̆yəri) Violon, mon violon ...

(Patois de St-Ursanne)

dχĭdχə, mę̆ dχĭdχə,	Violon, mon violon,
lĕ miən vę̄ mõ k'lĕ tiən.	Le mien va mieux que le tien.
i n' txiəro p' txü lĕ tiən	Je ne ch .. rais pas sur le tien
pǫ̆ fęr ălę̄ lĕ miən.	Pour faire aller le mien.

(Marguerite Marchand, 81 ans, St-Ursanne).

---

[1]) Se dit en faisant sauter un enfant sur les genoux. On a également en français : *A cheval sur mon bidet; quand il trotte, il fait des pets!*

[2]) Le latin s a l e = sā̧, toujours féminin dans nos patois jurassiens.

[3]) *Vę̄lă* = v i t e l l u + i t t u, petit veau.

[4]) *Săbă* =: sabot; le sabbat = lə sę̆bę̆.

[5]) *Pŭtrăt* est le mot ordinaire pour jument; *djəmă* est moins employé (On a aussi le simple : *pŭtrə*. Cf. vieux frç. *poultre*, du bas latin p u l e t r a, p o l e d r a. *Putrat* == p u l e t r a + i t t a.

[6]) *Dχĭdχə*, féminin (de l'allemand G e i g e), d'où le verbe dχĭdχę̄ *Paniers*, 214). Cf. anc. fr. *gıgұe*.

54

nǫ djā dyā . . . (vwẹyəri)   Nos gens disent . . .
(Patois de St-Ursanne)

nǫ djā dyā k'nǫ sō fǫ,
bwayā, būəb, bwayā, būəb,
nǫ djā dyā k'nǫ sō fǫ,
bwayā, būəb, ẹ̆ dɯūrā fǫ!¹)

Nos gens disent que nous sommes
Buvons, garçons, (bis) [fous,
Nos gens disent, etc.
Buvons, garçons, et demeurons fous!

(Marg. Marchand).

55

hop! lẹ̆ vẹyə . . . . (vwẹyəri)   Hop! la vieille . . . .

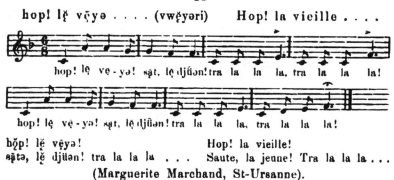

hop! lẹ vẹ-yə! sąt, lẹ djüən! tra la la la, tra la la la!

hop! lẹ vẹ-yə! sąt, lẹ djüən! tra la la la, tra la la la!

hǫ̆p! lẹ̆ vẹyə!
są̆tə, lẹ̆ djüən! tra la la la . . .

Hop! la vieille!
Saute, la jeune! Tra la la la . . .

(Marguerite Marchand, St-Ursanne).

56

s'at-ā valsē . . . (vwẹyəri)   C'est en valsant . . .
(Patois de Bourrignon)

Tempo di Valse.

s'at-ā val-sē k'ā fẹ dẹ kō-kẹ-tə, s'at-ā val-sē k'ā

fẹ dẹz-ẹ-mā. ǫ la li ǫ la la, la li ǫ la la, ǫ la

I°.   II°.

li ǫ la la, ǫ la li ǫ la la. ǫ la la.

¹) Variante: bɯdyā, būb, ẹ təñā kǫ, Buvons, garçons, et (tenons coup)
restons fermes au poste!

s'āt-ă vălsĕ k'ă fĕ̆ dę kŏkę̆tə,   C'est en valsant qu'on fait des
                                                conquêtes.

s'āt-ă vălsĕ k'ă fĕ̆ dęz-ę̆mă.   C'est en valsant qu'on fait des
ǫ̆ lă li, ǫ̆ lă lă, etc.   Oh! la li, etc.   [amants.

         (M. H. Monnin, instituteur, à Bourrignon).

57

ǫ̆ kră̆ dĕ lę̄ bǫ̆ . . . (vwĕ̆yǝri)   O corbeau dans les bois.
                (Patois de Pleigne)

Valse.

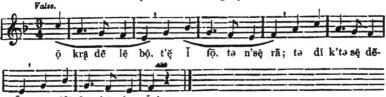

      ǫ̆ kră̆ dĕ   lę̄ bǫ̆. t'ę̆ ǐ   fǫ̆. tǝ n'sę̆ rā;   tǝ dǐ k'tǝ sę̆ dĕ̄-

sĭǝ, tǝ m'fǫ̆ dę̆ kō dǝ pĭǝ!

ǫ̆ kră̆ [1]) dĕ lę bǫ̆,   O corbeau dans les bois,
t'ę̆ ǐ fǫ̆, tǝ n'sę̆ rā;   Tu es un fou, tu ne sais rien;
tǝ di k'tǝ sę dĕsĭǝ,   Tu dis que tu sais danser,
tǝ m'fǫ̆ dę̆ kǫ̆ dǝ pĭǝ!   Tu me (fous) donnes des coups
     (Mme Susette Kohler, à Delémont).   [de pied!

Variante en patois de Vermes:

1. t'ę̆ ǐ fǫ̆, tǝ n'sę̄ rā.   Tu es un fou, tu ne sais rien,
   tǝ nǝ sę̆ p' dĕsĭǝ;   Tu ne sais pas danser;
   t'ę̆ ǐ fǫ̆, tǝ n'sę̆ rā,   Tu es un fou, tu ne sais rien,
   tǝ mǝ frā̆tǝ xǖ lę̆ pĭǝ.   Tu me frottes sur les pieds.

2. t'ę̆ ǐ fǫ̆, tǝ n'sę̆ rā,   Tu es un fou, tu ne sais rien,
   tǝ nǝ sę̆ p' vǐrĭǝ;   Tu ne sais pas tourner;
   t'ę̆ ǐ fǫ̆ te n'sę̆ rā,   Tu es un fou, tu ne sais rien,
   tǝ m'fǫ̆ dę̆ kǫ̆ dǝ pĭǝ!   Tu me (fous) donnes des coups
     (Melle Fleury, institutrice à Vermes).   [de pied!

57bis

     Sur le même air on chantait encore le *vwĕ̆yeri* suivant:

mĕ̆ mmĭ[2]) ā̆ mā̆lę̆tǝ   Ma grand' mère est malade
trā̆ djǫ̆ dǝ lĕ̆ snĕ̄nǝ,   Trois jours de la semaine,
lǝ djödĕ̆, l'vā̆rdĕ̆,   Le jeudi, le vendredi,
lǝ dūǝmwānǝ ĕ̆ mę̆dĕ̆.   Le dimanche à midi.

        (Mme Susette Kohler, Delémont).

---

     [1]) *Krā̆*, mot ordinaire pour corbeau; m. h. a. krâ, n. h. a. Krähe.
     [2]) *Mmĩ* = grand' mère. Cf. p.153 , note 5.

58

s'ā lĕ zǒ̆ē . . . (vwĕ̦yəri)   C'est la Zoé . . .

(Patois de Pleigne)

s'ā lĕ zǒ̆-ē, s'ā lĕ zǒ̆-ē kə s'lĕxə ă-lĕ pǒ̆ ĭ də-mĕ; s'ą̆

lĕ zǒ̆-ē, s'ā lĕ zǒ̆-ē kə s'lĕxə ă-lĕ pǒ̆ĭ dmĕ txą̆-vĕ̦.

s'ā lĕ zǒ̆ē,[1]) s'ā lĕ zǒ̆ē, C'est la Zoé, (bis)
kə s'lĕxə ălĕ pǒ̆ ĭ dəmĕ; Qui se laisse aller pour une demi;
s'ā lĕ zǒ̆ē, s'ą̆ lĕ zǒ̆ē, C'est la Zoé, (bis)
kə s'lĕxə ălĕ pǒ̆ ĭ dmĕ txāvĕ̦.[2]) Qui se laisse aller pour une demi-
chopine.

59

ĕ̦ y'ĕ̦vĕ̦ ĕ̦nə bĕ̦xát . . . (vwĕ̦yəri) Il y avait une fille . . .

Valse.

ĕ̦ y'ĕ̦-vĕ̦ ĕ̦nə bĕ̦ - xăt kə n'ĕ̦-mĕ̦ pə lĕ būəb; ĕ̦l   ā

vni ĕ̦   mō-ri, s'ā lə dyĕ̦l kə l'ĕ̦ pri.

ĕ̦ y ĕ̦vĕ̦ ĕ̦nə bĕ̦xăt Il y avait une fille
kə n'ĕ̦mĕ̦ pə lĕ būəb; Qui n'aimait pas les garçons;
ĕ̦l ā vni ĕ̦ möri, Elle est venu[e] à mourir,
s'ā l'dyĕ̦l kə l'ĕ̦ pri.[3]) C'est le diable qui l'a pris[e].

(Pleigne, Vermes et toute l'Ajoie).

60

nǒ̆t[4]) *Philoméne* (lōdjə)   Notre Philomène

Allegro.

nǒ̆t Phi-lo-mè-ne s'vŏ mĕ̦-riĕ̦, sŏ trǒ̆-sĕ̦ n'ăpə ă-kwē flĕ̦.

---

[1]) Variantes: *s'ą̆ lĕ zǒ̆ĕ k'ĕ̦ ĭ grǒ lǒ̆jĕ̦* = C'est la Zoé qui a un gros oiseau .. *
(Courrendlin); ou bien: *s'ą̆ lĕ zǒ̆ĕ, si pœ mǒ̆xĕ̦* = C'est la Zoé, ce vilain morceau . . .
(St-Ursanne). Ce chant est très répandu dans tout le pays de Delémont.

[2]) *Txą̆vĕ̦,* ancienne mesure, est l'ancienne *chopine.*

[3]) *Prĭ* a la même forme pour les deux genres.

[4]) *Nǒ̆t,* forme proclitique. En français tout le monde dit aussi: *not'
Philomène, not' fille, not' femme.* On n'emploie *nǒtrə* que comme pronom:
s'ą̆ l' nǒtrə, s'ą̆ l' vǒtrə. A la 3e personne du pluriel, on a les formes analogues
si particulières: *lə lūətrə* = le leur; *lĕ lūətrə* = la leur; *lĕ lūətrə* = les leurs.

trŏ - sę̄ fə - lę̄ ǫ̈ nŏ fə - lę̄, nǫ̈t *Phi - lo - mè - ne* s'vŏ mę̆ - rię̄.

1. nǒt *Philomène* s'vö mę̆rię̄,
   sŏ trǭsę̄ n'ä pə ăkwę̆') flę̄.
   — trŏsę̄ fəlę̄ ǫ̈ nŏ fəlę̄,
   nǫ̈t *Philomène* s'vö mę̆rię̄.

   Notre Philomène se veut marier,
   Son trousseau n'est pas encore filé.
   — Trousseau filé ou non filé,
   Notre Philomène se veut marier.

2. sę̆ mer y'ę̆ di: ĕtă ĭ pǭ,
   t'ę̆ bĭ l'tă̆ də t'tǭədr lə kǭ.

   Sa mère lui a dit: Attends un peu,
   Tu as bien le temps de te tordre
   [le cou.

   — tǭədrə lə kǭ ǫ̈ bĭ lə dǭ,
   ę̆ mə l'fă̆ di prəmĭə kǭ!

   — Tordre le cou ou bien le dos,
   Il me le faut du premier coup!

3. . . . .
   . . . .

   . . . .
   . . . .

   — kə sę̆ bǫ̈sü ǫ̈ mä ĭǫ̈tü,
   i l'ę̆vä̆lrǭ bĭ tǫ̈ krü!

   — Qu'il soit bossu ou mal f...ichu,
   Je l'avalerais bien tout cru!

(Marguerite Marchand, 81 ans, St-Ursanne).

61

tǫ̈to fę̆yə kə pătə . . . (lŏdjə) Toute fille qui pète . . .

(Patois de St-Ursanne)

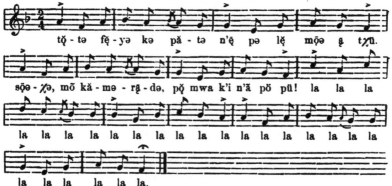

tǫ̈ - tə fę̆ - yə kə pă - tə n'ę̆ pə lę̆ mǭə ă̆ tχ̆ü.

sǭə - χə, mŏ kă - mə - ră̆ - də, pǫ̈ mwa k'i n'ă̆ pŏ pü! la la la

la la la la la la la la la la la la la la la la la la

la la la la la la.

'tǫ̈tə fę̆yə kə pătə
n'ę̆ pə lę̆ mǭə ă̆ tχü.
sǭəχə, mŏ kă̆məră̆də,
pǫ̈ mwa k'i n'ă̆ pŏ pü!
La la la la . . . . . .

Toute fille qui pète
N'a pas la mort au cul.
Souffle, mon camarade,
Pour moi (que je) qui n'en peux plus!
La la la . . . .

(Marguerite Marchand, St-Ursanne).

') Forme ajoulotte, Delémont dit: *ĕkǫ̈*.

62

s't'ęto ĕvŭ . . . .   Si tu avais été . . . .

(Patois de St-Ursanne)

s't'ętǫ ĕvŭ¹) ĭ ămwęrŏ *fidèle*,   Si tu avais été un amoureux fidèle,
t'ĕrǫ kŭtxiə lĕ nŏ ătrə mę brĕ;   Tu aurais couché la nuit entre
mĕ djəmę d'lĕ viə   Mais jamais de la vie [mes bras;
t'n'ĕrǫ s't ǫnŏĕr de mwă.   Tu n'auras cet honneur de moi.

(Marguerite Marchand, St-Ursanne).

63

mŏ pęr ĕvę ĭ ęnə... (vwĕyəri)   Mon père avait un âne...

(Patois de Buix, Ajoie)

1. mŏ pęr ĕvę ĭ ęnə,   Mon père avait un âne,
    mirgŭ, mirgĕtə,   Mirgou, mirguette,
    ĕ mwă i ă ęvǫ dŭ,   Et moi j'en avais deux,
    mìrgŭ.   Mirgou.

2. i lęz-ę mwănę pętrə,   Je les ai menés paître
    mirgŭ, mirgĕtə,
    ā grǫ vwărdjíə di lŭ,   Au gros verger du loup.
    mirgŭ.

3. tχĕ lo lŭ s'i ręvwăyə,   Quand le loup (s'y) se réveille:
    mirgŭ, mirgĕtə:
    — vwăsi bǫ dĕdjünŏ!²)   — Voici bon déjeuner!
    mirgu!

4. — ǫ nyă, rępŏdi l'ęnə,   — Oh! non, répondit l'âne,
    mirgŭ, mirgĕtə,
    dmĕ s'ā lĕ fętə txi nŭ,   Demain c'est fête chez nous.
    mìrgŭ.

5. ĕ yi v'ęvwa³) dę tętrə,⁴)   Il y va avoir des tartes,
    mirgu, mirgĕtə,
    di rŭtitŭ tisŭ,⁵)   Du rôti . . . . (?).
    mirgŭ.

(Mᵐᵉ Fenk-Mouche, Porrentruy).

---

¹) Cf. p. 153, note 1.
²) Cf. p. 163, note 2. C'est le premier repas du matin.
³) Très belle contraction pour: ĕ yi vę, ou ĕ yi vœ ĕvŭă == « il y va »
ou « il y veut avoir ».
⁴) *Tętrə* avec métathèse de l'*r* pour *tęrtə* == tarte.
⁵) *Di rŭtitŭ tisŭ*, expression qui ne veut rien dire; « rôti » se dit *röti*.

64

vwăsi l'ūrătə (vwę̆yəri)   Voici l'heure
(Patois de Courfaivre)

mõ vwayiə ¹) ā dę̆fărę̆,	Mon cheval est déferré,
nǫ̆ l'fərĕ ę̆ refărę̆,	Nous le ferons (à) referrer,
djătiə brŭnătə,	Gentille brunette,
pę̆ lə mărę̆txā ²) d'ę̆lę̆.	Par le maréchal d'Elay. ³)
vwăsi l'ūrătə; ⁴)	Voici l'heure;
ę̆l ā tă d'nǫz-ā ălę̆,	Il est temps de nous en aller,
vwăsi l'ūrătə.	Voici l'heure.

Cf. le refrain de danse: *Car il est tin de nos indalla.*
Et dè condzi prendre, dans les *Chants du Rond d'Estavayer*
(Fribourg 1894), n° XL.

65

i t'ę̆ prātę̆ ĭ txvā . . .   Je t'ai prêté un cheval
(Patois de Vermes)

i t'ę̆ prātę̆ ĭ txvā,	Je t'ai prêté un cheval,
yŭ!	You!
kə s'ăpəlę̆ Grimǫ̆riā. ⁵)	Qui s'appelait Gris-moreau.
yŭ!	You!
ï l'ę̆ răkõtrę̆ ă txmĭ;	Je l'ai rencontré en chemin,
yŭ!	You!
tə yi bę̆yǫ̆ trǫ̆ ę̆ mwănę̆,	Tu lui donnais trop à mener,
yŭ!	You!
tə y'ę̆ trǫ̆ fõtü d'kǫ̆.	Tu lui as trop (foutu) donné de coups.
yŭ!	You!
i tə n' lə ⁶) võ pü prātę̆,	Je ne te le veux plus prêter,
yŭ!	You!
tə n'ā-ę̆ pə ę̆yü tχözē,	Tu n'en as pas eu souci.
yŭ!	You!

(Mˡˡᵉ Fleury, institutrice, à Vermes).

---

¹) *Vwayiə*, c'est la seule fois que j'ai rencontré ce mot pour *cheval*; on
doit sans doute le dériver d'un viariu (de via) = celui qui court sur la route.

²) *Mărę̆txā*, forme hybride, à moitié française. Le mot ordinaire est:
mę̆rtxā, dérivé régulièrement de maniscalcu.

³) Elay, hameau en dessus de Vermes.

⁴) Diminutif de ūr (hora).

⁵) *Grimǫ̆riā*. Nous avons le même mot, mais corrompu, p. 162, str. 4:
gribǫ̆riā = gris moreau. Cf. le français *moreau*, diminutif de *more*, et l'italien
morello = cheval au poil noir foncé, vif, et luisant.

⁶) Remarquons ici une tournure très fréquente dans notre patois, la
négation *ne* placée *après* le pronom personnel conjoint: *Sŏli* mə n'fę̆ rā =
ça me *ne* fait rien. Cette façon de s'exprimer a même passé dans le français
populaire: Vous me *ne* l'avez pas dit; il te *ne* faut pas le dire; je me *ne*
suis pas trompé, je me *ne* trompe pas si facilement! etc.

66

s'ã lə vĭ ę̆ l'brãtəvĭ...   C'est le vin et l'eau de vie...

(Patois de Miécourt)

s'ã lə vĭ ę̆ l'brãtəvĭ	C'est le vin et l'eau-de-vie
kə m'ễ fę̆ ę̆ dəvni kŏkĭ;	Qui m'ont fait (à) devenir coquin;
s'ã lę̆ vãr ę̆ lę̆ bǫ̆tę̆yə	(C'est) Ce sont les verres et les [bouteilles
kə mə fễ pǫ̆rtę̆ dę̆ gwăyə. [1])	Qui me font porter des guenilles.

67

bŏdjǫ̆, pĭərlę̆...   Bonjour, Pierrot...

(Patois de Courroux)

bŏdjǫ̆, pĭərlę̆, [2])	Bonjour, Pierrot,
pĭərlę̆, bŏdjǫ̆.	Pierrot, bonjour.
— mə bę̆yəri [3])-vǫ̆ vǫ̆trə kătrĭnə?	— Me donnerez-vous votre Catherine?
— i [4]) n'ę̆ ni vę̆ti, [5]) ni trǫ̆slę̆; [6])	— Elle n'a ni vêtements, ni trousseau;
mŏ bę̆ pĭərlę̆, s'n'ã pə pŏ tŏ nę̆.	Mon beau Pierrot, ce n'est pas [pour ton nez.

(Catherine Gueniat, 89 ans).

68

i m'ã vę̆ txĭ lə dję̆tχă... (vwę̆yeri)

Je m'en vais chez le petit Jacques.

(Patois de Courroux)

1. i m'ã vę̆ txĭ lə dję̆tχă, [7]) lidela,	Je m'en vais chez le petit Jacques, Li de la,
s'ę̆tę̆ pǫ̆ ălę̆ vwă yǫ̆ fę̆yə.	C'était pour aller voir leurs filles.
— tχę̆ mę̆rię̆djə i bę̆yəri-vo, ditə-lŏ,	— Quel mariage lui donnerez-vous, Dites-le,
ă lę̆ bę̆lə margəritə?	A la belle Marguerite?

[1]) Cf. p. 151, note 1.

[2]) *Pĭərlę̆.* C'est le mot Pierre *(Pĭər)* avec le suffixe diminutif allemand -*li* ou -*le.* D'habitude on dit: *Pĭəră* = P e t r u + i t t u.

[3]) *Bę̆yəri* semble être pour *bę̆yərę̆*, 2e pers. plur. futur: *i bę̆yərę̆, tə bę̆yərę̆, ę̆ bę̆yərę̆, nǫ̆ bę̆yərę̆, vǫ̆ bę̆yərę̆, ę̆ bę̆yərę̆.* Je ne sais à quoi attribuer cette forme, qui se retrouve dans le n° suivant, str. 2. Peut-être faut-il lire: *bę̆yərĭ*, 2e pers. plur. conditionnel. Le sens serait alors: « Me donneriez-vous votre Catherine? »

[4]) *I* = elle: *i ā vəni* = elle est venue; mais on a aussi *ę̆l.*

[5]) *Vę̆ti* dans le sens de vêtements n'est pas employé habituellement; on dit plutôt: *ę̆yõ* = haillons; par exemple: *dę̆ bę̆l ę̆yõ. Vę̆ti* est l'infinitif ou le participe passé.

[6]) *Trǫ̆slę̆.* Cf. p. 158, str. 1, où nous avons le simple *trǫ̆sę̆.* Ici encore c'est le suffixe allemand -*li*; en patois on dirait *trǫ̆slă.*

[7]) *Dję̆tχă* = *dję̆tχə* (Jacques) + diminutif -*ă* (-i t t u).

2. — ĭ mĕriẹ̆djə də sãt-ẹ̆tyü,   — Un mariage de cent écus,
     nŏ *pas* pü,   Non pas plus,
     ẹ̆ sŏ yẹ̆ də mĕriẹ̆djə.   Et son lit de mariage.
     ĕnə fẹ̆yə ọ̆zĭdələ̆,[1])   Une fille . . . . . . (?)
     bĭ lẹ̆rdẹ̆,   Bien lardée,
     pọ̆ kmãsiə lə tχöjənẹ̆djə.   Pour commencer le cuisinage.

3. ĕnə txẹ̆rüə də xẹ̆ büə,   Une charrue de six bœufs,
     tọ̆ bχẽ büə,   Tous blancs bœufs,
     pọ̆ kmãsiə lə lẹ̆bührẹ̆djə.   Pour commencer le labourage.

4. ĕnə ·ẹ̆rnã[2]) də txvã,   (Une harnachée) Un attelage de
     gribọ̆riã,[3])   Gris-pommelés, [chevaux,
     pọ̆ mwänẹ̆ lo trọ̆slẹ̆djə.   Pour mener le trousseau.

5. ĕnə nyã[4]) də püsĭ,   Une couvée de poussins,
     trãtə ẹ̆ sitχə,[5])   Trente (à)-cinq,
     pọ̆ kmãsiə lo pẹ̆yəzənẹ̆djə.   Pour commencer le train de paysan.

        (Mme Bernasconi-Gueniat, à Courroux).

69

i m'ã sœ rãlẹ̆ ã mọ̆tíə   Je m'en suis (r)allé à l'église
        (Patois de Develier)

1. i m'ã sœ rãlẹ̆ ã mọ̆tíə;   Je m'en suis allé à l'église;
     s' n'ã pə pọ̆ prẹ̆yíə.   Ce n'est pas pour prier.
         yŭ!   You!

---

[1]) J'ignore ce que signifie ce mot *ọ̆zĭdələ̆*; la personne qui m'a chanté cette ronde ne le savait pas non plus . . . . mais le chantait quand même de confiance. Que veut dire cette «*fille . . . bien lardée pour commencer le cuisinage?*» Faut-il y voir un autre mot? Par exemple le mot *fẹ̆yə* (avec *ẹ̆*), qui signifie un *brandon?* Mais le sens n'est pas plus satisfaisant. En tous cas, on ne peut y voir un dérivé de feta, brebis, qui est inconnu à notre patois, et qui aurait donné un mot comme *fọ̆ə* ou *fọ̆yə* (cf. m o n e t a = *mnọ̆ə*, s e t a = *sọ̆ə*, c r e t a = *grọ̆ə* et *krid*). J'ai trouvé à Pleigne le mot *fnəyat* = f e t a + i t t a — Je laisse donc tel quel ce passage très altéré sans chercher à l'expliquer.

[2]) Vieille forme pour *ẹ̆rnẹ̆*. Le traitement - a t a = - *ã* est très ancien et ne se retrouve plus que dans le Val Terby (Courchapoix, Corban, Mervelier et Montsevelier). Les *Paniers* ont encore fréquemment cette forme en -*ã*, mais elle a disparu du patois actuel de Delémont; l'Ajoie ne la connait absolument pas. Partout - a t a = - *ẹ̆*.

[3]) *Gribọ̆riã*, forme altérée pour *grimọ̆riã*. Cf. p. 160, note 6.

[4]) *Nyã* = n i d a t a; aujourd'hui *nyẹ̆*. Preuve de l'ancienneté de cette ronde.

[5]) *Sitχə* a toujours cette forme, même devant une consonne; par exemple: *sitχə frã* = cinq francs.

s'ętĕ pǫ̆ rir ę̆ rədyĕdję̄ ¹)　　　　C'était pour rire et regarder
yŭ!　　　　　　　　　　　　　You!
mę̆ miə k's'ā vę̆ mę̆rię̄　　　　Ma mie qui s'en va marier.
yŭ!　　　　　　　　　　　　　You!

2. lə mari ki lę̆ mę̆rię̄　　　　Le mari qui (la maria) l'épousa
m'ĕvitə ę̆ yǫt dę̆djünę̄. ²)　　　M'invite à leur (déjeuner) dîner.
yŭ!　　　　　　　　　　　　　You!

. . . . 　　. . . . .
. . . . 　　. . . . .

3. ę̆ m'ĕ mi lə pü ā bŭ,　　　　Ils m'ont mis le plus au bout,
pǫ̆ s' k' ę̆tǫ lə pü nitχŭ, ³)　　Parce que j'étais le plus jeune,
yŭ!　　　　　　　　　　　　　You!
viz-ę̆-vi d'lę̆ mę̆rię̄.　　　　　Vis-à-vis de la mariée.
yŭ!　　　　　　　　　　　　　You!
brĭdyĕ ⁴) nǫz-ămŭr pę̄sę̄!　　　Buvons (à) nos amours passés!
yŭ!　　　　　　　　　　　　　You!

(Jean-Baptiste Joray, né en 1807).

70

Même vwę̆yeri
(Patois de Vermes)

i m'ā sœt-ălę̄ ā̧ mǫ̃tĩə,　　　　Je m'en suis allé à l'église,
mĕ s' n'ę̆tę̆ pə pǫ̆ prwăyĩə. ⁵)　Mais ce n'était pas pour prier.

---

¹) Rədyĕ·lję̆, mot inusité ; on ne dit que rę̆rizę̆ ou răvŭrę̆tĩə. Cf. n° suivant: rę̆rizę̆. On a cependant le substantif lə rədyĕ = le regard.

²) Les noms des repas changent beaucoup suivant les villages; bien souvent dę̆djünə signifie « dîner ». Mais, en général, voici comment, dans le rādę̆, on désigne les repas: 1. dę̆djünę̆ = déjeuner (lə dedjünõ = le déjeuner du matin); cf. n° 63, str. 3. 2. nõnę̆ = dîner (lę̆ nõnə = le dîner, à midi); en Ajoie: dę̆djünę̆ ou dinę̆. 3. nõnătę̆ = goûter, à 4 heures; en Ajoie: nŭnę̆, lę̆ nŭnə. 4. mărădę̆ souper (lę̆ mărădə, le souper, repas du soir); en Ajoie: mŭ̆rădę̆, lę̆ mwę̆rădə.

³) Nitχŭ peut être dérivé de nitχ (morve) et signifier « morveux » Mais on pourrait aussi le faire venir du mot n i d u = nitχ (dans tout le Delémont, p. 151, note 2); le nitχŭ serait alors le plus petit de la couvée, celui qui reste le plus longtemps au nid. C'est plutôt ce sens-là que comporte ce mot ; c'est bien plutôt une caresse qu'une injure dans le bouche d'une maman qui parle de son dernier né. — Ce qui semble confirmer cette manière de voir, c'est qu'on donne le nom de txiąnitχə (txiąnĭ, Ajoie) = « chie au nid » au plus petit d'une portée, au dernier venu qui reste un peu malingre, tandis que les autres prospèrent.

⁴) Brĭdyę̆ (cf. l'ital. brindisi et le frç. brinde) = porter la santé de quelqu'un (allemand bringen?).

⁵) Prŭăyĩə est ajoulot. (Cf. p. 162, str. 1, prę̆yĩə).

s'ętĕ pǫ rir ę rĕvizę   C'était pour rire et regarder
      yŭ!   You!
mę miə k'ălę s'męrię.   Ma mie qui allait se marier!
      yŭ!   You!

(Mlle Fleury, institutrice).

71

lŏ pŏmyę dŭ (vwęyəri)   Le pommier doux

(Patois de Bonfol)

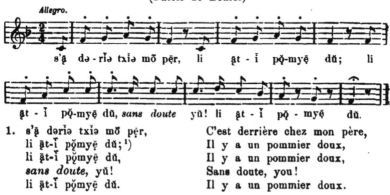

1. s'ą dəriə txiə mŏ pęr,   C'est derrière chez mon père,
   li ąt-ī pŏmyę dŭ;¹)   Il y a un pommier doux,
   li ąt-ī pŏmyę dŭ,   Il y a un pommier doux,
   sans doute, yŭ!   Sans doute, you!
   li ąt-ī pŏmyę dŭ.   Il y a un pommier doux.

2. *Trois jeunes demoiselles*
   Étant à l'ombre dessous,
   Étant à l'ombre dessous,
   Sans doute, yŭ!
   Étant à l'ombre dessous . .²)

(Pierre-Joseph Mamie, Hospice des Vieillards, St-Ursanne).

72

lęz-ętχęyə ę lę pǫtä...   Les écuelles et les petits pots...

(Patois de Rocourt, Ajoie)

---

¹) *Li ąt-ī pomyę dŭ* est français: *li ā* est mis pour *ě y ę* = il y a;
i pǫmyę est mis pour *ī pǫmiə*.

²) C'est tout ce que j'ai pu obtenir de cette ronde.

lęz-ętχĕyə ę̆ lę̄ pǫ̆tă, [1]   Les écuelles et les [petits] pots,
s'ą̆ lę̆ mnūə [2]) dę̄z-ę̆djǭlą̆;   C'est la monnaie des Ajoulots [3])
lę byă̆ pǚyə [4]) ę̆ lę̆ mwę̆rpyŏ,   Les poux blancs et les morpions,
s'ą̆ l'byă̆ pĕ̆ dę̆ mŏtę̆ñŏ.   C'est le pain blanc des Montaignons [5]).

(Gustave Quiquerez, aubergiste, à Rocourt).

73

tǫ̆ lę̄ djā . . . .   Tous les gens . . . .
(Patois de Rocourt)

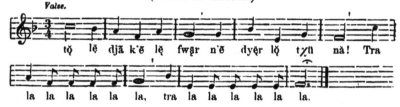

Valse.

tǫ̆ lę̄ djā k˙ĕ lę̆ fwą̄r n˙ĕ dyę̄r lǫ̆ tχǖ nă! Tra

la la la la la la, tra la la la la la la.

tǫ̆ lę̆ djă̆ k'ĕ lę̆ fwą̄r   Tous les gens qui ont la foire
n'ĕ dyę̄r lǫ̆ tχü nă!   N'ont guère le cul (net) propre!
tra la, etc.   Tra la, etc.

(G. Quiquerez, aubergiste, Rocourt).

74

y'ę̆ vādü l'pia de mę̆ pǚsnăt [6])
J'ai vendu le pied de ma poulette
(Patois de Develier)

1. y'ę̆ vădü l' pia de mę̆ pǚsnăt, [7])   J'ai vendu le pied de ma poulette,
   pīp' y ā l'ŏyăt! [8])   Pied en (l')ongle!

---

[1]) *Pǫ̆tă,* diminutif de *pǫ́,* est presque seul employé. *Pǫ́* désigne l'ancienne mesure: *ī pǫ́ d'vī.*

[2]) *Mnūə* forme ajoulotte; Delémont dit: *mnǭə* (Cf. p. 162, note 1).

[3]) Habitants de *l'ę̆djñə,* Ajoie, pays de Porrentruy.

[4]) *Lę̆ byă̆ pǚyə;* l'adjectif désignant la couleur se place toujours *avant* le substantif. Ex : *di rŭ̄djə vī* = du vin rouge; *ę̆nə byă̆txə bę̆rbi* = une brebis blanche; *ę̆nə vῐ̆ărdə fœyə* = une feuille verte. Cf. p. 146, note 1.

[5]) Habitants des Franches-Montagnes.

[6]) Ceci n'est pas une *vῐ̆ęyəri;* c'est une de ces ritournelles dans le genre de la *scie* française bien connue : *J'ai plumé le bec de mon alouette,* où l'on ajoute quelque chose à chaque nouveau couplet, de façon à le compliquer toujours davantage.

[7]) *Pǚsnăt* (de pullicenu) = *pǚsī* + itta et désigne la jeune poulette qui n'a pas encore couvé.

[8]) Ce *pīp' y ā l'ŏyăt* est mis pour *piə ā l'ŏyăt* = pied en (l')ongle. L'*y* ne signifie rien; c'est une forme corrompue à dessein. Du féminin *ŏyə* = ongle, dérive le diminutif - i t t a.

2. y'ę̄ vădü lę̆ txĕb də mę̆ püsnat,   J'ai vendu la jambe de ma poulette,
txĕb ã piə,   Jambe en pied,
pĭp' y ã l'ŏyăt!   Pied en ongle!

3. y'ę̄ vădü lę̆ tχöxə də mę̆ püsnăt,   J'ai vendu la cuisse de ma poulette,
tχöxə ã txĕb,   Cuisse en jambe,
txĕb ã piə,   Jambe en pied,
pĭp' y ã l'ŏyăt!   Pied en ongle!

4. y'ę̄ vădü l'tχü də mę̆ püsnăt,   J'ai vendu le cul de ma poulette,
tχü ã tχöxə,   Cul en cuisse,
tχöxə ã txĕb,   Cuisse en jambe,
tχĕb ã piə,   Jambe en pied,
pĭp' y ã l'ŏyăt!   Pied en ongle!

5. y'ę̆ vădü l' ptxü [1]) də mę̆ püsnăt,   J'ai vendu le pertuis de ma poulette,
ptxü ã tχü,   Pertuis en cul,
tχü ã tχöxə, etc.   Cul en cuisse, etc.

6. y'ę̄ vădü l'vãtr də mę̆ püsnăt,   J'ai vendu le ventre de ma poulette,
vãtr ã ptxü,   Ventre en pertuis,
ptxü ã tχü, etc.   Pertuis en cul, etc.

7. y'ę̄ vădü l' dǫ də mę̆ püsnăt,   J'ai vendu le dos de ma poulette,
dǫ ã vãtr,   Dos en ventre,
vãtr ã ptxü, etc.   Ventre en pertuis, etc.

8. y'ę̄ vădü l' kǫ də mę̆ püsnăt,   J'ai vendu le cou de ma poulette,
kǫ ã dǫ,   Cou en dos,
dǫ ã vãtr, etc.   Dos en ventre, etc.

9. y'ę̄ vădü lę̆ tęt də mę̆ püsnăt,   J'ai vendu la tête de ma poulette,
tęt ã kǫ,   Tête en cou,
kǫ ã dǫ, etc.   Cou en dos, etc.

10. y'ę̆ vădü lę̆ xątr [2]) də mę̆ püsnăt,   J'ai vendu la crête de ma poulette,
xątr ã tęt,   Crête en tête,
tęt ã kǫ, etc.   Tête en cou, etc.

11. y'ę̆ vadü l' băk də mę̆ püsnăt,   J'ai vendu le bec de ma poulette,
băk ã xątr,   Bec en crête,
xątr ã tęt, etc.   Crête en tête, etc.

(M. Chappuis, crieur public, à Develier).

---

[1]) *Pt.rü*, mot du patois ajoulot. Le *rądę̆* dit: *pərtü*. Cf. *Arch.* III.
p. 317, note 3.

[2]) *Xątr*, de c r i s t a (?) = crête; on dit aussi *lę̆ krątĕl*. Porrentruy
dit *χątr*.

Volkstümliches aus dem Frei- und Kelleramt.

Von S. Meier, Lehrer, in Jonen.

(Fortsetzung).

Nahrungsverhältnisse.

Haben die Kinder das erste Altersjahr hinter sich, so fangen die Mütter an, ihnen die gleichen Speisen zu verabreichen, wie sie die Erwachsenen geniessen, und manche kann den Moment fast nicht erwarten, wo sie zum ersten Mal sagen darf: „Euses Chind cha scho Alls ässe." Sehen wir nun zu, was zu diesem „Alls ässe" gehört. Da ist denn einleitend zu bemerken, dass der Frei- und Kellerämtler „seit Menschengedenken" bezüglich seines täglichen Unterhaltes drei Hauptmahlzeiten kennt: das „Z'Morge," das „Z'Mittag" und das „Z'Nacht". Zu diesen Hauptmahlzeiten kommen dann noch als Zwischenmahlzeiten das „Z'nüni" und das „Z'Obig", letzteres so ziemlich allgemein das ganze Jahr hindurch, ersteres in der Regel nur so lange in Feld, Wald und Scheune anstrengendere Arbeiten zu besorgen sind. Hinsichtlich der Qualität und Reichhaltigkeit der Gerichte darf gesagt werden, dass diese im Laufe der letzten Jahre durch Kochbücher und Kochkurse schon ziemlich beeinflusst worden sind, und dies hauptsächlich in jenen Kreisen, denen es an Lust und Mitteln zum „Guet ässe" oder „guet läbe" nicht gebricht. Indessen gibt es noch Frauen und Töchter genug, die kochen, wie sie es von ihrer Mutter gelernt haben und was ihnen das eigene „Chämi" oder das im Kamin eingerichtete „Fläischhüsli" oder der eigene Keller, bezw. Stall, Garten, „Bündt" und Acker liefern. Demgemäss gestaltet sich dann das tägliche Menu etwa folgendermassen:

1. Das Morgenessen. Dieses wird im Sommer zwischen 5 und 6 Uhr eingenommen, im Winter ca. 1 Stunde später und besteht gewöhnlich aus Milchkaffee (2 Tassen die Person), gebratenen Kartoffeln oder Brot, oft beides zugleich. Das Kaffeepulver wird stets mit etwas „Zikori", „Päckli" (Zichorie) vermischt. In neuerer Zeit kommt auch vielfach der sog. Kneippkaffee (nach dem Rezept des Wörishofer Pfarrer Kneipp aus gerösteten Weizenkörnern hergestellt) zur Verwendung. — Die

Milch wird zuweilen abgerahmt, sei es, um den gewonnenen
Rahm beim Backen von „Wähe" (Kuchen) zu benützen, sei es,
um aus demselben im „Ankechübel" oder im „Ankefässli" Butter
zu bereiten, eine Beschäftigung, die eigentlich auf den Aussterbeetat
gesetzt ist, da jetzt fast in jeder Gemeinde eine Sennerei besteht, die neben dem „Chese" (Käsen) auch das „Ankche"
(Butterbereitung) besorgt.

Mit den gebratenen Kartoffeln („gröstnig Hördöpfel" im
Unterfreiamt, „bbrotnig Hördöpfel" im Kelleramt, „Hördöpfelbräusi", „Bräusi" in Boswyl) d. h. Kartoffeln, die, nachdem man
sie gesotten und hierauf wieder hatte erkalten lassen, „gschellt"
(geschält) mittelst der „Hördöpfelhächle" in dünne Scheibchen
geschnitten und in Butter geröstet worden sind, soll hauptsächlich
in kinderreichen Familien oder bei sonst stark besetztem Tische
das Brot erspart werden, anderseits sollen sie eine Speise sein
„wo-n-e Cheeri äne hed" (eine Zeit lang anhält) und nach
deren Genusse man auch weiss, „das mer ggässe hed". Die
Kartoffelrösti wird in kleinen Familien zuweilen auch durch
gedörrte und weichgesottene Birnen, durch enthülste, gesottene
Bohnen oder durch „Böllebrod" ersetzt d. h. kleingeschnittenes
und auf gelindem Feuer geröstetes Brot, welches mit viel fein-
geschnittenen und in Butter gedämpften Zwiebeln vermischt wird.

Da soeben auch vom Brote die Rede war, so mag hier
gleich eingeschaltet werden, dass ältere Leute die Gewohnheit
haben, vor dem Anschneiden eines noch ganzen Brotlaibes auf
der Unterseite des letztern mit der Messerspitze das Zeichen
des Kreuzes zu machen (damit es länger „änehäig").

2. Das Mittagessen. Dieses wird an Sonn- und Festtagen nach Beendigung des Hauptgottesdienstes, an Werktagen
aber fast allgemein um 12 Uhr, zur Zeit der Heu- und Getreide-
ernte oft noch später eingenommen. Ein hieher gehöriger Spruch
lautet:

> Es lütet Mittag
> Mit de Herren is Grab,
> Mit der Pfannen is Loch.
> Alti, gang choch!

Die Zusammensetzung des Mahles richtet sich nach der
Jahreszeit, bezw. nach dem, was die Jahreszeit an Garten- und
Feldgewächsen bietet; ebenso kommt auch oft in Betracht, ob
die Hausfrau gerade Zeit hat oder ob sie sich Zeit und Mühe

nimmt, ein regelrechtes Mittagessen zu bereiten. Im Grossen und Ganzen aber gibts bei einem ländlichen (Mittags-) „Ordinäri" dreierlei, nämlich: Suppe, Fleisch und Gemüse.

a. Die Suppe. Hier werden unterschieden, Fleischtag-Suppen und Fasttag-Suppen. Zu erstern gehören die Fleischsuppe und die Specksuppe, zu letztern die Mehlsuppe, Bohnensuppe (im Kelleramt „Aerbssuppe" geheissen), Wassersuppe, Kartoffelsuppe, Milchsuppe, Chnöpflisuppe (aus dem gleichen Wasser bereitet, in welchem Mehlklösschen gesotten wurden), „gröstni" Suppe (Suppe mit geröstetem Brot). Suppen, zu deren Herstellung Sachen notwendig sind, welche erst beim Krämer gekauft werden müssen, wie z. B. „Nüdeli", „Fideli", in neuerer Zeit auch sog. Suppenrollen, sieht der Landmann selten auf seinem Tisch.

b. Das Fleisch. Da ist zu sagen, dass der Bauer nur Fleisch kauft, wenn er muss oder wenn sein Kamin das nicht enthält, wonach ihn gerade gelüstet. Wem es daher je möglich ist, der sorgt dafür, dass er an der Krippe oder — was noch häufiger ist — am Trog etwas stehen hat, das er im Fall der Not metzgen und ins Kamin hängen kann. Das verbreitetste Fleischgericht ist daher Rauchfleisch und Speck. In vielen Gemeinden bestehen seit Jahren sog. Viehversicherungsgesellschaften, deren Mitglieder sich verpflichten, von jedem versicherten Stück Vieh, das wegen Krankheit oder Unfall geschlachtet werden muss, ein seinem Viehstande entsprechendes Quantum Fleisch zu nehmen. So kommt denn Einer hie und da in den Fall, in der Woche mehr Fleischtage zu haben, als er sonst wollte.

c. Hinsichtlich der Gemüse stehen obenan Kartoffeln mit Salat, „Hördöpfel und Schnitz" (grüne oder gedörrte Apfelstückchen), Kartoffeln und Birnen (grün oder gedörrt), Bohnen (grün oder gedörrt), Kartoffeln mit Sauerkraut, „Surrebe" (eingemachte und mit Kartoffeln gekochte Weissrüben, speziell im Unter-Freiamt beliebt), „Rebebappe" (Brei aus Weissrüben), Kartoffeln mit Weissrüben, Carotten oder Kohl (untereinandergekocht), Kartoffeln mit „Chabissalot".

Wo an Fasttagen Suppe aufgetischt wird, da erscheinen dann als zweites Gericht „Chnöpfli" (Mehlklösschen), Kässuppe, Reis, Maccaroni, Nudeln (oft mit gedörrten Zwetschgen oder Birnen als Zugabe), Apfelmus mit Eierbrod, geschwellte Kartoffeln mit Käse und Most, „Gmarteret Hördöpfel" (geschwellte

Kartoffeln geschält, an einem „Rafeli" [Reibeisen] zerkleinert, unter Zusatz von Milch und Mehl zu einem Teig geknetet; mittelst eines Esslöffels Formen daraus gestochen und diese in siedender Butter gebacken). Küchlein mit Aepfelschnitten, Salbei-, Bohnen- oder Krautblättern als Einlage, Stockfische. Manche machen es aber an solchen Tagen noch kürzer; sie bereiten sich einfach einen Kaffee und essen dazu „Böllebrod", oder „Chäs-, Öpfel-, Bölle-, Chrud-, Nidel-Wähe" (Käse-, Aepfel-, Zwiebeln-, Kraut-, Rahmkuchen), Birnkrapfen, „Müs" (d. h. gesottene und in Teig gebackene Birnen), Küchlein, „Eiertätsch" (Omelette), „ver- tämpftnig Hördöpfel" (gedämpfte Kartoffelstückchen).

3. Das Nachtessen. Dieses gleicht dem Morgenessen; es besteht nämlich meist aus Kaffee und Brot, allenfalls auch Kartoffelrösti, seltener aus Suppe. In der Salatzeit wird es gerne mit geschwellten Kartoffeln eingeleitet.

4. Das Znüni könnte den Sommer hindurch eher „z'Achti" genannt werden, da der Landmann zur Zeit der langen Tage lieber schon um 8 Uhr wieder etwas zu sich nimmt, als später.

5. Das Zobig dagegen wird zwischen 3 und 4 Uhr einge- nommen. Beide, das Znüni wie das Zobig, bestehen aus Most, dem Lieblingsgetränk der Frei- und Kelerämtler, und Brot, nebst Wurst, Käse oder Schabziger, letztere Beigaben jedoch ge- wöhnlich nur im Heuet, während der Zeit des Dreschens oder wenn sonst schwere Arbeiten zu verrichten sind. Unter Most versteht man hier den Saft von Aepfeln oder Birnen. Es gibt demnach Apfelmost und Birnmost. Ersterer ist haltbarer und wird mit den Jahren immer besser; er „kältet" aber ein wenig, d. h. er erweckt im Magen ein Kältegefühl und man spart ihn deshalb wenn möglich für den Sommer auf. Der Birnmost da- gegen wird mit Vorliebe den Herbst und Winter hindurch ge- trunken Oft werden auch Birnen und Aepfel untereinander gemostet. — Neben dem reinen, nur mit dem allernötigsten Quantum Wasser vermischten Birn- bezw. Aepfelsaft hat sich seit Jahren auch der sog. „Ansteller", in Jonen auch Kunst- dünger genannt, ein Kellerrecht erworben. Dies ist ein Getränk, welches gewonnen wird, indem man den zerquetschten Aepfeln und Birnen nach einmaligem Auspressen ein gewisses Mass Wasser zusetzt, in welchem vorher Zucker aufgelöst worden war, das Ganze etwa einen Tag stehen lässt und dann aus- presst. Wer „Ansteller" macht, thut dies, weil er entweder

aus Mangel an Getränk dazu genötigt ist oder weil er sich damit
die Möglichkeit sichern will, vom „urche" Most einen Teil·
verkaufen zu können. Mit dem Trinken von Ansteller oder sonst
einer geringen Qualität Most hat sich aber schon mancher Bewohner hiesiger Gegend langwierige Magenleiden zugezogen.
Ueberhaupt gibt es Fälle genug, wo ein Bauer meinte klüger und
besser zu thun, wenn er das Schlechtere an festen und flüssigen
Bedarfsartikeln für sich behalte, das Bessere dagegen verkaufe. —
Neben dem Ansteller wird auch Kunstwein fabriziert und getrunken.

Mancher bejahrte Landmann trinkt auch gerne unmittelbar
nach dem Znüni oder Zobig, oft schon „ase nüechter" d. h.
am Morgen nach dem Aufstehen ein „Budeli" Schnaps. Als
eigentliches Getränk ist letzterer indessen auf dem Tische des
Kellerämtlers und Oberfreiämtlers selten zu sehen, häufiger dagegen im Unterfreiamt, denn hier gedeiht der Obstbaum bedeutend weniger gut als in der Gegend oberhalb Bremgarten
und Wohlen. Was nun die Quantitäten betrifft, die so ein
Möstler tagüber durch die Kehle hinunter rinnen lässt, so ist
das ziemlich verschieden; denn während der eine Tag für Tag
sein regelmässiges „Gnams" hat, d. h. zum „Znüni e Halbi
und zum Zobig e Halbi" (NB. Unsere Landleute halten noch
immer an der alten „Halbi" = ½ Mass a. M. fest und mancher
würde sie ungerne missen), meinen andere, sie müssen „über es
nieders Ässen abe" und zwischenhinein trinken.[1] Besonders
tapfer wird dem Most zugesprochen zur Zeit da er „jist" (gährt),
d. h. im Herbst und anfangs Winter. Auch die Kinder erhalten
vielfach Most, und zwar ein, zwei, drei Glas voll je nach Grösse
und Alter; sogar solchen, die noch nicht einmal schulpflichtig
sind, wird Most verabreicht, und Mancher hat sein grösstes Vergnügen daran, ein so zartes Geschöpfchen trunken machen zu
können. Doch nicht bloss Most gibt man den Kindern zu
trinken, sondern auch Wein, ja selbst Schnaps, und dies oft schon,
bevor das Kleine noch recht das bedeutungsvolle Wörtchen
„Mämm" (d. h. Milch, Wasser, Wein, überhaupt alles, was
trinkbar ist) aussprechen kann. Es ist aber auch eine land-
läufige Meinung, dass besonders der Wein den Kindern Kraft gebe.

---

[1] Der Most wird hie und da auch im Milchhäfeli, oder wenn „ge-
soffen" werden soll, d. h. wenn junge Burschen in einem Hause nächt-
licherweile zusammenhocken, sogar in Milchtansen und Milchkesseln aus
dem Keller geholt.

Während, wie bereits bemerkt worden ist, der Most als das Lieblingsgetränk des Frei- und Kellerämtlers gilt, zeigt das „Wibervolch" eher eine Vorliebe zum Kaffee; es trinkt deshalb auch, besonders im Herbst und Winter, zum Znüni lieber eine oder zwei Tassen Kaffee als Most oder Wein. In einigen Familien ist es auch bräuchlich, an Sonn- und Feiertagen zwischen 2 und 3 Uhr Kaffee zu trinken und dazu Brot und irgend eine „Gumfitüre" (Hollunder-, Brombeerconfiture und dgl.) zu geniessen, das eigentliche, aus Most und Brot bestehende Zobig aber auf die Zeit unmittelbar vor dem Zubettegehen zu versparen.

Vergleicht man die jetzige Ernährungsweise der Erwachsenen mit der frühern, so zeigen sich auch da wieder Unterschiede. So erhielt z. B. A° 1830 in Tägerig ein Drescher etwa um 8 Uhr ein Apfelmus und Mehlsuppe, am Mittag „Hördöpfel und Schnitz", Specksuppe und Speck, z'Obig Most und Brot, z'Nacht verdämpfte Kartoffeln und Mehlsuppe. Vom Znüni wusste man damals noch nichts. Sein Taglohn betrug 8 β. Dass die Drescher im Munde der Freiämter tapfere Esser sind und als solche in der Redensart „de magst äsе wi-n-e Tröscher" gekennzeichnet werden, sei nur nebenbei bemerkt.

In Boswyl gab es in den Vierzigerjahren in den Bauernhäusern, wenn der Tisch wohl besetzt war, d. h. „we-mer vil Lüt ggha hed" wie z. B. Heuer, Schnitter, Wäscherinnen, Drescher: a. z'Morge: Dicke Brotsuppe oder Mehlsuppe, auch Suppe und hernach Kaffee (bei schwach besetztem Tische Kaffee und Hördöpfelbräusi). b. Z'Nüni: Most und Brot, bei heissem Wetter auch Schlottermilch (dicke Milch); bei kühlerem Wetter zum Most und Brot noch „es Brönz" (ein Gläschen Schnaps). Das „Wibervolch" trank im Winter Kaffee. Die Drescher bekamen Brönz, welches sie dann im Stalle tranken. c. Z'Mittag: Specksuppe oder Suppe, in welcher Schweinefleisch gesotten worden war, Schnitz und Kartoffeln, oder „Surchabis" (Sauer-Kohl), oder „Surrebe" (eingemachte Weissrüben), oder gedörrte bezw. wieder weichgekochte „Rebe" (Weissrüben), bei heissem Wetter als Nachtisch Schlottermilch. An Fasttagen: Oelküchlein, d. h. Küchlein, bei deren Bereitung Makolpenöl (Oel von Mohnsamen, Papaver somnifer.) oder Baumnussöl verwendet wurde; Weissmehlbrei, Semmelmehlbrei (sog. „Chindsbappe"), Kartoffelbrei. d. Z'Obig: Most und Brot „und es Brönz drüber abe", oder Kaffee und Brot (letzteres bei kühlem oder kaltem Wetter).

e. Z'Nacht: Suppe nebst süsser Milch oder Schlottermilch; während der Dreschszeit verdämpfte Kartoffeln und Kabis unter einander gekocht, nebst Suppe.

Suppe und Gemüse wurden aus der gemeinsamen Schüssel gegessen. Letztere hatte ihren Platz mitten auf dem Tisch, welcher der Essmanier gemäss vorzugsweise von runder Form war. Das Fleisch ass man in den Häusern der Wohlhabenden aus zinnernen Tellern (2 bis 3 Personen hatten zusammen nur einen Teller); in andern aber bediente man sich ganz flacher, runder und hölzerner Teller. Den Brei brachte man mit samt der Pfanne auf den Tisch und jeder langte mit seinem Löffel hinein, wie er konnte und mochte. Letztere Sitte kam in den Siebenziger Jahren noch vor. Das Essen von Gemüse, besonders aber von ·Mus und Brei aus der gemeinschaftlichen Schüssel ist jetzt noch so ziemlich allgemein üblich. Bloss das Fleisch wird aus besondern, irdenen, vereinzelt auch aus hölzernen Tellern gegessen.

Der häufige und reichliche Genuss von Milch, welch' letztere in irdenen, „mössigen und anderhalbmössigen" (1 und 1 ¹/₂ alte Mass fassenden) Becken aufbewahrt wurde und zwar entweder im Milchkämmerlein, im Keller, im Küchekasten oder auf Brettern, die an den Unterzügen der Stube festgenagelt waren, erklärt sich dadurch, dass es vielfach an Gelegenheit fehlte, dieses vorzügliche Nahrungsmittel möglichst vorteilhaft abzusetzen und weil damals die Sennhütten · nicht so zahlreich waren, wie heutzutage.

Dem Kaffee wurden in der ersten Hälfte dieses Jahrhunderts Eicheln beigemischt, später „Wegluegen" (Zichorien), letzteres in Jonen und Boswyl noch vor wenigen Jahren. Die Eicheln und Wegluegen wurden erst gedörrt, nachher in bohnengrosse Stücklein, bezw. ganz kleine Würfelchen geschnitten, hierauf mit den Kaffeebohnen (1 Handvoll Eicheln oder Wegluegen auf ¹/₂ ℔ Kaffeebohnen oder ein drittel von erstern, ²/₃ von letztern) und mittelst einer Kelle, oder in Ermanglung einer solchen auch etwa mittelst eines Holzscheites geröstet, nachher in der Kaffeemühle gemahlen. Fehlte eine solche, so schüttete die Mutter die Kaffeebohnen auf den Ofensitz und zermalmte sie mit dem Klopfstein, dessen sich der Schuster zum Lederklopfen bediente, wenn er auf die Stör kam. Mit Eicheln oder Wegluegen vermischter Kaffee galt als „halbe Medizin."

(Fortsetzung folgt).

Der Cudesch da Babania.

Von Nationalrat A. Vital in Chur.

Der Tag der heiligen drei Könige, der 6. Januar, Epiphania,
oder, wie wir Engadiner gemeiniglich sagen, B a b a n i a, ist im
Engadin der Lieblingstag aller derer, die die Geheimisse der
Zukunft erforschen wollen. Da hört man von jungen Knaben
und Mädchen, die zwischen Tag und Nacht spazieren gehen in
der Meinung, das erste Mädchen oder der erste Knabe, dem sie
bei dem ersten Ton der Abendglocke begegnen, sei ihr zukünftiger Lebensgefährte; da hört man von jungen Knaben und
Mädchen, die an einem Kreuzweg einen Pantoffel über den Kopf
wegwerfen, mehr oder weniger davon überzeugt, die Spitze des
Pantoffels werde nach der Richtung zeigen, wo ihr Zukünftiger
oder ihre Zukünftige daheim sind; da hört man von Gesellschaften junger Leute, die sich „in chasa da plaz" (dort wo sie
ihre regelmässigen Zusammenkünfte haben) versammeln, um das
Bleiorakel zu befragen. Eine grosse Schüssel voll Wasser ist
in der Küche bereit gestellt, während auf dem Herd in einer
kleinen Pfanne das Blei geschmolzen wird. Ist das Blei vollständig geschmolzen, so wirft es, wer seine Zukunft erforschen
will, ins Wasser, wo es natürlich sofort erstarrt und allerlei
Figuren bildet. Die geheimnissvolle Deutung dieser Figuren ist
dann Sache eines oder vielmehr einer Sachverständigen; denn,
ohne das schöne Geschlecht lästern zu wollen, kann man doch
bemerken, dass es neugieriger ist und sich für ähnliche Dinge
mehr interessiert, als das männliche Geschlecht. Daher kommt
es, dass, wie es mehr junge Mädchen als junge Knaben gibt,
die das Bleiorakel befragen, so auch die Deutung der Bleifiguren
fast immer einer Frau oder einem älteren und darum erfahreneren
Mädchen zukommt. Andere Gesellschaften benutzen diesen Tag,
um die Karten zu ziehen oder sich ziehen zu lassen, und wiederum
andere holen Rat im „C u d e s c h da B a b a n i a". Mit welcher
Aufmerksamkeit suchen nicht zuerst der Knabe oder das Mädchen
die F r a g e, wie bedächtig werfen sie nicht die W ü r f e l, mit
welcher Aufregung erwarten sie nicht die A n t w o r t! Unsere
jungen Leute denken nicht daran, vom Cudesch da Babania
immer eine zutreffende Antwort zu bekommen, es fällt ihnen

nicht ein zu glauben, dass das Orakel immer richtig sei; allein trotzdem vernimmt doch jedermann lieber eine günstige und angenehme als eine traurige und unverhoffte Antwort.

Unser Cudesch da Babania, wie es genannt wird, oder Ronda della Fortüna (Glücksrad), wie sein wirklicher Titel heisst, ist die Uebersetzung eines deutschen Buches. Allein trotz langer Nachforschungen und trotz eifriger Unterstützung guter Freunde, die etwas von der Sache verstehen, wollte es mir nicht gelingen, eine deutsche Ausgabe des Glücksrads aufzutreiben. Die romanischen Exemplare hingegen sind nicht selten. Das älteste, das ich bekam, aus dem Jahre 1795, ist oberengadinisch geschrieben, die andern im unterengadinischen Idiom, mit oberengadinischen Wörtern vermischt. Aus mehreren Exemplaren, die alle etwas defekt waren, habe ich den Text zusammengestellt.[1])

In der Vorrede zum „Glücksrad" wird auseinandergesetzt, was es enthalte und wie es zu gebrauchen sei.

Es enthält, heisst es da, nach der astrologischen Kunst geordnet, 36 Fragen, sowie 36 „Richter" *(güdischs)* mit je 15 Antworten, endlich eine Tabelle, die in der obersten Querlinie die Nummern der Fragen (1—36), in der Seitenlinie von oben nach unten die Würfelaugen (3—18) und in den anderen Querlinien jeweilen die Antworten (von 1—36 auf jeder Linie) angibt.

Zuerst sucht man aus den 36 Fragen eine heraus, z. B. Nr. 19: „ob du dich verheiratest oder nicht?" Dann wirft man die drei Würfel und erhält eine Zahl, die mindestens 3, höchstens 18 beträgt. Angenommen, man habe die Zahl 13 erhalten, so sucht man in der Tabelle von der Zahl 19 der oberen Querlinie abwärts und von der Zahl 13 der senkrechten Linie seitwärts den gemeinsamen Winkel und kommt damit auf die Zahl 23. Schlägt man nun im 23. Richter (Vulcanus) die 13. Antwort nach, so erhält man den Bescheid: „Du wirst Dich verheiraten, aber schlecht fallen."

Ein andres Beispiel. Es wundert Einen zu wissen, „was für ein Glück oder Unglück ihm heute begegne." Er wählt darum die 10. Frage. Wirft er nun beispielsweise mit den Würfeln 16 Augen, so findet er in der Tabelle für die 10. Frage und die 16 Würfelaugen den gemeinsamen Winkel 17, und schlägt er nun im 17. Richter (Orpheus) die 16. Antwort auf, so erhält er den Trost: „Diesen Tag wird es ganz nach Deinem Willen gehen."

---

[1]) S. Annalas della Societa reto-romantscha XIII 71 ff.

Es wäre unnütz die Beispiele zu vermehren. Aus dem Mitgeteilten ersieht man, dass das Cudesch da Babania auf 36 Fragen, je nach der Zahl der geworfenen Würfelaugen, je 15 Antworten giebt und somit fröhlichen Gesellschaften von jungen, nicht allzu anspruchsvollen Leuten angenehmen Zeitvertreib bietet.

Volksglauben in Vals.

Mitteilungen von Kaplan Ph. Rüttimann in Vals.

1. Hexenwesen.

Innets [1]) Saldüra bi d'm Tobel,[2]) wa dert aha[3]) chunt, oberhalb dem jetzige Chrüzchappeli,[4]) ischt d'r Platz gsi, wa d'Häxä zum Häxetanz dsämmacho sind. Dert hein-sch' as grussas Führ agmacht und um das Führ um hein-sch' tanzet.

Uf Saldüra dobna ischt a mal a Häx gsi, dia het äppes Bsundersch chönna. Dia ischt uf ama Bäsma dur d'Luft g'ritta. Wenn-sch' d'Schmalz in d'Pfanna ta het, uf d's Führ, so isch' uf em Bäsma dur d'Luft, uf dia andera Sita uber de Rhi über gfahra, ga Lauch holla uf em Jegerbärg (de uf em Jegerbärg waxt wilta Lauch). Bevor aber d'Schmalz heissas gsi ischt isch' mit d'm Lauch scho z'rug gsi.

An Häxameister ischt au z'Schnider-Hus ichi[5]) gsi, dert ischt a mal as Hus gschtanda. Dersäb het chönna macha, dass-a d'Meigga[6]) heind müassa chüssa. So ischt a mal a Meigga vo Fleiss[7]) aha cho; d'r Häxameister hed scha gse und dua het er gmacht, da sch' het müassa zu ihm us cho in de'Hus un a dert[8]) chüssa.

En andera Häxameister ischt under der Balma[9]) gsi. Zur säba Zit hein-sch' a Häx vo Fleiss aha gfüart zum Malafizg'richt

---

[1]) innerhalb.

[2]) *Tobel* heisst im hiesigen Dialekt jeder Bach, der in tieferm Erd-Einschnitt dahinfliesst, ein tieferes Bett hat; dann der tiefere Einschnitt selbst.

[3]) *aha*, herab, findet sich auch im Dialekt der Walliserkolonie Mittelberg (Vorarlberg).

[4]) *Chrüzchappeli* = Kreuzkapelle. Kapelle bei Camp an der Strasse mit einem grossen Kruzifix; sie liegt am betreffenden Bach.

[5]) *ichi*, hinein (*iacha*, herein, *îha*, [*î* mit Nasallaut und blossem *h*] im Mittelberg = hinein und herein).

[6]) *Meigga*, Mädchen, Jungfrau (*Maika, Meike, Meiker* im Mittelberg).

[7]) Leis.

[8]) und ihn dort.

[9]) Haus südlich dem Peiler-Bach am Fusse der Halde.

z'Villa im Lungnetz. Wia ers gseh het, da sch' mid era[1]) chönt[2]) uf d'r ander Sita dem Rhi nach ussa, sa ischt er gschwind de Rhi dur gwata und hed de Männera dia scha fort gfüert heind, gseit, scha söllen scha[3]) doch nit ans Hochgricht füera, as si a guoti Persoh.

2. Weiterer Aberglauben.

Wenn ma mit dem lingga Bei z'erst am Morget us em Bett usse chunt, sa bedütets Unglück.

Wenn ma am Morget, wenn ma ufsteit, an gälwa[4]) Finger het, sa bedütet's a Brascht. [5])

Wenn d'Wandliga[6]) bi der Mäss, wenn zwei Priester sind, z'sämme chönd, sa stirbt bald Eis. Das gliche wenn d'Glogga a so kurios totalig töna.[7])

Wenn ma in d'r Alpa d'r Gugger ,hed[8]), sa muoss ma d's Chäschessi fürigs cho la, darnah mid ama Stäka druber e schla, de muoss dasjeniga (d'Häx) cho, dia das agricht het, oder dia betreffend Persoh treit de d'Bühla[9]) von dena Schläge an ihra Lib.

D'r Mitwuche ischt an verworfena Tag, wil am säba d'r Judas Christus verrata het. Au d'r Fritig, wil am säba d'Juda Christus krüziget heind. Am Fritig söll ma ke Reis aträta.

Früer heind-sch' au, z. B. bin Eua-Gada[10]) ichi, d'Färli-Su ghört, dia het ta wie a Su wenn sch' Fährli het. D'Nacht-buoba heinds mängsmal khört. Au im Bodan[11]) ab heinsch-scha-scha meh ghört.

En guräschiga[12]) Gsell aber, der nit so liechtgläubiga gsi ischt, ischt amal dem To naganga um d's Sach. z'untersuocha und het gfunda, dass as a Vogel[13]) gsi ischt.

---

[1]) mit ihr.

[2]) chönt, kommen (d. h. sie herabführen).

[3]) sie sollen sie.

[4]) gälwa, gelben (gäl im Mittelberg).

[5]) Brascht, Leid, von Bresten, Gebrechen; breschta (valserisch), beleidigen, z. B. Hein-sch' d's Chind brescht? haben sie das Kind beleidigt?

[6]) Nach katholischer Lehre die Transsubstantiation des Brotes und Weines, bei der Messe, in den lebendigen Leib (das Fleisch und Blut) Christi.

[7]) Trauerklang haben.

[8]) die Zigerbildung nicht gelingt.

[9]) Bühla, Beulen.

[10]) Eua-Gada, in den Eua, in den Auen, Stall bezw. Wiesen- und Ackerland. Eua kommt sonst im Dialekt nicht vor.

[11]) Boda, Ebene zwischen Vals-Platz und Camp.

[12]) couragiert, beherzt.

[13]) Nachteule.

Miszellen. — Mélanges

Bemerkungen und Nachträge.

1) Zu den „Klefeli". (Archiv III 151).

Dieselben tauchen auch bei uns in Schwyz jedes Jahr mit Beginn der Fastenzeit unter der Knabenwelt auf; dann aber mit Schluss der Fastenzeit, also zu Ostern, verschwinden sie regelmässig wieder. Auch hier zu Land hat es immer geheissen, sie stammen aus der Pestzeit her, unter Umständen aus früherer Zeit, da es in den Siechenhäusern noch Aussätzige gab. Ein Siechenhaus gab es auch in Schwyz, das heute noch unter diesem Namen bekannt ist und an der Strasse nach Steinen liegt, da wo die Strasse nach Seewen abzweigt.

2) Zu dem Würgen am Namenstag. (Arch. III 139 fg.).

Diese Sitte ist auch hier bekannt, meist ohne begleitenden Spruch. Doch kann ich mich erinnern, dass ich in jungen Jahren gehört und selbst auch dazu gesagt habe:

„Woll' Gott, dass du noch nu lang läbist
Und mier ä gnoti Würgete gäbist."

Ich dachte nie daran, dass damit ein zu erwartendes Geschenk angedeutet sei, sondern verstand darunter einfach den Sinn:

,,Wolle Gott, dass du noch lange lebest
Und ich dich noch manchmal würgen könne."

Durch die Mitteilung im Archiv III 140 bekommt dieser Spruch nun allerdings einen andern Sinn und es kann sein, [dass damit auch bei uns in ältern Zeiten ein Geschenk gemeint war.

3) Zu der Entstehung von Familiennamen. (Arch. III 160).

Ueber die Familiennamen Odermatt, Andermatt und Vonmatt geht folgende Sage um: Drei Brüder hätten unter sich zwei Matten zu teilen gehabt. Der eine habe die obere Matte (ob der Matt = Odermatt), der andere die andere Matte (Andermatt) genommen, der dritte sei ausgesteuert worden und sei also von der Matte gekommen (Vonmatt).[1]

S c h w y z.   M a u r u s W a s e r, Pfarrer.

---

[1] Diese sagenhaften Etymologien sind natürlich falsch. Andermatt ist der Bewohner „an der Matte", Vonmatt „der von der Matte" herstammende und Odermatt ist als „ader Matt" schon 1290 bezeugt. RED.

Bücheranzeigen. — Comptes rendus.

Richard Wossidlo, Mecklenburgische Volksüberlieferungen. Im
Auftrage des Vereins für mecklenburgische Geschichte und
Altertumskunde gesammelt · und herausgegeben. 2. Band:
Die Tiere im Munde des Volkes. I. Teil. Wismar
(Hinstorff'sche Hofbuchhandlung) 1899. 8⁰. XIII + 504 Seiten.

Wie aus dem Gesamttitel des Buches ersichtlich ist, beschäftigt·
sich W. mit einer umfassenden Sammlung des Folklore im Grossherzog-
tum Mecklenburg. Als erster Band dieses grossartig angelegten Werkes
sind im Jahre 1897 auf nicht weniger als 372 Seiten die Rätsel erschienen, nun sollte als zweiter Band das gesamte Tier- und Natur-
Folklore folgen. Der Stoff wuchs jedoch während des Sammelns so
sehr ins Ungeheure, dass die Redaktionskommission den Beschluss fasste,
nicht nur· das Tierleben gesondert zu behandeln, sondern auch von
diesem einstweilen in einem ersten Teil nur das zusammenzufassen,
„was den grössten Reiz zu bieten und zugleich ein geschlossenes Ganze
darzustellen schien: Tiergespräche, Tiersprüche, und Deutungen
von Tierstimmen, Anrufe an Tiere und sonstige Tierreime und
Lieder. Die zahlreichen eigentlichen Tiersagen und die weitschichtige
Masse des Aberglaubens über Tiere mussten zurückgestellt werden".

Wossidlos Sammlungen stehen ganz einzigartig da. Abgesehen
von der überwältigenden Masse von Material, das hier, ganz frisch aus
dem Volksmunde geschöpft, dem Forscher geboten wird, zeichnete sich
sein Werk durch eine allseitige Beleuchtung des Gegenstandes, eine
ausgiebige Benutzung der einschlägigen Litteratur auch anderer Gegenden
und eine grosse Reichhaltigkeit der Register aus. Nicht nur der Volks-
kundige, sondern auch der Zoolog und der Sprachforscher werden in
·dem Buch eine Fülle interessanten Stoffes finden.

Möge das schöne, vielversprechende Unternehmen, das durch die
Munifizenz der Mecklenburger Regierung ermöglicht worden ist, in gleich
trefflicher Weise zu Ende geführt werden und auch in andern Gegenden
Nachahmung finden! E. H.-K.

·C. Schürch, Neue Beiträge zur Anthropologie der Schweiz. Bern
(Kommissionsverlag v. Schmid & Franke) 1900. 4⁰ mit
18 Tafeln in Autotypie.

Eine dankenswerte Anregung, die Prof. Kollmann bereits im
Jahre 1892 den schweizerischen Zahnärzten gegeben hatte, hat nun in
·der vorliegenden Arbeit wenigstens eine Frucht gezeitigt. In dieser
Arbeit legt der Verfasser die Resultate seiner Untersuchungen nieder,
·die er an dem kraniologischen Material verschiedener schweizerischer
Sammlungen und mehrerer Beinhäuser der Mittelschweiz auszuführen
·Gelegenheit hatte.

Zunächst konnte festgestellt werden, dass die Bevölkerung der Centralschweiz (Kanton Bern, Luzern, Solothurn, Aargau, Zug, Schwyz, Uri, Ob- und Nidwalden) vorwiegend kurzköpfig (86,6 %) ist, während die Zahl der Langköpfe (1,6 %) daneben fast ganz verschwindet. Mit der Brachycephalie kombiniert sich Leptoprosopie des Obergesichtes: es fanden sich neben 11,5 % chamaeprosopen 88,5 % leptoprosope Obergesichter. Die letztere Zahl ist jedoch insofern etwas trügerisch, als eben die verschiedenen Grade der Leptoprosopie darin nicht zum Ausdruck kommen. Ein Blick auf die der Arbeit beigegebenen Tabellen lehrt, dass z. B. im Beinhaus Hasle nicht einmal 25 % „deutlich langgesichtig" sind — die Mehrzahl würde richtiger als mesoprosop bezeichnet werden — während im Beinhaus Buochs die ausgesprochenen Formen der Leptoprosopie, also wirkliche Langgesichter, entschieden überwiegen. Der Verfasser hat sich an die vorhandene provisorische Einteilung des Indexes angeschlossen, aber so wenig man bei allen andern Schädel-Indices die beiden extremen Formen an einer Zahl zusammentreffen lässt, sollte man dies beim Obergesichtsindex thun. Die Aufstellung einer Mittelgruppe ist, was übrigens schon Sarasin (Weddas pag. 237) hervorgehoben und was Virchow und Andere nach ihm seit 1894 für den Ganzgesichtsindex durchgeführt haben (Verhandl. Berlin: 1891, p. 58; 1894, p. 178 u. 1895, p. 274), geradezu eine logische Forderung. Man wird die untere Grenze der Leptoprosopie da beginnen zu lassen haben, wo das Obergesicht wirklich deutlich verschieden erscheint von einem Breitgesicht, und es ist schade, dass Schürch sein Material nicht zur Feststellung einer solchen Scheidung benützt hat. Es ist jedoch hier nicht der Ort, mit eigenen Vorschlägen in dieser Sache vorzutreten. Der Mangel der Einführung einer solchen Mittelgruppe macht sich auch im zweiten Teil der Arbeit, welcher die Korrelation der einzelnen Gesichtsteile im Sinne Kollmanns prüft, fühlbar, indem dadurch z. B. Mesostaphylie sich sowohl mit Lepto- als mit Chamaeprosopie paaren muss und auf diese Weise gerade die feinere Korrelation verdeckt wird. Eine Korrelation zwischen Obergesicht und Gaumen konnte in grossem Prozentsatz (Anatomie Bern = 87,3 %, Beinhaus Hasle = 82,7 %) nachgewiesen werden; wo aber die Kombination aller Gesichtsteile berücksichtigt wurde, nahm der Prozentsatz der reinen Korrelation bedeutend ab: Buochs = 39,6 %, Stans = 40,8 %, Altdorf = 31,4 %, Schattdorf = 43,5 %. Doch auch dies sind noch grosse Zahlen, die durch nahestehende Kombinationsformen noch erhöht werden könnten. Eine Korrelation der einzelnen Gesichtsteile im angegebenen Umfang muss für die mittelschweizerische Landbevölkerung daher als Thatsache gelten. Ganz im Sinne Kollmanns fasst der Verfasser dann diese korrelativen Cranien als Vertreter reiner Rassentypen auf und bezeichnet alle anderen als Mischtypen, leider ohne auf diese ungleich wichtigere Frage einzutreten.

Ein dritter Abschnitt prüft die Aveolar- und Zahnverhältnisse bei prähistorischen und recenten Schädeln. Leider ist das vor- und frühhistorische Material in unsern schweizerischen Sammlungen sehr spärlich vertreten. Der Schluss, dass die Alveolen-Maasse in der paläolithischen Zeit kleiner sind als in den spätern Perioden, hat daher auch keine prinzipielle Bedeutung, da er auf einem einzigen und zwar weiblichen Schädel und zwei Unterkiefern beruht. Als ein gesichertes Resultat, das sich mit früheren Beobachtungen Röse's deckt, darf aber angesehen werden, dass die Dimensionen der Molar-Alveolen und der Molaren selbst in den einzelnen Zeitepochen nur um weniges schwanken und dass von den ältesten Zeiten an der Weisheitszahn des Oberkiefers kleiner war als die beiden ersten Mahlzähne. Nur im Unterkiefer ist der Molaris III bei den frühern und frühesten Bewohnern der Schweiz im Allgemeinen etwas grösser gewesen. „Die Zahnmaasse der recenten Bevölkerung stehen denjenigen der prähistorischen und auch späteren Bevölkerungen keineswegs nach, sondern halten diesen das Gleichgewicht" (pag. 25). Auch hinsichtlich der Höckerchen der Molaren ergibt sich ein gleiches Resultat. Der dritte Molar ist also auch bei den ältesten prähistorischen Typen der Schweiz schon in gleicher Weise zurückgebildet, wie bei der heutigen Bevölkerung. Wenn Schürch deshalb glaubt, überhaupt nicht mehr von Rückbildung gegenüber primitiveren Zuständen sprechen zu dürfen (pag. 31), so muss doch an die zahlenmässig belegte Feststellung von Zuckerkandl und Röse erinnert werden, aus der hervorgeht, dass der Weisheitszahn des Unterkiefers „bei Europäern bedeutend weiter zurückgebildet ist, als bei Nichteuropäern". (Anatomischer Anzeiger VII., pag. 419.)

Besondere Aufmerksamkeit hat der Verfasser auch den Zahnusuren geschenkt und den Nachweis erbracht, dass die prähistorischen Bevölkerungen der Schweiz bei einer grossen Dichtigkeit der harten Zahnsubstanzen sehr häufig Zahnabschleifungen zeigen, die denjenigen vieler Naturvölker gleichkommen. Wie bei diesen wird auch bei jenen das kausale Moment dieser Veränderungen mit Recht in der Derbheit der Nahrung gesucht.

Ein letzter Teil der Arbeit enthält die eingehenden Beschreibungen der gemessenen vor- und frühgeschichtlichen Unterkiefer und Schädel, an welche gelegentlich einige allgemeine Bemerkungen geknüpft werden. So neigt der Verfasser der Ansicht zu, dass die dolichocephalen la Tène-Schädel identisch sind mit denjenigen der alten Belger, der sog. Kymrier Brocas, während er die brachycephalen Cranien derselben Gruppe den später eingewanderten Kelten (= Galliern) zuschreibt.

Zum Schlusse sei noch hervorgehoben, dass der vorliegenden Untersuchung eine grosse Anzahl von Tabellen, sowie 18 prachtvoll ausgeführte Tafeln beigegeben sind, wodurch Schürch's Publikation gleichzeitig einen wertvollen Nachtrag bildet zu den 1894 von Studer und Bannwarth herausgegebenen Crania helvetica antiqua.

Zürich.   Rud. Martin.

Jacob Grimm, Deutsche Rechtsaltertümer. Vierte, vermehrte Ausgabe, besorgt durch ANDREAS HEUSLER und RUDOLF HÜBNER. 2 Bände. Leipzig (Dieterich) 1899. 8.° XXXIV + 675 und 723 Seiten Preis: broschiert M. 30.—, gebunden M. 35.

In allen Kreisen, wo die deutsche Volkskunde eine verständnis-

volle Pflege findet, wird die Neuausgabe der Grimm'schen Rechtsaltertümer mit aufrichtigster Freude begrüsst werden; tritt uns doch gerade
aus den Rechtsinstituten eines Volkes, seien sie nun privatrechtlicher
oder seien sie staatsrechtlicher Natur, seine Eigenart mit ganz besonderer
Klarheit und Schärfe entgegen. Für die Volkskunde speziell ist im
deutschen Recht freilich nur das von Wichtigkeit, was wirklich seinen
Weg ins Volk gefunden hat und in dessen Lebensäusserungen sich
wiederspiegelt; aber gerade in dieser Hinsicht bieten uns die Grimm'schen
Rechtsaltertümer ein überaus reichliches Material. Die Lehrbücher der
deutschen Rechtsgeschichte (wir nennen nur die neuern von Brunner
und Schröder) wollen ja in erster Linie nichts anderes geben als eine syste-
matische Entwicklungsgeschichte des gesamten germanischen Rechts;
Grimm aber verfolgt einen andern Zweck: indem er das Prägnante
und Charakteristische der deutschen Rechtsbräuche zusammenstellt, un-
geachtet der oft tausendjährigen Intervalle ihrer Erscheinung, will er
uns auf diese Weise einen Einblick eröffnen in die Werkstatt des
Volksgeistes, uns zeigen, wie dieser die Rechtsbegriffe aufnimmt und
verarbeitet. Das ist es, was sein Werk für die Volkskunde so ungemein wertvoll macht.

Vorderhand ist es freilich nur ein übersichtlich geordnetes Material,
was hier vorliegt, ein Material, das tot ist für den, der es nicht ver-
ständnisvoll zu benutzen weiss. Was helfen uns hunderte von ältern
und neuern Belegen für einen Rechtsbrauch, wenn wir nicht fähig
sind, weitere Schlüsse zu ziehen auf den Geist, der ihn hervorgerufen
hat, auf die Grundanschauungen, in denen er wurzelt?

Die vielen lokalen und regionalen Volkskundevereine haben es
sich allerdings in erster Linie zur Pflicht gemacht, die versprengten
Findlinge einer untergehenden und grossenteils schon untergegangenen
Welt zu sammeln, das, was sich von echtem Volkstum noch erhalten
hat oder in schwer zugänglichen Aufzeichnungen niedergelegt ist, der
Nachwelt zu überliefern. Ist nun aber auf einem Gebiete das Material
schon gesammelt und geordnet, so gilt es, ein höheres Ziel ins Auge
zu fassen, das wahre und letzte Ziel der Volkskunde: die Erforschung
der Volksseele; und das kann, wie wir bereits bemerkt haben, vielleicht
auf keinem Gebiete der Geistesgeschichte so fruchtbar geschehen, wie
gerade im volkstümlichen Recht.

Der hohe Wert der Rechtsbegriffe eines Volkes für die Völker-
psychologie ist übrigens schon lange anerkannt worden. Abgesehen
von Monographien wie die J. Grimms („Poesie im deutschen Recht"),
Gierkes („Humor etc.") und Anderer machen wir auf v. Eickens treffliche
Darstellung des kirchlichen Einflusses auf das deutsche Recht des Mittelalters aufmerksam („Geschichte und System der mittelalterlichen Weltanschauung" S. 548 ff.) und in neuester Zeit hat Adolf Lobe in Hans
Meyers „Das deutsche Volkstum" eine Zusammenstellung der Aeusserungen
deutschen Volksgeistes im Recht versucht.

Aber die Rechtsquellen sind in dieser Hinsicht noch lange nicht
ausgeschöpft. Lobe hat u. A. dem „Religiösen im Recht" einige
Seiten seiner Abhandlung gewidmet; aber wie dürftig sieht das aus,
wenn man bedenkt, dass im Grunde jeder Rechtssatz den Zweck

hat, einen gottgefälligen Zustand in der Menschheit herbeizuführen, somit der Ausdruck ist des Strebens nach Wiedererlangung des durch die Rechtsverletzung der ersten Menschen verlorenen Gottesreiches, einer Welt, wo der Buchstabe des Rechts sich auflöst in Geist und Leben. „God is een beghinne alles rechtes" lautet ein altes Sprichwort und dieser Rechtsbegriff reicht zurück weit über die Zeiten der ersten Aufzeichnungen, wenn er ursprünglich auch nicht in christlichem Sinne zu fassen ist. Die nüchternste privatrechtliche Bestimmung unserer heidnischen Voreltern muss eine Gottheit voraussetzen, die das „Richtige" will und das „Unrichtige" bestraft. Dass das Rech; vielfach auf Irrwegen gieng, verschlägt nichts an dieser Thatsache; auf diesen Irrwegen aber müssen wir es begleiten, seien sie nun von dem volkstümlichen Phantasiegebilde des heidnischen Götterhimmels oder von dem abstrakten Dogma der christlichen Kirche verursacht. Und was vom Religiösen gesagt ist, das gilt gleichermassen für alle andern Aeusserungen der Geisteskultur. Aber überall stossen wir auf Lücken. Noch immer fehlt uns ein Werk über den Geist des deutschen Rechts, wie dasjenige Jherings über das römische Recht.

Man halte es mir zu gute, wenn ich die Gelegenheit dieser Anzeige benutzt habe, um einige prinzipielle Bemerkungen über den Wert der Rechtsaltertümer für die Volkskunde vorzubringen, umsomehr als ich mir eine ins Einzelne gehende Besprechung des anerkannt hervorragenden Werkes von Grimm hierorts wol ersparen darf.

Die Bearbeiter der vierten Ausgabe sind bei all der grossen Mühe, die sie auf das Verwerten der handschriftlichen Nachträge Grimms, auf die Umarbeitung der Zitate nach neuern Drucken und auf die Herstellung des vortrefflichen Quellen-, Sach- und Wort-Registers verwendet haben, äusserst taktvoll hinter den ursprünglichen Verfasser zurückgetreten. Diese pietätvolle Wahrung Grimm'schen Eigentums ist den Herausgebern um so höher anzurechnen, als es ihnen gewiss ein Leichtes gewesen wäre, auf Grund ihrer sprach- und rechtshistorischen Kenntnisse Korrekturen und Nachträge anzubringen. Dieser Selbstbeherrschung haben wir es zu danken, dass nun der alte Grimm wieder in seiner ganzen Grösse vor uns steht, wenn auch in neuem, den praktischen Anforderungen der heutigen Zeit mehr entsprechendem Gewande.

E. Hoffmann-Krayer.

Zeitschrift für hochdeutsche Mundarten. Herausgegeben von Otto Heilig und Philipp Lenz. Heidelberg (Carl Winter).

Wir wollen nicht ermangeln, auch unsere Leser auf diese gediegene Zeitschrift aufmerksam zu machen, von der kürzlich das erste Doppelheft erschienen ist. Ihr Inhalt ist ein sehr reichhaltiger. 1) E. Wagner u. W. Horn, Verbalformen der Mundart von Grossen-Buseck bei Giessen, 2) Ph. Lenz, die Flexion des Verbums im Handschuhsheimer Dialekt, 3) W. Horn. Einige Fälle von Dissimilation, 4) O. Weise, Die Zahlen im Thüringer Volksmunde, 5) O. Weise, Theekessel (Tölpel) und Verwandtes, 6) E. Göpfert, Aus dem Wortschatz eines erzgebirgischen Chronisten, 7) A. Holder, die Berechtigung der Stammeslitteraturgeschichte, 8)

K. Rieder, Mystischer Traktat aus dem Kloster Unterlinden zu Colmar,
9) Sprachproben und Texte.

Es ist durch diese Zeitschrift, deren Herausgeber sich schon mehrfach mit Erfolg auf dem Gebiete der Mundartenforschung bethätigt
haben, nun ein Zentralorgan für die hochdeutsche Dialektologie geschaffen, und wir geben uns der Hoffnung hin, dass auch die Schweiz
nicht ermangeln werde, sich an dem verdienstvollen Unternehmen
aktiv zu beteiligen.

Eine ausführlichere Besprechung dieser Publikation wird der Ref.
im Anzeiger für deutsches Altertum erscheinen lassen.

H.-K.

Erwiderung.

Die Recension meines Büchleins „Französische Volkslieder" durch
Herrn Prof. E. Muret veranlasst mich zu einigen Erläuterungen.

Die Verlagsbuchhandlung stellte mir einen gewissen Raum zur Verfügung. So sah ich mich vor die Wahl gestellt, eine Menge schöner Lieder
auf der Seite zu lassen oder dieselben eben so knapp als möglich drucken
zu lassen. Die erste Strophe ist stets vollständig gegeben, ebenso meistens
die letzte, so dass ich glaubte, ein verständiger Leser werde die Rekon-
struktion leicht vornehmen können. Nur so war es möglich, in einem
Bändchen 180 Nummern, viele davon mit Varianten, unterzubringen.

Ich wandte mich an ein deutsches Publikum, wenn es mich auch
freuen soll, wenn ein Franzose das Büchlein sich ansieht. Herr Muret findet
die Einleitung banal und oberflächlich; banal wird sie für Studierende und
Freunde der schönen Litteratur nicht sein. Selbst ein Folklorist wie R. Petsch
schreibt in der Neuen Philologischen Rundschau: „Die Einleitung betrachtet
die Volkslieder nach Form und Gehalt und giebt vielfach neue Anregung."
Der Tadel, dass ich Balladen und Romanzen unterscheide, beruht auf Un-
kenntnis der deutschen Poetik[1]; auf den Umstand, dass einige Litterar-
historiker, wie auch ich in meinen Vorlesungen über Romanzenpoesie, diese
Unterscheidung fallen lassen, brauchte ich in meinem populären Büchlein
keine Rücksicht zu nehmen. Dass die „Transformations" keine Pastorelle
sind, weiss auch ich. Wo hätte Herr Muret sie untergebracht?[2]

J. Ulrich.

[1] M. Ulrich n'a pas compris la portée de ma critique. Il ne s'agit
pas de la distinction des genres, mais du choix des morceaux et de leur
épartition sous les deux rubriques.

E. M.]

[2] A coup sûr, pas dans un groupe où je serais forcé de convenir
que cette chanson n'a rien à faire.

E. M.]

Nachdem wir beiden Parteien das Recht der Erwiderung eingeräumt
haben, erklären wir die Kontroverse in dieser Zeitschrift für abgeschlossen

Die Redaktion.

Preisarbeiten.

Vgl. Archiv II, 253—255 und IV, 64.

Nach durchgeführter Prüfung der eingelieferten Arbeiten durch die einzelnen Preisrichter trat das Preisgericht Sonntag 10. Juni 1900 in Zürich zu gemeinsamer Beratung zusammen und entschied, es seien alle vier Arbeiten eines Preises würdig, wenngleich keine derselben den in der Ausschreibung gestellten Anforderungen vollkommen entspreche. Unter Anwendung des Vorbehaltes, den Preis von Fr. 200.— in zwei bis drei Einzelpreise verteilen zu dürfen, beschloss das Preisgericht folgende Abstufungen:

1. Preis, Fr. 80.—. für die Arbeit „Volksbräuche im Kanton Glarus." Als Verfassser ergab sich: Herr Dr. theol. Ernst Buss, Pfarrer in Glarus.

2. Preis, Fr. 60.—. für die Arbeit „Kulturbilder aus dem Taminathale." Verfasser: Herr Professor F. W. Sprecher in Zürich.

3. Preis, Fr. 60.—. zu gleichen Teilen (je Fr. 30.—.) zu verleihen an die beiden französischen Arbeiten

    a. „Us et contumes des jours de fête et usages locaux propres à Estavayer", als deren Verfasser sich nannte: Herr Jos. Vollmar, étudiant à l'Université de Genève, und

    b. „Chansons valaisannes", deren Verfasserin ist: Mme. Ceresole-de Loës à Lausanne.

An No. 1 schätzt das Preisgericht die Sorgfalt und Reichhaltigkeit der Darstellung, die einheitliche Durchführung der Arbeit; es kann jedoch den gegebenen Deutungen oft nicht zustimmen.

No. 2 bringt viel Eigenartiges und daher Wertvolles, dem man eine gleichmässigere Behandlung wünschen möchte.

No. 3 a. schildert einige interessante Bräuche, leider in etwas lückenhafter Art, auch würde man die gesuchte Einkleidung gerne entbehren.

No. 3 b. liefert eine kleinere Zahl wertvoller Volkslieder mit Melodien; die kleine Sammlung würde durch Angabe der Herkunft der Lieder und Nennung der Gewährsleute erst die rechte Bedeutung erlangen.

Wir sprechen den verehrten Konkurrenten und insbesondere auch den Herren Preisrichtern den besten Dank aus und hoffen, die prämierten Arbeiten unsern Lesern zu eigener Beurteilung in den nächsten Heften des Archivs vorlegen zu können.

Zürich, im Juni 1900.   Der Vorstand.

Résultat du concours

voir *Archives* II, 253—255 et IV. 64.

Au concours ouvert par la Société Suisse des Traditions populaires ont répondu quatre auteurs dont les travaux ont été lus et examinés par les divers membres d'une commission nommée à cet effet. Ce jury, dans une séance tenue à Zurich, le dimanche 10 juin 1900, a pris les décisions suivantes:

Tous les quatre travaux méritant d'être primés, sans toutefois satisfaire à tous égards aux exigences scientifiques, la somme de 200 fr. sera partagée parmi les concurrents, suivant la valeur relative de leurs travaux. En conséquence, il sera décerné:

Un premier prix, de fr 80, au travail intitulé « *Volksbräuche im Kanton Glarus*», dont l'auteur est M le Dr. *Ernst Buss*, pasteur à Glaris;

Un deuxième prix, de fr 60, au travail: « *Kulturbilder aus dem Taminathale* »; auteur: M. le professeur *F W Sprecher* à Zurich;

Un troisième prix, de fr 60, à repartir également, (30 fr.) aux auteurs des deux travaux français:

a. « *Us et coutumes des jours de fête et usages locaux propres à Estavayer* »; auteur: M. *Jos Vollmar*, étudiant à l'université de Genève, et

b. « *Chansons valaisannes* »; auteur: Mme *Ceresole-de Loës*, à Lausanne

Appréciation sommaire des travaux.

Le premier travail se distingue par l'unité du plan, la richesse et l'exposition soigneuse des matériaux, mais les explications historiques sont souvent très sujettes à caution

Le travail No. 2 se fait remarquer par l'originalité et, par conséquent, la haute valeur de ses matériaux, dont la rédaction cependant laisse beaucoup à désirer.

Travail No. 3 a Les us et coutumes décrits sont intéressants Le jury regrette certaines lacunes d'information et le peu de soin accordé à l'exposition des matières D'autre part, le travail renferme un grand nombre de détails inutiles.

Travail No 3 b. Petit recueil de chansons populaires, avec mélodies, qui aurait plus de prix, si l'auteur ne s'était pas borné à reproduire les seuls matériaux, sans donner aucune indication sur leur provenance et sans établir de comparaisons avec les variantes de ces mêmes chansons contenues dans d'autres recueils auxquels l'auteur renvoie La note personnelle manque.

En remerciant vivement les personnes qui ont bien voulu prendre part au concours, et, en particulier, MM. les membres du jury, nous exprimons l'espoir de pouvoir présenter à notre public tous les travaux primés dans les prochains numéros des *Archives*

Le Comité.

Jahresbericht 1899.

In elf Sitzungen sind vom Vorstande folgende Gegenstände erledigt worden :

a) Mitgliederzahl.

Status auf 31. Dezember 1899 : 508 (gegenüber 502 des Vorjahres). Das Archiv zählt 497 Abonnenten.

b) Herausgabe der vier Quartalhefte des dritten Jahrgangs. Die Zahl der eingelaufenen Arbeiten war im Berichtsjahr so gross, dass manche derselben auf längere Zeit zurückgelegt werden mussten, trotzdem die gewöhnliche Bogenzahl eines Jahrgangs überschritten worden ist. Dasselbe steht auch für 1900 in Aussicht. Auf Initiative eines Gesellschaftsmitgliedes wurde eine Enquete über Volksmedizin in der Schweiz beschlossen.

c) Fortführung des Schriftenaustauschs mit 66 anderen Körperschaften.

d) Verwaltung der Bibliothek. Hierüber berichtet der vom Vorstand gewählte Bibliothekar, Herr Dr. O. Waser, der sich in aufopfernder Weise seiner Aufgabe hingegeben hat, folgendes: Im Sommer 1899 wurde mit der Anlegung eines Zettelkataloges begonnen, der nun (Mitte April 1900) 620 Zettel zählt. Als Ordnungswort wurde in erster Linie der Name des Verfassers genommen oder (z. B. bei Zeitschriften) das erste Substantiv. Daneben wurde auch ein Sachkatalog angestrebt; zumal wurden geographische und volkskundliche Stichwörter berücksichtigt. — Bis Neujahr 1900 wurden 76 Bände gebunden zu Fr 98.20 und die Bibliothek zählt gegenwärtig (Mitte April) rund 200 gebundene Bücher und gegen 300 Nummern von ungebundenen Drucksachen (von den laufenden Zeitschriften abgesehen).

Die Schenkerliste weist folgende Namen auf:

1. Herr Prof. Dr. R. Brandstetter;
2. „ „ Jos. Leop. Brandstetter;
3. „ „ Georgewitsch;
4. „ „ Dion. Imesch;
5. „ Dozent Heierli;
6. „ Hans Hofer;
7. „ Dr. Ed. Hoffmann-Krayer;
8. „ Dr. O. Jiriczek;
9. „ Hans v. Matt;
10. „ Privatdocent H. Mercier;
11. „ Dr. A. Schullerus;
12. „ Vittore Pellandini;
13. „ Prof. A. Strüby;
14. „ Dr. E. A Stückelberg;
15. „ A. Tobler;
16. „ A. Vital;
17. „ Dr. Otto Waser.

e) Abhaltung der vierten Generalversammlung (in Luzern).

f) Preisausschreibung auf 1. Januar 1900. Das Ergebnis derselben ist mitgeteilt in Band IV. S. 64 Das Urteil wird im zweiten Vierteljahrsheft veröffentlicht werden.

g) Organisation des Gesellschaftsvorstandes. Wie bereits durch eine Beilage zu Heft 2 von Band III und Seite 73 von Band IV mitgeteilt ist, übernahm Herr Prof.

Th. Vetter das Präsidium, nachdem der bisherige Vorsitzende Herr Dr. Hoffmann-Krayer den Wunsch ausgesprochen, seine Thätigkeit auf die Redaktion der Zeitschrift konzentrieren zu wollen.

Zürich, im April 1900.

Der Sekretär:

E. A. Stückelberg.

Jahres-Rechnung 1899.

Einnahmen:

Saldo vom 31. Dezember 1898		.	.	Fr.	1239.—
31 Mitgliederbeiträge	à Fr. 3	.	.	„	93.—
15 Zeitschriftenabonnements	à Fr. 4	.	.	„	60.—
6 „	à Fr. 6	.	.	„	36.—
463 Mitgliederbeiträge	à Fr. 7	.	.	„	3241.—
8 Zeitschriftenabonnements	à Fr. 8	.	.	„	64.—
				Fr.	4733.—

Ausgaben:

Zeitschrift 1899 Heft I .	.	.	.	Fr.	648.15
„ „ II .	.	.	.	„	615.75
„ „ III .	.	.	.	„	522.10
„ „ IV .	.	.	.	„	568.40
Zinkographien, Lichtdrucke etc.	.	.	.	„	462.75
Bureau, Mietzins, Abwart, Buchbinder etc.	.	.	„	584.35
Porti etc.	.	.	.	„	104.10
					3505.60
Saldo per 31. Dezember 1899	.	.	.	„	1227.40
				Fr.	4733.—

Zürich, 15. April 1899.

Der Quästor:

Emil Richard.

Bericht der Rechnungsrevisoren.

In Erfüllung ihres in der Generalversammlung erhaltenen Mandates haben die Unterzeichneten die per 31. Dezember 1899 abgeschlossene Rechnung der Schweizerischen Gesellschaft für Volkskunde geprüft und solche nach dem Vergleich mit den Büchern vollständig in Ordnung gefunden.

Wir beantragen somit der Tit. Generalversammlung die Genehmigung der Jahresrechnung pro 1899 unter bester Verdankung an den Vorstand.

Zürich, den 23. April 1900.

Hans Steiner.

Dr. E. Schwyzer.

Zeitschriften für Volkskunde.
Revues des Traditions populaires.

Alemannia. Zeitschrift für Sprache, Kunst und Altertum besonders des alemannisch-schwäbischen Gebiets. Herausgegeben von *Friedrich Pfaff*. Jährlich 3 Hefte. Jahrg. 6 Mk. Verlag: P. Hanstein, Bonn.

Beiträge zur deutsch-böhmischen Volkskunde. Herausgegeben von der Gesellschaft zur Förderung deutscher Wissenschaft, Kunst und Litteratur in Böhmen Geleitet von Prof. Dr. *A. Hauffen*. Verlag: J. G. Calve, Prag.

Blätter für Pommersche Volkskunde. Monatsschrift. Herausgegeben von *A. Knoop* und Dr. *A. Haas*. 4 Mk. jährlich. Bestellungen bei A. Straube, Labes (Pommern).

Český Lid. Sborník věnovaný studiu lidu českého v Čechách, na Moravě, ve Slezsku a na Slovensku. (Das tschechische Volk. Zweimonatsschrift für tschech. Volkskunde in Böhmen, Mähren, Schlesien und Ungarn), hrg. von Dr. *Č. Zíbrt*. Jahrg. 4 fl., 10 Fr., 3 Rubel. Administration: F. Simáček, 11, Jeruzalémská ul., Prag.

Folk-Lore. Transactions of The Folk-Lore Society. Quarterly. Annual Subscriptions: 1 L. 1 s. Publisher: David Nutt, 270, Strand, London.

The Journal of American Folk-Lore. Editor *William Wells Newell* Quarterly issued by The American Folk-Lore Society. Annual subscription: Doll. 3.00 Publisher for the Continent: Otto Harrassowitz, Leipzig.

Korrespondenzblatt des Vereins für Siebenbürg. Landeskunde. Redaktion: Dr. *A. Schullerus*. Erscheint monatlich. Jahrg. 2 Mk. Verlag: W. Krafft, Hermannstadt.

Lud. Organ Towarzystwa Ludoznawczego we Lwowie pod redakcyą Dra *Antoniego Kaliny*. (Das Volk. Organ d. Poln. Ver. f. Volkskunde in Lemberg, hrg. v. Prof. Dr. *A. Kalina*). Vierteljahrsschrift. Für Mitglieder 4 fl., für Nicht-Mitglieder 5 fl. Adresse: Lwów (Galicien), Ulica Zimorowicza 7.

Mélusine. Revue trimestrielle, dirigée par M. *Henri Gaidoz*. Un an: 12.25 frs., un numéro: 1.25 frs. Bureaux: 2. rue des Chantiers, Paris.

Mitteilungen der Schlesischen Gesellschaft für Volkskunde. Herausgegeben von *F. Vogt* und *O. Jiriczek*. Heft 0,50 Mk. Schriftführer des Vereins: Dr. *O. Jiriczek*, Kreuzstrasse 15, Breslau.

Mitteilungen des Vereins für Sächsische Volkskunde. Herausgegeben von Prof. Dr. *E. Mogk*, Färberstrasse 15, Leipzig.

Mitteilungen und Umfragen zur bayerischen Volkskunde. Jährlich 4 Hefte. Herausg. im Auftrage des Vereins für bayer. Volkskunde und Mundartforschung von Prof. Dr. *O. Brenner*, Würzburg. Jahrgang 1 Mk.

Národopisný Sborník Československanský. Vydává Národopisná Společnost Československá a Národopisné Museum Československé. Jährlich 2 Bände. Jahrg. 6 Kronen. Für Mitglieder 2 Kr. Adresse: Prag, Příkopy 12.

Nyare Bidrag till kännedom om de svenska landsmålen ock svenskt folklif. Utgifven på uppdrag af Landsmåls föreningarna i Uppsala, Helsingfors ock Lund genom *J. A. Lundell.* Bokpris för årgången 4,50 Kronor. Stockholm (Samson & Wallin).

Ons Volksleven. Monatsschrift. Herausg. von *Joz. Cornelissen* und *J. B. Vervliet.* Jahrg. 2. 50 Fr. Verlag: L. Braeckmans, Brecht.

Revue des Traditions populaires, recueil mensuel de mythologie, littérature orale, ethnographie traditionelle et art populaire. Organe de la «Société des Traditions populaires», dirigé par **M.** *Paul Sébillot.* Un an: Suisse, 17 frs.; pour les membres: 15 frs.; un numéro: 1.25 frs. Bureaux: 80, boulevard St-Marcel, Paris. — (Pour recevoir un numéro spécimen, il suffit d'en faire la demande à M. Sébillot, en ajoutant un timbre de 15 centimes.)

A Tradição. Revista mensuel d'ethnographia portugueza. Directores: *Ladislau Piçarra* e *M. Dias Nunes.* Preço da assignatura: 600 réis. Editor-administrador: *José Jeronymo da Costa Bravo de Negreiras,* Rua Larga 2, Serpa (Portugal).

Unser Egerland. Blätter für Egerländer Volkskunde. Herausg. von *Alois John,* Eger.

Volkskunde. Monatsschrift. Herausg. von *Pol de Mont* und *A. de Cock.* Jahrgang 3 Fr. Verlag: Hoste, Veldstraat 46, Gent.

Wallonia. Recueil mensuel de littérature orale, croyances et usages traditionnels, fondé par *O. Colson, Jos. Defrecheux et G. Willame.* Belgique: Un an, 3 frs., un numéro, 30 cent., Union postale: 4 frs. Administration: 88, rue Bonne-Nouvelle; Rédaction: 6, Montagne Ste-Walburge, Liége.

Zeitschrift des Vereins für Volkskunde. Vierteljahrsschrift. Herausg. von *Karl Weinhold.* Jahrg. 12 Mk. Vorsitzender des Vereins: Prof. Dr. *K. Weinhold,* Hohenzollernstr. 10, Berlin W.

Zeitschrift für österreich. Volkskunde. Redaktion: Dr. *M. Haberlandt.* Jahrgang 4 fl. 80. Verlag und Expedition: F. Tempsky, Wien.

Zur Beachtung!

Den Mitgliedern steht die **Bibliothek** der Schweiz. Gesellschaft für Volkskunde jederzeit zur Benutzung offen.

Bücher werden auf Bestellung ausgeliehen und franko zugesandt; nach Empfang ist die Quittung ausgefüllt zurückzusenden.

Einzelne **Hefte der Zeitschrift** werden den Mitgliedern gratis und franko verabfolgt, falls solche zu Zwecken der Propaganda für unsere Gesellschaft oder deren Organ verwendet werden.

Zum **Bezug von Büchern und Heften** wende man sich an Herrn *Dr. O. Waser,* Limmatquai 70, Zürich I.

Schweizerische Gesellschaft für Volkskunde.
Société Suisse des Traditions Populaires.

Schweizerisches
Archiv für Volkskunde.

Vierteljahrsschrift

unter Mitwirkung des Vorstandes herausgegeben

von

Ed. Hoffmann-Krayer.

Vierter Jahrgang. Heft 3.

Ausgegeben Mitte August 1900.

Der Umfang des Jahrganges ist auf 20 Bogen festgesetzt.

Der Abonnementspreis beträgt für Mitglieder Fr. 4.—, für Nichtmitglieder Fr. 8.—; für das Ausland kommt der entsprechende Portozuschlag hinzu.

Beiträge für die Zeitschrift und Büchersendungen sind zu richten an den Redaktor
Herrn Prof Dr. *E. Hoffmann-Krayer,* Freiestrasse 142, Zürich V, vom 1. Oktober ab: Hirzbodenweg 91, Basel.

Beitrittserklärungen an Herrn Dr. *E. A. Stückelberg,* Kappelergasse 18, Zürich I.

Geldsendungen an
      Herrn *E. Richard,* Börse, Zürich I.

«Evénements particuliers»

Apparitions et prophéties,

publiées par M. Octave Chambaz (Serix, près Oron)

Le titre que nous venons d'écrire est celui qui figure sur la couverture grisâtre d'un mince cahier manuscrit, — d'une demi-douzaine de feuilles au plus, — trouvé par nous, il y a quelques mois déjà, en inventoriant les archives d'une ancienne famille de paysans du Gros-de-Vaud. Il indique assez clairement le contenu de ces pages, copiées d'une main tremblotante, en février 1830, à Niédens (commune d'Yvonand), par Jean-François Crisinel, de Molondin, au Gros-de-Vaud.

Des trois «événements» relatés dans ce cahier et que nous publions ci-après textuellement, le premier est le seul qu'il nous ait été donné de comparer avec une copie postérieure, faite il y a une vingtaine d'années dans mon village, à Rovray. A quelques majuscules et fautes d'orthographe près, les deux copies sont absolument identiques. Celle que j'ai transcrite ici est la plus ancienne. [1])

Il résulte d'une enquête sommaire, faite à ce sujet dans la partie septentrionale du Gros-de-Vaud, que diverses personnes possèdent d'autres copies des mêmes récits, particulièrement de la lettre du ministre Rendeu. On m'a signalé la connaissance de ces «événements» [à Combremont-le-Petit, à Chavannes-le-Chêne, ainsi qu'au joli hameau de Chevressy, sis au pied du Montéla. Ils faisaient, les soirs d'hiver, chez certains, il y a vingt-cinq ou trente ans, l'objet des entretiens autour de la quenouille d'étoupes touffue et du rustique poêle de grès. Que de fois, après les avoir entendu lire, la grand'mère, assise au *kadŏ*[2]), aura dit sentencieusement à ses petits-enfants, en guise de conclusion, et branlant la tête pour donner plus de poids à ses paroles, ce que nous répétait la mienne, à ma sœur et à moi,

---

[1]) Nos lecteurs n'auront pas de peine à reconnaître dans ce texte une version française du *Himmelsbrief* déjà publié dans nos *Archives* en allemand (II, p. 277) et en ladin d'Engadine (III, p. 52). [RÉD.]

[2]) Mot patois désignant, à Rovray et aux environs, le siège en forme d'escalier, qui se creuse entre le poêle et la muraille. On dit aussi *kavĕtă;* mais *kadŏ* est plutôt la forme ancienne.

dans son patois d'Oppens, chaque fois qu'elle nous affirmait sa
croyance aux vérités éternelles: *Mè z-infan, vè oyu? Vô fö
krairè, è pyindrè χyō kə dyan kə nə lè ya rin!* (Mes enfants,
vous avez entendu? Il vous faut croire, et plaindre ceux qui
disent qu'il n'y a rien![1])

I. Observation d'avertissement arrivé le 9[2]) Novembre 1721.

Vu en Allemagne, dans la ville de Rembourg, une Lettre
suspendue en L'air, Laquelle Dieu a fait voir aux habitants de
cette ville, et aux environs; Personne ne sait à quoi, ni sur
quoi elle étoit soutenue. Elle est écrite en Lettres D'Or et
envoyée de Dieu par Son Ange. Ceux qui souhaitent la Copier,
elle s'inclinera à eux; mais Ceux qui la regarderont avec in-
différence pour la D'Ecrire[3]) ou s'en moquer, elle se retirera
en L'Air.

Premièrement il est dit dans cette Lettre: Je vous ai
Commandé et vous Commande encore que vous ne travaillez
point le Dimanche, mais que vous ailliez dévôtement au Temple
et de prier avec Dévôtion et Modestie D'Habit; que vous ne
devez porter Aucunes chevelures Etranges; Ni Peruque pour
vous énorgueillir; que vous devez faire part de vos richesses aux
Povres, et croire que cette Lettre est dictée de Dieu à nous,
adressée par Jésus-Christ, Afin que vous ne viviez point comme
des bétes brutes. Vous avez Six Jours de la Semaine pour fére
votre travail, mais vous Me devez Sanctifier le Jour du Dimanche
et si vous ne Me le Sanctifiez point j'envoyerai la Guerre, la
Peste, la Famine sur la terre avec d'autres Tourments pour vous
Châtier afin de vous faire sentir vivement mon Indignation et
votre Tort.

En troisième lieu[4]), Je vous ordonne de ne point travailler
trop tard le Samedi soir et que Chacun de vous soit Vieux soit

---

[1]) Ces mots « ceux qui disent qu'il n'y a rien » paraissent toujours
touchants quand ils sortent de la bouche de patoisants fervents, lesquels ne
les prononcent d'habitude que très gravement et sur un ton de réprobation. —
Le *qu'il n'y a rien*, exprime dans sa vague concision tout à la fois la négation d'un Être suprême, d'une vie à venir, d'un ciel et d'un enfer. Il
équivant au: « Quand on est mort, tout est mort. »

[2]) Ailleurs 29.

[3]) *Entendez* décrier.

[4]) Ni dans l'une ni dans l'autre des deux copies que j'ai eues entre
les mains, il n'y a de paragraphe deuxième.

Jeunes ailliez le Bon Matin au Temple pour Confesser ses péchés à Dieu afin d'en obtenir Pardon.

En quatrième lieu, Ne Souhaitez ni Or, ni Argent, ne Soyez ni Orgueilleux, ni ne Convoitez la chair par des Passions désordonnées et ne vous servez jamais d'aucune Fraude. Sachez que j'ai fait toutes choses, et qu'ainsi je puis les détruire, et ne parlez point en mal l'un de l'autre et ne vous réjouissez point quand votre Prochain s'appovri, mais ayez plutôt Compassion de lui.

Vous Enfants Honorez vos Péres et vos Méres afin que bien vous en arrive. Celui qui ne veut Croire Cela ni le Pratiqué, est Perdu et Damné.

Jésus-Christ La Ecrite de Sa Propre Main. Que celui qui a cette Lettre et ne La veut point Pratiqué soit Anathème par l'Eglise de Christ! Abandonnée de ma Propre Main, cette Lettre peut être donnée à Chacun. Si vos péchés surmontoient le sable de la Mer ou Lherbe des champs ils vous seront pourtant pardonnez si vous croyez ce que cette Lettre vous dit.

Je vous interrogerai au Jour du Jugement et sur Chacun de vos péchés vous ne pourrez me répondre un seul mot. Les personnes qui auront cette Lettre dans leur maison le Tonnerre et la Foudre ne les blesseront point; elles seront gardées du Feu et du Déluge d'Eau.

Qui la portera sur Soit et La Communiquera au Genre humain finira ses Jours en Paix et en Joye, et en recevra une grande Consolation. Gardez mon Ordonnance que je vous ai envoyée (un Apôtre encore à vous connu). Amen!

II. Lettre particulière

qui a été adressée à Monsieur David, Ministre à Vufflens, par Monsieur Rendeu, Ministre de la Parole de Dieu à Emblans, qui est une Eglise Réformée dans la Principauté de Porentruy, qui dépend aussi bien que celle de Ste Marie aux Mines de L. L. E. E. de Berne. L'Année 1734. —

Monsieur,

Je me fais l'honneur de vous faire part de ce qui m'est arrivé le premier Dimanche de Toussaints; qui est quelque chose de si surprenant, de si extraordinaire, que vous ne serez pas fâché d'être informé des terribles malheurs qui pendent sur nos têtes criminelles et qui vont fondre sur le monde universel si on ne se repend et ne s'amende pas.

Je puis vous assurer que cet événement est très-véritable,
puisque j'ai vu de mes propres yeux et entendu moi-même les
choses que je vous raconte. Voyez comme elles se sont passées.

Comme j'étais en chemin, en sortant de la ville d'Emblans,
environ les sept heures du matin pour aller prêcher à Oront,
en méditant sur mon texte et sur les choses que j'avais à dire
dans mon sermon, le long d'un petit sentier qui était presque
tout couvert de planches à cause de la boue; lorsque j'eus fait
un peu de chemin, regardant devant moi, je découvris une personne; je fus surpris de la voir, c'était un vieillard chenu, ayant
une barbe; le peu de cheveux qu'il avait étaient blancs comme la
neige; il s'appuyait sur son bâton; ses habits étaient d'une couleur
extraordinaire; je n'en ai jamais vu de semblables, ils rendaient
une couleur jaunâtre comme l'airain bien poli; ses bas étaient de la
même couleur; il portait sur sa tête, sous son chapeau, un bonnet
à trois coins formant le triangle; il était d'un bleu céleste; il
avait l'air majestueux et la contenance grave. Après l'avoir
considéré quelque temps je pensais ce que c'était de lui. En lui
donnant le bonjour il ne me répondit rien, il se contenta de me
faire un signe de tête, comme pour me remercier et je continuai
ma route fort rêveur, en ruminant ce qu'il pouvait être. Il m'a
semblé un homme qui avait un air extraordinaire.

Je regardais et le revis devant moi comme la première fois.
Je crus d'abord que s'en était un autre et je ne pus m'imaginer
que ce ne fut le même vieillard. Alors je me retournai en
arrière pour voir si je ne verrais plus le même que j'avais déjà
vu mais il n'y était plus. J'arrivai près de celui qui était devant
moi et je vis que c'était le même que j'avais déjà vu. Cela
m'étonna beaucoup, mais lui prenant la parole après m'avoir
salué avec beaucoup de douceur: Je sais bien, mon âme, que
vous allez prêcher. Votre texte n'est-il pas tiré de l'Evangile
Selon S' Luc, Chapitre XXI, verset 34, lequel dit: Prenez donc
bien garde que votre cœur ne s'appesantisse par la gourmandise
et l'ivrognerie, et par les soins de cette vie, de peur que les
mauvais jours ne vous surprennent subitement. Ces paroles
étaient véritablement celles de mon texte. Cela m'étonna si fort
et à un tel point que je ne savais où j'en étais, mais lui, con-
tinuant son discours, me dit: Songez à vos affaires et prêchez
la vérité aux hommes. Souvenez-vous de leur déclarer les maux
et les impiétés qui règnent maintenant parmi eux; les exhortant

à se repentir et à changer de vie, car il est très-nécessaire qu'ils songent à se convertir puisqu'il doit arriver dans peu de temps des choses étonnantes et épouvantables partout le monde universel.

Il me dit, ce bon et vénérable vieillard: Vous vous proposez souvent de résigner votre ministère; vous avez formé le dessein même aujourd'hui de faire votre dernier sermon. A ces mots je tombai en défaillance et je ne pus me relever. Mais lui prenant la parole me dit: N'ayez point peur quoique je vous déclare quelles sont vos idées, vos desseins et vos œuvres. Vous entendrez bien d'autres choses; renforcez-vous au Seigneur! Après ces paroles je revins à moi et me trouvai tout fortifié. Mais devant mes yeux je n'aperçus plus ce bon vieillard; il avait disparu. Cela m'effrayant de nouveau et ne sachant ce que c'était ni ce que signifiait ce bon vieillard qui savait me dire toutes mes secrètes pensées, et ce que j'avais dessein de faire; car il était vrai que j'avais une forte résolution de ne plus prêcher que cette fois voyant le peu de fruits que mes sermons produisaient. Mais il est aussi très-vrai que je ne l'avais dit à qui que ce soit. Je continuai mon voyage en faisant beaucoup de réflexions sur toutes ces choses; mais je découvris pour la troisième fois ce bon vieillard qui m'attendait sur le chemin. Alors je fus encore plus étonné que je ne l'avais été, et je ne savais si je devais passer outre ou m'en retourner; mais prenant un nouveau courage je m'avançai tout tremblant jusque vers lui et il recommença à me parler en cette sorte: Malheur à vous! si vous quittez votre ministère; car si vous le faites vous serez puni sévèrement. Ce sera à Dieu que vous aurez à faire et non avec les hommes; vous ne pouvez échapper à ses mains, c'est pourquoi prenez bien garde à ce que vous aurez à faire. Je commençai donc à trembler et à craindre, mais il me dit: Ne soyez point effrayé, renforcez-vous! Par cette parole je me trouvai même mieux disposé qu'auparavant et il continua son discours et me dit: Sachez qu'il doit arriver dans peu de temps des temps fâcheux car les hommes sont devenus extrêmement impies, ingrats et méchants par toute la terre; on ne voit que malice, qu'injustices, qu'ingratitudes, qu'inhumanité, qu'infidélité, qu'impiété, au lieu de voir dans ces lieux des bonnes œuvres agréables à Dieu. C'est pourquoi le Seigneur a dit: Voyez, je m'en vais visiter cette perverse Chrétienté en ma fureur et prendre vengeance d'elle par le fléau de la guerre et de la famine qui commenceront et augmenteront peu-à-peu jusqu'à leur extrêmité. Ce seront des temps tristes et bien fâcheux; car, dit l'Eternel: Je visiterai cette fausse Chrétienté en ma fureur je lui ôterai la lumière de l'Evangile et la Doctrine d'icelle et frapperai les hommes d'aveuglement puisqu'ils m'ont si témérairement offensé et abandonné.

J'appellerai les lieux les plus éloignés, principalement les Turcs, pour exterminer cette fausse Chrétienté. Ils renverseront tous les Cultes et dévôtions de religion et peu de temps après on verra des choses effroyables. Il y aura nécessité de vivres et une si grande famine que l'on ne saura où aller chercher de quoi subsister. Les hommes se massacreront les uns les autres sans aucunes craintes ni scrupules. Ils commettront les plus grandes abominations et se laisseront emporter à toutes sortes de fureurs. Il y aura en ce temps-là des maladies presque partout si extraordinaires qu'on n'en aura jamais vu de semblables; des fièvres chaudes et furieuses; des faiblesses de corps et d'esprit douloureuses et angoissantes. La peste fera aussi de grands ravages partout. Il y aura des maladies qui rendront les hommes si forcenés que venant à se rencontrer dans les chemins et dans les maisons ils se déchireront comme des chiens enragés; et la plupart tomberont dans cet état de fureur. Enfin le monde paraîtra un véritable enfer.

Mais tous ces maux si grands peuvent encore être détournés par les jeûnes et par les prières et amendement de vie. Mais s'il arrive que les hommes ne veulent pas se convertir et continuent leurs maux dans leur endurcissement où ils vivent aujourd'hui et dans cet esprit d'Anathème, il est très-certain que tous ces grands malheurs arriveront. C'est pourquoi prêchez ces choses et le Seigneur sera avec vous.

Après ces paroles il disparut et je ne le revis plus, et je me trouvai un peu abattu. J'étais pâle comme un mort. Cependant je marchai jusqu'à l'endroit où je devais prêcher; mais après être monté en chaire je me sentis tellement pressé à prêcher et rempli d'un grand zèle et jugement pour bien débiter mon sermon que mes auditeurs étaient surpris de la force et de la véhémence avec laquelle je prêchais. L'action étant faite je me trouvai un peu abattu et incommodé. Etant retourné chez moi je tombai malade deux jours après. Je fus obligé de garder le lit trois semaines, au bout desquelles je recouvrai mes forces.

J'ai fait depuis tout mon possible pour avertir mon prochain, tant en particulier qu'en public, sur les choses que je viens de vous dire, mais je n'en vois pas beaucoup de fruits.

Cependant, je veux m'acquitter de ma vocation de mon mieux quand même il devrait m'en coûter la vie, afin de pouvoir éviter tout malheur à venir.

J'espère, Monsieur, que vous recevrez tout ceci de bon cœur et que vous en tirerez tous les fruits que le Seigneur attend de cet avertissement. Votre très-humble serviteur. (Signé) Rendeu.

III. Histoire d'une fille du Tyrol,
âgée de 13 ans, demeurant à Vevey, l'an 1825.

C'est un événement que j'aurais peine à croire, si je n'en avais pas vu l'origine dont on parlait comme d'une merveille, car je ne crois pas qu'il soit possible de trouver dans l'histoire un trait semblable. Voici comment.

Pendant seize semaines elle souffrait dans tout son corps des tourments que les médecins comparaient à la torture; puis au bout de ce temps elle s'endormit. Elle resta dans ce dernier état pendant trois jours, tellement qu'on la croyait morte. Lorsqu'enfin elle s'éveilla, elle dit avec un accès de joie qu'on ne lui connaissait pas et avec une figure rayonnante, qu'elle venait de voir le ciel ouvert avec toute sa magnificence, et que les paroles ne peuvent décrire ni l'imagination se représenter, le bonheur dont jouissent les habitants de ce bienheureux séjour.

Ces choses ne tardèrent pas à se répandre rapidement et à être le sujet de beaucoup de commentaires. Les unes disaient qu'il y avait de la tromperie; les autres, au contraire, dirent que pendant les trois jours que cette enfant avait dormi, son âme avait abandonné son corps et était allée au ₍ciel₎.

Pendant quinze jours, du matin au soir, la chambre fut pleine de monde. On y vint du Rhinthal, d'Appenzell, de l'Autriche et de la Bavière. Des endroits trop éloignés pour que tout le monde put y venir, on envoya des messagers. Excités par ce qu'on racontait, nous y allâmes donc. Quand nous approchâmes de son lit elle dormait. Sa bouche et ses traits nous frappa (elle souriait à chaque instant).

Plusieurs Messieurs y étaient venus dans l'intention de la surprendre, croyant qu'elle agissait par tromperie; mais ils sortirent en larmes, déclarant que les paroles de la vérité étaient sur les lèvres de cette jeune fille et la conviction de ce qu'elle disait sur ses traits.

Elle est protestante. Un jour notre ministre y est allé avec beaucoup de monde pendant qu'elle dormait. Elle sauta hors de son lit et se promenait par la chambre ayant les yeux fermés, ce qui effraya fort les assistants. Ayant toujours les yeux fermés elle dit exactement le nom des personnes qu'elle n'avait jamais vues.

Dès ce moment jusqu'à aujourd'hui elle se trouve dans un état de somnambulisme pendant lequel elle a annoncé beaucoup de choses. Maintenant elle connaît le caractère de ceux qui entrent. Elle dit à celui-ci: Vous êtes un impie; à celui-là: Vous êtes riche, mais moi dans ma pauvreté je suis plus riche que vous. Puis, poussée par une espèce d'inspiration elle dit: Oh! guerres, pestes, famines, tout cela s'approche. Convertissez-vous! Convertissez-vous! Il viendra un temps où les hommes paîtront comme le bétail dans les pâturages; alors on pourra marcher quatre lieues sans rencontrer un frère. Quand ils se rencontreront ils s'embrasseront comme je vous embrasse. Regardez le ciel combien il y a d'étoiles; elles ne sont rien en comparaison des larmes que les humains verseront.

Ce qu'il y a de plus curieux c'est que cette jeune fille n'a pas reçu beaucoup d'instruction et cependant elle s'entretient souvent avec son médecin, qui dit qu'une somnambule peut parler des langues qu'elle n'a pas apprises ni entendues; connaître ce qui se passe loin d'elle-même, loin dans l'avenir.

Maintenant il n'est plus permis qu'aux Ministres d'aller la voir. Ces Messieurs écrivent tout ce qu'elle dit malgré qu'ils n'y croyent pas.

Un jour qu'un de ces Messieurs écrivait elle alla prendre son chapeau et sa canne et la lui donna. Le 8 Janvier elle est partie avec son père et sa mère, qu'elle a pu réunir par ses exhortations car ils étaient divorcés.

Cette jeune fille a prédit dernièrement qu'il y aura une grande mortalité dans le canton de St Gall et d'Appenzell et que deux prophètes s'élèveraient, l'un bon et l'autre mauvais; que l'on écouterait le mauvais parce qu'il sortirait d'une famille distinguée et que l'on mépriserait le bon parce qu'il sortirait d'une condition obscure.

Elle a aussi prédit différentes choses sur l'Asie, l'Afrique; puis elle s'est répandue sur l'Europe. Cela commencera depuis

1826. Après avoir dit que le Choléra ferait de grands ravages, elle a ajouté qu'il se produirait des changements extravagants dans presque toute l'Europe, à cause de la méchanceté et de la dépravation des hommes.

Elle a dit: La France deviendra une République; mais elle ne sera solide que lorsque ses enfants se seront fait des guerres sanglantes. Cette République ne tardera pas à s'unir à la Belgique.

L'Espagne et le Portugal seront déchirés par de sanglantes guerres; on n'y trouvera plus aucune trace d'ordre ni de paix, mais la désolation et le deuil le plus profond. Alors le règne de la paix sera donné par un homme d'un esprit rare; les noms d'Espagne et de Portugal disparaîtront pour faire place à celui de la République des Pyrénées, République puissante sur la terre et sur la mer.

Dans la Grande-Bretagne la misère de la classe ouvrière ira toujours en augmentant, par les guerres terribles qui se fera en Europe; le commerce cessera et l'industrie anglaise sera interrompue, ce qui portera le peuple de cette île au désespoir. Alors la colère se portera sur les grands fabricants dont ils brûleront leurs établissements. Les Irlandais, gens à moitié morts de faim, se mêleront à l'œuvre de destruction et de mort. Enfin, après des guerres affreuses au dehors et des révolutions sanglantes au dedans, l'Angleterre entrera dans le repos; la Royauté y sera conservée plus tard que dans les autres pays de l'Europe Centrale.

En Italie, une violente tempête traversera tout le pays après des luttes affreuses contre les Autrichiens, ceux-ci disparaîtront comme la paille. Tous les différents Etats de ce pays ne formeront plus qu'une République forte et puissante dont Rome sera la Capitale. La Puissance du Pape y sera ainsi que partout ailleurs pour toujours détruite et il s'y élèvera une Eglise Chrétienne Véritable qui deviendra universelle pour toute l'Europe. La Grèce sera de nouveau de la part des Turcs le théâtre de brigandages et d'incendies. Le Roi au désespoir renoncera à la couronne et abandonnera son peuple à son sort malheureux; mais un peuple de l'Orient viendra à son secours; alors les Turcs seront chassés non seulement de la Grèce mais aussi de toute l'Europe et relégués en Asie. Après cela la Grèce sera érigée en République ayant pour Capitale Constantinople.

L'Allemagne deviendra le théâtre de terribles événements. Un roi de ce pays appellera à son secours des peuples qui habi-

taient l'Asie et commencera un massacre épouvantable; car ni
hommes, ni femmes, ni enfants, ni vieillards ne seront épargnés.
Mais pendant que ces choses arriveront, du Midi, de l'Occident
de l'Europe, viendra des peuples belliqueux qui chasseront après
avoir vaincu ces barbares de l'Allemagne dont peu échapperont
à la mort. Une grande ville de ce pays, semblable à l'ancienne
Babylone, sera brûlée et déchirée. Puis viendra luire le Soleil
de Justice; ils se constitueront en une Grande République et
vivront heureux et puissants. La Pologne résistera, mais son
règne sera terrible; les eaux de la Vistule seront longtemps
teintes du sang de ses oppresseurs.

Quant à la Russie, tous les peuples s'armeront contre cette
puissance, là où son Empereur aura rassemblé tous les peuples
Asiatiques et Européens. Les troupes belligérantes se rencontreront dans une bataille immense et terrible, dont le résultat
sera la victoire des peuples de l'Occident sur les Russes. Cette
bataille sera la plus grande et pour l'acteur et pour les consé-
quences qu'il n'y ai jamais eu; elle sera aussi la dernière sur
la terre.

Pendant ce temps de révolutions et de tempêtes politiques
qui changeront tout l'ordre social en Europe, la Suisse, après
avoir subi un court échec (il est déjà passé), se fortifiera toujours
davantage et pendant que les Etats qni l'entourent seront en
proie à des révolutions sanglantes, elle deviendra un Asile pour
les persécutés; les villes seront pleines de fuyards et ceux qui
étaient ses ennemis s'estimeront heureux d'y trouver un refuge.
Les Rois et les Princes viendront très-Humblement lui demander
Asile contre la Juste Colère de ceux qu'ils appelaient jadis leurs
sujets. Et la plus vieille République qu'ils outrageaint deviendra
le Refuge où ils pourront dormir sans frayeurs. Enfin, l'an passé[1]),
on verra finir toutes les scènes de désolation et le Règne de la
Paix et de la Justice se répandra sur toute la terre. On ne se
demandera plus qui es-tu? d'où viens-tu? Les hommes s'estimeront
comme frères et personne ne se croira meilleur, plus prudent,
plus Sage que son prochain.

Heureux ceux qui ne seront pas morts dans les guerres
précédentes, ils jouiront d'un bonheur semblable à ceux dont
jouissaient nos Premiers Parents dans le Paradis Terrestre.

(Cette jeune fille s'appelle Marguerite, d'origine Tyrolienne.)

---

[1]) Textuel.

Kirsche und Kirschbaum im Spiegel schweizerdeutscher Sprache und Sitte.

Von Ad. Seiler, Basel.

I.

Welcher Dorfjunge, der wohlgemut im Geäste eines mächtigen Kirschbaums die saftigen Beeren schmaust, würde glauben wollen, dass der Baum, der an den Gestaden des Mittelmeeres wie nordwärts der Alpen, ganz besonders aber in der Schweiz und am Oberrhein, so gut gedeiht, stellenweise sogar förmliche Wälder bildet, seine eigentliche Heimat im fernen Osten, an der pontischen Küste des nördlichen Kleinasien gehabt hat, wenn wir ihn nicht aus römischen Schriftstellern von Plinius an belehren könnten, dass der Baum durch den römischen Feldherrn L. Lucullus — der von 106—56 vor Chr. lebte — nach Zerstörung der griechischen Kolonie Kerasus am Schwarzen Meere aus der Umgegend dieser Stadt nach Italien verpflanzt worden sei.

Nachdem die neue Frucht im Süden einmal bekannt und beliebt geworden war, wurde sie rasch vermehrt, und da der Baum aus einer Gegend mit harten Wintern stammt, konnte er auch durch das ganze mittlere Europa, bis in den Norden des Weltteils hinein, weiter wandern, so dass die Kirsche zu des Plinius Zeit hundert und zwanzig Jahre, nachdem sie zuerst in Italien erschienen, schon über den Ozean nach Britannien gegangen war. Ja in den Alpen und jenseits derselben, in den ehemaligen Barbarenländern, trägt der Baum, der nach Plinius, ‚septentrione frigidisque gaudet‘, sogar aromatischere Früchte als an den Gestaden des Mittelmeeres, wo ihm unter Einwirkung der See das Klima zu gleichmässig milde ist.

Der lateinische Name *cerasum*, griech. κεράσιον Kirsche, und *cerasus*, κερασία, Kirschbaum, ist (nach V. Hehn, Kulturpflanzen) nicht von der sinopischen Kolonie Κερασοῦς hergenommen, sondern die Stadt ist vielmehr nach dem dort wachsenden Baume benannt, gerade so wie die schweizerischen Ortsnamen Affoltern (5), Affeltrangen (2), Kestenholz, Nuglar und Nussbaumen (3), Nussberg, -bühl, -hof, Birmenstorf (2), Kersiten u. a. auf Pflanzungen von Apfelbäumen, Kastanien, Nussbäumen (regio nugerolis — Nugerol), Birnbäumen, Kirschbäumen zurückweisen.

Nach V. Hehn bezeichnet *cerasus*, griech. *χέρασος* (die kleinasiatische Form für das eigentliche griechische *χράνεια*) lat. *cornus* Kornelkirschbaum, dann Wurfspiess aus Kornelkirschholz (*cornum* Kornelkirsche) den Baum nach der hornartigen Härte des Holzes, die es zu Wurfspeeren besonders geeignet machte, und ist auf das griechische *χέρας*, dem lat. *cornu* und deutsch *Horn* entspricht, zurückzuführen.

Die romanischen Sprachen bildeten dann ihr Wort, wie gewöhnlich, aus dem spätlat. Adj. *cerāseus*, davon das Subst *cerésea*, ital. *ciriegia*, franz. *cerise*; aus *cérésea* entlehnten die Deutschen noch vor dem 7. Jahrh. ihr *cherisa, chirisa, chirsa,* das sich später zu *kirse, kerse* umwandelte, während die Form *Chriesi* (aus älter *chrēsia*) nur auf die Betonung *cerésea* zurückgehen kann. In den heutigen deutsch-schweizerischen Mundarten heisst die Kirsche vereinzelt mit weiblichem Geschlecht: *Chirse, Chirsche* und *Chriese,* doch häufiger, mit verkleinernder Endung -*i* (wie in *Beeri*) und sächlichem Geschlecht: das *Chirsi, Chirschi,* östlich vom Jura das *Chriesi*; in der Mehrzahl bleibt das Wort meist unverändert, nur vereinzelt lautet der Plural *Chirseni, Chrieseni* oder *Chriese.*

Verstanden werden darunter zunächst die veredelten Sorten der Süsskirsche (prunus avium), im Gegensatz zu *Sar-chirsi, sar Chriesi,* der Weichselkirsche (prunus cerasus), *Wiechsler,* die im Kt. Bern auch *Zam-Chriesi* heisst, da sie, als aus der Fremde stammende Kulturpflanze, im Gegensatz zur Süsskirsche, nicht wild vorkommt.

Die unveredelten, wildwachsenden Kirschen heissen in schweizerischer Mundart *wildi (Wild-)* oder *Zucker-Chirsi (-Chirseli),* auch *Unzweiti,* d. h. K., die nicht gepfropft worden sind; nach dem Standort im Walde: *Holz-* oder *Wald-Chirsi, Welschi Chriesi* sind im Kt. Zürich grosse, braune, weiche. *Wiss-zweieli* kleine, weisse, weiche K.; die *Tüfebächler Chr.* sind noch grösser als die ‚welschen'; sie haben ihren Namen nach einem Zürcher Ortsnamen ‚Tiefenbach', wie die *Lei(m)-bacher Chr.* die, da sie in dichten, starken Büscheln wachsen, auch *Truppele-Chriesi* heissen, eine grosse, schwarze, fleischige Art.

Die *Steigrüebler* in Frenkendorf, die, wie man mir sagt, im Absterben sind, werden wohl auch nach dem einstigen Standort (in der Nähe einer Steingrube) benannt sein; wird ja die ‚Mahaleb- oder Weichsel-Kirsche' (prunus Mahaleb), die ‚wildi

Weichsel', doch auch *Stei-Chriesi* genannt, weil sie an steinigen Orten wächst.

Die *Muttenzer-* und *Grenzacher-Ch.* in Frenkendorf sind aus diesen beiden Orten eingeführt worden. *Wallisächer* heisst hier eine Sorte, die von Rösern stammen muss, da es dort einen Feldbezirk gibt, der diesen Namen führt.

Im Badenergebiet, Kt. Aargau, heisst die spanische Weichsel (prunus austera), sonst auch Ämmer, Amarelle genannt, nach der Herkunft aus dem Orient *Türgge-Chriesi,* womit unser ,Türkenkorn' für ,Mais' zu vergleichen ist.

Andere Sorten sind nach den Personen benannt, die sie zuerst bauten, so die *Blattme-* (Blattmann-) und *Brändli-Chriesi* in Wädenswil, Kt. Zürich. Hieher sind auch zu rechnen die *Schuemacher,* eine rötlich-schwarze, harte Art, grösser als die ,Kracher', die *Zimmermännler* und die *Holinger* (auch *Brenzer* genannt) in Frenkendorf, die *Häner* im Frickthal, vom Idiotikon als Glas-, d. h. glashelle Kirsche erklärt, und die *Sur-Häner,* eine säuerliche, rotschwarze, weiche Art. Die *Bischof-Chriesi,* die im Wipkinger Baumrodel von 1780 (Zürich) aufgezählt wird, dürfte auch unter diese Kategorie gehören.

Eine ziemlich spätreifende Art heisst im Frickthal und in Baselland *Lauber-Ch.,* dieselbe, die in Frenkendorf den Namen *Steigrüebler* führt. Das Schweizer. Idiotikon erinnert an die Apfelnamen ,Herbst- und Spät-Lauber', die spät Laub und Blüte tragen und spät reifen, hält aber auch Entstellung aus ,Lorbeer-Kirsche' (prunus laurocérasus), welche Art bei uns etwa in Gärten gezogen wird, nicht für unmöglich, um so weniger, als schon der Zürcher Fries, der im 16. Jh. ein Wörterbuch seiner Mundart anlegte, den Lorbeerbaum ,Lauberboum' (nach Idiot. IV 1469 *louber-* aus *laurberboum,* durch Schwund des r; lat. laurus) nennt. Und in der That hat ein reich beladener Lauberkirschbaum, dessen Blätter vor der Fülle der Früchte fast verschwinden, viel Aehnlichkeit mit dem Lorbeerkirschbaum. Vielleicht hat aber auch diese Kirsche den Namen nach Einem, Namens ,Lauber', der sie zuerst baute, erhalten. Der Geschlechtsname ,Lauber' kommt ja auch im Baselbiet, z. B. in Tenniken, vor, steht aber mit dem Laub an den Bäumen in keiner Beziehung, sondern ist auf das Adjektiv ,lieb' zurückzuführen, wie Luber, Lieber u. a., die aus Altdeutschem *Liub-her* hervorgegangen sind.

Lismer-Chriesi sind im Solothurnischen kleine rote, auf

ungepfropften Bäumen wachsende K., welche nach Schild, dem
bekannten Volksschriftsteller, das beste Kirschwasser liefern.
‚Lismer' hiessen noch im vorigen Jahrhundert diejenigen Personen,
die Kappen, Strümpfe und Wämser *(Schope)* lismeten oder
strickten (*Lismer* heisst ja heute noch das gestrickte Wams, dafür
in Baselland *Unterschôpe*, gekürzt aus *Lismer-Schôpen*), wie das
Wort sich zu Zeiningen im Frickthal auch als Familien-Beiname
erhalten hat); und solche Lismer gab es bis auf die allerjüngste
Zeit besonders im solothurn. Nunningerthal, meist alles ärmere
Leute *(Tauner).* L.-*Chirsi* werden also dort diese Kirschen
genannt, weil sie vorzugsweise den armen Leuten dienen, die
sich mit den wilden Kirschen im Walde und auf der Allmend
begnügen müssen.

Die *Lang-Aestler* oder *Lamp-Nestler* in Basel und im
Aargau wachsen an Bäumen mit langen, schwankenden, herab-
hangenden Aesten, und ich vermute fast, dass die *Sur-Häner,*
auf die jene Eigenschaft ganz besonders passt, da und dort so
genannt werden. Die Namen *Langstieler* und *Rotstieler* erklären sich selbst; jene heissen in Lauwil *Chutte-Ch.* von dem
verwelkten Kelch, der an ihnen hangen bleibt.

Nach der Reifezeit sind benannt im Kt. Zürich die
Maie-Chr., eine gelbrote Art, die gewöhnlich schon im Mai reif
wird. Auf der Landschaft Basel und anderwärts heissen die
frühesten Sorten *früeji* oder *zilligi Ch.*, die spätesten, die erst
im August reifen, nennt man im Aargau, in Zürich und im
Thurgau *Augste-Chr.*, im Baselbiet (Binningen) *Eugsiler.* Diese
Sorte ist der ,Würmer' wegen wenig verbreitet.

Nach dem Zweck, zu dem sie besonders gebaut werden,
haben den Namen die *Bränz-Chriesi* (Solothurn), in Baselland
Brenzchirsi, Brenzer, Brenzler oder *Schnapser* genannt, die
sich in erster Linie zum Brennen von Kirsch-Wasser oder -Geist
eignen. Die *Farb-Chriesi*, eine Art schwarzer, starkfärbender
Kirschen, werden im Kt. Zürich zum Färben des Weines benutzt.

Eine besonders auffällige Eigenschaft der Frucht, wie
Form, Grösse, Farbe, Geschmack, Beschaffenheit von Haut und
Fleisch, bezeichnen die Namen: *Herz-Kirsche* (in Frenkendorf
auch *spoti Wissler* genannt) die, wie es in einem Druck von
1639 heisst, „wie eines Menschen Herz formiert ist." In Graubünden freilich ist Herzkirsche nach dem Idiotikon keine besondere Art, sondern es wird jede herzförmige Kirsche so benannt,

die sich ausnahmsweise unter einer beliebigen Art Kirschen befindet. *Hüntschi-Ch.*, im Frickthal, die den Beeren der ‚Hünsch‘ ähnlich sind, einer geringen weissen oder halbroten Traubensorte, bei welcher die Beeren dicht ineinander gedrängt sind und im Herbste leicht abfallen. *Räbe-Ch.*, eine Art grosser, schwarzer Kirschen im solothurn. Amt Thierstein, soll (nach dem Idiotikon) eine Kirsche von der Form der *Räbe* d. h. Rübe sein. Meines Wissens heisst aber die (weisse) Rübe in Solothurner Mundart wie im Baselbiet *Rüebe* (im Aargau *Ruebe*), nicht *Räbe*, wie in der Ostschweiz. Sollte der Name nicht daher' kommen, dass diese Sorte zuerst irgendwo in einem Rebacker gebaut — in den Reben werden ja mit Vorliebe junge Bäume gezogen — und dann von andern, die von diesem Baume ihre Pfropfreiser bezogen, ‚Rebe-Chirsi‘ genannt worden ist?

Ob die *Napoleons-Ch.* in Graubünden, eine Art grosser, frühreifer K. mit z. T. weisser, z. T. rötlicher Farbe nach dem ‚grossen‘ ersten Napoleon benannt ist, oder ob sie vielleicht zu seiner Zeit erst ins Land kam, könnte möglicherweise durch genaue Nachforschungen im Lande selbst nicht einmal festgestellt werden; sicherlich aber haben die *Jumpfere-Chriesi* in der zürcher. Gemeinde Stadel ihren Namen von der weisslichroten, fleischähnlichen Farbe, nicht etwa davon, dass diese Art der besondere Liebling der dortigen Dorfschönen wäre. Das *Wasser-Chriesi* im Aargau und in Zürich ist eine Art hellroter K. mit nicht abfärbendem Safte, womit die gemeindeutsche Glaskirsche zu vergleichen ist. *Mulcher-Chr.* ist eine Art hellroter, sehr süsser Kirschen im Birseck, wahrscheinlich dasselbe, was die sog. rote Molkenkirsche, die nach Grimm, D. W. auf der einen Seite ein molken- oder trübweisses' Aussehen hat. *Spil-Chr.* heisst im Kt. Bern eine Art Kirschen von rötlich-schwarzer Farbe. Was mag ‚Spiel‘ hier bedeuten? *Rosmari(n)-Ch.* endlich ist eine Art nach Rosmarin riechender K. in Baselland und im Frickthal.

Die Art Kirschen mit festem „chächem“ Fleisch und derber starker Haut, die beim Zerbeissen mit einem schwachen Knall platzt, die Knack- oder Krachkirsche, heisst an dem einen Ort *Chlepf-*, *Chlöpfer-Ch.* (so um Reigoldswil), an dem andern *Chnell-*, *Chneller-Ch.;* um Basel und im Frickthal werden diese K. *Chracher* oder *Chrachioner*, *Chrachionen* genannt, welch letzteres aus dem franz. Patoiswort *graffion* (Waadt) entlehnt

und begrifflich an ‚Kracher‘ angelehnt sein soll, wie uns das
Idiotikon belehrt. Der Appenzeller nennt diese Art *Schnell-*
oder *Schnatterkirsi*.

Eine **Abnormität** ist das *Glücks-Chirsi*, die Zwillings-
kirsche, d. h. zwei Früchte an einem Stiel. Wer eine solche K.
findet, heiratet nach dem Volksglauben noch in demselben Jahre. —

Soweit die wirkliche K. Nach der Aehnlichkeit der Frucht
ist der Name nun aber auch **auf andere Beerensträucher
übertragen** worden. *Vogel-Ch.* heisst in Bern die Trauben-
kirsche (prunus Padus), die im Aargau *Schwobe-Chr.* oder -*Beeri*
genannt wird, letzteres eine verächtliche Bezeichnung der un-
geniessbaren Beeren.

Flüeh-Ch. (Appenzell), auch *Hag-Ch.* (Bern, Zürich) ist die
gemeine Heckenkirsche (Lonicera Xylosteum), das wilde Geissblatt; *Berg-Ch.* wahrscheinlich das Alpengeissblatt (Lon. alp.),
das in Appenzell *Hexe-Ch.* heisst, wenn nicht die Zwergkirsche
(prunus chamae-cerasus), gemeint ist, die auch ‚Bergkirsche‘
genannt wird. *Hunds-Ch.* ist eine Art Geissblatt, sehr wahrscheinlich Lon. caerulea und Lon. nigra. *Jude-Ch.* ist 1) die
Juden- oder Blasenkirsche, die Schlutte, schwäb. Schlucke (Phy-
salis Alkekengi), in Graubünden *Schlutte-Ch.* geheissen. 2) in
Appenzell die Kornelkirsche, basl. *Tierli* (cornus mas). 3) in
Baselland auch *Gift-Ch.* genannt, in Bern Name der gemeinen
Tollkirsche (Atropa Belladonna), die in Appenzell *Wald-Ch.*,
in St. Gallen, Thurgau *Wolfs-Ch.*, anderswo auch *Chrotte-*,
Schlange oder *Tüfels-Beeri* heisst. *Schnee-Ch.* ist in Graubünden
Bezeichnung der gemeinen Schneebeere (Symphoricarpus race-
mosus), eines Zierstrauches mit kugeligen, kirschgrossen, schneeweissen Beeren, die Winters stehen bleiben. *Tüfels-Ch.* heisst
nach Hegetschwiler die rotbeerige Zaunrübe (bryonica dioica),
die bei Fries und Maler (16. Jh.) auch ‚schneewurz, hundskürbs,
wildrüeben‘ heisst. Scherzhafte Uebertragung ist es endlich,
wenn der Zürcher beim Spiel mit deutschen Karten die ‚Eicheln‘
und ‚Schellen‘ *Söu-* bezw. *Schelle-Chriesi* nennt. —

II.

Nachdem wir gesehen, wie die Kirsche seit ihrer Ein-
bürgerung in deutschen Landen nach und nach recht heimisch
geworden, ihr Name sogar auf die verschiedensten Beerenfrüchte
übertragen worden ist, werden wir uns nicht wundern, dass
der Name der begehrten Frucht, die frisch und gedörrt eine

grosse Rolle spielte im Haushalte des Volkes, nicht nur sich verband mit Geräten, die zum Pflücken dienten, wie *Ch.-Chratten,
-Riemen, -Haken, -Leitern, -Zeinen,* und daraus bereiteten
Gerichten, wie *-Mues, -Pfeffer, -Suppen, - Wähen, -Totsch,
-Pfannkuchen, -Ammelette,* und dem vielbegehrten Getränk, dem
Ch.- Wasser, sondern auch da und dort am Boden haften blieb, den
der Baum trug, und als Lokalbezeichnung, als Flur- oder Orts-
name sich erhalten hat bis auf den heutigen Tag, auch da, wo
der Baum längst verschwunden sein mag.

Nach dem Urk.-Buch der Stadt Basel (III, 201) leiht
Agnes von Stetten am 27. Sept. 1297 der Wittwe des Arnold
von Mülhausen zu Erbrecht „das hus und die hofstat dem man
sprichet zem Kirsebôme, daz da lit ce Basel in der Slosgassen
nebent Eichelers hus."

In der Gemeinde Hersberg heisst ein Feldbezirk ‚im
Kirsbaum', Binningen hat einen ‚Kirsbaum-Acker'; aus dem
hintern Oristhal bei Liestal ist in Akten vom Jahr 1531 erwähnt
eine Wiese in Bernhardt Vögtlins matten „zum weissen Kirschbaum"; ein Grundbuch von 1534 verzeichnet aus Arboldswil
und Lampenberg die Flur „ze den wilden Kirsböumen", aus
Wenslingen und aus Sissach je eine „zu (oder bi den) Kries-
boumen". Der Name der Flur „in den Krischboumen", 1315
Klein Baselbann, ist wohl verschrieben oder verlesen für „Kirs-,
Kries- oder Kirschboumen"; es kann aber auch der „Kriechbaum",
die Pflaumenschlehe gemeint sein, der ebenfalls in Namen erscheint und zwar in Basels nächster Nähe, in Blotzheim und
Oberwil.

Ein „Kirsthal" hat Binningen (auf dem Bruderholz); der
Name „Kirsgarten" d. h. eine mit Kirschbäumen besetzte, ur-
sprünglich wohl eingehegte Feldfläche, erscheint mehrfach, so
in Pratteln (1680 auf Meyers Aemterkarte), Therwil (j. Rebacker),
Arisdorf, Biel, Tenniken, Häfelfingen (ein Hof); Ettingen (beim
Austritt der Strasse nach Hofstetten aus dem Wald, linker Hand,
eine weite Wiesenfläche, ein Kirschgarten im vollen Sinne des
Wortes); ein „Kirsgertli" ist aus Lauwil 1534 verzeichnet.
„Kirschgarten" ist bekanntlich der Name eines Hauses an der
Elisabethenstrasse in Basel, der schwerlich auf ein früheres
Hausbild, sondern, wie die ländlichen K. auf eine Baumpflanzung
zurückzuführen ist, dies um so eher, als die Gegend zwischen
Elisabethenstrasse, Sternengässchen, Aeschenvorstadt und der

Stadtmauer am heutigen Aeschengraben noch vor 100 Jahren,
wie der Ryhinersche Stadtplan von 1784 weist, noch sehr ländlich
aussah. „Kirsmatten" gab es nach einem Plane des 18. Jh. in
der Gd. Reinach, ebenso in Tecknau; eine „Kriesmatt" hat
Böckten (1828), die aber wohl eine ‚Griessmatt' sein wird, d. h.
eine Wiese im Griess oder Kiesland. „Im Chirsipfeffer" (Kirschen-
mus ‚-suppe) heisst eine Flur, Wald und Wiese, in der Gd. Lauwil;
es wird dies ein scherzhafter Name für eine Gegend sein, wo
viele Kirschbäume stehen, wenn daselbst nicht ein „Chirsipfeffer"
irgend einmal eine Rolle gespielt hat, worüber man an Ort und
Stelle Erkundigungen einzuziehen hätte. Im „Chriesi-Berg"
heissen Aecker und Wald zu Zuzgen im Frickthal.

Andere deutsch-schweizerische Flurnamen stehen mir nicht
zur Verfügung, da das Idiotikon deren keine verzeichnet; sicher
aber ist, dass eine Durchsicht der Blätter des Siegfried-Atlasses
deren eine nicht unbeträchtliche Zahl ergeben müsste. Als Ort-
schaftsnamen kenne ich nur Kriesbaumen, offiziell Kirsch-
baumen, Dorf- und Schulbezirk im bern. Kirchspiel Guggisberg;
Kries- oder Kirschbaum, Dörfchen bei Frutigen, Kt. Bern, u. d.
Flurn. kriesbömen-acher 1352, Bern, Frutigen (Id. IV 1240);
Kriesenthal, Weiler in der Gmd. Däniken, Pfarrei Gretzenbach
im soloth. Amt Olten-Gösgen; Kriesi-hof, Vorderer, Hinterer,
Höfe in der soloth. Gmd. Mümliswil. Auch der Name des
Dörfchens Kirsiten oder Kersiten in Nidwalden gehört hieher,
und zwar geht er auf latein. cerasetum, rätoroman. cersido,
Kirschbaumpflanzung, zurück. Der Ort hiess im 13. Jh. Chirsitun,
dann kirsetun, kirseten.

Schliesslich seien noch erwähnt die Namen zweier Dörfer
in der romanischen Schweiz. Cerisier ist ein kleines Dorf in
einer mit vielen Kirschbäumen geschmückten Gegend im Wallis,
Bezirk Conthey. Sodann Tschiertschen im bündn. Schanfigthal.
Nach A. Gatschet, Ortsetymologische Forschungen aus der Schweiz,
S. 146 ist der Ort i. J. 1222 erwähnt als ‚predium (gut) in
Scirscenes', und 1274 ist von ‚bona (güter) apud Cercens' die
Rede. Dieses Scirscenes-Tschiertschen geht zurück auf eine
latein. Form cerisiarius (sc. locus, ager), mit Kirschbäumen be-
setzter Ort, und bedeutet ungefähr dasselbe, was das früher
erwähnte ‚Kirsiten' — Kirsgarten. (Die Kirsche heisst im Räto-
romanischen tschariescha, tscherescha, der Baum tscharischèr,
tscherescher).

In übertragenem Sinne endlich ist *Chriesi* im Berner Oberland und in Appenzell Rufname von kirschroten Kühen. Im 16. Jh. war „Kriesi" auch Familienname in Grüningen, Kt. Zürich, woher, ist nicht mit Sicherheit zu sagen.

Die aufgezählten Namen beziehen sich wohl alle auf die Süsskirsche. Aber auch die Sauerkirsche (prunus cerasus) findet sich einigemal in Namen. Auf einem Plane der Gmd. Reinach aus dem 18. Jh. ist eine Flur genannt „beym, auch ob dem Sauren Baum", worunter ohne Zweifel die Sauerkirsche zu verstehen ist, nicht etwa die Sauerweide. Zu ahd. *wihsila*, mhd. *wichsel, wissel, wisel,* Weichsel (wozu ital. *visciola*), in Basler Mundart *Wiechsler,* gehören die Flurnamen: „Wichsler"(Matten), Gmd. Känerkinden, und „Weichselmatten", Gmd. Bottmingen. Im Ober-Elsass finden sich die Namen „im Weichsling" und „im Weichslingbaum", im 15. Jh. als ,zu wysselboum', im 16. „by dem wyszlinboum", im 17. „by dem weixlingsboum" verzeichnet.

Dass die spanische Weichsel in Schweizermundart auch *Amarelle* (roman. *amarelle,* von lat. *amarus* bitter, ,herb', franz. *amère) Ammere, Aemmere* (die) und *Ammerli, Aemmerli* (das), *Aemmeli, Oemmli* genannt wird, ist früher schon angedeutet worden. Auch diese Bezeichnung findet sich in Namen. Dübendorf im Kt. Zürich hat nach dem Idiotikon (I 214) im 15. Jh. eine Flur gen. „Aemerböm", Hottwil, Aargau, eine solche gen. „in Aemmerboumen" (Idiot. IV 1234) „Ammerboumermatten" und einen „Emmerbrunnen" (nach Bebler, Flurnamen des Schenkenbergeramts).

III.

Ist im Bisherigen gezeigt worden, welche Bedeutung dem Kirschbaum in der Namengebung zukommt, so soll nun im Folgenden der Nachweis geleistet werden, welch gewichtigen Platz die Kirsche, als Lieblingsfrucht von jung und alt, in Sprache und Sitte unseres Volkes einnimmt. Die schwarzen Kirschen stehen in erster Linie. Wie geschätzt sie sind, zeigt die Schaffhauser Redensart: „No schwarze Chriesene chletteret me höch"; in bildlichem Sinne kann sie auf jeden beliebigen begehrenswerten Gegenstand angewendet werden. Träume von schwarzen K. besonders zu der Zeit, wo es überhaupt keine K. gibt, deuten auf einen baldigen Todesfall in der nächsten Bekanntschaft oder Verwandtschaft, ein Aberglaube, der auch im

Baselbiet noch manche arme Seele beunruhigt. Die Wendung
„Auge wie Chriesi", die allgemein üblich ist, meint schwarze
Augen. „Schwarzi Chr. schwitze" heisst in Graubünden: sehr stark
schwitzen, so dass dicke, von Staub oft dunkel gefärbte Schweiss-
tropfen am Gesicht hangen; in Zürich ist es der Name eines
Vexierspiels, bei dem zwei Personen unter einem verhüllenden
Tuche einander gegenüber sitzen. Die eine, des Spiels kundige,
fragt die andere, ob sie schwitze, und fährt ihr, gleichsam um
sich zu überzeugen, von Zeit zu Zeit mit der russgeschwärzten
Hand über das Gesicht.

Von den roten K. speziell gilt dagegen die Redensart:
„Bäggli ha wie nes Chriesi" oder „Chirsiroti B.", so im Aargau,
in Solothurn; auch vom Mund schon im 16. Jh. „Ir mündli,
rot als ein Kirsen."

Um das Gedeihen der Kirsche zu fördern, laufen im Kt.
Zug die Knaben am Dreikönigstage mit Schellen und Kuhglocken
um die Kirschbäume; der Lärm, den sie verführen, sollte ursprünglich wohl den Einfluss böser Geister verscheuchen. Die
Sitte weist ohne Zweifel auf den Umzug der heidnischen Gott-
heiten zurück, den man auf jene Zeit (von der Wintersonnen-
wende bis in den Anfang des neuen Jahres) verlegte, und den
man mit lautem Lärm zu begleiten pflegte (Idiot. II 709).

Ist an Lichtmess (2. Febr.) der Himmel hell, so rechnet
man im Solothurnischen auf eine reiche Kirschenernte. Aus der
Kirschblüte schliesst man im Aargau, in Luzern, Zürich auf die
Traubenblüte, was die Bauernregel in die Worte fasst: „Wie
d'Chriesi so d'Trube (Winterthur), oder: „Wie d'Chr. halted
(nach der Blüte an den Zweigen), so au d'Trübel" (Baden). Das
Gedeihen der K. deutet überhaupt auf Fruchtbarkeit: „He, lustig,
Bub, der Frühling kommt (heisst es in einem Druck von 1779),
's hat mir die Nacht von Kirschen 'traumt. Heuer gibt's ein gutes
Jahr!"

Wem das Glück nicht hold ist, von dem sagt der Berner
Oberländer: „Dem wotta keni Chr. blüeje." Einem ‚Todeskan-
didaten' wird ebenda prophezeit: „De gseht d'Chr. nid me blüeja"
wie es anderorts von einem Menschen, der den nächsten Frühling
kaum mehr erleben wird, heisst, er höre „den Gugger nicht
mehr schreien." Der Satz: „Alles hängt von Gottes Segen ab"
lautet im Zürcher Oberland: „Wenn de Herrgott will, se git's
Chriesi"; in Luzern: „Lass dä lo sorge, wo d'Stil a d'Chr.

macht!" und ähnlich heisst es in einem Berner Lied von 1558:
„Glaubt dem, der Stil an Kriesi setzt." J. Gotthelf schreibt
irgendwo: „Da müsse man wohl luegen, wem man traue. Sie
denke immer an das Sprichwort: Es gebe gar viele Beeren, allein
es seien nicht alle Kirschen." Muss sich einem da nicht so
recht die Wahrheit des Satzes: ‚Trau, schau wem' aufdrängen,
wenn man sich die vielerlei Beeren vergegenwärtigt an Baum
und Strauch in Feld und Wald, schmackhafte, zuträgliche neben
herben, schädlichen.

Im eigentlichen Sinne, wörtlich aufgefasst, ist die Redensart: „Mini Chr. si no nid zitig" jedem Kinde verständlich;
im Berner Oberland aber hat sie noch einen andern Sinn; die
K., die zum Pflücken noch nicht reif sind, dienen bloss als Bild,
als Hintergrund zur Veranschaulichung des Erfahrungssatzes:
meine Sache ist noch nicht so weit vorgerückt, dass ich auf
Erfolg rechnen kann, oder — wieder bildlich — die Zeit der
Ernte ist noch nicht da. Der Basler würde dafür etwa sagen:
„Jä näi, 's isch nonig an demm, 's isch nonig so wit", was ja
gewiss recht verständlich klingt, aber auch jeder veranschau-
lichenden, sinnlich bezeichnenden Kraft entbehrt.

Wie anschaulich drückt nicht die Aargauer-Solothurner
Redensart: „Wenn eine 's Gfell het, so chann er am en Oepfel-
baum Chriesi gwinne" den abstrakten Satz aus, dass oft scheinbar
Unmögliches zur Wirklichkeit wird.

Wer je Kirschen gepflückt hat, weiss genau, was die
Redensart meint: „Wenn me will Chr. gwinne, so sell men unden
uf afo"; auf andere Verhältnisse angewendet, ist aber der Er-
fahrungssatz zu abstrahieren: man soll dem Laufe der Natur folgen.

Heutzutage ist das Kirschenpflücken an Sonntagsvormittagen
nichts gerade Seltenes mehr. Dass es nicht immer und nicht
überall so war, zeigt die Offnung von Dübendorf (Kt. Zürich)
v. J. 1592, nach der Personen, „so am sonntag vor ald (oder)
in (während) der predig in hölzeren (Wäldern) Kriessi g'wünnend",
10 ß ze buoss geben sollen.

An einigen verrufenen Tagen, so am Tag Johannis des
Täufers 24. (25.) Juni, ist es übrigens mit Gefahren verbunden,
da soll man nicht auf Kirschbäume steigen.

„In d'Chr. go" heisst zunächst: zu Jemand auf Besuch
gehen, um sich bei ihm an den Kirschen gütlich zu thun, aber
auch: auf K. (unerlaubte) Jagd machen, so im Appenzeller-

land und im Zürichergebiet. „Eim an d'Ch. go" will eigentlich
bloss sagen: auf Jemandes Baum K. naschen, in Luzerner
Mundart aber in übertragenem Sinne: das Mädchen eines andern
besuchen, bei der Bewerbung oder beim Kiltgang Jemandes
Rivale sein, wofür der Appenzeller und St. Galler sagt: „Eim
i d'Gerste ga (hocke)", allgem. schweizerisch: „Eim in's Gäu
cho, gä" und hochdeutsch: „Einem ins Gehege kommen."

Will der Zürcher einen mit einem Hofbescheid abfertigen,
ihn in den April schicken, so schickt er ihn „in d'Chriesi". Sehr
bezeichnend ist die Simmenthaler Redensart: „Mer heid (haben)
d'Chr. nid im gliche Chratte" d. h. wir beide sind nicht gleichen
Sinnes, gehören nicht derselben Partei an, haben nichts mit
einander gemein. Wer „mehr kann, als Chriesi esse", reicht
über das Gewöhnliche und Alltägliche hinaus, überragt andere
in geistiger Beziehung. „Mit eim Chr. esse" heisst in Hab-
kern (Bern), „mit ihm Gemeinschaft haben." Schon die ältere
schweizer. Schriftsprache gebraucht dieses Bild, denn bei Joh.
Kessler, dem gelehrten Sattler und Reformator von St. Gallen
(16. Jh.) heisst es: „Die buren habend mit dem rechten (indem
sie den Rechtsweg beschritten) mit iren herren wellen kriesen
essen." Die Redensart: „Es ist bös, mit herren kriese essen",
oder: „mit H. isch nit gut Ch. esse", die uns allen geläufig ist,
übersetzen die Zürcher Fries und Maler, die Verfasser mund-
artlicher Wörterbücher im 16. Jh., mit „Periculosa potentium
offensa" oder schriftdeutsch, Gefährlich ist der Herren Ungunst
(Hass, Feindschaft). Im Aargau lautet das Sprichwort noch
kräftiger: „'s ist nid guet, mit de Herre Chr. esse, si werfet
eim d'Stil no, rüeren eim d'Stei is Gsicht."

Spott über selbstverschuldetes Missgeschick kleidet die
Luzerner Mundart in die Worte: „Hättist nid Chr. g'esse, hättist
nid Stei im Buuch", und die Gassenjungen in der Stadt Schaffhausen verfolgten noch zu Ende des vorigen Jahrhunderts solche,
die ausgepeitscht wurden, mit dem Verse: „Bumpedi bump, zum
Thor hinaus! Hätti keini Chr. g'esse, hätti keini Stei im Buuch."

Wir, die wir als Knaben beim Kirschenpflücken uns oft
genug übersatt gegessen, verstehen, was der Walliser mit den
Worten meint: „Ist der Gago (Rabe) volla, so ist d'Chirse bitter."

Von der leichten Wage, die man auf dem Markte beim
Verkaufe von K. braucht, ist die im Badenergebiet übliche
Redensart herzuleiten: „Bei, ass-mer mit-ene Chriesi wäge cha",
Beine, so dünn, wie der Balken einer Kirschenwage.

Nun noch ein Wort vom Eigentumsrecht der Kirschen. Die K., die an Bäumen auf dem Gemeindeland, der Allmend, wuchsen, galten als Gemeingut zunächst der Mitglieder der betreffenden Markgenossenschaft, wurden aber unter gewissen polizeilichen Beschränkungen jedermann preisgegeben. Nach der Heimatkunde von Bubendorf war das Pflücken der wilden K., wie das Auflesen der Eicheln und Buchnüsse in den Gemeindewaldungen noch zu Anfang unseres Jahrhunderts ein kleines Volksfest unter Aufsicht der Behörden.

Schleitheim im Kt. Schaffhausen hatte eine ‚Chriesi-Glogge‘, die Glocke, mit der das Zeichen zum gemeinsamen K.-pflücken an den Bäumen des Gemeindewaldes gegeben wurde, ähnlich wie an andern Orten, z. B. im zürcher. Zollikon, mit der grossen Glocke zum gemeinsamen Laubrechen unter den Bäumen der Allmend geläutet ward, was zum ‚Ausgeben‘ des Burger-Holzes und zur ‚Obsgant‘ dort jetzt noch geschieht.

Im zürcher. Altstetten herrschte noch in diesem Jahrhundert der Brauch, dass der Geistliche in der Kirche an einem Sonntage, wenn die K. reif waren, den sogenannten ‚Kirschen-Segen‘ sprach; sein Amen gab das Zeichen zur Besitzergreifung, indem die Leute alsdann hinausstürzten und nach der Allmend eilten; wer dort zuerst einen Baum mit den Armen umfasste, dem gehörte dessen Ertrag. Gewiss, ein köstliches Schauspiel nach andächtig angehörter Predigt! Ein ähnlicher Brauch galt im zürch. Zollikon mit Bezug auf alle Obstbäume der Allmend. Neben der Kirche zu Affeltrangen im Thurgau war ein in einem besondern Frieden stehender Kirschbaum, dessen Früchte an einem Sonntage unter sämtliche Kinder des Dorfes verteilt wurden.

Es mag schwer genug gehalten haben, das persönliche Eigentumsrecht an Kirschbäumen, das sich nur langsam herausbildete, durchzusetzen und zu behaupten. Dass es in frühern Zeiten ohne Bedenken verletzt wurde, zeigt eine Redensart aus „alt fry Rätien“, die es gerade heraussagt: „Die erste Chriesi sind de Buebe.“ Und haben wir es denn in unserer Jugend anders gehalten? In einem Gespräche über Felddiebstahl heisst es im Berner Hinkenden Boten vom J. 1808: „Ich habe mir immer sagen lassen, die Kirschen gehören den Vögeln und den Leuten, die sie nehmen wollen.“ Dieselbe Ansicht vertreten die Sprichwörter: D'Chr. händ Stil: 's cha-se ne (nehmen), wer will. ‚D'Chr. händ Stei für keinen ellei‘; und ähnlich heisst's in baum, freilich in übertragenem Sinne:

> Wenn ein e steinigen Acher het.
> Und het e gstumpfige Pflueg,
> Und wenn sie Frau zueme Chirsbaum wird,
> So isch er gschlage gnueg."

Das Landbuch von Schwyz v. J. 1530 gibt über den Schutz der Kirschen folgende Vorschriften: ‚D'wyl die kriese byshar rychen u. armen ein gemein obs g'syn, lasst man's noch ein fry, gemein obs blyben. Ob aber yemands syne kriese wollte weren, der mag den boum zeichnen u. einen torn daran henken. Und wer einem ab einem bezeichneten boum krieset (die K. pflückt), der soll im 's g'non han, als hett er im 's verstolen." Diese Art des Schutzes, das „Verdörne", wie die Basler sagen, hat sich allgemein bis auf den heutigen Tag erhalten; das Verständnis für die Symbolik aber ist verloren gegangen.

Zum Schlusse sei noch auf zwei echt-alemannische Wortbildungen hingewiesen, die freilich der Basler Mundart — nicht gerade zu ihrem Vorteil — verloren gegangen sind. Für „Chirsi breche, günne", K. pflücken, sagt der Schweizer östlich vom Jura *chirse, chriese* oder *chriesne*. „Niemand war da, der ihr (der Bäuerin) kirschen wollte, als die Spatzen", schreibt Gotthelf mit schalkhaftem Humor. „Um 's Halbe chriese" heisst: die K.-Ernte im Dienste des Eigentümers um die Hälfte des Ertrags besorgen. ‚*Chriesele*' bedeutet im Zürcher Oberland K. pflücken und sich dabei recht gütlich thun, ein Ausdruck von so prägnanter Kürze, dass die Schriftsprache unser Schweizerdeutsch darum beneiden dürfte. ‚Eim de Tolder chriese', in Berner Mundart, jemand den Kirschbaum bis in den Wipfel hinauf leeren, heisst in übertragenem Sinne: Jmd. tüchtig heruntermachen, derb durchprügeln, auch Jmd. auf schlaue Weise ausplündern. Die Redensart *verchriese* will zunächst soviel sagen als: die K.-ernte beendigen; ‚es ist verchrieset' aber meint ironisch in sinnvoller Kürze dasselbe, was wir im Baselbiet umständlich mit den Worten: „'s isch hür us mit de Chirsi" oder „d'Chirsi si scho gunne" ausdrücken, d. h. von einer K.-ernte kann heuer nicht mehr die Rede sein.

Die Basler Mundart besitzt allerdings noch Ableitungen wie *Blüejet, Emtet, Heuet, Säejet, Schiesset, Schwinget, Chaiglet, Werchet, Tröschet* u. A., welche die Thätigkeit des betreffenden Verbs, bezw. die Zeit dieser Thätigkeit ausdrücken; aber es fehlt

ihr das Substantiv der *Chirset, Chrieset, Chriesnet* der übrigen
Schweizermundarten, dessen sich die ältere Schriftsprache ohne
Scheu bediente wie hundert anderer, die seither durch den Einfluss der gemeindeutschen Büchersprache ausser Kurs gekommen
sind. So schreibt das Pfarrprotokoll von Zollikon c. 1688: „Um
diese Zeit ist alle Jahre im Krieset vil klagens, dass man an
den Sonntagen in während Kinderlehre vil ins Holz gange
und ganze Krätten mit Kriesenen günne."

Novellette morali raccolte a Bedano (Ticino)

per Vittore Pellandini (Taverne)

La cattiva matrigna

C' era una volta una donna che aveva due figliuole: una
era sua vera figlia; l'altra era figliastra.

La mamma amava tanto la propria figlia quanto odiava la
figliastra.

La vera figlia, troppo vezzeggiata dalla mamma, cresceva
leziosa e daddolona, e dai lezi e dai daddoli era divenuta infin-
garda, cattiva, sfacciata. Nulladimeno era sempre la prediletta
della mamma.

La figliastra, quantunque malvista dalla matrigna, cresceva
buona, ubbidiente, gentile, laboriosa. La matrigna la odiava
ancor di più per le sue buone qualità e la sottoponeva ai più
duri lavori, castigandola senza misericordia per ogni minimo
fallo ed infliggendole pene odiose anche quando non poteva
compiere un lavoro di troppo superiore alle proprie forze.

Una mattina la matrigna empì di stoppa un *cargansc*[1]),
slegò la vacca dal presepe, e disse alla figliastra:

« Mena al pascolo la vacca, ed intanto che pasce l'erba tu
filerai, filerai continuamente, filerai tutta questa roba. Se al tuo
ritorno stasera tutta la stoppa non sarà ridotta in filo ti farò
saltare la testa. Tó, ecco di che desinare », e le gettò un pezzo
di pan di segala.

La fanciulla si caricò sulle spalle il *cargansc* e se n'andò
colla vacca che la seguiva come un cagnolino. Arrivata sul

---

[1]) *Cargansc:* grande gerla a larghe maglie per portare fieno e strame.

pascolo, mentre la vacca pasceva, la fanciulla si tolse il *cargansc* e singhiozzando incominciò a filare.   E tra i singhiozzi diceva:

« Per stasera, per stasera! Come potrò io filare tutta questa roba per stasera? Oh, impossibile, impossibile! ne ho per un anno. Cara Madonna, ajutatemi, oggi è il mio ultimo giorno di vita! »

A mezzogiorno volle vedere quanto lavoro aveva fatto. « Tre fusi! tre soli fusi! avrei dovuto farne mille! Ora sono stanca ed ho fame; mangerò qualche cosa, poi mi metterò subito al lavoro. »

E tra un singhiozzo e l'altro sbocconcellava quel po' di pan nero che la mamma le aveva gettato come si getta ad un cane.

Quand'ebbe finito le comparve una vecchierella — era la Madonna — che le disse:

« Cara fanciulla, sono otto giorni che più non mi pettino, vieni a strigarmi i capelli e pettinarmi. »

« Mi rincresce, buona donna, ma non posso, » rispose la fanciulla, « vedete! Mia madre mi ha dato tutta quella stoppa lì da filare per stasera, e se non riesco a filarla tutta mi farà saltare la testa.   So bene che non potrò filarne la centesima parte, ma non importa, lavorerò fino a sera senza interruzione. »

« Dammi ascolto, fanciulla mia, dà la stoppa alla vacca che la filerà e prima di stasera avrai il tuo filo bell'e annaspato. »

La fanciulla ubbidì: portò il *cargansc* colla stoppa davanti alla vacca e lo vuotò sull'erba. La vacca, svelta come fosse una macchina da filare, si tirava in bocca la stoppa, dalle narici mandava fuori il filo e l'annaspava intorno alle corna.

La fanciulla, tutta contenta, corse a strigare i capelli alla vecchierella. Invece di forfora, sapete che trovava tra le chiome? Bei giojelli, come anelli, orecchini, collane, fermagli, tutti d'oro e d'argento.

Quand'ebbe finito di pettinarla, la vecchierella le disse: « Brava fanciulla, perchè sei stata tanto buona, ubbidiente e servizievole, ti dono tutte queste gioje. Guarda, la vacca ha pure finito, il filo è tutto annaspato. Riponilo nel tuo *cargansc* e ritorna a casa. Ora devo farti ancora una raccomandazione. Se lungo la strada sentirai un asino ragliare, non volgerti indietro; se invece sentirai il canto di un gallo, volgiti pure indietro. »

La fanciulla promise, si prese il suo *cargansc* sulle spalle e tutta giuliva s'incamminò verso casa, seguitadalla vaccherella.

Non aveva fatto che un centinajo di passi quando udì ragliare un'asino, ma essa, memore della raccomandazione della vecchietta, filò via dritta per la sua strada senza voltarsi indietro.

Ad un tratto la sonora e robusta voce di un gallo le percuote l'orecchio; si volta indietro ed ecco che vede una stella scendere dal cielo e venire a posarsi sulla sua fronte.

Fuor di sè dalla gioja, studia il passo ed appena arrivata a casa racconta tutto alla matrigna, mostrandole le gioje ed il filo.

La matrigna, dopo di aver tutto ascoltato, piena di rabbia perchè quella fortuna non toccò alla sua vera figlia, spinse la fanciulla in una stanza, le gettò un pezzo di pane e ve la rinchiuse.

La vera figlia, saputo quanto era accaduto alla sorella, disse a sua mamma:

« Domattina voglio andar io colla vacca; voglio anch'io una bella stella in fronte e tante belle gioje. »

« Si, rispose la mamma, domani andrai tu e ritornerai tu pure con una bella stella in fronte, altrimenti uccido quell'altra, non voglio che sia più bella di mia figlia. »

Alla mattina vegnente adunque la mamma sveglia la figlia; invece di un *carganse* pieno di stoppa, glie ne getta solo una manata in una gerla *(gerlu)*, le da un bel tozzo di pan bianco e formaggio e le dice:

« Va dunque presto e ritorna stasera colla stella in fronte e con tante belle gioje. »

La fanciulla, malcontenta di essere stata svegliata troppo presto, con far dispettoso si prende la gerla sulle spalle e parte, cacciandosi avanti la vacca.

Arrivata sul pascolo, versò il contenuto della gerla alla vacca, non volendosi dar la pena di mettersi a filare. Ma la bestia, dopo aver fiutato un po', arricciò il muso, e colle zampe e colle corna sparpagliò la stoppa e si allontanò pascendo.

La fanciulla si sedette a mangiare, brontolando.

Dopo mezzogiorno le si presentò un vecchiaccio — era il demonio — il quale, sedutosi sull'erba la invitò a strigargli i capelli e pettinarlo. La fanciulla si alzò allora tutta contenta, nella speranza di fare la fortuna come sua sorella il giorno innanzi. Ma fra gli irti capelli del vecchiaccio non trovò che insetti schifosi e rospi e serpentelli e salamandre ed altre bestiacce, onde diè in singhiozzi e lamenti.

Il vecchio allora le disse:

« Torna a casa tua e se lungo la strada sentirai ragliare un'asino, voltati indietro, se invece sentirai cantare un gallo, non volgerti indietro. »

La fanciulla si gettò la gerla vuota sulle spalle e, cacciandosi avanti la vacca che era ritornata ed aveva finito di disperdere tutta la stoppa, fece ritorno a casa.

Strada facendo sentì ragliare un'asino e subito si voltò indietro. Peggio per lei, perchè una grossa e lunga serpe le saltò addosso e,. producendole acuto dolore, le si piantò colla testa nella fronte e le si attorcigliò alla vita.

Provò la fanciulla per strapparsi d'attorno la bestiaccia, ma quella, sentendosi tirare, si avvinghiava più stretta, e la fanciulla allora, pazza dal dolore e dallo spavento, si diede a correre, lasciando indietro la vacca, sì che arrivò a casa più morta che viva.

Quale non fu lo stupore, lo spavento ed il dolore della mamma vedendola arrivare tutta ansante, trafelata, piena di spavento, piangente, con quella serpe piantata nella fronte ed avvinghiata attorno alla vita, lo si può immaginare. Afferrò essa la bestiaccia per la coda, ma quella, a vece di staccarsi, le si attorcigliò attorno alla mano, stringendola tanto forte che essa pure diedesi a gridare ajuto.

Accorsero i vicini, ma per quanto facessero, non poterono liberarle.

Sentirono allora picchiare e sbattere la porta d'una stanza; andaron ad aprire e ne uscì frettolosa e piena di spavento l'altra figlia, con una bella stella in fronte.

Si slanciò essa verso la madre e la sorella e riuscì con pochi sforzi a liberarle ambedue.

La madre le domandò allora perdono di averla sempre maltrattata e la sorella le saltò al collo baciandola e domandandole pure perdono di essere stata cattiva con lei.

Ma fin che visse, la fanciulla buona portò sempre in fronte la stella, la fanciulla cattiva la cicatrice della morsicatura della serpe e la matrigna una lividura attorno alla mano destra, impronta lasciatale pure dalla serpe.

La fanciulla buona e la fanciulla cattiva.

C'era una volta una donna che aveva due figliuole.

Una era buona, ubbidiente e servizievole: scopava la casa, lavava le stoviglie, spolverava la mobiglia, andava a cavar acqua dal pozzo; ajutava insomma la mamma in tutte le faccende domestiche di cui era capace, e recitava sempre con fervore le preci del mattino e della sera.

L'altra figliuola era cattiva, disubbidiente e neghittosa, e se non vi era forzata, non faceva mai le preghiere del mattino e della sera.

Un giorno la mamma disse alle figliuole:

« Oggi voglio fare il bucato ed ho bisogno che mi portiate parecchie secchie d'acqua, tanto da empiere la caldaja. »

La fanciulla buona prese una secchia e di buona voglia andò a cavar acqua dal pozzo.

La fanciulla cattiva invece si strinse nelle spalle e non volle per nessun conto andare ad attinger acqua.

Quando la fanciulla buona volle cavare l'ultima secchia d'acqua dal pozzo, il manico uscì dalla molla che lo teneva agganciato e la secchia cadde nel pozzo.

La fanciulla corse piangendo ad avvertirne la mamma, la quale, per tutta risposta, le ordinò di scendere nel pozzo a ripescarla.

La fanciulla ubbidì. Giunta in fondo al pozzo non trovò la secchia, ma invece trovossi davanti a tre porte. S'avvicinò e bussò ad una di esse. Ne uscì un vecchio dalla barba lunga e grigia —. era S. Pietro — che le disse:

« Che vuoi fanciulla mia? »

« Signore, rispose la fanciulla, mi è caduta la secchia nel pozzo; non l'avreste per caso trovata? »

« No, mia cara, ma so che l'ha trovata quella donna che sta qui vicino. Va, bussa alla sua porta, ed avrai la tua secchia. »

La fanciulla andò a bussare alla porta indicatale, domandando: « Si può? »

« Avanti, » risposele una voce di donna.

La fanciulla entrò e trovò una buona vecchierella — era la Madonna — che le disse:

« Cosa vuoi, figlia mia? »

« Signora, rispose la fanciulla, mi è caduta la secchia nel pozzo, non l'avreste per caso trovata? »

« Sì l'ho trovata; ma se vuoi riaverla devi farmi prima tre servigi. »

« Volontieri, signora, purchè mi rendiate la secchia. »

« Bene, mi scoperai la casa, mi laverai le stoviglie e mi

pettinerai.   Questi sono i tre servigi che ti domando prima di renderti la secchia. »

La fanciulla ubbidì, e di buona lena diedesi a scopare la casa.   Tra la scopatura trovò tante belle cosette d'oro e d'argento, come: orecchini, spille, pendenti, collane e simili, che la fanciulla rese subito alla padrona.   Poi lavò le stoviglie, e le asciugò ben bene.   Da ultimo, con bel garbo, pettinò la vecchierella. Anche tra le chiome trovò tanti begli oggetti d'oro e d'argento.

I tre servigi compiuti, la vecchierella disse alla fanciulla:

« Perchè sei stata tanto buona e servizievole, ti dono tutte queste belle gioje che hai trovato.   Ora mi farai ancora un'altro servizio: È mezzogiorno; va a tirare quella corda là e suonerà quella bella campanella d'oro che sta là in alto. »

La fanciulla ubbidì ed andò a tirare la corda.   Nel mentre guardava in alto per vedere la campanella, scese una stella e venne a posarsi in mezzo alla sua fronte.   Quand'ebbe finito di suonare, la vecchierella le consegnò la secchia, dicendole:

« Brava fanciulla, continua ad essere buona e servizievole e recitar sempre le tue orazioni ed andrai in paradiso. »

Poi aprì una porticina e la fanciulla si trovò di sopra nella strada.   Riempì di nuovo la secchia e la portò difilato a casa.

La mamma stava per sgridarla di essere stata assente tanto tempo, ma alzando gli occhi sulla figlia vide la stella che questa portava in fronte, onde, fuor di sè dalla gioja, l'abbracciò e si fece raccontare l'accaduto.   La fanciulla raccontò tutto per filo e per segno.

Quando trasse le gioje trovate e regalatele dalla vecchierella, la figlia cattiva saltò su a dire:

« Mamma, voglio anch'io una bella stella in fronte e tante belle gioje.   Vado anch'io ad attinger acqua al pozzo. »

« È inutile adesso che tu vada, cattivaccia, poltrona; ora non ne ho più di bisogno, dovevi andar prima. »

« No, no, voglio andare anch'io, voglio anch'io tante belle gioje ed una stella in fronte. »   Ciò detto prese una secchia ed andò al pozzo.

Quivi giunta calò giù la secchia, poi tirò su la corda a mezzo del mulinello, nella speranza che quella — la secchia — si fosse staccata dalla molla e rimasta in fondo al pozzo, ma invece ritornò ripiena e bene agganciata.

Allora che fa ella?   Versa di nuovo l'acqua nel pozzo, e

coll'acqua lascia cader giù a bella posta anche la secchia. Poi scende nel pozzo per rispescarla.

Giunta al fondo, non trovò la secchia, ma invece si trovò innanzi a tre porte. Andò a bussare ad una di esse ed uscì S. Pietro che, con piglio severo, le disse:

« Perchè vieni a picchiare alla mia porta? Che vuoi? »

« Scusate, rispose la fanciulla, mi è caduta nel pozzo la secchia, l'avreste per caso rinvenuta? »

« No, rispose S. Pietro bruscamente, ho altro da fare che badare alla tua secchia, » e le chiuse l'uscio in faccia.

Andò allora a picchiare alla porta vicina. Ne sortì la Madonna ed anch'essa di cattivo umore le domandò:

« Che vieni a far qui? Che vuoi da me? »

« Signora, mi è caduta la secchia nel pozzo, l'avreste casomai rinvenuta? »

« No, non guardo alle tue cose, » ed anch'essa non volle ascoltar altro, rientrò in casa e le chiuse l'uscio in faccia.

Sconcertata, la fanciulla andò a bussare alla terza porta.

« Avanti, » le fu risposto.

La fanciulla entrò e si trovò faccia a faccia con un vecchiaccio — era il babao — che le domandò con modo burbero:

« Cosa vuoi? »

La fanciulla rimase spaventata da quel ceffo brutto, brutto e nero come la fuligine, e rispose:

« Mi è caduta la secchia nel pozzo, l'avreste per caso trovata? »

« Si, l'ho trovata. Ebbene? »

« Vi prego di rendermela affinchè possa portarla da mia madre. »

« Te la renderò, si, ma ad un patto: Che tu abbia a farmi prima tre servizi: scoparmi la casa, lavare le stoviglie e pettinarmi. »

La fanciulla prese la scopa ed a malincuore si diede a scopare quella casaccia piena d'immondizie. Invece di giojelli, tra la scopatura trovò rospi e ragni e scorpioni e salamandre e biscie ed altri animalacci, onde, tutta impaurita, gettò la scopa. Poi diedesi a lavare le stoviglie, ma erano tanto sporche che mettevano ribrezzo e non venivano mai pulite. Da ultimo andò a pettinare il vecchiaccio, e tra quei capelli irsuti, unti e bisunti non trovò che lendini e pidocchi, e piena di rabbia scoppiò in singhiozzi.

Quand'ebbe finito, il vecchio le consegnò la secchia dicendole:

«Se non muterai vita, verrai qui un giorno da me e vi rimarrai sempre fra le più immonde bestiaccie. Ora va là a suonare quella campanella.»

La fanciulla vi andò, ed avendo alzato il capo per guardare la campanella, venne colpita alla fronte da una meta bovina sì che le spruzzò tutta la faccia e sembrava un mostro irriconoscibile.

Il vecchiaccio le aperse allora una porta e la fanciulla si trovò di sopra nella strada.

Corse a casa dalla mamma e piangendo le raccontò l'accaduto. Ma quella risposele:

«Perchè sei stata prima tanto poltrona e disubbidiente, ora sei stata castigata.»

Der Ring des Gyges in der Schweiz.

Von Dr. Th. v. Liebenau in Luzern.

Zu den ältesten abergläubischen Vorstellungen gehört diejenige von der Kraft der Edelsteine. Schon Plato, Republ. II 3 erzählt uns von dem Edelsteine im Ringe des Königs Gyges von Lydien, der — wenn gegen den Inhaber gekehrt — die Wirkung hatte, dass man denselben nicht sah, während der Träger des Ringes alles um sich sah.

Später soll Kaiser Nero einen Smaragd besessen haben, durch den er in seinem Palaste sah, was im Theater vor sich ging.

Diese Vorstellungen lebten auch in der Schweiz mit einigen Variationen noch lange fort. Solche Zauberringe schrieb das Volk besonders Kriegern zu, die sich derselben zu strategischen Zwecken mit mehr oder weniger Glück bedienten. Nach der Volkssage sind die glänzenden Erfolge des Hauptmanns Wilhelm Frölich bei Cerisole, 1544, einem Ringe zuzuschreiben, durch den der kühne Söldnerführer in der „Bemunder-Schlacht" sich und seine Soldaten unsichtbar machen und in einen Nebel einhüllen konnte. So hörte noch im Jahre 1608 Hans Räber von Wolhusen erzählen, „als er zu synen nachpuren z'Dorff gangen von hauptman Frölich seligen, dass er sich im krieg vom fyend unsichtbar, oder ein nebel können machen, das man syn volk nitt sähen können.

Daruff er gesagt: er habe auch in einem buch geläsen, dass man könne ein ring machen mit einem oügli und etwas zügs daryn, dass, so man die hand beschliesse, werde einer unsichtbar ... Dessglychen könne man ein liecht zurüsten, dass man vermeine ein gemach sye gantz silberin oder voller hasen ... Diss buch habe er von einem meister im Wallis erkaufft." Luzerner Thurmbuch XIV 20, b.

Weniger wirkungsvoll war das 1620, 11. September, im Treffen zu Tirano angeblich vom Teufelsbeschwörer im Heere des Obersten Wolfgang von Mülinen von Bern angewendete Mittel. Peter Haldimann von Mägenwyl berichtet darüber 1626, „als er der Jaren mit dem Obersten von Müllinen in Pünten gezogen, habe er allen Soldaten seckhli geben, die sy für den Schutz gebrucht habent, dass wann sy selbige über sich gehabt, ein näbel ob inen uffgangen sye." Thurmbuch XIII 100.

Statt des schützenden Ringes und des unsichtbar machenden Pulvers nahm man auch die Passauerkunst zu Hilfe. Diese wollte 1635 Balthasar Kridiger von Baden von einem „Hochdütschen" erlernt haben. Thurmbuch XVIII 22.

Ueber Passauerkunst, Amulette und verwandte Sachen in der Schweiz vgl. Anz. f. schweiz. Gesch. u. Alt. 1857, 8—11; Jahrb. f. schweiz. Gesch. XIX 91—92. Zur Literatur über die Kraft der Edelsteine vgl. Bächtold, Deutsche Handschr. a. d. Brit. Mus. 1873, 153—166.

Volkstümliches aus dem Frei- und Kelleramt.

Von S. Meier, Lehrer, in Jonen.

(Fortsetzung).

Kleidung.

Wie mit dem zunehmenden Alter die Ernährungsweise der Kinder sich ändert, so erleidet auch die Kleidung eine Aenderung. Statt Windeln und Gschöpli gibts weisse oder farbige Hemdchen oder Röcklein, „Schübeli" (Schürzchen), wollene Strümpfchen, Finklein oder Schühlein und Hütchen aus Strohgeflecht oder Piqué, nebst Geiferlätzchen, alles nach modernstem Schnitt. Diese Kleidung bleibt für Knaben und Mädchen gleich bis etwa

16

zum vierten Altersjahr. Von da an aber beginnt die Unterscheidung, indem die Buben jetzt „Gstalthösli“ und „Blusli“ erhalten, welche etwa drei Jahre später durch Hosen (ohne Gestalt), „Libli“ (Weste) und „Mutzli“ (kurze Jacke) ersetzt werden; ferner genagelte Lederschuhe (im Winter ausserdem Finken, Filzschuhe, Tuchschuhe, oder Holzbodenschuhe), Strohhüte (im Winter Mützen aus Astrachan, Plüsch u. dgl.). In die Tasche der Sonntagsweste kommt nach Empfang der hl. Firmung eine silberne Uhr, das gewöhnliche Geschenk des Firmpaten. Die Strümpfe bleiben für beide Geschlechter gleich und werden meist noch selber aus farbigem Wollen- oder Baumwollengarn von Hand gestrickt.

Die Kleidung der Erwachsenen ist jetzt ganz modern und besonders hinsichtlich des Sonn- und Festagsstaates von derjenigen der Städter kaum mehr zu unterscheiden. Hiezu kommt noch, dass die Leute bereits auch den Wert wärmender Ueber- und Unterkleider kennen gelernt haben, wie z. B. Ueberzieher, Mäntel, Pelerines, Capes, Visites, Jaquettes, Unterhosen, Unterjacken, Tricots, Filets, Corsets, Normalhemden. — Den Stoff zu den Anzügen liefern „Müsterliriter“ aller Art, bezw. deren Prinzipale oder ein Tuchgeschäft in der nähern Umgebung. Ein Anzug aus selbstgewonnener Wolle ist fast so rar, wie ein weisser Rabe. Nach „pürischer“ Art gekleidet ist noch am meisten das „Mannevolch“, wenn es im Werktagsgewande einherschreitet, d. h. in Lederschuhen oder Stiefeln (im Winter Holzbodenschuhe), Strümpfen, Socken oder „Fuesslumpe“ (d. h. die Füsse mit Tuchlappen umwickelt), Hosen, Weste und „Mutzen“ aus Triesch, Halblein, Eberhaut, schwarzem Zwillich, in blauem Ueberhemd oder carrierter Stallblouse, schwarzem Filzhut oder vergilbtem Strohhut. Zuweilen taucht auch noch etwa ein altes „Meitli“ auf mit „Gschopen“, schwarzer Jüppe, zwei langen mit weissen Bändern durchflochtenen Zöpfen und schwarzer „Bränzhube“ (Spitzenhaube). Sonst aber kleidet sich alles, wie schon gesagt, modern und wie es das Modejournal der Schneider und Schneiderinnen gezeichnet und beschrieben bringt.

Wie ganz anders war es aber, als die Freiämtler noch in ihrer eigenen Tracht erschienen. „Da hatten — so schreibt eine 72jährige, körperlich und geistig noch ganz rüstige Boswylerin — die ältesten Boswyler, die ich kannte, die Hosen in den Strümpfen und ganz niedere Schuhe an, eine lange Weste, rot oder auch

anderst farbig. Der Rock war ebenfalls lang, das Hemd war
weiss, aber ohne Kragen, ein langes Halstuch wurde um den
Hals gebunden und auf dem Kopf trugen sie einen schwarzen,
breiten Filzhut mit kleinem Güpf oder eine weisse Zözelikappe.
Die Frauen hatten Stossblegi- oder Kerndelijüppen und leinene
Schürzen rot oder blau gestreift, weisse Strümpfe und Pantoffeln
oder sonst ganz niedere Schuhe; oberhalb der Jüppen trugen
sie einen Tschopen mit kurzer Gestalt und sehr einfachen Ermeln,
am Vorterteil war das sogenannte Brusttuch angebracht, befestigt
mit einem Nestel und um den Hals ein weisses Göller mit
breiten Spitzen, und an einem Sammetband hieng ein goldenes
oder silbernes Kreuz. Die Haare wurden im Genick in zwei
Zöpfe gebunden; an Sonntagen brauchten sie ein seidenes und
an Werktagen ein wollenes Band dazu, das bis auf die Schuhe
reichen musste; dann wurde noch ein flacher Schwefelhut oder
auch ein schwarzer Filzhut aufgesetzt und unter den Zöpfen mit
einem breiten Wasserband gebunden. — Muss noch sagen, dass
die Jüppen von unten bis oben gefelglet waren wie Rüschen."
    Die Knaben und Mädchen waren, so lange sie noch nicht
in die Schule gehen mussten, d. h. bis zum sechsten oder
siebenten Altersjahre fast gleich gekleidet: sie trugen „Gstalt-
röckli", die hinten mit Haften oder beinernen Knöpfen geschlossen werden konnten. Diese Röcklein waren meist aus
Halbwollenstoff oder aus blau und weiss bedrucktem leinenem
Zeug. Die Hemdchen fertigte man aus Baumwollenstoff oder
Leinwand. Als Kopfbedeckung diente den Knaben ein Strohhut
oder eine Tätschkappe mit langem Schirm; Schuhe (sog. Lätzli-
schuhe) und Strümpfe trugen die Kinder nur im Winter. Die
Strümpfe wurden aus selbstgewonnenem, leinenem Garn gestrickt.
Den Sommer hindurch giengen die Kinder barfuss und sie
brachten es dabei so weit, dass sie nicht bloss auf Strassen und
Wegen, sondern sogar über Stoppelfelder und durch dornen-
reiches Gehölz gehen konnten. Das Barfussgehen wird zwar
auch heutzutage noch geübt, aber bei weitem nicht mehr so allgemein wie früher. — Von Unterkleidern früher keine Spur.
Die Schuhe wurden mit Schweinefett oder Unschlitt eingeschmiert;
nur an Festtagen erlaubte man sich den Luxus der Wichse.

Zum Hausrat.

    Ein Wechsel fand beim Grösser- und Aelterwerden der
Kinder ferner bezüglich des nächtlichen Lagers statt, indem die

Wiege einem „Gutschli" (kleines Bett) zu weichen hatte. Waren die Mittel zur Anschaffung eines solchen nicht vorhanden oder wurden sie gescheut, so hiess es dann: „Du chunst mit eus is Bett, du gohst mit säbem etc.

Das Bett der Erwachsenen war so breit, dass zwei Personen bequem darin Platz nehmen konnten. Es hiess deshalb auch „Zwäuerbett" und war folgendermassen ausgestattet:

Erstens gehörte dazu eine hölzerne Bettstelle, zweitens ein Laubsack, drittens ein „Lauberli", auch „Hautlauberli" genannt (d. h. Haupt- oder Kopfpolster), viertens ein bis zwei Kopfkissen, fünftens ein Unterbett, an dessen Stelle von ärmern Leuten oft einfach „Ambelasch" (d. h. Emballage, aufgetrennte Säcke) gelegt wurden, sechstens ein bis zwei Leintücher, und siebentens eine Federdecke.

Der Laubsack und das Lauberli waren mit Buchenlaub gefüllt. Das Füllen wurde zuweilen im Walde selber vorgenommen. Später ersetzte man das Laub durch Stroh und der Laubsack wurde deshalb zum „Strausack." Der Name Lauberli dagegen blieb.

Die Leintücher wurden aus „rauer" d. h. ungebleichter Leinwand gefertigt und waren meist das Produkt eigener Hanfpflanzung.

Leinen waren auch die „Zieche" (Bettanzüge), doch wählte man hiezu vorzugsweise rotgestreifte Leinwand. Die „Gutschli" waren ähnlich ausstaffiert, indessen fehlte ihnen das Unterbett.

Zweischläfige Bettstellen sind in vielen Häusern jetzt noch zu finden, sie werden aber immer mehr durch ein- bis anderhalbschläfige verdrängt. Auch eiserne Bettstellen haben hier bereits ihren Einzug gehalten, sind jedoch nur vereinzelt zu treffen. Strohsäcke und mit Stroh gefüllte Kopfpolster sind ebenfalls noch häufig vorhanden, müssen aber nach und nach den Matrazen aus Rosshaar, Seegras oder Stahldratfedern weichen. Statt „Leintüchern" trifft man nicht selten Betttücher aus Baumwollenzeug oder gar Barchent. Die Federdecke wird im Sommer zuweilen durch eine Wollendecke ersetzt, im Winter aber vielfach um eine Wollendecke vermehrt, und was schliesslich die Anzüge betrifft, so bestehen diese entweder aus Kölsch, Indienne oder „Bärsiane" (Persienne).

Um die Hemden zu sparen, legten sich die Leute früher meist nackt zu Bette (teilweise geschieht dies auch jetzt noch, besonders im Sommer) und zwar teilten das gleiche Lager Mann und Frau, Bruder und Bruder, Onkel und Neffe, Schwester und Schwester, Tante und Nichte, Erwachsene und Unmündige; in ärmern Familien etwa auch Bruder und Schwester (unmündig oder bereits erwachsen), oder wie es denn die Umstände erheischen. [1])

Eine beliebte Lagerstätte waren und sind im weitern immer noch neben dem Bett die in den Wohnstuben längs des Ofens oder längs der Wände angebrachten hölzernen Bänke; ferner der Ofensitz („Choust" genannt) und der Kachelofen, welch letzterer meist nicht gar hoch, dafür aber eine ausgedehnte Oberfläche aufweist und mit Vorhängen versehen ist. Die Bänke werden besonders vom „Mannevolch" belegt und dienen demselben in der Regel zum Ausruhen. Der Ofen und der „Choust" dagegen sind das Gemeingut aller Familienglieder und zwar der kranken sowohl als der gesunden; sie haben jedoch den Uebelstand, dass sie bei zu langem darauf Verweilen den Kleidern der sich Wärmenden oder Ausruhenden einen üblen Geruch mitteilen, welcher unter dem Namen „Brüederle" bekannt ist (d. h. einen Geruch verbreiten, wie die Kleider eines unsaubern Waldbruders oder Fechtbruders). Hinter den Vorhängen des Ofens wird in gewissen Häusern auch „gekiltet" (von Liebenden gekost), ebenso findet man auf dem Ofen hie und da Kranke gebettet.

Die aus Ofen und Ofensitz strömende Wärme wurde im Winter noch vor etwa zwei Dezennien vielfach durch sog. Glutpfannen oder Gluthäfen („Glüetpfanne", „Glüethäfe") vermehrt. Man stellte diese entweder mitten in die Stube oder unter den Tisch, letzteres, um die Füsse wärmen zu können. Sie verursachten aber durch das sich daraus entwickelnde Kohlenoxydgas Kopfschmerzen, auch passierte es etwa einmal, dass spielende Kinder mit Händchen oder Aermchen den feurigen Kohlen zu nahe kamen, und sich dabei nicht selten schwere Brandwunden zuzogen.

Körperpflege.

Eine untergeordnetere Rolle im Leben des Kindes sowohl als der Erwachsenen bildete von jeher die Hautpflege oder

---

[1]) In Tägerig z. B. gab eine gewisse Familie Anlass zu der Redensart: „Sibe Trümpf i üim Näst." Hieher gehört auch die Redensart: „Wenns nit Platz händ, so thued mers bige" (aufschichten).

überhaupt die Reinlichkeit. Es ist zwar in dieser Beziehung um vieles besser geworden, doch bleibt noch Manches zu thun übrig. Beleuchten wir die Sache etwas näher. Da ist z. B. das Waschen. Hier lässt sich sagen, das im Allgemeinen nur das gewaschen wird, was mit der äussern Luft in unmittelbare Berührung kommt, nämlich Hände und Gesicht. Auch kommt dieses Waschen nicht allzuhäufig vor, des Tags etwa einmal und zwar am Morgen, entweder gleich nach dem Aufstehen oder erst nach dem Frühstücke. Solange die Kinder sich noch nicht selber waschen können, wird diese Arbeit gewöhnlich von der Mutter besorgt und in der Stube vorgenommen, und es kommen dabei, wenn nicht für alle Kleinen, so doch meist für mehr als eins das gleiche Waschgeschirr, das gleiche Wasser, das gleiche Waschtuch zur Verwendung. Was eine solche Gewohnheit aber unter Umständen zur Folge haben kann, zeigt ein mir erinnerliches Beispiel, wo der Hautausschlag eines Kindes auf sämtliche Geschwister übertragen wurde.

Während die Kinder in der Stube gewaschen werden, wäscht sich das Weibervolk vorzugsweise in der Küche und bedient sich dabei eines Waschtuches; das Mannenvolk dagegen zieht eher den Brunnen vor, sofern sich ein solcher in der Nähe des Hauses befindet und wäscht sich dort noch vielfach nach alter Manier, d. h. mit den Händen. Das Abtrocknen geschieht in diesem Fall mittelst des Nastuches.

Für die Haarpflege hatte man früher meist in der ganzen Familie nur einen Kamm, während jetzt in mancher Familie fast jedes Erwachsene seinen eigenen Kamm besitzt. Nastücher waren ebenfalls ein viel rarerer Artikel als jetzt: die Kinder putzten die Nase an den Rockärmeln und erzeugten dadurch „glänzendes Leder" (wie der Ausdruck lautete); die Grössern gebrauchten dagegen den Daumen und den Zeigefinger der rechten Hand resp. die Schürze.

Gebadet wurde und wird hauptsächlich im Sommer, doch zumeist nur von der Jugend, seltener von den Erwachsenen und unter diesen eher von Männern als von Frauen. Das Baden hat jedoch nur Bezug auf die Anwohner des Reuss- und Bünzufers.

Ein weiterer, hieher gehöriger Punkt betrifft die Befriedigung gewisser Bedürfnisse. Diesbezüglich ist zu sagen, dass das Suchen nach Nachttischchen, Nachtstühlen u. dgl. noch in einer grossen Zahl von Wohngebäuden erfolglos wäre. Wo die fraglichen Möbel aber wirklich vorhanden sind, so erfolgte deren Anschaffung meist erst in den letzten zwanzig Jahren und dies gewöhnlich bei Anlass von Heiraten. Gleicherweise ist nicht in jedem Hause, wenigstens in denjenigen Gebäuden nicht, die ältern Datums sind, ein Abtritt zu finden, vielmehr hat letzterer seinen Platz fast immer ausserhalb der Räumlichkeiten und zwar entweder neben dem Eingang, oder am Ende eines Laubenganges, oder in der Nähe der Schweineställe, oder nahe der Scheune. Entsprechend diesem besondern Standorte und der äussern, einem Bretterhäuschen gleichenden Gestalt ist der Abtritt auch noch bekannt unter dem Namen „Brefeethüsli", „Sekrethüsli". oder einfach „Hüsli."

Vor dreissig Jahren jedoch fehlte auch dieses abgesonderte Häuschen mancherorts und man hatte statt dessen im Stall, in der Futtertenne, auch wohl etwa in einer Kammer oder in irgend einem diskreten Winkel einen hölzernen Zuber („Gelte") stehen, über welchen ein „Knebel" gelegt war, der den Dienst eines Sitzes versehen musste. War die Gelte voll, so wurde sie auf dem Kopfe auf's Feld hinausgetragen und vorzugsweise auf „Bohneblätz". Bei diesem Anlasse soll einst einem „Meitli" von Wohlen, welches jetzt noch lebe, das Missgeschick passiert sein, dass ihm während des Tragens der Boden der Gelte hinausfiel, worauf der Inhalt sich über die Trägerin ergoss. Der böse „Husmuni"! (so hiess nämlich landauf, landab der Inhalt des obbeschriebenen Gefässes.)

Volksmedizin.

Wird ein Kind krank, so probieren die Frei- und Kellerämterweiber dreierlei: entweder versuchen sie, den kleinen Patienten selber zu „doktern", wobei man unter Umständen gerne den Räten guter Freundinnen und Nachbarinnen Gehör schenkte, oder sie wenden sich an einen Arzt, in manchen Fällen auch an einen Quacksalber, oder endlich sie machen ein „Versprechen" (Gelübde), gehen wallfahrten, bezw. schicken jemand wallfahrten.

Nachstehend gleich eine Anzahl Beispiele, die zeigen, wie unsere Leute dokterten und doktern. (NB. Als Kurobjekte dienen beim Selbstdoktern nicht bloss Kinder, sondern auch Erwachsene.)

Hat man sich an einer Hand oder an einem Finger geschnitten, so ist, wenn sich gerade kein Wasser in der Nähe findet, das Beste: „drüber abe brünzle", denn der Urin wäscht nach altherkömmlicher Meinung die Wunden aus und macht, „dass 's e-kes Fulfläisch ged." Blutungen infolge Verletzungen werden in Ermangelung von Verbandstoffen gestillt durch Auflegen von Spinngeweben. Geschwüre, „die settid usgoh", d. h. welche sich ihres eitrigen Inhalts entleeren sollten, wie z. B. „Geissegriggi", werden mit warmem Kuhdreck belegt, der von Zeit zu Zeit zu erneuern ist. „Böse Finger" (Fingerwurm) heilt man durch Auflegen eines Breies von gesottenen „Titiblättern" (Petasites officin.). Hat man „Blätz" (wunde Stellen) an Armen, Händen etc., so belege man sie mit Blatthäuten von „Blätzgüetli" (Sedum telephium) oder mit zerriebenem „Ripplichrud" (Plantago lanceol.). Leidet man an Kopfweh, so trinke man „Mattetäneli"-Thee (Primula offic.). Halsweh wird gehoben durch Trinken von „Ofenöndli"-Thee (Viola odor.). Husten verschwindet nach Trinken von „Ripplichrud"-Thee. Heiserkeit vertreibt man, wenn man „Chäserlistude" (Malva) siedet und den dabei sich entwickelnden Dampf auf den Kopf wirken lässt. Bauchweh lässt sich vertreiben durch Trinken von Wegwarten-Thee (Cichorium intybus) oder Thee von Biberklee (Menyanthes trifoliata). Letzterer Thee ist auch gut für Magenweh und Kopfweh. Nasenbluten wird gestillt: 1) bei Kindern, indem man ihnen ein Stück Nähfaden um das erste Gelenk des kleinen Fingers der linken oder rechten Hand, oder beider Hände zugleich bindet. 2) bei Erwachsenen, indem man ein Fünffrankenstück in die hohle Hand legt und diese fest zudrückt. Wer von Zahnweh verschont bleiben will, soll sich jeden Freitag die Fingernägel abschneiden; wer aber Zahnweh hat, koche Kamillen, tauche einen Lappen in die heisse Brühe und lege ihn auf die schmerzende Stelle, oder: er ziehe das innere Häutchen an der Schale eines Hühnereis ab, lege es um den Zeigfinger derjenigen Hand, welche der schmerzenden Gesichtshälfte entspricht, oder: er wickle Knöchelchen einer Maus in Papier und trage sie mit sich herum, oder: er nehme Salz und leg's auf den hohlen Zahn, oder: er nehme ein „Priseli" Salz und Pfeffer, menge es untereinander, lege es auf den hohlen Zahn, träufle einen Tropfen Wasser darauf.

Die Behandlung menschlicher Leiden und Gebrechen durch wissenschaftlich gebildete Aerzte, deren es im Frei- und Kelleramt über ein Dutzend gibt, die sich auf die Gemeinden Sins, Auw, Muri, Merenschwand, Bünzen, Wohlen, Sarmensdorf, Vilmergen, Bremgarten, Jonen verteilen (das Kelleramt speziell hat

seinen eigenen Arzt seit 1847) kann hier nicht in Betracht fallen.
Das hingegen dürfte angeführt werden, dass es eine Zeit gegeben hat — und sie liegt noch nicht weit hinter uns —, wo
gewisse Tierärzte und Quacksalber sich eines hübschen Zuspruchs
zu erfreuen hatten von Seite der frei- und kellerämtischen Patienten und Patientinnen; die Tierärzte wegen ihrer Geschicklichkeit im Zahnausziehen bezw. in der Bereitung von Pflastern
für „Gliedersucht" und Wunden, die Quacksalber wegen ihrer
Künste im „Heilen von innerlichen Krankheiten sowohl als auch
äusserlichen". Hiefür blos ein Beispiel: Im Jahre 1887 litt in
Jonen ein Kind an einer schmerzhaften Augenkrankheit. Statt
nun den Arzt des eigenen Ortes zu konsultieren, begab sich die
Mutter mit ihrem Kinde auf Anraten gewisser Personen nach
Oberwyl zu einem unstudierten und unpatentierten, aber doch
wegen seiner Heilkünste berühmten „Tokder". Der gab ein
Kräuterbündelchen mit dem Bemerken, das Kind solle dasselbe
um den Hals tragen neun Tage lang und es dann nach Ver-
fluss derselben unter Anrufung der drei höchsten Namen ins
Feuer werfen. Der Rat wurde befolgt, blieb aber ohne Wirkung.
(So dokterten auch, wie Schreiber dies in seinen Knabenjahren
an sich selber erfahren hat, die Klosterfrauen in Gnadenthal,
nur gab es nicht bloss Kräuterbündelchen für den Hals sondern,
man bekam auch „besegnete" Watte, letztere mit dem Auftrage,
sie auf das kranke Auge zu binden.)

Können die eigenen Aerzte nicht schnell genug oder gar
nicht helfen, so wendet man sich an solche, die ausserhalb der
Landesmarken wohnen, und zwar nicht zuletzt an einen gewissen „Wassergschäuer" im Steinerberg, Kt. Schwyz, oder an
bekannte Heilkünstler im Glarnerland, welch' letztere zudem
noch das voraus haben, dass sie auch „brieflich" heilen können.

Ein wichtiges und häufig angewandtes Mittel zur Wiedererlangung der Gesundheit sind die Gelöbnisse. Unter diesen stehen
oben an das Versprechen, eine Wallfahrt zu machen oder machen
zu lassen, ein Opfer zu bringen, gewisse Andachtsübungen zu
unternehmen oder so und soviel Messen lesen zu lassen. Die Wallfahrten werden vornehmlich in der Zeit zwischen Heu- und Ge-
treideernte ausgeführt, bezw. zu einer Zeit, da das Wetter zum
Reisen günstig und die Feldarbeiten nicht besonders dringlich
sind. Man wallfahrtet einzeln, zu zweien oder in Trüpplein von
drei bis zehn und mehr Personen und wählt sich als Endziel

Beinwyl, Büelisacker, Jonenthal, Rüti bei Merenschwand, Hermetschwyl, Muri, Emaus bei Bremgarten, ferner Cham, Einsiedeln,
Greppen, Bruderklausen, Rickenbach, ja sogar Lourdes.

In Beinwyl wird der hl. Burkard verehrt. Dieser lebte
zu Anfang des 11. Jahrh. als Seelsorger der dortigen Pfarrei
und ist berühmt wegen seiner Wunderthaten in Fällen von
Krankheiten und Gebrechen. Daran erinnern zahlreiche, in einer
unter dem Chor der Kirche befindlichen Kapelle aufgehängte
Votivtafeln, Arme, Beine, Füsse, Hände, aus Wachs, Holz, Leder,
Carton, ferner Krücken etc. Wunderthätig ist dem Volksglauben
nach auch das „St. Burket Brünneli" in der Nähe der Kirche
und es kehrt desshalb selten ein Wallfahrer von dort zurück,
ohne von dem Wasser getrunken zu haben. Mancher Kranke
lässt sich auch St. Burketwasser holen, doch ist er dann nicht
immer sicher, ob er das Bestellte wirklich auch erhalte. Als
Beweis hiefür diene Folgendes: Ein Unterfreiämter-Männchen,
das sich gerne zu den Frommen und Gottesfürchtigen zählte
und häufig Wallfahrten unternahm da- und dorthin, für sich
selber sowohl als für andere (im letztern Falle um Geld)
pilgerte einst auch nach Beinwyl in der Absicht, für verschiedene
Kranke einige Krüglein des erwähnten Wassers zu holen. Auf
dem Heimwege nun passierte ihm das Missgeschick, dass das
heilende Nass eines der Krüglein ausrann. Unser Bote aber
nicht faul, begibt sich zum ersten besten Brunnen, füllt das
Krüglein an der Röhre und lässt sich das gefasste Wasser
nach seiner Heimkunft als St. Burketwasser bezahlen.

Vielbesucht, besonders von Kindern mit „Rifechöpfe" (mit
dem Kopfgrind behaftet) war früher (jetzt weniger mehr) auch
das sog. Rifechopfchäppeli bei Büelisacker, bezw. das daneben
fliessende Brünnlein. Die Sage erzählt von dieser Stätte: drei
vornehme Pilger, die sog. Angelsachsen (Ritter Caspar von
Brunschweil, Graf Eberhard aus Sachsen und ein Diener) seien
vor vielen, vielen Jahren auf einer Reise nach der „Grabstätte
der Heiligen" auch durch Boswyl gekommen und hätten in
diesem Dorfe „Freitags nach dem glorreichen Feste der Auffahrt
Christi Einkehr gehalten." Als sie dann aber wieder weiterge-
zogen, gegen Büelisacker, seien sie an der Stelle, wo das
Kapellchen steht, von einigen Bösewichtern aus Boswyl, die
hinter den Fremden verborgenen Reichtum vermutet, angefallen,
ermordet und enthauptet worden. Nach dem Abzug der Mörder

aber hätten die Angelsachsen ihre Köpfe wieder vom Boden aufgenommen, in einem nahen Brunnen gewaschen und auf den Händen nach Sarmenstorf getragen, wo sie endlich tot niedergesunken und wo sie auch beerdigt worden seien. Noch meldet die Sage, dass seit jener Unthat alle „Nottere" (die Mörder sollen „Notter" geheissen haben) mit einem roten Ringe um den Hals zur Welt kämen.

„Rifechöpfige", welche nach Büelisacker wallfahrten, pflegen im Kapellchen einige Vaterunser zu beten und im Brünnelein die Köpfe zu waschen.

In der Kapelle Jonenthal, in Muri (Lourdes-Chäppeli) und in Rüti bei Merenschwand wird die Mutter Gottes verehrt, und stundenweit kommen oft Leute hergepilgert, um darin für Kranke Heilung zu erflehen oder für erfolgte Genesung zu danken durch Gebete und Opfer an Geld oder Votivtafeln, von welch letztern Dutzende die dem Chor zugekehrte Seite zieren. Zuweilen werden auch wächserne Beinchen, Aermchen etc. geopfert, im Jonenthal ehemals, besonders im vorigen und zu Anfang des gegenwärtigen Jahrhunderts silberne „Agnissdey", „Chrützli", Rosenkränze, „Kindli", „Fuoss", „Zeichen mit Vylligran" etc., welche dann gelegentlich irgend einem Goldschmid zu kaufen gegeben wurden, wie z. B. A. 1823 dem Goldschmid Schneider in Luzern „alte-silberne votiv Kreuz und Angissde 297 Loth, das Loth a 15 bz bringt 445 Fr. 5 bz."

Hermetschwyl und Gnadenthal, bezw. die Klosterkirchen dieser zwei Orte werden besucht in Fällen schwerer Erkrankung und zwar geschieht dies in der Regel so, dass man 9 Kinder auswählt, welche in Begleitung der Grabbeterin (einer Person, welche an den Gräbern der Verstorbenen eine Zeit lang Gebete verrichtet, die Gräber auch in Ordnung hält und die dabei befindlichen Weihwassergefässe mit dem nötigen Weihwasser versieht) den Gang zu besorgen haben unter fortwährendem Gebet auf dem Hin- und Rückweg und Beten eines Psalters (= drei Rosenkränze) am Wallfahrtsort selber. Man heisst das „i d'Ablösig goh". Für den erwiesenen Liebesdienst erhalten die Teilnehmer eine billige Entschädigung an Geld.

Cham verdankt seinen Ruf als bedeutender Wallfahrtsort dem „Bischof ohne Namen", der dort begraben liegt und als besonderer Wunderthäter gilt für kranke Kinder. Ein hierauf bezüglicher Spruch lautet:

De Bischof ohni Name
Hilft de Chinden allezsame. (Vgl. Arch. I 214)
Nach der Meinung der Frei- und Kellerämtler, von denen
jährlich Hunderte zu ihm wallfahrten, lässt er den kleinen Patienten seine Hülfe schon angedeihen, wenn man nur irgend ein
Kleidungsstück des betreffenden Kranken bei sich trägt, nur darf
man dann nicht vergessen, dieses Kleidungsstück an Ort und
Stelle segnen zu lassen. In jedem Falle aber macht der Bischof
„dass 's e Wäg gohd, seigs denn zum Sterbe oder Wieder-Ufcho".

Dass gewisse Kinderkrankheiten oft auch einfach durch
vernünftigere Ernährungsweise sich würden heben lassen, will
manchen Eltern nicht einleuchten. So hatte ein Ehepaar ein kleines
Kind, das an Diarrhöe erkrankte, weil es mit Milch von Kühen
genährt wurde, die hauptsächlich Weissrüben und Ruben zu
fressen bekamen. Statt nun dem Rat eines einsichtigen Bekannten
zu folgen oder eine der Kühe ausschliesslich mit Heu zu
füttern, um so wenigstens bessere Milch zu erhalten, meinte der
Vater des Kindes, das Uebel könne wieder verschwinden, wie
es gekommen sei, und unterliess die nötigen Schritte.

(Fortsetzung folgt).

Einige
Sagen und Traditionen aus dem Freiamt, im Aargau.
Von B. Reber in Genf.

1. Sagen.

Da ich das Freiamt, meine engere Heimat, seit über 30
Jahren und Benzenschwiel, meinen Geburtsort, seit 40 Jahren
verlassen habe, kann es sich hier nur um einige Jugenderinne-
rungen handeln. Immerhin wäre zu bedauern, wenn die Sage
vom „Kindlistein", welche sich nicht in der umfangreichen Sammlung von Rochholz[1]) befindet, ganz der Vergessenheit anheimfallen würde.

Der „Kindlistein", auch „Heubeeristein" (Heubeeri, Heu-
beerli, Heidelbeere, Vaccinium Myrtillus L.) genannt, lag in dem
Thälchen der kurz vorher vereinigten zwei Dorfbäche (Weissen-

---

[1]) E. L. Rochholz, Schweizersagen aus dem Aargau. Aarau 1856.

bach und Pündtenbach), hinter dem Dorfe, in der Richtung
gegen Merenschwand. Unter diesem Steine, einem bedeutenden,
erratischen Blocke, befanden sich die Neugebornen. Die Hebamme, welche zum Zwecke der Abholung der Kindlein bei dem
betreffenden Steine eintraf, hatte anzuklopfen und dann pfeifend
einen dreimaligen Rundgang um den Block herum anzutreten.
Brachte sie es zu Stande, den Stein, ohne mit dem Pfeifen aus-
setzen zu müssen, dreimal zu umkreisen, so fand sie ein Knäblein,.
im andern Falle ein Mädchen. Leider ist der Heubeeristein verschwunden. Er wurde gesprengt und zur Eïnmauerung des
Baches von Merenschwand verwendet.

Bei einem jüngst in Benzenschwiel abgestatteten Besuche
brachte ich eine zweite Version der Sage in Erfahrung. Darnach
hatte sich die Hebamme mit dem nackten Unaussprechlichen
oben auf den Stein zu setzen und herunter zu rutschen. So-
trivial vielleicht Einigen diese Angabe erscheinen mag, so ist dieselbe doch ganz ernsthaft gemeint. Bei einem so wichtigen Geschäfte, wie das Erhalten der zukünftigen Generation wird nicht
gespasst. Uebrigens erinnert mich diese Angabe an zwei andere
Steine, nämlich die Pirra Louzenta [1]) bei Vissoye im Eifischthal
(Wallis), welche ganz in der Nähe eines bedeutenden vorhisto-
rischen Monumentes, der Pierre-aux-Fées, liegt; dann die Pirra
Ljozet bei Thoiry, im französischen Jura, welche selbst mit vor-
historischen Sculpturen versehen ist. [2]) Beide Blöcke befinden
sich ziemlich von den menschlichen Wohnungen entfernt, an
einsamen Orten, zeigen aber jeder eine breite Rinne, welche für
eine Rutschrinne gehalten werden kann. Daher der Name
Rutschstein. Im Eifischthal heisst *louzenter* rutschen, *Louzenta* der Rutsch. Die Rinne des betreffenden Steines wird,
wie es scheint, von den Schäfern und Gaisbuben auch heute
gelegentlich noch zum Rutschvergnügen benutzt. Der Stein im
Jura (französ. Depart. Ain) liegt ziemlich vergessen im Gebüsch
des steinigen Gebirges. Da ich die Gegend auf vorhistorische
Monumente durchforschte, blieb kein Block unberücksichtigt.
Wie mir der Führer, ein alter, sehr verständiger Mann aus
Thoiry, den Namen mitteilte, fiel mir sofort die soeben erwähnte
Pirra Louzenta ein. Es ist hier aber nichts über die Gewohn-
heit des Darüberrutschens bekannt, dieselbe wird nur vermutet.

---

[1]) Archiv für Anthropologie XXVI, 1. u. 2. Heft.
[2]) Abhandlung im Drucke.

Jedoch macht sich die breite Rinne in der Mitte der grossen, schiefliegenden Platte sehr bemerkbar. Nebstdem enthält sie, wie bereits angeführt, eine gewisse Anzahl ganz typischer, vorhistorischer Sculpturen. Dass die zwei Ausdrücke *louzenta* und *ljozet* nahe Verwandtschaft besitzen, liegt auf der Hand, wenn mein Begleiter für letztern auch keine Erklärung kannte. Diese zwei in bedeutender Entfernung auseinander liegenden Steine lassen noch weitere Analogien vermuten, besonders aber machen sie dieselben wünschbar. Denn dass bei genauerer Untersuchung eine Beziehung der Rutschsteine zur Sage und Mythologie festgestellt werden könne, lässt sich nach dem Gesagten wenigstens voraussetzen.

Obwohl mir mehrere Kindlisteine (auf dem Uetliberg für Zürich, im Walde Hondern bei Nesslenbach für die dortige Reussthalgegend, für Wohlen der Hermanndlistein) bekannt sind, weist doch keiner in der Tradition Einzelheiten auf, wie derjenige von Benzenschwiel.

Eine weitere hiesige, übrigens weit verbreitete Sage ist diejenige vom Dorfhunde. In Benzenschwiel ist es ein riesiges, schwarzes Tier, das nie billt, nur knurrt und fleischtellergrosse Augen hat. In gewissen Stunden der Nacht, besonders um 12 Uhr, schreitet er dem Weissenbach entlang, von der obern Brücke bis zu jener der Hauptstrasse und verschwindet dort.

Anknüpfend an diese Sage wird erzählt, wie eines Abends, an einer „Stubeten" (gemeinschaftlicher Zusammensitz der Dorfleute) viel über den Dorfhund gespottet wurde. Da man sich mit Strohflechten befasste, sagte der eine, „er habe ihn unter dem Nagel", ein anderer „jetzt han-i ä umäto", u. s. w. Auf dem Heimwege stand der Dorfhund da und rollte fürchterlich seine feurigen Augen. Erschreckt rannte jeder seiner Wohnnng zu. Tags darauf fühlten sich Alle krank, Einer davon starb.

Auch die „Sträggelä" spukt noch vielfach im hiesigen Volksglauben. Mit ihr wird den ungehorsamen Kindern gedroht. Man muss sich aber sehr hüten, damit Ernst zu machen. Aus dem nahen Luzernergebiet wird berichtet, wie einmal ein Vater, in Verabredung mit seinem Knechte, der das Kind in Empfang nehmen sollte, letzteres in der Sträggelänacht zum Fenster hinaushielt, indem er rief: „Sträggelä, do nimm's. Das Kind wurde ihm in der That auch sofort abgenommen und in die Lüfte getragen, von wo aus man es noch schreien hörte. Darauf fand man an verschiedenen Orten Stücke des auseinander gerissenen Kindes[1]). Zur Sühnung wurde dann, überall wo Teile des Kindes aufgefunden wurden, ein „Helgenstöckli" errichtet, 14 im ganzen. Der Knecht war von einem unbekannten Herren sehr freundlich angeredet worden, sodass er zu spät an der verabredeten Stelle eintraf. Es konnte nach der allgemeinen Annahme kein Anderer sein, als der Belzebub in eigener Person.

Eine andere diesbezügliche Geschichte soll sich in Auw zugetragen haben. Die übermütige Jugend beschloss eine „Sträggeläjagd" mit dem Versprechen, die Beute in das Dorf zu bringen. Ihrer 12 zogen mit einem Sack aus, und der Eine rief: „Sträggelä, wo bist?" „Is Gugelheiri's (Name des Rufenden) Sack", kam sofort die Antwort. Auf der wilden Flucht in's Dorf waren es aber dreizehn, ohne dass Einer die Sträggelä erkannt hätte. Am folgenden Morgen fand man die Hausthüren, wo die zwölf wohnten, über und über mit Messerstichen bedeckt. Alle trugen geschwollene Köpfe davon, Einer starb.[2])

2. Volksglauben.

Es ist heute noch oft vom „Künden" und vom „Wandlen" die Rede. Unter „Künden" verstehen die Leute das Anmelden durch persönliches Erscheinen, durch Rufe oder durch irgend ein bezeichnendes Geräusch, auf weite Entfernungen, im Augenblicke des Absterbens oder kurze Zeit vorher. Ich wäre imstande, ohne weiteres eine lange Reihe von Fällen zu erzählen. Manche davon, welche ich von den brävsten Leuten gehört, sind so auffallend, dass man gezwungen ist, anzunehmen, der Zufall und die Einbildung spielen dabei eine nicht unbedeutende Rolle. Immerhin geht daraus hervor, dass der Glaube an diese Art von Seelenwanderung noch sehr tief im Volke wurzelt. Das „Künden" weist nur auf freundschaftliche, innige Beziehungen hin, hat also durchaus nichts Abschreckendes an sich.

Ganz anders verhält es sich mit dem „Wandlen" der Seelen. Diese letzteren gehören immer nur Solchen an, welche im Leben ein Verbrechen begangen haben und dafür an bestimmte Orte gebannt sind, wo sie den Lebenden nicht selten auf die raffinierteste Art mitspielen. Abgesehen von den Bannungs-

---

[1]) Vgl. Lütolf, Sagen.
[2]) Etwas Aehnliches bei Rochholz a. a. O. I. 94.

oder Erlösungsmitteln der Kirche, werden zu demselben Zwecke, meistens an verborgenen Orten, z. B. etwa in einem verlassenen Hinterstübchen oder Gädeli, ja im Sommer in dem zu dieser Zeit nicht gebrauchten grossen Ofen ein brennendes Oellicht als Sühnopfer unterhalten. Solches ist absolut nötig, denn es gibt sehr bösartige „Wandler", die den Nachkommen die Kühe töten, die Milch rot machen, das Haus erschüttern u. a. m.

Dieser Glaube steht mit der Sage in Verbindung, welche behauptet, die Kapuziner hätten nach und nach so viele verdächtige Geister in den Rossberg gebannt, dass diese sich endlich stark genug fühlten, den Berg in Bewegung zu setzen, um so auf einmal wieder Rache zu üben.

3. Ortsneckereien.

Auch die Uebernamen der Orte dürften einer Erörterung würdig sein. Ihre Entstehung, Bedeutung und Aufrechterhaltung ist für die Volkssitten sehr bezeichnend und nicht ohne Wichtigkeit. Einige erklären sich allerdings leicht. Wenn man hört: „D' Weier händ de Pfruenderchübel, d' Egger händ de Deckel drüber und d' Langdörfler d'Chellä", so hängt das offenbar mit den Klosterzeiten von Muri zusammen. Weniger leicht dürfte die Erklärung sein, warum Merenschwand „Speck", Rüstenschwiel „Maus" und Auw „Katze" heisst. Viele Andere wären noch aufzuzählen. Die meisten dieser Bezeichnungen datieren wohl aus den Zeiten der Landvögte und stehen zu den zu verabfolgenden Zehnten, also zu den Bodenprodukten, jedoch sicher auch zu dem wirklichen oder angedichteten Charakter der Bewohner jedes Ortes in Beziehung. Wahrscheinlich aber hatten dieselben ursprünglich nichts Verletzendes an sich und wurde erst später etwas Kirchturmpolitik beigemischt.

Miszellen. — Mélanges

Zum Hexenwesen in Bern.

Ich habe Arch. II 59 die im bernischen Staatsarchive vorhandenen Notizen aus den Jahren 1467—1473, das Hexenwesen betreffend, zusammengestellt. Die Ausbeute für die folgenden Jahre (1474—1488) war nur gering. Sie lautet:

1475, April 17. — An herr Ypoliten zů Schůpfen, das er gen Arburg war angentz, dann ein geist da gemp und da helf nach dem besten. Rats-M. 17, 61.

1477, Mai 20. — An her Ypoliten zů Schůpfen. Das er umb minr hern willen har kom zů helfen einer armen frowen, die in irm kumber mit dem bösen vind bekůmbert ist worden. Rats-M. 21, 181.

1478, Mai 16. — An hoptman zů Wallis. Min hern haben ein frowen in vangknis von Wallis umb haxereye und welle um kein marter veriechen; das er min hern wůssen lass, wie si dannen gescheiden, si sich darnach wůssen zů richten. Rats-M. 24, 78.

1479, Mai 19. — Man sol dem von Erlach bekantnis geben, das er minen hern und dem gotshus Růggisberg gestattet hat, ein frowen, der hexeri verlůmdet, us den gerichten Růggisperg har zů fůren. Rats-M. 26, 200.

—, Mai 28. — Cůnrat Wager ein ofnen brief. Min hern lang an, wie er geschuldig werd etlicher handlung der håxen, sie ir meinung, das er darin für entschuldgt gehept werd. Rats-M. 26, 207.

—, Dezember 31. — Der frouen Veren von Nidergoldbach im Aemmental, das min hern nit wůssen, das si der håxeri schuld si. Rats-M. 28, 56. Teutsch Spruchb. H, 164.

1480, Oktober 5. — An den bischof von Sitten: das er des lebens mit den ketzern an sich zů nemen můssig gang, dann es wider den glouben si, dann es bring grossen kosten und geb anzůndung zů übel, und des sin antwurt, u. min hern haben ouch irm amptman bevolhen, den zů richten, das er im besten ufneme.

—, — An Tschachtlan zů Ormondt: Min hern haben sin schriben verstanden u. so vil den gevangnen berůr, bedunk si, es si nit gůt, das sölich invåll beschechen, denn es wachs darus nit gůts u. bevelhen im, den richten zů lassen u. schriben ouch sölichs minem hern von Sitten, sölich sachen abzůstellen. Rats-M. 30, 18.

—, Oktober 18. — An Peter Steyger (Tschachtlan in Ormond). Min hern haben sin schriben verstanden u. ouch dabi gesechen mins hern von Sitten schriften u. bedunk si dieselb sin schrift zimlich, wellen ouch• gestraxs, das er der nachkom ietz u. hinfůr ån alles mittel. Und als er dann schrib von andern, die von zweien u. nit fůrer dargeben werden, bedůnck min hern us kraft der recht, das die als also verlůmbdt fůrer gefragt werden, es sy mit dem seil oder sus, wie dann not ist, und wie es si dann vind, das er darnach gebůrlich handle. Rats-M. 30, 33.

1481, März 27. — An herr Yppoliten, kilchern zů Entlibůch, harzekomen und Claus Hennggelts sun, der besessen ist, understan ze helfen. Rats-M. 32, 21.

—, Sept. 3. — Eine Rueggisbergerin, Elsen Wasmannin, ist eine verlůmbdeti frowen der håxeri. Kommt vor das Gericht in Bern. T. Spchb. H, 670.

1482, Juni 5. — An die von Friburg. Einer lig zů Büren gevangen uf ein belůmdung von den irn usgangen, genannt Jacob Berri, sy von Winterlingen u. sol ein strůdel sin. Das si min ·hern lassen wůssen, wie es ein gestalt hab. Dann die irn, so gon Zurzach gevarn, haben in dargeben, namlich Hensli Fassen. Rats-M. 37, 3.

—. September 5. — Der Venner Anton Achser im Niedersimmental klagt vor dem Rat in Bern einen Peter Widmer an wegen Ehrverletzung: W. habe gesagt, „das er (Achser) von hâxen geslecht komme u. wylent sin mûter sôlicher misstât schuldig gewesen sin sol". W. leistet vollständigen Widerruf; dieser wird in seiner Gegenwart in der Kirche zu Erlenbach verlesen u. er soll öffentlich bekennen, dass er mit dem Inhalt des Widerrufes einverstanden sei. T. Spruchb. J, S. 1.

1486, Juli 6. — Die von zwei Männern der Hexerei beschuldete Gred Oeningerin wird vom Rate von Bern infolge eingezogener Erkundigungen für unschuldig erklärt. Teutsch Spruchb. J, 425.

Die zweifellos interessantesten Eintragungen sind diejenigen aus dem Okt. 1480. Sie sind zwar so undeutlich gehalten, dass wir nicht einmal den materiellen Thatbestand erkennen können. Handelt es sich um Hexerei, oder religiöse oder sittliche Ketzerei? So viel lässt sich nur deutlich ersehen, dass Bern die Sache der Gerichtsbarkeit des Bischofs von Wallis entzog und sie der eigenen, weltlichen Gerichtsbarkeit unterstellte. Was aber jenen Eintragungen Bedeutung verleiht, ist der Einblick in das gerichtliche Verfahren gegen die „Ketzer". Wir erkennen, dass schon die Anzeige von nur zwei Personen, der X. sei ein Ketzer, genügte, um diesen X. „us kraft der recht" der Folterung und dem weitern gerichtlichen Verfahren zu unterwerfen. Es steht dies mit der sonst in Bern üblichen Gerichtspraxis in völligem Widerspruch. Seit wann dies abgekürzte Prozessverfahren, das dann bei den Hexenprozessen allgemein wurde, im bernischen Gebiete zur Ausübung gelangte, lässt sich nicht erkennen. 1480 bestand es demnach bereits „us kraft der recht".

Am 18. April 1488 schrieb der Rat von Bern dem „erwirdigen, hochgelerten herrn Jacoben Sprengern vicary bredyer ordens tütscher land. doctor der heiligen schrift, unserm lieben herrn und guten fründ" und wünschte ihm viel Glück und Heil der „angenommnen wird und ampts halb" und empfahl die beiden in Bern seinem Orden zugehörenden Gotteshäuser seinem „trüwen bevelch." Teutsch Missivenbuch E. Blatt 297.

Dies Gratulationsschreiben gewährt deswegen ein besonderes Interesse, weil es an den Verfasser des malleus maleficarum gerichtet ist, der am 19. Nov. 1487 zum Vicarius provinciales, unmittelbar nachher zum wirklichen Provinzial ernannt worden war, an welcher Würde er am 18. Juni 1488 von Rom aus bestätigt wurde (Gef. Mitt. von Prof. J. Hausen in Köln). Wir dürfen wohl annehmen, dass Jakob Sprenger den Bernern gut bekannt war, schon weitere Andeutungen fehlen.

Bern.   G. Tobler.

Bemerkungen und Nachweise zum Wörterverzeichnis der Gaunersprache von 1735. (III 239 ff.)

Angeben, *Vermassern*. Nicht von jd. *mosar*, er hat geteilt, sondern von *mosar*, er hat übergeben, preisgegeben. Avé-Lallem. 4, 405.

Band, Handschellen, *Schlang. Schlange*, Kette jeder Art. A.-L. 4, 600.

Bett, *Metti*. Im Wörterb. des Konst. Hans und im Pfullendorfer Wb. *Mette*. A.-L. 4, 167. 234. hbr. *mitto*, jd. *mitte*, Lager, Bett. A.-L. 4, 411.

Betten, *Knupplen. Knobeln* Pfull. Wb. A.-L. 4,234. *Noppeln, nuppeln* 579.
Paternollen, beten in PFISTER, Nachtr. z. Gesch. d. Räuberbanden,
Heidelb. 1812. S. 370. *Patronell-Fingen*, Gebetbuch im Wb. v.
St. Georgen, A.-L. 4, 135, von *Finne*, Kasten, Futteral 4,540. *Butternell
fingen*, Waldheimer Wb. 4,113 ist an eine unrichtige Stelle, unter
„zum Bier gehen" geraten, was A.-L. entgangen ist. In der Quelle
des Waldh. Wb., Hempels Specificatio, heisst es richtig: „zum Bier
gehen: *zum Schwechen gehen.*"

Beichten, *Brillen*. Pfull. Wb. *brellen* A.-L. 4, 234.

Creutzer, *Psalmer*, aus *Zalmer*, von jd. *Zĕlem*, Kreuz, A.-L. 4, 234.

Degen, *Kohrum. Kerum*, Säbel Pfull. Wb. A.-L. 4, 241 v. jd. *chêrew*, Schwert
A.-L. 4, 372. Vokalwechsel wie in *Kohluff*, Hund, aus *Kêlew*. Die
Endung *-um* wie in *Kotum, Mumum, Sacum, Bonum, Glasayum*.

Duplonen, *Bläten. Blette*, Louisd'ors, Pfull. Wb. A.-L. 4, 239.

Einbrechen. *Zleilen*, vielleicht von *Leile*, Nacht, wie *z'nachts* jd. *belaile*.
vgl. „Nachts gehen stehlen, *leilen holchen; Leiligänger*, Nachtdieb
A.-L. 4, 564.

Examinatores kommen um zu besprechen, *Printzen holchen und verlinsen*.
Konst. Hans: *do' schefte auschere Prinza zum Verlenz:* da sind sehr
vernünftige Herren zum Verhör. A.-L. 4, 178. „*Prinz*, regierender
Herr" ib. 169 ist also nicht etwa: „Regent, Fürst", sondern Gerichts-
beamter. *Verlinz*, Verhör, Pfull. Wb. A.-L. 4, 244.

Füli, *Sosumli*, unverstandene Pluralform *Susem, Susim* v. jd. *Sus*, ebenso
Susem, Pferd Pfull. Wb. 4, 241. Aehnlich Rock, *Malbossum*. Plur.
von *Malbusch*.

Galgen, *Dolmer. Dolmar* im Bedeler-Orden. A.-L. 1, 203. *Klee*, wahrscheinlich
verhört für jd. *T(e)lije*, Galgen A.-L. 4, 613.

Geld, *Müss*. Geld, *mäss, mäsz* in Gerold Edlibachs Vocabular v. 1488.
(GERMANIA 27, 223 f.) und nach der Abschrift im Besitze J. M.
Wagners (s. dessen Besprechung von A.-L. in Herrigs ARCHIV f. d.
Stud. d. neueren Sprachen 38, 223). A. L. 4, 60 hat nach der un-
genauen Abschrift Scheffels „*waf.*" Ebenso *mees* in den Wb. v.
St. Georgen u. Pfullendf. 4, 135. 155. Von mhd. *,mess*, Messing, vgl.
Blech, oder von jd. *môes* Geld. A.-L. 4, 575.

Haar, *Jaaris*, vielleicht Druckfehler für jd. *Saar*, Haar, pl. *Saaraus*. A.-L. 4,474.

Henker, *Dömerth. Femmer. Demmer*, Scharfrichter, A.-L. 4, 613.

Herbrig, *Fede. Fede*, Quartier, Pfull. Wb. A.-L. 4, 241. *feden*, beherbergen
ib. 234.

Huhn, *Stentzel. Stanzla*, Henne, Pfull. Wb. A.-L. 4, 237.

Hosen, *Butz, Geimer*, lies *Butz-Geimer*. Konst. Hans *Butsch-g'äumer* A.-L.
4, 168. hebr. *bote schukajim*, wörtlich Schenkel-Gehäuse, A.-L.
4, 168. 586.

Kalb, *Böhmeli*. Stier, *Böhm*. Vielleicht v. jd. *behême*, Vieh, A.-L. 4,340. Vgl.
auch *Pummel* obpf. Bulle, Zuchtstier, SCHMELLER Wb. 1, 391.

Kind, *Gampis. Gambeser*, Kinder im Wörterbuch von Pfister in dessen
Aktenmäss. Gesch. d. Räuberbanden S. 218. (Im Abdruck dieses
Wb. bei Christensen, A.-L. 4, 206 fehlt das Wort.) In Pfisters Nachtrag
S. 357: *Gambesmette*, Kindbett. *Gampesar*, Kind, Pfull. Wb. A.-L.
4, 238. Von mhd. *gampen*, hüpfen, springen, tirol. *gampen, gampeln*,

sich im Scherz herumbalgen, bes. v. Kindern. DWB. IV, 1. Abt.,
1. Tl., 1213.

Knecht, *Halbstossum. Stotzem*, Bube, Pfull. Wb. A.-L. 4, 235. *Stozem*, Knab
ib. 239. vgl. *Stotz*, Knecht auf einer tirol. Alpe. Schmeller, Wb. 2,800.

Korn, *Nasen.* Vgl. *Spitznase*, Gerste, Konst. H. A.-L. 4, 171. Pfister. A.-L. 4, 219.
Auch *Spitz* allein, Hildburgh. Wb. A.-L. 4, 158. *Spitzling*, Hafer,
schon im Lib. Vagat. und im Bedeler Orden. A.-L. 1, 184. 206;
4, 610. Vielleicht ist aber *Nasen* Druckfehler für *Maden*, Korn, in
Hempels Wb. A.-L. 4, 94 und ebenso in einem A.-L. gehörigen hsl.
Verzeichnis von Gaunerwörtern aus Mühlhausen i. E. (jetzt in meinem
Besitz). Vgl. *Maden* — Schwaden im Mähen. Schmeller Wb. 1, 1568?

Mörden, *Dalchen* ist das 3, 242 zu Galgen angeführte *taljenen*, hinrichten,
von *Taljen*, Henker, A.-L. 4, 613. *Molieren* vgl. *moll malschnen*
(- machen) köpfen, töten, Pfister. A.-L. 4, 213. *mulkoberen (koberen —*
schlagen 4, 242) totschlagen, Pfull. Wb. 243.

Nudeln, Milchraum, *Perament*, mit der der Gaunerspr. eigentümlichen Con-
sonantenumstellung (vgl. Pott, Zigeuner II 18) aus *Oberma*, Milch-
rahm. Pfull. Wb. A.-L. 4, 240, oder Druckfehler für *Gerament*, vgl.
grämete Mili, Milch mit Rahm, Schmeller Wb. 2, 92.

Rosenkranz, *Stiger. Steiger*, Pfull. Wb. A.-L. 4, 241.

Ruten ausstreichen, *Fägen, Kolen. Fegen*, auspeitschen Pfull. Wb. A.-L. 4,233.
Kohl, Staupbesen, Rotwellsche Grammatik, Frkf. 1755, S. 13. Hild-
burg. Wb. A.-L. 4, 155.

Schaaf, *Lasel. Alassel*, Konst. H. A.-L. 4, 167. *Lasel*, Pfull. Wb. A.-L. 4, 241.

Seyl, *Längling. Längling*, Strick, Coburger Design. A.-L. 4, 126.

Stehlen, *Schnüffen. Schniffer*, Dieb, Hempel. A.-L. 4, 96. *Schnifferey*, Mauserey,
ib. 97. *Geschnipft*, gestohlen, Hildbgh. Wb. A.-L. 4, 153. *Schnipffer*,
Spitzbub, ib. 157. *Schniffen*, ausplündern, Pfull. Wb. 4, 233. Diebstahl,
235. obd. *schnipfen*, mit schneller Bewegung etwas wegschnappen.
entwenden, listig stehlen, schwäb. *schniffen*. DWB. 9, 1333.

Stehlen durch gewaltthätige Einbrüch, *Koch halten. Cooch-halden*, auf Räuberei
ausgehen, Duisburger Wb. 1723. A.-L. 4,105. jd. *Koach*, Kraft, Gewalt

Stillschweigen, Läugnen. *Cartouchen* ist vielleicht eine unrichtig etymologi-
sierende Schreibung für *vertuschen*. Vgl. *Vertussen, Vertuss machen*
A.-L. 4,619: eine Handlung durch Vornahme einer andern verdecken.
Vertuss- (obd. *Vertusch-)macherin*, Hehlerin. Gleiche Bedeutung hat
Srekenen, A.-L. 4, 604, das man an Stelle von *Regmen* lesen könnte.
Freilich wäre dann durch „Stillschweigen, läugnen" der Sinn nicht
richtig wiedergegeben.

Suppen, *Schnallen. Schnelle*, Suppe, Pfister. A.-L. 4, 217.

Tabak, *Doberen, Suter, Nebel, Dobere*, Pfull. Wb. A.-L. 4, 243. Zigeun. *tuwéli*,
Pott, Zigeuner, 2, 297. *Suter* vielleicht Druckfehler für *Sarcher*.
A.-L. 4, 594. *Nebeln*, Tabak rauchen, Pfull. Wb. A.-L. 4, 243. Mund-
artl. kärnt. *neppeln*, tirol. *nébeln*. DWB. 7, 485, 1 b. *Nebel*, Rauch,
Duft ib. 477, 3. b.

Vergraben, *verschaberen*. Druckfehler für *verchaberen* s. *vercaperen* Hildburgh. Wb. A.-L. 4, 159. *verkabbern*, vergraben A.-L. 4, 555.

Wacht-Knecht, *Klein-Soder. Schauter, Schoder*, Büttel, Gerichts-, Polizeiknecht.
jd. *schauter*, Aufseher, A-L. 4, 157. 465. 603.

Welscher, Frantzoss, *Haass*. Druckfehler für neuhebr. *laas*, welsch, französisch, italienisch.? A.-L. 4, 398: „fremde Sprache." Vgl. jedoch: *Haasib (haasisch?)*, französisch. Pfull. Wb. A.-L. 4, 245.

Zunamen, *Zusincken*. *Zink* ist wohl eher auf lat. *signum*, frz. signe, als auf zig. *sung* zurückzuführen. Wagner in Herrigs Archiv 33, 217.

Wien.   A. Landau.

Brunnensuchen und Zauberrute.
(s. Bd. III 173)

Einem Wasserschmecker, Ratsherrn Blättler in Alpnach, hat Reg.-Rat Alois Küchler im Obwaldner-Volksfreund 1882, No. 16 folgenden Vers gewidmet:

Der Wasserschmecker.

Es gid grad jetzt nu mängä Gspass,
Wenns eine nume wisst ;
Drum fire mit em Dintefass
Damit mä's nid vergisst.

Im Schwyzerland, i säg nid wo,
Da läbt nu jetzt ä Ma,
S'ist wyt und breit ä käine so,
Wo so viel Kinste cha.

Zu dem chund nui ä Buirema,
Und seid : „My liebe Frind,
I mecht däheim ä Brunne ha
Chum, untersuech mer's gschwind!"

Der Tuisigkinstler nimmt der Huet,
Der Stäcke, 's Parisol,
Und ai-n-ä äxtra Haselrueth'
Nu grathet's eppä wol.

Der Zaiberstab i syner Hand
Da fahrd-er hin und här;
Doch lue! — wie ziehts, uf Mord und Brand
Wie wird das Riethli schwär!

„Juhe, da muess der Brunne sy."
Er springt vor Freiden uif,
„Gschwind steck mer jetz äs Stäckli hi,
Wenn d' grabst sä bist bald druif!"

Nu läärids gschwind äs Glesli, zwei
Uf d' Wasserschmeckery,
Der Buir dä sinned allerlei
Und meint, äs chenn nid sy.

Um Mitternacht in aller Rueh,
Da stahd er uif und fort,
Und rickt um volli fifzä Schueh
Das Stäckli vo sym Ort.

Er lahd der Kinstler wieder cho,
Dä schniffled hin und här —
Bim Stäckli zieht's wie niene so,
Ob Bly am Riethli wär.

Doch da, wo s' 's Stäckli gsteckt gha hend
Am vordren Abed spat —
Der Kinstler hed's gar nid erchennt
Mit all sym Appärat.

Und wottist d'Lehr jetz us der Gschicht
Sä isch es numä diä:
Lueg nid dä Lyte nur uf d'Bricht,
Probier's ai sust äsiä.

Daraus sieht man, dass man an Blättlers Wasserschmeckerei nicht
gerade den besten Glauben hatte.

In den Staatsprotokollen Obwaldens findet man über die Wasser-,
Salz-, Erzschmecker Folgendes:

Staatspr. XIX, 264 (1686, 1. Juni). Der Rat beschliesst: dem Bar-
tholomäus Schmid wird überlassen, dem Hrn. Dr. Köberli, wenn er zum
Sel. Bruder Klaus wallfahrtet, zu insinuiren, wo man meint, dass ein
Salzbrunnen und Salzerz zu finden sei.

St. XIX, 267 (1686, 28. Juni). Dr. Köberli von Münster findet
es nicht rathsam, desswegen einige Kosten anzuwenden.

St. XIX, 396 (1689, 4. Juli). Dem fremden Wasserschmecker,
der sich anerbietet in unseren Bergen Salzwasser zu finden, will man
es, sofern er in seinen Kosten solches sucht, 15 Jahre lang nutzen
lassen und mit ihm dann einen Vertrag abschliessen.

St. XIX 398 (1689, 11. Juli). Hr. Hans Britschgi zu Alpnach
und Hr. Melchior Hug, beide Kirchenvögte sammt dem Landweibel
sollen verordnet sein mit dem fremden Alchimist zu gehen, um das
Salzwasser zu suchen, denen des Tages 30 Schl. für Speis und Lohn
sollen gesprochen sein.

St. XIX, 657 (1694, 21. Aug.). Es verspricht ein Fremder den
Ursprung des Salzbrünnleins hervorzuthun, wenn man 3—4 Tage 4
Mann zum Graben gebe. Wird ihm entsprochen.

St. XX, 248 (1698, 11. Okt.) wird mitgeteilt, dass das Salzwasser die Kosten nicht aushalte. Man will einen kundigen Berg-
knappen aus Wallis kommen lassen, um einen Stollen an den Berg
anzusetzen, um das Salzerz aufzufinden. Den 22. Okt. beschliesst
man, erst im Frühling dem Salzerz wieder nachzugraben und dem
Erzknappen für Versäumniss und Kosten 3 Thlr. zu geben.

Man liess es dann in statu quo verbleiben.

Mein Bruder sagte mir, in der Schwändi, einer Filiale von
Sarnen, sei noch ein Wasserschmecker. Meinem Schwager in Sachseln
habe er angezeigt, dass nicht tief Wasser zu finden sei. Er habe
dann nicht tief graben müssen und gutes Quellwasser gefunden. Alsdann habe ihn ein anderer Schwager in Alpnach kommen lassen.
Bei seinen Manipulationen hat ihn mein Bruder beobachtet. Derselbe
hatte ein Fläschchen an einer Schnur, die durch den Korkzapfen ge-

zogen war. Man habe nicht sehen können, was darin sei. An Orten, wo Wasser in der Erde lag, habe sich das Fläschchen hin und her bewegt. Mit der gabelförmigen Rute, deren Gabeln er in der Hand hielt, habe er dann bemessen, wie tief das Wasser liege. Da sich die Rute 30 Mal gebeugt, habe er erklärt, es liege 30 Fuss tief. Hinten in der Matte würde es weniger tief liegen. Nachher haben dann meine Geschwister Quecksilber in ein Fläschchen gethan und probiert. An gewissen Stellen glaubten sie zu beobachten, dass der Inhalt des Fläschchens weniger ruhig sei. An der Haselrute konnten sie nichts beobachten. Bis jetzt hat mein Schwager in Alpnach noch nicht probiert. Der Wasserschmecker erzählte, er habe auch Hrn. Dr. Ettlin auf dem Landenberg in Sarnen das Wasser gezeigt und hervorgegraben.

Dem Hrn. Kaplan Dillier in der Schwändi hat er erklärt, er sei jetzt 73 Jahre alt und betreibe diese Kunst schon seit 30 Jahren. Es komme da viel auf die Beschaffenheit der Nerven an; deswegen seien in der Ausübung dieser Kunst nicht alle gleich glücklich. In dem Fläschchen, welches von beliebiger Form sein darf, befinde sich Quecksilber und etwas Magnesia. Sein Alter erlaube ihm nicht, sich noch viel mit dieser Kunst abzugeben; sonst würde er sein Geheimnis nicht verraten. Herren, die gern Wasserschmecker werden wollen, ist er bereit Unterricht zu erteilen. Das Fläschchen könne man auch gebrauchen, um Erze, Gold, Silber u. dgl. aufzufinden.

Ein Student hat meinem Bruder erklärt, dass offenes Wasser keinen Einfluss ausübe auf die Rute.

Kerns. A. Küchler.

Mit dem Glauben an Brunnenschmecker steht in engstem Zusammenhang der Glaube an geheimnisvolle „Bezüge und Verwandtschaften unorganischer Wesen unter einander, organischer gegen sie und abermals unter einander." Einen solchen Fall führt uns Gœthe im 2. Teil, 11. Kapitel seiner „Wahlverwandtschaften" vor, wo er den Begleiter des Lords den Versuch machen lässt, mit Metallen, die an einem Pendel über liegenden Metallen hängen, Pendelschwingungen zu erzielen. Bei allen Experimentatoren bleibt das Pendel regungslos, nur bei Ottilie folgt es allen Bewegungen, die mit den unterliegenden Metallen vorgenommen werden. Dass Ottilie überhaupt einen auf diese Dinge gestimmten Organismus hat, zeigt sich auch an den Kopfschmerzen, die sie in der Nähe von unterirdischen Steinkohlenlagern empfindet.

E. H.-K.

Bartholomæus Anhorn berichtet in seiner „Magiologia" (1674) S. 317: „Hieher (zum Wahrsagen aus Ruten) gehören auch die bezauberten zweyspitzigen Hässlinen Wünsch- oder Glücks-Ruten / welche mit ihrem Biegen / warsagen vnd anzeigen sollen / wo Wasserquellen in der Erden / oder wo heimische Schäz / Silber / oder Goldaderen verborgen ligen. Diese hässlene Glüksruten haben noch heut bey Tag grosse Beschirmere: Ich hab aber keinen gesehen / der durch dieselbigen grosse Reichthumb gefunden vnd erlanget habe: weilen der Teufel / ob er gleich guldene Berge verheisst / doch niemand durch seine Zauberkunst reich machen kann."

E. H.-K.

Eine gegabelte Zauberrute, wie sie in Archiv III 173 beschrieben ist, findet sich in den Afbildningar af föremål i Nordiska Museet, herausg. v. Artur Hazelius, Heft I Fig 45 reproduziert. Dazu folgender Text: „Die Zauberrute ist, nach Carl von Linné, „„ein sonderbares Ding, von dem man dem Volk weis machen will, dass es verborgene Metalle anzeige."" Sie hatte jedoch, und hat noch bis auf den heutigen Tag, eine viel ausgedehntere Anwendung, namentlich von Brunnengräbern (brunnsgräfvare), welche der Ansicht sind, dass sie unfehlbar zur Entdeckung einer Quelle führe. Gewöhnlich werden die Zauberruten aus einem gabelförmigen Eberesche-Zweig (Sorbus aucup.) verfertigt.[1]) Vgl. C. Linnæi, Skånska Resa. Stockh. 1751 S. 160. — Ebenso J. V. Broberg, Bidrag från vår Folkmedicins Vidskepelser I (Stockh. 1878) S. 29 ff." Daselbst findet sich eine interessante Beschreibung über Anwendung und Gestalt der Zauberrute.   E. H.-K.

Dass das Quellsuchen mit Hilfe von Haselruten auch in Schweden vorkommt, bezeugt uns Hedenstjerna in der Erzählung „Die Menschenfreundin" (Sammlung: „Im schwedischen Bauernheim"): „Sie schnitt sich eine sonderbar geformte Rute von einer Weide oder einem Haselnussbusch, gieng dann über das Terrain, in dem man einen Brunnen anlegen wollte, und dort, wo die Rute von selbst auf den Boden schlug, brauchte man weder lange noch tief zu graben, um gutes und reichlich fliessendes Trinkwasser zu erhalten."   E. H.-K.

Herr G. Claraz macht uns auf eine diesen Gegenstand behandelnde Schrift aufmerksam: Chevreul, De la baguette divinatoire, du pendule dit explorateur et des tables tournantes. 1854.   Red.

Fragekasten. — Informations.

Zum Lied vom blauen Storchen. (III 255)

Gestatten Sie mir den Hinweis, dass der laut Archiv III, 255 1509 in Basel verbotene ‚blow storck' ein im 16. und 17. Jh. mehrfach angeführtes Volkslied ist. In einer Baseler Hs. von 1544 steht ‚Ich sach mir einen blauen Storchen' mit Melodie, in den Bergreihen 1536 Nr. 10: ‚Es gehet ein Storch auff jhener wysen, es ist kein storch, es ist mein lieb.' Vgl. Frommanns Deutsche Mundarten IV 95. 113; V 259. Böhme, Altdeutsches Liederbuch 1877 Nr. 87. Erk-Böhme, Deutscher Liederhort I 253 Nr. 71 b (1893)
      Berlin.   J. Bolte.

----

[1]) Der Text hat „Flogrönkvisten". „Kvist" = Zweig, „Rön" = Eberesche, „Flog" deutet darauf, dass die betr. Eberesche einer Beere entstammen soll, die einem Vogel während des Flugs auf ein Dach oder in einen hohlen Baum entfallen war. — Auch der Hasel und die Sahlweide liefern Zauberruten. (Gütige Mitteilung v. Hrn. P. G. Wistrand, Assistent am Nord. Mus.)

Zeitschriften für Volkskunde.
Revues des Traditions populaires.

Alemannia. Zeitschrift für Sprache, Kunst und Altertum besonders des alemannisch-schwäbischen Gebiets. Herausgegeben von *Friedrich Pfaff*. Jährlich 3 Hefte. Jahrg. 6 Mk. Verlag: P. Hanstein, Bonn.

Beiträge zur deutsch-böhmischen Volkskunde. Herausgegeben von der Gesellschaft zur Förderung deutscher Wissenschaft, Kunst und Litteratur in Böhmen Geleitet von Prof. Dr. *A. Hauffen.* Verlag: J. G. Calve, Prag.

Blätter für Pommersche Volkskunde. Monatsschrift. Herausgegeben von *A. Knoop* und Dr. *A. Haas.* 4 Mk. jährlich. Bestellungen bei A. Straube, Labes (Pommern).

Český Lid. Sborník věnovaný studiu lidu českého v Čechách, na Moravě, ve Slezsku a na Slovensku. (Das tschechische Volk. Zweimonatsschrift für tschech. Volkskunde in Böhmen, Mähren, Schlesien und Ungarn), hrg. von Dr. *Č. Zibrt.* Jahrg. 4 fl., 10 Fr., 3 Rubel. Administration: F. Šimáček, 11, Jeruzalémská ul., Prag.

Folk-Lore. Transactions of The Folk-Lore Society. Quarterly. Annual Subscriptions: 1 L. 1 s. Publisher: David Nutt, 270, Strand, London.

The Journal of American Folk-Lore. Editor *William Wells Newell* Quarterly issued by The American Folk-Lore Society. Annual subscription: Doll. 3.00 Publisher for the Continent: Otto Harrassowitz, Leipzig.

Korrespondenzblatt des Vereins für Siebenbürg. Landeskunde. Redaktion: Dr. *A. Schullerus.* Erscheint monatlich. Jahrg. 2 Mk. Verlag: W. Krafft, Hermannstadt.

Lud. Organ Towarzystwa Ludoznawczego we Lwowie pod redakcyą Dra *Antoniego Kaliny.* (Das Volk. Organ d. Poln. Ver. f. Volkskunde in Lemberg, hrg. v. Prof. Dr. *A. Kalina*). Vierteljahrsschrift. Für Mitglieder 4 fl., für Nicht-Mitglieder 5 fl. Adresse: Lwów (Galicien), Ulica Zimorowicza 7.

Mélusine. Revue trimestrielle, dirigée par M. *Henri Gaidoz.* Un an: 12.25 frs., un numéro: 1.25 frs. Bureaux: 2. rue des Chantiers, Paris.

Mitteilungen der Schlesischen Gesellschaft für Volkskunde. Herausgegeben von *F. Vogt* und *O. Jiriczek.* Heft 0,50 Mk. Schriftführer des Vereins: Dr. *O. Jiriczek,* Kreuzstrasse 15, Breslau.

Mitteilungen des Vereins für Sächsische Volkskunde. Herausgegeben von Prof. Dr. *E. Mogk,* Färberstrasse 15, Leipzig.

Mitteilungen und Umfragen zur bayerischen Volkskunde. Jährlich 4 Hefte. Herausg. im Auftrage des Vereins für bayer. Volkskunde und Mundartforschung von Prof. Dr. *O. Brenner,* Würzburg. Jahrgang 1 Mk.

Národopisny Sborník Českoslovansky. Vydává Národopisná Společnost Českoslovanská a Národopisné Museum Českoslovanské. Jährlich 2 Bände. Jahrg. 6 Kronen. Für Mitglieder 2 Kr. Adresse: Prag, Příkopy 12.

Nyare Bidrag till kännedom om de svenska landsmålen ock svenskt folklif. Utgifven på uppdrag af Landsmåls toreningarna i Uppsala, Helsingfors ock Lund genom *J. A. Lundell.* Boklåds-pris för årgången 4,50 Kronor. Stockholm (Samson & Wallin).

Ons Volksleven. Monatsschrift. Herausg. von *Joz. Cornelissen* und *J. B. Vervliet.* Jahrg. 2.50 Fr. Verlag: L. Braeckmans, Brecht.

Revue des Traditions populaires, recueil mensuel de mythologie, littérature orale, ethnographie traditionelle et art populaire. Organe de la «Société des Traditions populaires», dirigé par M. *Paul Sébillot.* Un an: Suisse, 17 frs.; pour les membres: 15 frs.; un numéro: 1.25 frs. Bureaux: 80, boulevard St-Marcel. Paris. — (Pour recevoir un numéro spécimen, il suffit d'en faire la demande à M. Sébillot, en ajoutant un timbre de 15 centimes.)

A Tradição. Revista mensuel d'ethnographia portugueza. Directores: *Ladislau Piçarra* e *M. Dias Nunes.* Preço da assignatura: 600 réis. Editor-administrador: *José Jeronymo da Costa Bravo de Negreiras,* Rua Larga 2, Serpa (Portugal).

Unser Egerland. Blätter für Egerländer Volkskunde. Herausg. von *Alois John,* Eger.

Volkskunde. Monatsschrift. Herausg. von *Pol de Mont* und *A. de Cock.* Jahrgang 3 Fr. Verlag: Hoste, Veldstraat 46, Gent.

Wallonia. Recueil mensuel de littérature orale, croyances et usages traditionnels, fondé par *O. Colson, Jos. Defrecheux et G. Willame.* Belgique: Un an, 3 frs., un numéro, 30 cent., Union postale: 4 frs. Administration: 88, rue Bonne-Nouvelle; Rédaction: 6, Montagne Ste-Walburge, Liége.

Zeitschrift des Vereins für Volkskunde. Vierteljahrsschrift. Herausg. von *Karl Weinhold.* Jahrg. 12 Mk. Vorsitzender des Vereins: Prof. Dr. *K. Weinhold,* Hohenzollernstr. 10, Berlin W.

Zeitschrift für österreich. Volkskunde. Redaktion: Dr. *M. Haberlandt.* Jahrgang 4 fl. 80. Verlag und Expedition: F. Tempsky, Wien.

Zur Beachtung!

Den Mitgliedern steht die **Bibliothek** der Schweiz. Gesellschaft für Volkskunde jederzeit zur Benutzung offen.

Bücher werden auf Bestellung ausgeliehen und franko zugesandt; nach Empfang ist die Quittung ausgefüllt zurückzusenden.

Einzelne **Hefte der Zeitschrift** werden den Mitgliedern gratis und franko verabfolgt, falls solche zu Zwecken der Propaganda für unsere Gesellschaft oder deren Organ verwendet werden.

Zum **Bezug von Büchern und Heften** wende man sich an Herrn Dr. *O. Waser,* Limmatquai 70, Zürich I.

Schweizerische Gesellschaft für Volkskunde.
Société Suisse des Traditions Populaires.

Schweizerisches
Archiv für Volkskunde.

Vierteljahrsschrift

unter Mitwirkung des Vorstandes herausgegeben

von

Ed. Hoffmann-Krayer.

Vierter Jahrgang. Heft 4.

Ausgegeben Dezember 1900.

ZÜRICH

Der Umfang des Jahrganges ist auf 20 Bogen festgesetzt.

Der Abonnementspreis beträgt für Mitglieder **Fr. 4.—**, für Nichtmitglieder **Fr. 8.—**; für das Ausland kommt der entsprechende Portozuschlag hinzu.

Beiträge für die Zeitschrift und **Büchersendungen** sind zu richten an Herrn Prof Dr. *E. Hoffmann-Krayer,* **Hirzbodenweg 91,** Basel.

Beitrittserklärungen an Herrn Dr. *E. A. Stückelberg,* Kappelergasse 18, Zürich I.

Geldsendungen an Herrn *E. Richard,* Börse, Zürich I.

Die religiösen und weltlichen Festgebräuche im Kanton Glarus.

Von Dr. Ernst Buss in Glarus.

(I. Preis der Ausschreibung von 1898. S. Archiv II 253).

Einleitung.

Die religiösen und die weltlichen Festgebräuche lassen sich nicht strenge auseinanderhalten, da zwischen beiden ein meist uralter und deshalb sehr inniger Zusammenhang besteht und gar Manches, was heute als weltlich erscheint, wie die Schmausereien, Mummereien und Tänze, die lärmenden Umzüge und nächtlichen Feuer der Fastnachtszeit, einst auch im Dienst der Religion stand.

Ein grosser Teil unserer Festgebräuche hat seinen Ursprung im Heidentum unserer Vorfahren. Ihre Religion war wesentlich Naturreligion. Infolge dessen schloss sich auch ihre Festfeier dem Verlauf der Naturereignisse, dem Wechsel der Jahreszeiten, dem Wachsen der Saat und Reifen der Ernte an, und es hatte sich nach ihrem Eindringen in die Gegenden südlich vom Rhein bald ein ständiger Cyklus von alljährlich wiederkehrenden Festen mit bestimmten Sitten und Gebräuchen herausgebildet. Neben diesen heidnischen Cultus trat aber von der Zeit der fränkischen Herrschaft an der christliche Gottesdienst, von welchem übrigens von den Tagen der Römerherrschaft her da und dort noch Spuren vorhanden waren; und die immer mächtiger auftretende christliche Kirche suchte ihre Feste und Gebräuche je länger je mehr nicht nur neben den herkömmlichen zur Geltung zu bringen, sondern so viel als möglich an deren Stelle zu setzen. Nun traf es sich, dass ein nicht geringer Teil der neuen christlichen Feste zeitlich mit den alten heidnischen zusammenfiel, z. B. Weihnacht, Neujahr und Dreikönigstag mit dem allemannischen Winterfest der zwölf Nächte, die Fastnacht mit der herkömmlichen Vorfrühlingsfeier, das Fest der Auferstehung Christi mit dem Fest der Frühlingsgöttin Ostara[1] u. s. f. Gleichzeitig war man bemüht, was in den Sitten und Gebräuchen dem Christentum nicht direkt widersprach, zu

---

[1] Vgl. jedoch E. H Meyer, Mythologie S. 283. [Red.]

18

schonen. Man liess das Aeusserliche, Sinnenfällige unangetastet,
aber schob ihm einen christlichen Sinn unter, gestattete z. B.
nach wie vor die Bräuche des traditionellen Erntefestes, aber
verlegte auf diesen Tag das . christliche Fest der Kirchweihe.
Die naturgemässe Folge dieser Verbindung der neuen Feste mit
den alten war, dass nun auch eine weitgehende Vermengung
der beiderseitigen Gebräuche eintrat; und zwar gestaltete sich
das Verhältnis beider zu einander wesentlich so, dass die religiösen Gebräuche der Kirche als die Hauptsache in den Vordergrund traten, die bisherigen heidnischen Gebräuche daneben zwar
teilweise, mit veränderter Deutung und in verkümmerter Form,
bestehen blieben, aber nun zu weltlichen herabsanken und, ihrer
ursprünglichen Bedeutung entleert, gleichsam nur auf Duldung
hin noch ihr Dasein weiterfristeten. Daher kommt es, dass so
manchen unserer kirchlichen Feste noch Bräuche anhaften, die
mit deren Bedeutung nichts zu thun haben, dem Osterfest die
Eierspiele, der Weihnacht die häusliche Feier um den Lichter-
baum, dem Eintritt in die Passionszeit der Fastnachtsmummen-
schanz, Bräuche, die durch die Zähigkeit, womit die Bevölkerung heute nach langen Jahrhunderten noch daran hängt,
deutlich genug beweisen, wie tief sie einst im Volksbewusstsein
eingewurzelt und wie innig sie mit allen Beziehungen des Lebens
verwachsen waren.

Im Kanton Glarus zeigt sich nun die bemerkenswerte
Erscheinung, dass der uralt heidnische Festcyklus der
Allemannen im Volksbewusstsein noch durchaus le-
bendig ist. Obgleich das Christentum bereits seit 13 Jahr-
hunderten die Religion des Landes ist und das Volk, auf's
Innigste damit verwachsen, sich die Feier der kirchlichen Feste
mit vollem Ernste angelegen sein lässt, sind ihm, besonders der
Bevölkerung der untern Stände, doch nicht Weihnacht, Karfreitag,
Ostern, Pfingsten und Bettag die Hauptfeste des Jahres, sondern
Klausmarkt, Neujahr, Fastnacht, St. Fridolinstag, Ostern, Landsgemeinde, Kirchweihe und Martinstag. Diese einst im heidnischen
Kultus wichtigsten, freilich damals mit andern Namen belegten
Festtage bilden noch heute den eigentlichen Kalender des gemeinen Mannes. Nach ihnen datiert er die Geburten, Erkrank-
ungen, Heiraten und Todesfälle in seinem Haus. Nach ihnen
berechnet er, wann er seine Felder zu bestellen, sein Vieh ein-
zukaufen, seine Zinsen zu bezahlen hat. Auf diese hin, speziell

auf Landsgemeinde, Kirchweih, Klausmarkt und Jahreswechsel,
werden neue Kleider angeschafft, Zimmer und Treppen gescheuert,
Wein und Fleisch bestellt, die Verwandten eingeladen, die auswärts wohnenden Kinder heimberufen. Sie sind auch die Haupt-
freudentage der Jugend.

Nach diesen orientierenden Bemerkungen lassen wir nun
die einzelnen Feste mit ihren Gebräuchen folgen und zwar nach
dem Kalender, doch so, dass wir zum Ausgangspunkt nicht den
1. Januar wählen, um nicht die auf Schluss und Anfang des
Jahres sich verteilende zusammenhängende Winterfeier ausein-
anderreissen zu müssen, sondern Mitte November, den thatsäch-
lichen Anfang des Winters und der festlichen Hälfte des Jahres.

I. Alljährlich wiederkehrende Feste.

Der Martinstag.

Den Vorläufer der grossen Winterfeste bildet im Glarnerland der Martinsmarkt, so genannt nach dem Martinstag,
dem Todestag des sagenberühmten Bischofs und Kirchenheiligen
Martin von Tours (319—400), des Patrons der Armen. Der
Martinstag fällt auf den 11. November, der Martinsmarkt dagegen auf den zweiten darauf folgenden Dienstag und wird in
Glarus abgehalten, spielt aber nicht nur für die Hauptstadt selbst,
sondern für den ganzen Kanton eine nicht unwichtige Rolle,
obwohl er weder ein kirchlicher noch ein bürgerlicher Feiertag
ist. Denn er ist nicht nur ein grosser Viehmarkt, an welchem
die Bauern das im Sommer aufgezogene Jungvieh losschlagen
und die Haupteinnahme des Jahres machen, sondern zugleich die
sog. „Usrichti" (Ausrichtung), der Hauptgeschäftstag, an welchem gekündigte Kapitalien zurückbezahlt, die Zinsen entrichtet,
Handänderungen abgemacht und Miet-, Darleihens- und Kauf-
verträge abgeschlossen und verschrieben werden. Da strömt das
Volk scharenweise aus den Dörfern der Hauptstadt zu, um seine
Einkäufe für den Winter zu besorgen und seine Verbindlich-
keiten zu erfüllen. Da haben die öffentlichen Kassen und Ver-
waltungen ihre grosse Losung, die Gläubiger ihren Erntetag.
Da harrt der Kapitalist der „Zinsmannen" (Zysme), nimmt die
Gelder in Empfang, gibt dem Ueberbringer den „Rückschilling"
oder „Zinstragerlohn" und bewirtet ihn mit Brot, Käse und Wein.
An solchen Tagen hört in reichen Häusern die Bewirtung den

ganzen Tag nicht auf und werden enorme Summen eingenommen. Da fehlt es auch in den Familien nicht an einem Abendschmaus. In den Wirtshäusern ist öffentlicher Tanz, und die Schulen sind eingestellt. Die in andern Gegenden übliche Sitte des Essens der Martinsgans dagegen ist hier nicht verbreitet, zumal im Kanton nur ausnahmsweise Gänse gehalten werden, aber auch nicht unbekannt. Doch wird sie meist nur in der Weise beobachtet, dass Gesellschaften, Lesevereine, Spielkränzchen u. dgl. zwar nicht auf den Abend des Martinsmarktes selbst, aber doch auf einen Abend um Martini ein Festessen veranstalten, an welchem dann allerdings die Martinsgans oder das Martinshuhn nicht fehlen dürfen. Auch beginnen um diese Zeit die sog. „Nidelabende" in den Familien, von welchen später (S. 306).

Der Name Martin kommt im Kanton als Vorname öfter, als Familienname speziell in den Gemeinden Glarus und Matt sehr häufig vor als der eines der ältesten Geschlechter des Kantons (Marti). Dass er früher auch in der Sage lebte, zeigt die Bezeichnung einer Felsenöffnung an den Tschingelhörnern bei Elm, durch welche an gewissen Tagen des Jahres die Sonne hindurchscheint, mit dem Namen Martinsloch. — Der anderwärts in dieser Zeit umziehende Pelzmärtel, der unter allerlei Verkleidungen in die Häuser kommt, die Kinder beten lehrt und mit Aepfeln und Nüssen beschenkt, ist hier unbekannt. An seiner Stelle steht der „Samichlaus" (St. Niklaus), von welchem unten die Rede sein wird.[1]

---

[1] In diesen Gebräuchen lebt die Erinnerung an das einst zum Dank für die Ernte wie zum Empfang des Winters dargebrachte Herbstopfer und in der Gestalt des heiligen Kriegers Martin der kriegerische Hauptgott Wuotan fort. Die üblichen Schmausereien sind die Fortsetzung der einstigen Darbringung von Gänsen, Hühnern und Barleistungen, die als Abgaben auf den liegenden Gütern hafteten, zum Schluss des Pacht- und Ackerjahres. Vgl. Joh. Jak. ZEHENDER, Versuch einer historischen Chronologie, Bern, 1738. S. 378 f. JAHN, Opferbräuche, 1884 S. 231 ff. ROCHHOLZ, Deutscher Glaube und Brauch, 1867, I, 310. LÜTOLF, Sagen, Bräuche, Legenden aus den 5 Orten. 1862, S. 562, wo von Sursee die Sitte des Herabhauens der Martinsgans erwähnt ist. HERZOG, Realencyclopädie, 1858, IX, 129, wo verwandte Gebräuche aus Norddeutschland, Schlesien, Sachsen, Holland, Belgien und am Rhein (Martinsgans, -wein, -feuer etc.) geschildert sind.

An das Martinsloch in Grindelwald, das dieselbe Naturerscheinung darbietet, knüpft sich die Sage, der heil. Martin habe auf der Flucht vor den Heiden dort die Berge auseinandergedrückt und beim Aufstemmen seines Stockes mit diesem das Loch durch den Eiger durchgestossen. Aehnliches wird früher wohl auch in Elm erzählt worden sein.

Der Andreastag.

An den St. Andreastag, den 30. November, knüpft sich auch hier der alte Aberglaube, dass den jungen Mädchen des Nachts zwischen 11 und 12 Uhr ihr künftiger Freier am Herd erscheine, wenn sie ausgekleidet und unter gewissen Sprüchen rückwärts die Küche kehren. Dieses Glücksspiel wird „Andreslen" genannt. Der Spruch lautet:

„Heiliger Andres, i bitt di (ich bitte dich),
Bockbrett, i tritt di (ich trete dich),
Lass mir erschynen (erscheinen)
Den Herzallerliebsten mynen (mein)."

Verwandt damit ist der um diese Zeit scherzweise unter Kniebeugen an den geheizten Ofen gerichtete Spruch:

„Liebe-n-Ofe, -n-i bätte di a,
Du häscht Holz und i ke Ma."
(Lieber Ofen, ich bete dich an,
Du hast Holz und ich keinen Mann) [1])

Im Uebrigen ist der Andreastag für die Festfeier nur insofern von Bedeutung, als er der „Klausmarktfäller" ist, d. h. dass der Klausmarkt nach ihm fällt, nach ihm sich richtet. Derselbe findet nämlich immer am Dienstag nach dem Andreastag statt und heisst auch Andreasmarkt. Der Andreastag ist als Gedächtnistag eines Apostels für die katholische Kirche ein kleiner Feiertag.

Der St. Niklaustag.

Der Tag, welcher gefeiert wird, ist nicht der St. Niklaustag selbst, d. h. der kirchliche Gedächtnistag des heiligen Nikolaus von Myra, der 6. Dezember, sondern der in seine Nähe fallende erste Dienstag im Dezember, der sog. Klausmarkt. Dieser ist für Jung und Alt im Kanton Glarus ein bedeutungsvoller Tag, für die Erwachsenen als der letzte und grösste der Jahrmärkte des Hauptortes wie als Zins- und Zahltag, an welchem die Geschäfte, die auf Martini nicht endgültig erledigt werden konnten, noch vollends in Ordnung gebracht werden, für die Jugend, weil er ihr Geschenke und eine gewisse Narrenfreiheit bringt. [2])

---

[1]) Vgl Li⸱iolf a a O. 103. 435 f. H. Herzog, Allemann. Kinderbuch, 1885 S. 21.

[2]) St Niklausmärkte haben auch Lachen, Schwyz, Zug, Altdorf, Sursee, Frauenfeld, Waldshut, Ueberlingen, Immenstadt u s w. Auch in Holland sind sie allgemein.

Eingeleitet wird er durch Freudenfeuer und das sog. „Klaus-Einschellen". Schon lange vor seinem Erscheinen thun sich in Glarus und den umliegenden Gemeinden die Knaben der verschiedenen Quartiere zusammen und sammeln von Haus zu Haus Holz zu Feuern. Samstags vor dem Markt tragen sie dieses auf freistehende Anhöhen in der Nähe der Ortschaften und schichten es zu gewaltigen Stössen auf. Sonntag nachmittags sodann finden sie sich bei denselben ein, ausgerüstet mit Schellen und Hörnern, und lassen diese tüchtig erklingen. Wie die Nacht hereinbricht, werden die Holzstösse angezündet, und nun flammen allenthalben gleichzeitig die Feuer auf, um lustig die kalte Dezembernacht zu erhellen. Jede Knabenschaft setzt ihren Stolz darein, ein möglichst grosses Feuer zu Stande zu bringen und die andern zu überbieten. Beim Feuer selbst aber wird allerlei Kurzweil getrieben: Unter lautem Freudengeschrei wird die Lohe geschürt und durchs Feuer gesprungen. Wergfackeln werden daran entzündet und im Kreis durch die Luft geschwungen, und unaufhörlich ertönen dazu die Glocken und Kuhhörner, so dass die ganze Gegend davon widerhallt. Ist das Feuer niedergebrannt, so erfolgt ein gemeinsamer Zug durch den Ort, voran und nebenher ein paar Fackelträger, in der Mitte die beständig wachsende Schar der schellenbehangenen oder hornblasenden und johlenden Knaben, die nicht müde werden, alle Strassen mit ihrem betäubenden Lärm zu erfüllen (s. Illustration 1). Unabhängig von diesen Zügen der Knabenschaften der Quartiere treibt sich überdies eine Menge vereinzelter, vielfach erst 5- und 6jähriger Knaben in den Strassen umher, jeder sein Instrument in der Hand oder um den Hals: gewöhnliche Kuhglocken, mächtige Vorschellen, hier Brummschellen genannt, kleine Ziegenglöcklein oder Pferdegeschelle und Hörner von allen Grössen, dazu auch Pfannendeckel, Klappern und Waldteufel, sog. „Rätschen" oder „Raffeln". Dieses Dröhnen und Bimmeln und Muhen aber, etliche Stunden unaufhörlich fortgesetzt, vereinigt sich mit dem Geschrei der Knabenstimmen zu einem Konzert der fürchterlichsten Art, zu einem wahren Höllenspektakel und Heidenlärm, wie ihn unsere Vorfahren bei ihren Opferfeuern kaum ärger verführen konnten. Und diese Musik wiederholt sich Montag abends in gleicher Weise, um dann aber für ein Jahr wieder ganz zu verstummen. In Schwanden und andern Gemeinden wird auch des Morgens vor Tag schon

Illustr. 1: Das „Klauseinschellen" in Glarus.
Nach der Natur gezeichnet von Dr. Ernst Buss,

geschellt und reicht man den Musikanten Nüsse, Aepfel oder
Brot auf die Strasse hinaus. [1]

Sonntags und Montags ziehen am Abend auch die sog.
„Samichlausen“ um: verkleidete grössere Knaben, die den
St. Niklaus vorstellen. Sie haben zur Nachahmung des Bischofs-
gewandes ein weisses Hemd über ihre Kleider geworfen und
tragen auf dem Kopfe, resp. auf den Schultern, eine fusshohe,
oben offene, also rohrförmige, oft auch zweispitzig als Inful zugeschnittene Cartonmütze, an welcher eine Menge Figuren:
Sonne, Mond und Sterne, phantastische Tiergestalten u. dgl.,
ausgeschnitten sind. Die hiedurch entstandenen Oeffnungen sind
mit Papier von allen Farben überklebt, und mitten in der Mütze
ist auf einem Stäbchen eine Kerze befestigt, die, angezündet,
diese Figuren in farbigem Lichte durchschimmern lässt. Also
ausgestattet, etwa auch mit künstlichem Barte versehen und ein
Glöckchen in der Hand, dringen diese Gestalten in die Häuser,
kündigen sich durch Klingeln an und sagen nun, ins Zimmer
geführt, ihren Spruch auf, um sich eine Gabe zu erbitten. Der
häufigste Spruch lautet:

> Guetä-n-Abä-n-, ihr Herä und Frauä!
> Da chänd er ä schüna Sämichlaus gschauä.
> Er isch au gar ä-n-armä Ma;
> Drum sött er au es Räppli ha.
> (Guten Abend, ihr Herren und Frauen!
> Da könnt ihr einen schönen St. Niklaus schauen
> Er ist auch gar ein armer Mann;
> Drum sollte er auch ein Räppchen haben).

Ein anderer Spruch lautet:

> Das Chlausnä isch ä-n-alti Sittä;
> Drum hät me's immer gärä glittä
> Es Gäbli us üre Händä
> Weiss der Chlaus gar guät z'verwändä.
> (Das „Klausnen“. d. h. den St. Niklaus Vorstellen, ist eine alte Sitte;
> Drum hat man es immer gern gelitten
> Eine kleine Gabe aus euern Händen
> Weiss der Klaus gar gut zu verwenden).

[1] Das Schellengeklingel um diese Jahreszeit ist auch anderwärts bekannt. z. B. in den Urkantonen, im Kanton Luzern, in Ulrichen im Wallis.
Vgl. H. Herzog, schweiz. Volksfeste, 1884, S. 288—293 Lütolf a. a. O
97—103. 38 f. Rochholz, Schweizersagen I, 371; II, 196. Die Schweiz II.
1898, S. 487. Verwandte Bräuche sind die Posterlijagd im Entlebuch am
vorletzten Donnerstag vor Weihnacht, das Sträggelenjagen im Kanton Luzern,
die „Gräuflete“ im Muotathal, das Perchtenlaufen im Tyrol. Vgl. H. Herzog
a. a. O. 293; Lütolf a. a. O. 30 35—39. 97.

Illustr. 2: Typen von „Samichlausen" in Glarus.
Nach der Natur gezeichnet von Dr. Ernst Buss.

Man gibt ihnen ein Geldstück, auch etwa Aepfel und Nüsse, worauf sie wieder weiter ziehen. (S. Illustration 2).

Während sich die Armen auf solche Weise ihre Klaus-marktgaben in den Häusern holen, wird in den andern Familien den Kindern auf den Klausmarkt heimlich eine Bescherung bereitet wie anderwärts an Weihnacht, und man sagt ihnen, der „Samichlaus" habe sie gebracht. Zuweilen erscheint dieser auch abends selbst, aber in ganz anderer Gestalt als die oben ge-schilderten Knaben, nämlich als Mann mit weitem Mantel, breit-krämpigem Schlapphut, russigem Gesicht und wallendem Bart, unter dem Arm eine Birkenrute und über der Schulter den unvermeidlichen Sack. Zunächst kündigt er sich durch auf-fallendes Poltern im Hausgang und an der Thüre an und tritt dann in die Stube. Mit rauher Stimme und ungestümen Ge-berden frägt er, ob die Kinder brav seien, lässt sich von ihnen Gebete und Sprüchlein hersagen, erteilt Lob und Tadel, erhebt gegen ungehorsame die Rute, droht auch wohl, sie in seinen Sack zu stecken und mit fortzutragen, lässt sich dann aber durch ihre Versprechungen rasch wieder begütigen und schüttet nun den Inhalt seines Sackes: Nüsse, Aepfel, Lebkuchen, Spiel-zeug u. dgl., den jubelnden Kindern vor die Füsse, nicht ohne anzukündigen, er werde wiederkommen, um nachzusehen, ob sie künftighin folgsamer sein werden. Früher brachte er auch nicht selten ein mit Lichtern bestecktes Tannenbäumchen. [1]

---

[1] Der grosse Armenfreund Niklaus, der jungen Mädchen das Heirats-gut bestritt, um sie vor Schande zu bewahren, wurde zum Beschenker der Kinderwelt an Stelle des alten heidnischen Gottes Fro. Vgl. Dändliker, Gesch. der Schweiz.[2] I. 110. Blumer u. Heer, der Kanton Glarus 1846. S. 303.

An die Stelle der St. Niklausbescherung tritt allerdings nun je länger je mehr die Weihnachtsbescherung. Allein es ist dies noch keineswegs überall der Fall und erst seit kurzem. Die Leute, die heute ihren Kleinen den Christbaum anzünden, haben s. Z. als Kinder nur vom St. Niklaus gewusst, und selbst in den Familien. in welchen jetzt die Bescherung auf Weihnacht stattfindet, erwarten die Kinder auf den Klausmarkt wenigstens eine kleine Ueberraschung, insbesondere ein Geschenk von Seiten ihrer Grosseltern und. Paten.

Im sog. Hinterland, d. h. in den Gemeinden des Linth-thales von Schwanden bis Linthal, ist die St. Niklausbescherung noch allgemein gebräuchlich. Die Kinder stellen Montag abends ihre Schuhe vor die Thüre und finden des andern Morgens Back-werk und andere Herrlichkeiten drin. In Linthal speziell nennt man die Bescherung das „Samichlausjagen". Die Sitte be-steht darin, dass man den Kindern in der Nacht vom Montag auf den Dienstag, also auf den Klausmarkt, allerlei Lebkuchen in Form von Männern, Frauen, Pferden, Hunden, Hirschen etc., auch etwa andere Gaben zwischen Fenster und Vorfenster stellt und sie glauben lässt, der St. Niklaus habe dieselben über Nacht dahin gebracht. Des Morgens gehen die Kinder durch die Dorf-strasse und besehen sich von Haus zu Haus, resp. von Fenster zu Fenster, was der wundersame Kinderfreund überall zurück-gelassen. Einem Nachbarkinde heimlich solchen Kram ins Haus schicken, heisst, ihm „den Klaus jagen". [1]

In der Gemeinde Mitlödi wird die Jugend am Klausmarkt-Morgen im Schulhaus mit Aepfeln, Nüssen und Lebkuchen be-schenkt und nachher entlassen.

Auf den Klausmarkt darf es auch in den Häusern nicht an allerlei Backwerk, insbesondere nicht an Birnbrot, fehlen;

---

[1] Dieser Ausdruck ist umso bemerkenswerter. als in Wirklichkeit bei dem ganzen Brauche nichts geschieht, was irgendwie einer Jagd ähnlich sähe. Der St. Niklaus wird wohl als nächtlicher Wandler. aber nicht als Jäger und noch weniger als Gejagter gedacht. Höchstens lässt sich die Vorstellung damit verbinden, er werde mit Kram für die Kinder in die Häuser geschickt. Unwillkürlich erinnert das Wort an das „Posterlijagen" und „Sträggelenjagen" im Kanton Luzern (s. S. 252) und an die Jagd des wilden Heeres, resp. an Wuotans Heer, das nach dem Glauben unserer Väter um diese Zeit im Wintersturm durch die Lüfte fuhr und das auch in den Pferden, Hunden und Hirschen, welche die Kinder erhalten, seine Spuren zurückgelassen hat.

und eine St. Niklausfeier ohne Glarnertorte oder Glarnerpastete
wäre nur eine halbe.[1]) Dass auch an diesem Markt in Glarus
die Schulen geschlossen sind und den jungen Leuten Gelegenheit
zum Tanzen geboten ist, versteht sich von selber, und dass um
diese Zeit in den Familien die sog. „Nidelabende" an der Tagesordnung sind, wurde schon oben gesagt. (S. 248).

Der Name Niklaus, abgekürzt Klaus, ist im Kanton Glarus
ziemlich häufig, und dem Heiligen dieses Namens sind Altäre
und Bildstöcke geweiht.[2]) Von ihm hat auch der nach dem
Kanton Uri hinüberführende Klausenpass, an den sich verschiedene Sagen knüpfen, seinen Namen, ebenso das auf der
Passhöhe stehende „Chlausechäppeli" (Klausenkapellchen), ein
Schirmhäuschen, in dem sich wohl früher ein Bild des Heiligen
befand.

Mariæ Empfängnis.

Dieser Tag, der 8. Dezember, ist den Katholischen ein sog.
halber Feiertag, der durch Messe und Vormittagsgottesdienst
der Maria zu Ehren ausgezeichnet wird, sonst aber keine besondern Gebräuche aufweist.

Der Thomastag.

Als Aposteltag ist der Gedächtnistag des Thomas, der
21. Dezember, für die Katholischen ein halber Feiertag. Im
Glarnerland sind spezielle Volkssitten mit ihm nicht verbunden;
im benachbarten Weesen dagegen ist er ein bekannter Zins- und
Loostag, an welchem Knechte gedungen und Käufe abgeschlossen
werden, und zugleich Markttag. Er ist der Tag, der als der
kürzeste des Jahres und als Winteranfang unsere Väter in das
grosse Fest der zwölf Nächte einführte, das nun durch die
christliche Weihnachtsfeier ganz in den Hintergrund gedrängt
worden ist.

Weihnachten.

Vorbereitet wird das Weihnachtsfest durch die voran-
gehenden vier Adventssonntage, die sich von gewöhnlichen
Sonntagen protestantischerseits nur dadurch unterscheiden, dass

---

[1]) Zu den St. Niklausgebäcken, dem Birnbrot, dem· „Nidel" (Rahm)
und den Schmausereien vgl. Lütolf a. a. O. 98 und 100.
[2]) Die ihm geweihte Kapelle zu St. Niklausen am Büel, resp. auf dem
Burgstein bei Ennenda, ist verschwunden. Vgl. Blumer u. Heer a. a. O. S. 588.

beim Gottesdienst in Gesang, Gebet und Predigt Adventsge-
danken zum Ausdruck kommen, am 3. Advent speziell die Mission,
katholischerseits dadurch, dass in der Woche vor Weihnacht die
Fronfastenzeit beginnt und vom 18. Dezember an des Morgens
in der Frühe die sog. Rorate-Messen zu Ehren der Jungfrau
Maria gehalten werden.

Die Weihnachtsfeier selbst verteilt sich auf drei Tage:
den heiligen Abend, d. h. den Abend des 24. Dezember, welcher
der Feier in der Familie gewidmet ist, das eigentliche Weihnachtsfest und den sog. „Nachheiligtag", die Nachfeier des 26.
Dezember. Die protestantische Kirche feiert zwei grosse Gottesdienste mit Abendmahl und Feststeuer, die entweder beide am
Weihnachtstag selber abgehalten oder auf diesen und den „Nachheiligtag" verteilt werden, und einen besondern Gottesdienst für
die Jugend, die katholische am Weihnachtsmorgen früh 4 Uhr
die feierliche Christmette bei beleuchteter Kirche, im Uebrigen
alles nach dem vorgeschriebenen, allenthalben gültigen Ritual,
dem gemäss z. B. jeder Priester am Weihnachtstag drei Messen
zu lesen hat.

Wichtiger zur Kenntnis der Sitten des Volkes sind die mit
dem Weihnachtsfest verbundenen Gebräuche des Anzündens des
Christbaumes und der damit zusammenhängenden Bescherung
und Familienfeier. Mit Bezug hierauf ist zunächst zu wieder-
holen, dass diese ganze Feier im Glarnerlande erst neuesten
Datums ist, erst in der zweiten Hälfte, ja im letzten Viertel des
nun zu Ende gehenden Jahrhunderts aufgekommen, resp. hieher
importiert worden ist, dass noch die frühere Generation die
Weihnacht nur als kirchlichen Feiertag gekannt hat und alles
das, was jetzt in den Familien über diese Tage geschieht, teils
am Klausmarkt, teils beim Jahreswechsel vorzunehmen pflegte. [1])

Heute gestaltet sich die Feier folgendermassen: Christbäume
werden um die Weihnachtszeit vor allem in den Kleinkinder-
schulen und in den Kirchen für die sog. Sonntagsschulen angezündet. Sonntäglich gekleidet, werden die Kinder zum brennenden
Baum hereingeführt, singen hier unter Führung ihrer Lehrer
und Lehrerinnen die vorher eingeübten Lieder und sagen Verschen
auf; der Geistliche setzt ihnen in einer Ansprache die Bedeutung
der Geburt des Heilandes auseinander, und zum Schluss werden

---

[1]) Oswald Heer wusste 1846 noch gar nichts davon   Vgl. Blumer u.
Heer. a. a O. S. 303.

ihnen Gaben überreicht, die angeblich das Christkind gebracht hat. In den verhältnismässig wenigen Häusern, in welchen sich der Christbaum ebenfalls eingebürgert hat, wird er meist am heiligen Abend angezündet; darunter werden, wo die Kinder dies im Stande sind, auch etwa Weihnachtslieder gesungen und Gedichte hergesagt. Im Uebrigen beschränkt sich die Feier auf fröhliches Beisammensein mit den empfangenen Geschenken und bei reichlicherem Abendessen. An den Christbaum gehören vergoldete Nüsse, Aepfel und Gebäcke und oben drauf ein Stern. Immer mehr aber droht aller mögliche glänzende Flitter die ursprünglichen einfachen Gaben zu verdunkeln. Da und dort wird auch etwa, um der Jugend die Geburt Christi zu veranschaulichen, eine Krippe mit dem Kindlein und den Weisen im Bescherungszimmer aufgestellt. [1]

Der Stephanstag.

Der 26. Dezember, als Nachfeier noch zur Weihnacht gehörig, ist zugleich der Gedächtnistag des Stephanus, des ersten christlichen Märtyrers, der später, wer weiss wie, zum Patron der Pferde geworden ist.

Johannes des Evangelisten Tag.

Der 27. Dezember, dem Apostel und Evangelisten Johannes geweiht, ist in der katholischen Kirche als Aposteltag ein halber, d. h. staatlich nicht als Ruhetag anerkannter und geschützter, von der Kirche aber doch mit Predigt und besonderer Messe begangener Feiertag.

Der Jahreswechsel.

Die hierauf bezügliche Feier verteilt sich wie die der Weihnacht auf drei Tage: den Sylvesterabend, das Neujahr und das „Nachneujahr." Kirchlich wird protestantischerseits der Jahresschluss mit einem feierlichen Abendgottesdienst am 31. Dezember begangen, der nicht selten durch besondere Vorträge von Orchestern oder Gesangchören verschönert und bei denen

---

[1] Dass der mit Lichtern besetzte Tannenbaum nur durch spätere künstliche Deutung zum Christbaum, resp. zum Symbol des mit Christus der Menschheit aufgehenden geistigen Lichtes, geworden ist und ursprünglich seine Bedeutung im Zusammenhang mit dem allemannischen Fest der zwölf Nächte oder Loostage, der heidnischen Neujahrsfeier, hatte, sei hier nur angedeutet. Vgl. Mülhause, Urreligion d. deutschen Volkes, 1860, S. 71 ff.

die durch Taufe, Konfirmation, Trauung und Todesfall während
des Jahres eingetretenen Veränderungen im Bestand der Gemeinde mitgeteilt werden. Das neue Jahr wird durch Morgengottesdienst eingeleitet; der 2. Januar ist nur bürgerlicher Feiertag. Katholischerseits ist der Neujahrstag in erster Linie die
Octave des Weihnachtsfestes und damit die Feier der Beschneidung
und Namengebung Jesu, infolge welches Umstandes die Fest-
abschnitte und Gebete auf den Jahresanfang keine Rücksicht
nehmen, während dagegen die Predigt dies thun kann.

Die bürgerlichen Gebräuche dieser Tage sind reich und
mannigfaltig. Schon der Sylvestermorgen bringt eine Ueberraschung. Von den Hausgenossen trachtet jeder so früh als
möglich aufzuwachen und schleicht sich leise in die Wohnstube,
wo oft schon von 4 Uhr an die Familie sich allmählig versammelt, um abzuwarten, wer zuletzt eintreffen werde. Dieser
letzte Ankömmling wird nun von den früher Aufgestandenen mit
lautem Jubel begrüsst und ihm der Name Sylvester entgegen-
gerufen, der ihm den ganzen Tag als eine Art Spottname bleibt
und zu allerlei Neckereien Anlass gibt. Dasselbe ist in den
Schulen und Fabriken der Fall. Der zuletzt Ankommende ist
an diesem Tag der Narr im Spiel, und von allen Seiten wird
ihm in die Ohren geschrieen: Sylvester, Sylvester! Diese Sitte
ist besonders im Dorfe Schwanden allgemein gebräuchlich. [1]

Ein anderer Sylvesterbrauch herrscht in der Glarus benachbarten Gemeinde Ennenda. Dort schleichen sich grössere
Knaben oder junge Burschen in die Häuser, in denen kurz zuvor geschlachtet worden ist, und suchen sich aus den Rauch-
fängen oder Küchen ein Stück Speck oder Rauchfleisch oder
eine Wurst zu holen, wozu es oft nicht ungefährlicher Klettereien
bedarf. Ist ihnen die List gelungen, so zeigen sie ihre Beute
lachend den beraubten Hausbewohnern und traben vergnügt
damit davon; und diese lassen es ungestraft durchgehen, weil
der Jugend an diesem Tage nach altem Herkommen das Recht
zu tollen Streichen eingeräumt ist. Man nennt dies das Speckjagen. Die Metzger, die diesen Nachstellungen der Knaben
am meisten ausgesetzt sind, suchen grösserem Schaden dadurch
vorzubeugen, dass sie aus freien Stücken Würstchen an sie aus-

---

[1] Ein ähnlicher Brauch muss früher auch in den Dörfern am Zürich-
See zu Hause gewesen sein. Vgl H. Herzog, Volksfeste S. 207.

teilen. Früher war diese Sitte auch in der Stadt Glarus bekannt, wurde dann aber polizeilich untersagt, weil sie zu Ungebührlichkeiten geführt hatte. [1])

Am Sylvester wird das ganze Haus herausgewaschen. Auswärts wohnende Kinder kehren heim, einzelnstehende Verwandte werden auf den Abend eingeladen.

Die Sylvesternacht sodann bildet den Höhepunkt aller der Lustbarkeiten, die an diesen Tagen gebräuchlich sind. In den Häusern bleiben die Erwachsenen mit den grössern Kindern bis nach Mitternacht auf und warten unter Schmausereien und Gesängen den Anbruch des neuen Jahres ab. Da ist der Tisch schwer beladen mit allem Guten, was die Küche zu leisten vermag. Auch in den armen Häusern wird gehörig getafelt, vor allem „gebrütelt", d. h. Butterbrot gestrichen (für Butterbrot sagt der Glarner Volksmund „Ankenbraut") und Birnbrot oder „Eierzupfen" (d. h. in Form von Haarzöpfen geflochtenes Eierbrot), Eierringe, sog. „Schenkeli", „Hörnli" und anderes Backwerk, vor allem auch geschwungener Rahm („Nidel") gegessen. Um halb zwölf Uhr beginnt das Glockengeläute in den Kirchtürmen und dauert bis wenige Minuten vor Mitternacht. Jetzt tritt eine feierliche Pause ein, bis es 12 Uhr schlägt. Wie der Glockenschlag ertönt, beglückwünscht man sich gegenseitig, die Glocken erschallen aufs Neue, um das neue Jahr einzuläuten, und auf den Strassen verkündigen Jauchzer, dass der Uebergang in den neuen Lebensabschnitt auch von denen mit empfunden wird, die in Ermanglung einer eigenen Häuslichkeit die Neujahrsnacht draussen und in den Wirtshäusern zubringen. Hier nämlich entwickelt sich ein besonderes Leben. In allen Wirtshäusern, die geeignete Lokalitäten besitzen, ist die ganze Nacht hindurch Tanz und geht es hoch her mit Essen und Trinken. Manche junge Leute finden sich auch verkleidet ein, und so entwickelt sich hier mehr, dort minder jene besondere Art von Fröhlichkeit, die mit dem Maskenlaufen verbunden ist. Zuweilen singt auch vor dem Mitternachtläuten oder in der Pause zwischen den beiden Geläuten ein Gesangverein auf den Hauptplätzen des

---

[1]) Aus eben denselben Gründen musste die Obrigkeit im Kanton Luzern 1754 und 1755 gegen das Speckjagen einschreiten, bei welchem „grosse Insolenzen ausgeübt wurden und man sich sogar erfrechte, aller Gattung Esswaren aus den Häusern zu stehlen." Lütolf a. a. O. 566.

Ortes oder lässt eine Musik ihre Weisen erklingen. In frühern
Zeiten zogen in der Neujahrsnacht Sängergesellschaften von Haus
zu Haus und sangen Neujahrslieder.[1])

Nach dem Morgengottesdienst des Neujahres begibt man
sich zu den nächsten Verwandten, ihnen „das Neujahr zu
wünschen". Kinder sagen den Eltern und Grosseltern ihre Neu-
jahrswünsche auf, die sie in der Schule oder von ältern Geschwistern gelehrt worden sind, und erhalten unter allerlei Zu-
sprüchen ein Geschenk. Patenkinder gehen in derselben Weise
am Neujahrstag oder Nachneujahr zu ihren Paten („Götti" und
„Gotte"), die sog. „Helseten" zu holen.[2]) Das früher übliche
Neujahrsingen armer Leute vor den Thüren kommt vereinzelt
auch noch vor, aber eben nur vereinzelt, weil es in eine lästige
Bettelei ausgeartet war und deshalb gesetzlich verboten wurde.

Zum Schluss sei noch der Nachtwächterruf mitgeteilt,
der früher in Glarus in der Sylvesternacht gebräuchlich war:

Stönd uf im Name Herr Jesu Christ!
Das alte Jahr vergangen ist;
Jetz trete wir ins nûe Jahr
B'hüet üs Gott vor aller G'fahr,
Vor Für und Wasser und vor Not
Behüete üs, o trüer Gott!
Viel Glück und Segen und viel Heil,
Das himmlisch Rych werd' üs zué Theil!
D'Glogge hät zwölfi g'schlage.[3])

Der Name Berchtoldstag, der vielerorts dem 2. Januar
gegeben wird, ist hier nicht bekannt, und andere spezielle Gebräuche als das erwähnte „Helsetenholen" bei Paten und Gross-

---

[1]) BLUMER u. HEER a a. O. S 301.

[2]) Das Wort „helsen", zu Hals gehörig, bedeutete das Schnüren
des Halses mit einem Bindfaden oder Strick („Hälsig"); dieses Schnüren
war verbunden mit dem Anhängen des Bindbriefes, dem Zeichen der Eigen-
tumsübergabe, bei Ueberreichung von Geschenken, und die „Helsete" war
das bei solchem Anlass empfangene Geschenk. Die Sitte des „Helsens" hat
sich noch erhalten im sog. Würgen, wie es an den Namenstagen, an denen
man sich ja ebenfalls beschenkt, auch im Glarnerland noch vorkommt.
Anm. für Volkskunde III, 139 ff. ROCHHOLZ, deutscher Glaube II, 91. Im
Kanton Thurgau findet sich statt „Helsete" im gleichen Sinn der Ausdruck
„Würgete" und sogar für Glückwünschen das Wort würgen, z. B. hast du
dem Grossvater schon gewürgt (sc zum Neujahr oder Namenstag)? was
hast du zur Würgeten erhalten?

[3]) Vgl. H. HERZOG a. a. O S 315.

eltern und allfällige Einladungen unter Verwandten und Befreundeten knüpfen sich an diesen Tag nicht. [1])

Der Dreikönigstag.

Den Schluss des Weihnachtscyklus bildet kirchlich der
6. Januar, der Dreikönigstag. Dieser ist bei den Protestanten
kein Feiertag. Fällt der erste Sonntag im neuen Jahr auf den
6. Januar, so wird wohl die Geschichte von den Weisen aus
dem Morgenland, an die er erinnert, zum Text für die Predigt
gewählt; irgend eine besondere Feier aber knüpft sich an diesen
Tag nicht. Anders für die katholische Kirche. Ihr ist er das
Epiphanien- oder Erscheinungsfest, d. h. das Fest der
Offenbarung der Herrlichkeit Christi an die Heiden, als deren
Vertreter die Weisen gelten. An diesem Tage wird zum ersten
Mal im Jahre das Weihwasser gesegnet und von den Gläubigen
zum Schutz gegen böse Einflüsse nach Hause genommen (zum
zweiten Mal am Gründonnerstag, zum dritten an Pfingsten).

Besondere weltliche Gebräuche sind mit diesem Tag nur
in den ganz katholischen Gemeinden Näfels und Oberurnen verbunden, wo die Neujahrsbelustigungen: Tanz, Maskenlaufen und
Schmausereien, fortgesetzt und durch das Herumziehen von Knaben
in der Verkleidung der drei Könige mit dem Stern glücklich zu
Ende gebracht werden.

Die Namen Kaspar, Melchior und Balthasar, welche die
Legende als die der Weisen, resp. der angeblichen drei Könige,
nennt, kommen im Kanton Glarus als Eigennamen sehr häufig vor.

Der Hilariustag.

Der 13. Januar ist das Patrocinium des Hilarius, des
zweiten Schutzheiligen des Glarnerlandes und Patrons der Stadt-

---

[1]) Ueber die Neujahrsbelustigungen sagt ZEHENDER 1738 a. a. O.
S. 242: „Diese benannten Tage wurden mit grösster Ergötzlichkeit zuge-
bracht, als in Gastereien und Mahlzeiten, nächtlichem Umherschweifen mit
Liedern und Gesang, mit Verkleidungen, ja gar Anziehung wilder Thieren
Häuten neben noch viel unzähllichen Aberglauben und Eitelkeiten, deren auch
viele die Christen beibehalten haben, welcheren Ueberbleibsel bis auf diesen
Tag nicht hat können ausgerottet werden." Verschiedene Sylvester-, Neu-
jahrs- und Berchtholdstagsgebräuche finden sich zusammengestellt bei H.
HERZOG a. a. O. S. 203—211. Zum Herumgehen in Masken, besonders in
Hirschlarven, und den Mummereien im Dienst der Göttin Berchta vgl.
ROCHHOLZ, Schweizersagen I, 247, zu den Neujahrsgebäcken als einstigen
Opfergebäcken bei demselben, Deutscher Glaube I, der Abschnitt „das Kuchen-
opfer", S. 323—335.

kirche von Glarus, und bringt den Katholischen eine besondere
Messe zu Ehren desselben. Er hat im Uebrigen die Bedeutung,
dass er der sog. „Chilbifäller" (Kirchweihfäller) für die Winterkirchweih ist, d. h. dass diese sich nach ihm richtet.

Die Winterkirchweih.

Diese fällt auf den Sonntag nach Hilariustag. Sie hat
freilich ihre einstige Wichtigkeit längst verloren. Eine eigentliche Feier findet nicht mehr statt. Doch erinnert man sich jeweilen daran, dass jetzt eigentlich Winterkirchweih wäre. Als
Nachklang der einst damit verbundenen Lustbarkeiten ist nur
die Sitte zu betrachten, dass Lesegesellschaften, Choralsänger-
vereine u. dgl. ihre Jahresfeier gern auf diesen Tag verlegen
und dass, wenn Weg und Wetter es ermöglichen, auf eben
diesen Tag gemeinsame Schlittenpartien in benachbarte Ortschaften unternommen werden.

Der Antoniustag.

Der 17. Januar, der Gedächtnistag des heiligen Antonius,
des grossen Fürbitters (251—356), ist für die Katholiken insofern
von Bedeutung, als mit diesem Tag eine neuntägige Andacht
beginnt in der Weise, dass, wer sie halten will, von hier an
während 9 Wochen je am Dienstag eine Messe hört und am
letzten derselben die Kommunion empfängt. Die Anrufung dieses
Antonius an seinem Ehrentag soll verlorene Gegenstände wieder
zur Stelle schaffen.

Der Sebastianstag.

Der 20. Januar ist der Gedächtnistag des heil. Sebastian
(† 287 od. 288), des Patrons der Pfeil- und Bogenschützen
und Beschützers in Zeiten der Pest. Ihm zu Ehren wurde in
frühern Zeiten von den Katholiken des Kantons Glarus zur
Sebastianskapelle bei Schännis eine jährliche Wallfahrt unternommen.

Die Lichtmess.

Die Lichtmess, 40 Tage nach Weihnacht, also am 2. Februar, ist ein katholischer Feiertag zur Erinnerung an die Darstellung Jesu im Tempel (Luk. 2, 32, Simeon und Hanna) und
die Reinigung der Maria. Das Charakteristische des Tages besteht
darin, dass beim Gottesdienst eine Prozession mit brennenden

Kerzen gemacht wird, die an der geweihten Kerze angezündet worden, und dass bei diesem Anlass die zum gottesdienstlichen Gebrauch bestimmten Kerzen gesegnet werden.

Gemeindeversammlungen, die auf Anfang Februar fallen, heissen „Lichtmesstagwen" (Tagwen = Bürgergemeinde).

Der Blasiustag.

Der darauffolgende, dem h. Blasius geweihte 3. Februar hat das Eigentümliche, dass an demselben Leute mit Halsübeln sich vom katholischen Priester beim Gottesdienst „den Hals segnen", d. h. mit zwei geweihten Kerzen berühren lassen, was den Leiden abhelfen soll.

Der Agathentag.

An diesem Tag, dem 5. Februar, geht man mit Brot in die Kirche und lässt es vom Priester segnen.

Die Fastnacht.

In den Februar fällt die Fastnacht, ein zur Kenntnis der Volksgebräuche sehr interessanter Tag. Kirchlich ist sie als der 7. Sonntag vor Ostern für die Protestanten der Eintritt in die Passionszeit und unterscheidet sich wie die nachfolgenden 5 Sonntage von gewöhnlichen Sonntagen lediglich dadurch, dass das Leiden Jesu zum Gegenstand der Betrachtung gemacht wird, Passionslieder gesungen und Passionsgebete gesprochen werden. Für die Katholiken ist sie der Sonntag vor dem Eintritt der mit dem Aschermittwoch beginnenden grossen Fastenzeit. Um sich nun im voraus für die langen Entbehrungen dieser Zeit schadlos zu halten, pflegte man die Tage von der Fastnacht bis zum Aschermittwoch schon in der Zeit des christlichen Altertums mit Lustbarkeiten aller Art auszufüllen. Von diesen weiss man auch im Glarnerland.

Die Fastnacht ist auch hier der Carneval. Sie dauert 2 Tage, indem auch der Fastnachtsmontag als bürgerlicher Feiertag gilt, an welchem die Fabriken und Schulen geschlossen sind und die Sonntagskleider getragen werden. Auf sie hin werden in allen Häusern „Fastnachtküchlein" gebacken. Andere auf diese Tage übliche Gebäcke sind: Ziegerkugeln, Ziegerkrapfen, Birnbrot und Glarnertorten. In den Wirtschaften ist Sonntags und Montags Tanz, und zwar sind es bei diesem Anlass zumeist die sog. Spielbuben (wovon später), die ihn veranstalten, und in

den Familien wird getafelt. Fastnachtsfeuer sind hier ausser
in Matt unbekannt. An ihre Stelle treten die Fridolinsfeuer.
Dagegen wird auch hier, nachdem es früher infolge eingetretener
Unglücksfälle strenge verboten gewesen, seit einer Reihe von
Jahren wieder in sämtlichen Ortschaften allerlei Mummen-
schanz getrieben. Kleinere Knaben und Mädchen gehen cos-
tümiert umher und besuchen so ihre Verwandten. Grössere
Knaben und junge Leute beiderlei Geschlechts treiben sich maskiert in allen möglichen Costümen auf den Strassen und Tanzplätzen umher. In der Hauptstadt veranstaltet ein Carneval-
verein zuweilen einen Umzug, bei dem allerlei Tagesereignisse
verspottet werden, und geisselt in einer ad hoc herausgegebenen
Narrenzeitung die Thorheiten der Bevölkerung. Gelegentlich
sammelt auch ein wohlorganisierter Maskenball die verkleidungs-
lustige Jungmannschaft der bessern Stände zu einem in ge-
bührenden Schranken gehaltenen Maskenvergnügen. Im Uebrigen
wird in diesen Tagen ein gewisses Mass von Ausgelassenheit
jedem, der an solchen Dingen Freude findet, gerne nachgesehen.

Einen eigentümlichen Fastnachtsbrauch kennt Matt im
Sernftthal, nämlich das sog. „Scheibenfleugen" (fleugen heisst
fliegen machen). Am Abend des Fastnachtmontags ziehen die
jungen Leute, brennende Fackeln schwingend, auf eine freie
Anhöhe, meist auf einen überhängenden Felsen an den Weissen-
bergen. Hier wird ein mächtiges Feuer angezündet. Kleine,
eckig zugeschnittene, in der Mitte mit einem runden Loch ver-
sehene Holzstücke (von Buchenholz), die sog. Scheiben, werden
an lange Haselstöcke gesteckt, im Feuer rotbrennend gemacht,
dreimal durch die Luft geschwungen und alsdann durch Ab-
schnellen an einem schief gestellten Brett in bestimmter Richtung
ins Thal hinausgeschleudert, so dass sie wie sprühende Sterne
weit durch die Lüfte schwirren. Jede Scheibe gilt irgend einer
beliebten Persönlichkeit, die erste gewöhnlich dem Pfarrer, die
zweite dem Gemeindepräsidenten; dann kommen alle möglichen
andern Personen, auch die jungen Mädchen an die Reihe. Beim
Abschlagen wird unter Nennung des betreffenden Namens der
Spruch gerufen:

> „Schybe, Schybe, überrybe!
> Die soll mi und d's N. N. blybe."
> (Scheibe, Scheibe, hinüberreiben;
> Die soll mein und N N bleiben).

Dies geht so fort, bis die mitgebrachten Scheiben alle geopfert sind. In dunkeln Nächten aber gewähren diese sprühenden Sterne ein allerliebstes Schauspiel, an dem auch die Erwachsenen ihre Freude haben.[1]

Der Aschermittwoch.

An diesem Tage, dem Mittwoch nach der Fastnacht, dem Anfang der katholischen Fasten, bestreichen die Knaben ihre Kappen mit Asche oder Russ und schwärzen damit andern, die an den Tag nicht denken und sich erwischen lassen, das Gesicht.

Der schmutzige Donnerstag

ist der Tag nach dem Aschermittwoch. An diesem Tage bestand früher unter jungen Leuten die Sitte, den Nachbarn, die ihre Küchenthüre nicht sorgfältig verschlossen, heimlich das Fleisch aus dem Hafen zu holen, ähnlich wie beim Speckjagen des 31. Dezember.[2]

Der Matthiastag.

Der 24. Februar, der Gedenktag des Apostels Matthias, dessen Name im Glarnerland ziemlich verbreitet ist (Mathys), vor Zeiten ein Tag, an welchem die jungen Mädchen wie in der Andreasnacht ihren künftigen Ehestand erforschten, hat heute nur noch den alten Wetterspruch:

Mathys bricht d's Ys; find't er keis, su macht er eis
(Matthias bricht das Eis; findet er keins, so macht er eins)

Der St. Fridolinstag.

Ein an hübschen Gebräuchen reicher Tag ist der 6. März, der St. Fridolinstag. Fridolin, der Stifter des Klosters Säckingen, ist seit alten Zeiten der Schutzpatron und Wappenheilige des Glarnerlandes, weshalb sein Andenken hier heute noch in hohen Ehren gehalten wird. Sein Todestag, eben der 6. März, wird von der katholischen Kirche als offizieller Feiertag mit Hochamt und Festpredigt — in Glarus durch einen extra berufenen Ehrenprediger -- begangen. An diesem Tage werden nun auch

[1] Vgl. Blumer u. Heer a. a. O. S. 301 f. Aehnliche Gebräuche finden sich im Kanton Graubünden, speziell in Haldenstein und Untervatz, im Prättigau und im Ober-Engadin, ebenso am Wangserberg bei Sargans, in Reckingen bei Zurzach und in Pfeffingen, Baselland. Vgl. H. Herzog a. a. O. S 214 ff Archiv für Volkskunde I, 179.
[2] Vgl Blumer u Heer a a O S. 301.

die sog. St. Fridolinsfeuer angezündet. Schon in der Woche
vorher tragen die Knaben Reisig und dürre Aeste zusammen
und errichten damit auf freistehenden Hügeln in der Nähe der
Ortschaften mächtige Holzstösse. Am Abend des St. Fridolinstages sodann ziehen sie auf diese Hügel und stecken die Haufen
in Brand, wobei jede Knabenschar mit ihrem Feuer die Feuer
der benachbarten Anhöhen zu überbieten sucht. Dabei springen
sie johlend und lärmend um das Feuer, etwa auch hindurch und
lassen ihre Stimmen um so lauter durch die Nacht erschallen,
je mächtiger die Flamme auflodert und die Rauchwolke qualmt.
Am Feuer entzünden sie Werg- oder Pechfackeln und schwingen
sie unter Freudengeschrei durch die Luft, so dass man ein
feuriges Rad zu sehen vermeint und die Funken nach allen
Seiten auseinandersprühen, und wer keine Fackel hat, thut dasselbe mit einem brennenden Scheite. So belustigt sich die grössere
Schuljugend wohl eine Stunde lang, während die Leute von Haus
und Strasse aus vergnügt ihrem Treiben zuschauen. Die grosse
Menge der durch den Kanton hin aufflammenden Feuer bietet
auch wirklich einen anziehenden Anblick dar. Bei den Feuern
der einzigen Gemeinde Schwanden wurden 1899 nicht weniger
als 1513 erbettelte Reiswellen verbrannt, dazu eine Menge
Sonnenräder und Raketen losgelassen. [1]

In Glarus tritt immer gerade am St. Fridolinstag die Sonne,
welche während fünf Monaten der hohen Berge wegen nach
zwei Uhr nicht mehr zu sehen war, zum ersten mal abends
wieder hinter dem Glärnisch hervor. Diesem Ereignis sieht man
jeweilen mit einer gewissen Spannung entgegen, und alte Leute
feierten es bis vor kurzem noch in der Weise, dass sie das
Hervorbrechen der Abendsonne, vor dem Hause sitzend, abwar-
teten und, wenn sie dann erschien, aufstanden und ihr zum Gruss
das Haupt entblössten. In manchen Häusern wird an diesem
Tag auch eine sog. Glarner Pastete gegessen, ein Brauch, in

---

[1] Streng genommen, haben diese Freudenfeuer mit dem christlichen
Bekehrer Fridolin nicht das Mindeste zu thun. Vielmehr stammen sie wie
die St. Niklausfeuer aus dem Heidentum unserer allemannischen Vorfahren
und gehörten als hochheilige Handlung zu ihrem Gottesdienste Sie waren
die Opferfeuer ihres Vorfrühlingsfestes, bei welchem das allmählige Höher-
steigen der Sonne und ihr sicher vorauszusehender Sieg über die Mächte
des Winters gefeiert wurde. Die Knaben sind an die Stelle getreten, die
einst den Priestern zukam, und sie nehmen heute auch die Lebkuchen in
Empfang, die man einst den Priestern zum Opfern gab.

welchem wohl noch die Erinnerung an den Opferkuchen durchschimmert, den man vor Zeiten den Lichtgöttern darbrachte.[1])

Einen besondern St. Fridolinsbrauch hat überdies die reformierte glarnerische Gemeinde Bilten bewahrt. Dort versammelt sich am Abend das ganze Dorf beim Dorfbrunnen und am Dorfbach, und während eine Blechmusik ihre Weisen bläst, lassen die Kinder eine Unzahl von kleinen aus Tannenrinde geschnitzten, bunt bewimpelten Schiffchen, die mit brennenden Lichtern besteckt sind, auf dem Brunnen schwimmen und den Bach hinabgleiten.[2])

Fridolin ist der im Glarnerland weitaus am häufigsten vorkommende männliche Vorname und wird Fridli, auch etwa Frigg oder Fritz gesprochen.

Lese- und Spielgesellschaften pflegen um die Zeit des St. Fridolinstages ihre „Fridlifeier" oder ihr „Fridlimahl" zu halten.[3])

Der Josephstag.

Am 17. März wird der heilige Joseph, der Vater Jesu, welcher katholischerseits für einen grossen Fürbitter gilt, speziell um ein glückliches Ende angerufen Als kleiner Feiertag wird dieser Tag mit besonderem Hochamt begangen.

Mariæ Verkündigung.

Auch dieser Tag, der 25. März, gilt bei den Katholischen als kleiner Feiertag.

[1]) Vgl Du. Schweiz I. 1898. S 500

[2]) Zu den brennenden Schifflein ist zu bemerken, dass im Frickthal, wo St Fridolin ebenfalls als Landespatron verehrt wird, das Sprichwort umgeht: „St. Fridlistag schwimmt d's Liecht dur e Bach ab " Rochholz, Schweizersagen II. 280. Der Brauch, solche mit brennenden Kerzen ausgestattete Schifflein den Fluss hinabschwimmen zu lassen, findet sich auch in Oesterreich an der Donau Rochholz führt aus, es geschehe solches dem Gotte Donar zu Ehren, und es handle sich um das Glücksschiff, das zur Göttin Freya fahre, deren grosses Reich, in welchem alle Engelscharen Platz haben, Seelengefilde (Volkvangr) hiess. Vgl. Schweizersagen I, 514.

[3]) Ueber St. Fridolin und die an seinen Namen sich knüpfenden vielfachen Sagen, wozu auch die seines Erscheinens nach dem Tode vor Gericht gehört, vgl Heer. St. Fridolin, der Apostel Allemanniens, Zürich 1889. Eine Variante zum Toten vor Gericht aus Willisau s. Lütolf a. a. O S 514 Die Sagen vom Luzerner Fridli Bucher, dem Feuer aus dem Munde flammt, und von Bruder Fritschi daselbst vgl. ebendort S 426 und 427. Lütolf bemerkt auch, dass die Fastnachtsfeuer im Kanton Luzern oft erst um Mitte Fasten, also ungefähr um die Zeit des St. Fridolinstages, angezündet wurden a a O S. 563.

Der 1. April.

Er ist auch hier, wie in der übrigen Schweiz, der Tag, welcher einen jeden, der sich durch seine Leichtgläubigkeit „in den April sprengen", d. h. zu törichten, unnützen Gängen bereden lässt, für diesen Tag zum „Aprillennarren" macht. Abergläubischen Menschen gilt er zugleich als „verworfener" Tag.

Die Karwoche.

Dem Osterfest, das immer am ersten Sonntag nach dem Vollmond nach Frühlings-Tag- und Nachtgleiche stattfindet und damit zwischen dem 22. März und 27. April im Kalender auf- und abschwankt, geht die Karwoche d. h. Klagewoche voran, die folgende Feiertage aufweist: den Palmsonntag, den hohen Donnerstag, den Karfreitag und den Karsamstag.

Der Palmsonntag.

Bei beiden Konfessionen die Erinnerung an den Einzug Jesu in Jerusalem, wird der Palmsonntag katholischerseits in der Weise begangen, dass vormittags Zweige von Stechpalmen und Aepfel in die Kirche getragen und am Marienaltar vom Priester gesegnet werden, nachmittags in der Kirche eine Prozession veranstaltet wird.[1]) Protestantischerseits findet morgens ein gewöhnlicher Gottesdienst, nachmittags die Konfirmation statt. Auf diese hin erhalten die Knaben und Mädchen eine schwarze Festtagskleidung, die Mädchen überdies ein weiteres neues Kleid. Festlich sieht sich jeweilen der Zug der Konfirmanden an, der sich unter Glockengeläute und bei grossem Andrang von Zuschauern vom Pfarrhaus in die Kirche bewegt. Die Konfirmationshandlung selbst vollzieht sich nach dem fast überall üblichen Ritus ohne bemerkenswerte Lokalgebräuche. Erwähnung verdient höchstens, dass in Elm derselben noch nach altem Herkommen eine öffentliche Prüfung der Konfirmanden in der Kirche vorbergeht. Nachmittags machen die Neukonfirmierten, nach Geschlechtern getrennt, gemeinsame Spaziergänge, auf welche am Ostermontag ein vereinigter mit Einkehr und Tanz zu folgen pflegt. Das „Klassenbewusstsein", das in einem vom Geistlichen angeführten sömmerlichen Konfirmandenausflug seinen sichtbaren Ausdruck erhält, lebt noch lange nach der Konfirmation fort und macht sich z. B. darin bemerklich, dass, wenn später eins aus der

---

[1]) Ueber den Palmesel von Glarus vgl. Stückelberg in Festbuch zur Eröffnung des hist. Museums Basel 1894. s. 32.

Klasse stirbt, die übrigen sich vereinigt zum Begräbnis einfinden und einen Kranz auf den Sarg legen.

Der Gründonnerstag,

die Erinnerung an die Einsetzung des h. Abendmahles, wurde bis vor kurzem von beiden Konfessionen kirchlich begangen, wird es aber jetzt auf reformierter Seite nicht mehr. Bei den Katholischen findet die zweite Weihwassersegnung (die erste am Dreikönigstag (s. S. 261), die sog. Ostertaufe, statt, wird das Abendmahl gefeiert und fängt die Osterbeichte an. Von hier an bis am Karsamstag Abend werden zu den katholischen Gottesdiensten keine Glocken geläutet. Besondere Speisen, z. B. Krautkuchen wie im Kanton Bern, sind hiezuland nicht üblich.

Der Karfreitag,

für beide Konfessionen das Gedächtnis des Todes Jesu, reformierterseits als hoher Festtag — in einigen Gemeinden auch mit Abendmahl — gefeiert, aber erst seit den Sechziger Jahren des 19. Jahrhunderts, ist für die Katholiken der „stille Freitag" ohne Glockengeläute, ohne Orgel. Des Morgens findet keine Messe, blos ein Gebet statt, und der Geistliche geht, um die Stille nicht zu stören, in blossen Strümpfen in die Kirche. Die Gemeinde betet die sog. 14 Stationen. Am Abend findet Predigt statt, und weil nicht geläutet werden darf, tritt an die Stelle der Glocken der hinter dem Hochaltar versteckte Klopfer oder die „Rätschen", die zu handhaben den Knaben immer Spass macht.

Der Karsamstag

wird protestantischerseits gar nicht, katholischerseits als Ostervigilie mit grossem Abendgottesdienst gefeiert.

Ostern.

Das Osterfest zur Feier der Auferstehung des Herrn bildet kirchlich für beide Confessionen den Höhepunkt des Jahres. Beide haben grosse Kommunion, bei beiden tragen womöglich Kirchenchöre durch besondere Lieder zur Erhöhung der Feier bei. Ein überaus freudiger Ton durchweht das Ganze, wie auch die alte christliche Kirche mit diesem Tage die vierzigtägige grosse Freudenzeit eröffnete.

Auf Ostern werden die Kinder auch hiezuland mit farbigen Ostereiern beschenkt, die ihnen vorgeblich der Osterhase im Garten gelegt hat. Mit diesen gehen sie ins Freie und werfen sie auf den Wiesen in die Luft.

Am Ostermontag ist überall öffentlicher Tanz, und wenn die Witterung es gestattet, unternimmt jedermann einen ersten grössern Spaziergang oder Ausflug zum Genuss der erquickenden Frühlingsluft. Früher wurde in Glarus auch offener Markt gehalten.[1]) Andere Gebräuche wie das anderwärts übliche Eierlaufen oder die Ostermontagsfeuer, Ueberbleibsel von einst der Frühlingsgöttin Ostara (?) zu Ehren veranstalteten Festlichkeiten, sind hier nicht bekannt.[2])

Der weisse Sonntag.

So heisst bei den Katholischen der Sonntag nach Ostern, weil da die Mädchen in weissen Kleidern zur Kirche kommen. Es sind die Katechumenen, die ihre erste Kommunion begehen. Hinter einem Fähnlein her ziehen sie, ein Kränzchen von Frühlingsblumen im Haar, die Knaben mit einem Sträusschen auf dem Hut, zum Gotteshaus. Hier erhalten sie nach Empfang der Kommunion am Marienaltar das Scapulier, ein Amulett mit dem Bild Jesu auf der einen und dem Bild der Maria auf der andern Seite, das bestimmt ist, zum Schutz gegen Sünde und Unglück am Halse getragen zu werden. — An diesem Sonntag werden katholischerseits zum ersten Mal seit der Fastnacht wieder Brautpaare verkündet. Denn während der ganzen Fastenzeit finden keine Hochzeiten statt, auch protestantischerseits äusserst selten und in der Karwoche nie.

Die Näfelser Fahrt.

Immer am ersten Donnerstag im April oder, wenn dieser in die Karwoche fällt, am zweiten findet das sog. Fahrtsfest, kürzer auch nur die Fahrt genannt, d. h. die alljährliche Feier der Näfelser Schlacht, statt.

Sie ist die Erinnerung an den am 9. April 1388 von 500—600 Glarnern über 6000—8000 Oesterreicher davongetragenen Sieg, dem das Glarnervolk seine Freiheit verdankt. Gestiftet wurde die Feier durch die Landsgemeinde vom 2. April 1389. Stiftungsurkunde ist der sog. Fahrtsbrief vom selben Tag, der zugleich die Namen der 55 gefallenen Glarner enthält,

---

[1]) Vgl. BLUMER u HEER a. a. O. S. 581

[2] Verschiedene anderwärts gebräuchliche Osterfreuden finden sich zusammengestellt bei H. HERZOG a. a O. S 236—241 (Osterläuten, Eierfeste, Osterhase, Eierlesen, Osterfeier in Sitten) und MÜLHAUSE a. a O 144—162.

welchen 2400 gefallene Oesterreicher als Opfer der Schlacht
gegenüberstehen. Der „Fahrtstag" ist ein staatlich anerkannter
kirchlicher und bürgerlicher Feiertag. Die Werkstätten sind
geschlossen, die Fabriken stehen still, in den entferntern Gemeinden wird Gottesdienst gehalten, und nicht bloss einzelne
Vereine, sondern die ganze Bevölkerung aller Stände nimmt an
der Feier Teil. Norm für die Durchführung desselben bildet
das Fahrtsgesetz vom Jahre 1835. Ihr Verlauf ist folgender:

Morgens früh um 7 Uhr bildet sich in der Kirche von
Glarus unter dem Geläute aller Glocken zunächst die katholische
Prozession, angeführt von den Standarten von Glarus, Linthal
und Schwanden und den katholischen Geistlichen. Gleichzeitig
marschiert ein anderer Zug, gebildet durch die vereinigten Männer-
chöre des Kantons, mit der Fahne des Kantonalsängervereins
vom Gemeindehaus in Glarus ab. Diesen zwei Zügen schliesst
sich das übrige Volk in zwanglosen Gruppen an. Der ganze
Zug wandert nun „auf den Wegen und Stegen der Väter",
d. h. der Thalstrasse nach. wie sie zur Zeit der Schlacht führte,
teilweise auf der heutigen Landstrasse, oft aber auch durch Fuss-
wege und über Wiesen, die an diesem Tage gemäss Servitut
offen gehalten werden müssen, zunächst nach Netstal. Dort
schliesst sich ihm von der katholischen Kirche aus wieder unter
Glockengeläute eine zweite Prozession mit Kreuz und Fahnen an.
Von hier geht es weiter dem Fuss des Rautispitz entlang durch
Wiesen gegen Näfels, von wo eine dritte Prozession mit den
Fahnen von Näfels, Oberurnen und Weesen und den Kapuzinern
des Näfelser Klosters dem Zug entgegenkommt. Nach 1 1/2 Stunden
ist man auf dem obersten Teil des Schlachtfeldes, in Schneisingen,
beim ersten Gedenkstein angelangt. Elf Steine, die sich auf
eine Strecke von 15 -20 Minuten bis unter den Flecken Näfels
verteilen, markieren die Punkte, wo der Kampf am heissesten
tobte. Beim genannten ersten Stein ist eine Tribüne errichtet
und sind Flaggen aufgepflanzt. Hier wird Halt gemacht; eine
Kompagnie Soldaten, welche zum Ehrendienst aufgeboten worden
und dem Zug voraus vom Zeughaus in Glarus aus auf den Festplatz marschiert ist, stellt sich im Kreise um die Tribüne auf
und grenzt damit den sich bildenden Ring ab. Innerhalb desselben fassen die Landesbehörden Posto, und um denselben stellt
sich das Volk, 6 —10000 Menschen und mehr, Kopf an Kopf
auf, alt und jung, reich und arm, alles in buntester Mischung

durcheinander. Nun eröffnen die Sänger die Feier mit patriotischen Liedern. Mittlerweile ist in zwei Kutschen, die Ratsweibel in roten Mänteln vorn auf dem Bock und hinten auf dem
Trittbrett, die Regierung mit dem Ehrenprediger eingetroffen
und wird unter den Klängen einer Musik in den Ring geführt.
Alsdann besteigt der Vertreter des Regierungsrates, das eine
Jahr der Landammann, das andere der Landesstatthalter (Prä-
sident und Vicepräsident), die Rednerbühne und begrüsst das
Volk mit einer Ansprache, in welcher der Hergang der Schlacht
erzählt und die Nutzanwendung für die Gegenwart daraus gezogen wird. Darauf wieder Lieder- und Musikvorträge. Alsdann
setzt sich die Menge, angeführt von den Truppen, der Regierung
und der Musik, in Bewegung zum Marsch über das Schlachtfeld
von Stein zu Stein. Bei jedem Stein hält die katholische Prozession an und verrichtet Gebete für die gefallenen Helden.
Nach einer halben Stunde sammelt sich die Menge beim sechsten
Stein neuerdings zur Anhörung der Festpredigt. Dieser sechste
Stein steht mitten im Dorfe Näfels auf einem freien Platz, dem
sog. Fahrtsplatz. Hier ist eine Feldkanzel errichtet. Nachdem
die Behörden Platz genommen und Musik und Sängerchöre durch
Vorträge die Feier eröffnet haben, verliest der Ratsschreiber
den altehrwürdigen „Fahrtsbrief" und das Verzeichnis der Gefallenen. Darauf folgt die Festpredigt, zu der das eine Jahr ein
protestantischer, das andere ein katholischer Geistlicher von der
Regierung berufen wird. Lautlos wird die Predigt angehört.
Nachher wird die Wanderung über das Schlachtfeld bis zum
Schlachtdenkmal und dem letzten der elf Steine fortgesetzt, bei
diesen zwei Stationen unter Absingung von Liedern, worauf sich
die katholische Prozession und die offiziellen Persönlichkeiten
noch in die nahe Kirche begeben, um einem feierlichen, mit
Orchester begleiteten Hochamt beizuwohnen. Damit ist der offizielle Teil des Festes abgeschlossen, und die Menge ergiesst
sich in die Wirtshäuser zum Mittagessen oder an den Bahnhof
zur Heimfahrt, während die Behörden sich zu einem Mahle ver-
einigen, bei dem es nicht an weitern patriotischen Ansprachen
fehlt. Viele gehen auch in das benachbarte Dorf Mollis hinüber,
wo die erschlagenen Helden begraben liegen, und besuchen daselbst in der auf diesen Tag offen gehaltenen Kirche das jenen
zu Ehren errichtete Denkmal.

Der Nachmittag ist allerlei Volksbelustigungen gewidmet,

wozu sich bei Schaubuden, auf den Tanzplätzen und in den von Musik wiederhallenden Gasthäusern von Näfels Anlass aller Art bietet.

Ist die Witterung ungünstig, so wird die Festpredigt in die Kirche verlegt. Bei guter Witterung aber gestaltet sich das Ganze zu einer herzerhebenden patriotischen Feier, zumal wenn der erhabene Dom der Natur vom grünen Fussteppich der Wiesen bis hinauf zu den frisch beschneiten Kronen seiner Riesenpfeiler im wärmsten Frühlingsglanze erstrahlt.

Georgs- und Markustag.

„Georg und Marx bringen viel Args“, sagt der Volksmund von diesen zwei Tagen, dem 23. und 25. April, von welchen letzterer als Evangelistentag für die Katholischen ein sog. kleiner Feiertag ist.[1])

Der 1. Mai

war früher für Glarus ein katholischer Feiertag und ist es noch für die Gemeinden Näfels und Oberurnen, weil mit diesem Tag die sog. Maiandacht beginnt, eine Reihe von täglich wiederkehrenden Gebeten und gottesdienstlichen Feiern zu Ehren der Jungfrau Maria, die im Mai vor blumengeschmückten Altären verrichtet werden. An diesem Tage ziehen die Katholiken der genannten Gemeinden in Prozession mit Kreuz und Fahnen nach der Sebastianskapelle bei Schännis, wo ein Bild des h. Sebastian steht, das einst in der Kirche von Elm gestanden haben, dann bei der Reformation in den Sernft geworfen und dort, wo nun die Sebastianskapelle steht, von der Linth angeschwemmt worden sein soll.

Die Landsgemeinde.

Sie ist noch ganz das altgermanische Volksthing, obwohl durch und durch von modernem Geiste durchweht. Die Formen sind uralt, und weil so alt, werden sie auch als etwas Unverletzliches hoch und heilig gehalten. Der käme übel an, der

---

[1]) Auf den ritterlichen Helden Georg aus Kappadocien, den Drachentöter und Patron der Ritter, haben sich — ähnlich wie auf den Erzengel Michael — manche Züge des alt-allemannischen Gottes Wuotan, des Gottes der Adeligen, des gewaltigen Reiters, Kämpfers und Siegverleihers, der auf weissem Pferd mit der Lanze in der Hand durch die Lüfte reitet, abgelagert.

daran rütteln wollte. Laut Verfassung muss die Landsgemeinde
im Mai und der Tradition gemäss am ersten Maisonntag abgehalten werden, wofern die Witterung nicht zur Verschiebung
auf den zweiten Sonntag zwingt. Denn in den Tagen nach der
Walpurgisnacht (30. April auf 1. Mai) wurde vor Zeiten das
Mailager gehalten. Dieses hohe Fest führte alles Volk zusammen.
Da wurden Häuptlinge gewählt, Jünglinge wehrhaft gemacht,
Verbrecher bestraft, Kriegszüge beschlossen. Ehr- und gewehrlos
wurde, wer bei diesem Anlass einer schimpflichen That überführt
wurde. So soll auch heute noch derjenige „für ein Jahr als ehr-
und gewehrlos erklärt und vom Ring fortgeführt werden", der
sich etwa an der Landsgemeinde ungebührlich aufführen sollte,
wie dies der sog. Dänibergerbrief, der bis vor wenigen Jahren
immer beim Beginn derselben vorgelesen wurde, ausdrücklich
vorschreibt. [1])

Die Inscenierung dieses Mailagers geschieht mit grosser
Feierlichkeit. Man tagt unter freiem Himmel auf einem mächtigen
Platz in der Hauptstadt, der bezeichnend genug Zaun genannt
wird. Hier sind in weitem Oval amphitheatralisch aufsteigende
Sitz- und Stehplätze hergerichtet, welche 6000—7000 Menschen
zu fassen vermögen. In der Mitte dieses sog. Ringes steht die
Tribüne mit einem Tisch und etlichen Stühlen für die Schreiber.
Majestätisch schaut der Glärnisch als Thalkönig auf das freie
Volk herab, das sich hier zu seinen Füssen sammelt, und die
Abhänge des Schilt und des Schafläger haben dem Maitag zu
Ehren das Festkleid der schönsten Frühlingsblüte angezogen.

Nun schlägt es 10 Uhr. Der vorbereitende Gottesdienst
in der Kirche ist zu Ende. Die Bürger sammeln sich auf dem
Rathausplatz und im „Zaun" in gewöhnlicher Sonntagskleidung,

---

[1]) Vgl. über den Bruch des Dingfriedens durch „Unlust" Schröder·
Rechtsgeschichte³, 21 ff., Brunner, Rechtsgesch. I. 129
Der Dänibergerbrief von 1746 lautet: „Es wird anmit jeder-
männiglich erinnert, sich an der heutigen feierlichen Versammlung ordentlich
und mit Anstand zu verhalten Sollte aber jemand seine Pflicht soweit vergessen, dass er sich ungebührlich aufführen würde, so soll selbiger oder
selbige von dem Herrn Landammann und den ihm zunächst stehenden
Herren Räten, Landleuten und Amtsdienern ernstlich zur Ordnung gewiesen
werden. Wenn aber diese Ermahnung fruchtlos sein sollte, so soll selbiger
oder selbige sogleich vom Ring geführt und vom Rat für ein Jahr als ehr-
und gewehrlos erklärt werden. Auch soll der Eingang offen gelassen werden
und niemand darin stehen."

ohne Seitengewehr. Mit mächtigem Vollklang stimmen die
Glocken der dreitürmigen Stadtkirche den Eröffnungspsalm an;
vor dem Rathaus lässt eine Militärkapelle ihre würdigste Weise,
den besondern Landsgemeindemarsch, ertönen, und ernst und
feierlich bewegt sich der lange Zug der barhäuptig einher-
schreitenden Ratsherrn, Richter und Beamten des Kantons, von
einer Abteilung Militär als Ehrenwache angeführt und geschlossen,
auf den Landsgemeindeplatz. Vor dem Landammann, d. h. Re-
gierungspräsidenten, her gehen zwei Ratsweibel, in die Standes-
farben, rot mit weissem und schwarzem Streifen gekleidet, mit
Dreispitz und Brustschild, dem St. Fridolinswappen, und tragen
die Insignien der Gewalt, das silberne Scepter und ein mächtiges
Schwert. — Der „Ring" füllt sich von allen Seiten. Die innerste
Sitzreihe ist für die Beamten reserviert. Zunächst der Tribüne
nimmt der Regierungsrat und das Bureau des Landrates Platz,
gegenüber die Gerichtsstäbe, weiter der Landrat, die Staatsbe-
amten und die Geistlichkeit. Die 5 andern ringförmigen Bank-
reihen werden meist von ältern Männern besetzt, während die
Hauptmasse auf dem erhöhten Podium steht. — Musik und
Glocken schweigen, die Ratsschreiber beziehen ihre Plätze. Nun
besteigt der Landammann als Vorsitzender der Landsgemeinde die
Tribüne in Frack und Handschuhen, ergreift das Schwert und eröffnet. auf dasselbe gelehnt. mit längerer patriotischer Rede, die
auf die Verhandlungen vorbereitet, nicht selten einem Musterstück
volkstümlicher Beredsamkeit, die Versammlung. Nach Beeidi-
gung des Landammanns erhebt sich die Menge der Bürger, und
ihrer viele Tausende schwören entblössten Hauptes mit erhobener
Hand den Eid der Treue zum Vaterland, ein Akt von erhebender
Feierlichkeit. Der Ratsschreiber liest die Eidesformel vor, und
auf erfolgte Aufforderung des Landammanns sagt jeder einzelne:
„Dieses schwöre ich" [1]).

[1]) Die Eidesformel für den Landammann lautet: „Ich gelobe und
schwöre, die Verfassung und verfassungsmässigen Gesetze strenge zu befolgen.
die Rechte und Freiheiten des Volkes und der Bürger zu achten und die
Pflichten meines Amtes treu und gewissenhaft zu erfüllen, so wahr als ich
bitte, dass mir Gott helfe."
Der Eid der Bürger lautet: „Wir geloben und schwören, die Verfassung
und Gesetze des Bundes und des Kantons treu und wahr zu halten, des
Vaterlandes Ehre, Einheit und Kraft, seine Unabhängigkeit, die Freiheit und
Rechte seiner Bürger zu schützen und zu schirmen, so wahr als wir bitten.
dass uns Gott helfe."

In der Regel beginnen die Verhandlungen mit Wahlen. Alle 3 Jahre werden sämtliche Aemter neu bestellt. Auf freien Vorschlag aus der Mitte der Versammlung werden Landammann und Landesstatthalter (Vicepräsident der Landsgemeinde und der Regierung), die übrigen Mitglieder des Regierungsrates, sämtliche Mitglieder der vier Gerichte, die Ständeräte, der Staatsanwalt, der öffentliche Verteidiger und die Weibel gewählt. Die Anfrage lautet: „Wem's bliebt und gfallt, dass Herr N. N. (beispielsweise) zum vierten Mitglied des Appellationsgerichtes gewählt syn sölli, der hebi syni Hand uf." Die Stimmen werden nicht gezählt. Vereinigt von zwei Vorgeschlagenen jeder eine grosse Zahl von Stimmen auf sich, so erklärt der Landammann nach freier Umschau, in schwierigen Fällen unter Beiziehung von zwei oder vier Mitgliedern des Regierungsrates, welcher von beiden das grössere „Mehr" gehabt habe. Nach beendigter Wahl treten die Gewählten in die Mitte des Ringes und leisten hier vor allem Volk den Amtseid, welcher gleichlautend ist mit dem des Landammanns.

Nun folgt die Rechnungsablage, die Dekretierung der Landessteuer und die Beratung der Gesetze. Die Wahlgemeinde wird zum gesetzgebenden Körper. Während die Landsgemeinden anderer Kantone ohne Diskussion einfach über die Vorlagen abstimmen, wird in Glarus frisch und tapfer über Annahme oder Verwerfung diskutiert. Zunächst begründet der Landammann kurz den Antrag des Landrates über den betreffenden Gegenstand. Eine ausführliche schriftliche Begründung erhalten sämtliche stimmfähige Bürger in einem besondern Heft, dem Landsgemeinde-Memorial, schon einige Wochen vorher gedruckt in die Hand. Nach dem orientierenden Worte des Landammanns wird die Diskussion eröffnet. Wer sprechen will, erhebt die Hand und bittet ums Wort. Dann besteigt er die Tribüne oder spricht mitten aus dem Ring von seinem Platze aus, im einen wie im andern Fall eine tüchtige Anstrengung der Stimme. Denn wenn jemand nicht durchdringt, wird sofort von allen Seiten gerufen: lauter! deutlich! Abgesehen von der Eröffnungsrede des Landammanns, wird nur im Dialekt gesprochen. Die übliche Anrede lautet: „Hochgeachteter Herr Landammann und sämtlich hochvertraute, liebe Herren Landleute!" Der Fremde bemerkt mit freudigem Staunen, mit welcher Unerschrockenheit, Sicherheit, Lebendigkeit und Schlagfertigkeit nicht nur Räte und Herrn,

sondern ebenso schlichte Männer aus dem Volke, Handwerker,
Fabrikarbeiter, Bauern, das Wort führen und welches politische
Selbstbewusstsein und welche Klarheit der Begründung hier im
Bunde mit populärer Sprachkraft und treffendem Witz zum Ausdruck kommt. Zwischen dem Redenden und der Versammlung
herrscht die lebhafteste Fühlung. Er wird durch Zwischenrufe
unterbrochen, nimmt sie auf und antwortet. Beifall und Missfallen werden ohne Zurückhaltung kundgegeben. Spricht Einer
zu lang oder mag man ihn sonst nicht mehr hören, so wird er
heruntergerufen. „Abä, abä, gnueg!" tönt es von allen Seiten,
und alle Versuche, sich dennoch Gehör zu verschaffen, sind
fruchtlos, ob er daneben ein Nationalrat oder ein Gemeindeschreiber oder ein Arbeiter sei. Das Gemurmel kommt nicht
zur Ruhe, bis er den Hut nimmt und geht. Spricht Einer aber
gut, bündig, treffend, witzig, so schenkt man ihm Gehör bis zuletzt. Haben etliche über dasselbe Gesetz gesprochen, so dass
die Stimmung gemacht ist, so ertönt, um weitere Redner am
Auftreten zu verhindern, aus Hunderten von Kehlen der Ruf:
„scheiden, scheiden"! d. h. abstimmen! und wenn nun zur Ab-
stimmung geschritten wird, so rufen die, welche die Hand erheben, um andere auch dazu zu animieren, wie in gewisser
Siegesfreude: „he!" und halten eine Zeit lang die Hand hoch,
bis der Landammann nach allen Seiten Umschau gehalten hat.
So geht ein Gesetzesentwurf des Landrates nach dem andern in
rascher Folge durch das sichtende Sieb des Volksentscheides, bis
im Zeitraum von 3—4 Stunden 15—20 Traktanden erledigt sind.

Die Selbstbeherrschung und Ausdauer der Menge ist be-
wunderungswürdig. Vier Stunden stehen die Männer da an der
Sonne, oft auch am Regen, ohne etwas zu geniessen, ohne zu
rauchen, ruhig, wo Ruhe am Platz, lebhaft und feurig, wo etwas
sie besonders beschäftigt, in freier, sich selbst auferlegter Disziplin, wie sie ohne hohes republikanisches Selbstbewusstsein
und angewöhnte Selbstachtung nicht denkbar wären. Damit
übrigens auch die Jugend schon frühe ihre künftige Aufgabe
kennen lerne, ist für die Knaben mitten im Ring am Fuss der
Tribüne ein besonderer Platz zurechtgemacht, wo sie, dicht gedrängt, das Mittagessen und alles vergessend, still und anständig
auf Balken sitzen und zuhören bis ans Ende. Diese Berücksichtigung des heranwachsenden Geschlechtes macht einen aus-
gezeichneten Eindruck.

Nach Schluss der Verhandlungen entleert sich der Ring alsbald. Die Behörden begeben sich im Zug ins Rathaus zurück, Musik und Militär marschieren ab, und die Bevölkerung zerstreut sich in die Gasthäuser zum Mittagsmahl. Nachmittags finden allenthalben Gartenkonzerte statt. Krämerstände aller Art dienen der Jugend und dem Landvolk zur Ergötzung, und die junge Mädchenwelt paradiert in neuen, schmucken Frühlingsgewändern durch die Strassen, indessen andere „zum Geiger gehen“, d. h. sich auf den öffentlichen Tanzböden vergnügen, welchem Vergnügen auch am folgenden Tag noch gehuldigt wird.

Der Landsgemeindemontag

(„Landsgmimändig“) ist ein staatlich geschützter bürgerlicher Feiertag, der Besuchen bei Verwandten, Spaziergängen und fröhlicher Unterhaltung gewidmet ist. Schulen und Fabriken sind eingestellt, am Landsgemeindesonntag in den meisten Gemeinden auch die Gottesdienste. Nachmittags finden in vielen Gemeinden Feuerwehrübungen statt. Auf die Landsgemeinde hin wird Haus und Hof geputzt; die Vorfenster müssen herausgenommen, die Wintersachen versorgt, der Garten in Ordnung gebracht, die Jugend mit neuen Kleidern versehen, die Frühlingswäsche vorüber und alles im Hause blitzblank sein. Bis zur Landsgemeinde ist es auch gestattet, frei über alle Wiesen zu gehen.

Durch all dies gestaltet sich die Landsgemeinde zu einem allgemeinen Frühlingsfest und dem regelmässigen Stelldichein der Bürgerschaft des ganzen Kantons, wo Verwandte und Bekannte sich wiedersehen und im Sonnenschein der Freiheit das ganze Volk sich seiner Selbständigkeit freut. [1])

Auf die Landsgemeinde folgen allenthalben im Kanton die Frühlings-Gemeindeversammlungen, die sog. Maiengemeinden, und da und dort findet der Maienmarkt statt. Ebenso werden im Mai weitaus am meisten Hochzeiten und Verlobungen gefeiert.

Das Himmelfahrtsfest.

Meist in den Mai fällt auch das kirchliche Fest der Himmelfahrt. Dasselbe bietet, abgesehen vom besondern Inhalt der Feier, der Himmelfahrt Christi, für die protestantische Kirche keine, für die katholische Kirche nur die besondern Gebräuche dar, dass der Gottesdienst mit Prozession verbunden ist, diese

---

[1]) Vgl. Blumer u. Heer a. a. O. 305 ff.

Hauptprozession aber schon an den drei vorausgehenden Tagen durch kleine Prozessionen vorbereitet wird. In Glarus werden diese Montags und Dienstags nur um die Kirche herum gemacht; Mittwochs dagegen wird von der Kirche zu der auf einem Hügel stehenden Burgkapelle gezogen.

Allgemein aber herrscht im Volke die hergebrachte Ansicht, die „Auffahrt" müsse zu einem Ausflug verwendet werden. Der Tag ist deshalb ein allgemeiner Ausflugstag für Familien und Vereine, und besonders ist es der frischgrüne Wald, dem die Besuche gelten, wie anderwärts am Auffahrtstag auch im Wald oder sonst im Freien Gottesdienst abgehalten wird. Auch diese Sitte steht im Zusammenhang mit der altgermanischen Maifeier und ihren Waldgottesdiensten.[1)]

Pfingsten.

Das Pfingstfest, sieben Wochen nach Ostern, für beide Konfessionen hoher Festtag mit den üblichen Kultushandlungen und mit dem Pfingstmontag als staatlich anerkanntem Nachfeiertag, ist mit keinen Gebräuchen verbunden, die zu besondern Bemerkungen Veranlassung gäben.

Das Trinitatisfest,

acht Tage nach Pfingsten, wird von der katholischen Kirche als hohes Fest mit Beichte und Kommunion gefeiert und am darauf folgenden Donnerstag als eines ihrer grössten Feste

der Fronleichnamstag,

die Feier der wunderbaren Wandlung des Leibes Christi in die Hostie (Leichnam = Leib, Fron = Herr). Der Tag wird am Vorabend und am Morgen früh mit Böllerschüssen und Glockengeläute angekündigt und zum Schluss des Morgengottesdienstes mit grosser, von Geläute und Schüssen begleiteter Prozession begangen. Diese bewegt sich in Glarus um die Kirche und deren nächste Umgebung, in Näfels und Oberurnen durch die Dörfer. Es werden Feldaltäre errichtet, vor denen die Gebete stattfinden, und die Kirchen durch Aufpflanzung junger Buchen im Chor und bei den Altären geschmückt. Junge Mädchen in weissen Kleidern tragen das Marienbild. Diese Mädchen

---

[1)] Vgl. ZEHENDER a. a. O. 885; LÜTOLF a. a. O. S 561. „DER EVANG. KIRCHENCHOR" Zürich, Jahrg. 1899, No. 3.

dürfen nicht verlobt sein und sich in demselben Jahre weder
verloben noch verheiraten. Der Nachmittag wird zu Spaziergängen und Lustbarkeiten verwendet.

Urbans-, Johannis- und Peter- und Paulstag.

Von ferneren Tagen im Frühling sind zu nennen: der
St. Urbanstag (25. Mai), an welchem die Erbsen gesteckt
werden müssen, Johannistag (24. Juni), das Patronatsfest
Johannes des Täufers, ein halber katholischer Feiertag, hier aber
ohne Feuer oder andere Volksgebräuche gefeiert, wie sie ander-
wärts vorkommen[1]), und Peter und Paul (29. Juni), an welchem
Tag die Katholiken des Kantons ihre jährliche Wallfahrt mit
Kreuz und Fahnen nach Einsiedeln unternehmen, indem sie mit
der Eisenbahn bis Pfäffikon fahren und von da zu Fuss unter
Gebeten über den Etzel pilgern.[2])

Verchiedene Feiertage des Sommers.

Der Sommer, in der Regel überreich an eigens veranstalteten Turn-, Schützen- und Sängertagen, Jugendfesten u. dgl.,
ist an alljährlich wiederkehrenden, auf bestimmte Kalendertage
fallenden Festen so arm, dass er wie kirchlich so auch bürgerlich
als die festlose Zeit des Jahres betrachtet werden kann. Für
die Kenntnis der Volksgebräuche kommt in derselben eigentlich
nur die Kirchweih in Betracht, doch sind der Vollständigkeit
wegen auch folgende Tage zu nennen:

Der 2. Juli, Mariæ Heimsuchung, bringt den Katholischen
eine besondere Messe am Marienaltar, der 8. Juli als das
Schutzengelfest Beichte und Kommunion, der 25. Juli eine
besondere Messe zu Ehren des Apostels Jakobus, der 26. Juli
eine ebensolche zu Ehren der heiligen Anna.

Der 1. August, den Abergläubischen ein besonders verworfener Tag, Petri Kettenfeier, an welchem Tag der Teufel
aus dem Himmel auf die Erde herabgeworfen worden und deshalb „los“ sein soll, frei, alles mögliche Schlimme zu verüben,
ist seit 1889 auf Anordnung des Bundesrates zum Tag der Feier
des Schweizerbundes geworden, an welchem seit 1899 abends
1 Stunde lang alle Glocken geläutet und von Gesangvereinen

---

[1]) Vgl. Lütolf a. a. O. 107 f. 105 f. 436. 540 f 548. 558. 575.
[2]) Lütolf a. a. O. S. 436 und 578.

öffentlich Lieder gesungen werden. Wie sich die Feier weiter
entwickeln wird, bleibt abzuwarten.

Der 15. August ist als „Mariæ Himmelfahrt" für die
Katholiken ein staatlich anerkannter hoher Festtag mit Kommunion, Prozession, Geschützdonner etc. Im Uebrigen hat er
für Glarus nur die Bedeutung, dass er „Chilbifäller" ist, d. h.
dass er über den Tag der Abhaltung der Glarner Kirchweih ent-
scheidet. Diese findet nämlich immer am darauffolgenden Sonntag statt.

Die Kirchweih.

Diese ist für den gemeinen Mann das eigentliche Sommer-
fest. Kirchlich die Erinnerung an die Einweihung der ersten
christlichen Kirche des Ortes und mit gewöhnlichem Gottesdienst
begangen, von andern Sonntagen nur durch die Einsammlung
einer Kirchensteuer zu einem wohlthätigen Zwecke unterschieden,
zeichnet sich der Tag durch eine Menge bürgerlicher Gebräuche
aus, die mit seiner Bedeutung als Kirchweihe nicht das Mindeste zu thun haben, sondern sich gänzlich als Ueberbleibsel
eines altheidnischen Sommer- und Erntefestes qualifizieren. Ein
besonderer Platz am Orte, in Glarus der Landsgemeindeplatz,
ist mit Schaubuden und Marktständen besetzt, wo Jugend und
Landvolk bei Panoramen. Guckkasten, Schiessständen, „Kasperli-
theatern", „Reitschulen" (Caroussels) u. dgl. den ganzen Nachmittag und bis in die Nacht hinein ihre Belustigung suchen und
sich ihr Geld abnehmen lassen. Dabei darf vor allem das „Zytle"
(Zeitlen), d. h. das Drehen des Glücksrades. nicht fehlen. Die
Wirtshäuser erfreuen sich eines ausserordentlichen Zuspruchs.
Allenthalben ist Tanz. Aber auch in den Familien wird getafelt
und geschmaust. Zur Kirchweih gehören speziell „Ankebrut
mit Hung und Chriesimues" (Butterbrot mit Honig und Kirschmus) und „Ankezälte" (Butterkuchen). Wer eigenes Vieh hat,
holt sich das längst hiezu bestimmte „Chilbiböckli" oder „Chilbi-
schäfli" (Kirchweihböckchen, Kirchweihschäfchen) von der Alp
herunter und schlachtet es auf diesen festlichen Tag. In allen
Schützenständen knattern die Flinten; denn es wäre nicht Kirchweih ohne „Chilbischüsset" (Kirchweihschiessen). Auch der
darauf folgende Montag ist Feiertag mit Tanz und Fortsetzung
der Lustbarkeiten. Geschäfte, Werkstätten und Schulen feiern.
Die Kinder holen bei Paten und Verwandten die obligaten

„Chilbirappen." Bekanntschaften, die bei der Landsgemeinde gemacht wurden, führen leicht auf die Kirchweihe zu Brautschaften.

Eines besondern Gebrauches, der sich an den Kirchweihtanz und nur an diesen knüpft, ist noch Erwähnung zu thun.
An diesem Tage sind es nicht die Wirte. sondern die sog. Spielbuben, die den Tanz organisieren. Eine Anzahl junge Leute
thun sich zusammen, mieten einen Tanzsaal, engagieren eine
Musik und laden öffentlich zum Tanze ein. An ihrer Spitze
steht der Spielmeister. Jeder Tänzer hat ihnen beim Eintritt
einen Franken zu bezahlen; daraus bestreiten sie die Kosten für
den Saal und die Spielleute. Ihr Abzeichen ist das Spielmeister-
sträusschen auf dem Hut, ein mit farbigen Bändern eingefasstes
kleines Bouquet von künstlichen Blumen, unter denen der Rosmarin den Vorrang behauptet. Sie eröffnen den Reigen, indem
am ersten Tanz ausser ihnen kein anderer Bursche teilnehmen
darf. Nachher zählen sie die Paare ab und reichen jedem Tänzer
aus einem Korbe ein Rosmarinsträusschen, ohne welches keiner
sich den Tanzenden beigesellen darf. Sie sorgen den ganzen
Abend für Ruhe und Ordnung und bestimmen die Tänze und
die mitternächtliche Pause zum Kirchweihmahl. Mit Rücksicht
auf diese Sitte sieht man in den Glarner Blättern vor der Kirchweihe angekündigt: „Spielmeisterbouquets empfiehlt in schönster
Auswahl N. N.", während vielleicht dicht daneben ein anderer
„Honig und frische Butter" oder „frisches Kirschmus" ausge-
schrieben hat.

Die Glarner Kirchweihen beginnen Mitte August mit derjenigen des Hauptortes, wo die Mutterkirche des Kantons stand,
setzen sich dann aber Sonntag für Sonntag. den Bettag ausge-
nommen, in den Dörfern fort bis in den November hinein. Manche
Leute ziehen von einer Kirchweih zur andern und kommen so
Wochen lang aus dem Vergnügungstaumel nicht heraus. Es
sind deshalb wiederholt Anstrengungen gemacht worden, die
Kirchweihe in allen Gemeinden auf denselben Sonntag anzusetzen,
bis jetzt aber vergeblich.

In frühern Zeiten wurden zuweilen die jungen Männer be-
nachbarter Kantone auf die Kirchweihen zu Glarus geladen. So
kamen 1524 100 Schwyzer und im Jahr darauf 200 Ilanzer an
die Kirchweih nach Glarus, während im Jahre vorher die Glarner
200 Mann stark auf den St. Jakobstag an die Urner Kirchweih
nach Altdorf gezogen waren; und 1730 begab sich wieder ein

grosser Zug von Glarnern an das Kirchweihschiessen auf den Urnerboden. [1])

Ueber die Winterkirchweih vgl. S. 262.

Der Verenentag.

Der „Vrenentag" (1. September) erinnertan eine der Jungfrauen der thebäischen Legion, an deren Namen sich speziell in Zurzach, wo sie starb, und Solothurn eine Menge Sagen knüpfen. Im Kanton Glarus wird sie zwar nicht gefeiert; doch wird der 1. September allgemein der Verenatag genannt. In Schwanden findet immer am Dienstag darauf der Verenamarkt statt, und der Name Verena ist ein ausserordentlich häufig gebrauchter Vorname. Auf dem Urnerboden, am Pass von Linthal nach dem Schächenthal, ist der Verena eine viel besuchte Kapelle geweiht, in der am 1. September das Patrocinium feierlich begangen wird. Ein quadratförmiges Firnfeld auf dem Gipfel des mittleren Glärnisch heisst „d's Vrenelis Gärtli", und in den Glarner Sagen ist Frau Vrene nicht unbekannt. [2])

Mariæ Geburt.

Der 8. September als der Geburtstag der Maria ist der „Chilbifäller" für Näfels; die Kirchweihe von Näfels fällt auf den Sonntag nach Mariæ Geburt. An diesem Tag wird im Kloster zu Näfels ein grosses Fest gefeiert und am Sonntag darauf auf den Benkener „Büchel" (Hügel) gezogen, wo bei der Kapelle „Maria Bildstein" im Freien Hochamt und Predigt abgehalten wird.

[1]) Vgl. BLUMER U. HEER a. a. O. S. 302

Unsere Ahnen pflegten im Spätsommer bei ihrem Erntefest, mit dem Aehrenkranz geschmückt, auf die Felder hinauszuziehen und hier den Göttern, besonders dem Erntegott Wuotan, aber auch dem Donar und andern, zum Dank für die empfangenen Segnungen des Bodens Opfer von Brot- und Butterkuchen aus frischem Getreide, von Honig und Met in üppiger Fülle zu spenden. Die Festteilnehmer werden dabei auch hiezuland den Erntewagen umtanzt und die Hüte mit Rosmarinsträusschen geschmückt haben. Ueber ähnliche Kirchweihgebräuche an andern Orten vgl. LÜTOLF a. a. O. S. 556. HERZOG, a. a. O. S. 279. MÜLHAUSE, a. a. O. S. 291 ff.

[2]) Kein Zweifel, dass in den vielfachen Sagen von Frau Vrene, der „freinen", die Erinnerung an die einstige Göttin Freya fortlebt, die man am Verenatag anrief. Vgl. ROCHHOLZ, Schweizersagen I, 14—17. 50. 243. II, 262. 314. LÜTOLF a. a. O. 86. 90.

Felix und Regula.

Der 11. September ist den sagenberühmten Geschwistern Felix und Regula geweiht, die auch im Glarnerland aus allerlei Legenden bekannt sind und deren Namen auf Tausende von Glarnern und Glarnerinnen übergegangen sind.

Kreuzerhöhung.

Der 14. September hat im Kalender den Namen Kreuzhöhung. Nach ihm richten sich der Kreuzmarkt in Netstal (Donnerstag nach Kreuzerhöhung), der Kreuzvormarkt in Schwanden und der Kreuzmarkt in Glarus, die am Montag und Dienstag nach Bettag stattfinden. Besondere Gebräuche sind damit nicht verbunden.

Der Bettag.

Der Bettag wurde 1649 nach Beendigung des 30jährigen Krieges zum Dank für die Bewahrung während desselben wie für die endlich erlangte Anerkennung der nationalen Unabhängigkeit der Schweiz von der Tagsatzung beschlossen und 1650 zum ersten Mal gefeiert, jedoch unter Fernhaltung der Katholiken. 1795 und 96, als die Eidgenossenschaft von Krieg bedroht war, vereinigten sich die sämtlichen Kantone zu gemeinsamer Bettagsfeier. und von 1803 an wurde ohne Unterbrechung alljährlich ein Bettag gefeiert, aber von den Katholischen an einem Sonntag, von den Reformierten am zweiten Donnerstag im September. Um diesem Zwiespalt ein Ende zu machen, wurde der Bettag 1832 durch die Tagsatzung in Luzern auf Antrag der aargauischen Abgeordneten zum allgemein schweizerischen Dank-, Buss- und Bettag erhoben und auf den dritten Sonntag im September angesetzt. Im Kanton Glarus wird er nicht in erster Linie als Busstag, sondern als patriotischer Dank- und Freudentag mit grossen Gottesdiensten vor- und nachmittags begangen, doch ohne Nachfeiertag, wie die übrigen hohen Feste ihn haben, auch ohne vorbereitendes Abendmahl. Die Regierung erlässt darauf hin ein Mandat, das am Sonntag vorher von allen Kanzeln beider Konfessionen verlesen wird. Die Feststeuer des Tages wird reformierterseits dem protestantisch-kirchlichen Hülfsverein, resp. den Protestanten in der Diaspora zugewendet.

Der St. Michaelistag.

Ein im Volksbewusstsein nicht bedeutungsloser, obwohl

jeder besondern Feier längst entkleideter Tag ist Michaelis (29. September), der Gedächtnistag des Erzengels Michael, des grossen Drachentöters, dem in der St. Michaelskapelle auf der Burg in Glarus an diesem Tag ein besonderer Gottesdienst gehalten wird. Dienstags darauf ist Michaelismarkt in Glarus.[1]) Der Name Michael ist als Eigenname sehr gebräuchlich.

Das Rosenkranzfest.

So heisst bei den Katholiken der erste Sonntag im Oktober. An diesem Tage werden bei Beichte und Kommunion die Rosenkränze gesegnet.

Der Gallustag.

Mit diesem (16. Oktober) verhält es sich ähnlich wie mit Michaelis. In Brauch und Gesetzgebung figuriert er vielfach als Zieltag, z. B. für die Alpbenutzung, und nach ihm richten sich die Herbstmärkte. Immer am Montag nachher findet in Schwanden der Gallusvormarkt, am Dienstag in Glarus der Gallusmarkt statt. Der Name Gallus kommt im Glarnerland auch als Vorname vor.

Allerheiligen und Allerseelen.

Der 1. November ist das grosse katholische Fest Aller Heiligen, der 2. November der Allerseelentag. Die Feier wird hiezuland so zusammengeschoben, dass der Vormittag allen Heiligen geweiht ist, während der Nachmittag sich zu einem Totenfest mit Fürbitte für die Gestorbenen gestaltet. Auf diesen Tag werden von den Angehörigen beider Konfessionen die Gräber mit Kränzen und Blumen geschmückt, und die Katholischen ziehen in Prozession auf die Friedhöfe.

Die Reformationsfeier.

Für die Protestanten ist der erste Sonntag im November seit wenigen Jahren gemäss Vereinbarung unter den Kantonen der Reformationsfeier gewidmet, worauf Predigt, Gesang und Gebet Rücksicht nehmen. Allgemein wird an diesem Tag eine Liebessteuer zum Bau einer protestantischen Kirche in der Diaspora eingesammelt.

---

[1]) Michael ist wie Georg der Nachfolger des ritterlichen Gottes Wuotan Vgl. S 373 Anm.; Lroux a. a O 562

II. Gelegentliche Feste.

Der Bannertag.

Es war dies ein spezifisch glarnerisches Fest, das aber nur von Zeit zu Zeit gefeiert wurde, nämlich allemal dann, wenn ein neuer Bannerherr gewählt worden war und diesem die alten Schlachtbanner übergeben wurden. Dies geschah öffentlich vor allem Volk. Die Banner wurden vom Landammann und dem ganzen Rate unter dem Geläute aller Glocken beim gewesenen Bannerherrn oder dessen Hinterlassenen abgeholt, dem neugewählten zugestellt und bei diesem Anlass dem von allen Seiten herbeiströmenden Volke gezeigt. Jedes einzelne wurde vom sog. Bannervortrager — ein längst verschwundenes Amt — entfaltet und emporgehalten, worauf der Landammann die Geschichte des Tages erzählte, an dem es gebraucht oder erbeutet oder geschenkt worden war, und seine Erklärungen in eine patriotische Ansprache auslaufen liess. Dabei wurde stets das noch vorhandene Fähnlein der Glarner, das Matthias Ambühl 1388 in der Schlacht bei Näfels vorangetragen, mit besonderer Ehrfurcht begrüsst. Jetzt ist das Fest längst in Abgang gekommen, die Erinnerung daran aber bei ganz alten Leuten noch lebendig. Zum letzten Mal wurden die Banner beim Jubiläum der Näfelser Schlacht 1888 dem Volke vorgewiesen. Das letzte Bannerfest aber fand 1828 statt. Professor Dr. Oswald Heer sagt darüber — offenbar aus eigener Anschauung — folgendes: „Das ganze Volk des Landes nahm an dem Feste teil, ja in dem Masse, dass aus manchen Dörfern fast die gesamte Bevölkerung auszog und Leute zur Bewachung derselben bestellt werden mussten. Es wurden damals die noch vorhandenen Landesbanner dem Volke auf dem Landsgemeindeplatz gezeigt. Man sah, als das alte Näfelser Schlachtbanner entfaltet wurde, in manchem Auge Tränen glänzen, zum deutlichen Beweise, dass die Denkzeichen einer grossen Vergangenheit noch mächtig auf das Volksgemüt wirken."[1]

Zu den bemerkenswertesten Bannern, die da vorgewiesen wurden, gehörten ausser dem Näfelser Schlachtfähnlein ein altes damastenes Fähnlein mit dem Bilde Fridolins, das wahrscheinlich in den Appenzeller Kriegen und 1798 beim Anrücken der Franzosen gebraucht wurde, ein Banner von rotem Sammt,

---

[1] Blumer u. Heer a. a. O. S. 309

das im alten Zürichkrieg und in den Schlachten der Burgunderkriege, fünf weitere, die im Schwabenkrieg, 1510 gegen den
Herzog von Savoyen, in den Schlachten von Novarra und Marignano
und 1531 im Müsserkrieg getragen wurden, eine prächtige Fahne,
die den Glarnern 1512 zur Anerkennung für ihre Tapferkeit zu
Alessandria von Papst Julius II. geschenkt wurde, u. s. f. Diese
Banner alle werden seit alter Zeit in der sog. Bannerlade verwahrt, und diese ist nun seit langem dem Kantonsarchiv ein-
verleibt. [1])

Das Jugendfest.

Ungemein beliebt sind in Glarus die Jugendfeste, die
freilich neuern Ursprungs und denen von St. Gallen und Aarau
nachgebildet sind. Die ersten wurden in den Fünfziger Jahren
dieses Jahrhunderts abgehalten und beschränkten sich auf einen
Sonntag Nachmittag. Anfänglich nur etwa alle 5 Jahre veranstaltet, wurden sie allmählig öfter begehrt, bis sie zu alljährlich
wiederkehrenden Festen geworden waren. Seit einigen Jahren
jedoch wird nur je das zweite Jahr ein solches abgehalten, in
den Zwischenjahren dagegen dieselbe Summe, die ein solches
erfordert, Fr. 2000—2400, aus der Schulkasse für Schülerreisen
ausgeworfen.

Das Fest vollzieht sich jedesmal so ziemlich nach demselben Programm: Morgens 6 Uhr Tagwache der Stadtmusik
und der Trommler des Kadettenkorps durch die Hauptstrassen,
8 1/2 Uhr Sammlung der von den Schulhäusern in verschiedenen
Zügen eintreffenden Schulen auf dem Landsgemeindeplatz, 9 Uhr
unter Glockengeläute Festzug durch die Stadt ins Gotteshaus,
voran eine Abteilung Kadetten, dann die verschiedenen Schul-
klassen mit ihren Fahnen, die Mädchen alle in weissen Kleidern.
In der Kirche Orgelspiel, Gesänge der verschiedenen Schulen,
Vorträge des Schülerorchesters, Festrede eines Schulratsmitgliedes,
meist eines Geistlichen, wieder Gesänge und Schlussspiel der
Orgel. Mittags 1 Uhr abermalige Sammlung der Schulen auf
dem Landsgemeindeplatz, Zug nach dem 1/2 Stunde entfernten,
herrlich gelegenen Festplatz, Erfrischung im Walde, dann Spiele
aller Art, teils im Ring und auf dem Podium, teils ausserhalb
auf den Wiesen, Stangenklettern, Armbrust- und Bogenschiessen,
Turnen und zuletzt Tanz. Oefter wird auch ein Kadettenmanöver

---

[1]) Blumer u. Heer a. a O. S. 272.

damit verbunden, das gewöhnlich oberhalb des Festplatzes zu Ende geht. Ein freiwilliges Corps von jungen Leuten in grünen Blousen und Federhüten bildet den Feind, und das Kadetten-corps hat dann die Freude, denselben zu schlagen, die Führer gefangen zu nehmen u. dergl.

Den Mittelpunkt der Spiele bilden stets die Produktionen auf dem Podium. Und da bietet jedes Jahr neue Ueberraschungen. Es ist eben Sache der Spezialkommission, besonders der Turn- und Gesanglehrer, Abwechslung hineinzubringen. Da erscheinen das eine Jahr die ganz Kleinen, die Schüler der zwei untersten Jahrgänge, als Kobolde und Zwerge gekleidet, und produzieren sich, 100 zusammen, mit ebenso geordneten als ergötzlichen Evolutionen, das andere Jahr 200—300 von mittleren Klassen und tragen gemeinsame Lieder vor. Nie aber fehlen die kunstvollen Reigen der grössern Schüler; doch gibt es jedes Jahr neue: Fischer-, Winzer-, Schnitter-, Kriegertänze u. dergl. etwa einmal, auch einen Spass. So hatten vor einigen Jahren 16 Kaminfeger und 16 Müllerinnen, die sich gegenseitig schwarz und weiss zu machen suchten, ohne doch je dazu zu gelangen, einen überaus neckischen Reigen aufzuführen. Immer gibt es dreimalige Erfrischung. Zum Schluss Tanz und um 7 Uhr ge-ordneter Heimmarsch. Kommt man später heim, so werden auch wohl einige Häuser illuminiert, etwas Feuerwerk losgebrannt u. dergl. Dann erfolgt Auflösung auf dem Marktplatz mit An-sprache des Schulpräsidenten von der Rathaustreppe aus.

Die Spiele der Klassen werden von den Lehrern geleitet, denen etwa 20 junge Mädchen, die sogenannten Spieljungfrauen, freiwillig Hülfe leisten. Diese besprechen vorher mit den Lehrern, was für Spiele sie mit den Kindern auf der Wiese aufführen wollen, und sorgen dafür, dass die nötigen Kränze, Töpfe, Klappern, Stäbe u. dergl. zur Stelle sind. Jedes Jahr gibt es wieder andere Spiele, und je mehr es dabei zu rennen und zu jagen gibt, desto lieber ist es den Kindern. Mit manchen Spielen sind auch Preise verbunden.

Auf dem Festplatz entwickelt sich, da die ganze Bevölkerung teilnimmt, jeweilen ein ausserordentlich bewegtes, buntes, farben-prächtiges Festleben.

Alles, was auf dem Festplatz gebraucht wird: Podium, Pflöcke, Seil, Teller, Gläser, Flaschen, Krüge, Tische, Bänke, kurz alles und jedes ist von der Schulgemeinde ad hoc angeschafft

und trägt den Namen (in den Flaschen und Tellern etc. einge-
brannt oder eingeritzt) „Schulgemeinde Glarus", wird beim Festplatz in einem besonderen Gebäude aufbewahrt und nur zu
diesem Zweck benutzt.

Die ferner wohnenden Kinder (z. B. von Riedern) werden
von ihren Kameraden zu Mittag geladen, damit sie über Mittag
(zwischen der Morgen- und Nachmittagsfeier) nicht den Weg
nach Hause zu machen haben. Da entfaltet sich immer ein
schöner Wetteifer, wer dieses oder jenes Kind zum Mittagessen
heimnehmen dürfe. Auch die ärmsten Mädchen tragen weisse
Kleider, die ihnen vielfach von Vermögenden geschenkt werden.
Alles geht ohne Zwang und Verdruss in bester Ordnung zu; für
die armen Kinder bilden diese Tage oft die schönsten Erinnerungen
ihres Lebens. Nachstehend möge das Programm des Jugendfestes
von 1893 stehen:

Vormittags: 6 Uhr Tagwache 8¼ Uhr Sammlung im Zaun. (Die
Schüler des Burgschulhauses, der Schule Riedern und der höhern Stadtschule
werden von der Musik ins Zaun begleitet.) 8½ Uhr Zug in die Kirche.
1. Orgelspiel während des Eingangs. 2. Gesang sämtlicher Klassen der
Primar- und der höhern Stadtschule mit Orgelbegleitung. Choral: „Lobe
den Herren, den mächtigen König" 3. Gesang der VI. und VII. Klasse:
„Schweizer Heimweh" von Mendelssohn. 4. Vortrag sämtlicher Violinklassen:
„Largo" von Händel 5. Festrede des Herrn Pfarrer Reichmuth. 6. Gesang
der VI. und VII. Klasse und der höhern Stadtschule mit Orchesterbegleitung:
„Im schönsten Wiesengrunde". 7 Gesang der VI. und VII. Klasse und der
höhern Stadtschule mit Orchesterbegleitung: „Vesper-Chor" von Bortniansky.
8. Vortrag der Knabenkapelle: „Priestermarsch aus der Zauberflöte" von
Mozart. 9. Gesang der VI. und VII. Klasse und der höhern Stadtschule mit
Orchesterbegleitung: „Der Wanderer" von (?). 10. Orgelspiel während des
Ausgangs. (Das Orchester ist aus Knaben gebildet).

Nachmittags: 11¾ Uhr Sammlung im Zaun. 12 Uhr Zug nach
dem Festplatz auf Sack 1 Uhr Freiübungen von 140 Knaben der höhern
Stadtschule und der VI und VII. Primarschule. 1¼ Uhr Erfrischung
1¾—2¾ Uhr Spiele und Turnübungen. Knaben der höhern Stadtschule:
Preiswettturnen. Knaben der VII. Klasse: Armbrustschiessen. Knaben der
VI. Klasse: Blasrohrschiessen. Knaben der V. Klasse: Bogenschiessen und
Seilspringen Knaben der III. und IV. Klasse: Kletterstange. Mädchen der
VI. und VII. Klasse: Aufmarsch und Reigen. Mädchen der höhern Stadtschule: 1. Castagnettenreigen. 2 Polkareigen. 3. Tyrolienne (Tanzreigen).
4 Aufmarsch zum Kreuz und Reigen. 2¾ Uhr Tafel. 3¼—4½ Uhr Spiele.
Fahnenreigen (22 Knaben in den Kantonsfarben). Tanz der Gärtner
und Gärtnerinnen (12 Paare). 4½ Uhr Tafel. 5 Uhr Preisverteilung
vom Wettturnen. 5—5½ Uhr Tanz für die Primarschüler. 5½—6 Uhr Tanz
für die höhere Stadtschule. 6¼ Uhr Abmarsch nach dem Rathausplatz und
Entlassung

In den meisten Dorfgemeinden werden ebenfalls von Zeit zu Zeit in engerem Rahmen und mit ähnlichem, aber einfacherem Programm Jugendfeste abgehalten. [1)]

Festanlässe des Kadettencorps.

In der Stadt Glarus besteht seit mehr als 70 Jahren ein Kadettencorps, das aus den Knaben der Höhern Stadtschule besteht und zirka 100 Mann zählt. Diesem bieten sich allerlei Festlichkeiten dar, für die sich die Bevölkerung auch in weitern Kreisen immer lebhaft interessiert: zunächst alljährlich zum Schluss der Waffenübungen Ende September ein Kadettenausmarsch, verbunden mit Preisschiessen. Nach zuvor ausgegebenem Tagesbefehl wird in ganz militärischer Weise ein mehrstündiger Marsch in eine andere Gegend in oder ausserhalb des Kantons unternommen und alsdann dort auf Scheiben geschossen, worauf nach stattgefundenem Mittagsmahl die 30 — 40 besten Schützen mit Preisen bedacht werden. Gegen Abend Rückmarsch oder Heimfahrt und festlicher Einzug in die Stadt unter den Klängen der Knabenkapelle. — Gewöhnlich im Anfang der Sommerferien findet der freiwillige Cadreausflug statt; d. h. diejenigen Kadetten, die Offiziere oder Unteroffiziere geworden sind, unternehmen unter dem Kommando ihres Hauptmanns und in eigenen Kosten einen Ausmarsch nach irgend einem Ausflugsziel, der einen Tag in Anspruch nimmt und unter Festhaltung militärischer Disziplin durchgeführt wird. Gewöhnlich sind sie von ihrem Instruktor, resp. dem Lehrer der Waffenübungen, begleitet. — Von Zeit zu Zeit, etwa alle vier Jahre einmal, wird mit den Kadetten, sei es in Verbindung mit dem Preisschiessen, sei es unabhängig von diesem, ein mehrtägiger Ausmarsch mit Manöver veranstaltet. Als Zielpunkte werden historisch oder militärisch interessante Gegenden gewählt, z. B. die Geburtsstätten der Eidgenossenschaft, die Luziensteig u. dergl. Dabei wird sowohl die Marschfähigkeit der angehenden Wehrmänner auf die Probe gestellt, als durch grössere Manöverübungen versucht, ihnen eine Vorstellung vom Hergang bei Gefechten beizubringen. Sie werden über Nacht militärisch einquartiert, und wenigstens mittags wird feldmässig abgekocht.

[1)] Vgl. JAHRBUCH für Jugend- und Volksspiele, v. E. v. SCHENCKENDORFF und Dr. med. F. A. SCHMIDT, 3. Jahrg. Leipzig 1894 S. 100 ff.

Dass es ihnen nicht nur grosse Freude macht, bei diesen Anlässen neue und interessante Gegenden kennen zu lernen, sondern
dass auch der patriotische und militärische Sinn dabei eine fühl-
bare Kräftigung erfährt, bedarf keines Nachweises.

Anderweitige Schulfestlichkeiten.

Seit dem Aufkommen der Jugendfeste sind alle andern
Festlichkeiten, die früher etwa mit dem Schulleben verbunden
waren, daneben gänzlich in den Hintergrund getreten. Dies gilt
namentlich von den Schulexamen. Diese bilden jeweilen den
Abschluss des Schuljahres und fallen auf Ende März oder Anfang
April. Da erscheinen die Schüler sonntäglich gekleidet in den
frisch gereinigten und mit Zeichnungen und Handarbeiten heraus-
geputzten Klassenzimmern und werden in Gegenwart der Eltern
und der Schulbehörde von ihren Lehrern geprüft. An manchen
Orten erfolgt zum Schluss eine Ansprache des Schulpräsidenten.
Früher wurden Fleissprämien in Bar, das sog. Examengeld, ausgeteilt. Jetzt aber sind diese Aufmunterungen in der Mehrzahl
der Gemeinden verschwunden. Einen etwas festlichen Charakter
nimmt in Glarus das Schlussturnen und das Sing- und Musik-
examen an, die beide unter starkem Zudrang der Bevölkerung
abgehalten werden.

Ein Fest für die Jugend sind dagegen die zur Sommerszeit
veranstalteten Schulausflüge, die je nach dem Alter der
Kinder und den finanziellen Mitteln einen halben oder ganzen
Tag, für die obern Klassen der Höhern Stadtschule in Glarus
zwei Tage in Anspruch nehmen und die Jugend mit den
schönsten Punkten des eigenen Landes wie der benachbarten
Kantone bekannt machen.

Das Knabenschiessen.

Fast in allen Gemeinden des Kantons bestehen besondere
Knabenschützengesellschaften (in Glarus noch neben dem
Kadettencorps), die dazu dienen, schon die Knaben an sichere
Handhabung der Waffe zu gewöhnen. Sie haben ihre eigene
Organisation, ihren eigenen Schützenmeister, Sekretär, Kassier etc.,
lauter Knaben. Die Schiessübungen aber finden unter Leitung
von Erwachsenen, meist Mitgliedern der Vorstände der am Orte
bestehenden Schützengesellschaften, statt, so dass Unglücksfälle
dabei noch nie vorgekommen sind. In Glarus ist für die Knaben
ein besonderer Scheibenstand mit kürzerer Distanz als der für

die Erwachsenen hergerichtet. Diese Knabenvereine haben ihre
Uebungen im Sommer an Sonntagnachmittagen, immer z. B. an
der Kirchweihe, und schliessen sie mit einem Preisschiessen ab, zu
dem sie vorher von Haus zu Haus Gaben sammeln.

Das Sängermahl.

Der evangelischen Jugend ist die Gelegenheit zu festlicher
Bethätigung geboten auch auf dem Gebiet der Pflege des Kirchen-
gesanges. In manchen Gemeinden bestehen sog. Singschulen,
in welchen Sonntag um Sonntag nachmittags von Lehrern
mit den Kindern die Lieder des Kirchengesangbuches eingeübt
werden. Für die Knaben ist dies die Vorübung zum Beitritt
zu ihrem ersten Verein. Vom zwölften Jahre an ist es ihnen
nämlich gestattet, sich den Choralsängergesellschaften an-
zuschliessen. Diese Gesellschaften sind ausser den Schützengesellschaften die ältesten des Kantons, entstanden zwischen
1620 bis 1650 zur Einführung des kirchlichen Choralgesanges,
der seit der Reformation gänzlich in Wegfall gekommen war.
Orgeln gab es damals in den reformierten Kirchen des Kantons
teils noch nicht, teils nicht mehr. Dafür bildeten sich nun besondere Gesellschaften, welche die Lieder, die beim Gottesdienste
gesungen werden sollten, zuerst für sich einübten und alsdann
beim Gottesdienst vorsangen. Nun sind längst allenthalben Orgeln
vorhanden — mit Ausnahme einer Gemeinde —, die Choralsängergesellschaften aber sind geblieben und bestehen aus Männern,
welche Tenor und Bass, und aus Knaben, welche den Alt singen,
während der Sopran von der stets zahlreich anwesenden Frauen-
welt gesungen wird. Diese Gesellschaften erfreuen sich starker
Beteiligung von Jung und Alt und besitzen im Unterschied von
andern Gesangvereinen meist ordentliche unangreifbare Kapitalver-
mögen, Glarus z. B. 14,000 Fr., aus deren Zinsen sie den „Sänger-
meister" besolden, welcher die Knaben in achtwöchentlichem
Kurse auf die Aufnahme vorzubereiten, die Proben zu leiten
und in der Kirche vorzusingen hat, und sich alljährlich ein Fest-
mahl gönnen. Die Kapitalien sind entstanden teils aus den ihnen
von den Gemeinden überlassenen Kirchenstühlen, die sie an
Private versteigerten, teils aus den Gebühren der „Hochzeiter",
denen bei der Trauung ein paar Choräle gesungen wurden.
Jeden Sonntag Morgen, ½ Stunde vor Beginn des Gottesdienstes,
versammeln sich die Choralsänger „auf der Sängerstube", die

sich meist in einem Schulhause befindet, üben die Choräle und begeben sich dann in geschlossenem Zuge, je zwei und zwei, genau dem Rang und Alter nach, in die Kirche, wo sie ihre besondern Plätze haben, und unterstützen und tragen hier den Gesang.

Den Höhepunkt des Vereinslebens in den Choralsängergesellschaften bildet das „Sängermahl." Dieses findet in einer ziemlichen Zahl von Gemeinden alljährlich je am dritten Sonntag im Januar, d. h. an der sog. Winterkirchweihe (s. S. 262), in andern nur von Zeit zu Zeit, meist aber auch im Januar, statt. Abends 5 Uhr versammelt man sich „auf der Sängerstube", wo zunächst die obligaten Verhandlungen: Rechnungsablage, Wahlen u. dgl., abgewickelt werden. Darauf folgt die Verteilung des sog. „Stupfgeldes", d. h. der Treffnisse eines jeden für das verflossene Jahr, für jede Probe, der man beigewohnt, 5 Rp. Diese Treffnisse, die sog. „Stüpfe", wúrden notiert durch Einstupfen einer Stecknadel in eine an der Wand der Sängerstube angebrachte Wachstafel; daher der Name. Nach Erledigung der Geschäfte zieht die vielleicht 100 Mann starke Schar im Zuge ins Gasthaus, wo alles zubereitet ist, zum Sängermahl. Dieses wird mit obligater Festrede des Geistlichen eröffnet und von Choral- und andern Gesängen eingerahmt, und bis nach Mitternacht nimmt der Redestrom kein Ende. Das Menu ist durch Jahrhunderte alte Traditionen fast unabänderlich festgestellt. Zwei Gänge („Trachten") wenigstens dürfen an keinem Sängermahle fehlen, nämlich „Schwynis und Lynis", d. h. frisches und geräuchertes Schweinefleisch, mit Sauerkraut und „Kalberwürste" — eine Glarner Spezialität — mit Zwetschgen. Die Kosten werden aus der Gesellschaftskasse bestritten; es darf aber unentgeltlich nur teilnehmen, wer eine gewisse Anzahl „Stüpfe" aufzuweisen hat, resp. eine gewisse Anzahl Male den Proben und dem Gottesdienste beigewohnt hat. Immer wird auch der Kirchenrat der Gemeinde dazu eingeladen. Bei diesen Sängermählern geht es in der Regel hoch her. Um 11 Uhr indessen werden die Knaben mit entsprechenden Ermahnungen nach Hause entlassen, und bald nachher soll sich nach der Erwartung der Gesellschaft auch der Geistliche nach Hause begeben. Hiezu findet sich in Schwanden nach 11 Uhr der Sigrist mit brennender Laterne an der Thüre ein, um ihn heimzubegleiten. Nun kommen mehr und mehr die jungen Leute mit lustigen Deklamationen und Liedern zu ihrem

Recht, und den Schluss bildet nicht selten ein Tanz mit dem
Aufwärterpersonal. Den Nachklang des Festes finden die Teilnehmer Tags darauf in der Zeitung.[1]

Besondere Anlässe des Aelpler- und Hirtenlebens.

Früher brachte das Hirtenleben allerlei festliche Gebräuche
mit sich, von denen sich jedoch, seitdem der Kanton zur Industrie
übergegangen ist, die Alpen zurückgegangen sind und die Landwirtschaft an Bedeutung verloren hat, nur noch wenige Ueberbleibsel erhalten haben.

Die Alpfahrt, die im Mai stattfindet, wird dadurch ausgezeichnet, dass das Vieh, blank geputzt und reichlich mit
Glocken behängt, in schönem Zuge durch die Ortschaften nach
der Alp getrieben wird, voran der Senne mit roter Weste und
Lederkappe, die hochbepackte „Meise“ am Rücken, an einem
fort durch „Heierlen“ (eine Art Jauchzer) und Zurufe lockend,
darauf die Leitkühe mit den mächtigen „Brummschellen“ (Vorschellen), den Melkstuhl zwischen den Hörnern, dann die übrigen
Kühe und Rinder und zuletzt der „Zusenn“, der „Junger“ und
die „Alpknechte“, alle mit grossen Lasten von Salz und Geräten
auf dem Rücken. Die stärksten Kühe sind nicht selten mit
Blumensträussen geschmückt; und wenn die Sennen ihre Jodler
ertönen lassen, singen die Kinder in den Dörfern ihnen etwa zu:

D'Rafausle, d'Rafausle, die wachsed uf der Alp.
Und wenn der Schnee zergangen ist, so fahre d'Burä z'Alp!

(Rafausle heissen die nichtrostblättrigen Alpenrosen), und freuen
sich nicht wenig der Herden, die stolz und mutwillig im Vorge-
fühl der ihrer wartenden Sommerfreiheit an ihnen vorüberziehen.[2]

In ähnlicher Weise vollzieht sich im September die Heimkehr, die Alpentladung.

Während des Sommers erhalten die Sennen auf den Alpen
an schönen Tagen Besuche von ihren Angehörigen, besonders
von den Jungen, die in der Nacht schon aufbrechen, um bei
Sonnenaufgang droben zu sein und alsdann noch irgend einen
Gipfel zu besteigen, um hier die Aussicht zu geniessen. Da
fehlt es denn nicht an „Fenz“, „Nidel“, „Ziegermilch“ und
andern Gerichten, wie die Sennhütten sie hervorbringen.

---

[1] Ueber den Umzug der Choralsänger an Epiphanias in Nidwalden
und Luzern vgl. GESCHICHTSFR. XVII, 127. 133 u. 137 f.; LÜTOLF a. a. O. S. 561.

[2] Vgl. BLUMER u. HEER a. a. O. S. 302.

Die einst üblichen Aelplerfeste auf den Bergübergängen zwischen den verschiedenen Thalschaften sind in Abgang gekommen, da die spärlich vorhandene Mannschaft der Alpen sich nie in grösserer Zahl frei machen kann. Einzig auf dem Urnerboden, der auf dem Gebiet des Kantons Uri liegt, finden sich an der dortigen Kirchweihe am 1. Sonntag im September (s. Verenatag S. 283) die Sennen der Linthaler Alpen mit den urnerischen zusammen, wobei indessen Trunk und Tanz alles ist, was sich von den einstigen Aelplerspielen erhalten hat.

Noch mag erwähnt werden, dass der Beginn des „Wildhouet", d. h. des Heuens in den freigegebenen Rasenplätzen zuoberst im Gebirge, wo das Vieh der Gefahr wegen nicht mehr weiden kann, alljährlich durch Beschluss der Gemeindebehörden bekannt gegeben wird. Dabei besteht der Brauch, dass derjenige, der vom erlaubten Tage an zuerst auf einem „Wildheumahd" eintrifft, seine Anwesenheit durch lautes Johlen kund zu geben hat. Damit hat er sich das jus primae occupationis (das Recht der ersten Besetzung) erworben, und es darf kein Anderer ihm den betreffenden Heuplatz streitig machen. Wenn also der „Wildheuet" auf Jakobstag oder für die hochgelegenen Bezirke am Glärnisch und Wiggis auf 1. August eröffnet ist, brechen schon mitten in der Nacht Scharen von Wildheuern auf, um am Morgen womöglich die besten Plätze in Besitz nehmen zu können. Sie haben Fusseisen bei sich, die sie an steilen Stellen anziehen, um nicht auszugleiten, und nehmen etwa eine Ziege mit, von deren Milch nebst Brot und Kartoffeln sie sich Tage lang ernähren. Die Nacht bringen sie in kleinen Scheunen, den „Wildheugädeli", zu, wo sie ihr Heu unterbringen, um es alsdann im Winter auf Schlitten ins Thal hinabzuführen.

Aehnliche Bräuche knüpfen sich an den Laubgang im Herbst. Wenn im November der Föhn losbricht und das dürre Buchenlaub fällt, lässt die Gemeindebehörde die Erlaubnis zum Laubrechen in den öffentlichen Waldungen durch Ausschellen bekanntgeben. Dann ziehen des Morgens ganze Familien mit Rechen, Säcken, Betttüchern („Bettziechen"), oft auch mit Karren aus in die Wälder „ins Bettlaub", d. h. um das Laub für die Betten zusammenzurechen. Die ärmern Leute haben nämlich in ihren Betten unter der Matratze oder dem „Unterbett" keine Federmatratze, sondern einen mit Laub gefüllten Sack, den es aufzufrischen gilt. Da nimmt nun eine Familie eine Baumgruppe

für sich in Beschlag. Die Knaben steigen auf die Bäume und
schütteln, die andern rechen oder wischen zusammen, die dritten
lesen sorgfältig etwaige Zweige heraus oder fassen ein, während
wieder andere das Laub mit den Füssen in die Tücher und
Säcke stampfen. Dazwischen wird auf den prallen Säcken der
mitgebrachte Proviant verzehrt, gejohlt und gesungen, und abends
geht's im Zug mit der Beute heimwärts die Männer grosse
Bürden auf dem Rücken, die Frauen und Kinder wenigstens
einen Sack auf der Schulter. [1])

Gemeindeversammlungen.

Allerlei Bräuche verbinden sich auch mit den Gemeindeversammlungen. Kaum in einem andern Kanton ist die Gemeinde-
souveränetät so hoch entwickelt wie im Glarnerland. Die Gemeindeversammlungen sind deshalb auch immer stark besucht,
und ihre Verhandlungen bilden vor- und nachher den Gegenstand
lebhafter Erörterungen. Dem Herkommen nach finden in der
Regel zwei ordentliche Versammlungen statt, die eine im März,
die andere im Mai, die sog. „Merzeg'meind" und „Mäieg'meind"
(S. 278); diese letztere wird in manchen Gemeinden, wenn die
Witterung es irgend gestattet, im Freien auf einem eigens dazu
bestimmten Platz abgehalten, in Näfels z. B. auf dem „Fahrtsplatz" (S. 272), in Mollis im sog. Steinacker. Dazu kommt als
Bürgerversammlung der S. 263 erwähnte „Lichtmesstagwen."
Die Märzgemeinde heisst auch „Rechnungstagwen", weil da die
Gemeinderechnungen vorgelegt werden; die Maigemeinden dagegen sind vorzugsweise den Wahlen gewidmet. Dazu kommen
nach Bedürfnis noch Herbstgemeindeversammlungen, an denen
z. B. die Rechnungen der Gemeindealpen vorgelegt werden.

Bemerkenswert ist speziell der sog. „Lobtagwen" in Elm
mit der alten, schönen Rechtssitte des „Lobens" d. h. Gelobens.
Bei einer eigens hiezu einberufenen Bürgergemeindeversammlung
im Mai werden die Bürger, einer nach dem andern, vorgerufen
und befragt, was für Holz sie im Gemeindewald im Lauf des
Jahres geschlagen haben, ob nur das ihnen angezeichnete oder
noch etwas dazu. Da hat nun der eine für einen Bau, der
andere zum Zäunen oder als Brennmaterial da ein paar Buchen,
dort ein paar Wurzelstöcke oder Tannäste u. dgl. nötig gehabt
und über sein Treffnis hinaus sich im Walde geholt. Das gibt

[1]) Aehnliches berichtet aus dem Sarganserland das Archiv II. 37 f.

, er nun bei seinem Bürgereide an und muss dafür die festgesetzte Entschädigung in die „Tagwenskasse“ erlegen. Nach Beendigung seiner Aufzählung wird er vom Gemeindepräsidenten gefragt, ob er darauf „loben“, d. h. das Handgelübde leisten könne. Er antwortet: „ich lobe“, bekräftigt das Wort mit Handschlag, bezahlt sein Treffnis und ist damit der Gemeinde gegenüber quitt. Verheimlichungen kommen wunderselten vor und werden mit Ausschluss vom „Lobrecht“ bestraft, was dem Verlust der Bürgerehre gleichkommt. Solchen, von denen man weiss, dass sie im Lauf des Jahres gefrevelt haben, wird das Gelübde nicht abgenommen. — Diese Sitte bestand früher im ganzen Kanton, im sog. Hinterland noch bis in die zweite Hälfte des 19. Jahrhunderts.

Aus dem Leben der Jungmannschaft.

Wenn die Knaben konfirmiert oder, wie der landesübliche Ausdruck lautet, „oberjährig“ sind, d. h. nach vollendetem 16. Jahre, treten sie in den Stand der „Ledigen“ und sind nach herkömmlicher Anschauung berechtigt, auf der Gasse zu erscheinen, d. h. abends auf der Strasse umherzuziehen. Sie müssen sich aber vorher in die Gesellschaft der „Gassenledigen“ gewissermassen einkaufen, indem sie entweder ihnen Wein bringen oder für einen Trunk einen entsprechenden Betrag entrichten. Unterjährige, die sich anmassen, wie Ledige des Nachts sich auf den Strassen aufzuhalten, werden von diesen — nötigenfalls in handgreiflicher Weise — heimgewiesen. Zweimal in der Woche, meist Samstags und Sonntags, treiben sich die „Gassenledigen“ herum und machen sich durch Singen und „Heierlen“ (Juchheirufen) bemerklich. Sie üben eine Art nächtlicher Dorfpolizei aus, die nicht zum wenigsten in der heimlichen Ueberwachung der jungen Mädchen und derer, die bei ihnen abends „zu Licht gehen“, besteht. Wehe dem Jungburschen aus einer andern Gemeinde, der im Dorf bei einer Jungfrau „zu Licht geht“, ohne den „Gassenledigen“ das sog. „Gassengeld“ gegeben zu haben! Wird im Dorf eine Verlobung bekannt, so finden sich auch Tags darauf die „Gassenledigen“ vor dem Haus der Braut ein und fordern das „Gassengeld“, und der Bräutigam hütet sich wohl, sich dessen zu weigern. Doch sind heute diese Bräuche nicht allenthalben mehr üblich, weil sie öfter zu nächtlichen Streitigkeiten führten, mit denen sich nachher die Gerichte zu befassen hatten. Diese jungen Burschen sind auch bei den Tanzpartien,

namentlich an der Kirchweih, Veranstalter und Leiter. Im
Winter thun sie sich auch etwa in Privathäusern mit jungen
Mädchen zu Tanzbelustigungen, den sog. „Stubeten“, zusammen.[1])

Mit einer ähnlichen Auszeichnung wie die „Spielbuben-
beim Kirchweihtanz (s. S. 282), dem farbigen Sträusschen am Hut,
schmücken sich die Ledigen auch bei der Rekrutenaushebung,
aber nur die, welche diensttauglich befunden wurden. Diese
ziehen nach beendigter Prüfung, durch ihre Sträusschen gekennzeichnet, oft hinter einer Trommel her, singend durch die Strassen
und in die Wirtshäuser, wobei ohne Zweifel uralte Bräuche
nachwirken, die einst mit der Wehrhaftmachung der Jünglinge
vor versammeltem Volke verbunden waren (s. Landsgemeinde
S. 274). — Dasselbe Sträusschen stecken junge Burschen auf,
die im Begriff sind, auszuwandern, und hiezu bei ihren Bekannten die Abschiedsbesuche und in begüterten Häusern behufs
Erlangung eines Reisebeitrags ihre Aufwartung machen.

Gesellige Anlässe für die jungen Leute sind überdies die
Jahrmärkte mit ihren Buden und ihren Tanzbelustigungen und
im Sommer ausser den bereits erwähnten Kirchweihen und
Schiessübungen („Schyblischiesset“) die Kegelschieben in den
Wirtshäusern, bei welchen heute noch nach uraltem Herkommen
um Schafe, die einstigen Opfertiere, gekegelt wird, obschon unter
zwanzig Jünglingen kaum einer ist, der eigenen Viehstand hat,
da die grosse Mehrzahl ihr Brot im Dienst der Fabrikindustrie
sucht und findet.

Dass auch im Glarnerland die Schützen. Sänger, Turner,
Radfahrer und Sportsleute aller Art, die Verbände der Arbeiter
und Handwerker ihre Lokal-, Bezirks- und Kantonalfeste, die
wissenschaftlichen und gemeinnützigen Gesellschaften ihre Fest-
versammlungen haben, bedarf für eine Gegend, in welcher jegliche
Art von Vereinsleben im Flor steht, keiner weitern Worte.
Diese Feste und Festchen alle unterscheiden sich indessen von
denen anderer Gegenden nicht wesentlich und können deshalb
übergangen werden.

III. Familienfeste.
Die Taufe.

Ist ein Kind geboren, so wird eine Magd oder Verwandte
zu den Nachbarn und Verwandten geschickt, es anzusagen.

[1]) Vgl. Blumer r. Heer a. a 0. 303 f.

Früher musste die Magd hiezu ein weisses Schürzchen anziehen'
und trug einen Blumenstrauss in der Hand. Von den erfreuten
Verwandten erhielt sie ein Trinkgeld. Die Taufe wird 3—4
Wochen nach der Geburt veranstaltet und findet immer am
Sonntag in der Kirche statt. Wochen- und Haustaufen sind
äusserst selten.. Das Kind bekommt Paten, „Götti" und „Gotte",
und zwar gelten hiefür feste Regeln. Beim ersten Kinde ist
der Grossvater väterlicherseits Pate und die Grossmutter mütterlicherseits Patin, beim zweiten kommen die beiden andern Grosseltern an die Reihe, dann die Geschwister der Eltern und erst
nachher beliebige Verwandte oder Hausfreunde. Aehnlich ist es
mit dem Namen. Der erste Knabe des Hauses bekommt immer
den Namen des Grossvaters väterlicherseits, der also meist zugleich sein Pate ist, das erste Mädchen den Namen seiner Gross-
mutter mütterlicherseits, der zweite Knabe den Namen seines
Vaters, das zweite Mädchen den seiner Mutter. Dann folgen die
Namen der andern Grosseltern, der Onkel und Tanten; und erst
nachher ist man in der Wahl des Namens frei. Daher die Erscheinung, dass gewisse Namen in einer Familie durch Jahrhunderte hindurch sich forterben, indem der Enkel immer heisst
wie der Grossvater, der Ururgrossvater u. s. w. Darin ist die Sitte
so strenge, dass Verwandte sich gekränkt fühlen, wenn ihr
Name an richtiger Stelle übergangen wird. Daher auch die
vielen altväterischen Namen im Glarnerland: Joachim, Melchior,
Michael, Iliob, Abraham, Balthasar, Kaspar, Adam, Matthäus,
Josua, Esajas, Gabriel und hinwiederum Waldburga, Euphrosine,
Sabine, Sibylle, Kleophea, Afra, Rahel, Sara, Judith u. s. f.
Die Hebamme zeigt die Taufe beim Pfarramt an und macht
beim Taufeschmaus, der im Hause stattfindet, die Aufwartung.
Besondere Gebräuche dabei existieren unseres Wissens im Uebrigen
nicht, ebensowenig, als die Paten besondere Kleider tragen. Der
Täufling wird in weissen Kleidchen in die Kirche getragen und
die Taufe in den Dorfgemeinden beim Morgengottesdienst angesichts der ganzen versammelten Gemeinde vollzogen. Die Paten
geben zum Einbund dem Kinde ein Goldstück und einen Tauf-
zettel mit Spruch und später bei allerlei Anlässen, auf Fastnacht,
Landsgemeinde und Kirchweih, ein Geldstück, auf den Klausmarkt Lebkuchen, Aepfel und Nüsse und auf Neujahr, nachdem
es seinen Wunsch aufgesagt hat, die „Helsete" (s. S. 260). Gehen
die Kinder in die Schule, so müssen sie den Paten regelmässig

ihre Zeugnisse vorweisen und erhalten einen Zuspruch oder ein
paar Rappen. Auf die Konfirmation endlich geben ihnen die
Paten ein Kleidungsstück oder ein Gesangbuch. Dann aber
hören die Geschenke auf.

Die Hochzeit.

Hat ein Jüngling sein Auge auf ein junges Mädchen geworfen, so erfordert die Sitte, dass er sie zunächst bei den
öffentlichen Tanzgelegenheiten durch häufige Aufforderung zum
Tanz und freigebige Bewirtung auszeichne und nachher bis zu
ihrer Hausthüre begleite. Daraufhin muss er zu ihr „zu Licht
gehen", d. h. in ihrem Hause abendliche Besuche machen, damit
auch die Eltern ihn kennen lernen. Dabei hat er sich freilich,
wenn er aus einer andern Ortschaft ist, wohl in Acht zu nehmen
vor den sog. „Gassenledigen", die des Abends in Gruppen durchs
Dorf ziehen und eine gewisse Strassenpolizei ausüben, namentlich
aber sorgfältig Acht darauf haben, wer etwa da oder dort zu
einem Mädchen „zu Licht" gehe. Passt ihnen der Betreffende
nicht oder benimmt er sich feige oder herausfordernd, so kann
es leicht Neckereien, Spott oder Schläge absetzen. Führen die
abendlichen Besuche zur Verlobung, so gibt der Bräutigam
seiner „Liebsten" ein Brautpfand, irgend ein Wertgeschenk, das
sie aufbewahrt und das gegebenenfalls, wenn er je wieder zurückgehen wollte, ihr als Beweismittel des erhaltenen Ehever-
sprechens gilt. Dieses Brautpfand wird nachher von ihr oder
ihren Eltern durch ein kleines Gegengeschenk erwidert. Wo
die Verhältnisse es gestatten, werden nachher die Ringe bestellt
und die Verlobungskarten geschickt. Am Sonntag nach voll-
zogener Bekanntmachung des Verlöbnisses besucht das neue
Paar gemeinsam den Gottesdienst, gleichsam um sich öffentlich
der Gemeinde vorzustellen, und abends finden sich beim Haus
der Braut unfehlbar die „Gassenledigen" ein, um das „Gassengeld" zu erheben. Es folgen in den beiderseitigen Familien
Verlobungsessen und Einladungen der Verwandten. Wird ein
Verlöbnis mit beidseitiger Zustimmung aufgelöst, so werden die
Pfänder und Geschenke zurückgegeben; bei einseitigem Zurück-
treten dagegen ist der andere Teil berechtigt, die Geschenke zu
behalten und eine Entschädigung zu verlangen, die je nach der
Grösse der erlittenen Unbill und den Vermögensverhältnissen
vom Richter bestimmt wird (§ 124 des bürgerlichen Gesetzbuches).

Sterben Braut oder Bräutigam vor Eingehung der Ehe, so hat
das Ueberlebende den Anspruch auf den dritten Teil des nachge-
lassenen Vermögens des Verstorbenen (§ 240 desselben Gesetzes).

Die Hochzeit findet meistens an einem Donnerstag, dem
einstigen Sonntag unserer Väter, dem Tag des Gottes Donar,
des Beschützers der häuslichen Rechte, statt; auch am Dienstag,
zu grösster Seltenheit einmal auch an einem Montag, nie aber
an einem Mittwoch oder Freitag, Samstag oder Sonntag und mit
Vorliebe im Monat Mai, nie in der Karwoche, katholischerseits
nie in der ganzen Fastenzeit. An einem Abend vor der Hochzeit gibt der Bräutigam seinen Freunden zum Abschied vom
ledigen Stande eine „Letzi", d. h. einen Abendschmaus, sei es
bei sich zu Hause, sei es im Wirtshaus, wobei gesungen und
auf das Wohl des Brautpaares getrunken wird. Zugleich erhalten
die sog. „Gassenledigen" Geld zu einem Trunke, und am letzten
Abend die Nachbarn eine Torte. Die Braut ihrerseits veranstaltet für ihre „Gespielinnen" ebenso eine „Letzi." — Zur
Hochzeitsgesellschaft gehören ausser dem Brautpaar, den Eltern,
Geschwistern und nächsten Verwandten auch die nächsten Freunde
und Freundinnen des Brautpaares, darunter vor allem das sog.
Ehrenpaar, der „Ehreng'sell" und die Brautjungfer. Man versammelt sich am Hochzeitstag im Haus des Bräutigams oder in
einem Wirtshaus zu einem Morgentrunk, einer Morgensuppe oder
einem Gabelfrühstück. Dann geht's zur Kirche und zwar, wenn
immer möglich, die ganze Gesellschaft oder doch wenigstens
Brautpaar und Ehrenpaar in Kutschen. Die Hochzeitskutschen
sind immer zweispännig. Der Kutscher trägt einen Cylinderhut
mit breitem Silberband und Blumenstrauss und weisse Handschuhe, und die Pferde haben weisse Leitseile. Der Bräutigam
oder dessen Vater bezahlt die Kutschen, die Braut gibt dem
Kutscher Leitseil, Handschuhe, Band und Sträusschen. Der
Bräutigam erscheint schwarz mit einem Strauss von künstlichen
Blumen auf der Brust, die Braut je nach ihrem Stand in schwarzem
oder weissem Kleide, mit oder ohne Schleppe und Schleier.
Bräute aus unterem Stande tragen stets das einfache, glatte
schwarze Kleid. Leute aus dem bessern Mittelstand weisses Kleid
ohne Schleier oder schwarzes Kleid mit weissem Schleier und
nur die Vornehmen weisses Seidenkleid und Schleier, alle aber
den Brautkranz im Haar. — Zur Trauungsfeier wird mit mehreren
Glocken geläutet, und es finden sich dazu auch ausser der offi-

ziellen Hochzeitsgesellschaft meist eine Menge Bekannte und
Freunde ein. Dabei fehlt protestantischerseits nie die Hochzeits-
predigt, selten die Orgel, und zum Schluss wird dem Brautpaar
am Altar zum Andenken eine Bibel mit Widmung überreicht.

Nach der kirchlichen Feier wird in der Regel eine grössere
Ausfahrt gemacht, die Kutsche des Brautpaares voran. Diese ist
gefolgt von einer Schar Knaben; denn nach Landessitte wirft
der Bräutigam von Zeit zu Zeit eine Hand voll Kleingeld aus,
über das sich nun die Jugend hermacht. Da und dort wird auch
„gespannt", d. h. die Strasse mit Stricken oder Latten versperrt,
um den Zug aufzuhalten, wobei der Bräutigam sich mit einer
Geldspende loszukaufen hat. Früher wurde ebenso dem Hoch-
zeitspaar zu Ehren geschossen. Die häufigen Unglücksfälle, die
dies zur Folge hatte, nötigten jedoch, dieser Sitte von Gesetzes
wegen ein Ende zu machen. Ganz hat sie indessen doch noch
nicht aufgehört. Das auf die Ausfahrt folgende Hochzeitsmahl
ist in der Regel sehr belebt, Toaste, Gesänge und andere musi-
kalische Produktionen und Deklamationen wechseln bei der lebhaften und aufgeräumten Art der Glarner Schlag auf Schlag.
Bei grossen Hochzeiten wird um Mitternacht ein zweites Essen
serviert und zwischen den beiden Mahlzeiten wie nach der
zweiten eifrig getanzt. Man kehrt erst morgens um 5 Uhr nach
Hause. Das Brautpaar bleibt bei der Gesellschaft bis ans Ende.
Ihm gehört auch der erste Tanz nach dem Nachtessen ganz allein.
Am Sonntag nach der Hochzeit erscheint es zusammen wieder
beim Gottesdienst.

In Obstalden dauert die Hochzeitsfeier mit geringen Unter-
brechungen drei volle Tage. In Schwändi besteht und in Luch-
singen und andern Gemeinden bestand die Sitte, dass das Brautpaar am Hochzeitsessen aus demselben Teller isst und aus
demselben Glase trinkt. [1] Am Platze der beiden liegen
1 Teller und 1 Messer, dagegen 2 Löffel und 2 Gabeln. So
wird es bei vielen Eheleuten durchs ganze Leben gehalten.
Haben sie Fleisch und Gemüse zu Mittag, so schneidet die Frau
alles mit dem einen Messer in kleine Stückchen, und dann essen
sie es mit den 2 Gabeln.

Bis vor kurzem bestand in Linthal noch ein hübscher

---

[1] Vgl. MEYER v. KNONAU, Kant. Zürich 2. 167. ROCHHOLZ, Schweizersagen II, LI.

Brauch. Da wurde nämlich der Hochzeitsgesellschaft bei der
Rückkehr aus der Kirche als erstes Gericht eine Schüssel gereicht, die von der Braut selbst gekocht worden war und von
ihr selbst serviert wurde, nämlich das Brotmus. Dieses Mittel-
ding zwischen Suppe und Brei musste äusserst sorgfältig und
umständlich zubereitet werden, und die Zubereitung erforderte
3—4 Stunden Zeit. Man nahm das Weiche von zwei fünf-
pfündigen Laiben Brot und zerrieb dieses zwischen den Händen
zu Pulver. Dann wurden ein paar Hände voll davon in die Pfanne
geschüttet, siedende Butter darüber gegossen und dies durch-
einandergerührt. Darein goss man eine Flasche Rotwein, darauf
wieder gepulvertes Brot und schmelzende Butter und abermals
Wein und verschiedene scharfe Gewürze, und so weiter 6—8
Mal, bis daraus die dicke, glühende Brautsuppe hervorgegangen
war. Wehe der Braut, welcher dieses schwierige Kunststück
nicht gut geriet. In den Augen der Gesellschaft war damit ihre
ganze Haushaltungskunst gerichtet. Eine Hochzeit ohne dieses
„Brotmus" konnte man sich früher gar nicht denken. Allein da
es denn doch für die Braut unbequem war, an ihrem Hochzeitstag so viele Stunden lang in der Küche zu stehen, und bald
niemand mehr war, der dieses kräftige Gericht richtig herzu-
stellen vermochte, so hat sich der Brauch seit etwa zwanzig
Jahren verloren.

Im Sernfthal bestand früher die Sitte, dass die Braut
schon am Vorabend der Hochzeit im väterlichen Hause abgeholt und samt ihrer Habe, zu welcher ein Bett und ein
Kasten gehörten, in die Wohnung des Bräutigams gebracht
wurde, wo denn auch am andern Morgen die beiderseitigen
Verwandten und Freunde sich zum Zug in die Kirche versammelten. — Eine andere einstige Hochzeitssitte bestand darin,
dass das Brautpaar nach der Einsegnung sich zum Pfarrer begab,
um ihm ein Geschenk zu bringen, und darauf die Verwandten
besuchte, die auf den Abend zum Hochzeitsschmause geladen
waren.

Nach der alten Ehegerichtsordnung vom Jahre 1638 durften
Bräute in gesegneten Umständen bei Strafe kein „Schäppeli"
(Kranz) und Haarband tragen, sondern mussten „in aller Ein-
fältigkeit, ohne Vorgänger und einige Pracht" zur Kirche gehen.[1]

---

[1] Vgl. Blumer u. Heer a. a. O S. 304.

Die Begräbnisfeierlichkeiten.

Todesfall und Begräbniss sind keine Festanlässe; aber Feierlichkeit umgibt sie in hohem Masse. Sie sollen deshalb hier nicht übergangen werden. — Ist jemand gestorben, so werden sofort alle Fensterladen (die „Brittli") im Hause geschlossen, das sichtbare Zeichen für jedermann, dass eine Leiche im Hause ist. Dann wird die sog. „Ummäsägeri" (Umsagerin) geholt, die Frau, welche den Todesfall anzusagen hat. Hiezu wählt man eine im Hause vertraute Person, die Putzfrau oder die Wascherin oder eine Nachbarin. Diese kleidet sich schwarz, trägt über die Schultern einen schwarzen Shawl und geht baarhäuptig. Sie verfügt sich zunächst zum Arzt, um die Leichenschau zu veranlassen, dann auf das Civilstandsamt und zum Friedhofverwalter, um das Begräbnis zu bestellen. Inzwischen wird zu Hause die Liste derjenigen aufgestellt, welchen der Todesfall zuerst angesagt werden muss. Und nun geht diese „Umsagerin" den ganzen Tag in der Gemeinde von Haus zu Haus, um zum Begräbnis einzuladen. Dieses geschieht mutatis mutandis mit den Worten: „Guten Tag! Herr N. N. lässt Ihnen sagen, dass ihm heute Nacht um 2 Uhr seine Frau gestorben sei und Freitag morgens um 11 Uhr zu beerdigen sei." Auf den Dörfern besorgt dies in gleicher Weise ein Mann in schwarzem Gehrock und Cylinderhut, der „Ummäsäger".

Die männliche Leiche wird in die schwarzen Sonntagskleider, die weibliche ins weisse Totenhemd gekleidet und auf dem Bette sorgfältig aufgebahrt. Bald treffen die Verwandten ein zum Kondolieren, und der Leichnam bedeckt sich mit Totenbouquets und Kränzen. Die erstern müssen zumeist weisse Blumen enthalten. Todesanzeige in den Blättern und Versendung von Leidzirkularen verstärken die Einladung zum Begräbnis.

In manchen Gemeinden ist die alte Sitte der Totenwache noch üblich. Zwei oder drei Personen bringen bei Licht wachend die Nacht beim Toten zu. Diesen Wachenden wird Brot und Wein oder Branntwein gereicht.

Die Stunde der Beerdigung kann nicht nach Belieben gewählt werden, sondern ist durch Gemeindebeschluss für alle einheitlich festgesetzt, in Glarus für die Reformierten um 11, für die Katholiken morgens $8^{1}/_{2}$ Uhr. Fallen mehrere Beerdigungen auf denselben Tag, so ändert dies nichts an der Zeit. Die verschiedenen Leichenzüge treffen dann eben auf dem Fried-

hof zusammen, und die Leichen werden nach für alle gemeinsamer
Feier gleichzeitig beigesetzt. Vor dem Begräbnis finden sich die
Verwandten im Trauerhause ein, wo die Männer in einem, die
Frauen in einem andern Zimmer, das hiezu eigens ausgeräumt
und hergerichtet worden ist, stehend warten. Nun kommen die
Teilnehmer des Leichengeleites zum „Leiden", d. h. die Teil-
nahme zu bezeigen. An der Hausthüre steht ein Mann, der
mit stummer Geberde den Weg dazu weist. Die Männer gehen,
den Hut in der Hand, ins Zimmer der männlichen Leidtragenden,
die Frauen, die an der Beerdigung ebenfalls teilnehmen, ins
Zimmer der Frauen und reichen den zwei oder drei zunächst an
der Thüre Stehenden unter wortloser Verbeugung die Hand.
Während des ganzen, oft lang andauernden und für die Trauernden
sehr ermüdenden „Leidens" steht der Sarg offen mitten in einem
der beiden Zimmer. Sowie es nun zu läuten beginnt, erscheinen
die vier Leichenträger, schwarzgekleidete Männer mit schwarzem
Sammtkäppchen, schliessen den Sarg, tragen ihn hinunter und
setzen ihn auf der vor dem Hause bereit stehenden Bahre ab.
Alles entblösst sich. Nachdem die Kränze und Blumen auf dem
Sarge befestigt sind, setzt sich der Leichenzug in Bewegung,
voran der von vier Männern getragene Sarg, dann die männlichen
Leidtragenden entblössten Hauptes, einer hinter dem andern,
darauf der Geistliche im Talar, hinter ihm in mehrgliedrigem,
geschlossenem Zug die Männer bedeckten Hauptes, zuletzt in
derselben Reihenfolge die Frauen. In einzelnen abgelegenen
Gemeinden tragen die ersten Männer schwarze Mäntel. In Glarus
dagegen tragen sich nur die ersten leidtragenden Frauen noch
anders als die übrigen. Sie gehen nämlich, auch die der höchsten
Stände, ohne Hut und mit übergeworfenem schwarzem Shawl
gleich den Umsagerinnen. Bei den Katholischen ist die Reihenfolge insofern anders, als der Geistliche vor dem Sarge her geht
und ihm von einem Chorknaben in weissem Hemd ein mit
weissem oder schwarzem Flor umhängtes Kreuz vorangetragen
wird, bei den Verheirateten ein schwarzes, bei Ledigen und
. Kindern ein weisses.

Die Leichenfeier wird Sommers und Winters, wenn die
Witterung es irgend gestattet, unter freiem Himmel am Grabe,
bei Regen und Schnee dagegen in der Kirche abgehalten, katholischerseits unter den vorgeschriebenen, stets gleichen Ceremonien, protestantischerseits mit einem auf den Fall ausgearbeiteten

Gebet. In einigen Dorfgemeinden folgt darauf noch in der Kirche ein kurzer Predigtgottesdienst. Der Sarg wird erst eingesenkt wenn auch die nächsten Leidtragenden sich entfernt haben. Die anderwärts übliche Sitte, drei Schollen auf den Sarg zu werfen, ist hier unbekannt.

Nach dem Begräbnis begeben sich die nächsten Verwandten und von auswärts hergereiste Freunde ins Trauerhaus zurück zum sog. Totenmahl, das früher oft der unangemessenen Ueppigkeit wegen Aergernis bot, nun aber fast überall in geziemenden Schranken gehalten wird. Am darauffolgenden Sonntag werden die Verstorbenen von der Kanzel „verkündet." [1]

Geburts- und Namenstag.

Geburts- und Namenstagsfeier weisen wenige bemerkenswerte Gebräuche auf. Das Geburtstagskind wird beglückwünscht und beschenkt und ihm zu Ehren etwa eine Extraflasche geleert. Auch zum Namenstag wird da und dort noch Glück gewünscht, doch nur in einzelnen Kreisen und mehr bei Katholiken als bei Protestanten. Bei den Kindern besteht dagegen noch der Brauch, dass dasjenige, dessen Namenstag ist, von den andern gewürgt wird. Hierüber vgl. S. 260 Anmerkung.

Der Nidelabend.

Eine spezielle Form glarnerischer Familiengeselligkeit bilden die bereits S. 248 u. 255 erwähnten sog. „Nidelabende." Diese finden in der Zeit zwischen Martini und Neujahr statt, während welcher die Zeitungen beständig „frischen Nidel" (Rahm oder Sahne) ausschreiben. Die Familien laden ihre Bekannten auf den Abend nach dem Nachtessen zu sich zu einem „Nidel" ein. Dabei wird etwa um 9 Uhr eine grosse Schüssel voll Schlagrahm auf den Tisch gestellt und gegessen, wobei nach alter Sitte jedes mit seinem Löffel in die gemeinsame Schüssel langt. Dabei kann es nicht fehlen, dass gelegentlich ein Löffel mit dem andern in Kollision gerät, Eines mit seinem Löffel dem Andern auf die Finger schlägt. Aber nicht genug daran. Mutwillige Stimmung gehört zum Anlass. Man sucht sich daher auch unversehens von dem Rahm ins Gesicht zu streichen oder anzuspritzen, womit

---

[1] Zu den Leichenfeierlichkeiten überhaupt ist zu vergleichen: Blumer i. Heer a. a. O. 304. Zur Umsagerin: Rochholz, Deutscher Glaube I, 194 ff. zum weissen Kleid und den weissen Blumen ibid. 133 f und 138, zum Totenmahl ibid. 302 ff und Lütolf a. a. O. 563.

namentlich das junge Volk sich neckt, bis zuletzt die ganze Gesellschaft mit weissen Nasen und Wangen dasitzt. Dass sich
darüber jeweilen schallendes Gelächter erhebt, ist selbstverständlich. Ja, ursprünglich gehört zum „Nidelabend“, was auch
heute etwa noch praktiziert wird, dass durch Aufschlagen der
einen Hand auf die andere Rahm an die meist nicht hohe
Zimmerdecke geschleudert wird und man darauf sieht, ob
er auch dick genug sei, um hangen zu bleiben.[1]) Zum Rahm
wird immer auch in kleinen Spitzgläschen Kirschwasser serviert

Verschiedene häusliche Freudenanlässe.

Häusliche Freudenanlässe bilden beim Bauen die „Ufrichti“
(Aufrichtung) und die „Husräuki“ (Hausräucherung), der Tag,
an welchem der Dachstuhl aufgerichtet, und der, an welchem
das Haus bezogen wird. An jenem wird ein mit Blumen und
Bändern geziertes Tannenbäumchen auf dem Giebel des Gebälkes
aufgepflanzt und den Arbeitern ein Trunk gereicht, an diesem
die Uebergabe der Schlüssel und der Eintritt ins Haus bei
grössern Bauten unter Rede und Gegenrede vollzogen.

Da und dort in Häusern, die selber schlachten, wird am
Abend gemeinsam mit Freunden die Metzelsuppe gegessen.

Häufiger sind die sog. „Letzinen“, Abschiedsmähler, von
Privaten für ihre Freunde veranstaltet beim Austritt aus Schule
und Elternhaus, vor der Hochzeit, vor dem Wegzug aus Gemeinde
und Kanton u. dgl.

Erwähnung verdienen in diesem Zusammenhang die „Kränze“
und „G'spielischaften“ (Gespielenschaften), regelmässige gesellige Zusammenkünfte zwischen befreundeten Familien, noch
mehr unter Damen und jungen Mädchen, meist den einstigen
Schulfreundinnen („G'spilinen“). Diese finden sozusagen immer am
Donnerstag Nachmittag statt, und es wird bei Kaffee und reichlichem Backwerk, namentlich Glarner Torten (auf der einen
Hälfte mit Mandeln, auf der andern mit „Saft“ (Confitüren) gefüllt) und „Ankenzelten“ (Butterkuchen) gespielt, musiziert und
vor allem geplaudert. Es wurde schon bemerkt, dass der Donnerstag in vorchristlicher Zeit der allwöchentliche Feiertag unserer
Väter war.

[1]) Augenscheinlich ein einstiges Opfer an die Hausgötter. Aehnliches
meldet aus Luzern und Zug das ARCHIV II, 39. 176.

Das Ausschellen der entlaufenen Weiber.

Eine im Schwinden begriffene, aber in Schwanden und Umgebung immer noch übliche alte Volkssitte ist das Ausschellen
der von ihren Männern weggelaufenen Weiber. Verlässt eine
Frau ihren Mann und kehrt nach einiger Zeit, ohne von ihm
gerufen worden zu sein, zu ihm zurück, so versammeln sich am
ersten Abend nach ihrem Eintreffen die „Gassenledigen„ mit der
Dorfjugend vor dem Haus des Mannes mit Schellen, Hörnern,
Pfannendeckeln und andern Lärminstrumenten, um die Zwei wieder
„zusammenzuschellen.“ Einer der Mitwirkenden, der früher gewöhnlich mit Mantel und Dreispitz bekleidet war, ruft, nachdem
die Instrumente zur Ruhe gekommen sind, die Frau unter einer bestimmten Formel aus, worauf die Katzenmusik aufs Neue einsetzt.
Dasselbe Schicksal wird einem Ehepaar zu Teil, das sich hatte
scheiden lassen und sich nachher neuerdings heiratete. [1]

* * *

Es ist hohe Zeit, dass solche Bräuche registriert werden,
da ihr Verblassen und Verschwinden mit beängstigender Schnellig-
keit fortschreitet; aber sie zeigen sich in ihrem richtigen Lichte
nur dem Auge dessen, der darin den einstigen warmen Pulsschlag
des Volksgemütes mit seiner Poesie und seinem Frohsinn nach-
zufühlen im Stande ist. Darum sagen wir zum Schluss mit
dem Dichter:

> Nur durch das Auge der Urth (Vergangenheit)
> Kannst du die Werdhandi (Gegenwart) erkennen;
> Selbst was die Skuld (Zukunft) dir verhüllt,
> Erblickst du in Dellingrs (Dämmerung) Klarheit.
> Nun denn! so suche sie auf,
> Die Göttin entschwundener Tage!
> Doch, soll sie gnädig dir sein,
> So nah' ihr mit kindlichem Geiste

---

[1] Eine Art Volksjustiz, die anderwärts, z. B. in den Thälern des
Berner Oberlandes, unter dem Namen „Treichlete“ auch bei der Heirat an-
rüchiger Personen geübt wird Aehnliches findet sich auch im Bündner
Oberland und im Prättigau. Vgl. Archiv I. 146 II, 140 f.

Chansons valaisannes

Publiées par Madame Ceresole-de Loës, à Lausanne

Ces chansons, paroles et musique, ont été recueillies à Chandolin, dans le val d'Anniviers. Les jeunes Chandolinardes aiment à les redire au cours des longues soirées de leurs rigoureux hivers; elles les chantent aussi en gardant leurs vaches sur les pâturages escarpés; elles en égayent la promenade du dimanche après-midi. Ces chansons sont donc intimement liées à toute leur vie champêtre. Nous les donnons ici, telles que nous les avons entendues, avec leurs incorrections nombreuses, parfois caractéristiques.

I. Le jeune Valaisan

Un jeu - ne Va - lai - san, Ban - ni de ses fo - yers, Par-
cou - rait en pleu - rant les pa - ys é - tran - gers, Par - cou - rait en pleu-
rant les pa - ys é - tran - gers. *Refr.* Tra la ri laï la la la
ri la ri laï la tra la ri la ri laï la.

II Un jour, triste et pensif,
    Assis au bord des flots,
    Au courant fugitif } *bis*
    Il adressa ces mots:
    Refrain

III Si tu vois mon pays,
    Mon pays malheureux,
    Va dire à mes amis } *bis*
    Que je me souviens d'eux.
    Refrain

IV Plongé dans le malheur,
    Loin de mes chers parents,
    Je passe dans les pleurs, } *bis*
    D'infortunés moments.
    Refrain

V O jours si pleins d'appas,
    Vous êtes disparus,
    Et ma patrie, hélas! } *bis*
    Je ne la verrai plus.
    Refrain

VI Même en expirant,
    O mon cher val Nendaz,
    Mon regard languissant } *bis*
    Vers toi se portera.
    Refrain

22

II. *La chanson du Jardinier*

Qui veut voir l'ar - ri - vé - e D'un gar-çon jar - di-nier? Qui veut

voir l'ar-ri - vé - e D'un gar-çon jar - di-nier? Que très tard il se

cou-che, de bon ma - tin l'est le - vé. Le gar-çon jar - di-nier.

II «Où allez vous, la belle, si vite que vous allez? *(bis)*
　　— Je m'en vais à la messe, l'avez-vous entendu, sonner
　　　　　Le garçon jardinier?

III — Attendez-moi, la belle, j'irai bien avec vous.» *(bis)*
　　Il l'a prise par sa main blanche, dans son jardin l'a menée,
　　　　　Le garçon jardinier.

IV «Choisissez donc, la belle, la fleur que vous· voulez.» *(bis)*
　　La belle coupa-(z) une rose, et se mit à pleurer.
　　　　　O garçon jardinier!

V «Pourquoi pleurez-vous, la belle, qu'avez-vous à pleurer? *(bis)*
　　Pleurez-vous vos père, vos mère, ou avez-vous peur de moi?
　　　　　Belle, répondez-moi.

VI — Je ne pleure ni père ni mère, je n'ai point peur de toi; *(bis)*
　　Je pleure mon cœur en gage, que vous avez charmé,
　　　　　O garçon jardinier.

VII Ne pleurez pas tant, la belle, demain je vous l'rendrai, *(bis)*
　　Il n'y a point de choses à rendre, ni d'argent à prêter,
　　　　　Au garçon jardinier.»

III. *Dans mon chemin . . .* [1])

Dans mon che-min j'ai ren-con - tré U-ne tant jo - li - e bru-

ne, Dans mon che-min j'ai ren-con - tré U-ne tant jo - li - e bru-

[1]) Comparez Puymaigre, *Chants populaires recueillis dans le pays messin*
(Metz et Paris, 1865), p. 27.

ne, Je lui ai d'man-dé : Êtesvous ma-ri - ée? Non, ma-ri - ée je ne suis

pas, mais j'en ai bien la pen - sée.

II — Tenez cette bague d'or, tenez, du mariage, *(bis)*
— Non, mariée, je ne pourrais pas,
Je suis encor trop jeunette.
— Je m'en irai dans le régiment,
Dans l'régiment je vous attendrai. »

III Sur tous les amants du pays, son père la marie *(bis)*
Avec un vieux vieillard tout blanc,
Que son petit cœur n'était pas content,
N'en avait pas envie.

IV « Père, si je le prends, je ne le prends que pour vous plaire; *(bis)*
Je vous assure et je vous promets
Que jamais avec lui je ne m'en irai coucher.
C'est moi qui vous l'assure.

V Mon père, permettez-moi d'écrire une lettre *(bis)*
A mon amant du temps passé,
Puisque mes amours lui sont attachés,
A mon amant du temps passé.»

VI Lorsque la lettre est arrivée, son amant, il soupire: *(bis)*
«Allez leur dire, à mes parents,
Que je suis mort dans le régiment,
Puisque ma maîtresse est mariée. »

VII O Valais, si tu me fais mourir, tu auras mon héritage.
J'aurai le cœur pour toi de mourir,
Moi qui t'ai si longtemps servi,
Toi qui es ma patrie.

IV. Par un beau jour [1])

Par un beau jour j' me suis le - vé Plus ma - tin que la lu-

ne; Tout aus-si - tôt je me suis a - per - çu Que ma maî-

tres-se ne m'ai-mait plus.

---

[1]) Comparez Puymaigre, p. 425, note.

II . . . .
    Je pris le ch'val de mon maître,
    Bien enbridé, bien ensellé;
    Chez ma maîtresse je m'en suis allé.

III Du plus loin qu'elle me voit venir,
    Son petit cœur sou(s)pire.
    «Qu'avez-vous tant à sou(s)pirer?
    N'êtes-vous pas fille fiancée?

IV — Je suis fille fiancée,
    Malgré tes fantaisies.
   . Mes premiers bans seront dimanche,
    Si tu n'y mets des empêchements.

V — L'empêchement que j'y mettrai
    Sera d'faire une autre mie;
    L'empêchement que j'y mettrai:
    Une autre blonde je chercherai.»

VI Quand vient le dimanche matin,
    M'sieur l'curé monte au trône;[1])
    «Ecoutez tous, petits et grands,
    Je m'en vais vous publier un ban.»

VII L'amant, qui entend cela,
    Pas à pas s'avance,
    Lui dit tout bas: «Monsieur le curé,
    Ne s'agit pas de trop se presser.

VIII Pour me marier à présent,
    Je suis encor trop jeune.
    Je n'ai pas fini mes vingt et un ans,
    Je m'en irai dans le régiment.»

IX Dans l'régiment je suis entré,
    Avec fort bonne épée;
    Dans le régiment je suis entré,
    Avec le sabre à mon côté.

V. Il y avait une fille reine . . .

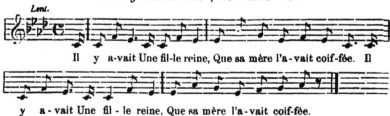

Il y a-vait Une fil-le reine, Que sa mère l'a-vait coif-fée. Il y a-vait Une fil-le reine, Que sa mère l'a-vait coif-fée.

[1]) *Entendez* prône.

Pas n'était si tôt coiffée, trois soldats vinrent l'emmener. (*bis*)
«Emmenez-la, voilà ma fille; car ma fille, elle est coiffée. (*bis*)
— C'n'est pas pour nous que nous l'emmenons, c'est pour monsieur
le capitaine.» (*bis*)
Quand le capitaine la voit venir, il se mit à rire. (*bis*)
«Montez, holà! montez, la belle, montez dans ma chambrette.» (*bis*)
Tout en montant les escaliers, la belle se mit à pleurer. (*bis*)
«Pleures-tu tes père, tes mère, ou quelqu'un de tes parents? (*bis*)
— Non, je ne pleure ni père ni mère ni aucun de mes parents. (*bis*)
Accordez-moi la permission de prier Dieu dévotement.» (*bis*)
Quand elle fut au milieu de la prière, la belle tomba morte. (*bis*)
«Apportez-moi un linge blanc, pour ensevelir ma mie là dedans. (*bis*)
Apportez-moi du papier blanc, pour écrire à tous ses parents, (*bis*)
Et surtout à sa bonne mère, que sa fille est morte en prières.» (*bis*)
Quand on va à l'ensevelissement, tous les garçons se mirent à pleurer; (*bis*)
Quand on revient de l'ensevelissement, toutes les filles sou(s)piraient. (*bis*)

VI. J'avais une maîtresse . . .

J'a-vais u-ne maî-tres-se, il y a en-vi-ron un an. La
belle m'a-vait pro-mis de m'ai-mer si ten-dre-ment. Le temps que j'ai é-
té au ré-gi-ment, L'in-grate, elle a fait choix d'un autre a-
mant. Le temps que j'ai é-té au ré-gi-ment, L'in-grate, elle a fait
choix d'un autre a-mant.

II Étant au régiment, je ne pouvais point dormir,
Quand je pensais à elle, mon cœur tendre et soumis.
J'avais ach'té mon congé pour trente louis;⎫
C'était pour revenir dans mon pays.   ⎬ *bis*

III Étant arrivé, je m'informe de la santé
De ma chère maîtresse, que j'ai tant longtemps aimé.
Tous les voisins m'disaient: «Mon cher enfant,⎫
Ta maîtresse a fait choix d'un autre amant.» ⎬ *bis*

IV Je ne voulais pas croire ce que l'on me disait;
Je me mis en colère tout comme si l'on m'poussait.
«Elle m'a fait des promesses et longs serments;⎫
Non, non, je ne le crois qu'en le voyant.»   ⎬ *bis*

V   J'y vais devant sa porte, j'y frappe quelques coups.
    La belle se lève: «Monsieur, que souhaitez-vous?
    — C'est votre amant, la belle, qui vient vous voir,⎫
    Accablé sous l'espoir de vous revoir.»   ⎬ bis

VI J'y prends une chaise, tout comme d'habitué,
    Je m'assis auprès d'elle, tout comme si rien n'était;
    Je lui fais des reproches et longs adieux,   ⎫
    Si touchants qu'ils lui font couler les yeux.⎬ bis

VII «Oh! va, ô cœur perfide, oh! va, cœur de rocher!
    Tu as eu le courage de vouloir me quitter.
    J'avais ach'té mon congé pour t'épouser,⎫
    Je vais me r'engager pour t'oublier.»   ⎬ bis

IX Adieu, père et mère! adieu, sœur et parents!
    Je m'en vais en Hollande rejoindre mon régiment.
    Je n'ai plus de maîtresse dans mon pays,⎫
    Jamais je ne prétends d'y revenir.   ⎬ bis

VII. Ma charmante Victoire

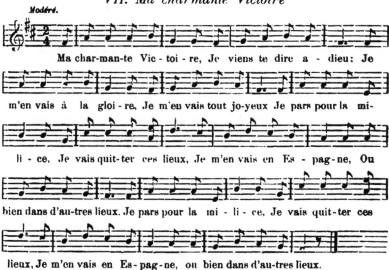

Ma char-man-te Vic-toi-re, Je viens te dire a-dieu: Je
m'en vais à la gloi-re, Je m'en vais tout jo-yeux Je pars pour la mi-
li-ce, Je vais quit-ter ces lieux, Je m'en vais en Es-pag-ne, Ou
bien dans d'au-tres lieux. Je pars pour la mi-li-ce, Je vais quit-ter ces
lieux, Je m'en vais en Es-pag-ne, ou bien dans d'au-tres lieux.

II — Si tu vas en Espagne,
    Amant, tu vas m'oublier.
    Tu trouveras des filles,
    Qui pourront te charmer.
    Et moi, dans ma détresse,⎫
    Pleurerai nuit et jour,   ⎬ bis
    En regrettant sans cesse, ⎪
    L'objet de mes amours.   ⎭

III — O désespoir, la belle,
    (Mais tu ne m'entends pas)
    Je vais finir ma vie
    Par faire le soldat.
    — Toi, toute la journée,   ⎫
    En prendras du plaisir,   ⎬ bis
    Et moi, dans ma chambrette,⎪
    Je vais mourir d'ennui.   ⎭

IV Là-bas, dans le feuillage,
Tu jurais de m'aimer;
Par ton charmant langage,
Tu as su me charmer.
Oh! tiens, ingrat perfide,
Tu as trahi ton serment, }
Je n'ai plus rien au monde. } *bis*
Adieu, mon cher amant. }

V — Oh! ne crains pas, la belle,
Que je te laisse là.
Tu sais donc les promesses
Que je t'ai fait là-bas.
Tu connais ma conduite }
Et mon zèle ardent. }
J'espère que dans la suite } *bis*
Je serai ton amant. }

VI — Ah! cela me console.
Conserve-moi ton cœur.
Je t'ai connu frivole,
Cela fait mon malheur.
Cher amant, prends bien garde }
Conserve ton honneur. } *bis*
Quand tu viendras en garde, }
Je te donn'rai mon cœur. }

VII — Faut-il que je t'embrasse,
Avant que de partir?
Dessus ta tendre bouche,
Hélas! je veux mourir.
— Embrasse-moi de même.
Aimons-nous, cher amant.
Je prierai sans cesse,
Pour toi au régiment.

VIII. La Postulante

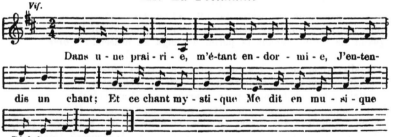

Dans u - ne prai - ri - e, m'é-tant en - dor - mi - e, J'en-ten-

dis un chant; Et ce chant my - sti - que Me dit en mu - si - que

D'al - ler au cou-vent.

II Adieu, mon cher père!
Ma très chère mère,
Adieu pour toujours!
Je m'en vais dans un cloître,
Pour ne plus reparaître,
Pour finir mes jours.

III Adieu donc les danses,
Adieu les cadences,
Adieu pour toujours!
Une cellulette,
Petite chambrette,
Voilà mon séjour.

IV Etant arrivée,
Je fus saluée
Par la mère des sœurs;
Et de là, ensuite,
Je fus conduite,
Jusqu'au fond du chœur.

V «Seriez-vous contente,
Jeune postulante,
D'être sous nos lois?
— Encor plus contente,
Mère Révérende,
D'être votre enfant.

VI — Approchez-vous, fillette,
Courbez votre tête,
Coupez vos cheveux.
Cheveu n'est que terre,
Terre n'est que verre.
Coupez, je le veux.

VII Allons à matines,
Marchons sur l'épine.
Il sonne minuit!
Une petite paillasse,
Froide comme la glace,
Voilà votre lit.»

VIII Je ne sais pas lire,
Mais je veux bien dire
Un *De Profondis*,
Pour que Dieu me donne
Sa Sainte Couronne,
Son beau paradis.

IX. *C'est la tendre Complainte* . . .[1]

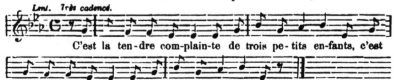

C'est la ten-dre com-plain-te de trois pe-tits en-fants, c'est
la ten-dre com-plain-te de trois pe-tits en-fants

Ayant leur mère morte, leur père remarié. (*bis*)
Il a repris une mauvaise femme, méchante pour ses enfants. (*bis*)
Le plus petit des trois lui demande un morceau de pain, (*bis*)
D'un coup de pied au ventre par terre elle le jeta. (*bis*)
Le plus grand de ses frères lui dit: «Relève-toi. (*bis*)
Nous irons au cimetière notre mère y rechercher.» (*bis*)
Quand ils furent devant la porte, un ange en descendit; (*bis*)
Il descendit du ciel, tout habillé de blanc. (*bis*)
«Où allez-vous mes anges, mes anges si petits? (*bis*)
    Nous venons au cimetière notre mère y rechercher. (*bis*)
— Relève-toi, chrétienne, pour nourrir tes enfants. (*bis*)
Je te donne la puissance de vivre encore quinze ans.» (*bis*)
Quand les quinze ans furent écoulés, la mère se mit à pleurer. (*bis*)
«Pourquoi pleurez-vous, ma mère, qu'avez-vous à pleurer? (*bis*)
— Je suis sortie de terre, il m'faut y retourner. (*bis*)
— Ne pleurez pas tant, ma mère, nous irons bien avec vous. (*bis*)
Nous irons dans la prairie cueillir l'herbette fraîche.» (*bis*)
Elle en prend un sur sa tête et deux sur ses épaules. (*bis*)
Quand elle fut devant la porte, un grand coup de tonnerre, (*bis*)
Un grand coup de tonnerre les écrasa tous trois. (*bis*)

X. *Je me suis levé* . . .[2]

Je me suis le-vé plus ma-tin que la lu-ne, Pour aller voir cel-le que j'ai tant ai-mée De-puis l'â-ge de

[1] Comparez Nigra, *Canti popolari del Piemonte* (Turin, 1888), p. 212.
[2] Comparez Bugeaud, *Chants et chansons populaires des Provinces de l'Ouest* (Niort, 1866), I, p. 282.

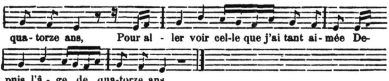

qua - torze ans,   Pour al - ler voir cel-le que j'ai tant ai - mée De-

puis l'â - ge de qua-torze ans.

II   J'y vais devant sa porte, trois petits coups j'y frappe.
«Belle, lève-toi; car j'ai un grand désir,⎫ *bis*
Un grand désir d'y d'entrer. ⎭

III   — Comment voulez-vous que j'ouvre, moi que je suis malade,
Malade dedans mon lit, ⎫ *bis*
En grand danger d'y mourir.⎭

IV   Mie, si tu es malade, nous irons au médecin,
Bien vite, en dépêchant, ⎫ *bis*
En grand désir de le trouver.» ⎭

V   Quand le médecin fut arrivé, la belle pas encor morte,
Sa main blanche sortait du lit, ⎫ *bis*
Pour dire adieu à toutes ses amies.⎭

VI   «Si vous voulez me voir mourir, allumez la chandelle,
Allumez-la sur le bord de mon lit, ⎫ *bis*
Et priez Dieu de me secourir. ⎭

VII   — O mort, cruelle mort, que tu me fais de peine
De m'enlever celle que j'ai tant aimée,⎫ *bis*
Depuis l'âge de quatorze ans. ⎭

VIII   Le médecin lui répond: «Des filles, il y en a d'autres,
Il y en a tant, des petites et des grandes,⎫ *bis*
Et des filles de riches marchands. ⎭

IX   Les filles des riches marchands, elles sont trop glorieuses:
Portent dentelles et de beaux rubans blancs. ⎫ *bis*
Dans leur boursette il n'y a pas d'argent. ⎭

XI. *L'eau et le vin*[1]

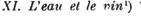

Modéré.

L'eau et le vin se sont mis en dis - pu - te, L'e - au et le

vin se sont mis en dis - pu - te, Se sont mis en dis- pu - te, Se sont mis en dé-

rou - te. Mais, quoi que le vin coûte, il faut que je le goû - te.

[1] Le *Débat de l'eau et du vin* est un thème fréquent dans la littérature du moyen âge et la poésie populaire moderne. Voyez *Romania*, VI,
p. 596, et XVI, p. 366, et A. d'Ancona, *Origini del Teatro Italiano*. 2ᵈᵉ
édition (Turin, 1891), vol. I, p. 560.

II   Le vin dit à l'eau par sa fière manière: (*bis*)
             Toi, tu coules à terre,
             Et moi, je me renferme,
      Je me renferme dans un tonneau pour faire bonne chère.

III   L'eau dit au vin par sa douce manière:
             Et quand la vigne sèche,
             C'est moi qui la refraîche,
      Je fais reverdir la rose ainsi que la violette.

IV   Le vin dit à l'eau par sa fière manière: (*bis*)
             Si moi ne pouvais être,
             Il n'y aurait point de messe
      Dans le calice consacré par la bouche du prêtre.

V   L'eau dit au vin par sa douce manière: (*bis*)
             En entrant dans l'église,
             On prend de l'eau bénite,
      Pour chasser le malin esprit hors de la sainte église.

VI   Le vin dit à l'eau par sa fière manière: (*bis*)
             C'est moi qui nourris l'homme,
             Qui divertis la femme,
      En jouant du violon pour le beau plaisir des dames.

VII   L'eau dit au vin par sa douce manière: (*bis*)
             C'est moi, lorsque je coule,
             Qui fais le moulin moudre,
      Je fais reverdir tous les champs, réjouis tout le monde.

XII. Moïse

À la san-té de No-é. Pa-tri-ar-che di-gne. Le pre-mier qui
a plan-té sur ter-re la vi-gue! Mais, pour mieux pas-ser l'eau. Il
fit faire un ba-teau. Qui fut son son son, qui fut re re re, qui fut
son, qui fut re, qui fut re, son re-fu-ge. Du temps du dé-lu-ge.

II   Quand la mer Rouge fut apparue à la troupe noire,
      Pharaon, tout de bon cœur, il lui fallut la boire.
             Mais Moïse savait bien,
             Que cela n'était du vin.

Il la pa pa pa, il la sa sa sa, il la pa, il la sa,
Il la passa outre,
Sans en boire une goutte.

III   Quoique nous ne soyons pas du temps de Moïse,
Ne cessons cependant pas de croire à l'Église.
A l'exemple de ce saint,
Louons l'eau, buvons le vin.
La trou pi pi pi, la trou fa fa fa, la trou pi, la trou fa,
La troupe infidèle
L'aura toute pour elle.

IV   Buvons tous, mes chers amis, égayons-nous, chers frères.
Quoique j'aie tant mal au bras, le vin me guérira.
Je bois du bras droit,
Je bois du bras gauche,
Je bois droit, je bois gauche,
Je bois à droite et à gauche;
C'est le bon vin qui m'échauffe.

XIII. La Bergère[1])

Quand j'é-tais pe-ti-te fil - le, Les mou-tons, je les gar-

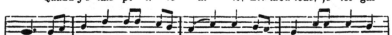

dais. J'é-tais en-co-re bien jeu-net - te, Quand j'ou-bli-ais mon dé-jeu-

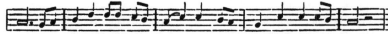

ner; J'é-tais en-core bien jeu-net - te, Quand j'ou-bli-ais mon dé-jeu-ner.

II   Les grands valets de mon père
Sont venus me l'apporter.
«Tenez, tenez, petite fille, ⎱
Voilà votre déjeûner. ⎰ *bis*

III   — Du déjeûner je ne sais que faire.
Mes moutons sont égarés;
Ils sont là-bas dans la prairie, ⎱
Où je ne puis les retrouver.» ⎰ *bis*

IV   Pierre a pris la cornemuse.
Et se mit à cornemuser;
Mais, au son de la cornemuse, ⎱
Mes moutons se sont retrouvés. ⎰ *bis*

---

[1]) Comparez Rolland, *Recueil de chansons populaires*, t. V (Paris, 1887), p. 23.

V   Allons là-bas sur l'autre rive,
    Nous parlerons tous deux à la fois.
    Mais, hélas! hélas! ta voix plaintive⎫
    Ne parvient plus jusqu'à moi.   ⎬ bis

VI Adieu donc, berger aimable!
    Adieu donc, mes tendres amours!
    Je m'en vais quitter la prairie,⎫
    Où je venais chaque soir.   ⎬ bis

XIV. Le Bon Borgognon

On roi l'a-vait u - na fil - la, Qui l'a - vait nom Mar-gue-
ron. Qui l'a-vait nom Mar-gue-ron, Vi - ve le bon, bon, bon, Qui l'a-
vait nom Mar-gue-ron, Vi - ve le bon Bor - go-gnon!

II E chou frarè, è la pégné [1])
    Avon on pégn dé loton, (bis)
    Vive le bon, bon, bon,
    Avon on pègn de loton,
    Vive le bon Borgognon!

III E cha choéra è la tréche [2])
    Avon on tréchiou dargenton (bis),
    Vive le bon, bon, bon,
    Avon on tréchiou dargenton,
    Vive le bon Borgognon!

IV La no fera pas tra bella [3])
    Qui la no derobereing, (bis)
    Vive le bon, bon, bon,
    Qui la no derobereing,
    Vive le bon Borgognon!

V   Auté Tsarle è mon fraré, [4])
    I no la wuardereing, (bis)
    Vive le bon, bon, bon,
    I no la wuardereing,
    Vive le bon Borgognon.

[1]) Et son frère, il la peigne, avec un peigne de laiton
[2]) Et sa sœur, elle la tresse avec une tresse d'argent.
[3]) Ne nous la faites pas trop belle, pour qu'on nous la dérobe.
[4]) Notre Charles et mon frère nous la garderons.

Volkstümliches aus dem Frei- und Kelleramt.

Von S. Meier, Lehrer, in Jonen.

Volksmedizin (Fortsetzung).

Ausser ihren Hauptfunktionen ist die Hebamme[1]) auch in der sonstigen Volksmedizin eine wichtige Persönlichkeit. Sie besorgt das „Schräpfe" (Schröpfen) und das vom gemeinen Volke als besonders wichtig und bedeutungsvoll erachtete „Christiere" (Klystieren) mittelst der „Christiersprütze" oder dem „Eregeter" (Irrigator). In dieser Beziehung ersetzt sie wohl die ehemaligen Bader, die auch im Frei und Kelleramt heimisch waren. (Eine Badstube besass z. B. Jonen zwischen 1697 und 1736, ferner Muri „an der Egg" A° 1533, Bremgarten „vff der Rüss" 1602). — Aeltere Leute berichten auch, wie sie jedes Frühjahr und vielfach nach vorheriger Befragung des Kalenders in gewissen Wirtshäusern sich „händ lo z'Oder (Ader) loh".

Manche Hebammen (aber auch Nicht-Hebammen) verstehen sich ferner auf die Kunst, „eim die wilden Auge-Hoor" d. h. die den Augapfel irritierenden Wimpern auszuziehen und es wird hnen wirklich auch hie und da (früher noch häufiger als jetzt) Gelegenheit geboten, diese Kunst zu praktizieren. Die wilden Wimpern werden indessen nicht blos dann ausgezogen, wenn sie den Augapfel belästigen, souern auch in Fällen von Augenentzündung und Augenflecken (wie Verf. in seinen Knabenjahren an sich selber geschehen lassen musste), sowie bei Kopfweh. „Mer cha die wilden Augehoor ganz liecht vor den andere erchänne; sie stöhnd so stif win e Bock, we mer s' uf de Fingernagel ue stellt und sie händ schwarzi Chölpli (Wurzeln), wo dergäget die andere wissi Chölpli händ", so erklärte mir neulich eifrig eine 78jährige, noch ganz „chärsche" (rüstige) Unterlunkhoferin, die viel auf dem Ausziehen der wilden Wimpern hält und dasselbe auch schon öfters und mit Erfolg ausgeführt haben will, selbst in Fällen, „wo de Tokder nid hed chönne hälffe". Die gleiche Frau löscht auch „de Brand", indem sie dreimal nach einander die Worte spricht:

[1]) Knöchli Muoter (Berikon 1783).

> Jesus Christus ist gereist durch alle Land
> Und hat gelöschen allen Brand
> Gott Vater, Sohn und hl. Geist

und jedesmal die verbrannte (Haut-)Stelle anhaucht.

Eine vor etlichen Jahren verstorbene Bürgerin von Jonen war in dieser Beziehung noch geschickter; denn als einmal eine Frau zu ihr kam mit der Bitte, „si sel ihrem Chind ä de Brand lösche, es heig si mit heisser Milch e so grüsli bbrännt, und sie heig scho allerhand probiert und d'Lüt heigid ere dere und disere aggrothe und sie heig no echli bsägnets Illenöl (gesegnetes Lilienöl[1]) ggha und heigs im Chind agstriche, s well aber alls nüd nütze und de Brand fahr eisti no witer und zum Tokder chön sie ä nid goh, er seig nid deheim" da sprach die Brandlöscherin nur folgendes Gebet:

> Franz Lorenz, der auf dem Roste sass
> Bittet Gott, dass mir der Brand nichts mehr that.
> Im Namen Gottes des Vaters, des Sohnes und des hl. Geistes. Amen,

fügte demselben noch drei Vaterunser bei und entliess dann die Hülfesuchende mit der Bemerkung, sie solle jetzt nur heimgehen, es werde jetzt schon bessern. „Und i muess säge", so erzählte die Mutter des fraglichen Kindes weiter, „wo-n-i wider hei cho bi, so heds scho orli bbesseret ggha".

Ein anderes Gebet, mit dem der Brand ebenfalls gelöscht wurde, lautet:

> Sant Laurentz auf dem Feuerigen Rost
> hilf mir aus aller noth,
> mit seyner Schneeweisen Hand
> lösch mir den Brand,
> das er nicht weiter Fahrt
> im Namen der Allerhochheiligsten Dreifaltigkeit
> Gott Vatter, Sohn und Heilliger Geist

Eine vierte Formel ist:

> Moses im fürige Tornpusch!

(Das dreimal sagen und jedesmal über die Brandwunde hauchen).

Andere Segensformeln, die ebenfalls Heilzwecken zu dienen hatten, fand der Verf. unter alten Schriften in einem Privathause zu Ober-Lunkhofen, wo noch vor ca. 20 Jahren ein alter „Götti" wohnte, der im Rufe stand, er könne „bahne" (Geister bannen). Wir lassen sie nachstehend folgen:

[1]) Das „Illenöl" lässt man sich vom Geistlichen segnen und zwar vorzugsweise in der Klosterkirche zu Einsiedeln; auch Medizinen lassen gewisse Leute segnen

Vor das Zahnweh.

St. Peterus stund unter einem Eichen Busch; da sprach unser Lieber H. Jesus Christus zu St. Pietro: warum bist du so traurig? Petrus sprach: warum sollte ich nicht traurig seyn? die Zähne wollen mir im Munde verfaulen; da sprach unser Lieber Herr Jesu Christus zu Petero:

> Peter gehe hin in Grund.
> und nehme Wasser in den Mund
> und spei es wieder aus in Grund † † † Amen

Eine gewisse Blutstellung.

a. Wann einem das Blut nicht gestehen will oder einem eine Ader wunde ist, so lege den Brief darauf, so stehet das Blut von Stunde an, wer es aber nicht glauben will, der schreibe die Buchstaben auf ein Messer, und steche ein unvernünftiges Thier, es wird nicht Bluten, und wer dieses [nämlich den Brief mit den folgenden Buchstaben] bey sich trägt, der kann vor allen seinen Feinden bestehen. l. m. l. k. l. B. l. P. a. x. r. hs. St. ras. l. P.

unag Lit, Dammper soliom, und wenn eine Frau in Kinder nöthen ligt oder sonst hertzlich krank oder Hertzleit hat, nehme sie diesen Brief zu sich, Hilft gewiss.

> b. Her Jeses wird an eine Sul gebunden.
> es Blut an im alle sine Heil füf Wunden,
> die kleinen wie die grossen.
> Die Juden hend ihn übel geschlagen und gestossen.
> Durch dein Weil (l. Will)
> oh Blut Stand Still
> im Nahmen Gottes Vatters Sohns Heil Geist. 3 Mahl.

Vor das Fieber zu vertreiben.

Bette erstlich früh, alsdann kehr das Hemd um, den Linken Ermel zu erst und sprich: Kere dich um Hemd und du Fieber, wende dich und nenne den Namen dessen, der das Fieber hatt das sage ich dir zu Busse im [Namen] Gottes Vaters und des Sohnes und des Heiligen Geistes. Amen.

Vor die Geschwulst.

Es giengen 3 reine Jungfrauen, sie wollen eine Geschwulst und Krankheit beschauen; die eine sprach: es ist Keisch (Keusch?), die Andere sprach, der ist nicht, die drite sprach, es ist damit nicht: so kommt unser lieber Herr Jesu Christi, im Namen der H. Dreifaltigkeit gesprochen.

Ein anderes dergleichen.

So ein Mensch die Fäule hat, so spreche man nachfolgendes. es Hülft gewis:

Job zog über Land, der hat den Stab in seiner Hand, da begegnet ihm Gott der Her und sprach zu ihm: Job, warum traurest du so sehr, er sprach: ach Gott! warum sollte ich nicht trauren, mein Schlund und mein Mund will mir abfaulen. Da sprach Gott zu Job: dort in jenem Thal, da flüst ein Brun, der heilet dir, N. N., dein Schlund und Mund, im Namen Gottes und des Vaters und des Sohnes und des H. Geistes.   Amen. Dieses sprich 3 mal des Morgens und des Abends, und wenn es heisset: „der Heilet dir" so blast man dem Kinde 3mal in das Maul.

Fremdkörper im Auge.

Ich habe etwas in Meinem Aug; ich habe gemeint, es Sey Hafer Stroh, jetzt ist es unser Hertz Liebe Frau.

Dieses drey mahl gesprochen und alle mahl ein Vatter unser und Ave Maria gesprochen.

Für der Törn zu Töden.

Wen dich ein Dorn oder ein Sprossen gestochen hat, so will ich ihn mit gewalt wider fort treiben, im Nahmen der Hochheilligen Dreifaltigkeit Gott Vatter Sohn und Heilliger geist. Dieses drey mahl gesprochen und allemahl ein Heilliger Vatter unser und Ave Maria gebethen, es Hilft, und einmahl der Christliche Glauben.

(NB. No. 1, 2a, 3, 4, 5 waren in ein von Hand und mit Tinte geschriebenes („Bahn-")Büchelchen eingetragen, No. 2 b, 6 und 7 dagegen waren mit Bleistift auf lose Blätter geschrieben.)

Wer vor Unfällen verschont sein will, für den enthält das genannte Büchlein noch folgende Segen:

Morgensegen, welcher, wenn man über Land geht, sprechen muss, so alsdann den Menschen vor allem Unglück bewahret.

Heute will ich ausgehen, Gottes Steg und Weg will ich gehen, wo auch Gott gegangen ist und auch unser lieber Herr Jesus Christus und unser Herzliebe Jungfrau mit ihrem Herzlieben Kindlein mit ihren 7 Ringen, mit ihren wahren Dingen, o du mein lieber Herr Jesu Christ ich bin eigen dein, dass mich kein Hund beiss, kein Wolf beiss, kein Mörder beschleig, behüte mich mein Gott von dem jähen Tod, ich stehe in Gottes Hand, da bind ich mich in Gottes bin ich gebunden durch unsers Herrn Gottes H. 5 Wunden, dass mir alles und jede Gewehr und Waffen so wenig schaden, als der H., Jungfrau Maria ihrer Jungfrauschaft mit ihrer Gunst, mit Gesponss Jesu, bete 3 Vaterunser und 3 Ave Maria und ein Glauben.

Ein Anderes.

Jesus von Nazaret, ein König der Juden, ja ein König über die Ganze Welt, beschütze mich, N. N., diesen heiligen Tag und Nacht, beschütze mich allzeit durch deine H. 5 Wunden, das ich nicht werde gefangen noch gebunden, es beschütze mich die H. Dreifaltigkeit, das mir kein Gewehr, Geschos, noch Kuchel oder Bley auf meinem Leib sollen komen, sie sollen lind werden, als die Zähren und Blutschweistropfen Jesu Christi gewesen seyen im Nahmen des Vaters, Sohnes und des Heiligen Geistes. Amen.

Ein anderes dergleichen.

Mein Gott und Herr du gewaltiger Richter, das bitte ich dich durch dein Rosenfarbes Blud willen, das geflosen ist aus deiner Heiligen Seite und 5 Wunden, dass du mich, N. N., also behütest und beschürmest, das mir kein Unglück zukome oder schaden möge. Christus sey vor mir und fir alle Waffen gut. Jesus Christus sey bey mir, J. Christus sey mein Haupt und Schutz in dem Haus und Hof in dem Wald' und auf freyem Feld, vor allem Diebgesindel und Mördern, sie seyn sichbar oder unsichbar, Christus sey meine Beschützung und Beschürmung, denn du Herr dein H. Kreutz selbst geheiligt hast mit deinem Rosenfarben Blut, Christi sey bey mir und behüte alle Tage und Nacht vor allen Geschütz und Waffen — und vor allen Banden und schmälichen Tod, mein Herr und Gott, ich bitte und ermahne dich um deinen grosen Marder und Unschuldigen Todes willen, so du fir mich am Sindes [l. armen Sünder] an Stamme des H. Kreuz gelitten hast, der du bist das A. u. C. [lies O], der Anfang und das End, Christi Tugend üiber wundet alle Dinge, Christus wolle mich behüten und bewahren von nunan bis in alle Ewigkeit. Amen.

(NB. Unter dem Landvolk ist vielfach üblich, dass diejenigen, welche im Begriffe stehen aufs Feld etc. hinauszugehen oder eine Reise anzutreten, erst den Finger in das meist neben der Thüre angebrachte Weihwassergefäss tauchen und hierauf an

Stirne und Brust das Zeichen des Kreuzes zu machen. Sie
unterlassen auch nicht, vor dem Weggehen zu sagen: „Mer
wänd dänk goh, e Gotts Name" [in Gottes Namen]. Weihwasser
wird auch genommen vor dem Zubettegehen und nach dem Aufstehen, bezw. nach dem Betreten der Stube am Morgen. In beiden
letzten Fällen lautet dann der Nacht- resp. Morgengruss: „G'lobt
sei Jesus Christ", worauf als Antwort folgt: In Ebigkeit).

Vor Wiederwärtikeit und allerhand Streit.

Kraft, Held, Fried, Fruht [l. Fürst, nach Jesaias 9,6]

J. J. J.

Schuss und Waffen und Thierstellung.

Jesus ging über das rohte Meer und sah in das Land, also
müssen zerreisen alle Strik und Band, und zerbrechen und unbrauchbar werden alle Rohr, Büchse, Flinde und Bistolen, alle
falsche Zungen verstummen. der Seegen, den Gott thut, da er
den ersten Menschen erschaffen hat, der gehe über uns alle [und]
mich allezeit, der Seegen den Gott that, da er in Traum befohlen hat, dass Joseph und Maria, mit Josua in Egipten fliehen
solten, der gehe über mich allezeit, sey lieb und werth, das
H. Kre[u]z in meiner rechten Hand, ich gehe durch das Vatterland
frey, da keiner wird beraubt, tod geschlagen oder beraubt, sogar
mir niemen was leits thun kann, das mich überdis kein Hund,
kein Tier zerreiss, in allen behüte mein Fleisch und Blut, vor
Sünden und falsche Zungen, die von der Erden bis an den
Himmel reichen, durch die Kraft der 4 Evangelisten im Namen
Gott des Vaters und Gott des Sohnes und des H. Geistes. Amen.

Ein Stecken zu schneiden, das man einen damt prüglen
kann, wie weit auch derselbe entfernt ist.

Merk wenn der Mond neu wird an einem Dienstag. so
gehe vor der Sonnenaufgang, tritt zu einem Stecken wo du dir
schon zuvor ausersehen hast, stell dich mit deinem Gesicht gegen
den Sonnenaufgang und sprich diese Worte: Steck, ich greife
dich an im Namen † † † nim dein Messer in deine Hand und
sprich wiederum: Steck. ich schneide dich ab im Namen † † †,
dass Rein du mir sollest gehorsam seyn, welchen ich prüglen
will. wann ich einen Namen antrete; darnach schneide an zwey
Orten dan etwas hinweg, damit du kannst diese Worte darauf
schriben, stechen oder schneiden. Abio, obla, habia, lege einen
Kitel auf einen Scherhaufen, schlage mit deinem Stecken auf

den Kitel und nenne des Menschen Namen, den du prügeln
willst, und schlage tapfer zu, so wirst du denselben ebenso hart
treffen, als wenn er selber darunter währe, und doch viele Meilen
weit von dem Ort ist.

Eine Versicherung vor das Schiessen, Hauen u. Stechen.

Das Heilige Angesicht Gottes sey bey mir, mit ewiger
Beschirmung, meine Seele und Leib, meine Ehr und Gut, das
hast du in deiner Hut, Gott behüte mich durch seyn väterliches
Gut, es sollen gesegnet seyn alle meine Weg und Steg und
Strassen allenthalben, dass H. Christus Buse (?). Der Himmel
mein Schild, mein Leib ist Stahl, mein Hertz sey Helfanbeyn,
heut müssen mir die Geschütz, Kugeln und Waffen, so lind und
weich werden, als der Bludige Schweiss war, den unser lieber
H. Jesu hat vergossen aus seinem heiligen Leib und Seide, das
hilf mir o du starker Gott, o du Gräftiger Gott! dass niemand
mich schiesse, treffe, hauen, schneiden, Stechen oder verwunden
kann, so segne mich heut das Heulige Creutz Christi vor allerley
Waffen, die geschmiedet worden, dass meine Feinde meinen
Leib nicht schiessen, hauen, oder stechen noch schneiden können,
die Sonne und der Mond leuchten mir, die 12 Botten bedeuten
mich in allen meinen Sachen, und gestehen mich, St. Stephanus,
der den Himmel offen, und Christum zur Rechten Gottes seines
Vatters sicher [l. siehet], dadurch er seinen Feind zu Schande macht,
der stehe mir heute bey, dass mir's desto besser sey. Nun segne
mich die Heilige Jungfrau, durch ihres lieben Kindleins willen,
sey mir Gut wieder alle Wiederwärdigkeit, nun segne mich der
Segen des Heiligen Propheten Mosen und Patriarchen, und segne
mich heit und allezeit, der gewaltige Gott Vater, Sohn und
Heilige Geist. J. J. J. Amen.

Aller Wahrscheinlichkeit nach suchte man sich früher auch
in unserer Gegend vor Krankheiten. Verletzungen etc. dadurch
zu schützen, dass man Amulete bei sich trug. Es wurde nämlich neulich bei Korrektionsarbeiten, die gegenwärtig in der Nähe
von Bremgarten an der Reuss vorgenommen werden, ein bleierner,
nahe dem Rande mit einem Löchlein zum Anhängen versehener
„Thaler" von 47 mm. Durchmesser gefunden, auf dessen Avers zu
lesen steht: DIESE. MINERALISCHE. V. MERCVRIALISCHE.
MATERI. DIENET

VOR
FLVSS KRAMPF
VND ROTLAVFEN
WAN ES BEI
DEM MENSCHEN
OETRAGEN WIRD.

Ausserdem ist unter der letzten Zeile ein galoppierender Reiter
aufgeprägt.

Was den Revers betrifft, so wird dessen Mitte von einem
Pentagramma eingenommen in dessen Centrum die Sonne sichtbar ist; zwischen den Ecken erblickt man die Zeichen für die
Planeten Venus, Mars, Mond, Merkur, Jupiter und Saturn. Sie
sind nach aussen von einem Ring abgeschlossen, der die Worte
trägt: (DER?) THALER. IST. V. DENEN. 7. MINERALIEN
PRÆPARIERT.

Brüche zu heilen.

a. Wenn ein Kind „es Brüchli" hat, so soll man seinen Kot
aufs Feld hinaustragen und einen „Waalwörzestock" (Symphytum
officinale) drein setzen. Sobald der „Stock" im Kot zu wachsen
beginnt, so fängt auch das Brüchlein zu heilen an.

b. An einem Karfreitag an den Tisch sitzen, sich die
Nägel an allen Fingern abschneiden, in die Rinde eines jungen
Baumstämmchens einen Schnitt machen und die Abschnittsel
der Fingernägel hineinstecken. Sobald die Rinde mit den Ab-
schnittseln zu verwachsen beginnt, fängt auch der Bruch zu
heilen an.

Volkslegende von Notker Balbulus.

Aus Nr. 356 der Vadian. Bibliothek (Papierhdschr. d. XV. Jahrh. 48 Bl. 4°).

Mitgeteilt von Dr. G. Jenny in St. Gallen.

Vorwort von E. A. S.

Schon im XII. Jahrhundert besass die Volkslitteratur
deutsche Legenden von acht Kirchenheiligen; gegen Ende des
Mittelalters wuchs deren Zahl ins Ungemessene. Diese Heiligenleben sind keine kritischen quellenmässigen Darstellungen des
Lebens und Sterbens der Heiligen, sondern bieten volkstümliche
Erzählungen und Sagen, die zugleich unterhalten, belehren und
erbauen wollten [1]).

Zu dieser Klasse von Volkslitteratur gehört das nachfolgende
Leben des sel. Notker des Stammlers, der schon von Ekkehart V.
(nach 1220) zu St. Gallen war biographiert worden.

Notker [2]), schon zu Lebzeiten hochgeschätzt von geistlichen
und weltlichen Würdenträgern und Gelehrten, war im Mittelalter
berühmt als Hymnendichter und Begründer der Sequenzen. Er
starb am 6. April 912 und wurde zuerst in der Kirche St. Johann
und Paul begraben. 1512 gestattet Papst Julius II., im folgenden
Jahr Bischof Hugo von Constanz seine Verehrung im Gebiet
von St. Gallen Im Auftrag des Papstes wird Notker vom
Bischof Hugo beatifiziert d. h. unter die Seligen aufgenommen.
1624 erkennt die Kongregation der Riten in Rom die Beatifikation an.
1628 erfolgt eine Uebertragung seiner Ueberreste, bei welcher
Gelegenheit Reliquien von B. Notker nach dem Kloster St. Johann,
ins Wiboradakloster bei St. Georgen und in andere Kirchen gelangten. 1852 erhielt auch Amden, 1896 Wyl Partikeln von dem
Seligen; weitere ruhen z. B. in St. Gallen, Notkersegg, Waldkirch, Frauenfeld, Roggweil. Einsiedeln, Dissentis und Sarnen.

[1]) Vgl St Beissel. (S. J.), Die Verehrung der Heiligen u s. w. Freiburg 1892, Kapitel VIII: Die Heiligen in der Litteratur des Mittelalters.

[2]) Ueber den historischen Notker vgl. Meyer v. Knonau in Mitt der
Antiq Gesellschaft XLI Zürich 1877, und Bäumker in: Allg. Deutschen
Biographie; ferner Acta Sanctorum April I. Ueber den posthumen Notker
vgl. den Beatifikationsprozess bei Canisius VI, 981, Mabillon, Anm. III 340
das Sacrarium II (Ms. zu S. Gallen) und die A A. S. S. lc. Ueber die
Reliquien vgl. meine Translationen in Archiv III 10 und mein Reliquienarchiv
(Authentiken).

Sant nôger der hailig wirdig bichter ist geborn von edlen
vatter vnd mûter. Dieselben lobtend ir kind ze schûl ze tûnd,
das es da vnderwist wurde in der halgen geschrifft. Do hortend
des hailgen bichters sant nôgers vatter vnd mûter wie daz zû
sant gallen münster wâri ain hochi schûl, da man lernete die
siben fryen künst vnd och daby gaistlichi zucht. Do ward inen
ingeben von dem hailgen gaist sôlich begird, daz sy ir kind sant
nôgern ooh tûn sôtend zû der gaistlichen zucht. Vnd noment
ir kind sant nôggern vnd brachtend es mit opfer dem hailgen
vater sant gallen vnd och dem erwirdigen abt grimaldo, der zû
denselben ziten was fürsecher vnd abt des erwirdigen gotzhuss
vuser hailgen vatters sant gallen. Do nam der hailig iungling
sant nôgger an sich mit der hilff gottes des hailgen gaistes den
orden der gaistlichen zucht. Vnd do das vollbracht ward, do
enphalent in sin vatter vnd mûter vnder die maisterschafft des
allergelertesten maysters ysonis vnd besunder der hailgen geschrifft. Vnd vnder demselben maister lernet er alle ding der
göttlichen geschrifft also vernûnfteklich, daz man daby wol bekant,
das es nit zûgieng von mentschlicher vernunft, sunder durch
daz würcken gottes des hailgen gaistes. Won als er die gnad
des hailgen gaistes enpfangen hat in dem toff, dieselben behielt
er vnvermasget in der forcht gottes von sinen kintlichen tagen
bis an sin end. Vnd daz berûfft man wol bi dem won alle sin
begird was darvff gesetzt, daz er fûrte ain haimlich leben vff
dem ertrich vnd behielte brûderliche liebe gegen sinen nâchsten.
Won do der hailig iungling sant nôgger eupfangen hat di halgen
wichmen priesterlicher ordnung, dis waz er zieren mit sâlgen
gûten siten, also daz er nümer begeret ze gend für daz closter
er wurd es denn bezwungen von gehorsami, vnd wenn er us-
gesaut wart von gehorsami, so was er sich bewarnnen mit dem
zaichen des hailgen crütz vnd fiel für die fûss aller siner brûder
vnd begert daz sy got bâtind, daz er nit vermass gott würd mit
dehainer sünd vnd masen. Vnd gieng darnach von ainem altar
zû dem andren vnd rûfft an mit trâchen siner ogen die hilff
der hailgen in der ere dieselben altar gewicht warent, daz sy im
gnad erwurbint vme gott. Vnd also wenn er vssert dem closter
was, so waz er alweg betten oder er hat hailig betrachtungen
in sinem rainen hertzen. Do nun daz gemût des halgen bichters
sant nôggers also ersetzet was von den brosmen die da fielent
von dem grossen tisch der hailgen geschrifft vnd also was

worden ain vsserwålt fass des hailgen gaistes, do machet er daz
lob gesang, daz man nemt die sequentz, vnd sant die durch
sinen botten gen rom dem babst nicolas vnd deni erwirdigen
bischoff lutwardo, der da waz zů denselben ziten der obrest
kantzler des grossen kaisser karoli. Vnd derselb babst bestågete
alle die lobgesang, die der hailig bichter sant nôgger gedichtet
hat durch würcken des hailgen gaist vnn satz och vff ze singen
zů lob gottes durch die gantzen cristenhait. Derselb babst hat
och nit allain bestått die lobsang, die sant nôgger hat gedichtet
vnd gemachet hat och durch würcken des hailgen gaistes. Es
syend yms [Hymnus] oder gesang die da haissent troppi oder
lettanyan vnd ander gesang, die denn die hailgen våtter ge-
machot hand, hat derselb babst als bestått vnd vff gesetzet zů
singen zů lob vnd er der hailgen trifaltikait vnd vnser lieben
frowen vnd alleu vsserwållten gottes hailgen.

Wir lesent von dem hailgen bichter sant nôgger in siner
legend, das er aines tages gieng vff dem dormitorio in andåchtigem
betrachten. Nun was nach by dem kloster ain müli des mülirad
gar langsam umegieng vnd von lütztli des wassers was das rad
giren, also daz es gross stimlich tôn gab. Do das nun hort der
hailig bichter sant nôgger, ze hand was er im gaist vnd machet
ain schôn lobgesang, das ist den sequenz, dem man singt von
dem hailgen gaist an dem hailgen pfingstag in der hailgen
cristenhait sancti spiritus assit nobis gratia. Vnd do er dis lobgesang vollendet hat, do sant er es für ain grossi gab dem
kaiser karolo, der dozemal sin wonung hat zů vnser frowen
ze åch. Nun der selb cristenlich caiser sant im wider ume
durch denselben botten den yms „veni creator spiritus" deme
im och der hailig gaist durch sin insprechen ingegeben hatt.
Wir lesent och me in der legend des hailgen bichters sant
nôggers, daz etwa ain zitz nach sinem tod der erwirdig abt zů
sant gallen Abt Vlrich der fünft gesant ward von kayser fridichen
dem andren gen rom zů dem babst Innocencio dem dritten, vnd
do er nun gen rom kam zů dem babst, do wurdent sy reden mit
ainander von menger hand sach vnd vnder andren dingen do
wart singen daz gôttlich ampt der hailgen mess das wiz von dem
hailgen gaist, da by was gegen der babst vnd och abt Vlrich
vnd hortend da singen vor dem evangelium den sequentz den
sant nôgger gedichtet hat: sancti spiritus assit nobis.

Der selb babst Innocencius der drit het och gemachet den

sequentz von dem hailgen gaist veni sancte spiritus. Do nun dz ampt
der mess ward vollbracht, do hůb der babst aber an ze reden
mit dem abt vnd also vnder andren worten fragt der babst den
abt vnd sprach: „wer ist din nöggerus gesin oder wie begast du
sinen iårlichen tag?" Won der babst hatt gelesen die lobsang
der sequentzen, die sant nögger hatt gemachett, do antwürt im
der abt vnd sprach: „er ist gewesen ain züchtiger gaistlicher
münch in minem closter Er ist aber geborn von vast edlem
vatter vnd můter vnd ist gewessen durchluchtig in der hailgen
geschrifft vnd darzů hailig." Do sprach der babst zů dem abt:
„begastu nit sinen tag hochzitlich?" do antwürt der abt vnd sprach:
„nainich her, wir wissent wol, das er hailig ist, aber wir begend
sinen tag ze glicher wiss als aines andren toten münchs." Do
das der babst hort, ward er bewegt zů dem zorn vnd sprach: „o
r allerbosshafftigesten, v̄wers v̄bels, daz ir nit hochzitlich vnd
loblich begond den tag sant nöggers des hailgen manns, der da
vol ist gewessen des hailgen gaistes vnd darume werdent ir
vnsållig."

Nochdem als der halig bichter sant nögger mit grosser
gehorsami zwungen wart zů der wirdikait priesterlicher wichi,
dieselben enpfieng er also demůteklich, daz er damit behielt die
fier angeltugenden mit grossem fliss vnd sich also in dennen geůbt
hat, daz aller mencklichen offenbarung daz er ain fester ritter
gotz was. Won er nam an sich alle die gaistlichen waffen, damit
er ritterlichen gestritten hat wider die bosshait des tüfels, won
wir lesent von sant tůtilo, wie er gar starch gewesen ist nach
dem lib vnder den mentschen. Noch vil me der hailig vatter
sant nögger starch ist gewesen wider die tüfel nach dem gaist,
aber nach dem lib erschain er kranck, zart vnd mager, won
er sinen lib fast hat kestiget mit fasten, wachen vnd betten.

Wir lesent in siner legend, daz er ainer nacht vf stůnd
vor metizit als es denn sin gewonhait was, allweg vor metizit
zů gon von ainem altar zů dem andren, vnd vor iecklichem
altar da volbracht er sin andåchtig gebet mit vergiessen der
tråchen siner ogen vnd do er also sin gebet hatt volbracht vor
den altaren des münsters, do kam er in die krufft der hailgen
zwölff botten, daz ist vnder der erd für den altar sant kollumbans.
Do vollbracht er och sin gebett demůteklich mit wainnenden
ogen vnd do er also bettet vme den altar, do hort er hinder
dem altar ain stimm hünnan ze glicher wiss als ain hund vnd

denn als ain schwin; vnd sant nôgger hort die verwandlung der
stimm vnd des geschrays; daby bekant er, dz es der tüfel der
versucher was vnd sprach: „bistu nit aber da?" Daby merckt
man wol, daz sant nôgger mengen strit gehebt hat mit dem
bôssen gaist. Von denselben stritten sant nôgger verdienet hat
die kron der ewigen glori vnd nach vil worten, die sant nôgger
rett mit dem tüffel, do zunt er ain liecht an vnd lůgt in welem
winckel der tüfel verborgen leg, vnd do sant nôgger nachen
was dem winckel zů der lingen sitten, do wůst der tüfel an
sant nôggern vnd zerzart im sine klaider als ain wüttender hund
vnd sprach zů sant nôggern: „heti ich dich vor der kruft, so
wôlt ich erst fast kestigen " Do sprach sant nôggern zů dem
tüfel: „ich gebüt dir in dem namen mines heren jesu christi
vnd der hailgen xij botten vnd sant columbans, daz du nim hie
batist in dem hundischen lib, den du an dich genomen hast."
Do antwurt der tüfel vnd sprach: „Daz tůn ich ob ich wil." Do
gieng der hailig man sant nôgger ze hand vnd sprach: „Ich
getruwe in heren jesum christum, du werdist nim baiten du wellist
oder du wellist nit", vnd ilte damit zů sant gallen altar vnd zuckt den
stab, den sant collumban schickt sinem sålgen iunger sant gallen
by dem botten sant mangan vnd nam damit ain crütz vnd zů
der rechten hand der crufft, als man hinin gatt, lait er dz crütz
vnd gieng mit sant gallen stab zů der lengen hand in die krufft
vnd gieng gen dem tüffel; do nun sant nôgger den tüffel an-
huob ze schlachen mit saut gallen stab, do schray der tüffel luter
denn vor ie vnd zů dem lesten do der tüfel also floch die straich
vnd kam zů der sper des hailgen crütz, do mocht er nit fürbas
komen vnd so vil straichen vnd schleg nit me mocht erliden, do
schre der tüfel vnd růfft lut „o we mir, o we mir", vnd indem
do kam der messner in daz münster vnd hort daz geschrey vnd
die grusewlichen stim; do nam er ze hand ain liecht in sin hand.
vnd ilte zů der krufft; do nun der hailig vatter sant nôgger
dem tüfel den hindresten straich gab, do zerbrach im der stab.
So nun der messner gewaret des crütz, daz sant nôgger dahin hatt
gelait, do hub er es uff; do nun dz crüz dannen kam, do mocht
der tüfel entrinnen, won hete der messner daz crütz nit vff
gehebt vnd den tüffel also vss der crufft lassen endrinnen in
der gestalt aines hundes, so het der hailig vatter dem tüffel
noch vil straich geben. Do nun der messner ansach den stab,
do erschrack er vnd sprach: „min her, hastu nit zerbrochen den

stab am hund." Sant nögger antwürt im, daz er nu schwigte.
Do sprach der messner: „wer ist der gesin, der da schre o we
mir o we mir?" Won der messner was wenen, daz sant
nögger von gûtikait wegen nit wölte vermelden ain dieb, do
gieng der messner behend in alle ort der kilchen vnd hette den
dieb gern ergriffen, vnd do er weder den dieb noch den hund
fand, do gieng der messner betrachten zwifenlich in sim selb
vnd sprach zů sim selb: „nun hastu doch die kilchen noch dir
beschlossen" vnd wundret in ser, was es möcht sin, daz da für was
gegangen vnd het gern den hailgen vatter sant nöggern gefraget.
Do torst er es nit tůn, won sant nögger hatt dem messner
verbotten, ze schwigen. Won nachdem nun sant nögger ist gewessen wiss vnd demûtig, do winckt er dem messner hinuss ze
gon vnd nam in an ain haimlich stat vnd sprach: „sun min, ich
han zerbrochen den stab, es si denn, daz du mir helfist, so mag die
sach nit verschwigen bliben werden vnd darume die sach, die da
beschächen ist, befilch ich dir by diner trüw ze verschwigen,"
vnd sait im wie es gegangen waz. Do nam der messner den stab
vnd bracht in ainem schmid; also nun der stab durch den schmid
haimlich wider gemachet ward vnd die sachen, die also beschechen
warent durch den hailgen man sant nöggern die verschwiget der
messner etwa vil zit. Do nun etwa vil zit vergangen was, do
kam die sach wie si an ir selb was, an tag vnd ward offenbar
allen brüdren. Won wir lesent von lützel hailgen, die den
tüffel also zwungen habint, wenn si in schlůgint, das denn der
tüffel nit möchti entwichen den strachen, als ir gehört hand von
dem hailgen man sant nöggern, wie der tüffel sinen strachen nit
mocht endrünnen.

Do nun der hailig gaistlich sant nögger also alt wart,
das er von elti beraubet ward siner gesicht, darnach wart er
begriffen mit cranckhait vnd siechtagen des libs vnd er nun
bekant, das im gegenwurtig was der tag siner berüffung vnd
von zunemender kranckhait des libs er ie schwecher ward,
do berůfft er für sich die brüder vnd ward bewarnet mit den
hailgen sacramenten vor in allen; do er nun inen allen samet
gnadet hat vnd sy gesegnet hat, do enpfalch er die brüder den
hailgen vättern sant gallen vnd sant othmarn vnd enpfalch sich
selben in daz gebett siner brüder. Nachdem nun offenbar ist, daz
der hailig man sant nögger also geziert ist mit vil der göttlichen
tugenden vnd verdienungen vnd sin tag gebracht mit ainen

gûten alter zů ainem sålgen gôttlichen end, do gab er vff sinen
gaist. Vnd darume bedarff nieman zwifflen von der sel des
hailgen mans, der da die cristenhait gelert hat die iubel vnd
die lobsang der engel, denn daz die selb sel sy vffgefürt mit
engelschlichem gesang vnd mit gôttlichem loḅ zů den ewigen
frôden vnd gesetzt sy in die schar aller vsserwellten vnd da
schowen ist die gôttlichen maystat von antlit zů antlit. Vnd
der hailig vatter sant nôgger, der gewessen ist ain bezaichnet
vserwålt fass des hailgen gaistes, ist gestorben vff den achten
tag des monentz aberellen vnd ist begraben in sant peters capel
zů sinen våttern.

Aber von den wunderzaichen sant nôggers, die ʼda nach
sinem tod zů sinem grab beschechen sind durch sin verdienen,
von denen lang ze sagen wår, vnd von dem tag siner erwirdigen vnd loblichen begrepnuss vff zwai hundert iar vnd me, vor
dennen der hailig vatter sant nôgger was vffgefûrt von den
engel gottes in die ewigen frôd vil zaich beschechen sind durch
sin hilff vnd verdienen, won die mentschen, sy wårind jung oder
alt die mit siechtagen begriffen warend, vnd mit andacht vnd
mit opfer komend zů dem grab des hailgen mans sant nôggers
vnd da anrůfftend die hilff gottes, das er innen verliche gesunt-
hait vnd sy entletgete von ir gebresten, die machet gott ze
hand gesund durch das verdienen sins hailgen knechtz sant
nôggers, vnd alle die mentschen, die also gesund wurdent, die
giengent mit frôden wider in ir hainmatt vnd lobtend gott vnd
sinen hailgen knecht sant nôggern, amen, amen, bittend gott für
den schriber deo gracias.

Es ist zů wissend, dz die geschrifft an dieser tafel ist vss-
gezogen vss der legend des hailgen bichters sant nôggers, darume daz die cristenlichen mentschen, die da begerend hilff vnd
trosst von dem hailgen vatter sant nôgger wissend in hie ze
sůchend, won er lit hie libhafftig in dissem grab, amen, deo gracias.

Bestallung des Scharfrichters Leonhard Vollmar zu Wil.

Mitgeteilt von Gottfried Kessler in Wil.

Das Amt eines Scharfrichters für die fürstlich st. gallische Landschaft befand sich bis zum Zusammenbruch des äbtischen Regiments in den Händen der Familie Vollmar in Wil und vererbte sich hier stets vom Vater auf den Sohn. Ein Meister Leonhard Vollmar von Wil war es auch. der im Jahre 1782.in Glarus der letzten Hexe, gegen die in der Schweiz prozessiert wurde, das Haupt abschlug. — Heute noch wird in der Familie Vollmar die aus dem Jahre 1724 datierte Scharfrichterbestallung aufbewahrt, und es dürfte unsere Leser interessieren, wenn wir dieselbe im Wortlaut folgen lassen:

Bestallung Eines Gotteshauss St. Gallen Scharf-Richters.

Zuewüssen, demnach weder der jetzmahlige vor die hochfürstl. St. Gallische Landt bestallte Scharf-Richter, Meister Leonhard Vollmar, noch auch dessen Vorfahrere, eine richtige Bestallung gehebt, sondern vor die dann und wann vorgenommene Unterschdl. Executione, und Hinrichtung der Delinquenten, jhren Verdienst bey dem Buossenamt ganz vngleich eingebracht haben, dass daher auf diesse Untersuchung hin, vnter heutigem Dato, jhme Meister Leonharten vor hochfürstl. Pfalz-rath nachgesetzter Sold und Verdienst verordnet worden ist: alss

Erstlich bleibt jhm das jährliche warthgelt nehmlich vierzehn Gulden samt dem Betrag des S. V. Wassens wie bissher vorauss.

2.˫ Soll Er so offt jhn die Obrigkeit bey einem gefangenen zur Territion oder Tortur gebrauchen wirdt, anzusetzen haben jedes mahl 40 x'.

3.˫ Vor einem Innhafftirten am ganzen leib zu schehren 1 ß.

4.˫ Eine Haydin oder andere Persohn aber am Kopf allein 20 x'.

5.˫ Eine Persohn ahn den Pranger zu stellen 1 ß, mit Ruthen auszuhauen und an den Pranger zu stellen aber 2 ß.

6.˫ Ein Brandmahl auf zu brennen 1 ß.

7.˫ Eine Persohn mit dem Schwert zu richten, für ausführen. Strickh, Band und den Straich selbst 6 ß.

8.^{tens} Vor einen Maleficanten ausszuschlaifen 3 ß samt Pferdt und schlaifen.

9.^{tens} Mit dem Strang zu richten, für eine Persohn wegen aussführens, Strickh, band, Ketten, laitheren hin und her tragen, das Henkhen selbst, und wass darzu gehört in allem 12 ß.

10.^{tens} Eine Persohn zu Verbrennen, lebendig oder Tod, rad brechen, mit feurigen zangen zwickhen, glider abhauen, vor oder nach dem Tod, auch auss zu schleifen, für alles und alles |: ohne das holz :| 15 ß. welches jedoch in dem fahl nur zu verstehen, da die Persohn, welche verbrannt wirdt, auch vorher mit glüenden zangen gezwickht, und ausgeschlaift werden müsste, dann wann sie allein lebendig verbrandt, oder vorher enthaubtet, und hernach verbrandt wurde, soll Er sich mit 9 ß davor benüegen lassen.

11.^{tens} Für ein Stückh Vieh zu verbrennen und verlochen 3 ß. für das letztere aber alleinig 1 ß.

12.^{tens} Wann ein schon Vervrtheilter Maleficant begnädiget, und nicht gerichtet wird, soll sein Verdienst seyn 2 ß.

13.^{tens} Für ein Stuckh lebendig Vieh abzuholen, das hingerichtet werden müsste, soll er 1 ß. wofern es aber über 3 Stundt weith entlegen 2 ß. anzusetzen haben.

14.^{tens} Item vor Selbst-Mörd Strickh abzuhauen, eine Persohn abzuholen und verlochen für alles und alles 15 ß.

15^{tens} Wirdt Ihm vor das gewohnliche Richt-Mahl passirt vor eine Persohn 48 x^r. Davon Er aber ohne Noth und obrigkeitl. Vergünstigung, in Hinrichtung eines Einzigen Missethäters mehr nicht alss Einen Knecht zu sich ziehen soll.

Wobey gedcht. Scharfrichter der Obrigkeith in allen Vorfallenheithen nicht allein gehormsamb und gewärthig seyn, sondern auch das anbefohlene jederzeith getreulich und mit bestem Fleiss zu verrichten geloben solle. Dessen zu Vhrkund ist ihm gegenwärthige Bestallung vnter dem Pfalz Insigell zugestellet worden. — So geschehen Stifft St. Gallen den 22. 7bris (September) 1724

Hochfürstl. Canzley allda.

In der Familie Vollmar hat sich auch die Tradition erhalten, dass zur Zeit, als ihre Angehörigen noch das Scharfrichteramt bekleidet, das im Schranke der Scharfrichterwohnung verwahrte Richtschwert sich jeweilen vernehmlich gerührt habe, wenn im Rate über einen Angeklagten das Todesurteil gefällt worden sei.

Miszellen. — Mélanges

Ein Weihnachts- und ein Fastnachtsreim.

Aus der Ostschweiz teile ich hier zwei Singreime mit, ohne deren Sinn recht zu verstehen. Beide sind dem Aussterben verfallen. Der erste wurde noch vor wenigen Jahren in meiner Heimatgemeinde Rüti (Rheinthal) in der hl. Nacht vor den erleuchteten Häusern wohlhabender Einwohner abgesungen. Er lautet:

Guet Aexe, guet Aexe, drei Brügel, drei Brügel
Glügg is Huus und 's Uglügg drus,
Machet alle guet Aexe us.

Der andere Singreim stammt von Wallenstadt, wo ich mehrere Jahre als Lehrer wirkte. Ihm scheint die kath. Geistlichkeit den Untergang geschworen zu haben. Wenn sich irgendwo zur jetzigen Fastnachtszeit ein „Butzi" (Maske) spüren liess, galt es, diesen auf die offene Strasse zu locken. Die Kinder, die noch kaum laufen konnten, bis hinauf zum angehenden 15jährigen Backfisch, scharten sich zusammen, um loszulegen:

Bölli, Bölli, Suppächnölli,
Use mit em Butzi,
Haudere mit em Durothee,
Haudere mit um d Ohre.
Eine, eine Butzibueb,
Eine, eine Hösi!
Hutto, hei, hei!

Seit vier Jahren ist von der oben angedeuteten Seite der Schuljugend dieser Ruf verboten worden.

St. Gallen.   O. Gächter.

Spielmanns-Schilde.

Die Seckelamtsrechnung von Luzern von 1544 enthält folgende Posten: einen silbernen schilt von Basel har, so miner g. H. erenzeichen, domit min g. H. hievor einen spilman begabt hatten, der den doselbst verkouf hat gelöst.

1505, im August, schenkte der Rat von Luzern dem Pfeiffer von Burgdorf einen silbernen Schild, der 2 Goldgulden kostete.

Luzern.   Th. v. Liebenau.

Der Speisezettel des Klosters Rheinau im XVI. Jahrhundert.

Die Malzit durch die gantz Wuchen zu Rinow.

Suntag zu Immiss Suppen und Fleisch, darnach Rüeben oder Krutt und Speckh druff, darnach ein brattis ein gersten

Montag zu Immiss ein voressen, darnach suppen und Pfäffer darnach ein gersten, wirst oder tiggen fleisch darin.

Zinstag zu immiss suppen und Fleischd arnach ein brattis, ein gersten, zeletst Rüeben oder krutt und speckh druff, zenacht derglichen.

Mitwoch ein voressen darnach Suppen, und Fleisch darnach ein gersten würst oder tiggen fleisch darin Zu nacht ein gemüess ein bratis ein gersten.

Dunstag, glich wie den Zinstag mit allen Trachten.

Frittag ein voressen von Fischen ein gemüss, ein gesotten Essen visch, ein gersten

Sambstag, glich dem Frittag

Frittag, Samstag zu nacht ein gemüess ein gesotten Essen visch ein gersten

Also brucht mans täglich zu Rinouw

NB Dissen Rodel hat den 12. Sept A° 1647 Junckher Holtzapfel zu wiss wassersteltz bey Kaisserstuol durch Herren Doctor Harschen von Bassel dem Gross Keller zu Rheinaw überlifferet mit fürgeben, sein des Holtzapfels Jnr grossvatter beggetzer habe solchen geschriben.

Bullae. diplomata, dotationes, aliaeque litterae etc Collectore R. P Bernardo Rusconi Priore Mnry Rhenoviensis Anno 1743. Stiftsbibliothek Einsiedeln T. III p. 697 u 698

F. Rothenhäusler.

Zum Tannhäuserlied.

Wir werden von anonymer Seite (M. H.) darauf aufmerksam gemacht, dass in Roseggers Buche „Die Aelpler" (1881) S. 286 ff. sich eine Variante zu dem Tannhäuserliede findet, das Erk-Böhme Bd. I S. 49 abdruckt. Sie lautet:

Es wollt ein Sünder reisen
Wohl in die Römerstadt,
Drei Sünden wollt' er beichten,
Die er begangen hat.

Der Papst wird voller Zoren
Und schaut den Sünder an:
„Ewig bist Du verloren,
„Ich Dir nicht helfen kann "

Er nimmt ein dürres Stabel
Und steckt es in die Erd:
„Eh' wird das Stabel grüenen.
„Eh' Du wirst selig wer'n "

Der Sünder geht voll Peinen
Und ruft von Berg zu Thal:
„Kommt, helfet mir beweinen
„Die grossen Sünden all!"

Stund an ein kleines Zeitlein,
Das Stabel wird gar grün,
Treibt aus drei junge Zweiglein
Und drauf ein schöns Geblüh

Zwei alte Besegnungen.

Nachstehende Besegnungen finden sich auf einem Pergamentblatt von 42 cm Länge und 33 cm. Breite im Archiv der Familie Th. v. Stockalper in Brig. Als Inhaber nennt sich an drei Stellen ein gewisser Anthonius Owling. Dieser dürfte wohl identisch sein mit dem Kastlan Ant. Owling von Brig, dessen Name von 1467—1528 wiederholt in den Urkunden der Familie F. v. Stockalper vorkommt. Anton war ein Sohn des Notaren Jodok Owling, wurde 1504 oder 1505 Kastlan des Zendens Brig und starb im Jahre 1528.

Auch die Schriftzüge lassen auf diese Zeit, den Anfang des XVI. Jahrhunderts, schliessen.

In dem namen got des Vatters got des suns und des helgen geists Und der helgen drifaltikeit Jhesus Nazarenus rex Judeorum. Jhesus von Nazareth der Juden Kunig. Diss sint die siben wort die unser her am crutz sprach und wer die wort by im treit. Und altag ansicht in der liebi gots der erwurbt dardurch liebi von den luten. Und schirm vor sinen fyenden Er wurd des tags nit under gan Noch in für noch in wasser noch in krieg gechlich Noch an das heilig sacrament sterben Und welchi frow si also by ir hat dera misslingt nit an ir frucht in der purt + Das erst wort das got sprach Vatter vergib denen die mir den thodt anthünd Wan sy wissen nit Wass sy thünd + Das ander wort. frow nim war din sun Johannes Johannes nim war din müter + Das drit wort sprach got zü dem schacher: hüt wurst du by mir sin im paradiss + Das fierd wort das got sprach mich durst + Das fünfft wort es ist als volbracht + Das sechst wort das got sprach min got min got warumb hastu mich verlassen + Das sibend wort. Vatter in din hend bevil ich min geist Also empfil ich Anthonius Owling mich in din hand wan du hast mich erlöst O gott der warheit bekör mir alles min ellend allen min presten und ungemach. Caspar, Melchior. Balthasar. Ich empfil mich hüt in den pfad. Da die helgen dry Kinig intraten da sy vnserm herren das opfer brachten. mirren wieroch und golt Durch ir fürbitt sy mir maria und ir liebs Kind holt und hab yeman uff mich anthony owling ytz zü sprechen zü minem lib güt oder eren vor dem well mich das lebend fron krutz bewaren. Der trag in sinem hertzen enis totten mannes schmertzen der trag in sinem mund enis toten mannes zung. In aller wiss als ob er for dryssig jaren mit houwen und mit schuuflen vergraben wer. Des helf mir der man der den todt an dem helgen crutz nam. Und die helgen dry Kinig die by im in dem himel sindt. Cristus regnat. Cristus imperat Cristus ab omni malo me custodiat. Agios otheos agyos yschyros. agios athanatos Eleyson ymas + Ich Anthoni Owling versegnen hüt mit gottes blüt alle waffen güt. Das sy gotz helgen wunden an mir eren und mich miden das sy mich weder stechen schniden noch seren Den das min allein dar ich dar zü mein es kem mir den uss miner hand so syg es zü dem andren gwant. + Des helff mir der man der den tod an dem helgen krutz nam Aelli die Waffen sy sigen von ysen oder von stachel + Caspar + Balthasser + Melchior p p p spn dia. dit. und Sla. haev su Sla resten lieben worff stewlich. ond is. ri nebel fedinck sanek sprych dry glouben und siben par noster und ave maria. Des helffen mir alle güti wort die ie gesprochen wurden oder jemer gesprochen werdent und alli gûti werk die ie gewurkt wurdenn oder jemer gewirkt werden. Und alli gûti thad die ie geschach oder jemer mag beschechen + Das heilig crutz si mit mir Anthonio Owling. Das helig crutz das ich all tag anbett. Das sy mir ein war heil, das helig crutz uberwund das schwert das helig crutz uberwunde alles min ybel + her Jhesu christe mit diner hilff ward ich geschaffen + mit diner hilff mûss ich von hinnen varen + mit diner hilff mûss ich erstan + mit dinem helge fronlichnam min seel ussgan + her Jhesu christo ich empfil dir min sel lyb gût und er und dinem rosenfarwen blût. O her Jhesu Christe din seel helge mich. Din helger lyb behûte mich + her Jhesu christe ich bit dich das du ewiklich sigest by mir das der hesslich fiend flych wo er micht anesicht. In gottes namen amen gesegne mich hût der mann der den tod am helgen crutz nam Gesegne mich hût die hand die got ands helge crutz wand gesegnen mich hût die helgen wort die der priester spricht so er got wandlett und sin rosen farwes blût das sy mir für all min fiend gût Amen sprich v pater noste und ave maria

(Dann folgt das Evangelium des hl. Johannes, I, 1—14. in lateinischer Sprache. Nachstehende Segnung bildet wieder einen eigenen Absatz.)

In Nomine domini nostri Jhesu christi Amen + Das ist der brieff den bapst leo kunig karolo von himel sant Und ist bewert wer in by im treit. Und in alltag mit v pater noster und ave maria der sol des sicher sin das im nie mer hertzleid widerfaren mag er mûss zû nemen an lyb und gût an sel und an er er mag in keinem wasser ertrincken Noch in kein für verbrinnen es mag auch kein falsch urteil uber in gan Und wa in ein fraw by ir treit die enis kinds in arbeit gat der mag es nit misslingen zû der purd Und wa diser brieff in eim huss ist Da mag das für nit schaden thûn und wer in by im treit den mag kein Waffen nit schniden + got der sin heylig crütz uff sinem rugken trûg der behût dies hyt und jemer din lib din gût vor allem übel Ich empfil dich in den vil helgen segen der uber den vil helgen fronlichnam unsers herren ist geben uber sin fleisch und blût unser her hab dich in siner hût Und behüte dich vor allen fienden Das mich das waffen müsse miden an kein messer noch schwert noch waffen müssen mich weder stechen noch schniden Dess gehelffe mir das schwert das got selber geschlagen hat mit siner getlichen hand. Und kam das im von miner hand das sy ouch dar zû gewand Nun gehelff mir der heilig her sant odins das alle waffen die in sin hand je kamen hut vor mir und mim lib sigen als milt und als gût als mi sant maria was da sy ir lieb trut kind genass + Nun mûss ich hût und zû aller zit als wolgesegnet sin als der kelch und der win und das vil helig brott das got sinen zwelff jungren an dem grossen donstag ze nacht bot für den gewaren gott + Nu ward nie kein mess also gût gesprochen sie werde mit dem helgen pater noster beschlossen do mit beschlissen ich mich in den segen der waren gottes kraft + das es weder houwen mûg noch schlachen + Des bewer dich got und die helgen v wunden + die + helgen wunden die behüten mich hût und zû allen stunden + vor allen bössen falschen zungen und vor allen wunden + Und sprich v pater noster und ave maria In die helgen v wunden: Amen.

Brig.   Prof D. Imesch.

24

Einige Formeln und Redensarten aus dem Schanfigg
(Kant. Graubünden).

1. Beileidformel (*d's Leidchlage*)

a) *i Sam Peter* (St. Peter)

A. *Isch der Johann im Herrn entschlafe?*

B. *Jä will's Gott!*

A. *S'isch-mer leid. Der lieb Gott well-Di tröschte.*

B. *Das thüe Gott und Eu au.*

b) *a der Läng-Wies.* (Langwies)

A *Gueten Abe. Ischt euere Peter gestorben? so gäb ihm Gott e fröhlichi Uferstehig und üs e säligs End.*

B. *I danke.*

2. Dankformel.

Vergält's Gott s'tusig hundertmäle und erhalt-Di Gott gsund. Und well Gott, dass-Der alles gsund bliibi in Huus und Stall und D'nüt descht minder heischt und erschööt s'ü Gott s'andere. [1]

3. Grussformel.

A. *Gott grüess-Di!*

B. *Gott wilche!*

oder

A. *Guet-Tag gäb-Der Gott!*

B. *Gott lohn-Ü! Oder: Gott dank-Ü!*

oder

A. *Guet Nacht!*

B. *Gott bhüet-Di!*

4. Am „Platz". [2]

A. *Guet-Tag gäb-Der Gott, mis liebs Trini, bischt au zuehe cho?*

B. *Ich wär süsch nit chon; aber i ha müesse Spetzi* [3] *han.*

A. *Und wie heid-Er's?*

B. *Wir hätten's gwüss hübsch und guet und fin; aber d's Ahni, die tusigs Däsche het die tüflisch Beitzi.* [4]

5. Zutrinken (*Bscheid tue*).

Gott gsägn-es! oder *I bring-Der's!* oder *I thuen-Der's!* oder *Gsägne-Der's Gott!*

6. Neujahrswunsch.

I wunsch Euch e guets glückhaftigs Nüjahr und was n-Ü nutz und guet isch an Seel und Liib.

Arosa.   Dr. K. Fischer.

[1] Unaufgeklärte Ausdrucksweise.

[2] Auf dem Dorfplatze in Langwies, wo die Bauern sich Sonntag Morgen zur Kirche einfinden.

[3] Spezereien.

[4] Influenza.

Liebeszauber.

Ein Beweis mehr für die Langlebigkeit auch der abgeschmacktesten Sorte von Aberglauben ergibt sich aus nachstehender Notiz, welche zugleich dem im ARCHIV III, 23 erwähnten unappetitlichen Liebeszauber ein Analogon aus der jüngsten Vergangenheit gegenüberstellt:

Anlässlich eines während der Achtziger Jahre in einer bündnerischen Thalschaft zum Austrag gekommenen Paternitätsprozesses wurde von Seite der Damnifikatin allen Ernstes behauptet, dass sie von dem Beklagten durch einen Liebestrank verführt worden sei, dessen Hauptbestandteil ein von dem Verführer herrührendes Quantum Samenflüssigkeit gebildet habe. Allerdings qualifizierte sich diese abergläubische Meinung keineswegs als bündnerisches Eigengewächs, sondern deutete unverkennbar auf italienischen Ursprung hin, wie mir mein mit diesem Rechtshandel vertrauter glaubwürdiger Gewährsmann mitteilen konnte.

Bern. Ernst Haffter.

Narren-Kult.

Bald nachdem Dr. Sebastian Brant sein Narren-Schiff veröffentlicht hatte, schossen die Narren in Städten und Dörfern üppig empor und die Behörden beeilten sich, den Witzbolden ihre Erkenntlichkeit zu bezeugen. So lesen wir in den Umgeldbüchern von Luzern.

1502 Samstag vor Jubilate 14 ß Rosenschilt um tuch dem narren von Willisow.

1502 Samstag vigilia penticostes 9 ℔ 13 ß 4 Haller Anton Bili dem narren umb ein cleid und um schenkwin.

1504 erhält der Narr von Dagmarsellen vom Rat von Luzern ein Kleid, das 25 Schilling 4 Häller kostete und eine Jüppe im Preise von 3 ℔ 13 Schilling.

1502 erhielt Giger von Entlebuch 10 Schilling für eine Juppe. 1504 für 1 Kleid 1 ℔ 5 ß.

1505 wurde 7 ß an Heinrich Wagner bezahlt „von einer narren Juppen zu machen „2 ℔ 19 ß 9 Häller „dem grossen narren um eine Juppen."

1590, Montag vor Circum Cisionis wird in Luzern „das Neujahrsingen und Narrensingen ganz abgestellt." 1597, Freitag vor Bartholomei das Tanzen, Spielen und das Krantz- und Ringsingen, auch die Reitfüwer und das überflüssige Zächen; 1595 wird das Ringen und Schwingen bei 10 Gulden verboten, 1602 der Tanz vor der Ernte.

Luzern. Th. v. Liebenau.

Zu den Schweizertrachten im 18. Jahrhundert.

1. Luzern.

In einem sonst ziemlich unbekannten Büchlein, betitelt: KLEINE REISEN. Lektüre für Reisedilettanten. Berlin o. J. (bey Joh. Friedr. Unger) lesen wir Bd. 3 S. 22 folgende Stelle:

„Die Luzernerinnen sind wegen ihrer Schönheit mit Recht berühmt, fast lauter Brünetten und hübsche Gestalten. Die eigne Kleidung
steht den Weibspersonen von gemeinem Stand sehr artig; ihre Haar-
flechten aber, die knapp am Kopf anliegen und immer etwas leicht
gepudert sind, geben ihnen ein Knaben-Ansehen. Alle tragen gelbrunde
Strohhüte, welches durch die ganze Schweiz gemein zu seyn scheint;
die vom Lande haben sie gewöhnlich mit blauen, rothen und grünen
Schleifen geziert. Die gemeinen Mädchen hingegen in Luzern tragen
sie ohne Schmuck. Runde schwarze Strohhüte mit einem Sammetbande
und Stahlschnalle ist eine Alltagstracht der Manns Persohnen von einigem
Stande."

2. Kilchberg (Kt. Bern).

Ueber die dortige Tracht schreibt J. M. Usteri in seinen
Collektaneen (Zürcher Stadtbibliothek L c Nr. 13 e) Folgendes:

„Das Hütchen ist nur die Tracht der Mädchen im Sommer, im
Winter tragen sie schwarze Hauben mit Spizen. Das Brust-Tuch
ist von verschiedenen Farben — oft mit Sammet-Banden einge-
fasst. Vornehmere tragen das Brust-Tuch von schwarzem Sammt
mit gestikten seidnen Blumen, mit Spizen von der gleichen Farbe
garnirt. Die Haften auf beyden Seiten Silbern oder Silbern und ver-
goldet — der Preisnestel von Seiden, Seiden mit Silber oder
Gold durchflochten oder auch ganz silbern. An beyden Seiten des
Göllers ist mit einem vergoldeten Haken eine silberne Kette angemacht,
die auf die Brust herabhängt, unter den Armen durchgenohmen und
hinten am Göller mit einem andern Haken festgemacht ist. Gemeinere
tragen diese Kette entweder von schlechterem Metall oder Floretseide.
Der Rok meistens schwarz oder blau.

Die Mode ist gegenwärtig, die Hutgupfen klein und nieder zutragen. — Die Hütchen werden mitten auf den Kopf gesetzt und mit
einem breiten schwarzen Band unter dem Kinn, meistens aber hinten
unter den Zöpfen gebunden. Stutzerinnen tragen ihr Hütchen auf der
Seite und schmücken es mit Blumen."

3. Baden (Kt. Aargau).

Derselben Quelle (L c Nr. 13 f) entnehmen wir eine Notiz über
die Badener Tracht:

„Den 28. November 1788. Die Kappen oder Hauben der Bade-
merinnen [!] sind sehr kostbar, eine der gemeinsten kostet fl. 7. —, je
nach dem die Spizen aber kostbahrer sind, steigt ihr Wert bis auf
fl. 30. —

Dagegen aber hat eine Frau, wenn sie sich bei ihrer Hochzeit
eine neue machen lässt (denn nur Frauen tragen diese Kappen) ihr
ganzes Leben daran und braucht sie nur zu gewissen Zeiten wieder
auspuzen zu lassen, welches ungefähr 12 Bazen kostet.

Seit weniger Zeit hatt es das Ansehen, als ob diese Kappen
verdrängt werden sollten, da junge Weiber anfangen die Luzerner und

Schweizer [d. i. Schwyzer] Tracht zutragen (kleine Käppen [!] hinten am Kopf mit einem Bouquet). Der Luxus aber heischt zu jedem Kleid auch eine eigne Kappe, und so ist die Ersparnis von keinem oder geringem Belang.

Im Winter bedienen sich die Frauen von Baden nur an Sonn- und Feyertagen dieser Hauben und tragen die Werktage gewöhnliche Kappen, die ihnen die Ohren bedecken und sie so besser vor Kälte schüzen.

Sehr wenige Jungfrauen tragen nach [!] die alte Tracht — das ist eine Art schwarzer Hauben (unter welchen aber nichts Weisses ist), zu welchen sie Zöpfe (Flechten) tragen, sondern man bedient sich gewöhnlich der Haarnadel.„

E. Hoffmann-Krayer

Eingemauerter Pferdekopf.

Laut einer von Herrn Prof. Jos. Leop. Brandstetter an mich gesandten Notiz vom 6. April 1900 hat man in der Burgruine Schenkon einen Pferdeschädel eingemauert gefunden.

E. H.-K.

Bücheranzeigen. — Comptes rendus.

Marterl, Votivtafeln, Grabschriften, Feldkreuze, Leichenbretter, Haussprüche, Armeseelenbilder in der Schweiz, Oesterreich und bayr. Hochland. Gesammelt von mehreren Touristen. Illustr. Ausg. 1. u. 2. Sammlung. München o. J. (1900?), Aug. Schupp. 8° 33 und 40 S., 1 M. das Bändchen.

Obschon in diesen beiden Heften die Schweiz nur durch einige Hausinschriften vertreten ist, wollen wir doch nicht verfehlen, unsere Leser auf die Publikation aufmerksam zu machen. Es war eine vortreffliche Idee der Verlagshandlung, die Turisten, die ja meist so gedankenlos die interessantesten Gegenden durchwandern, auf diese Denkmäler volkstümlicher Kunst und Poesie aufmerksam zu machen. Auch in der Schweiz wäre noch Manches zu sammeln; wir denken freilich nun weniger an Marterln, Leichenbretter und Armeseelenbilder, die u. W. eine bayerisch-österreichische Spezialität sind, als an originelle Grabschriften, Haussprüche und Votivbilder (meist an Wallfahrtsorten zu finden). Es steckt eine Fülle volkstümlichen Geistes in diesen Produkten. — Die vorliegende Sammlung mit ihren naiven „Morithaten"-Bildchen ist dazu angethan, den Alpenwanderer zu weitern Nachforschungen anzuregen.

E. H.-K

Fragekasten. — Informations.

Fragebogen über Tieraberglauben.

1. Welche Tiere (Vögel, Fische, Insekten u. s. w.) sollen für denjenigen, der sie sieht, Glück (bezw. Unglück) bedeuten?

2. Welche Tiere sollen dem Hause, in dem sie sind, Glück (bezw. Unglück) bringen?

3. Welche Tiere sollen einen Todesfall verkünden?

4. Welche Tiere sollen den Preis des Kornes, die Reichhaltigkeit der Ernte u. s. w. voraussagen?

5. Wird den letzten Kornhalmen ein Tiername beigelegt? Sagt man, dass ein Tier durch das Feld laufe, wenn das Korn sich vor dem Winde wiegt?

6. Werden Tiere (Vögel u. s. w.) im Hause gehalten, um das Glück festzuhalten, um Krankheiten zu wehren u. s w? Sollte man das Erstgesehene einer Tiergattung im Frühling fangen, grüssen u s. w.? Giebt es Tiere (Vögel, Eier u. s w), die man n i c h t nach Hause bringen sollte?

7. Welche Rolle spielt die Farbe des Tieres im Aberglauben? Werden weisse Tiere bevorzugt?

8. Giebt es Tiere, die örtlich für heilig gehalten werden, d. h. die man weder töten noch essen darf, die man ungern sieht, deren Körper, Nester u. s. w man ungern berührt, und deren gewöhnlichen Namen man nicht nennt?

9. Werden gewisse Tiere nur einmal im Jahre, oder einmal im Jahre mit besonderen Feierlichkeiten gegessen?

10. Giebt es Tiere, die einmal im Jahre gejagt oder bei Volksbelustigungen getötet werden? Oder solche, die verfolgt oder gepeitscht werden? Oder Vögel, deren Eier man ausnimmt und zerstört?

11. Werden Tiere oder Tiergestalten umhergeführt, ins Osterfeuer geworfen u. s. w.? Werden Vögel oder Insekten einmal im Jahre verkauft? Werden sie gekauft, um in Freiheit gesetzt zu werden?

12. Glaubt man besondere Heil- oder Zauberkräfte zu erlangen, indem man das Fleisch von gewissen Tieren isst, dieselben berührt oder in der Hand sterben lässt? In welchem Alter sollte man dies vornehmen?

13. Welche Tiere wendet man in der Zauberei und der Volksmedizin an und zu welchen Zwecken? Wann sollten die dazu bestimmten Tiere erlegt werden?

14. Werden Kuchen in Tiergestalt oder sonstige Tierfiguren gemacht, oder solche, denen man einen Tiernamen beilegt?

15. Glaubt man, dass die Toten Tiergestalt annehmen?

16. Glaubt man, dass die Hexen Tiergestalt annehmen?

17. Welche Tiere sollen die menschliche Sprache verstehen?

18. Welche Tiere sollen Menschengestalt in anderen Ländern annehmen, oder nach Belieben als solche erscheinen? Welche Tiere sollen verwünschte Menschen sein?

19. Welche Tiere sollen die kleinen Kinder bringen und woher?

20. Werden Märchen von Schwanenjungfrauen bezw. -jünglingen erzählt? Oder solche von Vorahnen in Tiergestalt oder mit tierischen Körperteilen, von Frauen, die ein Tier geboren haben, u. s. w.?

21. Spielen Tiere eine Rolle in Geburts-, Hochzeits- und Begräbnisceremonien? Was für Gerichte werden bei Hochzeiten verzehrt?

22. Werden Tierköpfe oder -schädel an den Giebeln angebracht, oder um die Felder aufgestellt?

23. Welche Tiere findet man als Wirtshausschilder und als Wetterfahnen?

24. Giebt es Kinderspiele, die nach Tieren genannt werden oder worin man Tiere nachahmt? Werden Eierspiele, -läufe u. s. w. zu Ostern veranstaltet? Wann wird Maskentracht angelegt?

25. Werden gewisse tot aufgefundene Tiere aus abergläubischen Gründen begraben, zu Fastnacht beerdigt u. s w.?

Es wird gebeten:

1. Jedesmal den Ort anzugeben.

2. Auch dialektische Tiernamen (mit hochdeutscher Übersetzung) mitzuteilen

3. Bei Beantwortung der 14. Frage womöglich die Kuchen selbst (3 Stück), sonst Abbildungen derselben einzuschicken. Zur Erläuterung der sich aut Frage 22 beziehenden Antworten sind Abbildungen auch erforderlich.

N W. Thomas

The Anthropological Institute, 3 Hanover Sq.

London.

Druckfehler.

S. 239 Z. 14 v. u. l. *Temmer* st. *Femmer*.

S. 239 Z. 1 v. u. setze hinter „springen" ein : ?

S. 240 Z 13 v. o. l. *malochnen* st. *malschnen*.

S. 240 Z. 16 v. o. setze vor „mit" ein: „vielleicht."

Wort- und Sachregister.

(Vom Herausgeber).

(Die eingeklammerten Zahlen beziehen sich auf die Bibliographie).

Schweiz. Archiv für Volkskunde, Band IV (1900).

Zeitschriften für Volkskunde.
Revues des Traditions populaires.

Alemannia. Zeitschrift f. Sprache, Kunst u. Altertum besonders d. alem.-schwäb. Gebiets Herausg. v. *F. Pfaff.* Jährl. 3 Hefte. Jahrg. 6 Mk. Verlag: Fr. Ernst Fehsenfeld, Freiburg i./B.

Beiträge zur deutsch-böhmischen Volkskunde. Herausg. v. d. Ges. z. Förderung deutscher Wissenschaft, Kunst u. Litteratur in Böhmen. Geleitet v. Prof. Dr. *A. Hauffen.* Verlag: J. G. Calve, Prag.

Blätter für Hessische Volkskunde. Herausg. im Auftr. d. Vereinig. f. Hess. Volkskunde v. Prof. Dr. *Strack.* Adresse: Dr. *Helm,* Alicestrasse 12, Giessen.

Blätter für Pommersche Volkskunde. Monatsschrift. Herausg. v. *A. Knoop* u. Dr. *A. Haas.* 4 Mk. jährl. Bestellungen b. A. Straube, Labes (Pommern).

Český Lid. Sborník věnovaný studiu lidu českého v Čechách, na Moravě, ve Slezsku a na Slovensku. Hrg. v. Dr. *Č. Zíbrt.* Jahrg. 4 fl., 10 Fr. Administration: F. Šimáček, 11, Jeruzalémská ul., Prag.

Folk-Lore. Transactions of The Folk-Lore Society. Quarterly. Annual Subscriptions: 1 L. 1 s. Publisher: David Nutt, 270, Strand, London.

The Journal of American Folk-Lore. Editor *William Wells Newell* Quarterly issued by The American Folk-Lore Society. Annual subscription: Doll. 3.00. Publisher for the Continent: Otto Harrassowitz, Leipzig.

Karadschitsch. Monatsschrift f. serbische Volkskunde. Herausg. v. Prof. *T. Georgewitsch,* Aleximaz.

Korrespondenzblatt des Vereins für Siebenbürg. Landeskunde. Redaktion: Dr. *A. Schullerus.* Monatlich. Jahrg. 2 Mk. Verlag: W. Krafft, Hermannstadt.

Lud. Organ Towarzystwa Ludoznawczego we Lwowie pod redakcyą Dra *Antoniego Kaliny.* Vierteljahrsschrift. Für Mitgl. 4 fl., für Nichtmitgl. Adresse: Lwów (Galicien), Ulica Zimorowicza 7.

Mélusine. Revue trimestrielle, dirigée par M. *Henri Gaidoz.* Un an: 12. fr. 25, un numéro: 1. fr. 25. Bureaux: 2. rue des Chantiers, Paris.

Mitteilungen der Schlesischen Gesellschaft für Volkskunde. Herausg. v. *F. Vogt* u. *O. Jiriczek.* Heft 0,50 Mk. Schriftführer d. Vereins: Prof. Dr. *O. Jiriczek,* Kreuzstrasse 15, Breslau.

Mitteilungen des Vereins für Sächsische Volkskunde. Herausg. v. Prof. Dr. *E. Mogk,* Färberstrasse 15, Leipzig.

Mitteilungen und Umfragen zur bayerischen Volkskunde. Jährl. 4 Hefte. Herausg. im Auftr. d. Ver. f. bayer. Volkskunde u. Mundartforschung v. Prof. Dr. *O. Brenner,* Würzburg. Jahrg. 1 Mk.

Národopisný Sborník Českoslovanský. Vydává Národopisná Společnost Českoslovanská a Národopisné Museum Českoslovanské. Jährl. 2 Bd. Jahrg. 6 Kronen. Für Mitgl. 2 Kr. Adresse: Prag, Príkopy 12.

Nyare Bidrag till kännedom om de svenska landsmålen ock svenskt folklif. Utg. på uppdrag af Landsmåls foreningarna i Uppsala etc. genom *J. A. Lundell.* Boklådspris för årgången 4,50 Kr. Stockholm (Samson & Wallin).

Ons Volksleven. Monatsschrift. Herausg. von *Joz. Cornelissen* u *J. B. Vervliet.* Jahrg. 2.50 Fr. Verlag: L. Braeckmans, Brecht.

Revue des Traditions populaires. Organe de la «Société des Traditions populaires», dirigé p. *Paul Sébillot.* Un an: Suisse, 17 frs.; pour les membres: 15 frs.; un numéro: 1.25 frs. Bureaux: 80, boulevard St-Marcel, Paris. — (Pour recevoir un numéro spécimen, il suffit d'en faire la demande à M. Sébillot, en ajontant un timbre de 15 centimes.)

A Tradição. Revista mensuel d'ethnographia portugueza. Directores: *Ladislau Piçarra* e *M. Dias Nunes.* Preço da assignatura: 600 réis. Editor-administrador: *José Jeronymo da Costa Bravo de Negreiras,* Rua Larga 2, Serpa (Portugal).

La Tradition. Revue mensuelle. dirigée p. *de Beaurepaire-Froment* (8, quai des Orfèvres, Paris). Abonnement, un an, 15 frs.

Unser Egerland. Zeitschr. d. Ver. f. Egerl. Volkskunde. Herausg. von *Alois John,* Eger. Jährl. 6 Hefte. Jahrg. 1 fl.

Volkskunde. Monatsschrift. Herausg. v. *Pol de Mont* u. *A. de Cock.* Jahrg. 3 Fr. Verlag: Hoste, Veldstraat 46, Gent.

Wallonia. Recueil mensuel de littérature orale etc., fondé p. *O. Colson, Jos. Defrecheux et G. Willame.* 4 frs., un numéro, 30 cts. Administration: 88, rue Bonne-Nouvelle, Liége.

Zeitschrift des Vereins für Volkskunde. Vierteljahrsschrift. Herausg. v. *Karl Weinhold* (Hohenzollernstr. 10, Berlin W) Jahrg. 12 Mk.

Zeitschrift für österreichische Volkskunde. Red.: Dr. *M. Haberlandt.* Jahrg. 4 fl. 80. Verlag u. Expedition: F. Tempsky, Wien.

Zur Beachtung!

Den Mitgliedern steht die **Bibliothek** der Schweiz. Gesellschaft für Volkskunde jederzeit zur Benutzung offen.

Bücher werden auf Bestellung ausgeliehen und franko zugesandt; nach Empfang ist die Quittung ausgefüllt zurückzusenden.

Einzelne **Hefte der Zeitschrift** werden den Mitgliedern gratis und franko verabfolgt, falls solche zu Zwecken der Propaganda für unsere Gesellschaft oder deren Organ verwendet werden.

Zum **Bezug von Büchern und Heften** wende man sich an Herrn Dr. *O. Waser,* Limmatquai 70, Zürich I.

Lightning Source UK Ltd.
Milton Keynes UK
UKHW010346281218
334537UK00008B/343/P